Sylvie St-Onge
Roland Thériault

D1369276

Gestion de la rémunération

Théorie et pratique

2e édition

gaëtan morin éditeur

CHENELIÈRE ÉDUCATION

Gestion de la rémunération
Théorie et pratique, 2e édition

Sylvie St-Onge et Roland Thériault

© 2006, 2000 Les Éditions de la Chenelière inc.

Éditeur : Pierre Frigon
Coordination : Johanne Rivest
Révision linguistique : Jean-Pierre Leroux
Correction d'épreuves : Isabelle Roy
Conception graphique et infographie : Pénéga communication inc.

**Catalogage avant publication
de Bibliothèque et Archives Canada**

St-Onge, Sylvie

    Gestion de la rémunération : théorie et pratique

    2e éd.

    Comprend des réf. bibliogr. et un index.

    ISBN 2-89105-926-3

    1. Salaires – Gestion. 2. Salaires et productivité. 3. Rendement au travail – Gestion. 4. Salaires, Systèmes de paiement des. 5. Avantages sociaux. 6. Salaires – Gestion – Problèmes et exercices. I. Thériault, Roland. II. Titre.

HD4926.T55 2006   658.3'2   C2006-940233-7

**gaëtan morin
éditeur**

CHENELIÈRE ÉDUCATION

7001, boul. Saint-Laurent
Montréal (Québec)
Canada H2S 3E3
Téléphone : (514) 273-1066
Télécopieur : (514) 276-0324
info@cheneliere.ca

Tous droits réservés.

Toute reproduction, en tout ou en partie, sous quelque forme et par quelque procédé que ce soit, est interdite sans l'autorisation écrite préalable de l'Éditeur.

ISBN 2-89105-926-3

Dépôt légal : 2e trimestre 2006
Bibliothèque et Archives nationales du Québec
Bibliothèque et Archives Canada

Imprimé au Canada

3 4 5 6 ITG 12 11 10 09

Nous reconnaissons l'aide financière du gouvernement du Canada par l'entremise du Programme d'aide au développement de l'industrie de l'édition (PADIÉ) pour nos activités d'édition.

Gouvernement du Québec – Programme de crédit d'impôt pour l'édition de livres – Gestion SODEC.

L'Éditeur a fait tout ce qui était en son pouvoir pour retrouver les copyrights. On peut lui signaler tout renseignement menant à la correction d'erreurs ou d'omissions.

Tableau de la couverture :
Fleurs en bouquet
Œuvre de **Sophie Paquet**

Sophie Paquet utilise les possibilités dynamiques de la couleur pour traduire l'émotion ressentie à la vue de formes naturelles. Elle conserve la saveur de cette perception initiale par une gestuelle spontanée, parfois délibérément gauche. Ses compositions florales allient l'abstraction et la figuration, tout en mariant harmonieusement variété et asymétrie. Elle se sert de son médium préféré, l'acrylique sur toile, pour mettre en relief la profondeur, la texture et la transparence de ses sujets. Une finition au crayon lui permet d'accentuer les formes et de dégager la pureté des lignes.

Native de Sherbrooke en Estrie, Sophie Paquet est bachelière en arts visuels de l'Université Laval. Elle expose en solo depuis 1989. On peut apprécier ses œuvres aux galeries d'art suivantes : Au Petit Bonheur (La Malbaie), Galerie d'Art Internationale (Québec), Le Bourget (Montréal), Suzanne Robert (Saint-Jovite), Dennison Gallery (Toronto), Kensington Fine Art (Calgary), Assiniboia Gallery (Regina) et Jenkins Showler (White Rock, C.-B.).

Dans cet ouvrage, le masculin est utilisé comme représentant des deux sexes, sans discrimination à l'égard des hommes et des femmes, et dans le seul but d'alléger le texte.

DANGER
LE
PHOTOCOPILLAGE
TUE LE LIVRE

Avant-propos

Dans un contexte de concurrence accrue, tant sur le marché des produits et des services que sur le marché de l'emploi, les dirigeants d'entreprise prennent de plus en plus conscience de l'importance de gérer stratégiquement la rémunération de leur personnel pour améliorer le succès de leur organisation et pour attirer, motiver et retenir les employés compétents. Ce livre se veut une référence incontournable sur la gestion de la rémunération.

LES LECTEURS VISÉS

En écrivant ce livre, nous voulions répondre aux attentes d'un profil varié de lecteurs désireux d'acquérir des connaissances générales ou approfondies en gestion de la rémunération. Puisque la rémunération et sa gestion touchent chacun, cet ouvrage s'adresse à divers lecteurs : les dirigeants d'entreprise, les cadres, les consultants externes, les professionnels des ressources humaines, les représentants syndicaux, les employés et les étudiants. À l'égard de la clientèle universitaire, cet ouvrage vise principalement les étudiants qui s'intéressent au management et à la supervision, à la gestion du personnel, aux relations industrielles, à la psychologie industrielle et aux comportements organisationnels.

LES OBJECTIFS DE L'OUVRAGE

La prémisse de ce livre est que la gestion de la rémunération influe sur le succès des organisations et qu'elle doit être fonction du contexte organisationnel. En effet, en matière de gestion de la rémunération, ce qui est optimal pour une organisation ne l'est pas pour une autre, tout comme ce qui est optimal pour une même organisation varie selon les périodes.

Cet ouvrage devrait aider les lecteurs à prendre des décisions en matière de gestion de la rémunération. Plus précisément, il cherche à les aider à :

- comprendre les choix à caractère stratégique en matière de gestion de la rémunération ainsi que l'importance de gérer la rémunération en respectant des contraintes et en tenant compte du contexte, c'est-à-dire de la catégorie de personnel (par exemple, les vendeurs, les dirigeants et le personnel scientifique), des caractéristiques des organisations (par exemple, la taille de l'organisation, la présence d'un syndicat et le secteur d'activité) et de l'environnement (par exemple, les lois et la concurrence) ;

- prendre conscience du fait que la gestion de la rémunération concerne divers intervenants — les dirigeants, les cadres, les professionnels des ressources humaines, les employés, les syndicats et les gouvernements —, chacun ayant des responsabilités particulières ;

– démystifier les activités et les techniques de gestion visant à assurer le respect de principes d'équité en matière de rémunération, notamment l'évaluation des emplois, l'évaluation de la compétitivité de la rémunération et la gestion des avantages;

– apprécier les nombreuses tendances et les principaux défis dans le domaine de la gestion de la rémunération, entre autres les salaires basés sur les compétences, les bandes d'emplois élargies, l'équité en matière salariale, la gestion des avantages et des régimes de retraite, selon le point de vue de divers intervenants (comme les dirigeants, les cadres, les employés et les gouvernements);

– connaître l'état des connaissances théoriques et empiriques ainsi que l'état des pratiques sur diverses facettes, activités et composantes de la gestion de la rémunération de manière à pouvoir décrire leurs caractéristiques, leurs avantages, leurs inconvénients et leurs conditions de succès;

– explorer la gestion de la rémunération selon les perspectives psychologique, technique, stratégique, politique et culturelle.

LA STRUCTURE DE L'OUVRAGE

Cette nouvelle édition a été entièrement mise à jour et, dans une large mesure, restructurée. Notre objectif était d'éviter le plus possible les répétitions, de présenter encore plus clairement la matière et d'intégrer des sujets qui n'étaient pas abordés dans la première édition (par exemple, la rémunération de catégories particulières de personnel). Sur le plan universitaire, comme l'ouvrage comporte 11 chapitres, il peut être étudié au complet pendant un trimestre de 13 cours, les chapitres les plus volumineux pouvant faire l'objet de deux cours.

Ainsi, le **chapitre 1** traite des composantes de la rémunération totale, de l'importance de la gestion de la rémunération et du partage des responsabilités à cet égard. Ce chapitre donne le ton au livre entier en proposant un modèle de gestion de la rémunération et ses grandes composantes : l'environnement, les objectifs, les principes d'équité, les pratiques et les techniques, la stratégie de rémunération ainsi que l'évaluation de l'efficacité de la gestion de la rémunération.

Le **chapitre 2** examine l'influence des caractéristiques de l'environnement, de l'organisation et des catégories de personnel (ou titulaires des emplois) sur la gestion de la rémunération.

Le **chapitre 3** porte sur l'équité externe ou la compétitivité de la rémunération au regard du marché. On y présente l'éventail des politiques de rémunération que les organisations adoptent par rapport au marché et les divers types d'enquêtes de rémunération. Ce chapitre décrit aussi les étapes du processus d'enquête de rémunération, notamment la détermination des objectifs, de l'étendue, de la méthode et des sources d'enquête ainsi que la collecte, l'analyse et la présentation des données. Ensuite, après avoir abordé les défis et les limites rattachés aux enquêtes de rémunération, le chapitre apporte des conseils sur l'utilisation des données d'enquêtes.

Le **chapitre 4** traite du principe de l'équité interne, lequel vise à assurer une certaine cohérence interne dans la gestion des salaires au sein des organisations. Après avoir examiné les activités d'analyse et de description des emplois, il démystifie le processus d'évaluation des emplois en étudiant plusieurs de ses aspects : sa définition, son utilité, les approches traditionnelle et contemporaine, l'efficacité du processus, ses atouts, ses limites et ses conditions de succès.

Le **chapitre 5** s'intéresse à l'élaboration d'une structure salariale basée principalement sur les responsabilités liées aux emplois et se penche sur l'élaboration de structures salariales plus récentes, comme celles qui reposent sur les compétences des titulaires des emplois et celles qui s'appuient sur des bandes d'emplois élargies ou sur des bandes de cheminement de carrière. Le chapitre aborde aussi la gestion des salaires basée sur les bandes d'emplois (par exemple, la planification des augmentations de salaires, l'ajustement des structures salariales et la révision des salaires individuels) et traite de défis particuliers comme la compression salariale, la double structure salariale et les courbes de maturité.

Le **chapitre 6** définit le principe de l'équité salariale, puis il traite de son importance et de ses particularités par rapport à l'équité en emploi. Il décrit ensuite l'évolution de la législation concernant la discrimination sur le plan de la gestion de la rémunération au Canada. La Loi sur l'équité salariale du Québec ainsi que la démarche type de la Commission de l'équité salariale du Québec y sont présentées. Nous insistons en outre sur l'obligation de maintenir l'équité salariale, stade auquel se trouvent un grand nombre d'entreprises. Après avoir exposé les avantages et les inconvénients d'une législation « proactive » en matière d'équité salariale, le chapitre examine les préoccupations visant l'élimination de la discrimination fondée sur le sexe dans le processus d'analyse et d'évaluation des emplois ainsi que dans la détermination et la gestion des salaires. Finalement, ce chapitre traite des conditions de succès d'une démarche d'équité salariale.

Le **chapitre 7** traite de reconnaissance. Il présente d'abord un survol des théories ayant examiné les effets potentiels des récompenses sur les comportements et les résultats au travail, puis une synthèse des études ayant analysé l'efficacité de divers modes de reconnaissance extrinsèque et, enfin, une conclusion à caractère pratique quant aux principes de gestion à respecter à l'égard des modes de reconnaissance au travail. Le chapitre porte ensuite sur la diversité des formes de reconnaissance, souvent de nature non pécuniaire, que les dirigeants d'entreprise et les gestionnaires peuvent accorder à leurs employés pour souligner leurs contributions. Il examine la fréquence des pratiques de reconnaissance, leurs atouts et leur efficacité de même que leurs conditions de succès.

Le **chapitre 8** est consacré aux régimes de rémunération variable. Il décrit d'abord divers types de régimes individuels de rémunération variable, soit les régimes de salaires au mérite, les régimes de primes de rendement, les régimes mixtes de salaire au mérite et de primes de rendement ainsi que les régimes de rémunération à la pièce. Ensuite, il traite des régimes collectifs de rémunération variable visant à reconnaître le rendement à court terme (les régimes de participation aux bénéfices, de partage des gains de productivité, de partage du succès, de primes d'équipe et de primes de rendement individuel et de performance collective), puis des régimes collectifs de rémunération variable basée sur le rendement à long terme (les régimes d'achat d'actions, d'octroi d'actions et d'options d'achat d'actions). En somme, ce chapitre analyse les principaux régimes individuels et collectifs de rémunération sous différents angles : quels sont leurs avantages présumés ? Quelles sont leurs limites potentielles ? Quelles sont leurs conditions de succès ? Quelle est leur efficacité ? Quelle est l'attitude des syndicats à leur endroit ?

Le **chapitre 9** porte sur les avantages offerts aux employés, une composante importante de la rémunération globale. Ce chapitre définit d'abord les avantages offerts aux employés et traite de leur évolution au Canada. Après avoir décrit brièvement les principaux régimes d'avantages offerts par l'État, le chapitre présente les principaux avantages gérés par les employeurs, soit les régimes d'assurance, les régimes de retraite et d'autres programmes. Puis, il se penche sur les atouts et les limites des régimes d'avantages offerts aux employés. Par la suite, il est question des multiples défis que l'État et les employeurs doivent relever à l'égard des régimes d'avantages publics et privés. Nous insistons aussi sur l'importance de bien gérer les avantages et traitons des conditions permettant d'optimiser l'efficacité de la gestion des avantages (l'analyse des besoins en avantages, l'adoption d'une politique sur les avantages et la communication à leur sujet). Enfin, nous traitons des régimes flexibles d'avantages et du phénomène de l'antisélection.

Le **chapitre 10** traite de gestion de la rémunération totale. Après avoir rappelé l'importance des perceptions de justice qu'ont les employés à l'égard du processus de gestion de la rémunération totale, nous parlons de la nécessité de gérer la rémunération de manière efficace et alignée sur les priorités d'affaires de l'organisation. Ensuite, nous traitons de l'établissement d'une véritable stratégie de rémunération totale en relation avec la stratégie et les valeurs d'affaires. L'établissement et l'implantation de cette stratégie de rémunération totale s'appuient sur la participation et la consultation des cadres et des employés de même que sur la communication de la rémunération, notamment de son contenu et des médias. Puis, il est question des défis entourant l'impartition en matière de gestion de la rémunération.

Finalement, le **chapitre 11** explique les particularités liées à la gestion de la rémunération de certaines catégories de personnel, notamment les dirigeants d'entreprise, le personnel de vente, le personnel expatrié et le personnel de recherche et développement. Le chapitre examine également les défis touchant à la rémunération du personnel atypique, des superviseurs et des membres des conseils d'administration des sociétés.

Nous espérons que les lecteurs apprécieront le contenu de cette nouvelle édition. Comme ce projet reste ambitieux, nous les invitons à nous exprimer leurs commentaires et leurs suggestions, ce qui nous permettra de leur offrir une prochaine édition encore enrichie !

Les atouts pédagogiques de l'ouvrage

Afin de favoriser l'apprentissage parmi les lecteurs étudiants et de répondre aux besoins des autres types de lecteurs ciblés, chaque chapitre :

– débute par des objectifs et la rubrique « Cas et conjoncture », à savoir une mise en situation constituée par un article de presse ou par un cas réel d'une entreprise ;

– privilégie un langage simple et direct pour expliquer et démystifier les fondements théoriques, les pratiques, les techniques et les lois de la gestion de la rémunération ;

– résume les prémisses des différentes théories qui peuvent permettre de comprendre diverses facettes de ce domaine ;

– présente plusieurs tableaux et figures afin d'illustrer ou de synthétiser des propos ainsi que plusieurs rubriques « Bulletin$ » qui exposent des cas d'entreprises ou des résultats d'enquêtes récentes visant à mieux décrire les pratiques actuelles ;

– expose les résultats de recherches récentes afin de faire mieux connaître et comprendre la nature, l'efficacité et les conditions de succès des pratiques de rémunération ;

– propose des questions de révision ;

– se termine par les références bibliographiques des auteurs cités dans le chapitre.

Remerciements

La publication de cette édition de notre ouvrage n'aurait pas été possible sans la contribution d'appuis variés. En premier lieu, nous exprimons notre reconnaissance à Isabelle Caron, étudiante au programme de doctorat conjoint de HEC Montréal, qui compte plusieurs années d'expérience de travail comme spécialiste de la gestion des ressources humaines. Mme Caron nous a apporté des remarques constructives sur le contenu de cet ouvrage. Soulignons également le professionnalisme du personnel de Chenelière Éducation, plus particulièrement celui de Pierre Frigon, éditeur, de Johanne Rivest, chargée de projets, de Jean-Pierre Leroux, réviseur linguistique, et de Pénéga communication inc. pour la mise en pages.

Nous remercions également nos employeurs respectifs, qui étaient différents au moment où nous rédigions cette édition, HEC Montréal et la société Mercer, Consultation en ressources humaines. En outre, Sylvie St-Onge a pu bénéficier de quelques mois de congé sabbatique pour travailler à cette nouvelle édition. HEC Montréal lui a aussi accordé un congé sans traitement lui permettant de se joindre à la société Mercer, Consultation en ressources humaines. Nous remercions aussi la Direction de la recherche de HEC Montréal pour son aide financière à la publi-cation. Nous sommes également reconnaissants en ce qui concerne les subven-tions que des organismes gouvernementaux (en particulier le Conseil de la recherche en sciences humaines du Canada et le Fonds québécois de recherche sur la société et la culture) ont accordées à des équipes de recherche dont était membre Sylvie St-Onge. Ces subventions ont permis de financer des recherches — menées par de nombreux étudiants et chercheurs — contribuant non seule-ment à la formation de jeunes professionnels des ressources humaines, mais aussi au développement et à la diffusion des connaissances en matière de gestion de la rémunération.

Nous tenons aussi à exprimer une vive gratitude aux dirigeants d'entreprise, aux gestionnaires, aux professionnels, aux consultants, aux étudiants et à d'autres personnes que nous avons connus au fil des années, à titre de conseillers, de pro-fesseurs, de collègues et d'amis. En nous communiquant régulièrement leurs attentes, leurs appréciations et leurs réactions, en commentant et en critiquant l'un ou l'autre aspect de nos enseignements, services et écrits, ils nous permet-tent d'améliorer continuellement notre compréhension de la rémunération et nous incitent à veiller à ce que le contenu de cet ouvrage reste pertinent.

Finalement, nous sommes conscients du privilège que nous avons d'être entourés, au quotidien, par les membres de nos familles qui facilitent et enrichis-sent nos vies tant familiale que professionnelle. Nous les remercions de l'appui et de la compréhension qu'ils ont manifestés tout au long des mois qu'a exigés la réalisation d'un tel ouvrage.

Table des matières

Chapitre 2
La gestion de la rémunération : l'importance du contexte

CHAPITRE 3
L'équité externe et les enquêtes de rémunération

Chapitre 4
L'analyse, la description et l'évaluation des emplois

Chapitre 5
La gestion des salaires

Chapitre 6
La législation en matière d'équité salariale

Chapitre 7
La reconnaissance : théories, études et pratiques

CHAPITRE 9
La gestion des avantages

CHAPITRE 10
La gestion de la rémunération totale

Chapitre 11
La rémunération de catégories particulières de personnel

Chapitre 1

La gestion de la rémunération : importance et modèle

Objectifs

Ce chapitre vise à :

➤ distinguer les multiples composantes de la rémunération totale ;

➤ expliquer l'importance d'une bonne gestion de la rémunération ;

➤ présenter le modèle de gestion de la rémunération retenu dans ce livre et ses principales composantes, soit les objectifs de la rémunération, les principes d'équité et leurs pratiques respectives, la stratégie de gestion de la rémunération et l'évaluation de l'efficacité de la gestion de la rémunération ;

➤ décrire la gestion de la rémunération selon une perspective historique ;

➤ traiter de la gestion de la rémunération comme domaine d'expertise professionnelle.

Cas et conjoncture

 L'autre salaire

Alors que la pénurie de main-d'œuvre qualifiée s'accentue, la loyauté des employés envers leur employeur dépend plus de l'expérience vécue au sein de l'organisation que du salaire ou des avantages sociaux.

Le salaire et les autres composantes de la rémunération (commission, régime d'intéressement, boni) remplissent une fonction fondamentale pour l'employé. Ils satisfont les besoins primaires qui ne sont que mieux servis, en quantité et en qualité, par la concurrence sur les salaires que se livrent les entreprises pour obtenir et garder les ressources convoitées.

Les avantages sociaux, soit les congés, les régimes d'assurance et de retraite, visent essentiellement à protéger l'employé et les siens durant et après sa vie professionnelle. Malgré leurs coûts croissants, ces éléments de rémunération sont souvent considérés comme des acquis par les employés. Si bien que, à l'exception du régime de retraite pour les employés plus âgés, les avantages sociaux influencent peu l'individu dans sa décision de rester dans une organisation.

Mais il existe d'autres besoins importants comme l'appartenance, l'estime et la réalisation de soi. Le salaire et les avantages sociaux démontrent à cet égard des capacités de satisfaction limitées, voire nulles. Pour maintenir dans leur rang les employés talentueux, les entreprises doivent donc s'intéresser à un autre type de rémunération : la vie au travail.

La vie au travail comprend cinq composantes : l'environnement, la culture, l'équilibre de vie, la reconnaissance et le développement.

L'environnement se définit par l'emploi, l'entreprise et le lieu de travail. L'employé recherche un sens à son travail. L'autonomie consentie, les responsabilités assumées, la polyvalence exercée ainsi que les ressources auxquelles il a accès influencent sa satisfaction. De plus, l'employé est sensible à l'image projetée par son organisation de même qu'au confort de son lieu de travail.

La culture ne joue pas moins un rôle important sur la loyauté de l'employé. Le respect, l'inclusion, l'ouverture et la transparence sont des valeurs organisationnelles recensées chez les employeurs de choix.

L'équilibre entre la vie professionnelle et les obligations familiales/personnelles constitue un enjeu moderne pour une majorité d'individus sur le marché du travail. Les employeurs peuvent contribuer à l'atteinte de cet équilibre par une flexibilité ou un choix d'horaires de travail, la possibilité du travail à domicile, un programme d'aide aux employés, une garderie en milieu de travail, une cafétéria ainsi que par la subvention d'activités sportives...

Tout employé recherche la reconnaissance de son milieu. Cette reconnaissance n'est pas nécessairement formelle et ne requiert pas une somme en argent. L'appréciation du travail s'effectue habituellement par le superviseur, la direction, les pairs et, plus récemment, par les clients ou les fournisseurs de l'entreprise. Les obstacles les plus souvent rencontrés par les programmes de reconnaissance tiennent à des critères mal définis, à une administration inégale ainsi qu'à la taxation des récompenses.

La cinquième composante est le développement professionnel. À défaut de pouvoir garantir l'emploi, plusieurs entreprises ont choisi d'offrir de la formation, du coaching, des possibilités d'avancement, etc. Une des premières intentions visaient à substituer la sécurité d'emploi au sein de l'entreprise par une stabilité de revenu dans la profession. Ces mesures se sont avérées des facteurs d'attraction et de rétention efficaces, principalement chez les professionnels et les employés moins âgés.

La compétition qui anime le marché du travail produit des opportunités salariales intéressantes pour les employés qualifiés. Ennuyés par les enchères, les employeurs tentent d'obtenir une plus grande loyauté de leurs employés en complétant plutôt qu'en augmentant le salaire et nombre d'entreprises décident désormais d'intégrer les composantes de vie de travail à leur stratégie.

Source : Bessette (2004, p. 7).

Introduction

Ce chapitre décrit d'abord les diverses composantes de la rémunération totale des employés et traite des raisons pour lesquelles il est important de gérer celle-ci efficacement. Il présente ensuite les principales composantes du modèle de gestion de la rémunération retenu dans ce livre : les objectifs, les principes et les pratiques, ainsi que la stratégie et les résultats à l'égard de la rémunération. Il examine finalement la gestion de la rémunération selon une perspective historique et comme domaine d'expertise professionnelle.

1.1   Les composantes de la rémunération totale

Comme l'indique la figure 1.1, les employés reçoivent diverses rétributions (par exemple, un salaire, des avantages sociaux, des conditions de travail) pour les contributions qu'ils offrent à leur employeur (par exemple, du temps, des compétences, des efforts). Les rétributions retirées du travail comportent un ensemble de reconnaissances[1] (ou récompenses) tant extrinsèques ou tangibles qu'intrinsèques ou intangibles. On peut subdiviser la rémunération extrinsèque en deux composantes : la rémunération directe ou versée en espèces aux employés, qui inclut les salaires, les primes et la rémunération variable, de même que la rémunération indirecte ou non versée en espèces aux employés, qui comprend, d'une part, les avantages sociaux et le temps chômé et, d'autre part, les avantages complémentaires et les conditions de travail. Les lois et les règlements balisent les seuils (planchers) ou la gestion de certaines de ces composantes.

---

[1]   Aux fins de ce livre, nous privilégions l'expression «reconnaissances» plutôt que l'expression «récompenses» en raison du caractère plus englobant du premier terme. Toutefois, il faut garder en tête que certains auteurs préfèrent et utilisent couramment l'expression «récompenses».

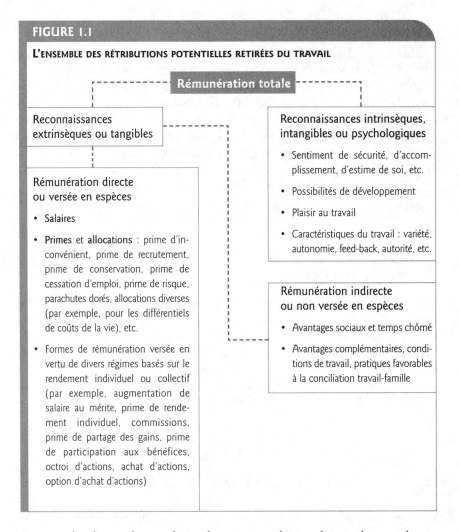

FIGURE I.I

L'ENSEMBLE DES RÉTRIBUTIONS POTENTIELLES RETIRÉES DU TRAVAIL

Rémunération totale

Reconnaissances extrinsèques ou tangibles

Rémunération directe ou versée en espèces

- Salaires

- **Primes** et **allocations** : prime d'inconvénient, prime de recrutement, prime de conservation, prime de cessation d'emploi, prime de risque, parachutes dorés, allocations diverses (par exemple, pour les différentiels de coûts de la vie), etc.

- Formes de rémunération versée en vertu de divers régimes basés sur le rendement individuel ou collectif (par exemple, augmentation de salaire au mérite, prime de rendement individuel, commissions, prime de partage des gains, prime de participation aux bénéfices, octroi d'actions, achat d'actions, option d'achat d'actions)

Reconnaissances intrinsèques, intangibles ou psychologiques

- Sentiment de sécurité, d'accomplissement, d'estime de soi, etc.

- Possibilités de développement

- Plaisir au travail

- Caractéristiques du travail : variété, autonomie, feed-back, autorité, etc.

Rémunération indirecte ou non versée en espèces

- Avantages sociaux et temps chômé

- Avantages complémentaires, conditions de travail, pratiques favorables à la conciliation travail-famille

Pour la plupart des employés, les termes et les conditions de cet échange « reconnaissances-contributions » ne sont pas précisés par écrit, faisant plutôt l'objet d'un contrat psychologique implicite que chaque employé et employeur perçoit. Un tel contrat psychologique est important étant donné qu'il englobe les contributions et les rétributions que les parties en présence sentent qu'elles doivent accorder et recevoir dans leur relation d'emploi. Il faut s'assurer du caractère réaliste de ce contrat de travail souvent informel. La perception du non-respect d'un contrat psychologique explique, par exemple, pourquoi certains employés peuvent se sentir trompés ou trahis lorsque des changements à l'égard de leurs conditions de travail sont apportés, comme l'introduction de la rémunération incitative, l'augmentation de la contribution des employés à leurs avantages sociaux ou un processus de révision de la valeur des emplois.

1.1.1 Les reconnaissances extrinsèques ou tangibles

La rémunération totale — ou l'ensemble des formes de reconnaissances — que retire un employé de sa relation d'emploi est un domaine très vaste. Comme nous l'avons vu, on peut toutefois y distinguer deux grandes catégories : les reconnaissances extrinsèques ou tangibles et les reconnaissances intrinsèques ou intangibles. Si ce livre insiste sur la gestion des reconnaissances extrinsèques ou tangibles, cela ne signifie pas que les reconnaissances intrinsèques ou intangibles ne soient pas importantes. Nous soulignerons d'ailleurs à maintes reprises dans ce livre l'importance de cette dernière forme de reconnaissances pour influencer les attitudes, les comportements et les résultats des personnes au travail.

1.1.1.1 La rémunération directe ou versée en espèces

Les salaires

Le salaire correspond au montant d'argent, garanti par l'employeur, qu'un employé reçoit pour son travail sur une base annuelle, mensuelle, hebdomadaire ou horaire. Pour la grande majorité des employés, le salaire constitue la plus grande composante de leur rémunération totale et il détermine la valeur d'autres composantes telles la paie de vacances ou la valeur des régimes d'assurance ou de retraite.

Habituellement, les organisations procèdent à des ajustements de salaires de façon régulière afin de tenir compte de l'augmentation de l'indice des prix à la consommation, des salaires versés sur le marché, de l'augmentation du salaire minimum. Pour le personnel syndiqué, les augmentations de salaires annuelles sont généralement négociées pour la durée de la convention collective.

Les primes et les allocations

Les employés peuvent également recevoir des primes diverses. Celles-ci incluent les primes ou les montants forfaitaires liés à l'exécution du travail dans des conditions particulières, à savoir les heures supplémentaires, le quart de travail de soir ou de nuit, le travail en un lieu éloigné, le travail le week-end ou un jour de congé, le travail effectué dans des conditions dangereuses, etc. Le personnel expatrié, par exemple, peut aussi recevoir des allocations diverses, par exemple pour contrebalancer un différentiel de coût de la vie ou pour la scolarité des enfants.

Devant relever le défi consistant à recruter et à retenir les meilleurs employés dans un contexte de rareté de la main-d'œuvre, certains employeurs offrent une prime de signature à l'embauche ou une prime de conservation. Il arrive souvent que des organisations offrent un montant équivalent à 20 % du salaire à des candidats qu'il est difficile de recruter sur le marché.

Lors de licenciements ou de mises à pied, les organisations accordent aussi des montants forfaitaires (voir la Loi sur les normes du travail). Les contrats de travail des dirigeants comportent souvent des clauses de « parachutes dorés » qui peuvent représenter des montants équivalents à deux ou trois fois leur salaire annuel advenant le cas où ils perdaient leur poste avant la fin de leur contrat (par exemple, à la suite d'une fusion ou d'une acquisition).

La rémunération variable

La rémunération variable recouvre toutes les formes de reconnaissances — augmentations de salaires, primes (montants forfaitaires), commissions, actions, options d'achat d'actions — que l'employé peut recevoir s'il est admissible à des régimes de rémunération qui tiennent compte du rendement à court terme ou à long terme de la personne, de l'équipe, de l'unité administrative ou de l'entreprise. Cette composante est offerte aux employés, ou à certains d'entre eux, sous forme de régimes divers : salaire au mérite ou selon les compétences, participation aux bénéfices, partage des gains de productivité, partage de la réalisation des objectifs, octroi d'actions, achat d'actions, option d'achat d'actions, etc.

1.1.1.2 La rémunération indirecte ou non versée en espèces

Les avantages sociaux et le temps chômé

Les avantages sociaux comprennent les régimes privés et publics de retraite et d'assurances qui visent à protéger les employés contre divers aléas de la vie : maladie, invalidité, mortalité, etc. Quant au temps chômé, il comprend les jours de vacances et d'absence équivalents aux exigences légales ou supérieurs à celles-ci. Pendant ces absences — pour les jours fériés, pour des raisons personnelles, à cause d'une maladie, de la maternité, de la paternité, d'un décès, du mariage, etc. —, les employés peuvent être payés en totalité ou en partie.

Les avantages complémentaires et les conditions de travail

Les avantages complémentaires comprennent les gratifications accordées à un employé ou les dépenses remboursées par l'employeur, comme une automobile, une place de stationnement, des repas, des frais de scolarité ou des conseils financiers. Les conditions de travail, qui incluent notamment les heures de travail et les congés sans solde, ont des répercussions directes et indirectes sur la rémunération du temps travaillé pour l'employeur. Ainsi, l'octroi de congés sans solde peut entraîner des débours de formation des employés remplaçants. Au cours des dernières années, de nombreuses organisations ont regroupé des pratiques de gestion favorables à la conciliation travail-famille dans le cadre d'une véritable politique axée sur la famille et présentent cette politique comme une facette importante de leur rémunération totale.

Précisons que la nature de tels avantages varie selon les pays. Par exemple, en Chine et au Viêtnam, il est fréquent d'accorder des allocations d'habitation et de transport, alors que dans bien des pays d'Europe, les gestionnaires s'attendent à ce qu'une automobile leur soit fournie.

1.1.2   Les reconnaissances intrinsèques, intangibles ou psychologiques

En dehors des reconnaissances extrinsèques, les employés retirent un ensemble de reconnaissances intrinsèques de leur travail. Pensons aux effets bénéfiques qu'un travail est susceptible d'avoir sur l'estime personnelle, l'autonomie et la confiance en soi. Pensons aussi au plaisir de travailler avec des collègues agréables, à la satisfaction de se développer ou de relever des défis sur le plan professionnel, à la reconnaissance exprimée par son supérieur ou ses collègues de même qu'au bonheur de faire un travail intéressant et varié.

1.2   L'importance de la gestion de la rémunération

La gestion de la rémunération est importante parce qu'elle peut être à la fois un levier d'amélioration du rendement, un levier d'attraction et de conservation du personnel ainsi qu'un levier d'influence à l'égard des attitudes, des sentiments et des comportements des employés. Dans cette section, nous décrirons les incidences de la gestion de la rémunération sur les organisations et les employés, incidences également illustrées à la figure 1.2.

1.2.1   Un levier d'amélioration du rendement

Pour l'employeur, une gestion efficace de la rémunération est de plus en plus considérée comme un atout concurrentiel permettant d'améliorer le rendement individuel et collectif. L'environnement des entreprises nord-américaines est marqué par deux changements fondamentaux : une compétition plus vive et une croissance économique modérée. Dans ce contexte, les dirigeants d'entreprise sont davantage préoccupés par la réduction de leurs coûts de production, par l'amélioration de leur productivité et par l'augmentation de la qualité de leurs produits et services. Toutefois, dans la mesure où les entreprises disposent des mêmes ressources (capitaux, moyens de production, moyens de mise sur le

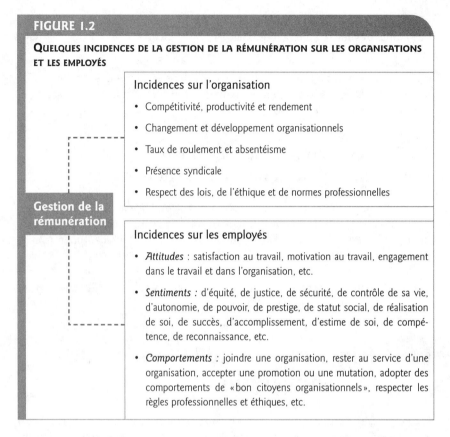

FIGURE 1.2

QUELQUES INCIDENCES DE LA GESTION DE LA RÉMUNÉRATION SUR LES ORGANISATIONS ET LES EMPLOYÉS

Gestion de la rémunération

Incidences sur l'organisation

- Compétitivité, productivité et rendement
- Changement et développement organisationnels
- Taux de roulement et absentéisme
- Présence syndicale
- Respect des lois, de l'éthique et de normes professionnelles

Incidences sur les employés

- *Attitudes* : satisfaction au travail, motivation au travail, engagement dans le travail et dans l'organisation, etc.
- *Sentiments* : d'équité, de justice, de sécurité, de contrôle de sa vie, d'autonomie, de pouvoir, de prestige, de statut social, de réalisation de soi, de succès, d'accomplissement, d'estime de soi, de compétence, de reconnaissance, etc.
- *Comportements* : joindre une organisation, rester au service d'une organisation, accepter une promotion ou une mutation, adopter des comportements de «bon citoyens organisationnels», respecter les règles professionnelles et éthiques, etc.

marché, etc.), la différence entre le succès et l'échec se situe de plus en plus dans la gestion des ressources humaines, notamment dans la gestion de la rémunération des employés. En effet, la manière dont les employés sont rémunérés influence la qualité de leur travail, la qualité du service qu'ils offrent aux clients, leur volonté d'acquérir de nouvelles compétences, leur esprit de collaboration et leur volonté de syndicalisation.

Dès le début de ce livre, il importe de commenter deux importants mythes (Pfeffer, 1998) selon lesquels, premièrement, on peut réduire les coûts de main-d'œuvre en diminuant les taux de salaires et, deuxièmement, de faibles coûts de la main-d'œuvre sont un important facteur de compétitivité à long terme. Certes, le fait d'accorder une augmentation de salaire aux employés accroît non seulement la masse salariale, mais aussi le coût de certains avantages sociaux à court et long terme. De plus, si les coûts de la main-d'œuvre en tant que partie des coûts totaux d'exploitation varient beaucoup d'une firme et d'une industrie à l'autre, ils peuvent représenter plus de 50 % des frais totaux dans le secteur privé et plus de 80 % dans le secteur public. En raison de leurs importantes incidences économiques à long terme et de leur caractère difficilement réversible, il devient crucial de prendre des décisions adéquates en matière de rémunération. Toutefois, il faut se méfier du réflexe par lequel on cherche à diminuer les coûts de la main-d'œuvre en réduisant la rémunération ; il faut aussi penser à améliorer la productivité. Effectivement, un avantage concurrentiel à long terme se bâtit moins sur une réduction des coûts de la main-d'œuvre que sur l'amélioration de la qualité et de l'innovation en matière de produits ou de services.

Ainsi, une véritable gestion de la rémunération du personnel — et non la réduction de la rémunération — aidera la direction des firmes à faire en sorte que les ressources humaines soient et restent l'un de leurs atouts concurrentiels. Après une revue exhaustive des études sur le sujet, Pfeffer (1998) conclut d'ailleurs que le recours à la rémunération variable — notamment aux régimes collectifs — s'avère une caractéristique importante qui distingue historiquement les firmes performantes des firmes non performantes.

1.2.2   Un levier d'attraction et de conservation du personnel

Dans un contexte de concurrence sur le marché de l'emploi, la gestion de la rémunération constitue un levier important d'attraction et de conservation des employés. En effet, les politiques et les régimes de rémunération d'une organisation signalent aux employés d'une entreprise, et aux candidats qui y postulent un emploi, les comportements et les résultats qui sont valorisés par les dirigeants (voir la théorie des signaux de Spence, 1973). Ainsi, la gestion de la rémunération est importante parce qu'elle influence le profil des candidats qu'on recrute ainsi que les attitudes et les comportements des employés en place. Cela explique d'ailleurs pourquoi on parle de plus en plus du défi qui consiste à réinventer les avantages et les conditions de travail des employés en adoptant des politiques favorables à un meilleur équilibre entre les responsabilités professionnelles et les responsabilités familiales, des horaires de travail plus flexibles ou en donnant aux employés la possibilité d'« acheter » des jours de vacances, de prendre une année sabbatique, de s'abonner à un club de conditionnement physique à un tarif privilégié, etc. Le simple fait d'introduire ces changements dans les conditions de travail lance des signaux sur les valeurs ou la culture de gestion.

Puisque les différents régimes de rémunération sont porteurs de messages particuliers, les dirigeants peuvent influencer la culture organisationnelle en s'assurant d'adopter des modes de rémunération qui traduisent les valeurs désirées. Par exemple, en offrant de bas salaires assortis à l'octroi de primes ou de commissions élevées selon le rendement individuel, les dirigeants favorisent une culture individualiste et de prise de risques. À l'inverse, la présence d'un régime collectif de primes d'équipe s'accorde mieux avec un climat de collaboration.

Les dirigeants d'entreprise doivent alors se poser des questions telles que celles-ci : « Les messages véhiculés par nos régimes de rémunération sont-ils ceux que nous désirons transmettre ? » « Les régimes et les modes de gestion de la rémunération utilisés portent-ils efficacement ces messages ? » En effet, les mesures de rendement mises en avant par des régimes de rémunération — telles la satisfaction des clients, la valeur des actions, la croissance des ventes et la part du marché — révèlent les valeurs et les priorités des dirigeants. Cela explique d'ailleurs pourquoi de nombreux employés ne croient pas que leurs dirigeants soient sérieux dans leur volonté de changement tant qu'ils ne perçoivent pas que leurs modes de rémunération ou de reconnaissance peuvent s'en trouver modifiés.

BULLETIN$ 1.1

LES EMPLOYEURS CANADIENS ADOPTENT UNE APPROCHE DE RÉCOMPENSES TOTALES

Une enquête menée par Watson Wyatt Work Canada auprès de 113 organisations de différentes tailles des secteurs public et privé montre que 77 % des organisations adoptent ou ont l'intention d'adopter une stratégie de récompenses totales visant à gérer de manière intégrée et proactive l'ensemble des récompenses dans le milieu de travail (par exemple, salaires, primes à court et long terme, actions, pratiques de reconnaissance, formation, santé, avantages sociaux, régimes de retraite, environnement de travail, carrière) pour les raisons suivantes : pour s'aligner sur la stratégie d'affaires (77 %), pour intéresser les employés aux objectifs d'affaires (60 %), pour augmenter la cohérence des pratiques de gestion des ressources humaines (59 %), pour améliorer leur compétitivité (55 %), pour optimiser l'allocation de l'argent (45 %) et pour contrôler les coûts (37 %).

Source : Traduit et adapté de *Newsline* (2005).

1.2.3   Un levier d'influence quant aux attitudes, aux sentiments et aux comportements des employés

Pour les employés, la rémunération représente souvent la principale source de revenu et l'une des plus importantes rétributions retirées de leur échange avec l'organisation. Même si, comme le dit la Bible, l'homme ne vit pas seulement de pain, les mortels que nous sommes savent bien que le pain contribue beaucoup à la qualité de la vie ! Si l'argent ne fait pas le bonheur, il permet d'être moins malheureux ou, du moins, de mieux supporter le malheur en nous donnant la possibilité de nous offrir des biens, des soins et des petits plaisirs. N'est-il pas vrai que les sociétés et les personnes les plus riches ont une espérance de vie supérieure ?

En plus de notre bien-être économique, la rémunération que nous recevons pour notre travail détermine directement et indirectement nos attitudes dans la vie à travers les informations qu'elle transmet. Pour nous en convaincre, il suffit de songer à l'importance que prennent dans notre vie les sentiments de sécurité, de contrôle de notre vie, d'autonomie, de pouvoir, de prestige, de statut, de réalisation de soi, de succès, d'accomplissement, d'estime de soi, de compétence et de reconnaissance. En Amérique du Nord, bon nombre de femmes et d'hommes travaillent non seulement pour se nourrir, mais aussi pour entretenir de tels sentiments. Il est vrai que les gens ne travaillent pas seulement pour gagner de l'argent, mais également pour donner un sens à leur vie, se sentir plus compétents, relever des défis, avoir du plaisir, être reconnus.

Bien entendu, la valeur accordée par les employés à chaque composante de la rémunération (le salaire, les avantages sociaux, etc.) est fonction de son utilité dans la satisfaction de leurs besoins, qui varient selon plusieurs caractéristiques individuelles (l'âge, le sexe, la qualification, les valeurs, les traits de personnalité, etc.). Toutefois, comme le précisent Rynes *et al.* (2002), des études montrent que si les personnes sont portées à déclarer qu'elles accordent moins d'importance aux salaires que « les autres », elles tendent toutes à attribuer plus de poids aux considérations salariales qu'à d'autres facteurs lorsqu'elles doivent prendre des décisions relatives à l'emploi. Cette attitude relève peut-être d'un souci de désirabilité sociale (culturellement ou socialement, il est mal vu de dire que l'argent est une priorité) et/ou d'un manque de connaissance de soi et de ses propres valeurs.

En conclusion, les composantes de la rémunération totale — notamment le salaire, les primes et les avantages sociaux — influencent significativement la satisfaction et la motivation au travail des employés et de multiples comportements au travail. De fait, les différentes composantes de la rémunération totale et/ou les manières de les gérer peuvent contribuer à expliquer qu'une majorité d'employés d'une organisation présentent des attitudes ou des comportements semblables, notamment sur les plans suivants :

– la motivation à améliorer leur rendement ;
– la recherche ou l'acceptation de promotions, de mutations dans une autre unité d'affaires de l'organisation, d'expatriations, etc. ;
– le désir de se perfectionner, de se développer, de devenir plus polyvalents ;
– la volonté de se syndiquer ;
– le nombre d'absences, de retards au travail, de congés de maladie et d'invalidité ;
– la volonté de faire des heures supplémentaires ;
– le désir de s'engager dans le travail ou, au contraire, de se retirer psychologiquement ;

- la volonté de joindre les rangs d'une organisation, de rester au service d'une organisation ou de prendre sa retraite ;

- l'adoption de comportements en accord avec l'éthique et le professionnalisme.

Comme nous l'avons indiqué précédemment, les organisations, selon la rémunération qu'elles proposent, inciteront certains profils de personnes à soumettre leur candidature pour occuper leurs postes ou à accepter une offre d'emploi. De même, elles amèneront différents profils d'employés à rester à leur service ou à les quitter. Par exemple, plus la rémunération versée tient compte du rendement individuel des employés, moins les employés ayant un rendement élevé sont susceptibles de quitter l'organisation. Dans certains cas, des organisations qui ont changé leur mode de rémunération ont vu des employés protester et même démissionner, ces derniers contestant les nouvelles valeurs véhiculées par le nouveau mode de rémunération ou ne se reconnaissant plus dans ces valeurs.

Selon les modes ou les pratiques de rémunération utilisés, certains employés peuvent être tentés de frauder ou d'adopter des comportements non éthiques, illégaux ou inacceptables. Finalement, la façon dont la rémunération est gérée peut influer sur le nombre de départs à la retraite, le nombre et la durée des congés de maladie et d'invalidité, le nombre d'absences et de retards au travail ainsi que le nombre d'accidents du travail et de problèmes de santé physique et psychologique.

1.3   Le modèle de gestion de la rémunération

Aux fins de ce livre, nous adoptons le modèle de gestion de la rémunération présenté à la figure 1.3.

1.3.1   Les objectifs de la gestion de la rémunération

En matière de rémunération, le prestige associé à l'adoption des « meilleures pratiques » à la mode peut devenir très attrayant pour l'organisation, au risque d'amener celle-ci à implanter des modes de rémunération qui ne s'alignent pas sur la stratégie et les valeurs de gestion. En outre, les techniques de rémunération se révèlent parfois si fascinantes et complexes qu'on peut en oublier les objectifs de rémunération. Ce risque est d'ailleurs l'un des plus sérieux qui guettent le professionnel de la rémunération. La technique devient alors une fin en soi. Une question de base comme « Est-ce que cette technique nous aide à atteindre nos objectifs ? » n'est alors pas posée. Il est pourtant primordial de

FIGURE 1.3
LE MODÈLE DE GESTION DE LA RÉMUNÉRATION

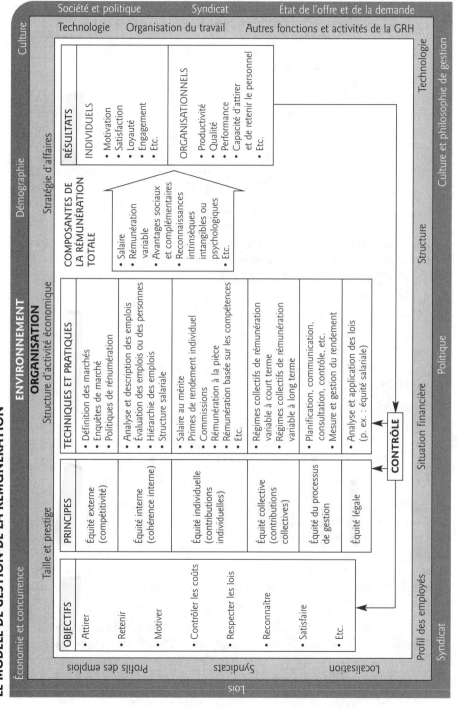

déterminer les objectifs de rémunération et de choisir les politiques, les pratiques et les techniques de rémunération en conséquence.

1.3.1.1 L'importance des objectifs

Les objectifs des employeurs en ce qui concerne la rémunération obéissent souvent à deux priorités : l'efficacité et l'équité. On constate que ces deux fins préoccupent les employeurs lorsqu'ils affirment que leur gestion de la rémunération vise, par exemple :

- à recruter un personnel compétent en nombre suffisant ;
- à retenir le personnel compétent ;
- à inciter le personnel à adopter des attitudes et des comportements contribuant à la réalisation des objectifs de l'entreprise et de sa stratégie d'affaires (par exemple, encourager l'innovation et la créativité, la collaboration ou l'esprit d'équipe ainsi que le développement des compétences) ;
- à gérer les coûts de la rémunération de manière efficace, plus simple et plus flexible en cherchant à faire davantage et mieux et en investissant le moins de ressources financières possible ;
- à offrir des rétributions perçues comme étant d'un montant équitable, gérées équitablement et conformes aux lois et aux règlements ;
- à accorder une rémunération équitable aux emplois et aux différentes catégories d'emplois ;
- à reconnaître les contributions individuelles et/ou collectives ;
- à améliorer le rendement selon divers indicateurs (par exemple, la qualité des services et des produits, la quantité produite, le service à la clientèle, la satisfaction des clients, les indicateurs financiers, la valeur de l'action) ;
- à accorder des conditions de rémunération compétitives.

Inévitablement, l'importance relative des objectifs de rémunération variera d'une organisation à l'autre, d'une unité d'affaires à l'autre, d'une catégorie de personnel à l'autre au sein d'une entreprise, et même d'un emploi à l'autre. Selon le contexte et les employés visés, les dirigeants d'entreprise pourront avoir diverses priorités. Par exemple, il est crucial de tenir compte des objectifs de recrutement et de conservation lorsque l'on considère la rémunération du personnel de recherche et développement.

La détermination des objectifs s'avère déterminante en matière de gestion de la rémunération pour deux raisons. Premièrement, les objectifs indiquent l'importance relative des principes et la nature des pratiques de rémunération à implanter et à gérer. Une organisation qui veut motiver sa main-d'œuvre à améliorer sa productivité peut, par exemple, utiliser des pratiques de rémunération variable. Si elle juge prioritaire d'offrir des conditions de travail compétitives aux employés en recherche et développement, les enquêtes de rémunération représenteront alors un outil important. Si elle estime fondamental d'avoir une main-d'œuvre polyvalente et intéressée à accroître ses connaissances et son savoir-faire, il peut s'avérer pertinent de la rémunérer en fonction de ses compétences.

Deuxièmement, les objectifs sont importants parce qu'ils permettent d'évaluer l'efficacité de la gestion de la rémunération. Par exemple, si une entreprise veut réduire le roulement de ses informaticiens, elle doit mesurer les effets de ses pratiques de rémunération sur cet indice. Si elle désire modifier ses pratiques de rémunération en vue d'inciter son personnel de production à améliorer la qualité de son travail, elle peut en mesurer l'efficacité en analysant le nombre de retours de marchandises effectués. Selon les objectifs poursuivis, divers indices de l'efficacité individuelle et organisationnelle peuvent être observés : les coûts de la main-d'œuvre, la productivité, le climat de travail, le service à la clientèle, le nombre de rejets, etc.

BULLETIN$ 1.2

ET SI ON SE PRÉOCCUPAIT DE LEURS BESOINS ?

Selon une enquête menée par Benefits Canada, si 80 % des organisations canadiennes disent que l'attraction et la conservation du personnel sont des défis importants, seulement 8 % d'entre elles font des sondages auprès de leurs employés pour mieux connaître leurs besoins, leurs valeurs et leurs attentes au travail.

Source : Traduit et adapté de *Newsline* (2001).

1.3.1.2 Le choix des objectifs

La fixation des objectifs de rémunération constitue toujours un compromis qui évolue selon le contexte et qu'on peut qualifier de choix stratégique. Les dirigeants ne peuvent pas tout faire : des choix et des priorités doivent être établis. Une entreprise peut, par exemple, décider de privilégier la reconnaissance des contributions exceptionnelles afin de favoriser l'innovation ; une deuxième peut se préoccuper principalement de la compétitivité de la rémunération offerte afin d'attirer et de retenir le personnel clé ; une troisième peut chercher à susciter un esprit de collaboration parmi les employés ou, à l'opposé, une certaine compétition, selon le modèle le plus approprié à son mode d'organisation du travail. Pour un autre employeur, l'objectif premier du moment peut être de satisfaire les besoins des employés en matière d'avantages sociaux, besoins qui sont probablement fort différents d'une personne à l'autre, en plus de varier dans le temps.

Les exemples précédents permettent de comprendre que, en plus d'être multiples, les objectifs en matière de rémunération peuvent être conflictuels, la réalisation de l'un risquant d'empêcher celle de l'autre. Pour attirer et retenir des spécialistes de l'informatique, une organisation peut être contrainte d'améliorer considérablement leurs conditions de travail, ce qui va à l'encontre de son souci de limiter ses coûts. La gestion de la rémunération demeure donc un art qui vise l'optimisation de l'efficacité et de l'équité.

1.3.2 Les principes d'équité en gestion de la rémunération

Parmi les défis que doivent relever les organisations en ce qui a trait à la gestion de la rémunération, celui qui consiste à payer les employés d'une façon qui sera perçue comme étant juste s'avère sans doute le plus exigeant. La théorie de l'équité (Adams, 1965) renvoie à la notion de ratio « contribution-rétribution » permettant d'évaluer le caractère juste de l'échange contribution-rétribution et au concept de « référents » (ou de « points de repère ») qui concerne les personnes avec lesquelles les employés se comparent pour juger de l'équité de leur échange. Il existe une iniquité lorsque le ratio contribution-rétribution perçu par une personne lui apparaît comme inégal par rapport au ratio contribution-rétribution d'une autre personne avec qui elle se compare.

Les employés peuvent juger de l'équité de leur ratio contribution-rétribution en le comparant à divers référents et en associant différentes définitions aux termes « contribution » et « rétribution ». Ainsi, la contribution peut inclure tout ce qu'une personne pense fournir de pertinent dans l'échange — notamment son intelligence, son expérience, sa scolarité, ses efforts, son rendement, son assiduité et ses compétences. Quant à la rétribution, il peut s'agir aussi bien du salaire, des avantages sociaux que des autres gratifications, comme le statut social. Les référents sont également susceptibles de varier selon le moment et les personnes. Ce peuvent être des personnes qui occupent un même poste ou des postes différents dans la même entreprise ou dans d'autres entreprises. Un employé peut aussi juger de sa rémunération par rapport à lui-même comme référent, en l'analysant sur la base de critères élaborés à partir de son cheminement professionnel, de sa rémunération passée, de ses attentes, etc. Ainsi, il peut percevoir sa rétribution comme étant plus ou moins équitable selon qu'il la compare avec celle qu'il recevait dans le passé, avec ses besoins individuels, avec les salaires des autres employés de l'entreprise, avec son rendement ou son ancienneté, avec le salaire attribué ailleurs pour un emploi analogue au sien, avec la performance de son entreprise, avec les lois adoptées dans son pays ou ailleurs et avec la manière dont sa rémunération est déterminée et gérée. Il faut donc reconnaître que l'équité dans le domaine de la rémunération s'avère fondamentalement une question de perception, qui varie d'une personne à l'autre et qui peut être abordée selon divers critères et référents.

La complexité du sujet se reflète dans les principes d'équité sur lesquels repose le modèle de gestion de la rémunération retenu dans ce livre : l'équité externe, l'équité interne, l'équité individuelle, l'équité collective, l'équité du processus de gestion de la rémunération et l'équité légale. Nous décrirons succinctement ces différents principes d'équité ainsi que les pratiques et les techniques que les professionnels de la rémunération utilisent pour optimiser le respect de ces principes.

1.3.2.1　L'équité externe

L'analyse de l'équité externe consiste à examiner la rémunération qu'offre une organisation pour des emplois en relation avec la rémunération qu'offrent d'autres organisations (le « marché ») pour des emplois similaires. La politique de compétitivité adoptée par une organisation porte sur le taux de salaire et les autres composantes de son offre de rémunération. Généralement, une entreprise s'assure de la compétitivité de la rémunération en faisant sa propre enquête de rémunération ou en s'appuyant sur des enquêtes (maison ou préétablies) effectuées par d'autres organisations ou associations.

1.3.2.2　L'équité interne

La recherche de l'équité interne consiste à s'assurer qu'au sein d'une organisation les emplois comportant des exigences semblables sont rémunérés de façon équivalente. Pour s'assurer de l'équité interne, les professionnels de la rémunération peuvent s'appuyer sur l'analyse, la description et l'évaluation des emplois en vue d'établir une structure salariale.

L'*analyse* et la *description des emplois* correspondent au processus de collecte, de documentation et d'analyse des données permettant de décrire un emploi. La description d'un emploi comprend les rôles et les responsabilités liés à un emploi, les compétences requises ainsi que le contexte ou les conditions de travail.

Le processus d'*évaluation des emplois* vise à déterminer la valeur relative d'un ensemble d'emplois afin de constituer des différentiels de salaires en conséquence. Il s'agit d'abord de mesurer la valeur ou l'importance relative des emplois (et non des titulaires des emplois) à l'intérieur de l'organisation en comparant leurs exigences relatives et leur apport relatif à la réalisation des objectifs de l'organisation, puis d'établir une hiérarchie des emplois à l'intérieur de l'organisation sur cette base. Jusqu'à quel point, par exemple, les exigences du travail d'un analyste-programmeur se comparent-elles à celles du travail d'un directeur des achats et à celles du travail d'un conseiller en relations du travail ? Dans un objectif de cohérence interne, les salaires seront ainsi proportionnels aux exigences des emplois au sein d'une organisation.

Une *structure salariale* représente les différences dans les taux de salaires pour des emplois ou des classes d'emplois de valeur inégale ou non équivalente. Elle peut contenir des échelles de salaires dont les balises permettent de reconnaître les contributions individuelles (par exemple, l'ancienneté, le rendement, les compétences) des titulaires occupant un même emploi ou des emplois appartenant à une même classe d'emplois.

1.3.2.3 L'équité individuelle

Une politique de rémunération relative aux contributions individuelles des employés indique dans quelle mesure une organisation accorde de l'importance à certaines caractéristiques des employés, comme leur rendement, leurs années de service, leurs compétences ou leur expérience. Un système de rémunération tient compte de l'équité individuelle lorsque la rémunération des titulaires occupant un même emploi dans l'entreprise varie en fonction de ces types de critères (années de service, rendement, compétences et/ou expérience des personnes). Ainsi, on tient compte des contributions individuelles lorsqu'on gère les salaires des titulaires à l'intérieur d'échelles (ou de fourchettes) salariales comportant un taux minimal et un taux maximal, et lorsqu'on accorde d'autres formes de reconnaissance — telles des primes, des commissions, des actions ou des options d'achat d'actions — en fonction des années de service, du rendement, des compétences ou de l'expérience des employés.

1.3.2.4 L'équité collective

Une politique de rémunération relative aux contributions collectives des employés traduit l'importance que l'organisation accorde à certains indicateurs de rendement d'une unité, d'une division ou de l'organisation (bénéfices, chiffre d'affaires, taux de rejets, etc.). Un système de rémunération tient compte de l'équité collective lorsque la rémunération des employés varie en fonction de leur contribution au succès de l'entreprise ou de l'une de ses unités. On considère les contributions collectives lorsqu'on rend les employés admissibles à un ou plusieurs régimes collectifs de rémunération variable, à court terme (participation aux bénéfices, partage des gains de productivité, primes d'équipe, etc.) ou à long terme (achat d'actions, octroi d'actions, option d'achat d'actions, etc.).

1.3.2.5 L'équité du processus de gestion de la rémunération

L'équité du processus de gestion de la rémunération consiste à s'assurer que les décisions et les activités de gestion de la rémunération sont établies de façon équitable et perçues comme telles par les employés. Il ne s'agit pas de savoir si la rémunération est suffisante (combien?) mais plutôt de se demander si, aux yeux des employés, les décisions liées à la rémunération sont justes et si les régimes de rémunération sont perçus comme étant équitablement gérés (comment?). Ainsi, il a été démontré que des dirigeants peuvent réduire les effets négatifs d'une réduction ou d'un gel des salaires sur les attitudes et les comportements des employés s'ils en expliquent les raisons de manière juste et respectueuse (voir Rynes *et al.*, 2002).

Pour analyser le risque que le système de gestion de la rémunération soit perçu comme étant injuste ou inéquitable, on peut se poser les questions suivantes : jusqu'à quel point l'organisation communique-t-elle de l'information aux employés en matière de rémunération? Fait-elle participer les employés à la détermination des changements à apporter à ses politiques et à ses pratiques de rémunération? Si oui, quels employés interviennent dans l'établissement des changements et dans quelle mesure? Les employés sont-ils consultés? L'organisation tient-elle compte de leurs besoins, attentes ou valeurs? Les employés comprennent-ils la manière dont les différentes composantes de leur rémunération sont gérées? Les cadres sont-ils formés pour assumer adéquatement leurs rôles et leurs responsabilités à l'égard des décisions relatives à la détermination des salaires et des augmentations de salaires? Il faut aussi se préoccuper de la qualité des relations entre les cadres et les subordonnés notamment

BULLETIN$ 1.3

IL EST DIFFICILE DE TROUVER JUSTE CE QU'ON NE COMPREND PAS...

Une enquête menée par Watson Wyatt Work USA 2002 auprès de 13 000 employés montre que seulement 41 % d'entre eux croient qu'ils sont autant payés que leurs confrères occupant des postes similaires dans d'autres organisations, que seulement 48 % d'entre eux estiment qu'ils sont équitablement payés lorsqu'ils se comparent avec les personnes qui occupent un emploi semblable dans leur propre entreprise, que seulement 43 % d'entre eux disent que leur employeur leur explique bien comment leur salaire est déterminé, alors que 20 % déclarent ne même pas savoir ce que contient et vaut leur rémunération totale.

Source : Traduit et adapté de *Newsline* (2002).

Une enquête effectuée par Mercer, Consultation en ressources humaines (2002 People at Work Survey) auprès de 2 600 employés montre que seulement 50 % d'entre eux disent comprendre comment leur salaire est déterminé ou encore estiment que leur salaire est équitable.

Source : Traduit et adapté de *Newsline* (2003).

lors de l'évaluation du rendement et de la détermination du montant des augmentations de salaires. On doit, par exemple, offrir aux employés une rétroaction adéquate, tenir compte de leur point de vue et leur expliquer les décisions prises en faisant preuve d'honnêteté, de courtoisie et de respect.

1.3.2.6 L'équité légale

Comme toutes les autres activités de gestion des ressources humaines, la gestion de la rémunération des employés est circonscrite par des lois et des règlements que les employeurs doivent respecter (voir le chapitre 2). Les lois en la matière se multiplient : Loi sur l'équité salariale, règlement 638 sur la divulgation de la rémunération des dirigeants d'entreprise, etc.

Bien que toutes les firmes doivent respecter les lois en vigueur, l'ampleur de ce défi varie d'une firme à l'autre. En effet, certaines lois contraignent plus ou moins la gestion de la rémunération des firmes en fonction de leurs caractéristiques : leur nature (entreprise privée ou publique, taille de l'entreprise, etc.), la composition de la main-d'œuvre (syndiquée ou non, etc.), les types d'emplois (emplois de bureau, de production, etc.), et ainsi de suite. Selon qu'une entreprise est de compétence provinciale ou de compétence fédérale, des lois particulières — notamment la Loi sur les normes du travail et le Code canadien du travail — seront applicables et devront être respectées.

1.3.3 Les incidences du contexte sur la gestion de la rémunération

À ce jour, la plupart des systèmes de rémunération ont été élaborés avec la préoccupation ultime d'accorder une rémunération compétitive, puisqu'il est relativement simple de copier les pratiques du marché. Les entreprises s'imitent les unes les autres et tendent à suivre les modes en matière de gestion. Aussi, la popularité croissante de certaines pratiques de rémunération (par exemple, la rémunération variable) ne serait pas due à leur prétendu impact sur la performance des firmes, mais plutôt au fait qu'elles sont offertes par d'autres organisations et qu'il devient dès lors difficile de ne pas suivre le courant.

Notre modèle prône plutôt une gestion des composantes de la rémunération totale en fonction des caractéristiques du contexte, soit les caractéristiques de l'environnement externe (par exemple, les contraintes légales, les valeurs de la société), de l'organisation (par exemple, la taille, la culture de gestion, l'industrie, la stratégie d'affaires), des emplois (par exemple, les exigences et les compétences) et des employés (par exemple, l'âge, le sexe et les besoins). Ainsi, tant dans sa manière d'élaborer ses régimes de rémunération que dans celle de les implanter et de les gérer, la direction d'une entreprise doit considérer sa spécificité si elle veut gérer efficacement la rémunération et faire en sorte qu'elle favorise la réalisation de ses objectifs stratégiques et qu'elle représente un avantage concurrentiel ou une valeur ajoutée.

Toutefois, il ne s'agit pas de changer un mode de gestion pour le plaisir du changement. Certains dirigeants d'entreprise s'aventurent dans des courants à la mode qui offrent souvent des solutions toutes faites ne constituant pas une véritable solution à leurs problèmes. Ils procèdent à des changements majeurs en matière de rémunération alors que des modifications modestes seraient plus adaptées à leur situation et permettraient d'accroître davantage la performance de leur entreprise. D'autres cadres supérieurs se lancent même dans l'implantation successive de programmes « dernier cri » davantage pour se bâtir une bonne réputation que pour répondre à des besoins d'affaires.

Le tableau 1.1 résume les principaux choix en matière de rémunération que les dirigeants doivent faire en connaissance de cause parce qu'ils sont susceptibles d'influencer la réussite des organisations. La perspective contextuelle présentée en matière de rémunération s'intéresse aux décisions ou aux choix qui aideront l'organisation à obtenir un avantage concurrentiel et à le maintenir.

De tels choix en matière de rémunération auront aussi un impact sur l'importance relative des différents principes de rémunération, comme le principe de l'équité interne (au moyen de l'évaluation des emplois) ou celui de l'équité individuelle (la reconnaissance de la contribution de chacun). Cet impact peut se traduire par une politique de traitement différencié ou uniforme, par l'importance accrue de l'innovation ou par une diminution de l'importance du niveau hiérarchique dans l'évaluation des exigences des emplois. En fait, l'importance relative accordée aux divers principes d'équité qui ont été décrits correspond à la stratégie de rémunération des firmes, puisque cette stratégie s'intéresse autant au montant de la rémunération qu'aux moyens de rémunérer les employés.

Pour choisir une stratégie de rémunération, les dirigeants doivent entre autres déterminer les personnes avec lesquelles des employés se compareront pour évaluer leur rémunération (référents) ainsi que les formes de rétribution qu'ils privilégient. D'une organisation à l'autre et même d'une catégorie d'emplois à l'autre, l'importance relative accordée aux divers principes d'équité (individuelle, interne, externe, etc.) varie. Toutefois, il est important d'observer qu'il n'y a pas de bonne ou de mauvaise stratégie de rémunération en soi. De fait, un même système de rémunération peut s'avérer un succès dans une organisation et se solder par un échec dans une autre. L'important, c'est que ce système soit aligné sur les objectifs et la stratégie d'affaires. Plus la stratégie de rémunération soutient les objectifs d'affaires, plus les chances de succès de l'organisation augmentent.

TABLEAU 1.1

QUELQUES DÉCISIONS IMPORTANTES EN MATIÈRE DE GESTION DE LA RÉMUNÉRATION

RÉMUNÉRER...

– en fonction des responsabilités que comporte l'emploi ou des compétences des titulaires ?

– en privilégiant l'équité interne ou l'équité externe ? l'équité individuelle ou l'équité collective ?

– en étant à la remorque du marché, en suivant le rythme du marché ou en étant à la tête du marché ?

– en s'appuyant sur une approche traditionnelle ou sur une approche contemporaine de l'évaluation des emplois ?

– selon un ratio faible ou un ratio élevé de rémunération fixe/variable ?

– en déterminant l'importance relative des composantes de la rémunération totale : salaire, rémunération variable, avantages sociaux et conditions de travail ?

– selon le marché des emplois ou selon l'industrie ?

– en fonction du marché régional, provincial, national ou international ?

RECONNAÎTRE OU ENCOURAGER...

– le rendement, l'ancienneté, les compétences ou les responsabilités ?

– le rendement individuel ou le rendement collectif ?

– le rendement de l'entreprise globale ou celui d'une unité d'affaires ?

– le rendement à court terme ou à long terme ?

– le rendement par des primes égales ou par des primes différant selon le niveau hiérarchique ?

– le rendement par des rétributions de nature pécuniaire ou de nature non pécuniaire ?

– le rendement par l'entremise des salaires ou par l'entremise de montants forfaitaires ?

– le rendement en s'appuyant sur une mesure quantitative ou sur une mesure qualitative ?

– plus ou moins fréquemment les contributions ?

– la collaboration ou la compétition ?

GÉRER LA RÉMUNÉRATION GLOBALE...

– de manière officielle ou de manière non officielle ?

– de manière uniforme ou de manière différenciée selon les employés, les unités d'affaires, les régions, etc. ?

– de manière centralisée ou de manière décentralisée ?

– de manière transparente ou de manière secrète ?

– de manière simple ou de manière complexe ?

– de manière participative ou de manière autocratique ?

– en conférant du pouvoir aux cadres ou bien aux professionnels de la rémunération ?

– en privilégiant la réalisation d'un objectif particulier tel qu'attirer des employés, les retenir, réduire les coûts, reconnaître la contribution des employés, inciter ceux-ci à changer ou à adopter certains comportements, partager les risques ?

– d'une façon qui diffère peu ou grandement selon le niveau hiérarchique ou la catégorie d'emplois des employés ?

1.3.4 L'efficacité de la gestion de la rémunération

L'analyse de l'efficacité de la rémunération consiste à se poser des questions telles que les suivantes : les pratiques de rémunération sont-elles pertinentes et permettent-elles de réaliser la stratégie de rémunération ? Quels en sont les éléments efficaces ? Les objectifs du régime de rémunération sont-ils atteints ? La stratégie employée à l'égard des ressources humaines appuie-t-elle les objectifs d'affaires ?

Pour les organisations, il existe plusieurs indicateurs de l'efficacité : le rendement des investissements, la satisfaction des clients, les bénéfices, la part du marché, le rendement de l'avoir des actionnaires, le rendement individuel, la qualité des produits ou des services, le coût de la main-d'œuvre, le roulement du personnel, le taux d'absentéisme, la satisfaction des employés, le respect des lois, et ainsi de suite. Dans les entreprises décentralisées géographiquement, la mesure de l'efficacité pourra même varier d'une division à l'autre.

Si, dans cette section, nous avons insisté sur les incidences potentielles positives de la rémunération, il faut reconnaître qu'un système de rémunération mal géré comporte également des incidences potentielles négatives aussi importantes. Comme nous l'avons expliqué précédemment, la rémunération peut s'avérer un des meilleurs leviers à la disposition des employeurs pour influencer les comportements et les résultats des employés au travail. Cependant, de nombreux dirigeants n'exploitent pas ce potentiel. Ils considèrent souvent la rémunération comme une source de coûts à réduire. D'autres dirigeants, qui gèrent sans trop de soin leur système de rémunération, alimentent l'insatisfaction chez des employés ou, sans toujours s'en rendre compte, encouragent l'adoption par ces derniers de comportements contre-productifs ou encore de comportements souhaitables mais entraînant des conséquences indésirables. Les cas présentés dans l'encadré 1.1 peuvent sembler des erreurs flagrantes, mais ils sont réels et fréquemment observés dans la pratique.

ENCADRÉ 1.1

EXEMPLES DE COMPORTEMENTS INAPPROPRIÉS ENGENDRÉS PAR UN SYSTÈME DE RÉMUNÉRATION

Dans le but d'augmenter sa part de marché, la division des centres de service à l'automobiliste de Sears (États-Unis) avait établi un système de rémunération incitative basée sur le montant de la facturation de chaque unité d'exploitation. Dans un contexte où la majorité des clients sont peu en mesure d'estimer la pertinence des réparations effectuées, l'existence de cet incitatif a tellement motivé les employés à maximiser le montant de leurs services que la firme a été reconnue coupable d'avoir facturé à ses clients des réparations et des pièces fictives totalisant plusieurs millions de dollars.

Source : Traduit et adapté de St-Onge et Magnan (2001, p. 63).

Afin d'inciter ses programmeurs à être plus efficaces, IBM les récompensait en tenant compte du nombre de lignes de codes de programmation. Après plusieurs années, la société a constaté que leurs programmes informatiques étaient plus longs et écrits de manière moins efficace que ceux des concurrents.

Source : Traduit de Long (2000, p. 63).

Bausch and Lomb, une société de fabrication de verres de contact et de lunettes, avait instauré un régime de rémunération fortement lié à la réalisation des objectifs mensuels et saisonniers pour son personnel de vente. Pour atteindre leurs objectifs et être mieux payés, les représentants ont adopté diverses stratégies qui ont nui à la société : ils offraient des escomptes de fin de mois tellement importants aux clients que ces derniers en sont venus à attendre ce moment pour passer leurs commandes, ils proposaient des conditions de paiement différé excessivement généreuses, ils menaçaient d'abandonner des distributeurs si ceux-ci n'achetaient pas assez de produits et ils livraient des produits aux clients même s'ils ne les avaient pas commandés.

Source : Traduit et adapté de Maremont (1995, p. 82).

Le tableau 1.2 propose un ensemble d'indicateurs permettant de savoir si le système de rémunération totale est aligné sur les priorités d'affaires.

TABLEAU 1.2

QUELQUES INDICATEURS PERMETTANT DE DÉTERMINER SI UN SYSTÈME DE RÉMUNÉRATION TOTALE EST ALIGNÉ SUR LA STRATÉGIE D'AFFAIRES

Les composantes de la rémunération totale (par exemple, les régimes de rémunération variable, les avantages sociaux, la formation et le développement) :

- sont gérées ensemble de manière cohérente ;
- sont gérées en fonction de la stratégie d'affaires, de l'environnement externe et des autres activités de gestion ;
- ne sont pas déterminées principalement par la concurrence, par les tendances dans l'industrie et par ce qu'on pense être les « meilleures pratiques » ;
- transmettent des messages uniformes, cohérents et clairs ;
- sont octroyées en conformité avec les intentions, les objectifs et les règles annoncés et établis ;
- facilitent l'attraction et la conservation des compétences clés ;
- contribuent à bâtir un avantage concurrentiel, à se différencier ou à ajouter de la valeur ;
- incitent les employés à adopter des comportements productifs ayant des conséquences positives sur la performance ou l'image de la firme.

1.4 La gestion de la rémunération : une perspective historique

La gestion de la rémunération en tant que discipline de gestion est relativement récente. Comme l'indique le tableau 1.3, au début de l'ère de l'industrialisation au tournant du XXe siècle, on enseignait la détermination des salaires (plutôt que la gestion) dans le cadre de cours en économie du travail. À cette époque, vu la prédominance de la perspective économique, on présentait une approche déterministe où les salaires étaient essentiellement fonction de l'état de l'offre et de la demande de main-d'œuvre sur le marché, quand il ne s'agissait pas de taux de salaires à la pièce. Les contremaîtres et les patrons avaient les pleins pouvoirs en matière de gestion des travailleurs (sélection, salaires, congédiements, etc.), ce qui ouvrait la porte aux décisions salariales inéquitables, injustes et discriminatoires. Le salaire constituait souvent l'unique composante de la rémunération des travailleurs puisqu'un petit nombre d'employeurs « paternalistes » offraient d'autres avantages (une retraite, un logement, etc.) et qu'il n'existait pas de réglementation gouvernementale visant à compenser les aléas de la vie (quant à la santé et à la sécurité, au chômage, à la retraite, etc.).

TABLEAU 1.3

LA GESTION DE LA RÉMUNÉRATION AU COURS DU DERNIER SIÈCLE EN AMÉRIQUE DU NORD

	1900-1925	1925-1945	1945-1980	1980-2000	Aujourd'hui
Primauté des perspectives	Perspective économique	Perspectives institutionnelle et politique	Perspectives psychologique et technique	Perspective stratégique	Perspective du marché
Primauté des acteurs	Contremaîtres	Gouvernements et syndicats	Spécialistes de la rémunération et syndicats	Dirigeants	Dirigeants, investisseurs, clients
Modes de rémunération et composantes	– Contrats individuels – Salaires de base ou à la pièce, montants forfaitaires – Protection faible ou inexistante, absence d'avantages sociaux – Certains employeurs paternalistes : alimentation, logement, etc.	– Contrats collectifs de travail – Salaires de base – Émergence de la participation aux bénéfices – Émergence des règles et des lois – Avantages sociaux : surtout des régimes publics	– Croissance des avantages sociaux privés – Pour les cadres : salaires au mérite – Pour les employés : salaires selon l'indice des coûts et l'ancienneté – Émergence du partage des gains et de l'actionnariat pour les employés	– Adoption de régimes collectifs de rémunération variable pour tous les employés – Diversité des composantes de la rémunération (salaire, primes, avantages sociaux, conditions de travail, etc.) – Sondages auprès des employés	– Multiplicité des composantes de la rémunération totale – Gestion flexible des composantes : modes de rémunération fonction des catégories de personnel et de leurs statuts d'emploi (contractuels versus réguliers, temps plein versus temps partiel) – Balisage des salaires sur le marché – Recours accru à la technologie et à la sous-traitance

TABLEAU 1.3 (*suite*)

LA GESTION DE LA RÉMUNÉRATION AU COURS DU DERNIER SIÈCLE EN AMÉRIQUE DU NORD

	1900-1925	1925-1945	1945-1980	1980-2000	Aujourd'hui
Préoccupations, priorités	– Favoritisme des contremaîtres – Imprévisibilité des contrats individuels d'emploi et de la rémunération selon la situation économique des marchés	– Ajustement des salaires selon le marché – Adoption de lois – Protection contre les aléas de la vie (santé et sécurité, retraite, invalidité, etc.)	– Respect de la convention collective – Prévisibilité des salaires, sécurité d'emploi, loyauté – Mise au point de techniques : analyse et évaluation des emplois, grilles d'augmentation de salaires, structures salariales, enquêtes, etc. – Satisfaction et motivation des employés : éviter la syndicalisation	– Coût et flexibilité des avantages sociaux – Rémunération = avantage concurrentiel et levier de développement – Employabilité des employés – Adaptation à la présence accrue des femmes	– Réduction ou maintien des coûts de rémunération, incluant les avantages sociaux – Rémunération = source de valeur ajoutée – Attraction et conservation – Adaptation à la nouvelle main-d'œuvre (vieillissement, diversité, etc.) – Maintien et amélioration de la compétitivité : compétition des autres pays offrant de très bas salaires

Sources : Adapté de Milkovich et Stevens (2000) et de St-Onge (1996).

Par la suite, la supervision souvent inéquitable des contremaîtres combinée avec un contexte de dépression économique et de chômage dans les années 1930 et 1940 ont incité les gouvernements à adopter diverses lois à caractère social et ont favorisé la syndicalisation des travailleurs. Dans ce contexte, les conditions de travail ont été davantage officialisées et balisées par des lois et des règlements gouvernementaux ainsi que par des conventions collectives. Ainsi, les conditions de travail des travailleurs, jusque-là imprévisibles et liées au rendement, sont devenues davantage préétablies et fonction de l'ancienneté, laissant moins de place à l'arbitraire de la part des patrons.

Au cours des années 1950, on a cherché de plus en plus à mettre au point des outils et des techniques visant à évaluer les emplois, le rendement des cadres, etc. On a commencé à voir des spécialistes, notamment des psychologues et des spécialistes du comportement organisationnel, se pencher sur les phénomènes de satisfaction et de motivation à l'égard de la rémunération. Délaissant les points de vue collectif et institutionnel des gouvernements et des syndicats et le point de vue économique des incidences de l'offre et de la demande de travail sur les salaires, la perspective psychologique a dirigé l'attention sur les employés, plus précisément sur les effets des salaires, de la rémunération variable et des avantages sociaux sur les attitudes (notamment la satisfaction et la motivation) et les comportements des employés au travail. Au début des années 1970, avec l'augmentation du nombre des techniques (l'analyse et l'évaluation des emplois, les structures salariales, les grilles d'augmentation de salaires, la rémunération variable), des clauses syndicales et des lois en matière de rémunération, on a commencé à considérer la gestion de la rémunération comme une discipline de gestion.

Pendant les années 1980, les écrits en gestion de la rémunération ont adopté davantage une perspective stratégique qui considérait la rémunération comme un levier de changement et de développement organisationnel. Selon cette perspective, la gestion de la rémunération a un caractère volontariste (déterminée par les dirigeants) et proactif comme elle doit être alignée sur la stratégie, les objectifs et les valeurs de gestion.

Finalement, à l'heure actuelle, la gestion de la rémunération montre un regain d'intérêt pour l'alignement sur le marché. Elle tente particulièrement de relever le défi qui consiste à contrôler les coûts de la main-d'œuvre et, pour certaines firmes et certains postes, à attirer et à retenir le personnel. Faisant face à la concurrence, de plus en plus d'organisations et de syndicats sont aux prises avec des dilemmes liés au recours à la sous-traitance internationale (notamment avec la Chine et l'Inde, où les coûts de la main-d'œuvre sont moins élevés) au détriment de la création ou du maintien des emplois au pays.

BULLETIN$ 1.4

LE PENDULE DU POUVOIR DU CÔTÉ DES DIRIGEANTS

Selon une enquête du Conference Board du Canada (Industrial Relations Outlook 2004), le maintien ou la réduction des coûts s'avèrent la priorité pour l'année 2004. Les pressions exercées par la concurrence internationale seront telles que les employeurs se pencheront sur l'amélioration de la productivité, la création de valeur et le contrôle des coûts. Dans les secteurs privé et public, les syndicats sont préoccupés par la sécurité d'emploi : dans le secteur privé, ils demanderont plus d'investissements dans les infrastructures afin que les entreprises restent compétitives et ne procèdent pas à des licenciements ; dans le secteur public, ils demanderont qu'on investisse dans les offres de services afin d'éviter la sous-traitance.

Source : Traduit et adapté de *Newsline* (2004).

1.5 La gestion de la rémunération : un domaine d'expertise professionnelle

Au cours du dernier siècle, l'importance et la complexité de la gestion de la rémunération se sont considérablement accrues. Si la gestion de la rémunération est un domaine de gestion dans lequel la responsabilité est partagée entre divers acteurs, elle est aussi un domaine où les professionnels de la rémunération doivent répondre aux besoins de divers clients, acteurs ou partenaires, notamment les employés, les cadres hiérarchiques, les dirigeants, les spécialistes en ressources humaines, les syndicats et le gouvernement. En raison des incidences qu'ont les décisions en matière de rémunération sur les coûts, sur la performance des firmes et sur le rendement des employés, il s'avère aujourd'hui plus important que jamais de se doter de spécialistes de la rémunération compétents qui soient capables de faire plus avec moins de ressources. En raison du caractère stratégique de leurs dossiers, ces spécialistes sont de plus en plus amenés à les présenter à la direction des entreprises de même qu'à démontrer les effets des projets de rémunération sur les indicateurs de la performance organisationnelle ou encore sur le rendement de l'investissement côté leurs programmes. Une enquête menée par l'association professionnelle WorldatWork (2005) confirme que les compétences, les responsabilités et les rôles, à caractère autant technique que stratégique, des professionnels de la rémunération se sont accrus et que ceux-ci ont aujourd'hui des interactions plus grandes avec les membres de la direction (notamment le directeur des finances ou de la comptabilité, les membres du conseil d'administration et le responsable des affaires légales).

BULLETIN$ 1.5

Fondée en 1955 aux États-Unis, l'association professionnelle WorldatWork (www.world atwork.org), de renommée mondiale, vise l'avancement des connaissances dans tous les aspects de la rémunération, des avantages sociaux et de la rémunération à l'étranger. Les services offerts par l'association incluent, entre autres, la réalisation de sondages dans le domaine, la publication de journaux et de revues traitant de rémunération (WorldatWork Journal, Workspan), la présentation de conférences et une programmation de cours permettant d'obtenir trois types d'accréditation :

- *Professionnel agréé en rémunération*
  (Certified Compensation Professional, CCP) ;

- *Professionnel agréé en avantages sociaux*
  (Certified Benefits Professional, CBP) ;

- *Professionnel agréé en rémunération globale*
  (Global Remuneration Professional, GRP).

L'obtention de ces titres permet aux professionnels d'améliorer non seulement leurs connaissances, mais aussi leurs possibilités d'emploi et de carrière étant donné qu'un nombre croissant d'employeurs exigent qu'un candidat possède une accréditation pour occuper un poste de professionnel de la rémunération en ce qui a trait aux avantages sociaux, à la conciliation travail-famille et à la rémunération des expatriés. Depuis le début des années 1990, signe de l'importance accrue de la spécialisation en rémunération, le nombre de membres de cette association a augmenté de plus de 50 %.

Conclusion

Selon une perspective contextuelle (que certains qualifient de « configurationnelle » ou de « contingente »), la gestion de la rémunération ne s'établit pas dans l'abstrait ; elle est plutôt le reflet de personnes, d'environnements et d'époques. Peu importe la façon dont une organisation gère sa rémunération, cette gestion correspond à un choix effectué parmi un ensemble d'options. Face à un problème de coût de la main-d'œuvre excessif, par exemple, un certain nombre de mesures peuvent être appliquées : accorder des primes en fonction du rendement individuel ou collectif plutôt que de reconnaître le rendement par l'entremise des salaires, réduire les augmentations de salaires, etc. Par ailleurs, une gestion efficace de la rémunération ne repose pas sur le choix d'une action ou l'utilisation d'une technique dans l'absolu, elle dépend de l'utilisation d'une technique ou de l'implantation d'un régime particulier de rémunération qui tient compte des objectifs de rémunération et des contraintes de l'entreprise, ainsi que du contexte dans lequel elle évolue. On peut alors parler de « configurations efficaces » ou d'« adéquation » entre diverses pratiques et le contexte. En effet, une bonne gestion de la rémunération donne de l'importance au fait que les objectifs, les stratégies, les politiques et les techniques de rémunération soient mutuellement *cohérents, intégrés* à la gestion stratégique de l'entreprise et *adaptés* à son environnement tant externe qu'interne.

Questions de révision

1. Quelles sont les composantes de la rémunération totale ?

2. Pourquoi est-il important de gérer adéquatement la rémunération des employés ?

3. Présenter les principaux objectifs liés à la rémunération et commenter la nécessité de faire un compromis en la matière.

4. Traiter de l'importance de la détermination des objectifs en matière de gestion de la rémunération.

5. « L'équité est une question de perception. » Commenter cette affirmation à la lumière de la prémisse de la traditionnelle « théorie de l'équité » et de la notion de « référents ».

6. Présenter les multiples principes d'équité que l'on peut chercher à respecter en matière de gestion de la rémunération et associer respectivement les principales pratiques ou techniques à chacun de ces principes.

7. Qu'entend-on par « stratégie de rémunération » ? Qu'est-ce qu'une stratégie de rémunération adéquate ?

8. Comment peut-on évaluer l'efficacité de la gestion de la rémunération ?

9. Nommer des entreprises qui semblent privilégier des stratégies d'affaires très différentes et commenter leurs pratiques de rémunération.

10. Quels indicateurs permettent de déterminer si un système de rémunération totale n'est pas aligné sur la stratégie d'affaires d'une organisation ?

11. La gestion de la rémunération a beaucoup évolué au cours du dernier siècle. Commenter les principaux changements qui ont marqué la gestion de la rémunération et traiter de leurs incidences sur les compétences demandées aux professionnels ou aux spécialistes du domaine.

Références

ADAMS, J.S. (1965). « Inequity in social exchange », dans L. Berkowitz (sous la dir. de), *Advances in Experimental Social Psychology,* vol. 2, New York, Academic Press, p. 267-297.

BESSETTE, F. (2004). « L'autre salaire », *La Presse,* cahier « Carrières et professions », samedi 8 mai, p. 7.

LONG, R.J. (2000). *Strategic Compensation in Canada,* Toronto, Nelson Series in Human Resources Management.

MAREMONT, M. (1995). « Blind ambition : How to pursuit of results got out of hand at Bausch and Lomb », *Business Week,* vol. 23, octobre, p. 78-92.

MILKOVICH, G.T. et J. STEVENS (2000). « De la paie à la rémunération : 100 ans de changements », *Effectif,* avril-mai, p. 48-56. (Traduction de « From pay to rewards – 100 years of change », *ACA Journal,* vol. 9, n° 1, 2000.)

NEWSLINE (2001). « Employers not meeting employees' needs », http://resourcepro. worldatwork.org, 18 mai.

NEWSLINE (2002). « Majority of employees believe other companies offer higher pay », http://resourcepro.worldatwork.org, 17 octobre.

NEWSLINE (2003). « Survey suggests problems with design, delivery of pay programs », http://resourcepro.worldatwork.org, 20 mars.

NEWSLINE (2004). « Management issues dominate collective bargaining in 2004 », http://resourcepro.worldatwork.org, 11 février.

NEWSLINE (2005). « Canadian employers moving to total rewards approach to compensation », http://resourcepro.worldatwork.org, 11 janvier.

PFEFFER, J. (1998). « Six dangerous myths about pay », *Harvard Business Review,* vol. 76, n° 3, mai-juin, p. 108-119.

RYNES, S.L., A.E. COLBERT et K.G. BROWN (2002). « HR professionnals' beliefs about effective human resource practices : Correspondence between research and practices », *Human Resource Management,* vol. 41, n° 2, p. 149-179.

SPENCE, A.M. (1973). *Market Signaling : Information Transfer in Hiring and Related Processes,* Cambridge, Mass., Harvard University Press.

ST-ONGE, S. (1996). *La rémunération comme levier de gestion stratégique : revue de la documentation,* Montréal, HEC Montréal, Cahier de recherche, n° 96-39.

ST-ONGE, S. et M. MAGNAN (2001). « La mesure de la performance organisationnelle : un outil de gestion et de changements stratégiques », dans *Gérer la performance au travail,* Montréal, *Revue Gestion,* coll. « Racines du savoir », sous la dir. d'Alain Gosselin et de Sylvie St-Onge, p. 62-81.

WORLDATWORK (2005). *The Changing Role of Compensation,* Survey Brief, Scottsdale, Ariz., WorldatWork, avril.

Chapitre 2

La gestion de la rémunération : l'importance du contexte

Objectifs

Ce chapitre vise à :

➤ traiter de l'influence des caractéristiques de l'environnement sur la gestion de la rémunération ;

➤ montrer comment l'organisation influe sur la gestion de la rémunération ;

➤ aborder l'influence des catégories de personnel (ou titulaires des emplois) sur la gestion de la rémunération.

Cas et conjoncture

 Le match de la fonction publique

Des fonctionnaires jalousés

C'est bien connu : les fonctionnaires fédéraux ne sont pas à plaindre au chapitre des avantages sociaux. En fait, beaucoup de travailleurs du privé les jalousent, tandis que le milieu des affaires trouve le fédéral trop généreux.

Mais les fonctionnaires profitent-ils vraiment de bien meilleurs avantages ? À certains égards oui, par exemple pour les pensions indexées et les congés de maternité. Gene Swimmer, économiste à l'école d'administration publique de l'Université Carleton, affirme qu'il ne faut toutefois pas généraliser et conclure que les fonctionnaires sont beaucoup plus gâtés.

« Évidemment, ça dépend avec quels employés on les compare. Comparé aux employés du McDonald's, c'est certain que leurs avantages sociaux sont bien meilleurs. Mais comparativement aux grandes entreprises et aux paliers municipal et provincial, les avantages sociaux des fonctionnaires fédéraux sont similaires. »

La comparaison des avantages sociaux entre divers groupes d'employés est très complexe, prévient Gene Swimmer. « Je pense toutefois que le régime de pension est probablement la différence la plus évidente entre la fonction publique et le privé. C'est vrai qu'ils ont d'excellentes pensions. Mais il ne faut pas oublier non plus qu'ils en payent beaucoup de leurs propres poches. Environ 7,5 % de leur revenu brut va au régime de pensions. »

Le « fédéral mène la charge »

La Fédération canadienne de l'entreprise indépendante, elle, est catégorique : les avantages du fédéral sont de loin supérieurs au privé. Dans une étude comparative entre le public et le privé, la FCEI a conclu, en 2003, que les fonctionnaires fédéraux bénéficient d'un avantage de salaire de 15,1 % par rapport au privé, et de 23 % en tenant compte des avantages sociaux. « Il y a des avantages nets à travailler au fédéral, dit André Piché, directeur des affaires nationales de la FCEI. Les fonctionnaires ont un plan de pension défini. Ils ont une certitude qu'ils auront une bonne pension. Dans le privé, plus l'entreprise est petite, plus c'est difficile d'offrir les mêmes avantages sociaux qu'au fédéral et les employés doivent se fier plus aux REER. »

À l'Alliance de la fonction publique du Canada — qui regroupe 100 000 fonctionnaires fédéraux, dont 30 000 à Ottawa —, on n'a pas voulu s'embarquer dans une « guerre de chiffres ».

Les fonctionnaires ne sont pas toujours nécessairement avantagés, selon l'AFPC, qui cite en exemple les résultats de son étude conjointe réalisée avec le Conseil du Trésor, en 2003. Celle-ci concluait que 11 000 cols bleus du fédéral gagnaient en moyenne 20 % de moins que leurs homologues du privé, soit 17,78 $ l'heure en moyenne, comparativement à 21,41 $. L'étude conclut aussi que les cols bleus du privé profitaient d'une gamme d'avantages semblables à ceux du fédéral.

Du côté de l'Institut professionnel de la fonction publique du Canada (IPFPC), qui compte 50 000 syndiqués, on reconnaît que les fonctionnaires jouissent de bons avantages, mais qu'ils ont aussi subi des coupes et des gels de salaires.

Les fonctionnaires ont obtenu ces avantages par le biais de la négociation collective, ce qui a pavé la voie à d'autres travailleurs, affirme la présidente de l'IPFPC, Michèle Demers. « Nous avons pu briser des barrières à bien des égards. Ces bénéfices reconnaissent les réalités de la vie d'aujourd'hui comme les congés parentaux et les bénéfices qui entourent l'équilibre travail-famille. »

Compenser en offrant de meilleurs salaires

Pour le secteur privé, il n'est pas facile d'offrir à ses travailleurs des avantages sociaux similaires à ceux versés aux employés de la fonction publique fédérale.

Si les grandes compagnies peuvent se permettre d'accorder de bons bénéfices marginaux à leurs employés, il en est tout autrement pour les entreprises qui comptent une ou quelques dizaines de travailleurs. Pour le secteur de la haute technologie, un des plus gros employeurs de la région, avec des centaines de petites et moyennes entreprises, il y a toutefois moyen de concurrencer le fédéral.

« Nous sommes obligés de compenser en offrant des salaires plus généreux », résume Antoine Normand, fondateur et vice-président du conseil d'administration de Cactus Communications. L'entreprise de haute technologie de Gatineau emploie 85 personnes.

Il est très difficile de concurrencer le fédéral, surtout au chapitre du régime de retraite, dit-il. « Nous n'avons pas de plan de pension, mais nous encourageons nos employés à contribuer à un REER collectif. »

Quant à l'assurance collective, avec ses soins dentaires et ses lunettes, une PME comme Cactus n'a pas le « pouvoir d'achat » du fédéral. « Notre plan n'est pas aussi compétitif que le fédéral. »

Cactus investit tout de même « quelques centaines de milliers de dollars par année » dans un plan qui comprend un examen chez le dentiste à tous les neuf mois. Les frais d'orthodontie, qui s'élèvent facilement à plusieurs milliers de dollars, ne sont toutefois pas couverts, ni les lunettes.

Or, tout comme d'autres PME — surtout dans le monde du *high tech* —, Cactus Communications compense ses faiblesses en offrant des salaires plus compétitifs. Antoine Normand donne l'exemple d'un programmeur débutant qui détient un diplôme universitaire.

Il obtiendra un salaire de base de 40 000 $ à 55 000 $, ce qui est semblable au fédéral. « Mais au gouvernement, cet employé n'augmentera pas son salaire à 90 000 $ en cinq ans, comme c'est possible de le faire ici. Les entreprises de haute technologie offrent aussi souvent des options d'actions à leurs employés. »

Au niveau du personnel de soutien, c'est une tout autre histoire, affirme cependant Antoine Normand. Le fédéral offre des salaires plus généreux que le privé à ses employés de bureau et c'est difficile pour les PME de concurrencer.

Quant aux congés de maternité, rares sont les PME qui peuvent offrir 93 % du salaire pendant un an, comme au fédéral. « Les employés en congé de maternité ont recours à l'assurance chômage », explique M. Normand.

Voici un aperçu des avantages de base accordés à un employé permanent avec un salaire annuel moyen de 50 000 $.

Fédéral :

À la base, les fonctionnaires fédéraux ont 3 semaines de vacances annuelles.

Régime de retraite : le fonctionnaire qui est âgé de 55 ans avec au moins 30 ans de service a droit à une pension. (Calcul de base pour un fonctionnaire qui a 35 ans de service : 2 % × nombre d'années de service × salaire moyen des 5 années consécutives les mieux payées. Exemple : 2 % × 35 ans × 50 000 = 35 000 $, ou 70 % du salaire.)

Le fédéral accorde en général 10 congés de maladie par année, 13 jours fériés annuels, 5 congés familiaux, plus 2 congés (un pour le bénévolat et un libre).

Congé de maternité : les conditions varient, mais le fédéral accorde en général 93 % du salaire pour un an.

Soins dentaires : le maximum remboursable dans une année est de 1 500 $ (franchise de 50 $ par famille). Les services d'orthodontie sont assujettis à une limite de 2 500 $ à vie par personne.

Lunettes : 200 $ une fois tous les 2 ans.

Québec :

Les fonctionnaires québécois obtiennent en général une semaine de plus de vacances annuelles, soit 4 semaines.

Le régime de retraite est basé sur le même calcul similaire à celui du fédéral (2 % × nombre d'années de services × salaire moyen des 5 années consécutives les mieux payées). À la base, un fonctionnaire québécois obtient une pension indexée à l'inflation après 35 ans de service jusqu'à 60 ans, soit 70 % de son salaire.

Le Québec accorde 12 jours de congé de maladie par année à ses fonctionnaires, des congés « sociaux » (mariage, union civile, décès d'un proche, déménagement), 13 jours fériés payés par année.

Congé de maternité : 20 semaines à 93 % du salaire, un congé qui peut être suivi par un congé sans salaire.

Pas de soins dentaires, ni de lunettes payées.

Gatineau :

Les conventions collectives n'ont pas toutes été harmonisées depuis la fusion de 2001. Il y a donc encore des écarts entre les anciennes villes. Pour les fins de cet exercice, nous avons choisi les cols blancs des deux plus gros secteurs de la ville.

Vacances annuelles Hull et Gatineau : 2 semaines la première année, 3 semaines après 3 ans et 4 après 7 ans.

Pensions : pleine pension à 55 ans, ou 25 ans de services à Hull. À Gatineau, un employé peut prendre sa retraite à 55 ans ou 30 ans de service.

Congés de maladie : Gatineau, 10 jours, et Hull, 5 jours.

Jours fériés : 13 jours à Gatineau et 15,5 jours à Hull.

Congés de maternité : Hull verse la différence entre 90 % du salaire hebdomadaire net et le montant reçu de l'assurance emploi pour 15 semaines. Un congé sans solde par la suite. Gatineau verse la différence entre 90 % du salaire brut et le montant de l'assurance emploi pour 15 semaines. Le congé est sans solde par la suite.

Pas de soins dentaires, ni de lunettes payées.

Ottawa :

Les employés municipaux ont à la base 3 semaines de vacances annuelles.

Leur régime de retraite est celui d'OMERS (Conseil du régime de retraite des employés municipaux de l'Ontario). Le régime des employés municipaux ontariens accorde une pension indexée à l'inflation à 65 ans après 35 ans de service. Pour les policiers et les pompiers, l'âge minimal est 60 ans. Un employé peut prendre une retraite hâtive à 50 ou 55 ans avec ou sans pénalité dépendant des années travaillées. Le calcul est comme au fédéral et au Québec (2 % × années de service × salaire des 5 meilleures années).

Congé de maternité : le salaire à 100 % pour les 15 premières semaines et 93 % du salaire jusqu'à une période d'un an.

Jours fériés et congés de maladie : 11 jours fériés par année et 10 jours de maladie.

Soins dentaires : 90 % des soins de base, comme l'examen et les radiographies, sont payés tous les 9 mois. Pour l'orthodontie, la Ville paye 50 % des coûts jusqu'à concurrence de 2 000 $ à vie.

Soins de la vue : examen et 200 $ pour les lunettes tous les 2 ans.

PME en haute technologie :

Vacances : 2 à 3 semaines au départ.

Pension : REER collectif avec prélèvement à la source disponible pour les employés. Contribution de l'employeur : au maximum 250 $ par année.

Congés de maladie : illimité (cas par cas).

Jours fériés : 13 jours fériés annuellement.

Congés familiaux : illimité (cas par cas).

Congé de maternité : selon les dispositions de l'assurance emploi (l'entreprise paye les 2 semaines d'attente de l'assurance emploi).

Soins dentaires : couverts à 90 % à l'exception de l'orthodontie (examen aux 6 mois).

Soins de la vue : l'achat des lunettes n'est pas couvert, mais l'employé a droit à un examen par année.

Source : Lafortune (2005, p. 14).

*Introduction*_____

Les entreprises ne fonctionnent pas en vase clos et elles se distinguent les unes des autres. Aussi leurs politiques en matière de gestion de la rémunération et les défis qu'elles doivent relever sont-ils fonction de diverses caractéristiques de leurs environnements internes et externes. Le modèle de gestion de la rémunération retenu dans le présent ouvrage met en avant une gestion contingente de la rémunération qui varie selon diverses caractéristiques situationnelles. Il n'existe donc pas de stratégie de rémunération globale idéale pour toutes les organisations. Ainsi, chaque organisation doit comprendre les facteurs qui influencent ses propres décisions en matière de rémunération afin de déterminer les changements les plus pertinents, utiles et importants à réaliser. Par conséquent, le spécialiste de la rémunération doit non seulement connaître la stratégie et les objectifs d'affaires et maîtriser les techniques de sa discipline, mais avoir une connaissance approfondie de son entreprise et de son environnement.

Ce chapitre vise à illustrer la nature et l'ampleur des influences que des caractéristiques de l'environnement, de l'organisation, des emplois et des employés peuvent avoir sur la gestion de la rémunération.

2.1   L'influence des caractéristiques de l'environnement externe sur la gestion de la rémunération

De nombreuses caractéristiques environnementales exercent une influence sur la gestion de la rémunération. Cette section traite de l'influence des caractéristiques environnementales suivantes : l'état de l'offre et de la demande de travail sur le marché, l'environnement législatif, les environnements économique et concurrentiel, les environnements social et culturel ainsi que l'environnement démographique.

2.1.1   L'état de l'offre et de la demande de travail sur le marché

Les salaires versés aux employés sont en partie liés à l'état de l'offre et de la demande d'un type de services et de travailleurs requis sur le marché du travail, ce qui constitue l'essence de la théorie économique classique de l'offre et de la demande de travail. Si les postes sont peu nombreux et que le bassin d'employés proposant leurs services est important, les salaires diminueront. À l'opposé, si les postes sont nombreux et qu'il y a une pénurie de la main-d'œuvre, les salaires augmenteront et atteindront à long terme un taux correspondant au point d'intersection entre la courbe de la demande de travail et la courbe de l'offre de travail.

L'augmentation accélérée de la rémunération des spécialistes de l'informatique à la veille du bogue appréhendé de l'an 2000, par exemple, est fortement attribuable à la demande croissante sur le marché du travail. De la même manière, dans un environnement où la population vieillit et consomme plus de médicaments, l'actuelle pénurie de pharmaciens sur le marché du travail presse les employeurs à consentir à ces professionnels des augmentations de salaires plus élevées que celles qui leur étaient traditionnellement accordées par le passé.

Les économistes du travail élaborent des modèles permettant de déterminer le taux de salaire qui aura pour effet d'équilibrer l'offre et la demande de travail sur le marché. La demande de travail correspond au nombre et aux exigences des emplois offerts sur le marché du travail (les employeurs). Quant à l'offre de travail, elle consiste dans le nombre et les compétences des employés proposant leurs services sur le marché (les employés). Plus précisément, la figure 2.1 montre la façon dont l'état de la demande et de l'offre de travail détermine le taux de salaire pour un type particulier d'emploi sur un marché donné.

Dans cette figure, la *courbe de la demande de travail* (D_t), dont la pente va vers le bas (descendante), indique que les employeurs veulent engager plus de travailleurs à de bas taux de salaires.

La *courbe de l'offre de travail* (O_t), dont la pente va vers le haut (ascendante), indique que plus les taux de salaires sont élevés, plus les travailleurs désirent occuper les postes offerts.

L'hypothèse du modèle économique est que le salaire qui « achète » et « vend » le travail sur le marché correspond au point S_1, qui correspond lui-même à l'intersection entre les courbes de l'offre et de la demande.

Ainsi, à un *taux de salaire supérieur à* S_s, il y a plus de travailleurs (offre de travail) que de postes à pourvoir (demande de travail) et la concurrence entre les travailleurs entraîne une baisse du salaire au taux S_1, où la demande égale l'offre de travail.

À un *taux de salaire inférieur à* S_i, il y a un trop grand nombre de postes pour les travailleurs (offre de travail), et la concurrence entre les employeurs pour pourvoir les postes (demande de travail) entraîne une hausse salariale au taux S_1, où la demande égale l'offre de travail.

Le modèle économique de l'offre et de la demande de travail repose sur cinq hypothèses associées à la compétition parfaite (Kaufman, 1986).

1. Les employeurs cherchent à maximiser leurs bénéfices et les travailleurs veulent maximiser leur rémunération.

2. Les employeurs et les employés ont une connaissance parfaite des salaires et des possibilités d'emploi sur le marché.

3. Les employés sont semblables sur le plan des habiletés et du rendement et les postes offerts sont semblables quant aux conditions de travail et aux attributs non pécuniaires.

4. Le marché du travail est composé d'une multitude d'employeurs (la demande de travail) et d'employés (l'offre de travail) ; chaque employeur ou chaque employé a une influence négligeable sur le marché. Il n'y a pas de collusion entre les employeurs pour déterminer les salaires et les employés ne sont pas syndiqués.

5. Tous les postes sur le marché du travail sont ouverts à la compétition et il n'y a pas de barrière institutionnelle à la mobilité des employés.

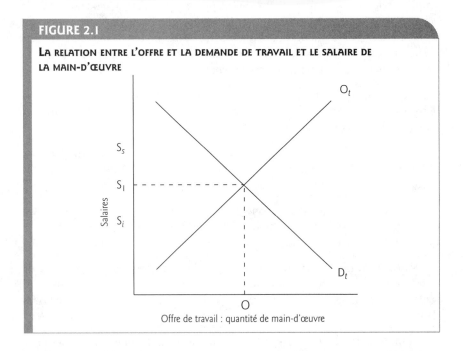

FIGURE 2.1

LA RELATION ENTRE L'OFFRE ET LA DEMANDE DE TRAVAIL ET LE SALAIRE DE LA MAIN-D'ŒUVRE

Évidemment, ces hypothèses sont irréalistes et simplistes : la mobilité a un coût, les informations dont disposent les employeurs et les employés ne sont pas nécessairement exactes, les employés peuvent être syndiqués, toutes les firmes ne cherchent pas à maximiser leurs bénéfices (par exemple, certaines désirent davantage augmenter leur part du marché ou leur valeur boursière), etc. Néanmoins, il est important de connaître le modèle économique classique, puisqu'il permet de comprendre le rôle du marché dans la détermination des salaires, marché qui est d'ailleurs suivi avec un intérêt soutenu par les entreprises. Aussi, les économistes reconnaissent que les forces de l'offre et de la demande de travail ne déterminent pas un taux unique de salaire par poste, mais plutôt une distribution des salaires entre un salaire inférieur (S_i) et un salaire supérieur (S_s) à l'intérieur de laquelle l'employeur a le choix de se situer. Toutefois, à long terme, l'employeur ne peut pas verser plus que le salaire supérieur (S_s), sinon cette mesure réduirait trop ses bénéfices ; de même, il ne peut non plus offrir moins que le salaire inférieur (S_i), sinon il aura de la difficulté à recruter des employés et à les retenir. Par conséquent, entre le salaire supérieur et le salaire inférieur, l'entreprise peut formuler sa propre politique de rémunération. Cela explique pourquoi les enquêtes indiquent que différents employeurs offrent différents taux de rémunération pour des postes similaires attribués à des employés possédant des compétences semblables, et ce, même à l'intérieur d'une industrie et d'une région.

2.1.2 L'environnement législatif

En émettant des lois, des ordonnances et des décrets, les divers ordres de gouvernement d'un pays établissent des salaires minimums, des mesures visant à protéger les personnes contre la perte de revenu et à leur assurer certaines conditions minimales de travail (vacances, jours fériés, etc.). Pensons, par exemple, aux lois sur les normes minimales du travail des diverses provinces canadiennes, aux lois en matière d'équité salariale ou au Code canadien du travail.

Le tableau 2.1 compare quelques dispositions d'un ensemble de lois ou de règlements qui balisent, au Canada, la gestion de la rémunération tant au niveau provincial qu'au niveau fédéral.

Étant donné que les valeurs d'une société évoluent, cela entraîne inévitablement certaines répercussions sur sa législation. Au cours des 25 dernières années, par exemple, les lois canadiennes fédérales et provinciales ayant trait à la rémunération accordée aux hommes et à la rémunération accordée aux femmes ont évolué : il est intéressant d'observer qu'un salaire perçu comme étant inéquitable aujourd'hui était légal autrefois. Par ailleurs, on constate que le Canada adopte une législation proactive en matière d'équité salariale, alors que les États-Unis sont beaucoup moins exigeants à cet égard. Au chapitre des avantages sociaux, les valeurs et la législation ont également beaucoup changé au cours des dernières années, notamment les conditions d'admissibilité aux régimes, qui ont été étendues à une plus grande proportion de la main-d'œuvre et de la population. Par exemple, au Québec, aux fins de la gestion des avantages sociaux, la définition du «conjoint» a été étendue aux personnes de même sexe en juin 1996 (afin d'être conforme à la Charte des droits et libertés de la personne) et aux personnes engagées par un acte d'union civile en 2000.

Notons aussi que l'impact d'un changement du salaire minimum obligatoire sur le coût de la main-d'œuvre d'une entreprise sera plus ou moins important selon le secteur d'activité. Ainsi, une augmentation du salaire minimum risque de n'avoir aucun effet sur le coût de la main-d'œuvre dans les secteurs de la

TABLEAU 2.1

EXEMPLES DE LOIS BALISANT LA GESTION DE LA RÉMUNÉRATION AU SEIN DES COMPÉTENCES CANADIENNES DES NIVEAUX FÉDÉRAL ET PROVINCIAL

Législations des niveaux fédéral et/ou provincial dans les domaines suivants :

- Protection des droits des personnes (Charte canadienne des droits et libertés au niveau fédéral et Charte des droits et libertés de la personne au Québec) et non-discrimination dans la détermination des conditions de travail (incluant la rémunération) sur la base du sexe, de l'âge, de la race, etc.

- Syndicalisation, négociation et administration des conventions collectives au niveau fédéral et dans chaque province (par exemple, Code du travail au Québec) en relation avec la gestion des conditions de travail, incluant la rémunération, dans les milieux syndiqués

- Élimination de la discrimination dans la rémunération des hommes et des femmes (par exemple, Loi sur l'équité salariale au Québec et *Canadian Human Rights Act* au niveau fédéral)

- Rémunération des employés intervenant dans la gestion de la santé et de la sécurité et rémunération des accidentés du travail (au Québec, Loi sur les accidents du travail et les maladies professionnelles)

- Conditions de travail (Loi sur les normes du travail au Québec ou *Employment Standards Acts* dans les autres provinces canadiennes) à divers égards : salaire minimum, heures d'une semaine normale de travail, paiement des heures supplémentaires, vacances, jours fériés, âge minimal pour travailler, primes de séparation, traitement de catégories particulières de personnel (domestiques, gardiens, employés à pourboire, cadres et dirigeants, etc.)

- Détermination des impôts des particuliers (par exemple, salariés versus travailleurs autonomes, avantages imposables, contributions et déductions) et des impôts des organisations (par exemple, contributions obligatoires et déductions possibles)

- Divulgation de la rémunération des dirigeants des sociétés dont les actions sont négociées à la Bourse (règlement 638 au niveau fédéral)

- Gestion des régimes de retraite des employeurs

- Gestion des régimes collectifs de rémunération (par exemple, participation différée aux bénéfices)

- Mesures ou politiques fiscales visant à inciter l'adoption de certains modes ou pratiques de rémunération globale en échange d'allégements fiscaux (par exemple, régimes collectifs de rémunération variable) pétrochimie et de la pharmaceutique, puisque les salaires qu'on y verse sont beaucoup plus élevés que le taux minimal. Par contre, une hausse du salaire minimum augmente substantiellement les coûts d'exploitation dans le secteur du commerce de détail, puisqu'une proportion importante des employés y travaille au taux minimal. Avec la concurrence de plus en plus forte que se livrent des pays comme la Chine, l'Inde et le Mexique, où le salaire moyen des travailleurs peut être de 10 à 12 fois inférieur au salaire moyen offert au Canada, le défi à relever pour les entreprises canadiennes est énorme.

Finalement, pour ce qui est des sociétés multinationales, il est aussi essentiel qu'elles respectent les lois régissant les impôts et les conditions de travail des autres pays. Les lois sont très disparates d'un pays à l'autre et peuvent même entrer en conflit (pensons au traitement réservé aux femmes et aux minorités dans différents pays). Selon une enquête menée par la société Hewitt et Associés (Des Roberts, 1995a, 1995b), le code du travail du Mexique est l'un des plus complets du monde. Parmi les dispositions concernant l'employé, on observe qu'il ne doit pas faire plus de trois heures supplémentaires par jour, et pas plus de trois fois dans une semaine. Toute heure supplémentaire doit être volontaire et la prime, qui est doublée, est triplée lorsque les heures supplémentaires dépassent le maximum prévu par la loi. De plus, l'employé doit être payé 365 jours par année et on doit lui verser 56 heures pour 40 heures de travail par semaine. En ce qui a trait à l'employeur, il doit payer une prime de Noël non imposable équivalente à un minimum de 15 jours de salaire pour tous les employés ayant plus d'une année de service. Il doit également verser une prime annuelle de vacances minimale équivalente à 25 % du salaire de l'employé. Il doit rembourser à ses employés les coûts liés à diverses activités éducatives, sociales et culturelles jusqu'à un certain montant maximal annuel. Enfin, il doit distribuer 10 % de ses profits à tous ses employés, à l'exception du chef de la direction.

2.1.3 Les environnements économique et concurrentiel

En raison de leur meilleure santé économique et du coût de la vie plus élevé qu'on y trouve, les employés des provinces de l'Ontario et de la Colombie-Britannique gagnaient jusqu'à récemment un salaire moyen plus élevé que les employés des autres provinces canadiennes. Au cours des dernières années, toutefois, avec la dynamique créée par la forte activité de l'industrie pétrolière, l'Alberta semble avoir au moins rejoint ces dernières provinces. Cette situation complique la gestion de la rémunération au sein des sociétés ayant des unités d'affaires dans des provinces canadiennes dont la santé économique varie grandement.

L'analyse des pressions économiques sur la gestion de la rémunération amène l'employeur à se poser plusieurs questions, comme les suivantes : jusqu'à quel point la situation financière de l'entreprise — et donc sa capacité à offrir de meilleures conditions de rémunération — est-elle influencée par la situation économique de la région ? Les taux d'intérêt, la valeur du dollar et la demande de biens et de services sont-ils favorables à la situation financière de l'entreprise à court terme ? Quelles conditions économiques peut-on prévoir pour les mois ou les années à venir ? Quelles sont les incidences du contexte économique sur la gestion de la rémunération ?

Avec le phénomène de la mondialisation des marchés, certaines entreprises canadiennes ont de plus en plus de difficulté à demeurer compétitives. Plusieurs pays en voie de développement allient une technologie de pointe, une main-d'œuvre qualifiée et des salaires peu élevés. Dans ce contexte de libre-échange mondial, les entreprises canadiennes n'ont pas vraiment le choix : elles doivent réduire leurs coûts ou accroître leur productivité. En effet, les entreprises sont de moins en moins en mesure de transmettre une hausse des coûts de la main-d'œuvre aux consommateurs. Ces pressions économiques et concurrentielles ont poussé les firmes à accorder une plus grande importance à la portion variable de la rémunération qu'à la portion fixe.

Enfin, sur le plan international, la gestion de la rémunération des employés expatriés nécessite bien entendu qu'on tienne compte, entre autres, des indices du coût de la vie établis pour diverses villes du monde.

BULLETIN$ 2.1

ENCORE RELATIVEMENT PEU ÉLEVÉ, L'INDICE DES PRIX À LA CONSOMMATION DES VILLES CANADIENNES AUGMENTE AVEC LA VALEUR DU DOLLAR

Mercer, Consultation en ressources humaines (2004 Worldwide cost-of-living) a comparé le coût relatif de plus de 200 produits (liés à l'habitation, à la nourriture, au vêtement, à l'ameublement, au transport et au loisir) dans 144 villes à l'échelle mondiale. Avec New York comme ville de base qui représente un score de 100, les villes où la vie est la plus chère en Europe sont le centre de Londres (119), Genève (106), Copenhague (102), Zurich (102), Milan (99), Dublin (97), Oslo (96), Paris (95), alors que la ville la moins chère est Bucarest (60). Aux États-Unis, les villes les plus chères sont New York (100), Los Angeles (87), Chicago (85) et San Francisco (84), alors que Pittsburgh est la moins chère (67). Au Canada, la ville la plus chère est Toronto, alors que la moins chère est Ottawa. Dans le monde entier, les quatre villes les plus chères se trouvent en Asie ; ce sont Tokyo (131), Osaka (116), Hong-Kong (110) et Séoul (104).

Source : Traduit et adapté de *Newsline* (2004).

2.1.4   Les environnements social et culturel

On ne peut gérer la rémunération des employés sans considérer la culture nationale, c'est-à-dire les valeurs, les normes et les croyances partagées par les habitants d'un pays. En fait, les manières de gérer la rémunération au sein des firmes sont influencées par les valeurs de la société tout autant que les manières de gérer la rémunération influencent ou maintiennent les valeurs sociétales.

Les liens entre les cultures des sociétés et la perception d'équité ou de justice en matière de gestion de la rémunération sont multiples et variés. Ainsi, en Amérique du Nord, les régimes de rémunération basée sur la contribution individuelle à court terme sont très populaires. En France, les salaires peuvent varier de façon importante pour les titulaires d'un même poste selon qu'ils sont diplômés d'une école plus ou moins prestigieuse (les « grandes écoles »). En Inde, les règles associées à la détermination des conditions de travail des citoyens semblent toujours liées aux castes. Dans certains pays comme le Japon et la Corée, les salaires des employés sont déterminés en fonction non pas de la nature de leur travail, mais de leur scolarité et de leur ancienneté ou loyauté. Au Japon, les modes de rémunération récompensent davantage les besoins des employés et des membres de leur famille. Enfin, comparativement aux pays d'Europe et d'Asie, les pays d'Amérique du Nord et d'Amérique du Sud établissent davantage une différence entre la rémunération des dirigeants d'une entreprise et celle de leurs employés. Les pays qui valorisent plus les différences de pouvoir, comme les pays arabes, auront plus tendance à valoriser des modes de rémunération symbolisant des différences de statuts, alors que les pays qui prônent plus l'égalité, comme l'Australie, la Suède ou la Norvège, privilégieront des modes de rémunération qui ne favorisent pas d'importants écarts entre les catégories de personnel.

Certains pays comme la France, l'Allemagne et le Canada (à un degré moindre) contraignent dans une certaine mesure les employeurs à protéger leur personnel contre les problèmes d'insécurité de la société industrielle ; d'autres, comme les États-Unis, laissent en grande partie à l'initiative privée le soin de résoudre ces problèmes. De la même manière, faisant face à des changements démographiques et sociologiques semblables, les États réagissent différemment à travers les lois, les règlements, les mesures fiscales et incitatives qu'ils adopteront et les pressions qu'ils exerceront sur les organisations pour favoriser le bien-être des familles. On distingue les *États non interventionnistes* (comme les États-Unis, l'Angleterre, l'Espagne, le Portugal et la Grèce), les *États faiblement interventionnistes* (comme l'Allemagne, l'Autriche, l'Italie, les Pays-Bas et le Luxembourg) et les *États interventionnistes* (comme les pays scandinaves et la France).

Enfin, il est important de comprendre que, dans le contexte de la mondialisation, les sociétés multinationales doivent relever le défi qui consiste à adapter les régimes de rémunération des employés travaillant au sein d'unités d'affaires situées dans différents pays aux valeurs et aux lois en vigueur dans ces pays. À cet égard, des études montrent que, dans le cadre d'une gestion transnationale des entreprises, c'est bien davantage le pays où se trouve une organisation que le secteur d'activité économique dans lequel elle œuvre qui explique la nature de ses politiques de gestion des ressources humaines, incluant ses politiques en matière de rémunération (voir la recension de Sire et Tremblay, 2000).

2.1.5   L'environnement démographique

Le profil de la main-d'œuvre canadienne a beaucoup changé au cours des dernières décennies. Pour s'en convaincre, il suffit de penser à la féminisation de la main-d'œuvre, au nombre de plus en plus élevé de familles monoparentales, à l'augmentation du nombre de couples à deux carrières, à la scolarisation accrue de la main-d'œuvre, à la disparition de la famille dite « traditionnelle » (l'homme pourvoyeur, la femme sans emploi rémunéré et leurs enfants), au vieillissement de la population ou au nombre croissant d'employés qui travaillent à temps partiel ou sur une base contractuelle. Plus scolarisée et plus diversifiée, la main-d'œuvre d'aujourd'hui exige davantage d'informations sur la variété des composantes de la rémunération totale, ce qui augmente l'importance de la communication à ce sujet.

Ces nombreux changements exercent des pressions sur la gestion de la rémunération. L'entreprise doit faire en sorte que ses modes de rémunération soient plus flexibles et plus personnalisés, afin de répondre aux attentes et aux besoins particuliers de sa nouvelle main-d'œuvre. Ainsi, pour satisfaire les besoins d'une nouvelle main-d'œuvre, plusieurs entreprises du Québec adoptent des pratiques facilitant la conciliation travail-famille en ce qui a trait aux services de garde et à l'aide aux soins de la famille, aux congés, aux horaires de travail, etc. (Guérin *et al.*, 1997). Cette flexibilité accrue, si elle comporte des atouts, entraîne également un défi important : l'entreprise doit présenter de nouveaux modes de rémunération qui seront perçus comme étant équitables par une main-d'œuvre de plus en plus diversifiée.

2.2   Les influences des caractéristiques des organisations sur la gestion de la rémunération

De nombreuses caractéristiques organisationnelles influencent la gestion de la rémunération. Dans cette section, nous décrirons les incidences des caractéristiques organisationnelles suivantes : le secteur d'activité économique (l'état de la concurrence et de la demande, et la proportion des coûts de la main-d'œuvre dans les coûts d'exploitation), les secteurs privé et public, la taille et le prestige, la situation financière, la localisation, la présence d'un syndicat au sein de l'organisation et sur le marché, la stratégie d'affaires, la culture ou la philosophie de gestion, l'organisation du travail, les technologies de production, le cycle de vie, les autres fonctions et activités de gestion, les modes traditionnels de gestion de la rémunération et la rémunération non pécuniaire.

2.2.1 Le secteur d'activité économique

En occupant un même emploi, une personne gagnera un salaire différent selon qu'elle travaille dans une industrie plutôt que dans une autre. Selon Milkovich et Newman (2005), certaines enquêtes longitudinales indiquent que l'effet du type de secteur d'activité ou de l'industrie sur les conditions de rémunération des employés est demeuré stable au cours des années : les industries qui payaient mieux il y a 70 ans sont encore aujourd'hui parmi celles qui accordent les meilleures conditions de rémunération, et vice versa. Ainsi, les salaires et les augmentations de salaires versés aux employés de diverses industries — notamment ceux du textile, de la chaussure, du meuble, de l'hôtellerie, de la restauration, du commerce de détail et les organismes à but non lucratif — sont beaucoup plus bas que ceux qui sont accordés aux employés des secteurs des mines, de la pétrochimie, de la pharmaceutique, du tabac, de la métallurgie, des transports, des communications et des ressources naturelles.

Il faut aussi reconnaître que même au sein d'une industrie, les salaires moyens offerts pour des postes semblables varient. Ainsi, selon une enquête menée par Mercer, Consultation en ressources humaines, il est plus payant de travailler dans certains segments de l'industrie du commerce. Les salaires de base annuels médians des cadres dans des segments du marché — entre autres les appareils ménagers, les appareils électroniques de même que les épiceries et supermarchés — tournent autour de 60 000 $ alors qu'ils approchent les 30 000 $ seulement dans les secteurs des magasins de vidéos et de musique, les librairies et les détaillants spécialisés (Egan, 2000). Même à l'intérieur de la région de Montréal, les taux horaires de différents postes de l'industrie du commerce de détail varient grandement (par exemple, le salaire horaire d'un caissier y varie de 8,00 $ à 11,75 $, celui d'un manutentionnaire, de 8,00 $ à 17,00 $) d'un employeur à l'autre (par exemple, Wal-Mart, Costco, la Société des alcools du Québec) selon son secteur, sa volonté de fidéliser ses employés, sa rentabilité, la présence d'un syndicat, etc. (Le Cours, 2005).

Comment peut-on expliquer ces effets de l'industrie sur les taux de salaires ? Des facteurs comme l'état de la concurrence et de la demande ainsi que la proportion des coûts de la main-d'œuvre dans les coûts totaux d'exploitation nous permettent de mieux comprendre ce phénomène.

2.2.1.1 L'état de la concurrence et de la demande

La capacité de payer d'une organisation — estimée en fonction de sa productivité et de ses profits actuels et prévus — limite les conditions de rémunération qu'elle peut offrir à ses employés, et ce, particulièrement lorsque surviennent des périodes de récession. Cette capacité de payer est liée à la possibilité, pour l'organisation, d'intégrer les augmentations de salaires aux prix de ses produits ou services, laquelle est fonction de l'état de la concurrence dans son secteur d'activité et de l'état de la demande de ses produits ou services.

Ainsi, plus la concurrence est vive, plus la demande des produits ou des services de l'entreprise est faible, et moins celle-ci peut transmettre des augmentations de salaires aux clients en haussant le prix de ses produits ou services, puisque cette façon de faire réduirait ses ventes et, conséquemment, ses revenus. Dans ce dernier cas, l'entreprise a intérêt à stabiliser le prix de ses produits ou services, quitte à consacrer une plus grande part de ses revenus au paiement des coûts de sa main-d'œuvre. En d'autres mots, plus la concurrence est forte dans une industrie, plus il est difficile pour les entreprises de ce secteur de réaliser des bénéfices, et moins elles sont en mesure d'accorder des conditions de rémunération supérieures. À l'inverse, moins la concurrence est forte, plus la demande de produits ou de services est élevée, et plus les entreprises peuvent se permettre d'adopter une politique de rémunération qui les placera à la tête du marché en transmettant la facture à leurs clients. Par conséquent, si l'état de l'offre de main-d'œuvre fixe le taux minimal de salaire permettant d'attirer et de retenir les employés compétents, l'état de la demande de produits ou de services, ou encore l'ampleur de la concurrence dans le secteur d'activité, détermine le taux maximal de salaire qu'une entreprise peut se permettre d'offrir (Gunderson et Riddell, 1996). En résumé, les entreprises œuvrant dans des secteurs marqués par une concurrence très vive cherchent rarement à devancer le marché en matière de rémunération pour ne pas trop hausser les coûts de leur main-d'œuvre et rester compétitives. Au mieux, ces entreprises tenteront d'accompagner le marché afin de pouvoir recruter et retenir un personnel qualifié.

Au cours des dernières années, les législations et les changements économiques ont grandement agi sur l'état de la concurrence et, par conséquent, sur les possibilités pour les entreprises d'intégrer des augmentations de salaires aux prix des produits ou des services. Songeons, par exemple, aux accords portant sur des ententes tarifaires douanières et au commerce entre un certain nombre de pays — dont le Canada — ainsi qu'à l'Accord de libre-échange nord-américain (ALENA) entre le Canada, les États-Unis et le Mexique.

2.2.1.2 La proportion des coûts de la main-d'œuvre dans les coûts d'exploitation

Dans les entreprises de services où les coûts de la main-d'œuvre peuvent représenter plus de 50 % des coûts d'exploitation, les taux de rémunération ont un effet direct sur la compétitivité. Aussi de telles organisations cherchent-elles rarement à devancer le marché pour ne pas trop hausser les coûts de leur main-d'œuvre. Elles s'efforceront plutôt d'accompagner le marché, de manière à pouvoir recruter et retenir un personnel qualifié. Ces secteurs à haute intensité de main-d'œuvre (*people intensive*) — notamment les secteurs de l'hôtellerie, du textile, de la chaussure et de l'enseignement — se contentent généralement d'accompagner le marché ou d'être à la remorque de celui-ci en matière de rémunération.

Quant aux firmes dont les coûts d'exploitation sont davantage liés aux immobilisations qu'à la main-d'œuvre (*capital intensive*) — notamment les entreprises relevant des secteurs de l'acier et de la pétrochimie —, elles offrent souvent de meilleures conditions de rémunération à des employés ayant des compétences élevées. Au Canada, par exemple, le taux de salaire horaire moyen des employés (excluant les dirigeants) dans les industries minière et forestière, le transport et les communications atteint 22 $, alors que dans l'industrie hôtelière, la restauration et le commerce il se situe autour de 12 $.

2.2.2 Les secteurs privé et public

Selon qu'un employé travaille dans le secteur privé ou dans le secteur public, cela aura aussi des incidences sur les modes de gestion de la rémunération. Le tableau 2.2 relève certaines particularités du secteur public qui permettent de mieux saisir leurs effets sur la gestion de la rémunération. Notons que plusieurs de ces particularités peuvent aussi caractériser certaines entreprises de grande taille et dotées de lourdes structures hiérarchiques.

BULLETIN$ 2.2

Le décalage salarial de 12,3 % entre les salariés de l'administration publique québécoise et l'ensemble des autres salariés peut s'expliquer par la valeur de la sécurité de leur emploi. Selon cette perspective, il n'y a pas de « retard salarial » du secteur public québécois par rapport au secteur privé, mais plutôt une « différence compensatoire » : au fil des années, les salariés du secteur public ont implicitement troqué une rémunération inférieure à celle que gagnaient leurs homologues du secteur privé contre une plus grande sécurité. La sécurité de l'emploi offerte aux employés permanents recouvre un ensemble de privilèges, dont la garantie de ne pas être congédiés faute de travail, le droit au placement prioritaire dans des postes vacants et le maintien de leur traitement en cas de suppression de postes. De plus, les conventions collectives accordent aux employés, dont le poste a été supprimé ou cédé, le droit de refuser, à certaines conditions, une autre affectation si le poste est à l'extérieur de leur catégorie d'emploi ou de leur unité administrative ou s'il est situé à plus de 50 kilomètres de leur port d'attache.

Source : Adapté de Muller (2005, p. A17).

TABLEAU 2.2

PARTICULARITÉS DU CONTEXTE D'AFFAIRES, DE LA GESTION, DE LA GRH[1] ET DE LA GESTION DU RENDEMENT ET DE LA RÉMUNÉRATION DANS LE SECTEUR PUBLIC

Particularités du contexte d'affaires

- Absence de bénéfices et d'actions négociées sur le marché boursier
- Monopole ou faible compétition ; dans certains cas, risque de privatisation
- Produits souvent intangibles : services
- Scepticisme de la population quant à la qualité de la gestion
- Exigences accrues de la population à l'égard des services ou des produits offerts (variété, quantité, rapidité, etc.)
- Aléas politiques : horizon de direction à court terme, électoralisme, etc.

Particularités de la gestion

- Objectifs de gestion : la qualité des services et l'efficience, c'est-à-dire l'art de faire davantage avec moins de ressources (compressions budgétaires, réduction des services ou des produits offerts)
- Stratégies et lignes directrices floues et tributaires des changements de leadership
- Modes de gestion très standardisés et formalisés
- Culture de gestion axée sur le contrôle
- Style de gestion accordant peu de pouvoir décisionnel aux cadres
- Préoccupation marquée pour la justice des processus de gestion
- Bureaucratie
- Gestion par budgets : contrôle des coûts et respect des budgets
- Productivité difficile à comptabiliser
- Organisation du travail traditionnelle (par exemple, division des tâches)
- Gestion peu participative
- Difficulté à innover, à expérimenter, à changer en raison des traditions, du nombre élevé d'employés visés et de la décentralisation géographique des employés

Particularités de la gestion des ressources humaines

- Main-d'œuvre syndiquée
- Relations de travail souvent tendues entraînant des griefs à régler
- Gestion standardisée et officielle (moins d'individualisation, de cas par cas)
- Sécurité de l'emploi
- Faible roulement du personnel
- Difficulté à recruter des employés ayant des compétences clés
- Efforts pour respecter les lois (équité salariale, équité d'emploi, Charte des droits et libertés de la personne, etc.) de manière à agir comme modèle

---

1 GRH : gestion des ressources humaines.

TABLEAU 2.2 (*suite*)

- Souci d'éviter le favoritisme, les comportements discrétionnaires et la subjectivité
- Procédures d'appel et de règlement des griefs connues
- Accent mis sur la sélection et la promotion des employés et non sur l'évaluation du rendement des employés

Particularités de la gestion du rendement et de la rémunération

- Préoccupation pour la réduction des frais de gestion de la rémunération en préconisant la standardisation des conditions de travail des employés entre les régions, les villes et les provinces
- Transparence, standardisation et formalisation de la gestion importantes en vue d'une réduction des perceptions selon lesquelles les décisions sont politiques ; multiples politiques touchant à de nombreuses catégories d'emplois fort variés
- Rémunération liée aux budgets octroyés et aux conventions collectives, les employés n'étant pas en mesure de « générer » des revenus qui permettraient de mieux les payer
- Objectif de contrôle des coûts de rémunération, parce qu'ils sont scrutés par les citoyens, les journalistes, etc., et qu'il est difficile de transmettre les hausses de rémunération aux contribuables (sous forme de taxes, d'impôts, etc.)
- Politique relative aux salaires : accompagner le marché, l'égaler
- Avantages sociaux et régimes de retraite souvent supérieurs à ceux du marché
- Politiques et programmes gérés sur les plans national et provincial ; prise en considération de la productivité du pays ou de la province
- Compression des salaires ou aplatissement des structures salariales : les employés au bas de la hiérarchie gagnent plus que les employés du secteur privé qui occupent des emplois comparables ou exigeant des compétences semblables, alors que c'est l'inverse pour les emplois situés au sommet de la hiérarchie
- Souci plus grand pour l'équité interne et de l'équité (relativité) salariale ; souci moins grand pour l'équité externe et l'équité individuelle ; l'évaluation et la hiérarchisation des emplois sont donc importantes ; on privilégie une classification des emplois fondée sur leurs responsabilités relatives
- Performances individuelles et collectives difficiles à définir et à mesurer : s'il y a évaluation du rendement individuel, cela est fait dans un but de communication et de développement, et non pour la fixation des salaires ; reconnaissance pécuniaire des années de service plutôt que du rendement ; rendement reconnu par l'octroi de promotions
- Peu de pouvoir discrétionnaire accordé aux cadres et peu d'individualisation de la rémunération (par exemple, rémunération au mérite, rémunération des compétences)
- Peu de régimes collectifs de rémunération variable applicables : les régimes de suggestions ou de partage des gains sont possibles

Dans le secteur public, la gestion de la rémunération se fait en fonction des budgets à respecter et des conventions collectives ou des programmes officiels auxquels sont soumis un grand nombre d'employés dans tout le pays ou la province. On retrouve aussi un phénomène de compression des salaires selon lequel les titulaires des emplois situés au bas de la pyramide hiérarchique dans le secteur public sont mieux payés que les titulaires des emplois comparables dans le secteur privé. À l'inverse, les employés qui occupent des emplois de haut niveau hiérarchique seront moins bien payés que des employés occupant des emplois comparables dans le secteur privé (Gunderson *et al.*, 2000). On peut expliquer cela par le fait que les syndicats ont traditionnellement exercé plus de pression (par exemple, la grève) pour améliorer les conditions de rémunération des employés occupant des postes d'entrée. De plus, le Conseil du Trésor est réticent à améliorer la rémunération des dirigeants de la fonction publique étant donné la visibilité de leur salaire et la résistance des contribuables au fait de payer mieux les employés du secteur public qu'eux-mêmes. En outre, dans la fonction publique, particulièrement au Canada, seuls certains cadres supérieurs peuvent recevoir une rémunération variable (augmentation de salaire ou prime au mérite), et lorsque c'est le cas, les budgets octroyés sont souvent si faibles que les sommes sont plutôt symboliques.

2.2.3   La taille et le prestige

Au Canada comme aux États-Unis, les études confirment que la taille des entreprises, mesurée par le chiffre d'affaires ou le nombre d'employés, a un effet positif sur les taux de rémunération et sur la générosité des avantages sociaux (Julien, 1997 ; Evans et Leighton, 1989). Comparativement aux petites organisations, les grandes organisations ont tendance à verser de meilleurs salaires, même lorsqu'elles sont du même secteur d'activité économique ou qu'elles entrent en concurrence sur un marché.

Plusieurs facteurs peuvent contribuer à expliquer pourquoi les salaires des employés sont plus élevés dans les grandes entreprises que dans les petites. Ainsi, il semble que plus la taille d'une organisation est grande :

– plus elle tend à réaliser de meilleurs bénéfices en raison d'une meilleure productivité (elle est donc plus en mesure d'offrir de meilleures conditions de rémunération) ;

– plus elle tend à adopter des systèmes de production nécessitant un personnel plus qualifié (elle doit donc offrir de meilleures conditions de rémunération pour attirer et retenir ce personnel) ;

– plus elle tend à attirer des employés plus scolarisés, plus stables et comptant plus d'années de service (elle doit alors leur accorder de meilleures conditions de rémunération pour les retenir) ;

– plus elle est susceptible de devoir composer avec un syndicat (elle est donc contrainte par un syndicat d'accorder de meilleures conditions) ou, s'il n'y a pas de syndicat, plus elle aura tendance à offrir des conditions avantageuses pour éviter la syndicalisation ;

– plus elle accorde une rémunération élevée à son président, et cela se répercuterait sur la rémunération du personnel des niveaux hiérarchiques inférieurs.

Les écarts de rémunération entre les organisations seraient dus au fait que, comparativement aux grandes organisations, les PME sont, entre autres, davantage susceptibles :

– d'être localisées dans des milieux ruraux, où le coût de la vie est moins élevé ;

– d'embaucher des travailleurs sur une base horaire, à temps partiel ou temporaire, ce qui leur permettrait de limiter davantage les coûts de leur main-d'œuvre ;

– d'avoir une main-d'œuvre dont les caractéristiques commandent de plus faibles salaires : plus jeune, plus féminine, moins scolarisée, moins qualifiée, ayant moins d'ancienneté, comportant moins de cadres ;

– d'avoir moins de revenus et une moins grande capacité de payer ;

– de lier davantage la rémunération à des mesures de rendement.

La taille des entreprises a une incidence non seulement sur les montants offerts, mais aussi sur la manière de gérer la rémunération du personnel. Dans les petites entreprises, ce sont les dirigeants et les cadres qui gèrent la rémunération du personnel. À ce jour, les écrits corroborent l'idée que plus une firme est petite, plus ses dirigeants s'appuient sur le taux du marché (Garand, 1993) et sur les caractéristiques individuelles des employés (leurs besoins, leur ancienneté, leur rendement, etc.) pour gérer les salaires. Par ailleurs, plus la taille d'une entreprise s'accroît, plus cette dernière doit officialiser sa gestion de la rémunération, afin de réduire divers problèmes d'iniquité, et plus les exigences légales qu'elle doit respecter sont élevées (par exemple, la Loi sur l'équité salariale du Québec fixe des exigences différentes en fonction de la taille des entreprises).

La politique de rémunération (par exemple, accompagner le marché, le dépasser ou être à sa remorque) d'une organisation peut également refléter l'image ou le prestige qu'elle désire projeter dans le public. Une société pourra, par exemple, utiliser sa politique de rémunération pour appuyer son image « d'employeur de choix ».

2.2.4   La situation financière

La situation financière de l'entreprise a inévitablement un impact sur la valeur de la rémunération accordée ainsi que sur la nature des programmes de rémunération.

En effet, les organisations dont la capacité de payer est supérieure tendent à offrir des conditions de rémunération plus avantageuses. La situation financière dicte aussi le type de régime de rémunération variable choisi, de même que le succès que ce régime obtiendra. Par exemple, certaines entreprises ont implanté des programmes d'actionnariat afin d'éviter de devoir fermer leurs portes. De plus, une étude (Long, 1992) révèle que l'absence de bénéfices est l'une des principales raisons pour lesquelles certaines entreprises abandonnent un régime de participation aux bénéfices.

2.2.5 La localisation

La localisation des organisations ou de leurs unités d'affaires influence également les montants de rémunération versés (combien?) et les modes de rémunération adoptés (comment?). Sur les plans international, national et provincial, les disparités en matière de salaire, de rémunération directe et d'avantages sociaux pour un emploi similaire peuvent être importantes. Ainsi, on tend à offrir de meilleurs salaires à Montréal que dans le reste du Québec.

Une entreprise dont certaines unités d'affaires se situent loin des grands centres urbains peut, notamment, verser des primes d'éloignement en sus du salaire (c'est le cas pour les entreprises qui exercent leurs activités dans le nord de la Colombie-Britannique, de l'Ontario ou du Québec) ou intégrées au salaire (c'est le cas pour les entreprises minières dont les principales activités s'exercent dans des régions éloignées). Par ailleurs, les lois de l'impôt des différents pays ont une grande influence sur la gestion de la rémunération au sein des unités d'affaires d'une société. Ainsi, le système de taxation du Canada limite de façon importante la mutation de professionnels, de cadres et de dirigeants entre les États-Unis et le Canada compte tenu des coûts potentiels additionnels; pour qu'un Américain muté au Canada (à Toronto, à Montréal ou à Calgary, etc.) maintienne son niveau de vie, son employeur doit lui accorder une hausse substantielle de rémunération afin de compenser la hausse d'impôts à assumer.

Doit-on centraliser ou décentraliser la gestion de la rémunération? Cela dépend de bien des facteurs (les besoins d'affaires, la vision des dirigeants, la culture d'entreprise, etc.), lesquels peuvent évoluer dans le temps comme un pendule passant de la décentralisation à la centralisation. Certaines organisations ayant une structure décentralisée adoptent des politiques de rémunération différentes d'une unité d'affaires à l'autre, par exemple selon leur situation géographique respective (certaines organisations établissent des facteurs de disparités régionales), au risque de limiter les mouvements de personnel entre les unités ou d'alimenter des perceptions d'iniquité. D'autres organisations permettent à leurs diverses unités d'affaires d'établir leur propre régime collectif de rémunération variable (comme la participation aux bénéfices) afin qu'il soit adapté aux conditions et aux exigences locales; dans ce cas, il est possible que les priorités du siège social ne soient pas communiquées à l'ensemble des employés. Une position intermédiaire consiste à proposer un régime ou un programme standard aux unités d'affaires en permettant des ajustements selon le contexte de chaque unité.

De plus, il est possible que, au sein d'une grande société ou d'un conglomérat, des unités d'affaires œuvrant dans différentes industries (par exemple, les ascenseurs, l'air conditionné, l'aviation) adoptent des stratégies d'affaires et de rémunération très différentes. Toutefois, dans la mesure où des unités d'affaires se trouvent dans une même industrie et où la société mère veut encourager les échanges de compétences et la standardisation des processus de gestion, les différences en matière de gestion de la rémunération peuvent être néfastes.

BULLETIN$ 2.3

Les employés de l'usine de Volvo (maintenant possédée par Ford) à Göteborg, en Suède, bénéficient d'un gymnase, d'une piscine olympique, d'un court de tennis, d'une salle de bronzage, d'appareils de musculation, d'une baignoire à remous, de sessions de massage après une dure journée de travail sur la chaîne de montage (30 heures de travail par semaine). Par contre, les employés de la chaîne de montage de camions Ford à Saint Paul, au Minnesota, ne jouissent pas des mêmes avantages. Est-ce que Ford sera capable de maintenir pendant longtemps des stratégies de rémunération aussi différentes entre ces usines ?

Source : Traduit de Milkovich et Newman (2005, p. 31).

Par ailleurs, le fait qu'une importante entreprise manufacturière soit presque le seul employeur dans une petite municipalité lui donne un plus grand pouvoir discrétionnaire pour établir ses modes de rémunération qu'à une entreprise de services de la même région qui fait face à une forte concurrence sur le marché de l'emploi. La première entreprise n'entre en concurrence avec aucun employeur pour recruter et retenir ses employés. Ainsi, au-delà d'un certain seuil de rémunération, les employés ne quitteront pas leur région pour aller travailler pour un autre employeur. À moins que cette entreprise ne soit très importante et, conséquemment, qu'elle n'attire des personnes de l'extérieur, une augmentation de la rémunération ne lui permettrait pas d'améliorer la quantité et la qualité des candidats qu'elle attire pour pourvoir certains de ses postes, puisque l'offre de travail est limitée aux employés de la région.

Aujourd'hui, le contexte de la mondialisation des marchés entraîne des défis importants en matière de gestion de la rémunération des employés expatriés. Ainsi, comme la rémunération globale (le salaire, la rémunération variable et les avantages sociaux) d'un employé expatrié peut être trois fois plus élevée que celle d'un employé local, il est crucial pour l'entreprise de gérer efficacement cet investissement. De plus, les dirigeants de sociétés multinationales ont une décision stratégique à prendre : adapter les systèmes de rémunération aux objectifs stratégiques particuliers de chaque unité d'affaires et aux pratiques de rémunération locales de manière à accroître leur efficacité ou gérer de façon standardisée ou uniforme les systèmes de rémunération des différentes unités pour qu'ils soient jugés équitables par les employés et qu'ils favorisent les mutations entre unités. Par exemple, la promotion d'un cadre supérieur d'une unité d'affaires allemande à un poste de direction en Angleterre peut occasionner des problèmes si les gestionnaires sont mieux rémunérés en Allemagne qu'en Angleterre.

Finalement, grâce aux nouvelles technologies de l'information et de la communication, de plus en plus d'organisations feront appel à des employés situés en Inde, en Chine et en Europe de l'Est pour qu'ils occupent des emplois de services (comptabilité, technologies de l'information, centres d'appel ou de services), ce qui permettra à ces organisations de réduire les coûts de leur main-d'œuvre.

2.2.6 La présence d'un syndicat

Comparativement aux entreprises dans lesquelles les syndicats ne sont pas implantés, celles qui comportent au moins un syndicat ont une gestion de la rémunération qui tend à comporter les caractéristiques suivantes : d'une part, on tient à officialiser (mettre par écrit) et à uniformiser davantage les conditions de rémunération des employés ; d'autre part, on y détermine plus les salaires en fonction du marché, des classes d'emplois, des années de service et/ou du coût de la vie et moins en fonction du rendement.

Par ailleurs, au sein des entreprises où l'on trouve à la fois des employés syndiqués et des employés non syndiqués, les augmentations de salaires négociées pour les employés syndiqués peuvent exercer une pression à la hausse sur les salaires des employés non syndiqués. En effet, ces derniers seront insatisfaits si leurs conditions de rémunération ne s'améliorent pas dans une proportion semblable à celle du personnel syndiqué.

Au Canada comme aux États-Unis, les études (Benjamin *et al.,* 1998 ; Drost et Hird, 2000 ; Gunderson et Hyatt, 1995 ; Renaud, 1997) confirment que la présence d'un syndicat dans les entreprises a un impact moyen positif de près de 10 % sur les taux de salaires. De manière plus précise, on observe les faits suivants :

– l'écart des salaires entre les employés syndiqués et les employés non syndiqués varie selon l'industrie et le secteur. Cet écart est très élevé dans le secteur de la construction ; il est plus important dans le secteur des services que dans le secteur manufacturier, dans le secteur privé que dans le secteur public ;

– cet écart est plus important parmi la main-d'œuvre peu qualifiée et semi-qualifiée que parmi la main-d'œuvre qualifiée ;

- il est plus important parmi la main-d'œuvre féminine ; de fait, les femmes sont moins syndiquées mais font plus de gains que les hommes qui le sont. On invoque souvent la syndicalisation pour expliquer la différence entre le salaire des femmes et celui des hommes sur le marché du travail, les femmes étant sous-représentées par des syndicats proportionnellement à la place qu'elles occupent sur le marché du travail ;
- il augmente avec le pourcentage d'employés syndiqués dans l'industrie, la région ou l'entreprise ;
- il augmente en période de récession.

La syndicalisation a aussi un effet sur les avantages sociaux offerts aux employés. Au fil des années, on constate que les syndicats ont un impact positif important sur la présence et l'ampleur des avantages sociaux, dont les régimes de retraite, les régimes d'assurances, les vacances et les congés.

Pour des raisons philosophiques, les syndicats préfèrent les structures salariales égalitaires (certains parlent d'aplatissement), où il y a peu de différences entre les salaires accordés aux emplois les mieux rémunérés et les salaires accordés aux salaires moins bien rémunérés. Comme les syndicats s'efforcent de représenter surtout les titulaires des emplois situés au bas de la structure hiérarchique et d'améliorer leurs salaires, les structures salariales en milieux syndiqués tendent à être plus plates. On peut également penser que la présence syndicale presse l'employeur de justifier adéquatement ses décisions en matière salariale en recourant, par exemple, à des méthodes d'évaluation des emplois structurées comme la méthode des points.

D'autre part, il est important de souligner que ce n'est pas seulement la présence d'un syndicat qui influence l'efficacité de la gestion des ressources humaines, mais aussi la volonté des employeurs d'éviter une éventuelle syndicalisation de leurs employés. Cette volonté explique pourquoi les organisations où il n'y a pas de syndicat — et qui veulent que cette situation demeure — doivent souvent offrir des conditions de travail (des avantages sociaux, des salaires, la sécurité de l'emploi, etc.) qui soient aussi alléchantes, voire plus, que celles qu'offrent les entreprises concurrentes où il y a un syndicat. On parle alors d'un effet d'entraînement (*spillover effect* [Solnick, 1985]). Plusieurs firmes qui ne comptent aucun syndicat, comme IBM, ont d'ailleurs adopté des pratiques de gestion des ressources humaines plus coûteuses et des conditions de travail plus avantageuses que celles d'un grand nombre d'entreprises concurrentes du même secteur industriel dans lesquelles il y a un syndicat.

Finalement, l'attitude et le pouvoir des syndicats en matière de gestion de la rémunération ont évolué au cours des dernières années. La mondialisation des marchés a fait que les salaires et les conditions de travail offerts par les entreprises sont de moins en moins à l'abri de la concurrence (c'est le cas pour la société Bell

Canada). De plus, les nouvelles formes d'organisation du travail exigent que les entreprises soient plus flexibles et qu'elles accordent une moins grande importance à des règles qui donnent du pouvoir aux syndicats — notamment les augmentations de salaires en fonction des années de service, les procédures de règlement des griefs, la classification stricte des emplois, ainsi que les lourdes structures salariales et politiques relatives aux mouvements de personnel. Face à ces pressions, les syndicats se montrent plus ouverts à l'égard des nouveaux modes de gestion de la rémunération, ou encore se trouvent contraints de faire certaines concessions salariales. Ainsi, plusieurs syndicats (comme ceux des industries de l'automobile et de l'aviation) ont dû collaborer à l'implantation de nouvelles approches de travail (telles que des équipes de travail ou des régimes de partage des gains de productivité) et accepter des concessions salariales, de façon à aider la direction à traverser des périodes difficiles.

BULLETIN$ 2.4

UNE STRATÉGIE SYNDICALE DÉFENSIVE ET PROACTIVE

Une enquête menée auprès de 99 organisations syndicales représentant 2 343 980 travailleurs canadiens montre que l'incertitude économique et les attentes des syndiqués forcent les dirigeants syndicaux à trouver un équilibre entre l'adoption de deux stratégies très différentes : d'une part, ils doivent assumer leur stratégie défensive traditionnelle en matière de protection des salaires et des avantages sociaux, de licenciements et de conditions de retraite, etc. ; d'autre part, ils doivent adopter une stratégie proactive visant la promotion de nouvelles possibilités d'emploi et la participation des travailleurs au processus décisionnel.

Source : Adapté de Kumar *et al.* (1998. p. 94-111).

2.2.7 Les stratégies d'affaires

Toutes les organisations déploient des stratégies d'affaires et des stratégies de rémunération, que ces stratégies soient préétablies de manière délibérée ou qu'elles découlent des décisions prises antérieurement. Selon une perspective stratégique, les entreprises doivent adopter des politiques et de pratiques de rémunération qui soient cohérentes par rapport à leurs diverses stratégies d'affaires, que ces dernières soient planifiées ou émergentes.

On peut s'attendre — et des études le confirment — à ce que, comparées aux firmes qui poursuivent une stratégie de *réduction des coûts,* celles qui adoptent une stratégie de *différenciation* ou d'*innovation* aient plus tendance, afin d'attirer et de retenir des employés plus motivés et plus compétents, à offrir des conditions de rémunération (quant aux salaires, aux avantages sociaux, etc.) plus avantageuses, à accorder moins d'importance à la description et à l'évaluation des emplois (l'équité interne), à donner plus d'importance à la reconnaissance des contributions individuelles et collectives (l'équité individuelle et l'équité collective) et à rechercher davantage la flexibilité (que le contrôle) en matière de gestion de la rémunération (Arthur, 1992 ; Gerhart et Rynes, 2003 ; Montemayor, 1996).

BULLETIN$ 2.5

MICROSOFT ET SAS, DEUX FIRMES DE LA MÊME INDUSTRIE AYANT DES POLITIQUES DE RÉMUNÉRATION DIFFÉRENTES

Microsoft tend à accompagner le marché sur le plan salarial, mais elle offre bien des incitations sous forme d'actions (se vantant même d'avoir fait plusieurs millionnaires!). Le nombre d'actions ou d'options d'achat d'actions versées aux employés est déterminé subjectivement et varie beaucoup selon les employés, les niveaux hiérarchiques et les secteurs. À l'opposé, SAS n'offre pas à ses employés d'incitations sous forme d'actions ; elle leur offre plutôt un programme exhaustif d'avantages divers (comme une garderie en milieu de travail, une école, divers lieux récréatifs), elle encourage son personnel à ne travailler que 35 heures par semaine et elle valorise l'égalité du traitement plutôt que les différences de statuts.

Source : Traduit et adapté de Gerhart et Rynes (2003, p. 165-166).

Par ailleurs, la stratégie de rémunération des employés doit aussi s'aligner sur les stratégies des autres fonctions de l'entreprise. Ainsi, des employeurs qui optent pour une *stratégie de production de masse au moindre coût* ou pour une *stratégie* de *marketing visant les personnes à faible et à moyen revenu* peuvent tendre à adopter une politique de rémunération consistant à être à la remorque du marché ou, au mieux, à accompagner le marché. Par exemple, des employeurs comme Nike et Reebok offrent des services et des salaires minimaux à leurs employés ; d'autres employeurs, comme Marriott, offrent de bas salaires mais de bons services (par exemple, la conciliation travail-famille, des cours d'anglais et des cours de gestion du budget) ; d'autres encore, comme Medtronic, offrent à la fois des salaires et des services élevés (Milkovich et Newman, 2005).

Malgré qu'il soit important d'adopter une approche stratégique en matière de gestion de la rémunération, force est de reconnaître qu'elle n'est pas souvent mise en pratique. En effet, dans bien des organisations, la stratégie d'affaires et les valeurs de gestion ne sont pas clairement définies puisque les dirigeants n'en voient pas vraiment l'utilité. Dans d'autres organisations, la stratégie ou les valeurs ne sont connues que par une minorité de dirigeants, voire par le PDG seulement, car ces derniers craignent de perdre un avantage concurrentiel s'ils la communiquent. De même, il peut y avoir des mésententes ou des conflits entre cadres supérieurs, chacun ayant sa propre idée de ce qu'est la stratégie. Dans certaines entreprises, enfin, on peut résister à apporter des changements aux modes de rémunération de manière que ceux-ci soient davantage alignés sur la stratégie émergente.

2.2.8   La culture de gestion

La culture d'une organisation définit et reflète les valeurs, les croyances, les attentes, les rituels, la philosophie de gestion et les normes de ses membres, ce qui influence leurs comportements au travail. Elle a des incidences sur le système de rémunération et sur la gestion, tout comme elle est influencée par le système de rémunération et la gestion. Ainsi, les employés peuvent percevoir une dissonance entre un message des dirigeants suivant lequel « l'organisation valorise l'esprit d'entreprise et la prise de risques » et des modes de rémunération qui accordent plus d'importance aux avantages sociaux et à la retraite qu'à la rémunération variable.

Une étude (Arthur, 1995) montre que, comparativement aux unités d'affaires dont la philosophie de gestion est basée sur le contrôle, celles qui prônent une philosophie axée sur l'engagement du personnel versent des salaires plus élevés (la différence étant de 19 %), recourent davantage au travail d'équipe et aux groupes de travail, accordent plus de formation, possèdent une main-d'œuvre plus spécialisée et s'appuient sur une structure plus décentralisée.

La rémunération est un outil de communication, de coordination et de mobilisation qui peut aider l'entreprise à atteindre ses objectifs. Si les dirigeants sont sensibilisés aux conséquences des diverses options en matière de rémunération, ils peuvent agir sur la culture organisationnelle et s'assurer de promouvoir les valeurs désirées. En implantant, par exemple, un régime de primes reconnaissant le rendement individuel, ils favoriseront une culture individualiste, alors qu'en adoptant un régime de primes d'équipe, ils susciteront un climat de collaboration. Des employeurs préconisent une « philosophie d'engagement mutuel », selon laquelle ils adoptent des « pratiques de gestion à haut rendement » — notamment de meilleures conditions de rémunération et une rémunération plus variable — en échange de la qualité, de l'innovation, d'un bon service à la clientèle et des compétences que les employés leur offrent (Kochan et Osterman, 1994 ; Pfeffer, 1994, 1998).

Toutefois, si une organisation désire apporter des changements importants en matière de culture, il est recommandé de ne pas prendre la rémunération comme élément moteur de ces changements, car les risques d'échec sont trop élevés. Il est beaucoup plus simple de théoriser sur des changements à faire en matière de rémunération que de les implanter. Les dirigeants ne peuvent compter uniquement sur le levier de la rémunération des employés pour réussir une volte-face stratégique ou pour modifier la culture de leur entreprise.

2.2.9 L'organisation du travail

Un environnement plus ouvert, plus instable et plus imprévisible contraint les entreprises à s'adapter, à réagir et à agir avec plus de rapidité et d'efficacité. Dans ce contexte, l'organisation du travail a fait une place croissante à l'autonomie et à la responsabilisation des personnes (à travers, par exemple, les groupes semi-autonomes ou les équipes de travail autogérées) ainsi qu'à un allégement des structures ou des niveaux hiérarchiques.

Dans un tel contexte, il faut revoir les modes traditionnels de gestion des ressources humaines — notamment le mode de gestion de la rémunération qui favorisait la rigidité et la spécialisation des employés — de manière à les rendre plus flexibles et plus polyvalents. On doit alors envisager la rémunération selon les compétences, les bandes salariales élargies, le rendement des équipes, et ainsi de suite. Dans ce nouvel environnement, on a aussi de plus en plus recours à des régimes de rémunération variable comme la participation aux bénéfices, l'actionnariat ou le partage des gains. Certaines études confirment d'ailleurs le fait que les entreprises qui adoptent des modes de travail caractérisés par des équipes de travail, une gestion participative et la recherche de la flexibilité tendent davantage à adopter des régimes de rémunération variable, à rémunérer l'acquisition de compétences et à gérer leurs salaires avec plus de transparence (voir Chênevert et Tremblay, 2002, et la recension de Sire et Tremblay, 2000).

L'organisation du travail est aussi le résultat de choix qui sont faits à l'égard de la relation d'emploi, laquelle peut être qualifiée de typique ou d'atypique, la référence en la matière étant un emploi traditionnel, c'est-à-dire un emploi permanent comportant un contrat de travail à durée indéterminée, à temps complet avec un horaire régulier, où le travail s'effectue essentiellement chez l'employeur. Aujourd'hui, les pressions économiques et concurrentielles ont conduit les organisations à adopter simultanément diverses relations d'emploi avec leur personnel, lesquelles varient en fonction de la durée du travail (temps complet ou temps partiel), de l'horaire de travail (régulier ou variable), de la nature du contrat de travail (indéterminée, déterminée ou contrat de service) et du lieu de travail (chez l'employeur ou en d'autres lieux) (Bourhis et Wils, 2001). Cette nouvelle approche a des répercussions sur la gestion du personnel (la gestion des heures supplémentaires, le partage du temps de travail, le recours aux mises à pied, aux rappels, aux contrats à durée déterminée et aux employés occasionnels, etc.) et nécessite une remise en question des façons de faire traditionnelles en ce qui concerne la gestion de la rémunération (l'admissibilité aux avantages sociaux, la détermination des taux de rémunération, etc.). Dorénavant, des employés occupant un même poste pour un même employeur peuvent être rémunérés de façons différentes selon qu'ils sont des employés réguliers, des remplaçants (suppléants), des contractuels, et ainsi de suite.

2.2.10 Les technologies de production

Les technologies de production ou des opérations influencent aussi les modes de gestion de la rémunération. Ainsi, une étude montre que, comparées aux usines ayant un système de production *de masse,* les usines ayant un système de production *flexible* recourent davantage aux régimes de rémunération basée sur la performance organisationnelle (MacDuffie, 1995). Une autre étude (Dunlop et Weil, 1996) indique que presque toutes les unités qui ont conservé un système de production à la chaîne utilisent un système de rémunération à la pièce, alors que celles qui ont des systèmes modulaires recourent davantage aux régimes de rémunération basée sur la performance organisationnelle et, dans une moindre mesure, aux régimes de rémunération basée sur le rendement individuel.

Comme nous l'avons mentionné auparavant, les industries qui font davantage appel aux technologies (par exemple, les industries pétrolière et pharmaceutique) tendent à offrir de meilleures conditions de rémunération que les secteurs qui s'appuient plus sur le personnel (comme les secteurs de l'éducation et des soins de santé). Par ailleurs, l'introduction de nouvelles technologies au sein d'une même industrie ou pour un même emploi influence aussi les taux de salaires. L'implantation de nouvelles technologies (comme le lecteur optique) a réduit les exigences de l'emploi des caissiers dans les commerces de détail, ce qui contribue à expliquer la baisse de leurs salaires au cours des 20 dernières années (Budd et McCall, 2001). Comme le dit Jean Lortie, président de la Fédération du commerce de la Confédération des syndicats nationaux : « En 1975, une caissière chez Steinberg avait le même salaire qu'un ouvrier d'Alcan. Aujourd'hui, la caissière est encore à 8 $ l'heure alors que l'ouvrier d'Alcan en gagne 20 » (Le Cours, 2005).

2.2.11 Le cycle de vie

Le cycle de vie — d'une organisation ou de ses produits ou services — peut avoir des incidences sur la gestion de la rémunération. Ces incidences potentielles sont résumées dans le tableau 2.3.

2.2.12 Les autres fonctions et activités de gestion

Une approche synergique en matière de gestion de la rémunération permet de répondre à des questions comme celle-ci : y a-t-il une cohérence entre les pratiques de rémunération et les autres pratiques de gestion des ressources humaines, de marketing, de production, etc. ?

Une stratégie de marketing orientée vers l'offre de produits haut de gamme pour un segment du marché dont les revenus sont élevés s'appuiera sur un personnel qualifié et compétent que l'organisation doit payer davantage pour être en mesure de l'attirer et de le retenir.

TABLEAU 2.3

L'INFLUENCE DU CYCLE DE VIE DE L'ORGANISATION OU DES PRODUITS SUR LA GESTION DE LA RÉMUNÉRATION

Stade de croissance

- Besoin d'argent pour financer l'expansion, les infrastructures et les dépenses de recherche et développement (R & D)
- Prédominance de l'équité externe sur l'équité interne : besoin d'attirer des employés qualifiés aux postes clés
- Recours aux régimes de rémunération variable à long terme (options d'achat d'action, actions fictives, etc.) pour retenir les employés clés (potentiel d'enrichissement à long terme sans débours à court terme)
- Octroi minimal d'avantages sociaux

Stade de maturité

- Recherche de l'efficience : minimisation des coûts et maintien ou augmentation des parts du marché
- Politique de rémunération privilégiée : accompagner le marché
- Préoccupation pour l'équité interne, la gestion des carrières et la reconnaissance des contributions individuelles (compétences et rendement)

Stade de déclin

- Réduction des dépenses de rémunération ou adoption de pratiques différenciées ou innovatrices de rémunération alignées sur des initiatives de redressement

---

Les politiques et les pratiques de rémunération doivent également s'harmoniser avec les autres activités de gestion des ressources humaines. Par exemple, le succès d'une politique de rémunération visant à reconnaître le rendement des employés exige que l'activité d'évaluation du rendement soit gérée de façon appropriée et qu'elle soit bien comprise par le personnel. En outre, le recours accru à la rémunération du rendement individuel et collectif au moyen de divers régimes de rémunération variable amène de plus en plus d'entreprises à adopter une politique salariale qui égale le marché ou qui est à sa remorque.

De façon similaire, un régime de rémunération basée sur les compétences des employés nécessite qu'une organisation élabore, implante et gère des programmes de formation de manière efficace et équitable, et ce, afin que les employés aient accès à une formation appropriée. De plus, l'adoption d'une politique de promotion *interne* doit être renforcée par une politique de rémunération qui prévoit des écarts suffisants entre les titulaires d'emplois comportant des niveaux de responsabilités différents. Notons aussi que lorsqu'une entreprise offre des salaires élevés dans le but de pouvoir compter sur une main-d'œuvre de qualité, elle doit également, pour atteindre son objectif, effectuer une sélection minutieuse des candidats retenus parmi le plus grand bassin de candidats attirés.

2.2.13 Les modes traditionnels de gestion de la rémunération

La manière dont une organisation a traditionnellement géré sa rémunération constitue une contrainte, puisqu'elle justifie certaines valeurs qu'adoptent les employés. De fait, une grande partie de la culture d'une organisation peut être attribuée à ses politiques de rémunération antérieures. Il est également important de considérer les modes de rémunération traditionnels, car les employés risqueraient de percevoir comme étant inacceptables ou inéquitables des changements qui se produiraient trop fréquemment en cette matière. Ainsi, même s'il peut dorénavant être plus approprié de reconnaître le rendement des employés par le biais de primes plutôt que par le biais d'augmentations de salaires, cette façon de faire risque de constituer un changement inacceptable ou inéquitable à leurs yeux. De la même manière, malgré le fait que les nouveaux modes d'organisation du travail et de structure organisationnelle requièrent plus de flexibilité, de polyvalence et d'autonomie de la part du personnel, il faut un certain temps pour amener le personnel à accepter des modes de rémunération plus adaptés aux contextes (la rémunération des équipes, le salaire selon les compétences, la réduction des classes d'emplois, etc.). En fait, la façon de récompenser et de rémunérer les employés représente l'un des meilleurs moyens d'apprécier les valeurs, les croyances et la philosophie d'une entreprise. Le diagnostic des caractéristiques des systèmes de gestion de la rémunération est d'ailleurs essentiel si l'on veut estimer la compatibilité des cultures des entreprises qui participent à des transactions de fusions ou d'acquisitions.

2.2.14 La rémunération non pécuniaire

Le choix d'une position par rapport au marché tient compte de la présence ou de l'absence d'autres éléments de rétribution souvent qualifiés de « compensatoires », tels que les possibilités de promotion, le climat de travail, les possibilités de formation et de perfectionnement, la sécurité de l'emploi, l'accès à la technologie de pointe, l'autonomie et l'enrichissement du travail, les défis ou encore l'environnement favorable aux loisirs ou à la conciliation travail-famille. Plus une entreprise offre de tels avantages, moins la compétitivité sur le plan de la rémunération prise dans un sens strictement pécuniaire devient nécessaire pour lui permettre d'attirer des employés compétents et de les retenir.

Une entreprise doit, par exemple, offrir de meilleures conditions de rémunération pour attirer et retenir ses employés dans la mesure où leur emploi comporte des inconvénients (une faible sécurité de l'emploi, une longue période d'acquisition des habiletés nécessaires au travail, un risque élevé d'échec, des conditions de travail désagréables ou dangereuses, etc.). De la même manière, une entreprise qui offre peu de possibilités de promotion et de développement peut compenser cet inconvénient en offrant une rémunération pécuniaire plus généreuse.

Par contre, une organisation prestigieuse peut davantage se permettre de situer ses salaires à un niveau inférieur à celui d'une organisation moins reconnue (dans une certaine mesure, bien entendu). De même, malgré une politique salariale qui est à la remorque du marché, une entreprise peut attirer et conserver une main-d'œuvre de grande qualité en mettant l'accent sur la formation et le perfectionnement de son personnel ou en offrant d'excellentes possibilités de promotion, des défis stimulants et un potentiel d'enrichissement à long terme (par exemple, des options d'achat d'actions).

2.3 L'influence des caractéristiques des emplois et des employés sur la gestion de la rémunération

La gestion de la rémunération peut aussi varier selon les caractéristiques des emplois et de leurs titulaires. Cette section traite des incidences des caractéristiques suivantes : les compétences et les conditions de travail, les besoins et les attentes des employés ainsi que les caractéristiques démographiques.

Selon la *théorie du capital humain* (Becker, 1975), la valeur pécuniaire des habiletés et des compétences d'une personne est fonction du temps, des ressources et des dépenses que cela a exigé pour les acquérir. Par conséquent, il faudrait accorder une rémunération plus avantageuse aux employés qui ont acquis une expérience, des compétences et une scolarité supérieures.

La nature, l'ampleur et la rareté des compétences des employés, ainsi que leur expertise et les exigences de leur travail, peuvent contribuer à expliquer le fait que les catégories de personnel les mieux rémunérées du monde soient les professionnels renommés du divertissement (artistes, athlètes, acteurs, mannequins, musiciens, etc.), les entrepreneurs, les dirigeants, les professionnels et les vendeurs.

Selon les catégories de personnel — techniciens, vendeurs, dirigeants, cadres, personnel scientifique, employés de production, employés de bureau, etc. —, les attentes et les besoins des employés varient. Pour cette raison, bien des organisations adoptent des stratégies de rémunération différentes selon leurs catégories de personnel. Ainsi, au sein d'une même entreprise, les représentants commerciaux peuvent être rémunérés en grande partie à commission, les professionnels et les cadres, en fonction de leur rendement, alors que les salaires des employés de production peuvent varier en fonction de leurs années de service. Une étude

(Howard et Dougherty, 2004) montre que, pour le personnel cadre, des modes de rémunération qui reconnaissent le rendement et les compétences individuels entraînent les effets les plus prometteurs sur les perceptions d'équité, sur l'engagement envers l'organisation et sur l'intention de rester au service de son employeur actuel. Quant aux autres employés, les pratiques de rémunération qui reconnaissent le rendement collectif tout en tenant compte de la valeur relative de leur emploi sur le marché et dans leur organisation paraissent être celles qui ont les incidences les plus positives.

La gestion de la rémunération subit aussi l'influence de certaines caractéristiques démographiques personnelles, notamment le sexe et l'âge des employés, puisqu'ils ont un impact sur leurs besoins et leurs attentes en matière de conditions de travail. En général, les employés plus âgés sont davantage préoccupés par leur retraite, alors que les plus jeunes désirent obtenir plus d'argent ou un appui en matière de conciliation travail-famille. Depuis quelque temps, nombre d'entreprises révisent leur gestion des avantages sociaux pour les adapter au nouveau profil de leur personnel. Par exemple, on peut penser aux régimes d'avantages sociaux flexibles et évolutifs qui permettent aux employés de choisir, parmi différents types, modules ou plans d'avantages sociaux, celui qui leur convient le mieux (généralement, ce choix doit être refait tous les deux ans), et de modifier leurs choix au cours de leur vie. On peut également penser à la flexibilité des aménagements du temps de travail que plusieurs organisations accordent à leur personnel afin de faciliter la conciliation travail-famille.

Conclusion

Le présent chapitre a décrit le contexte entourant le modèle de gestion de la rémunération retenu dans cet ouvrage. En outre, il visait à expliquer comment une gestion efficace de la rémunération implique l'établissement d'une cohérence entre, d'une part, les modes de gestion de la rémunération et les montants de rémunération et, d'autre part, les caractéristiques de l'environnement, de l'organisation, des emplois et des employés.

Questions de révision

1. De quelle manière l'environnement externe des entreprises peut-il influencer leur gestion de la rémunération? Décrire les incidences des différentes pressions de l'environnement externe (par exemple, économique ou sociologique) sur la gestion de la rémunération.

2. Quelles caractéristiques des entreprises influencent la gestion de la rémunération? Commenter leurs effets respectifs sur la gestion de la rémunération.

3. Quelles caractéristiques des emplois et des employés ont des incidences sur la gestion de la rémunération? Développer leurs incidences potentielles sur la gestion de la rémunération.

Références_____

ARTHUR, J.B. (1992). « The link between business strategy and industrial relations systems in American Steel Minimills », *Industrial and Labor Relations Review,* vol. 45, nᵒ 3, p. 488-506.

ARTHUR, J.B. (1995). « Effects of human resource systems on manufacturing performance and turnovers », *Academy of Management Journal,* vol. 37, p. 676.

BECKER, G.S. (1975). *Human Capital,* Chicago, University of Chicago Press.

BENJAMIN, D., M. GUNDERSON et W.C. RIDDELL (sous la dir. de) (1998). « Union impact on wage and nonwage outcomes », dans *Labour Market Economics : Theory, Evidence and Policy in Canada,* Toronto, McGraw-Hill Ryerson.

BOURHIS, A. et T. WILS (2001). « L'éclatement de l'emploi traditionnel : les défis posés par la diversité des emplois typiques et atypiques », *Relations industrielles / Industrial Relations,* vol. 56, nᵒ 1, p. 66-91.

BUDD, J.W. et B.P. McCALL (2001). « The grocery stores wage distribution : A semi-parametric analysis of the role of retailing and labor market institutions », *Industrial and Labor Relations Review,* vol. 54, nᵒ 2A, p. 484-501.

CHÊNEVERT, D. et M. TREMBLAY (2002). « Le rôle des stratégies externes et internes dans le choix des politiques de rémunération », *Relations industrielles / Industrial Relations,* vol. 57, nᵒ 2, p. 331-352.

DES ROBERTS, G. (1995a). « Différences culturelles marquées », *Les Affaires,* 21 janvier, p. 22.

DES ROBERTS, G. (1995b). « Mexique : quelques surprises touchant l'organisation du travail et la rémunération », *Les Affaires,* 21 janvier, p. 22.

DROST, H. et H.R. HIRD (2000). *An Introduction to the Canadian Labour Market,* Toronto, Nelson Thomson Learning.

DUNLOP, J.T. et D. WEIL (1996). « Diffusion and performance of modular production in the U.S. apparel industry », *Industrial Relations,* vol. 35, nᵒ 3, p. 334-355.

EGAN, A.M. (2000). « New survey highlights pay trends, variations for retail industry jobs », *Workspan,* vol. 43, nᵒ 11, p. 1.

EVANS, D.S. et L.S. LEIGHTON (1989). « Why do smaller firms pay less? », *Journal of Human Resources*, vol. 24, nᵒ 2, p. 299-318.

GARAND, D. (1993). « La conservation des ressources humaines dans les PME », mémoire de maîtrise, Trois-Rivières, Université du Québec à Trois-Rivières.

GERHART, B. et S.L. RYNES (2003). *Compensation : Theory, Evidence and Strategic Implications,* Thousand Oaks, Calif., Sage.

GUÉRIN, G. *et al.* (1997). « Les pratiques d'aide à l'équilibre emploi-famille dans les organisations du Québec », *Relations industrielles / Industrial Relations,* vol. 52, nᵒ 2, p. 274-303.

GUNDERSON, M. et D. HYATT (1995). « Union impact on compensation, productivity, and management of the organization », dans M. Gunderson et A. Ponak (sous la dir. de), *Union Management Relations in Canada,* 3ᵉ éd., Don Mills, Ont., Addison-Wesley, p. 311-337.

GUNDERSON, M., D. HYATT et C. RIDDELL (2000). *Pay Differences between the Government and Private Sectors : Labour Force Survey and Census Estimates,* discussion paper w/10, Ottawa, Canadian Policy Research Networks.

GUNDERSON, M. et C. RIDDELL (1996). *Labour Market Economics,* Toronto, McGraw-Hill.

HOWARD, L.W. et T.W. DOUGHERTY (2004). « Alternative reward strategies and employee reactions », *Compensation & Benefits Review,* janvier-février, p. 41-51.

JULIEN, P.-A. (1997). *Les PME : bilan et perspectives,* 2ᵉ éd., Cap-Rouge, Les Presses Inter-Universitaires, GREPME.

KAUFMAN, B.E. (1986). *The Economics of Labor Markets and Labor Relations,* Chicago, Dryden.

KOCHAN, T. et P. OSTERMAN (1994). *The Mutual Gains Enterprise : Forging a Winning Partnership among Labor, Management and Government,* Cambridge, Mass., Harvard University Press.

KUMAR, P., G. MURRAY et S. SCHETAGNE (1998). « L'adaptation au changement : les priorités des syndicats dans les années 1990 », *Gazette du travail,* Développement des ressources humaines Canada, automne, p. 94-111.

LAFORTUNE, L. (2005). « Le match de la fonction publique », *Le Droit,* cahier « La Région », 19 février, p. 14.

LE COURS, R. (2005). « Entre Wal-Mart et Costco, tout un monde de différence », *La Presse,* cahier « Affaires », 15 janvier, p. 1 et 4.

LONG, R.J. (1992). « The incidence and nature of employee profit sharing and share ownership in Canada », *Relations industrielles / Industrial Relations,* vol. 47, nᵒ 3, p. 463-488.

MacDUFFIE, J.P. (1995). « Human resource bundles and manufacturing performance : Organizational logic and flexible production systems in the world auto industry », *Industrial and Labor Relations Review,* vol. 48, p. 211-212.

MILKOVICH, G.T. et J.M. NEWMAN (2005). *Compensation,* New York, McGraw-Hill et Irwin.

MONTEMAYOR, E.F. (1996). « Congruence between pay policy and competitive strategy in high-performing firms », *Journal of Management,* vol. 22, n° 6, p. 889-908.

MULLER, P.D. (2005). « La valeur de la sécurité d'emploi », *Le Soleil,* 21 mars, p. A17.

NEWSLINE (2004). « Mercer releases 2004 Worldwide cost-of-living survey results », http://resourcepro.worldatwork.org, 14 juin, consulté le 3 novembre 2005.

PFEFFER, J. (1994). *Competitive Advantage through People,* Boston, Harvard University Press.

PFEFFER, J. (1998). *The Human Equation : Building Profits by Putting People First,* Boston, Harvard Business School Press.

RENAUD, S. (1997). « Unions, wages and total compensation in Canada : An empirical study », *Relations industrielles / Industrial Relations,* vol. 53, n° 4, p. 710-729.

SIRE, B. et M. TREMBLAY (2000). « Contraintes et objectifs d'une politique de rémunération », dans J.M. Peretti et P. Roussel (sous la dir. de), *Les rémunérations : politiques et pratiques pour les années 2000, Entreprendre,* série Vital Roux, chap. 1, p. 15-34.

SOLNICK, L. (1985). « The effect of the blue collar unions on white collar wages and benefits », *Industrial and Labor Relations Review,* vol. 38, p. 23-35.

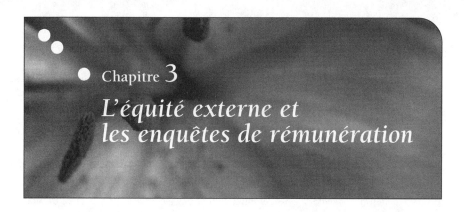

Chapitre 3

L'équité externe et les enquêtes de rémunération

Objectifs

Ce chapitre vise à :

➤ définir la compétitivité ou l'équité externe en matière de rémunération ;

➤ comprendre leur importance ;

➤ décrire les grandes politiques de rémunération à l'égard du marché : égaler le marché, être à la tête du marché, être à la remorque du marché et adopter une politique de rémunération dite « hybride » ou « mixte » ;

➤ démontrer l'importance et l'utilité des enquêtes de rémunération ;

➤ décrire les étapes du processus d'enquête de rémunération, soit les objectifs et l'étendue de l'enquête, les méthodes d'enquête, les sources d'information, la collecte des données ainsi que l'analyse et la présentation des résultats de l'enquête ;

➤ traiter des limites des enquêtes de rémunération ;

➤ présenter des conseils sur la conduite d'enquêtes de rémunération et discuter des défis actuels liés à ces enquêtes.

Cas et conjoncture

 Une prime à la rareté pour pallier la pénurie de main-d'œuvre

Une prime à la rareté permet de contourner l'échelle salariale des entreprises, facilitant ainsi l'embauche et la fidélisation de travailleurs fortement convoités.

Paul Tremblay, directeur de la rémunération et des avantages sociaux chez Drakkar & Associés, utilise cette prime depuis une dizaine d'années. Lorsqu'il était chez la pharmaceutique Novartis, il avait constaté une pénurie d'employés de métiers et avait donc implanté cette mesure.

«À différentes périodes, il devient plus difficile d'attirer un certain type de travailleur. Mais cela ne dure généralement que quelques années. En offrant des salaires élevés dès l'embauche, une entreprise se retrouve avec une échelle salariale trop lourde par rapport au marché lorsque la pénurie disparaît», explique M. Tremblay.

Lors de la bulle technologique, par exemple, plusieurs firmes informatiques ont accordé de très hauts salaires aux recrues, parfois plus de 80 000 $. «Après la crise, la main-d'œuvre est devenue beaucoup plus disponible, et les entreprises qui avaient octroyé de hauts salaires ne pouvaient plus les modifier», note M. Tremblay.

Enquête salariale

Lors d'un processus d'embauche, une entreprise peut commander à l'externe une enquête salariale qui lui indiquera les réalités et tendances de chaque poste dans le marché actuel. Par la suite, l'employeur qui veut attirer le candidat de son choix peut lui proposer une prime et la durée de celle-ci (généralement pas plus de trois ans). Une fois la prime venue à échéance, une autre enquête salariale permettra aux deux parties de prolonger la prime, de l'augmenter ou de l'annuler. «L'entreprise doit partager le résultat des enquêtes salariales avec l'employé et inclure la prime à la rareté dans le contrat», conseille-t-il[1].

Le montant de la prime dépendra de la pénurie dans le marché. Elle peut, en moyenne, atteindre 10 000 $ pour un salaire annuel de 50 000 $, donc 20 %. «La prime peut être utilisée avec des employés de tous les niveaux. Par exemple, certaines entreprises du domaine pharmaceutique disent souvent éprouver de la difficulté à attirer des médecins alors que d'autres, souvent situées en région, auront de la difficulté à recruter des électriciens ou des plombiers», mentionne M. Tremblay.

Lorsqu'une prime à la rareté n'est pas renouvelée et qu'un employé voit son salaire diminuer de 60 000 $ à 50 000 $, l'employeur doit alors jouer cartes sur table. «Tout est une question de communication. Si la nouvelle enquête salariale démontre que la pénurie dans le domaine est disparue, l'employeur doit s'assurer que ces conclusions seront bien comprises par l'employé», explique-t-il.

---

1 *Note des auteurs du présent ouvrage :* Cette recommandation sur la manière de gérer les primes à la rareté n'est certes pas adoptée par tous les employeurs.

Quant au risque de voir l'employé quitter l'entreprise, il est faible, selon M. Tremblay. «Le travailleur qui déciderait de quitter son poste pour tenter de trouver le même emploi ailleurs à 60 000 $ ne réussira peut-être pas puisque les salaires auront baissé partout, croit-il. Il existe des organisations à l'image des Yankees de New York (cette équipe de baseball a une masse salariale annuelle de 180 M$ US et offre des contrats faramineux), mais la situation n'est pas généralisée», estime M. Tremblay.

Source : Dumont (2003, p. A2).

Introduction

Aucun employeur ne gère la rémunération de son personnel en ignorant complètement le marché. L'analyse de l'équité externe consiste à apprécier la rémunération que les autres organisations (le marché) offrent pour des emplois similaires. Ce chapitre traite d'abord de l'importance de s'assurer de la compétitivité de la rémunération. Il présente ensuite les grandes politiques de l'équité externe que peuvent adopter les organisations, soit celles d'égaler le marché, de le devancer, d'être à sa remorque ou encore d'appliquer une politique hybride ou mixte.

Puis, le chapitre traite des enquêtes de rémunération, c'est-à-dire de la collecte d'informations effectuée sur le marché en matière de rémunération. On y distingue les enquêtes de rémunération des enquêtes annuelles de planification des salaires. Le chapitre traite ensuite des raisons de procéder à des enquêtes de rémunération. Chacune des étapes du processus d'enquête est alors décrite, notamment la détermination des objectifs de l'enquête, de l'étendue de l'enquête, de la méthode d'enquête et des sources d'enquête, ainsi que la collecte, l'analyse et la présentation des données. Finalement, après avoir examiné les défis et les limites liés à la conduite des enquêtes de rémunération, des conseils sont donnés à l'égard ce celles-ci.

3.1 L'équité externe : définition et importance

L'analyse de la compétitivité d'une rémunération (l'équité externe) consiste à s'assurer que l'organisation offre une rémunération comparable à celle qu'offrent les autres organisations pour des emplois similaires. Compte tenu de la multiplicité accrue des composantes de la rémunération (le salaire, les primes, les avantages sociaux, etc.), une politique de compétitivité doit porter sur la rémunération totale par rapport au marché : quelle est la valeur de la rémunération totale qu'une organisation veut offrir à ses employés par rapport à ce qu'on trouve sur le marché?

Par ailleurs, l'adoption d'une rémunération totale plus ou moins compétitive sur le marché a des incidences importantes tant sur les organisations que sur les employés. En ce qui concerne les employeurs, pensons notamment à la capacité d'attraction et de conservation du personnel, au contrôle des coûts de la main-d'œuvre et à la compétitivité de l'organisation. Comme les différences entre les salaires offerts sur le marché pour des emplois équivalents sont susceptibles d'être importantes, la détermination inadéquate du marché de référence peut conduire soit à *surestimer* la rémunération et à hausser indûment les coûts de la main-d'œuvre, soit à *sous-estimer* la rémunération, ce qui engendrera des problèmes de recrutement et de conservation du personnel.

Les perceptions des employés à l'égard de la compétitivité de leur rémunération sont aussi importantes étant donné qu'elles peuvent influencer des attitudes et des comportements au travail, tels que leur satisfaction face à leur salaire, leur intention de quitter leur employeur ou de se syndiquer ou encore leur motivation à améliorer leur rendement ou leurs compétences.

Comme nous le verrons plus loin, l'importance de l'équité externe pour un employeur est fonction du marché «réel» de l'emploi pour les employés visés. Ainsi, la préoccupation au sujet de la compétitivité de la rémunération versée peut être moins importante pour les organisations qui ont une politique de promotion interne, et qui pourvoient la majorité de leurs emplois (autres que les postes d'entrée) en exploitant la mobilité interne de leur personnel sur la base de leur expérience (promotions, mutations, etc.). La compétitivité de la rémunération directe peut aussi être jugée moins importante au sein d'une organisation qui offre des avantages susceptibles de compenser la rémunération directe à travers d'autres modes de reconnaissance ou de rétribution (par exemple, la flexibilité des horaires, la sécurité de l'emploi, les possibilités de carrière).

Le secteur public est également un secteur qui accorde la primauté au principe de l'équité interne. En effet, plus les employés cumulent des années de service dans le secteur public, plus leur marché réel de l'emploi se limite au secteur public. Cela explique pourquoi le Conseil du Trésor se montre plus préoccupé par le respect de l'équité interne et de l'équité salariale (la relativité salariale) que par la compétitivité des salaires par rapport au secteur privé, et ce, d'autant plus que le secteur public peut offrir des avantages compensatoires sur le plan des avantages sociaux et de la sécurité de l'emploi. Cela veut-il dire que le Conseil du Trésor aurait tendance à offrir une rémunération nettement inférieure à celle du marché? Non, car il y a bien sûr une limite. En effet, il semble que les employés se fixent un «salaire de réserve» au-dessous duquel ils n'accepteront pas une offre d'emploi ou ne resteront pas au service de leur employeur actuel, quels que soient les autres attraits ou avantages compensatoires dont ils bénéficient (voir la théorie de la non-compensation [Brown, 1990]). Ce fut le cas, au cours des années 1990, pour de nombreux hauts fonctionnaires d'expérience qui sont passés au secteur privé, lequel offrait des salaires beaucoup plus attrayants qui contrebalançaient d'autres avantages qu'ils perdaient en quittant la fonction publique (*Le Droit*, 1997, p. 13).

3.2 Les politiques de rémunération au regard du marché

Pour évaluer sa rémunération, un employé compare ses contributions et rétributions avec les contributions et rétributions d'autres employés considérés comme points de repère ou référents (voir la théorie de l'équité [Adams, 1965]).

Lorsqu'une organisation se soucie du principe de l'équité externe, cela signifie qu'elle cherche à faire en sorte que ses employés estiment qu'ils reçoivent une rémunération compétitive lorsqu'ils la comparent avec celle qui est offerte aux employés d'autres organisations (référents externes). Il existe un état d'iniquité externe lorsqu'un employé perçoit que le ratio de ses contributions et rétributions n'est pas égal à celui des titulaires d'un emploi semblable travaillant pour une autre organisation. Le problème, pour un employeur, vient du fait que les employés peuvent décider de se comparer avec un référent inadéquat ou inapproprié à ses yeux. Ainsi, il est important que l'employeur explique et justifie le choix des référents avec lesquels il compare la rémunération qu'il offre pour en évaluer la compétitivité.

Quoique la majorité des organisations disent avoir comme politique d'offrir une rémunération égale à celle du marché, d'autres organisations décident d'être à la tête du marché ou, au contraire, à la remorque de celui-ci, alors que d'autres encore prônent une politique hybride ou mixte (voir le tableau 3.1).

Comme nous l'avons vu au chapitre 2, le choix d'une telle politique par rapport au marché est fonction de divers facteurs, tels que la stratégie d'affaires, la présence syndicale, le prestige et les habitudes de l'organisation, la capacité de payer, les autres activités de gestion des ressources humaines et la présence de facteurs compensatoires comme la sécurité de l'emploi, les horaires de travail et les perspectives de carrière. Les organisations tentent aussi d'établir des politiques de rémunération qui transmettent aux employés actuels et futurs des messages particuliers quant à leurs valeurs et à leurs attentes, de manière à les inciter à adopter certains comportements. Par exemple, comparativement à une politique de salaires égaux à ceux du marché sans rémunération variable mais comportant de généreux avantages sociaux, une politique de salaires inférieurs à ceux du marché jumelée avec d'importantes primes de rendement envoie des signaux

TABLEAU 3.1

EXEMPLES DE POLITIQUES DE RÉMUNÉRATION PAR RAPPORT AU MARCHÉ EXTERNE BASÉES SUR UNE AUGMENTATION DU MARCHÉ DE **4 %** PAR ANNÉE

À la remorque du marché	À la tête du marché	Au niveau du marché	Politique mixte
Au début de l'année, les salaires sont fixés de manière à être égaux à ceux du marché. Au cours de l'année, ils seront inférieurs à ceux du marché jusqu'au prochain ajustement de la structure salariale le 1er janvier (4 %).	Au début de l'année, les salaires sont établis selon la valeur qu'ils atteindront à la fin de l'année (+ 4 %). Au cours de l'année, ils seront supérieurs à ceux du marché jusqu'au prochain ajustement de la structure salariale le 1er janvier.	Au début de l'année, les salaires sont établis selon la valeur qu'ils atteindront dans six mois (+ 2 %). Au cours des six premiers mois, ils seront supérieurs à ceux du marché, alors qu'au cours des six derniers mois, ils seront inférieurs à ceux du marché.	Selon les catégories de personnel ou les composantes de la rémunération, la gestion des salaires varie.

différents aux employés actuels et permet d'attirer des candidats différents. En somme, le défi des dirigeants consiste à adopter une politique de rémunération qui soit cohérente avec leur stratégie d'affaires, leurs valeurs de gestion, leurs autres activités de gestion, etc. Une telle adaptation de la stratégie de rémunération au contexte d'affaires s'avère à l'origine d'un avantage concurrentiel pour l'entreprise.

3.2.1   Accompagner le marché

À l'égard de la composante « salaire », une organisation est au diapason du marché lorsqu'elle présente un écart d'environ 5 % par rapport au taux du marché. Une grande majorité d'entreprises affirment offrir une politique de salaires égaux à ceux du marché parce qu'elle est la moins risquée sur le plan des coûts. Comme cette politique n'a ni avantages ni inconvénients particuliers au point de vue de la rémunération, les employeurs qui l'adoptent doivent souvent établir des politiques plus dynamiques en ce qui concerne d'autres facettes de la gestion des ressources humaines ou d'autres conditions de travail pour être en mesure d'attirer et de conserver leurs meilleurs employés.

3.2.2   Être à la tête du marché

Si une organisation offre des salaires supérieurs à ceux du marché et que l'écart dépasse un taux de 5 %, on estime que sa politique consiste à être à la tête du marché. Une telle politique augmente les coûts d'exploitation d'une organisation et réduit sa rentabilité. Cet effet négatif sur la compétitivité des firmes sera d'autant plus prononcé que les coûts de la main-d'œuvre représentent un pourcentage élevé des coûts d'exploitation. Durant les périodes de rareté des compétences, la nécessité de pourvoir des postes à n'importe quel salaire peut d'ailleurs entraîner des problèmes d'équité interne. Comme nous l'avons constaté dans le cas présenté au début du chapitre (Dumont, 2003), en offrant des salaires trop élevés dès l'embauche, une organisation se retrouve avec des coûts de personnel trop élevés dès que la pénurie disparaît et doit subir les plaintes émanant d'autres employés en ce qui a trait à l'équité interne.

Les entreprises qui adoptent une politique de rémunération visant à les placer à la tête du marché tendent à correspondre aux profils suivants :

— elles assument des frais d'exploitation liés davantage aux immobilisations (*capital intensive*) qu'à la main-d'œuvre (*people intensive*) (par exemple, les industries de l'acier et de la pétrochimie) ;

— elles sont de grande taille, ont une certaine notoriété ou veulent construire et maintenir une image de bon payeur ou d'employeur de choix ;

— elles peuvent assez facilement intégrer une augmentation des coûts de la main-d'œuvre au prix des biens et des services qu'elles offrent (pensons, par exemple, aux firmes des industries informatique et pharmaceutique) ;

— elles ont une bonne situation financière ;

— elles comptent de nombreux emplois difficiles à pourvoir (chercheurs, ingénieurs, programmeurs spécialisés) parce qu'ils nécessitent des compétences poussées ;

— elles se préoccupent de la satisfaction des employés à l'égard des salaires étant donné que les coûts de recrutement et de roulement sont élevés en raison des budgets importants investis en formation ;

— elles valorisent la conservation du personnel ou jugent que la stabilité du personnel est importante pour les clients et pour la qualité des services offerts.

Notons toutefois qu'une organisation qui hausse les salaires pour contrer le roulement du personnel risque souvent d'apporter un remède qui ne s'attaque pas aux causes réelles du départ des employés (un mauvais climat de travail, l'hostilité de collègues de travail, une tâche peu stimulante, etc.). En effet, la difficulté à retenir des candidats résulte plus fréquemment d'une mauvaise gestion que d'un problème de rémunération.

Diverses raisons peuvent inciter un employeur à verser à leurs employés une rémunération supérieure à celle du marché. D'abord, on peut poser l'hypothèse que le fait d'accorder un taux de salaire supérieur à celui du marché augmente l'efficacité des organisations et réduit leurs coûts de la main-d'œuvre parce qu'il permettrait (voir la théorie de l'efficience des salaires [Krueger et Summers, 1987]) :

–   d'attirer un plus grand nombre de candidats compétents ou ayant un meilleur rendement ;

–   de réduire le roulement du personnel ;

–   d'amener les employés à fournir plus d'efforts et à mieux travailler ;

–   de réduire les besoins en supervision du personnel parce qu'elles attirent des employés plus compétents et plus engagés dans leur travail.

Ainsi, des employeurs peuvent proposer d'établir des conditions de rémunération supérieures à celles du marché de manière que les employés soient moins tentés de se laisser aller ou qu'ils décident de s'investir plus dans leur travail afin de conserver leurs bénéfices. On présume alors que des conditions de rémunération supérieures à celles du marché créent une relation ou un contrat d'échange où les employés se sentent, en retour, obligés de s'engager davantage dans leur travail.

Par ailleurs, certains employeurs doivent accorder de meilleures conditions de rémunération afin de compenser les inconvénients liés aux postes, à l'organisation et/ou à l'industrie (voir la théorie du différentiel compensatoire [Mahoney, 1979]). Ce peut être le cas des organisations :

–   qui œuvrent dans une industrie faisant l'objet de critiques sur le plan social et sur le plan de la santé (par exemple, les industries du tabac et des jeux) ;

–   dont la volatilité du cycle d'affaires et de l'emploi est élevée (comme le secteur des ressources naturelles) ;

–   qui proposent des conditions de travail risquées ou qui sont éloignées (par exemple, les mines, la construction d'autoroutes, les emplois dans une unité d'affaires localisée dans une région marquée par une instabilité politique).

À ce jour, quelques chercheurs ont analysé les incidences de l'offre de salaires élevés. Après avoir examiné des études portant sur cette question, Milkovich et Newman (2005) indiquent que ces dernières tendent à confirmer le fait que le versement de salaires élevés a des effets positifs sur la facilité à attirer des employés et sur la qualité de ceux-ci, et des effets négatifs sur le temps de formation, sur le taux de postes vacants, sur le roulement et sur l'absentéisme. Sur le plan empirique, toutefois, les études ne confirment pas les incidences positives relatives à l'offre de salaires élevés sur la performance des firmes et peu d'entre elles montrent que le versement de meilleurs salaires incitera les employés à faire plus d'efforts afin de dissiper le malaise d'être surpayés. Plutôt que d'accroître leurs efforts ou leur rendement au travail, la plupart des personnes qui se sentent initialement surpayées réviseront rapidement à la hausse la perception qu'elles ont de la valeur de leurs contributions (leurs compétences, leurs efforts, leur rendement, etc.) et jugeront que leur rémunération est une juste rétribution (Gerhart et Rynes, 2003). Même au sein des entreprises reconnues pour être de bons payeurs (comme les industries pharmaceutique et pétrochimique), peu d'employés estiment qu'ils sont surpayés et qu'ils devraient en conséquence déployer plus d'efforts. Une récente étude (Gardner *et al.,* 2004) prouve toutefois que l'octroi de meilleurs salaires améliore l'estime personnelle des employés (signe qu'ils sont importants pour l'employeur) ainsi que leur rendement et leurs comportements au travail.

Chose certaine, comme une politique de rémunération visant à devancer le marché permet d'attirer un plus grand nombre d'employés et de les retenir — quels que soient leurs compétences et leur rendement —, une firme qui décide d'adopter une telle politique doit s'assurer de la qualité de son processus de sélection afin d'être en mesure de découvrir et d'embaucher les meilleurs candidats. Étant donné que l'offre de meilleures conditions de rémunération attire davantage de candidats, bons et mauvais, un employeur doit être en mesure de distinguer les meilleurs. D'autre part, le gain d'efficacité résultant du fait, pour une entreprise, de pouvoir compter sur les employés les plus compétents et les plus motivés est également fonction de la qualité d'autres facteurs de gestion, comme le contenu du travail et le climat de travail.

3.2.3 Être à la remorque du marché

En ce qui concerne la composante « salaire », une organisation se trouve à la remorque du marché lorsque les salaires qu'elle offre à ses employés sont inférieurs à ceux du marché et que l'écart est supérieur à 5 %.

Des firmes peuvent d'ailleurs décider – sans nécessairement l'admettre d'être à la remorque du marché sur le plan de la rémunération dans la mesure où les coûts de roulement de leur personnel sont faibles, où les emplois sont faciles à pourvoir, où la disponibilité des candidats est grande, où leurs coûts de personnel représentent une proportion importante de leurs coûts totaux d'exploitation et où il leur est possible de limiter l'insatisfaction de leurs employés par l'entremise d'autres conditions de travail. Ainsi, certaines firmes offrent une politique de rémunération inférieure à celle du marché afin de mieux traverser une période financière difficile ou de réduire leurs coûts de main-d'œuvre, ou encore parce que d'autres conditions de travail compensent le « manque à gagner » aux yeux des employés, notamment des horaires de travail flexibles, des possibilités de promotion alléchantes, une localisation recherchée ou des gains à plus long terme. Par exemple, plusieurs firmes de petite taille du secteur de la haute technologie qui sont incapables d'offrir des conditions de rémunération équivalentes à celles des grandes firmes concurrentes attirent leurs employés en leur proposant des options d'achat d'actions, un mode de rémunération qui permettra éventuellement aux employés de s'enrichir lorsque l'entreprise s'inscrira à la Bourse.

Une rémunération qui est à la remorque du marché peut rendre plus difficiles le recrutement et la conservation du personnel. Cette politique peut aussi inciter des employés à se syndiquer ou encore à réduire leur engagement dans leur travail. Bien entendu, l'effet négatif de la rémunération sur le recrutement et la conservation des employés sera plus évident dans la mesure où il existe d'importantes variations dans les conditions de rémunération offertes sur le marché du travail. Sur le plan des recherches, s'il est possible qu'une politique consistant à se situer à la remorque du marché réduise la capacité d'une entreprise à attirer les meilleurs employés, les études ne confirment toutefois pas qu'elle augmente le roulement du personnel (Lee et Mowday, 1987 ; Noe *et al.,* 1988). Il est aussi probable que, lorsque la rémunération offerte par une organisation correspond à un minimum acceptable, elle n'a pas d'impact sur le recrutement parce que d'autres facteurs peuvent avoir un effet compensatoire, tels que le prestige d'une organisation, le climat de travail, les pratiques de conciliation travail-famille, les possibilités de carrière qu'elle offre, la sécurité de l'emploi ou des facteurs aussi terre à terre que les possibilités de transport, la localisation de l'organisation et le temps requis pour se rendre au travail.

3.2.4   Les politiques hybrides

En pratique, peu d'organisations adoptent une politique unique et uniforme en matière de rémunération pour l'ensemble de leur personnel. Une politique mixte ou hybride varie selon divers facteurs comme les catégories de personnel, les composantes de la rémunération totale et la localisation de l'unité d'affaires.

3.2.4.1 Les catégories de personnel

Une politique de rémunération peut varier selon les catégories de personnel (le personnel de vente, le personnel de production, les spécialistes de l'informatique, etc.). Par exemple, une organisation peut se situer à la fois :

–   dans le troisième quart du marché (les trois quarts des employeurs payant le moins et le quart, le plus) pour un groupe d'emplois, soit les emplois clés pour le succès de l'organisation ;

–   à la médiane du marché (la moitié des employeurs payant le plus et la moitié des employeurs, le moins) pour un autre groupe d'emplois moins critiques quant à son succès ;

–   dans le premier quart du marché (le quart des employeurs payant le moins et les trois quarts, le plus) pour un troisième groupe où les postes sont facilement comblés sur le marché local.

Une politique de rémunération peut aussi différer selon le niveau hiérarchique des emplois. Par exemple, une entreprise peut choisir d'être à la tête du marché pour les cadres supérieurs et d'égaler le marché pour les autres catégories de personnel. Toutefois, si une organisation tente d'être à la tête du marché uniquement pour pourvoir ses postes d'entrée sans ajuster les salaires de ses autres employés, ces derniers se plaindront d'une iniquité, et certains d'entre eux (les plus compétents) pourront même quitter l'entreprise. Le choix d'une politique de compétitivité doit être fait à la lumière des conséquences sur l'équité interne.

Comme le succès des organisations repose davantage sur certaines catégories de personnel en raison de la rareté et du caractère critique de leurs compétences, elles sont davantage susceptibles de tenir compte de ce qu'offre le marché lorsqu'elles déterminent leur rémunération (voir la théorie de la dépendance à l'égard des ressources [Balkin et Bannister, 1993]). Cette théorie permet de comprendre pourquoi l'équité externe est particulièrement importante pour le personnel qui détient des compétences rares ou «stratégiques» pour une firme, qui possède une vaste expérience ou qui génère les revenus de l'organisation. Pensons, par exemple :

–   au personnel qualifié ou aux compétences rares (ingénieurs spécialisés, programmeurs, pharmaciens, conseillers ou consultants, etc.) qui tendent à se montrer plus loyaux envers leur profession qu'envers leur employeur ;

–   aux vedettes du domaine du sport ou de celui des arts dont les sociétés commanditent les exploits ou qu'elles recrutent pour annoncer leurs produits et services ;

–   aux cadres supérieurs ;

–   à certains représentants des ventes qui non seulement amènent «le pain et le beurre» (leur relation avec le client étant critique pour la conclusion d'une vente), mais qui savent ce que les concurrents offrent (leur emploi étant aux frontières de l'entreprise) et n'hésitent pas à utiliser cette information pour renégocier leur propre rémunération ;

–   à certains expatriés qu'il faut attirer et garder en poste à l'étranger.

Au sein d'une même organisation, un employeur peut aussi offrir un salaire plus élevé dans le cas de certains emplois afin de compenser pour des inconvénients (voir la théorie du différentiel compensatoire [Mahoney, 1979]) tels que ceux-ci :

–   le peu de sécurité de l'emploi (chez les professionnels des sociétés de courtage, par exemple) ;

–   les faibles chances de réussir dans un emploi (dans le sport professionnel, chez les courtiers d'assurances, etc.) ;

–   les préjugés liés à l'emploi (comme celui d'éboueur) ;

–   les risques ou les autres inconvénients d'un emploi, comme la saleté, l'obligation de voyager ou les risques pour la santé et la sécurité.

En effet, on constate que non seulement les compétences requises, mais aussi les conditions de travail à assumer (les horaires, les voyages, la saleté, etc.), influencent les taux de rémunération que l'organisation doit verser pour attirer et retenir le personnel nécessaire. Ainsi, il est possible qu'un emploi d'éboueur ait une valeur égale à celui de commis à la paie, mais que l'éboueur soit beaucoup mieux payé parce qu'il est plus difficile d'attirer des candidats pour ce poste que pour celui de commis à la paie. Bien des employeurs accordent des primes à des titulaires d'un même emploi afin de compenser certains inconvénients. Pensons aux primes de nuit pour le personnel infirmier et aux primes de combat pour le personnel militaire.

D'autres facteurs justifient la formulation de politiques et de pratiques de rémunération distinctes pour les diverses catégories de personnel, notamment le fait d'être syndiqué ou non, l'importance de la catégorie de personnel quant au nombre d'employés ou quant à leur contribution au succès de l'entreprise. Ainsi, le spécialiste principal de la rémunération d'une société offrant des conseils en rémunération sera sûrement mieux payé que le directeur de la rémunération d'une organisation appartenant à un autre secteur, puisque le premier a un rôle plus stratégique et se trouve au cœur des affaires. De plus, la fréquence croissante du personnel « contingent », c'est-à-dire qui travaille sur une base temporaire, contractuelle ou à temps partiel, a des effets directs sur la gestion de la rémunération, entre autres sur l'importance des salaires et des avantages sociaux versés. Les différences quant au traitement accordé au personnel contingent font d'ailleurs l'objet de plaintes de plus en plus nombreuses au sujet d'iniquités.

Finalement, il faut noter que l'adoption d'une politique consistant à être à la tête du marché pour une catégorie de personnel peut obliger l'employeur à augmenter le salaire d'autres employés afin d'éviter des problèmes d'iniquité interne (voir le chapitre 4) et des plaintes. Une politique de rémunération différenciée selon les catégories de personnel doit s'aligner sur les priorités d'affaires et respecter certaines perceptions en ce qui a trait à l'équité parmi le personnel. Par ailleurs, on observe que la traditionnelle particularité des politiques de rémunération selon les différentes catégories d'emplois impose aujourd'hui des défis dans un contexte d'équité salariale. Dans la mesure où il est démontré qu'une catégorie d'emplois surtout occupés par des femmes est jugée de valeur équivalente à une autre catégorie d'emplois surtout occupés par des hommes, une entreprise doit verser une rémunération égale aux titulaires de ces deux catégories d'emplois.

3.2.4.2 Les composantes de la rémunération totale

Une organisation peut avoir une politique de compétitivité différente pour chacune des diverses composantes de la rémunération. Ainsi, il est possible qu'une organisation ait du retard à l'égard des salaires tout en étant dans le peloton de tête en matière de rémunération variable (primes, commissions, etc.), ou encore qu'elle offre une rémunération variable moins importante mais de généreux avantages sociaux. La fréquence accrue des régimes de rémunération variable indique que de plus en plus d'employeurs délaissent leur politique traditionnelle consistant à être à la tête du marché sur le plan des salaires pour adopter une politique résidant dans l'octroi de salaires égaux ou inférieurs à ceux du marché jumelée avec une politique visant à être un chef de file sur le plan de la rémunération variable.

3.2.4.3 La localisation de l'unité d'affaires

La politique de rémunération d'une entreprise peut aussi varier en fonction de la localisation de ses unités d'affaires, l'ampleur de la concurrence à laquelle elle fait face dans une région donnée, le coût de la vie dans cette région, la mobilité particulière de ses habitants, etc. C'est le cas pour une entreprise qui décide d'ajuster ses salaires en fonction des villes, des provinces ou des pays où elle implante ses diverses unités d'affaires.

Comme l'indique le tableau 3.2, une enquête menée en 2004 par la société Mercer, Consultation en ressources humaines, en collaboration avec les Manufacturiers et Exportateurs du Canada (MEC), montre que les salaires versés pour des emplois comparables dans le secteur manufacturier varient considérablement entre les grands centres urbains et les zones urbaines de taille moyenne. Par exemple, l'écart peut atteindre 25 % entre les endroits les plus payants, comme Fort McMurray, en Alberta, et les moins payants, dans les provinces de l'Atlantique. Selon Danielle Bushen, conseillère principale pour cette société-conseil, un tel contexte exige que l'on fasse des choix. D'une part, un employeur peut décider de rémunérer ses employés selon la moyenne nationale pour des raisons de simplicité et d'équité au sein de l'entreprise. D'autre part, il peut adopter une politique qui tient compte des différences régionales de manière à s'adapter au marché local et à mieux cibler ses investissements partout au pays.

TABLEAU 3.2

VARIATIONS DES TAUX DE SALAIRES (MINIMUMS ET MAXIMUMS) ET ÉCART DES TAUX DE SALAIRES (MINIMUMS ET MAXIMUMS) PAR RAPPORT À LA MOYENNE NATIONALE : LE CAS DES EMPLOIS DE PRODUCTION ET D'EXPORTATION AU CANADA

Poste	Minimum ($) de l'échelle salariale	Maximum ($) de l'échelle salariale	
Chef d'usine	93 000	127 000	
Chef de la logistique	67 000	90 000	
Chef de quart	50 000	69 900	
Spécialiste import-export	45 000	61 000	
Travailleur en usine	26 000	38 000	
Pourcentage d'écart par rapport aux taux moyens nationaux	Fort McMurray	Calgary	Toronto	Vancouver
... Maximum	+ 10 %	+ 6 %	+ 5 %	+ 2 %
... Minimum	– 2 %	– 3 %	– 7 %	– 13 %

Source : Mercer, Consultation en ressources humaines (2004).

3.3 Les enquêtes de rémunération : définition et étapes

Une enquête de rémunération consiste à colliger des informations sur la rémunération offerte pour des emplois sur le marché du travail. Quoique les enquêtes de rémunération ne permettent pas de déterminer à elles seules la valeur des diverses composantes de la rémunération totale, elles demeurent un élément important à considérer. Pour les petites et moyennes entreprises (PME), les enquêtes de rémunération constituent souvent le principal moyen de gérer les salaires des employés puisqu'on n'y trouve pas de processus d'évaluation des emplois.

Par le passé, les enquêtes de rémunération ont surtout été utilisées par les organisations de grande taille pour la détermination des salaires et des augmentations de salaires des employés. Aujourd'hui, l'expression « enquête de rémunération » décrit davantage la majorité des enquêtes qui étendent la demande d'information aux primes, aux avantages sociaux et aux gratifications. Les salaires et les informations recueillies à cet égard (les salaires de base, les points « mini-milieu-maxi », l'étendue des échelles salariales, les temps de progression dans les échelles salariales, etc.) ne constituent qu'une partie de la rémunération, l'autre partie étant composée des avantages sociaux (les congés, les vacances, etc.), des conditons de travail (comme les horaires de travail), des primes annuelles (la prime cible, la prime maximale, la prime moyenne, etc.). Ainsi, il est fort différent de gagner 1 000 $ pour 32 heures de travail par semaine, en disposant de 15 jours de congés payés et de 4 semaines de vacances par année, ainsi que d'un régime de retraite payé à 75 % par l'employeur, et de gagner 1 000 $ pour 40 heures de travail par semaine, en ayant 12 jours de congés payés et 2 semaines de vacances par année, et en ne bénéficiant d'aucun régime de retraite.

Le processus d'enquête de rémunération repose sur les étapes suivantes : la détermination des objectifs et de l'étendue de l'enquête, de la méthode d'enquête, des sources d'information, la collecte des données ainsi que l'analyse et la présentation des résultats de l'enquête (voir le tableau 3.3). Nous décrirons ces différentes étapes.

TABLEAU 3.3

Les étapes du processus d'enquête de rémunération

- Objectifs et étendue de l'enquête de rémunération

  • Emplois ou familles d'emplois visés, marché de référence

- Méthode d'enquête de rémunération

  • Méthode d'appariement des emplois repères, d'appariement des groupes « professionnels » ou fonctionnels, d'appariement par l'évaluation des emplois

- Sources d'information

  • Tierce partie (par exemple, gouvernements, organismes privés ou consultants) ou enquête maison (par exemple, organisation ou société-conseil)

- Modes de collecte des données sur la rémunération

  • Questionnaire envoyé par la poste ou par le courrier électronique, entretien téléphonique, entrevue, Internet

- Analyse et présentation des résultats de l'enquête de rémunération

  • Actualisation et pondération, mesures de tendance centrale, mesures de distribution, indice de compétitivité, présentation des résultats

---

Notons que les employeurs peuvent aussi consulter annuellement les *enquêtes de planification des salaires,* publiées dans la section « Affaires » des journaux, qui présentent les prévisions en matière d'augmentations de salaires pour l'année à venir. Ces prévisions proviennent d'enquêtes menées par des organismes privés (par exemple, Conference Board du Canada, entreprises de consultants) ou publics (par exemple, Développement des ressources humaines Canada) auprès de certaines catégories d'entreprises (du secteur public, du secteur privé, etc.) ou d'emplois (de bureau, de cadres, de professionnels, etc.). Certaines sociétés-conseils refusent toutefois de publier de telles prévisions afin de ne pas contribuer à accélérer l'inflation des salaires, alors que d'autres limitent leur diffusion auprès des participants à leur enquête afin de réduire les risques d'une mauvaise interprétation associés à une présentation faite en dehors des circonstances de l'enquête.

3.4 Les objectifs de l'enquête de rémunération et les informations requises

Les entreprises doivent d'abord déterminer les objectifs de l'enquête de rémunération et les informations désirées. Elles peuvent effectuer des enquêtes de rémunération pour diverses raisons (voir le tableau 3.4). Ainsi, veulent-elles rajuster les échelles salariales? établir les budgets de salaires au mérite? hausser les salaires? déterminer les salaires à l'embauche? se préparer aux négociations collectives? déterminer les points de contrôle (points milieux) des échelles salariales? réduire les coûts de la main-d'œuvre?

TABLEAU 3.4

QUELQUES RAISONS D'EFFECTUER DES ENQUÊTES DE RÉMUNÉRATION

- Pour valider ou réviser la structure salariale actuelle.
- Pour ajuster les salaires de base, déterminer les augmentations de salaires ou les primes.
- Pour évaluer la compétitivité de la rémunération par rapport au marché cible.
- Pour se préparer à des négociations collectives.
- Pour contrôler ou réduire les coûts de la main-d'œuvre.
- Pour savoir quoi et combien offrir à un candidat afin de l'attirer.
- Pour savoir quoi et combien offrir au personnel clé afin de le retenir.
- Pour valider les évaluations des emplois.
- Pour analyser certains problèmes (roulement du personnel, attraction de candidats).
- Pour estimer les coûts de la main-d'œuvre des concurrents.
- Pour réduire les conflits internes et réfuter les plaintes en matière d'iniquités.
- Pour réduire les difficultés de recrutement et de conservation du personnel clé.
- Pour déterminer les diverses composantes de la rémunération totale.
- Pour communiquer aux employés la préoccupation de la direction quant à l'équité et son souci d'avoir une gestion transparente.
- Pour aider à déterminer la classe d'emplois d'un nouveau poste.

Par ailleurs, les raisons de procéder à des enquêtes de rémunération sont susceptibles de varier selon les utilisateurs. Ainsi, les professionnels des relations du travail souhaitent connaître les conditions de travail et les avantages sociaux offerts sur le marché afin de mieux se préparer aux négociations collectives. Les spécialistes des finances peuvent être intéressés à rationaliser les coûts d'exploitation, tandis que les spécialistes des ressources humaines peuvent vouloir s'assurer que le départ de certains employés n'est pas causé par une rémunération non compétitive.

Le tableau 3.5 présente la liste des renseignements normalement recueillis lors d'une enquête de rémunération. Évidemment, la nature des informations colligées par une entreprise varie en fonction de ses objectifs, de sa taille, de son secteur d'activité économique, de la catégorie ou du niveau hiérarchique des emplois sondés, etc.

L'étendue d'une enquête de rémunération porte sur deux aspects : les emplois ou les familles d'emplois sur lesquels on veut obtenir des informations et les organisations que l'on veut sonder. Veut-on colliger des informations pour tous les emplois ou pour un certain nombre d'emplois seulement ? Dans ce dernier cas, pour quels emplois ? Auprès de quelles organisations collectera-t-on des informations ? Sur quels marchés l'enquête sera-t-elle effectuée ?

3.4.1   Les emplois ou les familles d'emplois faisant l'objet de l'enquête

Une enquête de rémunération peut avoir une portée générale ou une portée particulière. Une enquête *générale* de rémunération collige des informations sur une ou plusieurs grandes familles d'emplois. On vise alors à mettre à jour la structure salariale, à différencier les salaires accordés aux emplois, à connaître les composantes de la rémunération totale versée pour les emplois ou encore à déterminer des augmentations de salaires. Bon nombre de grandes organisations effectuent des enquêtes générales de rémunération sur une base régulière de trois ans.

Une enquête *particulière* de rémunération s'effectue sur une base ponctuelle en fonction des besoins. Cette enquête porte sur des emplois particuliers ou sur des familles particulières d'emplois comme les suivants :

– des emplois nouvellement créés ;

– des emplois où les postes sont difficiles à pourvoir (par exemple, programmeur en informatique, pharmacien) ;

– des emplois où il est difficile de retenir les titulaires ;

– des emplois où les titulaires expriment de l'insatisfaction ;

– des emplois où les titulaires présentent un problème de rendement ou de comportement ;

– des emplois qu'il est malaisé d'évaluer à l'aide d'une enquête générale ou d'une méthode courante d'évaluation des emplois.

TABLEAU 3.5

Exemples d'informations colligées lors des enquêtes de rémunération

1. Informations sur les organisations sondées

   - Secteur d'activité économique
   - Localisation
   - Nombre d'employés permanents et à temps plein
   - Chiffre d'affaires
   - Pourcentage d'employés syndiqués par catégorie de personnel

2. Informations sur la rémunération directe

   - Base de salaire : horaire, hebdomadaire, annuel
   - Nombre d'employés par emploi
   - Échelle des salaires : salaire minimal, point milieu (point de contrôle, maximum normal), salaire maximal au mérite
   - Salaire versé : salaire minimal payé, salaire maximal payé et moyenne pondérée des salaires versés
   - Augmentations de salaires en fonction du rendement individuel, des années de service (en combien de temps passe-t-on du minimum au maximum de l'échelle?), du coût de la vie, etc.
   - Montant des primes : prime cible, prime maximale possible, primes versées
   - Nombre d'employés admissibles à une prime et ayant reçu une prime
   - Rémunération des heures supplémentaires : après une journée normale, après une semaine normale, samedis et dimanches, jours fériés

3. Informations sur les conditions de travail, les avantages sociaux et le régime de retraite

   - Nombre d'heures de travail hebdomadaire
   - Nombre de jours fériés payés
   - Congés au-delà des exigences légales (durée) : naissance ou adoption, décès (famille immédiate ou autres), mariage (personnel, membre de la famille), congés pour des raisons personnelles, etc.
   - Vacances annuelles : nombre de jours selon le nombre d'années de service
   - Avantages sociaux et régime de retraite : assurance vie de groupe, assurance invalidité de longue durée, assurance invalidité de courte durée, assurance accident, assurance maladie, assurance médicaments, assurance dentaire, etc., contribution des employés, contribution de l'employeur
   - Étendue de l'enquête : emploi ou famille d'emplois, organisations

3.4.2 La détermination du marché de référence

La détermination du marché de référence de l'enquête consiste à délimiter l'étendue géographique de l'enquête et à choisir les organisations à sonder en prenant en considération divers facteurs (l'industrie, la taille, la mobilité des titulaires des emplois visés par l'enquête, etc.). Chaque organisation doit déterminer lesquels de ces critères désignent le mieux la « concurrence » (ou les concurrents) et établir si cette dernière change selon les catégories d'emplois. En effet, une organisation peut fort bien conclure que différentes catégories de personnel ont différents marchés de référence.

3.4.2.1 Les employeurs sur le marché des biens et des services

Les employeurs peuvent décider de comparer la rémunération qu'ils offrent avec celle qu'offrent des concurrents sur le marché des produits ou des services, c'est-à-dire des employeurs de leur secteur d'activité économique. Plus précisément, ils chercheront à se comparer avec des organisations de même taille dans leur industrie. Cela se produit lorsque la mobilité des titulaires de certains emplois est surtout de nature « intra-industrielle » ou « intrasectorielle ». Par exemple, un ingénieur en télécommunications, un technicien en radiologie ou un professeur ne peuvent travailler que dans certains secteurs d'activité. En général, on tient compte des salaires offerts par des concurrents dans l'industrie pour des emplois de professionnels et de cadres. En ce qui concerne les cadres supérieurs, on compare les conditions de rémunération offertes par les organisations de même taille dans l'industrie.

3.4.2.2 Les employeurs sur le marché de l'emploi

Une enquête de rémunération vise à recueillir des informations sur le marché potentiel et/ou réel de l'emploi pour les titulaires des emplois en cause.

Les employeurs sur le marché potentiel de l'emploi

Pour juger de la compétitivité de la rémunération offerte, les employeurs peuvent comparer celle-ci avec la rémunération qu'offrent des concurrents sur le marché de l'emploi. Ce marché de référence est préféré lorsque la mobilité de certains titulaires d'emplois est surtout de type « interindustriel », étant donné qu'ils peuvent trouver un emploi comparable dans diverses industries. C'est le cas pour les employés de bureau (par exemple, les secrétaires, les commis comptables) et de production qui peuvent travailler pour des employeurs de diverses industries et de toutes les tailles. Ici, la mobilité potentielle des employés sert à délimiter géographiquement un marché de référence. Pour les emplois de bureau ou les emplois de production non spécialisés, le marché est essentiellement local. Pour certains emplois de professionnels ou de cadres, le marché peut correspondre à une province, à un pays ou au monde entier. En général, plus un emploi est spécialisé, plus grand est le marché géographique de cet emploi.

Les employeurs sur le marché réel de l'emploi

Même si la mobilité potentielle d'un cadre est nationale, la mobilité réelle des cadres d'une entreprise en particulier peut se limiter à une région. C'est le cas pour les cadres qui travaillent pour un grand employeur établi dans une petite localité. Dans cette situation, la conduite d'une enquête ayant une portée nationale mènerait à une surestimation des salaires si les salaires offerts dans la région sont moins élevés, ou à une sous-estimation des salaires si les salaires offerts dans la région sont plus élevés.

Lorsqu'un employeur considère la mobilité réelle de son propre personnel pour déterminer géographiquement le marché de référence, il doit se poser les questions suivantes : sur quel marché l'organisation recrute-t-elle le personnel visé ? Quel média (local, régional, national, international) utilise-t-elle pour recruter le personnel ? Pour quel marché l'organisation perd-elle le personnel visé ? Sur quel marché l'organisation accepte-t-elle de faire face à la concurrence pour obtenir ce personnel ? L'étendue géographique de l'enquête dépend alors du marché *réel* de l'emploi où une organisation fait du recrutement ou perd des employés.

Bien des facteurs influencent les marchés réels de l'emploi. Avec le vieillissement de la population, on peut comprendre que des employés dont l'âge moyen tourne autour de 50 ans sont moins portés à changer d'emploi. Les couples à deux carrières sont aussi plus limités au point de vue de la mobilité. La mobilité effective des employés est également fonction de critères tels que le prix des maisons et des logements, le coût de la vie, les taux d'intérêt ou la qualité de la vie. Par ailleurs, avec les nouvelles technologies de l'information, des titulaires de certains emplois peuvent changer d'employeur sans devoir changer de lieu de résidence, ou encore des employeurs considèrent leur marché de l'emploi sur une base internationale (par exemple, des employés en Inde assurant le service à la clientèle d'une société de service américaine ou canadienne).

3.5   Les méthodes d'enquête de rémunération

Il existe trois grandes méthodes d'enquête de rémunération : l'appariement des emplois repères, l'appariement des groupes « professionnels » ou fonctionnels et l'appariement par l'évaluation des emplois.

3.5.1 L'appariement des emplois repères

Même si une enquête de rémunération porte sur une ou plusieurs familles d'emplois (par exemple, les emplois de production, les emplois de bureau, les emplois de cadres), elle ne colligera pas de données de rémunération pour *tous* les emplois de la famille ou des familles d'emplois, sinon l'enquête serait longue et ardue, à la fois pour la personne qui l'effectue et pour les organisations participantes. De plus, cela soulève des problèmes de comparaison parce qu'il est rare de trouver au sein de deux entreprises — même dans celles d'un même secteur industriel et de même taille — des titres d'emplois identiques ou semblables correspondant au même contenu.

En pratique, une enquête de rémunération porte souvent sur un nombre restreint d'emplois dont le contenu est potentiellement identique d'une organisation à l'autre. On détermine ces emplois, que l'on qualifie de « repères » ou « clés », en tenant compte des divers critères listés au tableau 3.6 (par exemple, des emplois dont le contenu est stable, défini, assez typique, comporte divers niveaux d'exigences ou un grand nombre de postes).

TABLEAU 3.6

LES PRINCIPALES CARACTÉRISTIQUES DES EMPLOIS REPÈRES FAISANT L'OBJET DES ENQUÊTES DE RÉMUNÉRATION

Les emplois repères...

- ... sont jugés importants parce qu'ils regroupent un grand nombre d'employés ou qu'ils sont au cœur de la mission de l'entreprise ;
- ... sont représentatifs de l'ensemble des emplois de l'entreprise quant aux niveaux de responsabilités et à l'importance de la rémunération versée ;
- ... ont un contenu (rôles, responsabilités, activités) plutôt stable, bien défini et connu de tous ;
- ... sont courants et existent dans les autres entreprises ;
- ... sont jugés par les syndicats et la direction comme étant des emplois clés ;
- ... sont perçus comme étant correctement payés sur le marché ;
- ... sont faciles à apparier avec d'autres emplois ;
- ... correspondent à un défi en matière de recrutement, de conservation et de satisfaction des titulaires.

Pour les organisations sondées, cette méthode d'enquête de rémunération consiste à comparer le contenu des emplois repères présentés dans l'enquête avec le contenu de leurs propres emplois et à estimer le degré de similitude entre ces emplois. En d'autres mots, pour un employeur, il s'agit d'analyser la correspondance entre la description d'un emploi présentée dans une enquête et le contenu réel d'un emploi comparable au sein de son organisation sur la base de diverses caractéristiques : les tâches, les responsabilités, le profil d'exigences, le niveau hiérarchique, le nombre d'employés supervisés, le budget à gérer, etc.

Comme les données d'une enquête sont souvent colligées par questionnaire, on présente rarement les descriptions complètes des emplois repères aux employeurs participant à l'enquête. Dans certains cas, on ne révèle d'ailleurs que le titre des emplois sans donner d'aperçu de leur contenu. Plus fréquemment, on présente une description sommaire de l'emploi (voir les exemples fournis à l'encadré 3.1) ainsi qu'un organigramme. En effet, pour un même emploi, des écarts de salaires importants (de plus de 50 %) peuvent être versés par les organisations pour un même poste selon le niveau hiérarchique de son titulaire. Certains questionnaires d'enquête présentent, après chaque description sommaire de l'emploi, des caractéristiques des titulaires de l'emploi (expérience, formation, etc.). D'autres enquêtes demandent aux participants d'indiquer si l'emploi décrit dans le questionnaire comporte des responsabilités équivalentes, inférieures ou supérieures à celles qui sont liées à un emploi semblable dans leur organisation afin d'obtenir un indicateur de la qualité de l'appariement.

En somme, l'appariement des emplois d'une entreprise et ceux qui sont décrits dans une enquête de rémunération s'avère un processus subjectif. Deux postes, même à l'intérieur d'une organisation, ne comporteront jamais de responsabilités identiques étant donné que celles-ci deviennent inévitablement un reflet de leur titulaire. Aussi, il faut bien comprendre que l'objectif de l'appariement n'est pas tant l'exactitude ou la précision que la pertinence.

3.5.2 La méthode des groupes professionnels ou fonctionnels

La méthode des groupes professionnels ou fonctionnels consiste à amasser des informations sur tous les emplois d'un groupe professionnel ou fonctionnel, tels que les emplois de bureau, les emplois de production ou les postes d'ingénieurs. Cette méthode permet d'obtenir des informations assez précises dans la mesure où les données recueillies sur la rémunération sont analysées et présentées selon le secteur d'activité économique et la taille des entreprises participantes. Les participants à ce type d'enquête doivent souvent fournir des renseignements sur le niveau hiérarchique et le nombre de titulaires occupant les emplois visés.

Les organismes gouvernementaux (comme Statistique Canada) et certaines associations professionnelles utilisent cette méthode d'enquête de rémunération. Dans ce dernier cas, pensons à l'enquête salariale sur les emplois d'ingénieurs menée dans les provinces canadiennes, qui propose un appariement des emplois d'ingénieurs en fonction non seulement des responsabilités, mais aussi d'autres facteurs comme l'expérience de travail depuis l'obtention du dernier diplôme universitaire, la spécialisation et le type de diplôme (baccalauréat, maîtrise, doctorat, postdoctorat). De telles enquêtes sont menées plus souvent auprès des professionnels visés, qui doivent fournir les informations demandées, qu'auprès des employeurs.

ENCADRÉ 3.1

Exemples de descriptions sommaires d'emplois présentées dans des questionnaires d'enquêtes de rémunération

Titre de l'emploi : *Représentant des ventes*

Est responsable de la vente de produits et de services à une vaste clientèle composée de moyennes entreprises. Possède les compétences nécessaires pour s'acquitter de ses tâches de façon adéquate (de trois à cinq années d'expérience) et doit atteindre des objectifs précis dans le domaine des ventes.

Titre de l'emploi : *Acheteur*

Suivant des directives détaillées, négocie avec les fournisseurs autorisés, sélectionne ceux qui conviennent et passe les commandes conformément aux besoins (quantité et dates) établis par le service de la planification des stocks. Possède généralement de deux à quatre années d'expérience. Relève de l'acheteur principal (emploi P536) ou du directeur des achats (emploi G535).

Titre de l'emploi : *Comptable*

Est responsable des tâches comptables relativement complexes liées à la tenue du grand livre et à la production des états financiers et des rapports de gestion qui en découlent. Possède généralement de deux à quatre années d'expérience pertinente en comptabilité. Relève habituellement du chef comptable (emploi G135).

Source : Mercer, Consultation en ressources humaines (2004).

3.5.3   L'appariement par l'évaluation des emplois

L'appariement par l'évaluation des emplois est une méthode qu'on peut utiliser dans deux contextes. Premièrement, on peut y recourir auprès d'employeurs qui adoptent le même système d'évaluation des emplois. Par exemple, la société-conseil Hay effectue des enquêtes auprès de ses clients, qui utilisent tous le système d'évaluation des emplois qu'elle commercialise. De cette manière, l'appariement des emplois est assez précis étant donné que ces derniers sont évalués avec la même méthode. Cependant, tout système d'évaluation des emplois, qu'il soit commun ou non, est essentiellement subjectif (voir le chapitre 4). Par ailleurs, si les employeurs participant à l'enquête peuvent donner des informations sur la rémunération versée pour un emploi X d'une certaine valeur (soit un certain nombre de points selon le système Hay), cela ne leur permet pas de savoir quelle est la rémunération de cet emploi sur le marché. Par exemple, l'employeur qui fait l'enquête connaîtra quel salaire les entreprises participantes versent pour des emplois ayant une valeur semblable, quant au nombre de points, à celle d'un contrôleur d'usine, mais cela ne lui permet pas de savoir combien un contrôleur d'usine gagne sur le marché. De plus, cette méthode exige que l'évaluation des emplois des organisations participantes soit à jour, ce qui est rarement le cas. Enfin, cette approche limite le marché de référence aux employeurs qui utilisent le même système d'évaluation des emplois.

Deuxièmement, on peut aussi utiliser la méthode d'appariement par l'évaluation des emplois auprès d'employeurs adoptant différents systèmes d'évaluation des emplois. L'organisation effectuant l'enquête cherche alors à obtenir des informations (par exemple, la description des emplois) sur les emplois visés, pour ensuite pouvoir les examiner avec son propre système d'évaluation des emplois. La qualité de l'appariement dépend alors de la qualité des descriptions des emplois transmises par les organisations sondées, de l'objectivité des personnes qui évalueront les emplois sur la base de ce document et, surtout pour les emplois de cadres, de la structure de leur organisation. Quoique cette méthode offre un appariement précis des emplois, elle est rarement adoptée parce qu'elle requiert trop de temps et d'argent.

3.6   Les sources d'information

Les données d'enquêtes de rémunération sont disponibles à divers prix et sur plusieurs supports autres que le traditionnel support papier : le support PDF, le support électronique, le Web. Ces informations sur la rémunération sont généralement obtenues auprès de professionnels des ressources humaines qui participent à des enquêtes préétablies faites par des tierces parties (comme les sociétés-conseils ou les associations professionnelles) ou à des enquêtes maison que des employeurs ont préparées eux-mêmes ou qu'ils ont fait faire par un consultant (par exemple, une enquête pour une industrie, une enquête locale). Toutefois, les nouveaux outils de communication permettent l'accès à des données sur la rémunération collectées auprès de personnes qui acceptent de participer à des enquêtes sur le Web. Le tableau 3.7 présente ces grandes sources d'enquêtes ou d'information sur la rémunération.

3.6.1   Les enquêtes préétablies faites par des tierces parties

Parmi les tierces parties qui effectuent des enquêtes préétablies, on trouve les organismes gouvernementaux, les associations professionnelles, d'affaires ou

TABLEAU 3.7

TROIS GRANDES SOURCES D'ENQUÊTES DE RÉMUNÉRATION PRÉÉTABLIES MENÉES PAR DES TIERCES PARTIES

Organismes gouvernementaux

- Conseil du Trésor, gouvernement du Québec
- Développement des ressources humaines Canada
- Institut de la statistique du Québec
- Statistique Canada

Organismes professionnels, d'affaires ou industriels

- Association of Professional Engineers, Geologists and Geophysicists of Alberta
- Association of Professional Engineers and Geoscientists of the Province of British Columbia
- Manufacturiers et Exportateurs du Canada
- Toronto Board of Trade
- Central Ontario Industrial Relations Institute
- Conference Board du Canada
- Ontario Society of Professional Engineers
- Ordre des ingénieurs du Québec
- Vancouver Board of Trade

Sociétés de services-conseils

- Groupe-conseil Aon (http://www.aon.ca)
- Economic Research Institute
- Hay, Conseillers en administration
- Hewitt Associates
- Groupe Conseil KPMG
- Lafond et Associés (http://www.lafond.ca)
- Mercer, Consultation en ressources humaines (http://www.mercerrh.com)
- Morneau Sobeco (http://www.morneausobeco.com)
- Towers Perrin (http://www.towersperrin.com)
- Watson Wyatt Worldwide

Autre site Internet

- http://www.salaryexpert.com

industrielles et les sociétés-conseils. En général, ces organismes présentent leurs données de rémunération sur des disquettes, sur des cédéroms ou sur un support papier. Plusieurs d'entre eux fournissent l'accès à des données ou communiquent les résultats d'enquêtes par l'entremise d'un site Web.

Pour les employeurs, il s'avère plus facile et moins coûteux de considérer des enquêtes faites par des tierces parties. Habituellement, les employeurs qui participent à de telles enquêtes de rémunération préétablies peuvent avoir accès aux résultats en échange du temps qu'ils accordent pour répondre à ces enquêtes. Bien entendu, les employeurs obtiendront des résultats plus facilement et plus rapidement de cette manière que s'ils conçoivent et mènent eux-mêmes une enquête maison.

En contrepartie, une enquête préétablie conduite par une tierce partie risque de ne pas porter sur des emplois qui intéressent un employeur, de ne pas s'appuyer sur une échantillon de participants pertinent pour un employeur, de ne pas fournir d'informations sur des composantes de la rémunération dont se préoccupe un employeur, et ainsi de suite. Par ailleurs, comme la banque de données est souvent anonyme, l'employeur qui consulte des enquêtes préétablies n'a pas la possibilité de retirer uniquement les informations provenant de concurrents qui lui paraissent pertinents. Toutefois, moyennant des frais additionnels et le respect de certains critères (comme le nombre minimal de participants), il peut être possible d'obtenir des extraits sélectionnés.

3.6.2   Les enquêtes maison

Au lieu de consulter des sources d'enquêtes préétablies menées par des tierces parties, un employeur peut faire sa propre enquête maison ou demander à une tierce partie d'effectuer une enquête maison qui lui permettra de connaître la rémunération pour certains emplois sur le marché. Les enquêtes maison correspondent aux enquêtes particulières conduites par les employeurs ou par des sociétés-conseils à la demande de clients. On procède souvent à de telles enquêtes pour colliger des informations sur la rémunération accordée à des emplois en recherche et développement ou en informatique (*hot skills* ou *hot jobs*).

Les enquêtes maison comportent certains avantages. En effet, l'employeur qui mène une enquête maison ou qui demande à un consultant d'en faire une pour lui détermine les emplois repères, fait son propre appariement des emplois, choisit les organisations qui participeront à l'enquête et peut s'assurer du professionnalisme et de l'impartialité de l'enquête. Par ailleurs, ces enquêtes comportent des inconvénients, lesquels sont toutefois moins importants lorsque les employeurs les font faire par une société-conseil en rémunération. Ainsi, l'employeur qui mène une enquête maison est susceptible de connaître les problèmes suivants :

– il n'a peut-être pas les compétences nécessaires pour procéder à cette enquête ;

– son enquête connaîtra peut-être un faible taux de participation auprès des employeurs, car ces derniers sont très sollicités et peuvent mettre en doute le respect de la confidentialité ;

– il risque de voir les titulaires des emplois visés par l'enquête remettre en question la partialité des résultats ;

– il doit assumer la totalité des coûts d'une enquête, lesquels sont élevés.

3.6.3   Les données sur le Web

Grâce aux nouvelles technologies de l'information, les employés et les employeurs peuvent maintenant accéder rapidement à une foule de données concernant la rémunération sur le Web (en ligne). Mais que faut-il penser de toutes ces informations ? Pour pouvoir mesurer la valeur des données accessibles sur un site Web, il est important de clarifier la nature et l'objectif du site, les caractéristiques des participants ou des visiteurs et la raison pour laquelle ces données sur la rémunération sont publiées. S'agit-il d'un organisme traditionnel (par exemple, une société-conseil, un organisme professionnel) qui utilise le Web comme média supplémentaire pour proposer ses produits ? S'agit-il plutôt d'un site non traditionnel qui demande aux visiteurs de remplir un questionnaire afin de maintenir à jour une banque de données ? Ou encore s'agit-il d'un site qui amasse des données des petites annonces ou d'autres sites Web (par exemple, des données gouvernementales sur la rémunération) pour les revendre comme si c'étaient des données à jour ?

Ensuite, il faut se demander qui sont les clients du site. Les sites dont les clients sont des personnes offrent des données sur le salaire versé à un emploi qui intéressent le visiteur sur une base ponctuelle. Ces sites ne maintiennent pas de relation avec leur clientèle. Pour un certain coût, on peut connaître le salaire moyen accordé à un emploi, sans toutefois rien apprendre sur les autres composantes de la rémunération qui permettraient d'interpréter les résultats. De tels sites s'appuient souvent sur des données recueillies auprès de personnes. Les sites dont les clients sont des employeurs ne se bornent pas à fournir des informations sur le salaire et la rémunération totale en espèces. Ils donnent aussi des informations sur la façon dont les données sont colligées, l'échantillon des employeurs participants, etc.

3.7   La collecte des données

Qu'un employeur fasse lui-même une enquête de rémunération ou qu'il recoure aux services de consultants pour mener cette enquête, il doit déterminer la méthode de collecte des informations, soit l'enquête par questionnaire ou l'enquête par téléphone ou au cours d'un entretien personnel.

3.7.1   L'enquête par questionnaire

Le questionnaire — qui peut prendre une multitude de formes — représente la méthode de collecte d'informations la plus utilisée par la plupart des organismes publics, des organismes privés et des consultants.

Le plus souvent, les entreprises qui participent à une enquête doivent remplir un questionnaire sur support papier et le retourner par la poste. Selon les besoins et les préférences des participants, les employeurs participants peuvent se voir offrir la possibilité de répondre à l'enquête lors d'un entretien téléphonique ou d'une entrevue avec un conseiller de la société de consultation. Étant donné que de tels questionnaires sont susceptibles d'être remplis par des participants qui sont plus ou moins compétents et motivés et qui ont peu de temps à y consacrer, le fait de leur offrir de l'aide permettra d'accroître le taux de participation aux enquêtes, d'améliorer la validité des informations recueillies et d'obtenir les réponses plus rapidement.

Aujourd'hui, certaines sociétés-conseils colligent, sur une base continue ou ponctuelle, des données sur la rémunération de diverses catégories de personnel au moyen de l'informatique. Si des employeurs soumettent des données par courrier électronique, la plupart d'entre eux les fournissent sur papier ou sur disquette. De fait, on recourt au courrier électronique surtout pour lorsqu'on mène des enquêtes auprès d'un nombre restreint et particulier d'employeurs (par exemple, de 10 à 15 employeurs) ou pour transmettre des rapports (trimestriels et mensuels) aux employeurs.

Comparativement aux autres méthodes de collecte des informations, le questionnaire permet d'obtenir des renseignements auprès d'un grand nombre d'employeurs à un coût moindre. Les avantages du questionnaire sont toutefois fonction de certaines caractéristiques : le questionnaire est-il transmis sur support papier aux employeurs participants ou fait-il l'objet d'un entretien téléphonique avec eux ? Une lettre d'information accompagne-t-elle le questionnaire ? Les questions sont-elles de type fermé ou de type ouvert ? Les participants peuvent-ils recevoir un sommaire des résultats ? Et ainsi de suite.

Avant de soumettre un questionnaire à des participants, un employeur doit s'assurer qu'il pose des questions claires, précises, de type fermé et en nombre raisonnable. De même, il doit solliciter des données de nature simple, comme sur les politiques et les pratiques de rémunération et les augmentations de salaires planifiées, et éviter de demander des informations sur des concepts sujets à interprétation (par exemple, la rémunération totale) sans qu'une description claire en soit donnée.

3.7.2 L'enquête par téléphone ou au cours d'un entretien personnel

La collecte des données peut aussi se faire de manière interpersonnelle directe, soit par le biais d'un entretien téléphonique ou d'un entretien en personne.

L'entretien téléphonique est surtout utilisé pour la collecte d'informations sur la rémunération du personnel de production, d'entretien et de bureau. Cette méthode convient lorsque les employeurs se connaissent et que les emplois ciblés par l'enquête sont particuliers, peu nombreux et facilement repérables.

Même si l'on utilise peu l'entretien pour colliger des informations sur la rémunération des emplois, cette méthode présente plusieurs atouts. D'abord, un intervieweur compétent et doté de bonnes descriptions des emplois peut s'assurer de la comparabilité des emplois, obtenir des précisions sur les informations recueillies, réduire les problèmes d'interprétation et amasser plus informations sur la rémunération totale et les conditions de travail. Par ailleurs, les coûts associés à l'entretien dans une enquête de rémunération peuvent être réduits si l'on fait alterner son usage avec la conversation téléphonique ou le questionnaire sur papier. Finalement, l'entretien peut permettre de valider les données que les participants ont communiquées par écrit.

3.8 L'analyse et la présentation des données de l'enquête de rémunération

Il est nécessaire de s'assurer de la participation de 8 à 10 employeurs au minimum si l'on veut obtenir des données valables. Il est également important de collecter des informations précises et exhaustives, car cela conditionne la présentation des résultats d'une enquête. Par exemple, si l'on ne dispose que des données sur les minimums et les maximums des échelles salariales des emplois, il sera impossible de calculer certaines statistiques (comme la moyenne pondérée modifiée des salaires).

Certaines enquêtes de rémunération menées par Internet permettent aux employeurs participants d'accéder aux résultats des enquêtes. Pour assurer la confidentialité et la sécurité des informations transmises par les employeurs, un mot de passe et une plage de temps sont attribués aux participants. Dans certains cas, les participants peuvent effectuer des analyses sur les données des enquêtes en respectant des critères de confidentialité. Ainsi, ils peuvent retirer leurs propres données pour voir les incidences sur les résultats, refaire des calculs en éliminant des données extrêmes ou encore en ne retenant que les entreprises d'une certaine taille ou qui comportent ou non un syndicat. La société Mercer, Consultation en ressources humaines offre un logiciel (Market Pricer) qui permet d'effectuer ce type d'analyse.

L'analyse des données colligées dans une enquête de rémunération requiert la connaissance de techniques, de méthodes, de ratios et de statistiques comme les suivants : l'actualisation et la pondération des résultats, les mesures de tendance centrale, les mesures de distribution et les indices de compétitivité.

3.8.1 L'actualisation et la pondération des résultats

Un employeur peut analyser les résultats de plusieurs enquêtes de rémunération menées à différents moments et selon différentes normes. Afin de pouvoir comparer les données sur la rémunération provenant de diverses enquêtes, il doit actualiser les données de toutes les enquêtes à une date précise en fonction de divers critères (par exemple, l'augmentation de l'indice des prix à la consommation ou IPC).

Comme un employeur peut colliger plus de trois ou quatre sources d'enquêtes de rémunération dont les données ont été amassées à des moments différents, il doit déterminer un mode de calcul du taux *composé* du marché, actualisé à une même date, qui pourrait être une simple moyenne des taux du marché de chaque enquête, ou encore un taux du marché qui est pondéré par le nombre detitulaires, par la taille de l'organisation, la qualité des appariements de l'enquête, etc. (voir des exemples de calcul aux tableaux 3.8 et 3.9).

TABLEAU 3.8

EXEMPLE D'ACTUALISATION DU CALCUL D'UN TAUX COMPOSÉ DU MARCHÉ POUR UN EMPLOI

Enquête	Date des données	Taux du marché	Pourcentage d'actualisation	Salaire actualisé	Poids	Salaire actualisé pondéré
A	Janvier 2006	77 997 $	2 %	79 557 $	40 %	31 823 $
B	Février 2006	75 453 $	1,67 %	76 713 $	30 %	23 014 $
C	Octobre 2005	73 197 $	3,2 %	75 539 $	30 %	22 662 $

Taux de salaire *composé* du marché (actualisé en juillet 2006) = 77 499 $

TABLEAU 3.9

EXEMPLES D'ACTUALISATION ET DE PONDÉRATION DES DONNÉES DES ENQUÊTES DE RÉMUNÉRATION

A. ACTUALISATION DES DONNÉES DES ENQUÊTES

Votre organisation adopte une politique qui consiste à être successivement à la tête et à la remorque du marché au cours de l'année. L'année fiscale débute en janvier. En supposant une augmentation annuelle de 3 % en 2006 et de 4 % en 2007, pour actualiser un taux du marché de 30 000 $ en septembre 2006 (date de l'enquête), au mois de juillet 2007 vous devez effectuer les étapes suivantes :

> Calculer le pourcentage d'actualisation de 2006 (4 mois) :
> $$4/12 \times 3\ \% = 1{,}0\ \% \text{ (ou un facteur de 1,01)}$$

> Calculer le pourcentage d'actualisation de 2007 (6 mois) :
> $$6/12 \times 4\ \% = 2{,}0\ \% \text{ (ou un facteur de 1,02)}$$

> Utiliser ces pourcentages comme facteurs multiplicatifs pour compiler un facteur ou un pourcentage global d'actualisation :
> $$1{,}01 \times 1{,}02 = 1{,}030\ 2 \text{ (ou 3,02 %)}$$

> Multiplier le taux du marché par ce facteur global d'actualisation :
> $$30\ 000\ \$ \times 1{,}030\ 2 = 30\ 906\ \$$$

Par conséquent, le taux du marché de 30 000 $ en septembre 2006 équivaudra à un taux de 30 906 $ en juillet 2007.

B. PONDÉRATION DES DONNÉES DES ENQUÊTES

Enquête	Taux du marché	Pondération	Taux pondéré du marché
A	35 000 $	25 %	35 000 $ × 0,25 = 8 750 $
B	33 750 $	50 %	33 750 $ × 0,50 = 16 875 $
C	30 500 $	25 %	30 500 $ × 0,25 = 7 625 $

Taux *composé* du marché : 8 750 $ + 16 875 $ + 7 625 $ = 33 250 $

C. ACTUALISATION ET PONDÉRATION DES DONNÉES POUR UN EMPLOI

Enquête	Date	Taux du marché	Actualisation (%)	Taux du marché actualisé	Pondération	Taux pondéré du marché
A	Août 2006	42 183 $	4,00 %	43 870 $	40 %	17 548 $
B	Septembre 2006	44 491 $	3,33 %	45 973 $	30 %	13 792 $
C	Octobre 2006	43 030 $	5,82 %	45 534 $	30 %	13 660 $

Taux *composé* du marché en juillet 2007 : 17 548 $ + 13 792 $ + 13 660 $ = 45 000 $

Source : Traduit et adapté de Bjorndal et Ison (1991, p. 11-13).

Par ailleurs, comment doit-on traiter les emplois difficiles à apparier avec les emplois recensés dans une enquête? La plupart des organisations comptent des emplois qui ne sont pas faciles à apparier. Prenons le cas d'un emploi qui combine des caractéristiques ou des exigences de deux emplois dont les données sur la rémunération sont présentées dans l'enquête. Il est alors possible de déterminer le poids relatif des deux emplois (par exemple, 20/80, 50/50, 40/60) selon divers indicateurs (par exemple, le temps alloué aux activités de chaque emploi, les exigences de chaque emploi) pour calculer le salaire du marché de cet emploi. Par ailleurs, la rémunération à verser à des emplois qui ne sont pas recensés dans une enquête ou pour lesquels il n'y a pas de données provenant du marché peut aussi découler d'un processus de comparaison avec les responsabilités et la rémunération versée pour des emplois repères, préférablement de la même famille d'emplois.

Nous observons ici que, pour protéger le pouvoir d'achat des employés contre l'érosion de leurs salaires causée par l'inflation ou pour rassurer les employés en signant une convention collective d'une certaine durée, les parties syndicale et patronale doivent aussi s'entendre sur des clauses relatives à l'indexation des salaires selon l'indice des prix à la consommation (IPC). On parle alors « d'indemnité de vie chère » ou IVC (*cost-of-living allowance* ou COLA).

3.8.2   Les mesures de tendance centrale

Quel que soit le marché de référence, les enquêtes révéleront souvent que les salaires versés pour un même emploi varient. Plusieurs raisons expliquent ce fait : la valeur interne d'un même emploi qui change selon les organisations, la culture organisationnelle, les tendances dans l'industrie, la localisation, des différences organisationnelles dans les responsabilités assignées aux titulaires de l'emploi, etc.

Compte tenu de cette dispersion, l'analyse des données d'une enquête exige que l'on calcule divers indicateurs de tendance centrale, notamment diverses mesures de moyenne (simple, pondérée, modifiée), la médiane et le mode (voir le tableau 3.10).

La *moyenne* correspond à la somme des chiffres fournis par chaque employeur participant à l'enquête, divisée par le nombre d'employeurs participants.

Pour calculer la moyenne, on peut retirer les chiffres extrêmes d'une distribution parce qu'ils résultent probablement d'un mauvais appariement des emplois plutôt que des différences réelles de salaires. Cette décision dépend de la nature de l'emploi : pour un emploi de production et d'entretien, un écart de plus de 50 % dans le montant du salaire peut représenter un appariement suspect, alors qu'une telle différence est fréquente pour un emploi de cadre.

Le salaire moyen est calculé sur la base de données qui peuvent facilement varier du simple au double, voire davantage. Par exemple, les données d'une

TABLEAU 3.10

CALCUL DE QUELQUES INDICATEURS STATISTIQUES SUR LES DONNÉES DES ENQUÊTES DE RÉMUNÉRATION

A. ILLUSTRATION : CALCUL DE DIVERSES MOYENNES
   POUR L'EMPLOI X

Société	Salaires effectifs moyens	Nombre d'employés	Total des salaires
A	450 $	15	6 750 $
B	500 $	7	3 500 $
C	520 $	3	1 560 $
D	625 $	6	3 750 $
E	700 $	20	14 000 $
F	750 $	32	24 000 $
G	565 $	16	9 040 $
H	660 $	8	5 280 $
I	510 $	10	5 100 $
TOTAL	5 280 $	117	72 980 $

Moyenne : $\dfrac{5\ 280\ \$}{9} = 586{,}67\ \$$

Moyenne pondérée : $\dfrac{72\ 980\ \$}{117} = 623{,}76\ \$$

Moyenne pondérée modifiée en éliminant les données de la société F :
1. Total des salaires effectifs : 72 980 $ − 24 000 $ = 48 980 $
2. Nombre d'employés : 117 − 32 = 85
3. Moyenne pondérée modifiée : $\dfrac{48\ 980\ \$}{85} = 576{,}24\ \$$

Moyenne pondérée modifiée en diminuant de l'effet de la société F :
1. Nombre moyen d'employés par société : $\dfrac{117}{9} = 13$
2. Surplus relatif d'employés dans la société F : 32 − 13 = 19
3. Diminution de l'effet du nombre d'employés dans la société F (valeur arbitraire de la diminution, 75 % de surplus relatif d'employés) : 75 % × 19 = 14
4. Nouveau nombre d'employés utilisés pour la société F : 32 − 14 = 18
5. Calcul de la nouvelle moyenne pondérée modifiée :
   Nouveau total des salaires : 59 480 $ [72 980 − (18 × 750)]
   Nouveau total du nombre d'employés : 103 [117 − (32 − 14)]
   Nouvelle moyenne pondérée modifiée : $\dfrac{59\ 480\ \$}{103} = 577{,}48\ \$$

TABLEAU 3.10 (*suite*)

B. ILLUSTRATION : CALCUL D'INDICATEURS DE TENDANCE CENTRALE POUR L'EMPLOI X

Société	Nombre de titulaires	Salaire Individuel	Ordre décroissant des salaires
A	2	27 000 $	5
		29 100 $	2
B	3	25 000 $	9
		24 000 $	12
		23 800 $	13
C	1	30 500 $	1
D	2	24 800 $	10
		25 200 $	8
E	1	23 000 $	15
F	1	23 500 $	14
G	2	26 000 $	6
		25 400 $	7
H	1	28 900 $	3
I	1	28 800 $	4
J	1	24 100 $	11

Présentation des résultats – Emploi X

	Nombre de sociétés	Nombre de titulaires	Quartile 1	Médiane	Quartile 3
Salaire	10	15	24 000	25 200	28 800

enquête (Saucier, 2005) montrent que l'emploi de commis comptable intermédiaire reçoit un salaire moyen de 31 752 $ avec une variance allant de 21 600 $ à 47 000 $. Pour l'emploi de journalier, le salaire moyen s'élève à 14,10 $ l'heure, le salaire le plus bas étant de 8,20 $ l'heure et le salaire le plus élevé, de 23,70 $ l'heure.

Le calcul d'une *moyenne pondérée* implique que les données sur la rémunération divulguées par chaque employeur participant à l'enquête sont pondérées selon le nombre de titulaires occupant l'emploi (voir le tableau 3.11). De cette façon, les employeurs qui embauchent un plus grand nombre de titulaires pour un emploi

TABLEAU 3.11

EXEMPLE DE CALCUL DE TAUX DE SALAIRES DU MARCHÉ

Taux de salaires du marché non pondérés

Enquête	Nombre d'employeurs	Nombre d'employés	Salaires de base
1	56	60	47 500 $
2	47	55	53 100 $
3	33	35	55 400 $
			Total : 156 000 $ Moyenne : 52 000 $ (156 000 $ / 3)

Taux de salaires du marché pondérés par le nombre d'employés

Enquête	Nombre d'employeurs	Nombre d'employés	Salaires de base	Salaires de base pondérés
1	56	60	47 500 $	2 850 000 $
2	47	55	53 100 $	2 920 500 $
3	33	35	55 400 $	1 939 000 $
	Total : 150			7 709 500 $ Moyenne pondérée : 51 397 $ (7 709 500 $ / 150)

Source : Traduit et adapté de WorldatWork (2002, p. 35).

influeront davantage sur la moyenne des salaires pour cet emploi. Pour calculer la moyenne, on peut ainsi retirer l'effet d'une organisation en soustrayant son nombre d'employés du nombre total des employés des employeurs ayant participé à l'enquête. Cela peut s'avérer pertinent pour un employeur qui verse un salaire relativement plus élevé (ou plus bas) pour un emploi et qui emploie un grand nombre de titulaires pour cet emploi.

La *médiane* correspond à la valeur située au milieu d'une distribution, soit le salaire au-delà et en deçà duquel on trouve 50 % des salaires. Elle est souvent considérée comme la meilleure estimation du salaire « typique » versé pour un emploi étant donné qu'elle réduit les effets des valeurs extrêmes dans une distribution.

Finalement, le *mode* correspond au montant de rémunération le plus fréquemment versé au sein de la population d'employeurs sondés. Dans le domaine de la rémunération, il est fréquent que la moyenne soit quelque peu supérieure (de 3 % à 5 %) à la médiane, laquelle est elle-même supérieure au mode. Une différence importante entre la valeur de la moyenne et celle de la médiane peut signifier que quelques entreprises isolées présentent des valeurs extrêmes (dont les chiffres sont très élevés ou très bas).

3.8.3   Les mesures de distribution

L'*étendue des données* d'une enquête correspond à l'écart entre la donnée la plus petite et la donnée la plus grande d'une distribution. Elle permet de se faire une idée de la dispersion dans les données. Le *rang* d'un employeur correspond à la position du salaire qu'il verse par rapport aux salaires versés par les autres employeurs participant à l'enquête lorsque les données sont rangées de la plus élevée à la plus faible. Par exemple, un employeur peut vouloir verser un salaire équivalent à la médiane du marché et une rémunération totale en espèces au 75e centile.

Le rang *centile* représente la valeur à laquelle X % des données est inférieur. Par exemple, le 75e centile est le point où 75 % des données (présentées en ordre) de l'enquête sont inférieures. Le 50e centile correspond à la médiane. Dans une distribution de données présentées en ordre décroissant, le premier *décile* est le point au-dessus duquel on trouve 90 % des observations et au-dessous duquel on en trouve 10 %. Le neuvième décile consiste dans la situation contraire, où 10 % des salaires observés sont au-dessus de ce point et 90 %, en dessous de lui. Le *quartile* constitue une autre façon de considérer la distribution des données en la présentant en sous-groupes, par exemple au 75e centile et au 25e centile. Le premier quartile (Q1 ou P25) d'une distribution en ordre décroissant correspond au point où 75 % des observations sont au-dessus et 25 % en dessous, alors que ces chiffres sont inversés dans le cas du troisième quartile (Q3 ou P75).

3.8.4   Les indices de compétitivité

Certains employeurs calculent des indices de compétitivité par emploi ou par famille d'emplois. Ces indices permettent de comparer la compétitivité relative des salaires qu'ils versent aux titulaires de différents emplois (ou de différentes familles d'emplois) par rapport au taux du marché. On obtient un indice de compétitivité par emploi en divisant la moyenne des salaires versés par emploi par le taux du marché de cet emploi. De même, on obtient un indice de compétitivité par famille d'emplois en divisant la somme des indices de compétitivité des emplois par le nombre d'emplois dans la famille. Le tableau 3.12 montre que, globalement, les titulaires des emplois en informatique sont traités de manière semblable à celle des titulaires des emplois en comptabilité puisque les indices globaux de compétitivité de leurs salaires sont semblables, soit 1,01 et 0,97, respectivement.

Les données sur les salaires peuvent être présentées de diverses façons. À titre d'exemple, le tableau 3.13 présente des informations précises sur la rémunération offerte par la société A, sur la rémunération versée par l'ensemble des employeurs qui ont participé à l'enquête et sur l'indice de compétitivité de la société A, soit sa position par rapport au marché ou aux autres employeurs participants.

TABLEAU 3.12

CALCUL DE L'INDICE DE COMPÉTITIVITÉ* VISANT À ÉVALUER L'ÉQUITÉ DES SALAIRES VERSÉS PAR UNE ENTREPRISE PAR RAPPORT AUX SALAIRES VERSÉS SUR LE MARCHÉ DANS DES CAS D'EMPLOIS EN COMPTABILITÉ ET EN INFORMATIQUE

Emplois en comptabilité

Classe d'emplois	Titre de l'emploi	Nombre de titulaires	Moyenne des salaires	Taux du marché	Indice de compétitivité
1	A	10	33 000 $	34 000 $	0,96
2	B	6	37 000 $	37 500 $	0,98
3	C	3	43 500 $	43 000 $	1,04
5	D	1	51 000 $	51 000 $	1,00
6	E	1	61 000 $	58 000 $	1,06

Indice global de compétitivité pour les emplois en comptabilité :
(0,96 + 0,98 + 1,04 + 1,00 + 1,06) ÷ 5 = 1,01 ou 101 %

Emplois en informatique

Classe d'emplois	Titre de l'emploi	Nombre de titulaires	Moyenne des salaires	Taux du marché	Indice de compétitivité
1	A	6	42 000 $	47 500 $	0,87
2	B	4	44 000 $	46 500 $	0,95
4	C	2	510 $	53 000 $	0,96
5	D	1	59 000 $	57 500 $	1,04
6	E	1	68 500 $	67 000 $	1,02

Indice global de compétitivité pour les emplois en informatique :
(0,87 + 0,95 + 0,96 + 1,04 + 1,02) ÷ 5 = 0,97 ou 97 %

Indice global moyen de compétitivité pour les deux groupes d'emplois :
1,01 + 0,97 = 1,98 ÷ 2 = 0,99 ou 99 %

* On utilise couramment l'expression «ratio comparatif» à l'égard du marché.

3.8.5   Les courbes de maturité

Pour certaines catégories de personnel — notamment les avocats, les ingénieurs et les comptables —, les associations professionnelles prescrivent un taux de rémunération lié au nombre d'années d'expérience depuis l'obtention du diplôme. De telles enquêtes qualifiées d'«enquêtes de maturité» présentent le

TABLEAU 3.13

LA RÉMUNÉRATION VERSÉE PAR LA SOCIÉTÉ A PAR RAPPORT À LA RÉMUNÉRATION VERSÉE SUR LE MARCHÉ : LE CAS DE L'EMPLOI « ADJOINT – SOUTIEN ADMINISTRATIF »

Emploi : Adjoint – Soutien administratif

Données sur la rémunération (pondérées par participant)	Données du marché						Société A		Indices de compétitivité		
	Nombre de participants	Nombre de titulaires	Moyenne (1) ($)	Q1 ($)	Médiane (2) ($)	Q3 (3) ($)	Nombre de titulaires	Moyenne (4) ($)	Ratio (4) (1) (%)	Ratio (4) (2) (%)	Ratio (4) (3) (%)
Rémunération en espèces :											
Salaire de base	12	275	18,48	16,86	17,88	19,68	804	19,00	1,03	1,06	0,97
Prime versée	6	190	1,41	0,73	1,32	2,21	804	0,70	0,50	0,53	*
Rémunération totale en espèces	12	275	19,13	17,91	18,98	20,38	804	19,70	1,03	1,04	0,97
Échelle salariale :											
Minimum	13	265	14,72	13,23	14,72	15,84	804	9,79	0,67	0,67	0,62
Point de contrôle / maximum normal	13	265	18,60	17,32	18,15	20,01	804	18,75	1,01	1,03	0,94
Maximum mérite	9	104	22,50	20,20	22,07	24,55					

* Résultats qui n'ont pu être obtenus, faute de données suffisantes.

lien entre le salaire qu'on trouve sur le marché et l'expérience du candidat depuis l'obtention d'un diplôme professionnel. La figure 3.1 illustre cette relation pour des ingénieurs possédant un baccalauréat et n'occupant pas un poste de cadre au sein d'entreprises se situant au 10e, au 50e et au 90e centile (partie A). L'organisation peut comparer le salaire de ses employés avec ceux du modèle qui ont une expérience similaire, afin d'estimer leur compétitivité (partie B).

3.8.6 Autres analyses statistiques

Pour mieux observer la distribution des salaires au sein de l'échantillon des employeurs participant à une enquête, on peut calculer la moyenne des salaires minimaux et la moyenne des salaires maximaux des échelles de salaires de chaque emploi. Afin d'estimer s'il y a eu des problèmes d'appariement des emplois, on peut aussi calculer le ratio de salaires minimaux par emploi (soit le salaire minimal le plus élevé divisé par le salaire minimal le plus bas) ainsi que le ratio de salaires maximaux par emploi (soit le salaire maximal le plus élevé divisé par le salaire maximal le moins élevé). Par exemple, si les ratios de salaires minimaux ou maximaux sont supérieurs à 2 pour des emplois de production et d'entretien, il est possible que des appariements d'emplois soient douteux et que des salaires de la distribution soient versés pour des emplois différents. Certaines enquêtes fournissent d'ailleurs aux usagers des indications sur la qualité des appariements des emplois (élevée, moyenne ou faible). De plus, lorsque des données d'enquêtes paraissent surprenantes à la lumière des données des années antérieures, il peut être important de les valider auprès de la société responsable de l'enquête afin de les comprendre. Ainsi, un changement dans la nature et le nombre de participants à une enquête peut avoir un impact important sur les résultats.

Certaines sociétés-conseils appliquent des modèles statistiques de régression multiple afin d'expliquer, de prédire ou de déterminer la rémunération de certaines catégories de personnel, surtout les emplois des cadres supérieurs des entreprises. Ces enquêtes collectent alors de l'information sur la rémunération des cadres supérieurs de même que sur des caractéristiques de l'organisation participante (par exemple, la taille, l'industrie), des postes (par exemple, les responsabilités budgétaires, le nombre d'employés supervisés, le niveau hiérarchique par rapport au poste de président) et des titulaires (par exemple, la scolarité, l'âge, les années de service dans le poste). Ainsi, en s'appuyant sur ses enquêtes de rémunération, une société-conseil constate que l'équation de régression suivante reflète bien l'influence relative que divers facteurs exercent sur le salaire d'un cadre en comptabilité :

> Équation : 12 000 \$ + (2,73 × nombre d'employés dans l'entreprise) − (8,309 × nombre de niveaux hiérarchiques le séparant du président) + (6,214 × complexité du travail) + (150 × âge) = salaire

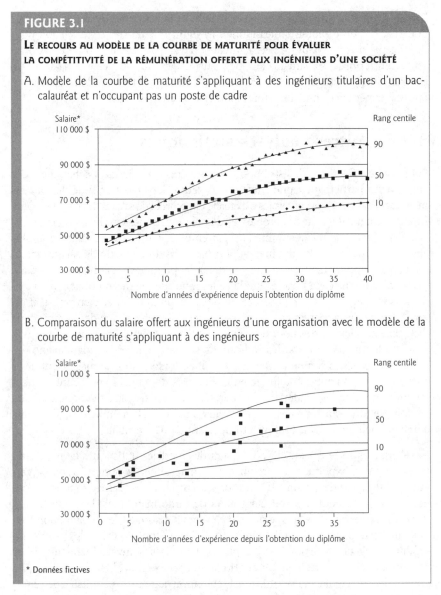

FIGURE 3.1

Le recours au modèle de la courbe de maturité pour évaluer la compétitivité de la rémunération offerte aux ingénieurs d'une société

A. Modèle de la courbe de maturité s'appliquant à des ingénieurs titulaires d'un baccalauréat et n'occupant pas un poste de cadre

B. Comparaison du salaire offert aux ingénieurs d'une organisation avec le modèle de la courbe de maturité s'appliquant à des ingénieurs

* Données fictives

Chaque coefficient de la régression indique l'effet de la variable indépendante (l'âge, le nombre d'employés, etc.) sur le salaire (variable dépendante) d'un titulaire occupant un poste semblable sur le marché. Pour utiliser cette équation dans l'évaluation de la compétitivité du salaire d'un cadre en particulier, il faut y introduire les valeurs des variables indépendantes. Supposons que le superviseur en comptabilité travaille dans une organisation comptant 10 000 employés, qu'il occupe un poste situé à deux niveaux hiérarchiques du président, qu'il occupe un emploi de quatrième niveau de complexité (selon la définition de l'enquête) et qu'il ait 40 ans. Le salaire moyen sur le marché serait le suivant :

Équation : 12 000 $ + (2,73 × 10 000) − (8,309 × 2) + (6,214 × 4) + (150 × 40) = 53 538 $

À titre d'illustration, la figure 3.2 présente des données sur la rémunération sous la forme d'une régression multiple. Une telle formule de régression permet d'estimer les salaires payés selon la valeur exacte d'une caractéristique, ici le chiffre d'affaires d'une organisation.

Le lecteur est aussi invité à consulter l'annexe 3.1, où sont présentés les résultats d'une enquête à l'égard de l'emploi de « contrôleur de la société mère » : les composantes de la rémunération (par exemple, les salaires, les primes, l'utilisation d'une automobile) ainsi que la nature et la gestion des échelles de salaires. Ces informations sont données en fonction de caractéristiques organisationnelles comme le secteur d'activité, le type de propriété, les ventes, la valeur de l'actif et le budget d'exploitation.

FIGURE 3.2

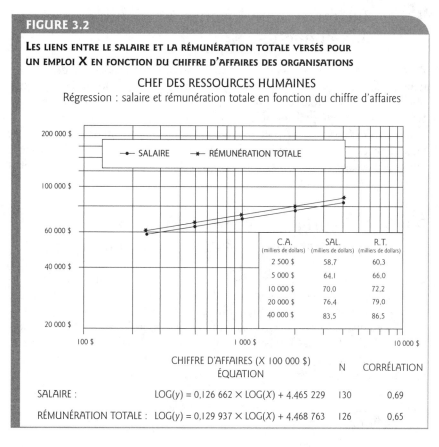

LES LIENS ENTRE LE SALAIRE ET LA RÉMUNÉRATION TOTALE VERSÉS POUR UN EMPLOI X EN FONCTION DU CHIFFRE D'AFFAIRES DES ORGANISATIONS

CHEF DES RESSOURCES HUMAINES
Régression : salaire et rémunération totale en fonction du chiffre d'affaires

C.A. (milliers de dollars)	SAL. (milliers de dollars)	R.T. (milliers de dollars)
2 500 $	58,7	60,3
5 000 $	64,1	66,0
10 000 $	70,0	72,2
20 000 $	76,4	79,0
40 000 $	83,5	86,5

CHIFFRE D'AFFAIRES (X 100 000 $)
ÉQUATION

	ÉQUATION	N	CORRÉLATION
SALAIRE :	LOG(y) = 0,126 662 × LOG(X) + 4,465 229	130	0,69
RÉMUNÉRATION TOTALE :	LOG(y) = 0,129 937 × LOG(X) + 4,468 763	126	0,65

3.9   Les défis liés aux enquêtes

La qualité de l'appariement reste un défi réel en ce qui concerne l'enquête de rémunération. Ce défi est particulièrement présent pour les enquêtes préétablies (« nationales »).

3.9.1   S'assurer de la qualité de l'appariement des emplois

Les sociétés-conseils n'ont pas toujours la possibilité d'effectuer une validation exhaustive des résultats auprès des participants pour les enquêtes préétablies. Par ailleurs, compte tenu de l'évolution des composantes de la rémunération totale et des nombreux changements qui ont eu lieu dans les processus de gestion et les conditions du travail, ce problème d'appariement devient plus important et force les employeurs à relever d'autres défis pour s'assurer de la compétitivité de la rémunération.

3.9.2   Inciter les employeurs à répondre aux enquêtes

Depuis quelques années, de plus en plus d'employeurs demandent à des consultants d'effectuer des enquêtes maison parce qu'ils ne disposent ni de l'expertise ni des ressources suffisantes pour le faire eux-mêmes. Parallèlement, les sociétés-conseils font face de plus en plus à une situation paradoxale : si un plus grand nombre d'employeurs sont prêts à payer pour obtenir des informations sur les taux de rémunération offerts pour des emplois sur le marché, ils sont également plus réticents à participer à des enquêtes et à attribuer des ressources (du personnel et du temps) à cette activité.

3.9.3   S'assurer de la compétitivité des composantes de la rémunération totale

L'importance croissante de la rémunération variable (par exemple, la rémunération à long terme, comme les options d'achat d'actions) et l'octroi d'avantages sociaux (par exemple, l'accès à une garderie) de plus en plus diversifiés complexifient les comparaisons concernant la rémunération globale, qui inclut les conditions de travail. Il en va de même pour des facteurs tels que le climat de travail, les possibilités de promotion et de formation ou la qualité de la vie offerte dans une ville. Ainsi, les employés considèrent ces nombreuses composantes lorsqu'ils comparent leurs conditions de travail avec celles qui sont offertes à d'autres employés occupant des emplois semblables sur le marché du travail.

De fait, compte tenu de la variété des composantes de la rémunération totale, l'analyse de la position relative d'un employeur « facteur par facteur » ne permet pas d'estimer la réelle compétitivité de la rémunération totale qu'il offre et de juger de la cohérence des conditions de travail par rapport à ses valeurs et à ses objectifs d'affaires. Dans ce contexte, il est logique de prôner la conduite d'enquêtes colligeant des informations sur l'ensemble des composantes de la rémunération versée aux titulaires des emplois ciblés. Cette recommandation comporte toutefois des inconvénients pour les entreprises participantes et pour l'organisation qui recueille les données.

En effet, les entreprises participantes amassent rarement des informations sur la rémunération variable et les avantages sociaux. En outre, elles ne tiennent pas souvent compte des conditions de travail, comme le climat organisationnel ou les possibilités de promotion. Par ailleurs, la collecte d'informations sur des composantes autres que le salaire exige beaucoup de temps. En pratique, il est souvent difficile d'estimer la valeur de ces facteurs. Par exemple, si un employé aime pouvoir faire du ski à 25 kilomètres de son lieu de résidence, un autre peut être indifférent quant à la distance à parcourir. De plus, comment peut-on comparer la valeur de l'accès à des pentes de ski avec celle de la possibilité de fréquenter un cinéma différent toutes les semaines ? Par ailleurs, même si les grandes entreprises accordent généralement des salaires plus élevés que ceux des PME, ces dernières peuvent offrir des avantages compensatoires quant aux responsabilités, au climat de travail, etc., qui sont difficiles à apprécier au point de vue pécuniaire. Enfin, comme les questionnaires portant sur la rémunération totale sont souvent longs à remplir, les organisations sont plus enclines à refuser d'y participer ou à les remplir de manière incomplète ou sans le soin requis. Ainsi, le taux de participation des organisations sollicitées risque d'être faible et les résultats, peu représentatifs du marché. Rappelons que les requêtes effectuées auprès des employeurs pour qu'ils participent à des enquêtes de rémunération sont nombreuses et que le personnel qualifié, compétent et motivé à le faire est, lui, rare.

Parallèlement, l'élaboration et l'analyse des enquêtes comportant de multiples composantes sont plus coûteuses pour les organisations ou les organismes qui les mènent. Par ailleurs, la collecte d'informations sur les multiples composantes de la rémunération risque d'entraîner un biais dans la composition de l'échantillon de firmes participantes, car les organisations traditionnelles, qui ont des systèmes de rémunération plus simples comportant moins de composantes et des emplois plus communs, sont davantage portées à répondre aux enquêtes car leur participation en est simplifiée. De fait, les rares enquêtes colligeant des données sur les diverses composantes de la rémunération totale sont dans la plupart des cas effectuées pour le compte d'un employeur et à l'égard d'une catégorie particulière d'emplois. Par conséquent, il devient difficile de comparer les résultats de ces enquêtes « exhaustives » vu leurs particularités quant aux données colligées, aux échantillons de participants, aux emplois ciblés, etc.

3.9.4 Apprécier la compétitivité des salaires versés pour des emplois décrits en termes génériques

Avec les nouveaux modes d'organisation du travail (le travail en équipe, la réduction des niveaux hiérarchiques, etc.) et les fréquents changements dans l'attribution des tâches, nombre d'organisations adoptent maintenant des descriptions dites « génériques » des emplois. De telles descriptions énumèrent les principales responsabilités des titulaires des emplois sans décrire leurs tâches et leurs activités particulières. Les nombreux changements qui se produisent dans l'organisation du travail entraînent des défis que doivent relever les personnes chargées de remplir les enquêtes de rémunération. En effet, ces dernières, qui sont de plus en plus susceptibles de ne pas être au courant des modifications apportées au travail, deviennent plus dépendantes des cadres qui doivent les en tenir informées. Dans ce contexte, les appariements d'emplois sont de moins en moins fiables et de plus en plus temporaires. Faute de pouvoir s'assurer adéquatement de l'équité externe, certains employeurs sont maintenant forcés d'ignorer le marché et de se borner à examiner l'équité interne de leurs salaires.

3.9.5 Apprécier la compétitivité des salaires dans un contexte de bandes salariales élargies ou de salaires basés sur les compétences

Au sein de certaines organisations, la gestion des salaires repose désormais sur des bandes salariales élargies où les salaires sont fixés en fonction non pas des emplois, mais des attributs individuels des employés, comme leurs compétences et leurs habiletés (voir le chapitre 5). Ainsi, dans une entreprise œuvrant en recherche et développement, il peut n'y avoir qu'un titre d'emploi pour tout le personnel professionnel, soit « membre de l'équipe technique », ou seulement deux ou trois niveaux d'emplois ayant des titres comme « membre expert de l'équipe technique » ou « membre de l'équipe technique ».

En pratique, dans un contexte de « bandes salariales élargies » ou de « salaires basés sur les compétences » (voir le chapitre 5), les employeurs doivent se contenter d'informations imprécises pour estimer la compétitivité de la rémunération qu'ils offrent. En effet, comme ces entreprises peuvent difficilement faire l'appariement entre le travail de leurs employés (qui est propre à chaque firme) et les emplois clés (ou repères) standardisés des enquêtes, la participation aux enquêtes ainsi que les données résultant de ces enquêtes ne sont plus pertinentes pour elles. Comment ces entreprises peuvent-elles s'assurer de la compétitivité de leurs salaires dans la mesure où elles appliquent une logique individuelle de compétences des employés (équité individuelle) — et non pas une logique de valeur des responsabilités des emplois (équité interne) —, pour déterminer les salaires? Plus précisément, comment peuvent-elles répondre à une enquête qui demande le montant du «point milieu» des échelles de salaires des emplois alors qu'elles ont adopté un système de bandes salariales élargies où le point milieu des bandes n'a pas la même signification?

Certaines sociétés-conseils élaborent des enquêtes dites «de compétences», qui permettront de prédire le salaire des titulaires à partir d'équations de régression où les compétences correspondent aux variables indépendantes (par exemple, les habiletés de communication, l'adaptabilité, les habiletés interpersonnelles, la résolution de problèmes) plutôt qu'à partir d'un profil de l'emploi (voir le tableau 3.14). L'adoption de telles «enquêtes basées sur les compétences» se bute à des contraintes majeures (Davis, 1997). La conduite de telles enquêtes exige que les employeurs sollicités s'entendent sur le nombre et sur la nature des compétences clés et qu'ils aient bien défini les compétences et le niveau des compétences de leurs employés, ce qui n'est pas le cas. En outre, le taux de réponses à ce type d'enquêtes risque d'être trop faible parce qu'elles sont plus fastidieuses à remplir et que les employeurs sollicités, qui versent une rémunération en fonction des compétences individuelles, sont souvent des concurrents qui hésitent à partager de telles informations entre eux.

3.9.6 Apprécier la compétitivité des salaires versés aux titulaires des emplois à temps partiel et atypiques

Compte tenu de l'augmentation du nombre d'employés à temps partiel ou d'employés engagés sur une base contractuelle, les entreprises ressentent le besoin d'obtenir plus d'informations à l'égard de leur rémunération. Le défi consistant à estimer la compétitivité de la rémunération de cette catégorie de main-d'œuvre est appelé à prendre de l'importance dans l'avenir.

3.10 Les limites des enquêtes

Au-delà des défis à relever à l'égard des enquêtes de rémunération, les employeurs doivent reconnaître que le processus d'enquête de rémunération n'est pas exempt de limites et qu'il faut faire preuve de prudence dans l'interprétation de leurs résultats.

TABLEAU 3.14

COMPARAISON ENTRE L'ENQUÊTE DE RÉMUNÉRATION BASÉE SUR LES CARACTÉRISTIQUES DES EMPLOIS ET L'ENQUÊTE DE RÉMUNÉRATION BASÉE SUR LES COMPÉTENCES DES EMPLOYÉS

Processus d'enquête	Rémunération selon les caractéristiques des emplois	Rémunération selon les compétences des employés
Définition des éléments comparés	Appariement des emplois en fonction de leurs exigences, responsabilités et tâches	Appariement entre les employés et des modèles de rôles, d'habiletés et de compétences
Responsabilités et exigences du processus de collecte des données	Principalement sous la responsabilité des professionnels de la rémunération, parfois déterminent l'appariement (notamment pour les enquêtes sur des emplois spécialisés)	Responsabilité partagée entre le professionnel de la rémunération et les cadres
Nature des données	Données portant sur des emplois occupés dans un grand nombre d'entreprises : appariement des emplois	Données portant sur des profils de compétences au sein d'entreprises sélectionnées parce que leurs employés ont des profils de compétences semblables : appariement d'individus

3.10.1 La présentation de données à caractère rétrospectif

On fait appel aux enquêtes de rémunération afin de prendre des décisions en matière de rémunération qui orienteront l'avenir, alors que ces enquêtes présentent des données qui reflètent les façons de faire actuelles. Les employeurs doivent analyser les données des enquêtes en tenant compte de l'évolution prévue ou attendue des modes de gestion de la rémunération au sein de leurs entreprises.

3.10.2 La perpétuation de la discrimination sur le marché

Le caractère rétrospectif des données d'enquêtes peut aussi contribuer à perpétuer certaines formes de discrimination sur le marché. Ce fait explique la réserve des organismes chargés de l'application des lois sur l'équité salariale à l'égard des enquêtes de rémunération et leur préférence pour l'évaluation des emplois en vue de l'établissement des salaires versés pour des emplois (voir le chapitre 6).

3.10.3 Le caractère subjectif et politique du processus d'enquête

Les employeurs ont trop souvent confiance dans les enquêtes de rémunération parce qu'elles présentent des données chiffrées qu'ils croient « objectives ». En réalité, la valeur des données d'une enquête de rémunération dépend de facteurs sur lesquels on a, dans bien des cas, peu de prise : la personne qui demande les informations, la personne qui fournit les informations et la façon dont ces informations sont colligées et analysées. Compte tenu des multiples impondérables liés au processus d'enquête (l'appariement des emplois, les compétences des participants, etc.), il ne paraît pas pertinent de présenter les résultats des enquêtes de rémunération avec une précision de deux chiffres après la virgule. Il s'avère aussi plus prudent de considérer qu'une rémunération est compétitive dans la mesure où elle ne s'éloigne pas de plus de 5 % (dans un sens ou dans l'autre) des résultats des enquêtes.

En matière d'enquêtes de rémunération, il y a toujours un compromis à faire entre, d'une part, la précision et le caractère exhaustif des données collectées et, d'autre part, la longueur du questionnaire et la difficulté à le remplir. Est-il préférable d'établir un questionnaire moins précis mais entraînant un taux de réponses élevé ou un questionnaire long et précis qui sera, au mieux, rempli par un petit nombre des entreprises ciblées ? Ainsi, certains employeurs prônent le calcul du salaire selon une estimation du « coût du temps travaillé » qui tient compte des heures de travail hebdomadaire, des vacances, des congés payés et des pauses. Si cette dernière estimation est plus précise, elle est toutefois plus difficile à compiler puisque la majorité des employeurs ne la calculent pas.

Comme la plupart des entreprises n'ont ni les moyens ni le temps d'effectuer des enquêtes pour tous leurs emplois, elles se contentent souvent de collecter des données sur la rémunération d'un certain nombre d'emplois repères ou clés. En utilisant la méthode d'appariement des emplois, les employeurs posent l'hypothèse que les données colligées à l'égard des emplois repères sont non seulement valides, mais également pertinentes pour apprécier la rémunération accordée à d'autres emplois dont les exigences sont semblables à celles des emplois repères. Cette prémisse est contestable puisque la rémunération versée pour un emploi repère sur le marché est non seulement fonction de ses exigences, mais également d'autres facteurs, tels que le secteur industriel, la localisation et la capacité de payer des organisations participant à l'enquête. Selon toute vraisemblance, ces facteurs ne sont pas les mêmes pour un emploi repère et pour les autres emplois de la même famille ayant des exigences semblables.

Nous observons aussi que les compétences de la personne mandatée pour faire une enquête de rémunération, ses préférences ainsi que le temps et l'argent dont elle dispose influenceront ses décisions quant au profil et à la taille de l'échantillon des employeurs sondés, des données recueillies et des analyses des résultats effectuées. Une étude (Viswesvaran et Barrick, 1992) montre que les spécialistes de la rémunération choisissent les firmes de leur marché de référence selon l'importance qu'ils accordent à divers facteurs : le fait que l'organisation soit syndiquée ou non, la méthode de collecte des données, la perception qu'ils ont à l'égard de la qualité de l'appariement des emplois, la similarité de l'industrie, la localisation, la taille, les politiques d'embauche, la source d'enquête, les données sur les salaires, etc. Par conséquent, le « taux du marché » des enquêtes est fonction des préférences, des habitudes et des expériences des personnes qui ont participé à la détermination des employeurs faisant partie du marché de référence.

En conclusion, toutes les étapes du processus d'enquête de rémunération sont associées à des choix à caractère politique qui servent plus ou moins les intérêts de divers intervenants comme les employeurs, les syndicats et les employés. Ainsi, il faut comprendre qu'il n'y a pas *un* marché comme tel, mais plutôt *un choix* du marché. Dans ces conditions, on comprend pourquoi certains syndicats et employeurs peuvent diverger d'opinions sur la délimitation géographique du marché de référence, les organisations à sonder (leur taille, la présence d'un syndicat, etc.), le choix des emplois repères, les indicateurs de tendance centrale à privilégier, etc. L'idée qu'on peut faire dire ce qu'on veut aux chiffres comporte une part de vérité : certaines personnes, plus ou moins consciemment, peuvent manipuler les données et les interpréter de manière erronée.

3.10.4 L'intérêt pour une seule forme d'équité

Selon une perspective économique, l'équité externe est *le* principe important à considérer dans la détermination des salaires. Toutefois, comme nous l'avons mentionné au chapitre 1, un employeur doit aussi s'assurer de respecter d'autres principes d'équité, soit l'équité interne, l'équité individuelle, l'équité collective, les lois et la justice des processus de gestion. Par conséquent, prise isolément, l'enquête de rémunération s'avère un outil incomplet et limité pour optimiser les perceptions d'équité envers la rémunération.

En effet, le processus d'enquête de rémunération ne tient pas compte de l'équité interne, soit l'importance de considérer la valeur relative des emplois au sein d'une organisation pour l'établissement des salaires qui y seront associés. Si un employeur aborde un emploi en ne tenant compte que de sa valeur sur le marché, le titulaire d'un emploi très important pour le succès de son organisation (par exemple, un spécialiste de la rémunération au sein d'une société-conseil en rémunération) pourrait être moins bien payé que le titulaire d'un emploi moins critique quant au succès de l'organisation mais mieux payé sur le marché (par exemple, un informaticien).

Par ailleurs, un employeur dont l'entreprise comprend des unités d'affaires décentralisées géographiquement et qui retient uniquement le critère du marché pour déterminer la rémunération pourrait être amené à offrir des salaires différents pour des emplois identiques selon la localisation de l'unité d'affaires et le taux du marché local. De tels différentiels de traitements entre les unités peuvent entraîner des problèmes de perceptions d'iniquité parmi les employés des différentes unités, et ce, surtout si la mobilité du personnel entre les unités d'affaires est valorisée et fréquente.

En outre, il est loin d'être établi ou accepté que la valeur relative des emplois correspond à leur taux relatif de rémunération sur le marché. D'ailleurs, là où il existe une loi proactive en matière d'équité salariale, comme en Ontario et au Québec, il est obligatoire de tenir compte de l'équité interne, soit des exigences relatives des emplois au sein d'un établissement, dans la détermination de la rémunération.

Finalement, pour certaines catégories de personnel – comme les vedettes du monde du sport et de celui des arts –, les salaires sont moins fonction de ce qui est offert sur le marché que des exploits, des succès ou de la popularité sur le plan individuel (équité individuelle). Cela explique pourquoi les salaires des joueurs d'une même équipe de hockey varient énormément.

3.10.5 D'autres facteurs influant sur les salaires versés

Les enquêtes de rémunération ne constituent qu'un résumé des tendances et des pratiques en matière de rémunération sur le marché. Elles n'indiquent pas comment les employeurs sur le marché réagissent à des objectifs d'affaires ou à des politiques de gestion, ni comment la rémunération est liée à leurs objectifs financiers ou opérationnels. Comme nous l'avons indiqué au chapitre 2, une multitude de facteurs intervenant dans la détermination des salaires ne sont pas considérés dans les résultats d'enquêtes. Pensons, par exemple, à l'ancienneté dans l'organisation et dans l'emploi, au temps écoulé depuis la dernière augmentation de salaire, aux tendances par rapport au marché externe, à l'évolution de l'indice des prix à la consommation ou encore au rendement individuel et organisationnel.

3.11 Conseils sur l'utilisation des données d'enquêtes

Le fait que le processus d'enquête de rémunération ait inévitablement un caractère subjectif, car il implique des choix à faire, ne justifie pas qu'il soit mené sans rigueur et sans professionnalisme. Au contraire, cela permet de comprendre pourquoi il est important de respecter des conditions qui rendront utiles les enquêtes de rémunération ainsi que les réactions des divers intervenants à leur sujet. Cette section vise à présenter des recommandations à l'égard des enquêtes de rémunération. À titre indicatif, le tableau 3.15 reprend des recommandations qui ont été présentées par l'association WorldatWork.

TABLEAU 3.15

RECOMMANDATIONS À L'ÉGARD DES ENQUÊTES DE RÉMUNÉRATION

Sélection des enquêtes	Caractéristiques d'une enquête valable
Choisir des enquêtes convenant bien au marché de l'emploi et à la catégorie d'emplois	Elle s'appuie sur un échantillon adéquat d'employeurs.
Colliger des données de plusieurs enquêtes	Elle dégage rapidement les résultats clés.
Faire approuver vos choix d'enquêtes par la direction de l'entreprise	Elle donne des informations sur la composition de l'échantillon et la collecte des données.
Préciser pourquoi vous cherchez de l'information sur la rémunération afin de déterminer quelles données sont requises	Elle présente des données à jour.
Consulter des sources reconnues et spécialisées dans la recension des enquêtes	Il faut se montrer prudent à l'égard des données d'enquêtes offertes gratuitement sur le Web et s'assurer de la fidélité et de la validité des données.

Source : Traduit de Handel (2001, p. 49).

3.11.1 Officialiser le processus d'enquête et de participation à des enquêtes

Trop souvent, la recherche d'informations sur la rémunération se fait de manière informelle ou non officielle. On amasse alors des renseignements d'une façon approximative ou à la pièce, au hasard des rencontres ou des offres d'emplois apparaissant dans les journaux, dans les périodiques ou sur des sites Web. Quoiqu'il soit possible d'en dégager certaines indications, il y a de fortes chances pour que ces informations soient erronées, puisqu'elles sont souvent incomplètes. Par conséquent, une application hâtive des résultats de telles sources risquerait de créer plus de problèmes qu'elle n'en résoudrait (tels qu'un sentiment d'iniquité et d'insatisfaction, des coûts de main-d'œuvre excessifs, un taux de roulement du personnel trop élevé).

Compte tenu de leurs ressources limitées, les employeurs doivent se montrer sélectifs face aux enquêtes de rémunération dont ils font usage ou auxquelles ils acceptent de participer et se préoccuper de la qualité et de la pertinence de ces enquêtes. Afin que l'argent investi dans cette activité soit utilisé le mieux possible, ils doivent établir des politiques et des règles à l'égard du marché de référence, de la politique de rémunération, de la participation aux enquêtes ou du partenariat avec d'autres firmes du secteur pour mener des enquêtes. Cela permettra d'éviter une répétition du travail et de maximiser le ratio coûts/bénéfices ou la valeur ajoutée des enquêtes.

Finalement, au-delà de l'officialisation du processus d'enquête, l'entreprise doit s'assurer que les personnes chargées de remplir et d'interpréter les enquêtes sont compétentes, qu'elles ont suffisamment de temps pour réaliser avec soin cette activité et qu'elles possèdent une très bonne connaissance des emplois et de l'organisation. De plus, elles ne doivent pas hésiter à privilégier les questionnaires d'enquêtes qui offrent une aide dans l'établissement des emplois étant donné que cela contribue à la qualité des données et rendra ces personnes plus aptes à examiner les résultats.

3.11.2 Analyser et interroger le processus d'enquête et les données

Les enquêtes de rémunération donnent une indication ou un cadre de référence sur l'étendue des salaires offerts pour un emploi; elles ne fournissent pas un montant exact et précis. Si différentes enquêtes donnent lieu à différents résultats, faut-il présenter uniquement celles qui confirment la position que l'on veut faire valoir? Les enquêtes de rémunération n'ont pas pour but de recueillir des renseignements auprès d'un groupe particulier d'employeurs (ceux qui ont la réputation de mieux payer ou de payer moins, de payer à un certain taux, etc.). Elles visent à obtenir des indications sur l'état *général* de la rémunération dans les organisations avec lesquelles l'entreprise entre en concurrence pour un emploi donné.

Même si les gens se réfèrent souvent au « taux du marché » pour expliquer leurs décisions en matière de rémunération, il faut reconnaître qu'il n'existe pas un taux du marché « unique ». De fait, il y a autant de taux du marché que de marchés. Il faut se rappeler que les enquêtes de rémunération ne reflètent pas les conditions de rémunération de l'ensemble de la population visée, mais plutôt celles des employeurs qui ont participé à ces enquêtes.

Pour apprécier la valeur de l'enquête de rémunération et de ses résultats, il faut donc connaître les caractéristiques de l'échantillon des employeurs participants et les particularités de la méthodologie utilisée, qui devrait être jointe à l'enquête. Par exemple, il faut se poser des questions comme celles-ci : quelle est la valeur de cette enquête ? Quels sont les employeurs participants ? Jusqu'à quel point les diverses composantes de la rémunération sont-elles prises en considération ? Quelles techniques ou méthodes ont été utilisées ? Comment s'est déroulé le processus d'enquête ? Quelle est la validité des résultats ? Quel est le nombre d'heures de travail des employés ? En effet, ce ne sont pas tous les responsables des enquêtes de rémunération qui ramènent sur une base horaire les salaires fournis par les organisations participantes. Pourtant, il est très différent de gagner 550 $ pour 40 heures de travail par semaine, et 550 $ pour 35 heures de travail par semaine. On peut donc comprendre pourquoi un syndicat représentant des employés qui travaillent 37,5 heures par semaine préconise les salaires horaires si les employés des autres entreprises du marché de référence travaillent généralement 35 heures par semaine.

Par ailleurs, lorsque les salaires et les avantages sociaux sont analysés séparément, il peut être trompeur de tirer des conclusions à partir de l'une ou l'autre de ces composantes. En effet, une organisation peut se situer en deçà du marché pour ce qui est des salaires et au-delà du marché pour ce qui est des avantages sociaux, ou l'inverse.

On se rend compte que des enquêtes (annuelles, triennales, etc.) faites ponctuellement par un même organisme ou employeur présentent aussi un problème de comparaison des résultats. Ainsi, il devient difficile de savoir si les changements dans les données d'un même type d'enquête menée à deux moments différents reflètent l'évolution des salaires sur le marché entre ces deux dates ou s'ils s'expliquent par le fait que le nombre et la nature des employeurs participants n'étaient pas les mêmes pour les deux enquêtes. Les différences entre les résultats de deux enquêtes successives doivent être interprétés à la lumière des modifications qui se sont produites dans les entreprises participantes ou dans les caractéristiques des emplois touchés.

En résumé, les enquêtes de rémunération ne représentent qu'un cadre de référence fournissant des données sur le marché. Les chiffres qu'on y trouve n'ont de valeur que dans la mesure où le marché examiné est pertinent, où les appariements d'emplois sont effectués correctement, où la méthode d'enquête est bien utilisée et où les résultats sont analysés et interprétés adéquatement.

3.11.3 Communiquer le processus d'enquête et faire participer le personnel

Il arrive très souvent que les enquêtes de rémunération soient effectuées à la demande des employeurs et en fonction de leurs points de comparaison ou de référence. Toutefois, il se peut fort bien que les référents des employés soient différents de ceux de la direction. Si tel est le cas, les résultats sont moins susceptibles d'être acceptés par les employés (justice du processus). Le fait de consulter le personnel afin de déterminer les entreprises de référence peut permettre à celui-ci de mieux comprendre et accepter les résultats des enquêtes.

Par ailleurs, les employeurs peuvent gagner à être davantage transparents et *proactifs* dans la conduite des enquêtes de rémunération. Par exemple, ils peuvent communiquer aux employés :

— la politique de rémunération par rapport au marché ;

— les valeurs ou les facteurs jugés importants dans la détermination de la rémunération (la créativité, le rendement, la loyauté, etc.) ;

— les efforts qu'ils déploient pour assurer la compétitivité de leur rémunération ;

— le marché de référence qu'ils retiennent et les raisons de ce choix ;

— les résultats des enquêtes considérées ;

— la situation de la rémunération des employés sur le marché selon les diverses composantes de la rémunération totale.

Dans le secteur de la haute technologie, de plus en plus d'entreprises adoptent cette politique de transparence à l'égard d'un personnel plus instruit et difficile à retenir. Une façon de se prémunir contre la perte de confiance et le sentiment d'iniquité à l'égard de la rémunération consiste à informer régulièrement les employés à ce sujet.

Conclusion

Dans ce chapitre, nous avons d'abord mis en lumière l'importance de la compétitivité de la rémunération des employés d'une organisation. Nous y avons ensuite traité des diverses politiques de rémunération que les entreprises peuvent adopter à l'égard du marché : accompagner le marché, être à la tête du marché, être à la remorque du marché ou adopter une politique hybride ou mixte.

Les enquêtes de rémunération constituent un intrant dans le processus de détermination de la rémunération, dont l'importance relative sera certes plus ou moins grande pour expliquer la rémunération selon les emplois, les catégories d'emplois ou les secteurs. On pense, par exemple, aux dirigeants d'entreprise, pour qui l'équité externe constitue un principe primordial, et aux emplois très spécialisés (par exemple, l'emploi de spécialiste du traitement des eaux dans une municipalité), pour lesquels il n'existe pas de barème sur le marché et dont la rémunération est essentiellement fonction de la valeur relative des exigences qui y sont liées (équité interne et processus d'évaluation des emplois).

Les enquêtes de rémunération fournissent des indications visant à aider un employeur à apprécier la compétitivité de la rémunération qu'il offre au regard du marché. Ce chapitre a montré qu'il n'y a pas de réponses objectives au sujet de la rémunération accordée sur le marché. L'étendue de l'enquête de rémunération, la méthode et les sources utilisées ainsi que le caractère général ou dirigé de l'enquête sont autant de décisions importantes tout au long du processus d'enquête qui contribuent à influencer les résultats.

Questions de révision

1. Qu'est-ce que le principe de l'équité externe ou de la compétitivité dans le domaine de la gestion de la rémunération ?

2. Pourquoi les employeurs doivent-ils se préoccuper de la compétitivité de la rémunération qu'ils offrent ?

3. Les entreprises peuvent adopter différentes politiques en matière de compétitivité des salaires. Décrire ces différentes politiques et les commenter (avantages, limites, conditions de succès, prémisses théoriques, etc.).

4. Indiquer la pertinence, l'importance et l'utilité des enquêtes de rémunération dans la détermination et la gestion de la rémunération.

5. Distinguer les enquêtes de rémunération des enquêtes annuelles de planification ou de prévision des augmentations de salaires.

6. Énumérer les étapes du processus d'enquête de rémunération.

7. Quels sont les objectifs que doit poursuivre une firme qui veut mener et consulter des enquêtes de rémunération ?

8. À partir de quels critères importants une firme peut-elle déterminer le marché de référence avec lequel elle comparera la rémunération offerte à son personnel ou à une catégorie de son personnel ?

9. Distinguer et commenter les différentes méthodes d'enquête de rémunération.

Commenter les diverses sources d'information dans une enquête de rémunération.

10. Quelles approches permettent de colliger des données sur la rémunération ?

11. Commenter les principales méthodes ou statistiques de présentation et d'analyse utilisées à l'égard des résultats des enquêtes de rémunération.

12. Traiter des principaux défis auxquels les employeurs font face lorsque vient le temps de s'assurer de la compétitivité de la rémunération à travers le processus d'enquête de rémunération.

13. Commenter les principales limites du processus d'enquête de rémunération dans la détermination des conditions de travail.

14. Quels conseils ou quelles recommandations peut-on faire aux employeurs qui désirent mener des enquêtes de rémunération et/ou considérer des données d'enquêtes pour prendre des décisions en matière de rémunération ?

Références

ADAMS, J.S. (1965). « Inequity in social exchange », dans L. Berkowitz (sous la dir. de), *Advances in Experimental Social Psychology,* vol. 2, New York, Academic Press, p. 267-297.

BALKIN, D.B. et B. BANNISTER (1993). « Explaining pay form for strategic employee groups in organizations », *Journal of Occupational and Organizational Psychology,* vol. 66, n° 2, p. 139-151.

BJORNDAL, J.A. et L.K. ISON (1991). *Mastering Market Data : An Approach to Analyzing and Applying Salary Survey Information,* Scottsdale, Ariz., American Compensation Association.

BROWN, C. (1990). « Firms' choice of method of pay », *Industrial and Labor Relations Review,* février, p. 165-182.

DAVIS, J.H. (1997). « The future of salary surveys when jobs disappear ? », *Compensation & Benefits Review,* vol. 29, n° 1, janvier-février, p. 18-26.

DROIT (LE) (1997). « Comité pour dénicher et perfectionner des fonctionnaires », 13 janvier, p. 13.

DUMONT, M.-A. (2003). « Une prime à la rareté pour pallier la pénurie de main-d'œuvre », *Les Affaires,* cahier spécial, 6 septembre, p. A2.

GARDNER, D.G., L. VAN DYNE et J.L. PIERCE (2004). « The effects of pay level on organization-based self-esteem and performance : A field study », *Journal of Occupational and Organizational Psychology,* vol. 77, p. 307-322.

GERHART, B. et S.L. RYNES (2003). *Compensation : Theory, Evidence and Strategic Implications,* Thousand Oaks, Calif., Sage.

HANDEL, J. (2001). « Dollars & Senses : Salary surveys from A-Z », *Workspan,* février, p. 49.

KRUEGER, A.B. et L.H. SUMMERS (1987). « Reflections on inter-industry wage structure », dans K. Lang et J.S. Leonard (sous la dir. de), *Unemployment and the Structure of the Labor Market,* New York, Basil Blackwell, p. 14-17.

LEE, T.W. et R. MOWDAY (1987). « Voluntary leaving an organization : An empirical investigation of Steers and Mowday's model of turnover », *Academy of Management Journal,* décembre, p. 721-743.

MAHONEY, T.A. (1979). *Compensation and Reward Perspectives,* Homewood, Ill., Richard D. Irwin.

MERCER, CONSULTATION EN RESSOURCES HUMAINES (2004). « Les salaires du secteur manufacturier reflètent les disparités économiques régionales canadiennes », http://www.mercerhr.com/pressrelease, 15 novembre, consulté le 1er novembre 2005.

MILKOVICH, G.T. et J.M. NEWMAN (2005). *Compensation,* New York, McGraw-Hill et Irwin.

NOE, R.A., B.D. STEFFY et A.E. BARBER (1988). « An investigation of the factors influencing employees' willingness to accept mobility opportunities », *Personnel Psychology,* vol. 41, n° 3, p. 559-580.

SAUCIER, R. (2005). « Le rôle du marché dans la détermination des salaires », http://www.portail-rhri.com/vigiexpress/savoir, 29 mars, consulté en juillet 2005.

VISWESVARAN, C. et M.R. BARRICK (1992). « Decision-making effects on compensation surveys : Implications for market wages », *Journal of Applied Psychology,* vol. 77, n° 5, p. 588-597.

WORLDATWORK (2002). *Market Pricing : Method to the Madness,* Scottsdale, Ariz., WorldatWork.

ANNEXE 3.1

PRÉSENTATION D'UNE PARTIE DES RÉSULTATS D'UNE ENQUÊTE DE RÉMUNÉRATION POUR L'EMPLOI DE « CONTRÔLEUR DE LA SOCIÉTÉ MÈRE »

Emploi : C110 – Contrôleur de la société mère • Catégorie type d'emplois IPE : 57

Qualité d'appariement : Moins de responsabilités : 2 % Responsabilités équivalentes : 95 % Plus de responsabilités : 3 %

Dirige la fonction comptable au sein d'une grande entreprise. Est généralement responsable de l'élaboration et du fonctionnement des systèmes de planification, d'établissement de budgets et d'information comptable, de l'analyse et de l'interprétation des tendances présentant un intérêt pour la direction, de la préparation de rapports financiers et de gestion et de la présentation à la haute direction d'analyses et de recommandations sur des cas particuliers. Peut aussi être chargé de la supervision des systèmes d'information. Relève habituellement du chef des finances (emploi C100).

Analyse nationale	Nbre d'entreprises	Nbre de titulaires	10e centile	25e centile	50e centile	75e centile	90e centile	Moyenne
Salaire de base								
Salaire de base – pondération par titulaire (tous)	142	146	105,0	116,7	135,0	166,2	204,9	148,3
Salaire de base – pondération par entreprise (tous)	142	S/O	105,0	118,0	135,0	167,3	207,8	149,1
Salaire de base – admissible à une prime	133	137	105,0	118,4	136,0	170,0	211,5	150,1
Primes annuelles (en % du salaire de base)								
Prime annuelle cible (AP)	118	121	15,0	18,7	25,0	32,5	48,8	27,0
Prime annuelle maximale (AP)	84	86	15,0	25,0	41,0	60,0	80,4	48,3
Prime annuelle octroyée (PO)	119	123	6,8	16,4	24,6	37,9	55,8	30,4
Prime de participation aux bénéfices octroyée (PBO)	5	5	–	1,4	4,7	9,0	–	5,1
Prime de vente octroyée (PVO)	5	5	–	–	–	–	–	–
– emplois de vente seulement	0	0	–	–	–	–	–	–

ANNEXE 3.1

PRÉSENTATION D'UNE PARTIE DES RÉSULTATS D'UNE ENQUÊTE DE RÉMUNÉRATION POUR L'EMPLOI DE « CONTRÔLEUR DE LA SOCIÉTÉ MÈRE » (*suite*)

Analyse nationale	Nbre d'entreprises	Nbre de titulaires	10e centile	25e centile	50e centile	75e centile	90e centile	Moyenne
Rémunération globale en espèces								
Rémunération globale en espèces cible (tous)	142	146	118,6	134,5	165,0	208,4	259,4	184,1
Rémunération globale en espèces cible (AP)	118	121	122,1	142,4	169,0	223,0	300,6	193,6
Rémunération globale en espèces (PO)	120	124	123,1	143,1	174,9	214,7	313,8	198,9
Rémunération globale en espèces – pondération par titulaire (tous)	142	146	116,9	132,2	171,1	208,2	282,3	189,6
Rémunération globale en espèces – pondération par entreprise (tous)	142	S/O	117,2	132,0	171,1	208,5	286,7	190,2
Régimes d'intéressement à long terme – RILT (en % du salaire de base)								
RILT octroyées – valeur prévue (RILT/O)	62	63	5,3	15,0	32,7	60,2	105,3	50,7
Rémunération directe globale								
Rémunération directe globale – valeur prévue (RILT/O)	62	63	140,9	192,9	25	391,0	692,6	325,1
Rémunération directe globale – valeur prévue (tous)	142	146	116,9	133,2	177,2	250,3	444,5	234,1

Nota : Les données sur la rémunération sont en milliers de $ CAN pour un employé à temps plein, à moins d'indication contraire. Les renseignements sur le salaire de base excluent les valeurs nulles.

La rémunération globale en espèces comprend les primes annuelles, les primes versées par les régimes de participation aux bénéfices, les primes de vente et autres paiements garantis, le cas échéant.

La participation à un RILT englobe, le cas échéant, les options d'achat d'actions, les actions fictives, les droits à la plus-value, les actions restreintes, les unités/actions de rendement et les primes en espèces à long terme.

La rémunération directe globale englobe la valeur estimative des options d'achat d'actions et des actions fictives, des droits à la plus-value selon le modèle d'évaluation des options d'achat d'actions de Black et Scholes, les primes cibles en espèces à long terme et les unités/actions restreintes et de rendement.

ANNEXE 3.1

PRÉSENTATION D'UNE PARTIE DES RÉSULTATS D'UNE ENQUÊTE DE RÉMUNÉRATION POUR L'EMPLOI DE « CONTRÔLEUR DE LA SOCIÉTÉ MÈRE » (suite)

Primes (par secteur d'activité)	Régime d'intéressement		Primes totales octroyées (en % du salaire de base)					Admissible aux RILT		RILT octroyée	
	N^{bre} d'entreprises	Cible en % (médiane)	N^{bre} d'entreprises	25e centile	50e centile	75e centile	Moyenne	N^{bre} de titulaires	% admissible	N^{bre} de titulaires recevant	Médiane % de base
Fabrication – biens non durables	17	20,0	15	13,8	19,3	36,0	22,8	17	70,6	9	26,8
Fabrication – biens durables	8	22,5	8	13,3	20,3	82,7	61,6	10	20,0	1	–
Transport / services publics	12	26,5	10	18,8	25,5	35,6	25,8	12	41,7	4	43,3
Haute technologie / télécommunications	11	25,0	10	5,5	22,0	44,6	24,8	13	61,5	7	35,7
Ressources naturelles	26	27,5	34	18,5	27,0	37,4	29,9	38	84,2	22	52,3
Commerce de gros et de détail	11	20,0	10	9,1	22,9	38,0	24,8	12	50,0	5	31,6
Entreprises de services à but lucratif	16	24,5	15	12,3	21,4	38,2	25,5	20	35,0	6	10,0
Finance / banques	11	35,0	11	23,2	33,4	48,0	41,2	12	66,7	7	32,7
Assurances	3	–	4	–	25,5	–	28,0	4	50,0	2	–
Organismes sans but lucratif et secteur public	3	–	2	–	–	–	–	7	0,0	0	–

Avantages liés à l'utilisation d'une auto	% des titulaires admissibles	Montant moyen
Véhicule propriété de l'entreprise	6,2 %	39 106 $
Véhicule loué par l'entreprise	11,6 %	969 $
Allocation mensuelle	17,1 %	769 $
Allocation mensuelle et frais remboursés par km	3,4 %	855 $

Échelle de salaire	N^bre d'entreprises	Médiane
Minimum	80	97,4
Point de contrôle	77	131,8
Maximum	80	159,7
Ratio comparatif	77	104,0 %

Administration	N^bre de titulaires	% des titulaires
Heures supplémentaires	144	1,4 %
Syndiqués	145	0,0 %
Embauches depuis 2003	108	9,3 %

ANNEXE 3.1

Présentation d'une partie des résultats d'une enquête de rémunération pour l'emploi de « contrôleur de la société mère » (suite)

Régimes de primes à court terme	% des titulaires admissibles	Cible médiane
Primes annuelles	93,2 %	25,0 %
Primes de vente	1,2 %	– %
Primes totales (annuelles et/ou de vente)	93,2 %	25,0 %
Participation aux bénéfices	4,8 %	S/O

Responsabilité de l'emploi		
Régionale	18,1 %	
Nationale (Canada)	52,4 %	
Amérique du Nord	8,6 %	
Internationale	21,0 %	
N^{bre} d'employés supervisés – médiane	17	
N^{bre} d'employés relevant du titulaire – médiane	4	

Régime d'intéressement à long terme	N^{bre} de titulaires recevant	
Tous les régimes	43,2 %	
Options d'achat d'actions	33,6 %	
Unités/actions restreintes	6,2 %	
Droits à la plus-value	0,7 %	
Unités / actions de rendement	6,2 %	
Actions fictives	0,7 %	
Primes en espèces à long terme	6,2 %	

Nota : Les données sur la rémunération sont en milliers de $ CAN pour un employé à temps plein, à moins d'indication contraire.

N représente le nombre de réponses fournies pour une question donnée. Les renseignements sur le salaire de base excluent les valeurs nulles.

La médiane figurant dans le tableau portant sur le régime d'intéressement est exprimée sous forme de pourcentage du salaire de base et est pondérée par entreprise.

Les primes totales octroyées englobent les primes annuelles et les primes de vente, le cas échéant ; sont exclus les primes versées dans le cadre des régimes de participation aux bénéfices et les autres paiements garantis.

La participation à un RILT englobe la valeur estimative des options d'achat d'actions et des actions fictives, des droits à la plus-value selon le modèle d'évaluation des options d'achat d'actions de Black et Scholes, les primes cibles en espèces à long terme et les unités/actions restreintes et de rendement.

ANNEXE 3.1

Présentation d'une partie des résultats d'une enquête de rémunération pour l'emploi de « contrôleur de la société mère » (suite)

Catégorie d'analyse	Nbre d'entreprises	Nbre de titulaires	Médiane	Salaire de base				Rémunération globale en espèces				Rémunération directe globale	
				25e centile	50e centile	75e centile	Moyenne	25e centile	50e centile	75e centile	Moyenne	50e centile	Moyenne
Secteur d'activité													
Fabrication – biens non durables	18	18	972,0	118,2	129,2	169,3	143,0	132,7	166,1	209,8	171,1	183,0	195,2
Fabrication – biens durables	10	10	974,6	105,8	124,9	148,4	132,0	126,7	137,0	209,8	215,8	137,0	216,6
Transport / services publics	12	12	1 554,8	110,7	130,8	172,6	139,5	130,2	171,8	206,2	169,8	171,8	227,1
Haute technologie / télécommunications	12	13	619,2	125,2	156,7	189,7	176,4	133,8	190,8	259,0	211,1	238,9	267,0
Ressources naturelles	36	38	700,7	125,7	139,9	196,4	162,3	150,4	187,1	245,2	212,4	197,5	292,1
Commerce de gros et de détail	12	12	1 134,5	113,7	122,2	144,3	133,4	124,7	151,2	174,9	165,6	151,2	192,1
Entreprises de services à but lucratif	20	20	618,5	122,6	140,3	169,1	147,5	132,9	170,6	200,8	178,8	170,6	183,6
Finance / banques	11	12	35 400,0	105,5	128,6	154,8	131,3	160,4	185,0	208,8	188,7	197,9	220,1
Assurances	4	4	6 349,5	–	187,5	–	188,6	–	232,5	–	245,1	449,3	453,5
Organismes sans but lucratif et secteur public	7	7	130,0	91,5	111,7	115,4	106,9	104,7	111,7	122,0	111,0	111,7	111,0
Type de propriété													
Société inscrite en Bourse	53	55	S/O	130,9	170,0	210,0	177,7	170,1	212,0	272,6	235,9	255,3	335,2
Société mère inscrite en Bourse	45	46	S/O	116,7	129,2	147,8	134,3	136,1	166,3	185,0	174,9	173,1	196,6

Catégorie d'analyse	Nbre d'entreprises	Nbre titulaires	Médiane	Salaire de base				Rémunération globale en espèces				Rémunération directe globale	
				25e centile	50e centile	75e centile	Moyenne	25e centile	50e centile	75e centile	Moyenne	50e centile	Moyenne
Société privée	12	12	S/O	103,2	129,0	142,5	127,5	116,7	135,2	170,8	141,1	135,2	141,1
Société mère privée	8	8	S/O	121,3	135,0	160,0	141,7	132,1	153,9	189,4	162,0	153,9	162,4
Société mutuelle coopérative	11	12	S/O	110,9	136,3	140,0	129,0	139,8	175,0	202,0	168,9	180,7	172,1
Société d'État	6	6	S/O	103,1	122,3	130,9	119,6	120,5	133,4	161,3	142,2	133,4	143,2
Œuvre de charité*	2	2	S/O	–	–	–	–	–	–	–	–	–	–
Entreprise du secteur public	5	5	S/O	108,2	113,0	117,7	113,0	108,2	113,0	123,5	115,3	113,0	115,3
Type d'entreprise													
Société mère / indépendante	79	82	S/O	123,4	150,2	183,5	161,5	136,7	194,8	242,2	209,0	200,5	275,7
Filiale	51	52	S/O	117,3	129,7	152,0	135,7	137,1	165,1	185,0	173,9	172,4	193,0
Division	4	4	S/O	–	122,9	–	121,5	–	138,5	–	142,2	140,8	152,3
Groupe	0	0	S/O	–	–	–	–	–	–	–	–	–	–

* Plus de 35 % des données de l'échantillon ont été fournies par une entreprise.

Nota : Les données sur la rémunération sont en milliers de $ CAN pour un employé à temps plein, à moins d'indication contraire. Les renseignements sur le salaire de base excluent les valeurs nulles.

La rémunération globale en espèces comprend les primes annuelles, les primes versées par les régimes de participation aux bénéfices, les primes de vente et autres paiements garantis, le cas échéant.

La rémunération directe globale englobe la valeur estimative des options d'achat d'actions et des actions fictives, des droits à la plus-value selon le modèle d'évaluation des options d'achat d'actions de Black et Scholes, les primes cibles en espèces à long terme et les unités/actions restreintes et de rendement.

Les médianes sont en millions de $ CAN.

ANNEXE 3.1

PRÉSENTATION D'UNE PARTIE DES RÉSULTATS D'UNE ENQUÊTE DE RÉMUNÉRATION POUR L'EMPLOI DE « CONTRÔLEUR DE LA SOCIÉTÉ MÈRE » (suite)

Catégorie d'analyse	Nbre d'entreprises	Nbre de titulaires	Médiane	Salaire de base				Rémunération globale en espèces				Rémunération directe globale	
				25e centile	50e centile	75e centile	Moyenne	25e centile	50e centile	75e centile	Moyenne	50e centile	Moyenne
Ventes brutes / revenu brut													
Ensemble (pondération par titulaire)	120	123	859,5	119,0	136,0	171,2	151,1	135,0	171,0	208,4	192,3	174,1	235,4
Ensemble (pondération par entreprise)	120	S/O	859,5	119,0	136,4	173,0	151,6	135,1	171,1	208,5	193,0	176,8	237,2
Moins de 50 M$	6	6	34,3	105,6	112,5	129,3	114,4	117,4	129,0	150,7	134,2	133,6	153,2
50 M$ < 100 M$	3	3	–	–	–	–	124,3	–	–	–	153,1	–	153,1
100 M$ < 500 M$	31	32	225,0	119,0	131,1	140,0	131,4	131,6	160,4	189,9	158,4	169,6	169,1
500 M$ < 1 G$	26	27	693,1	116,0	135,0	161,0	143,4	136,5	171,2	200,0	176,5	172,3	185,6
1 G$ < 5 G$	38	38	2 163,5	119,8	156,0	191,4	159,3	129,8	186,5	245,7	215,3	218,3	279,8
5 G$ et plus	16	17	6 539,8	145,0	192,0	240,0	199,3	170,6	215,0	344,7	257,3	286,1	383,6
Actif													
Ensemble	11	12	35 400,0	105,5	128,6	154,8	131,3	160,4	185,0	208,8	188,7	197,9	220,1
Moins de 50 G$	7	8	19 540,0	101,3	125,6	148,3	125,4	160,4	180,0	191,8	174,4	193,4	190,9
50 G$ et plus	4	4	177 977,5	–	152,5	–	143,0	–	218,5	–	217,3	292,6	278,3

Catégorie d'analyse	N^bre d'entreprises	N^bre de titulaires	Médiane	Salaire de base				Rémunération globale en espèces				Rémunération directe globale	
				25e centile	50e centile	75e centile	Moyenne	25e centile	50e centile	75e centile	Moyenne	50e centile	Moyenne
Primes													
Ensemble	4	4	6 349,5	—	187,5	—	188,6	—	232,5	—	245,1	449,3	453,5
Moins de 1 G$*	1	1	—	—	—	—	—	—	—	—	—	—	—
1 G$ et plus	3	3	—	—	—	—	196,5	—	—	—	261,8	—	539,7
Budget total d'exploitation													
Ensemble	7	7	130,0	91,5	111,7	115,4	106,9	104,7	111,7	122,0	111,0	111,7	111,0
Moins de 250 M$	5	5	125,0	90,7	104,7	118,7	104,7	97,4	108,9	124,4	110,5	108,9	110,5
250 M$ et plus*	2	2	—	—	—	—	—	—	—	—	—	—	—
Responsabilités géographiques													
Régionale	19	19	S/O	104,7	115,8	125,0	122,6	108,9	126,9	166,4	147,6	126,9	152,5
Nationale (Canada)	54	55	S/O	115,0	131,0	157,9	139,5	135,0	173,4	200,0	183,3	180,9	202,3
Internationale	22	22	S/O	155,0	202,9	250,2	210,7	170,9	262,6	379,2	275,1	402,7	448,0

* Plus de 35 % des données de l'échantillon ont été fournies par une entreprise.

Nota : Les données sur la rémunération sont en milliers de $ CAN pour un employé à temps plein, à moins d'indication contraire. Les médianes sont en millions de $ CAN. Les renseignements sur le salaire de base excluent les valeurs nulles.

La rémunération globale en espèces comprend les primes annuelles, les primes versées par les régimes de participation aux bénéfices, les primes de vente et autres paiements garantis, le cas échéant.

La rémunération directe globale englobe la valeur estimative des options d'achat d'actions et des actions fictives, des droits à la plus-value selon le modèle d'évaluation des options d'achat d'actions de Black et Scholes, les primes cibles en espèces à long terme et les unités/actions restreintes et de rendement.

Source : Mercer, Consultation en ressources humaines (2004).

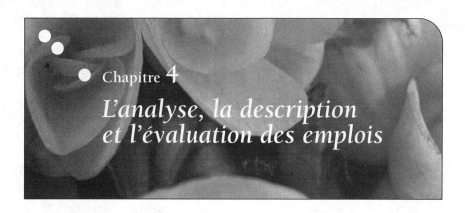

Chapitre 4

L'analyse, la description et l'évaluation des emplois

Objectifs

Ce chapitre vise à :

➤ démontrer l'importance de l'équité interne ou de la cohérence interne entre les salaires versés pour les différents emplois dans l'organisation ;

➤ définir la structure salariale basée sur la valeur relative des exigences des emplois ;

➤ présenter les étapes (l'analyse des emplois, la description des emplois, l'évaluation des emplois, etc.) et les termes clés (famille d'emplois, emplois, poste, etc.) de l'établissement d'une structure salariale ;

➤ décrire les méthodes traditionnelles et les méthodes contemporaines d'analyse des emplois aux fins de l'établissement d'une structure salariale basée sur les exigences relatives des emplois ;

➤ exposer les règles de rédaction de descriptions d'emplois traditionnelles et génériques et en donner des exemples ;

➤ définir le processus d'évaluation des emplois et son utilité dans la détermination des salaires ;

➤ distinguer les différentes méthodes d'évaluation des emplois : la méthode de comparaison avec le marché, la méthode de rangement des emplois, la méthode de classification des emplois, la méthode des points et facteurs ; plus précisément, décrire les deux principales approches de la méthode des points et facteurs : la méthode basée sur une grille élaborée par un comité d'évaluation des emplois ou par un organisme externe et la méthode basée sur un questionnaire d'analyse des emplois sur mesure ou préétabli ;

➤ examiner certaines facettes de la gestion du processus d'évaluation des emplois (par exemple, la justice du processus, le comité d'évaluation des emplois, la communication et la participation, le traitement des plaintes, la gestion dans un contexte syndiqué) ;

➤ analyser l'efficacité du processus d'évaluation des emplois ;

➤ discuter des atouts et des limites du processus d'évaluation des emplois quant à la détermination des salaires ;

➤ présenter les conditions de succès du processus d'évaluation des emplois.

Cas et conjoncture

 Combien payer vos employés ?

La rémunération est un facteur important d'attraction et de rétention du personnel. Comment s'assurer d'offrir des salaires équitables et compétitifs ?

Il y a deux ans, L.L. Lozeau a élaboré un système complet d'évaluation de ses emplois, une tâche énorme. Il a agi à la suite des mesures adoptées pour se conformer à la Loi sur l'équité salariale. Ce magasin bien connu de la rue Saint-Hubert, à Montréal, se donne tout ce mal parce qu'il veut convaincre les meilleurs vendeurs de venir travailler chez lui. Car il s'apprête à embaucher : un déménagement le fera prochainement passer de 134 à 160 employés, et davantage au cours de l'année suivante.

Le système d'évaluation de L.L. Lozeau classe tous les postes de l'entreprise en huit catégories[1] et établit les salaires en fonction de différents critères comme les études, les années d'expérience en vente, le degré de responsabilité, etc. Après deux ans, les responsables des ressources humaines ont entrepris de réviser le classement pour l'adapter aux changements survenus dans l'entreprise. «Dans un contexte de pénurie de main-d'œuvre, nous voulons nous assurer de demeurer concurrentiels en matière de conditions de travail», souligne Manon Simard, directrice des ressources humaines et petite-fille du fondateur.

Marc Chartrand, conseiller principal en ressources humaines chez Mercer, Consultation[2], applaudit à cette initiative. «Une entreprise devrait revoir son système d'évaluation des emplois au moins tous les trois ou cinq ans, et beaucoup plus souvent si elle œuvre dans un secteur de pointe. De plus, chaque fois qu'un poste subit des changements importants, il faut vérifier qu'il se trouve toujours dans la bonne catégorie.»

---

1 Précisons ici qu'il est plus courant de parler de «classes d'emplois».
2 Mercer, Consultation en ressources humaines.

Une méthode simple

Un système d'évaluation des emplois comme celui qui a été adopté par L.L. Lozeau aide les entreprises à atteindre l'équité à l'interne et la compétitivité à l'externe[3]. Il s'agit d'analyser tous les postes et de les regrouper dans différentes catégories d'emplois en se basant sur ces grands facteurs : connaissances et habiletés requises, responsabilités, latitude pour résoudre des problèmes, efforts et conditions de travail (horaires, niveau de bruit et de poussière, stress mental, degré d'attention sensorielle nécessaire, voyages fréquents, etc.).

L'étape suivante consiste à déterminer l'échelle salariale attribuée à chacune des catégories et, plus spécifiquement, à chaque emploi. Pour cela, il faut faire sa propre enquête salariale ou se fier à celles des consultants en actuariat et en rémunération. Ces études couvrent les salaires de base, les primes et les avantages sociaux pour différents postes, dans divers secteurs d'activité et différentes régions. Elles coûtent de 4 000 à 5 000 dollars, mais il est possible d'acheter uniquement une partie de l'étude, à un coût moindre.

Les entreprises se font ainsi une bonne idée de ce que vaut tel type d'emploi dans les entreprises de telle taille, dans un secteur d'activité et une région donnés. Il ne reste plus alors qu'à adapter les données à leur situation. «Par exemple, une entreprise dont la main-d'œuvre n'est pas spécialisée se comparera surtout aux entreprises de sa région susceptibles d'embaucher le même type de main-d'œuvre, même si celles-ci œuvrent dans un tout autre domaine», explique Alain Ishak, directeur pour le Québec du Groupe Hay. À l'inverse, une entreprise qui emploie des travailleurs spécialisés devra s'aligner sur les salaires offerts par des sociétés du même secteur.

La rémunération incitative ?

Selon l'Étude annuelle sur les salaires au Canada de la firme Watson Wyatt, 89 % des entreprises ont adopté un régime de primes à court terme, et plus de 75 % offrent aussi un régime de primes à long terme. «Pour être efficaces, ces primes doivent représenter l'équivalent d'au moins 4 % du salaire de base, estime Marc Chartrand. Si elles sont plus basses, elles ne motivent pas les employés.»

Dans le secteur industriel, les primes représentent de 5 % à 44 % de la rémunération totale, d'après des données fournies par le Groupe Hay. Ainsi, les chefs de la direction, de l'exploitation et les présidents tirent en moyenne 44 % de leur rémunération sous forme de primes, les cadres supérieurs, 29 %, les cadres intermédiaires et le personnel de vente, 14 %, le personnel de soutien, 6 %, et les corps de métier, 5 %.

Par primes à court terme, on entend les sommes en espèces versées mensuellement, trimestriellement ou annuellement. Il peut s'agir d'une commission sur les ventes, d'un montant forfaitaire conditionnel à l'atteinte d'un objectif, du partage des profits, etc. Quant aux primes à long terme, elles englobent principalement les options d'achat d'actions ainsi que les actions. Elles sont normalement accordées aux employés qui ont un impact à long terme sur la réussite de l'entreprise,

---

3 De fait, un système d'évaluation des emplois permet d'atteindre l'équité interne alors que les enquêtes de rémunération permettent de s'assurer de l'équité externe.

c'est-à-dire les cadres supérieurs. Signalons que la contre-performance boursière et les récents scandales financiers ont abaissé la cote de popularité des options d'achat d'actions.

Les primes peuvent être basées sur la performance individuelle, la performance d'équipe, la performance de l'entreprise ou sur une combinaison des trois. Alain Ishak privilégie cette dernière possibilité, parce qu'elle incite les employés non seulement à se dépasser eux-mêmes, mais aussi à épauler leurs collègues et à travailler dans l'intérêt de l'équipe.

« L'entreprise qui propose un régime d'intéressement doit faire preuve de transparence quant à ses résultats financiers. Si elle ne veut pas dévoiler tous les chiffres, elle peut procéder par indices. Mais alors, l'entreprise doit pouvoir compter sur la pleine confiance de ses employés », prévient pour sa part Marc Chartrand. L'employeur doit aussi faire en sorte que tous les employés sachent exactement ce qu'on attend d'eux ; une définition claire de leur tâche évite les mésententes quand arrive le moment de mesurer leur performance... et leur prime.

Il n'y a pas que l'argent

Cela dit, n'oublions pas qu'une bonne rémunération ne suffit pas pour retenir un employé. Encore plus importantes que l'argent, d'autres mesures font qu'il se sentira satisfait, heureux, apprécié et respecté. Ces mesures sont cruciales, car c'est souvent grâce à elles que les PME peuvent se démarquer des grandes entreprises.

L.L. Lozeau, par exemple, a élaboré une procédure exemplaire d'accueil des nouveaux employés : tournée du magasin, lunch avec le supérieur immédiat pour faire connaissance et clarifier les attentes, formation sur le fonctionnement du téléphone, explications à propos de la tenue vestimentaire, des rabais consentis aux employés, et de l'approche du service à la clientèle, etc.

L'entreprise familiale organise aussi un gala pour témoigner sa reconnaissance à son personnel. À certains moments, ce sont les employés qui votent pour leurs collègues. En outre, L.L. Lozeau convie régulièrement ses employés à des soirées où des directeurs font le bilan des difficultés, des réussites et des prochains défis. « Nous tentons d'avoir la gestion la plus ouverte possible », assure Manon Simard.

Côté organisation du travail, l'entreprise prépare les horaires de travail de ses équipes de vente quatre semaines à l'avance, une mesure plutôt rare dans le secteur du commerce de détail. « Cela permet aux employés de planifier leurs activités personnelles, explique Manon Simard. Nous acceptons aussi de les accommoder s'ils ont un rendez-vous ou des obligations familiales, par exemple. » Le parent séparé, qui voit ses enfants une fin de semaine sur deux, est certain d'être en congé ces journées-là.

D'autres exemples ? Les entreprises figurant au « Palmarès Affaires Plus/Watson Wyatt des meilleurs employeurs du Québec » sont aussi des sources d'inspiration. Parmi elles, la firme de consultants en informatique AGTI affecte à ses nouveaux employés un gérant de carrière, qui les aide à évoluer selon leurs aspirations, et elle n'oblige pas ses conseillers à exécuter des mandats à l'extérieur de leur région.

De son côté, D.L.G.L., une PME spécialisée dans les systèmes intégrés de gestion des ressources humaines et de la paie, a construit un gymnase pour ses employés. Le grand patron et fondateur, Jacques Guenette, favorise la liberté et l'initiative personnelle; il a donc aboli les horaires (impossible par conséquent d'arriver en retard) et il embauche son personnel en fonction de leur disposition au bonheur, de leur équilibre, de leur intelligence et de leur enthousiasme. Chez D.L.G.L., le taux de roulement des employés est pratiquement nul.

La possibilité d'évoluer rapidement dans l'entreprise et de se perfectionner, des horaires flexibles, des emplois partagés, l'ouverture à de nouvelles idées, l'autonomie, le droit à l'erreur, la circulation de l'information et la transparence sont quelques-unes des autres avenues à explorer. Une fois, bien sûr, que vous aurez instauré une politique de rémunération équitable et concurrentielle.

Équité salariale : êtes-vous en retard?

La plupart des entreprises auraient dû terminer leur démarche au chapitre de l'équité salariale le 21 novembre 2001. Or, certains tardent toujours à se conformer à la Loi sur l'équité salariale. Êtes-vous du nombre?

Si c'est le cas, dites-vous que l'exercice vous permettra de faire d'une pierre deux coups. Non seulement corrigerez-vous les injustices salariales au sein de votre entreprise, mais vous vous doterez également d'un système d'évaluation des emplois qui vous permettra par la suite de demeurer concurrentiel en matière de rémunération comparativement au marché. N'oubliez pas que le Québec fera face, très bientôt, à une importante pénurie de personnel.

Un programme d'équité salariale nécessite notamment d'évaluer les emplois en tenant compte des quatre grands facteurs suivants : les qualifications requises, les responsabilités assumées, les efforts requis et les conditions de travail.

Pour tout savoir sur vos obligations et obtenir de l'aide, consultez le site Internet de la Commission de l'équité salariale : www.ces.gouv.qc.ca.

Révisez vos salaires

Chaque année ramène l'exercice de la révision salariale. Pour savoir à combien devraient se chiffrer les augmentations, vous pouvez vous fier aux enquêtes de prévisions salariales menées par les firmes d'actuariat et de rémunération telles que Mercer, Watson Wyatt, Towers Perrin, le Groupe Hay et autres.

Ainsi, pour 2004, le Groupe Hay prévoit une hausse des salaires de 3,1 % au Canada et de 2,7 % au Québec, tous secteurs d'activité confondus.

Quelque 84 % des entreprises sondées prévoient d'augmenter les salaires, tandis que seulement 3 % envisagent un gel. Les autres sont indécises.

Source : Vallerand (2004, p. 10).

*Introduction*_____

Le modèle de gestion de la rémunération présenté dans ce livre met en avant l'importance du principe de l'équité interne — ou de la cohérence interne — dans l'établissement de la rémunération versée pour les emplois que l'on trouve au sein d'une organisation. En somme, la préoccupation au sujet de l'équité interne ou de la cohérence interne vise à s'assurer que, dans une organisation, on offre des salaires équivalents pour des emplois ayant des responsabilités de valeur équivalente et des salaires différents pour des emplois ayant des responsabilités de valeur différente. La recherche de l'équité interne implique le recours à différentes techniques ou méthodes qui se présentent souvent selon la séquence suivante : l'analyse des emplois, la description des emplois, l'évaluation des emplois, l'établissement d'une structure des emplois et l'établissement d'une structure salariale.

Ce chapitre traite d'abord de l'importance du principe de l'équité interne. Il discute ensuite de l'analyse et de la description des emplois. Des exemples de descriptions d'emplois tant traditionnelles que génériques y sont présentés. Puis, ce chapitre examine l'évaluation des emplois, sa définition et son utilité dans la détermination des salaires, avant de décrire et de différencier les méthodes traditionnelles en matière d'évaluation des emplois. Par la suite est abordée l'approche contemporaine, c'est-à-dire les questionnaires fermés, maison ou préétablis, qui permettent d'analyser et d'évaluer simultanément les exigences relatives des emplois. Finalement, ce chapitre traite de la gestion, de l'efficacité, des atouts, des limites et des conditions de succès du processus d'évaluation des emplois en vue de la détermination des salaires.

4.1   Le principe de l'équité interne ou de la cohérence interne : définition et importance

Grâce à l'équité interne, une organisation s'assure qu'elle offre une rémunération équivalente pour des emplois de même valeur et une rémunération différente pour des emplois de valeur différente. La recherche de l'équité interne ou de la cohérence interne suppose différentes pratiques de rémunération : l'analyse des emplois, la description des emplois, l'évaluation des emplois, l'établissement d'une structure des emplois et l'élaboration d'une structure salariale (voir le tableau 4.1). En définitive, l'organisation veille à ce que sa structure salariale respecte le principe de l'équité interne ou de la cohérence interne en offrant des salaires proportionnels aux exigences relatives des emplois.

TABLEAU 4.1

LES PRATIQUES VISANT À ASSURER L'ÉQUITÉ INTERNE DES SALAIRES VERSÉS POUR LES EMPLOIS AU SEIN D'UNE ORGANISATION

- **Analyse des emplois :** Processus qui permet de collecter systématiquement de l'information sur les emplois, soit leurs responsabilités, leurs activités, leurs rôles, leurs compétences, etc.

- **Description des emplois :** Document qui décrit le contenu de l'emploi en matière de responsabilités, de tâches, d'activités, de compétences, de rôles, etc.

- **Évaluation des emplois :** Processus qui permet de hiérarchiser les emplois en fonction de la valeur relative de leurs exigences ou de leur importance dans le succès de l'organisation.

- **Établissement d'une structure des emplois :** Hiérarchie ou classification des emplois en fonction de la valeur relative de leurs exigences, de leurs responsabilités, de leurs activités, de leurs compétences, de leurs rôles, etc. ; résultat du processus d'évaluation des emplois.

- **Élaboration et mise à jour d'une structure salariale visant à déterminer et à gérer les salaires :** Étendue des taux de salaires versés pour différents emplois au sein d'une organisation selon la valeur relative de leurs exigences.

Ce chapitre traite essentiellement de l'analyse, de la description et de l'évaluation des emplois aux fins de l'établissement d'une structure salariale basée sur la valeur relative des exigences des emplois. Pour élaborer ou mettre à jour de telles structures salariales, il faut d'abord connaître la valeur relative de leurs exigences (première et deuxième étape) et mesurer celles-ci (troisième étape). Le chapitre 5 portera sur l'établissement et la mise à jour de structures salariales basées sur les exigences et les compétences liées aux emplois, et sur la détermination et la gestion des salaires (quatrième et cinquième étape).

Deux théories permettent de mieux comprendre l'importance de l'équité interne ou de la cohérence interne dans les salaires versés pour les divers emplois dans une organisation. D'abord, selon la *théorie de l'équité* (Adams, 1963), une personne compare sa contribution et sa rétribution (ratio) avec celles d'une autre personne, considérée comme point de repère ou référent. Ensuite, la *théorie du capital humain* (Becker, 1975) stipule que la valeur pécuniaire des habiletés et des compétences d'une personne est fonction du temps, des ressources et des dépenses que cela a exigé pour que celle-ci les acquière.

Lorsqu'une organisation se préoccupe de respecter le principe de l'équité *interne*, elle vise à faire en sorte que les titulaires d'emplois différents dans une entreprise estiment qu'ils reçoivent une rémunération proportionnelle aux exigences de leur emploi respectif : les emplois comportant des exigences similaires sont rétribués par un salaire semblable et les emplois comportant des exigences différentes, par un salaire proportionnellement différent. Il existe un état d'iniquité interne lorsque les titulaires d'un emploi perçoivent que le ratio de leurs contributions et de leurs rétributions n'est pas égal à celui des titulaires d'un ou de plusieurs emplois qui leur servent de référents dans l'organisation. En somme, l'équité *interne* concerne la cohérence de la rémunération versée pour *différents emplois dans l'organisation* (et non la cohérence de la rémunération versée aux *différents titulaires occupant un même emploi,* ce qui est plutôt l'objet de l'équité *individuelle*) : une rémunération plus avantageuse doit être accordée aux titulaires des emplois qui ont davantage investi en eux-mêmes (expérience, compétences, scolarité, etc.) pour être aptes à occuper un emploi dont les responsabilités comportent plus d'exigences.

Toute entreprise doit se soucier de l'équité interne ou de la cohérence des conditions relatives de rémunération qu'elle offre aux titulaires de ses différents emplois. Toutefois, l'importance de l'équité interne pour une entreprise — tant de manière absolue que de manière relative par rapport à l'importance des autres formes d'équité (externe individuelle, etc.) — dépend de plusieurs facteurs contextuels comme l'environnement de l'entreprise, sa taille et sa structure, sa stratégie d'affaires, sa philosophie de gestion, l'organisation du travail et la technologie, la catégorie de personnel, les emplois et les pressions syndicales.

En outre, la valeur d'un emploi est bien entendu fonction du type d'organisation ou du secteur d'activité auquel elle appartient. Ainsi, un expert comptable tient un rôle plus important dans la réalisation des objectifs d'affaires s'il occupe un poste d'associé dans un cabinet d'experts comptables que s'il occupe un poste de contrôleur dans une entreprise manufacturière.

Selon les emplois visés, le principe de l'équité interne apparaît toutefois comme plus ou moins pertinent dans la détermination des salaires. En effet, comment pourrait-on apprécier l'élégance et la grâce d'un mannequin ou l'habileté et la rapidité des réflexes d'un coureur automobile au moyen de l'évaluation d'un emploi ? Dans ces cas, les caractéristiques de la personne et la loi de l'offre et de la demande sur le marché ont relativement plus de poids dans la détermination du salaire. À l'inverse, la préoccupation à l'égard de l'équité interne semble importante pour les titulaires des emplois qui ne sont pas en contact avec les employés d'autres firmes, dont le roulement est peu élevé (par exemple, les employés de bureau, de production et d'entretien) et pour lesquels le marché présente peu de balises (par exemple, les techniciens responsables de la qualité de l'eau dans les municipalités). Finalement, l'importance de l'équité interne n'est pas non plus étrangère au marché réel de l'emploi des travailleurs en cause. Ainsi, l'équité interne acquiert davantage d'importance pour les organisations qui ont une politique de promotion ou de recrutement interne, c'est-à-dire qui pourvoient leurs emplois d'entrée en embauchant des personnes de l'extérieur et leurs autres emplois en faisant appel à la mobilité interne de leur personnel (promotions, mutations, etc.). C'est également le cas pour le secteur public :

comme les employés qui travaillent pour le gouvernement tendent à demeurer avec cet employeur, ils sont portés à comparer leurs salaires entre eux plutôt qu'avec ceux qui sont offerts aux employés du secteur privé (dans une certaine mesure, bien entendu).

4.2 La gestion des salaires selon la valeur relative des emplois

4.2.1 Définition

Traditionnellement et encore aujourd'hui dans la majorité des organisations, la structure salariale présente les salaires associés à différents emplois au sein d'une organisation en fonction de la valeur relative de leurs exigences. Une structure salariale est à la fois le résultat des décisions antérieures d'une organisation en matière de gestion des salaires et un guide visant à baliser les décisions actuelles et futures en la matière. La figure 4.1 présentée à la page suivante illustre une structure salariale typique.

Une structure salariale est importante parce qu'elle a un effet sur les attitudes des employés, telles que leur stabilité (le taux de roulement), leur satisfaction, leur motivation à accepter des promotions ou à acquérir des compétences. Ainsi, plus une structure salariale est plate — moins il y a de différences de salaires entre les différents niveaux hiérarchiques —, moins les employés seront portés à accepter des promotions, et plus ils tenteront de faire réviser la valeur de leur emploi aussitôt qu'on leur attribuera des responsabilités supplémentaires. L'équité des structures salariales est également importante à la lumière des lois visant à s'assurer de l'absence de biais dans l'évaluation des catégories d'emplois à prédominance féminine et à prédominance masculine au sein d'une même entreprise. En somme, les structures salariales doivent être élaborées de manière qu'elles respectent les lois, qu'elles incitent les employés à adopter des comportements et des attitudes qui aideront les entreprises à atteindre leurs objectifs d'affaires et à être jugées comme justes par les employés.

4.2.2 L'approche traditionnelle

De façon traditionnelle, dans les grandes entreprises, on regroupait les emplois de nature semblable en familles d'emplois (*job clusters*), en fonction de la nature de ces emplois (leurs exigences, des emplois syndiqués ou non, etc.) et de leur marché. On estimait en effet que l'évaluation des emplois s'applique difficilement à l'ensemble des emplois d'une organisation, parce qu'ils sont très différents et très

FIGURE 4.1

LA REPRÉSENTATION D'UNE STRUCTURE SALARIALE

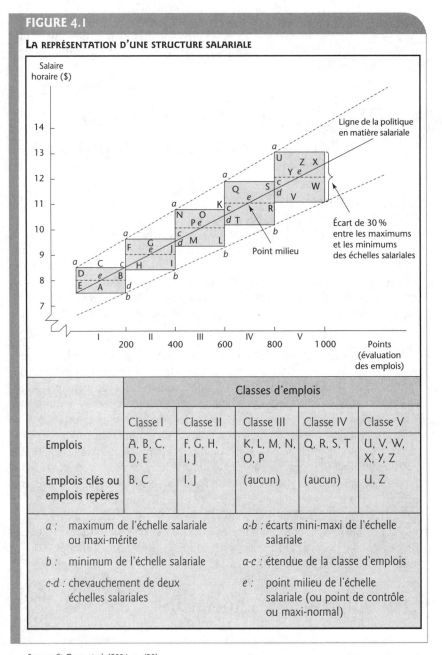

	Classes d'emplois				
	Classe I	Classe II	Classe III	Classe IV	Classe V
Emplois	A, B, C, D, E	F, G, H, I, J	K, L, M, N, O, P	Q, R, S, T	U, V, W, X, Y, Z
Emplois clés ou emplois repères	B, C	I, J	(aucun)	(aucun)	U, Z

a : maximum de l'échelle salariale ou maxi-mérite

b : minimum de l'échelle salariale

c-d : chevauchement de deux échelles salariales

a-b : écarts mini-maxi de l'échelle salariale

a-c : étendue de la classe d'emplois

e : point milieu de l'échelle salariale (ou point de contrôle ou maxi-normal)

Source : St-Onge *et al.* (2004. p. 439).

difficiles à comparer. En procédant ainsi, on établissait autant de programmes d'évaluation des emplois que de familles d'emplois, c'est-à-dire de regroupements d'emplois suffisamment semblables pour être comparés sur la base d'un ensemble de caractéristiques communes et d'un marché de l'emploi similaire. On construisait aussi autant de structures salariales que de familles d'emplois dans une organisation. Par exemple, on trouvait une structure salariale pour les emplois de production, une pour les emplois de cadres et de professionnels, une pour les emplois de bureau, une pour le personnel de production et d'entretien et une pour le personnel de vente. Dans certaines entreprises, on pouvait distinguer les emplois de cadres de ceux du personnel de maîtrise (contremaîtres et superviseurs), les emplois de professionnels de ceux de techniciens, et ainsi de suite.

En somme, tant que les organisations estimaient la valeur relative des emplois *par famille d'emplois* (intrafamille d'emplois), elles montraient leur souci d'assurer l'équité entre les emplois d'une même famille sans toutefois se préoccuper de l'équité relative des salaires versés pour les emplois *de différentes familles d'emplois* (interfamilles d'emplois). De fait, le message était le suivant : « Nous veillons à nous assurer que les salaires accordés aux divers emplois d'une famille d'emplois donnée (comme le personnel de bureau) dans l'organisation sont proportionnels à la valeur relative de leurs exigences, mais nous ne comparons pas les exigences relatives et les salaires relatifs accordés aux emplois de cette famille (comme le personnel de bureau) avec ceux d'une autre famille (comme le personnel de production). » En principe, toutefois, l'évaluation des emplois doit hiérarchiser *tous* les emplois de l'entreprise en fonction de la valeur relative de leurs exigences afin d'assurer la cohérence entre les salaires versés pour tous les emplois. En effet, pour juger de l'équité de son salaire, une secrétaire peut aussi bien comparer son ratio « exigences de l'emploi / salaire versé » avec celui des emplois de production dans l'organisation.

4.2.3 L'approche contemporaine

Depuis le début des années 1990, au sein des organisations de toutes tailles, on a tendance à réduire le nombre de programmes d'évaluation des emplois afin de simplifier la gestion et de respecter les lois (l'équité ou la relativité salariale) visant à réduire l'écart de rémunération entre les catégories d'emplois à prédominance féminine et les catégories d'emplois à prédominance masculine.

Ainsi, que ce soit l'effet du hasard ou non, il se peut fort bien que certaines familles d'emplois soient occupées en grande majorité par des femmes et d'autres, en grande majorité par des hommes. Dans la mesure où les femmes sont majoritaires dans certaines familles d'emplois alors que les hommes le sont dans d'autres familles d'emplois, il existe des risques de discrimination basée sur le sexe dans l'évaluation des emplois et dans la détermination de leurs salaires respectifs.

Par conséquent, même si les résultats d'une évaluation des emplois peuvent sembler logiques, cohérents et équitables à l'intérieur d'une famille d'emplois, rien n'assure, *a priori*, qu'il en est ainsi entre les familles d'emplois. En ce sens, la multiplication des familles d'emplois au sein d'une organisation, tout en facilitant les comparaisons entre les emplois à l'intérieur de chaque famille d'emplois (équité intrafamille), peut augmenter les risques d'iniquité quant à la rémunération versée pour les différentes familles d'emplois dans l'organisation (équité interfamilles). En théorie, l'équité doit exister entre les emplois d'une même famille, mais aussi entre les emplois appartenant à des familles différentes.

Une recommandation importante des promoteurs de la lutte contre la discrimination salariale fondée sur le sexe consiste à comparer les emplois des différentes familles. Idéalement, un employeur devrait établir un seul programme d'équité salariale, un seul processus d'évaluation des emplois et une seule structure salariale pour tous les emplois d'un établissement. À certains endroits, comme dans la province du Manitoba, cette restriction constitue une obligation pour l'employeur. Toutefois, les lois en matière d'équité salariale des provinces de l'Ontario et du Québec — qui s'appliquent également aux employeurs du secteur privé — permettent aux employeurs d'avoir plus d'un programme d'équité salariale et plus d'un système d'évaluation des emplois pour certaines raisons. Nous traiterons plus à fond des lois en matière d'équité salariale au chapitre 6.

4.3   L'analyse des emplois

Les structures salariales basées sur la valeur relative des exigences des emplois représentent, et de loin, l'approche la plus courante parmi les approches visant à déterminer et à gérer les salaires des employés en Amérique du Nord. Dans la mesure où les structures salariales reposent sur les exigences relatives des emplois, la première étape de leur établissement consiste à examiner ou à analyser les emplois. Avant de traiter de l'analyse des emplois, il importe de bien distinguer les concepts clés définis au tableau 4.2 : emploi, poste, famille d'emplois, profession ou métier.

4.3.1   L'analyse des emplois aux fins de la gestion des salaires

L'analyse des emplois correspond à la démarche systématique et formelle visant à colliger des informations sur les caractéristiques des emplois et les compétences que des titulaires doivent posséder pour être en mesure d'assumer les responsabilités des emplois. Les caractéristiques (ou le profil) de l'emploi consistent dans les responsabilités, les devoirs, la nature des décisions prises par les titulaires, les tâches et les activités des titulaires, etc. Quant aux compétences (ou au profil des compétences) des titulaires d'un emploi, il s'agit des aptitudes, des habiletés, des connaissances, de l'expérience, etc., requises pour occuper un emploi.

L'objectif le plus fréquemment poursuivi par un programme d'analyse des emplois a trait à la rémunération, notamment à l'évaluation et à la hiérarchisation des emplois en fonction de la valeur relative de leurs exigences. En effet, comment peut-on s'assurer de l'équité interne de la rémunération si l'on n'a pas analysé au préalable le contenu de chacun des emplois et établi des différences et des similarités entre eux? Les emplois sont plus susceptibles d'être décrits, différenciés et évalués de manière juste dans la mesure où l'on peut disposer d'informations précises à leur sujet.

TABLEAU 4.2

DÉFINITION DE CONCEPTS CLÉS EN MATIÈRE D'ANALYSE ET DE DESCRIPTION DES EMPLOIS

Emploi : Groupe de postes de travail identiques quant à leurs tâches majeures et à leur importance. Dans une succursale bancaire, par exemple, l'emploi de représentant à la clientèle peut comprendre plusieurs postes. En général, on rédige une description par emploi.

Poste : Regroupement de devoirs, de tâches et de responsabilités nécessitant les services d'une personne. Dans une organisation, il existe au moins autant de postes qu'il y a de titulaires. Dans une succursale bancaire, par exemple, s'il y a 15 représentants à la clientèle, ils occupent 15 postes. De plus, certains postes peuvent être vacants. Un poste peut exister même s'il n'est pas occupé; il est alors vacant. En fait, il existe autant de postes de représentants à la clientèle que de personnes exerçant cet emploi et de postes vacants.

Famille d'emplois : Regroupement d'emplois établi aux fins de l'évaluation des emplois et de l'administration des salaires sur la base de la similarité de leurs exigences et de leur contenu en matière d'habiletés, de compétences, de conditions de travail, de profil de carrière, de tradition, etc. Il existe, par exemple, une famille d'emplois de production, une famille d'emplois de bureau, une famille d'emplois de cadres, etc.

Profession ou métier : Groupe d'emplois comportant des tâches semblables ou étroitement apparentées qui nécessitent des compétences, des connaissances et des capacités semblables. Dans la profession comptable, par exemple, il existe des emplois de vérificateur interne, de contrôleur, de vérificateur public, de comptable en prix de revient, de commis comptable, etc. De façon générale, on tend à réserver le concept de « métier » à l'exécution de tâches de nature manuelle et celui de « profession » à des emplois dont les tâches sont d'ordre intellectuel.

Par conséquent, l'analyse des emplois doit fournir l'information nécessaire à la rédaction des descriptions des emplois, à l'évaluation des emplois et à l'établissement d'une structure des emplois en vue de l'établissement d'une structure salariale. Les renseignements doivent porter sur les aspects suivants : la raison d'être de l'emploi, les responsabilités assumées et les activités exécutées, les exigences (intellectuelles, physiques, les compétences) pour occuper l'emploi, etc. Par ailleurs, certaines descriptions d'emplois, lorsqu'elles sont disponibles dans les firmes, peuvent être utilisées aux fins d'autres activités de gestion des ressources humaines comme la dotation, la formation, l'évaluation du rendement et du potentiel ainsi que la gestion des carrières. Dans la mesure où l'on analyse certains emplois pour estimer la valeur relative de leurs exigences, les renseignements transmis dans le tableau 4.3 paraissent minimaux.

TABLEAU 4.3

LES INFORMATIONS À COLLIGER LORS DE L'ANALYSE DES EMPLOIS AUX FINS DE LA GESTION DES SALAIRES EN FONCTION DU CONTENU DES EMPLOIS

1. Emplois de cadres, emplois de professionnels et emplois techniques

Place de l'emploi dans la structure de l'organisation

- Titre officiel de l'emploi (autres titres utilisés)
- Service et section dans lesquels l'emploi se situe
- Titre de l'emploi (le cas échéant)
- Titre de l'emploi du supérieur immédiat
- Titre de l'emploi ou des emplois qui relèvent de cet emploi

Raison d'être de l'emploi

Responsabilités et devoirs spécifiques, réguliers et occasionnels

Relations de l'emploi avec d'autres emplois à l'intérieur ou à l'extérieur de l'organisation

2. Emplois de bureau ou de production

Place de l'emploi dans la structure de l'organisation

- Titre officiel de l'emploi (autres titres utilisés)
- Service et section dans lesquels l'emploi se situe
- Lieu de l'emploi (le cas échéant)
- Titre de l'emploi du supérieur immédiat

Raison d'être de l'emploi

Tâches et activités spécifiques, régulières et occasionnelles

Machines, instruments et outils utilisés

4.3.2   Les méthodes d'analyse des emplois

Les informations sur les emplois sont recueillies au moyen de méthodes dites « d'analyse des emplois » telles que l'observation, le questionnaire ouvert ou fermé, l'entretien ou la consultation de sources externes d'information sur les emplois. Le choix d'une ou de plusieurs méthodes d'analyse des emplois est influencé par les objectifs poursuivis, l'organisation du travail, la culture de gestion, les ressources disponibles, l'échéancier de travail, etc. Les renseignements portant sur le travail peuvent être fournis par les titulaires des emplois, par leurs supérieurs immédiats et/ou par des analystes, en fonction de la nature de l'emploi, de la qualité de l'information désirée, du temps et de l'argent disponibles, ainsi que de la méthode de collecte des informations utilisée. Par exemple, la direction d'une petite ou moyenne entreprise peut demander aux supérieurs immédiats de décrire les tâches des emplois de leurs subalternes. Une autre entreprise peut demander à ses employés de décrire leurs emplois et à leurs supérieurs immédiats d'apprécier leurs réponses. La direction d'une grande entreprise peut faire appel à des analystes de l'intérieur ou de l'extérieur de l'organisation.

4.3.2.1 L'observation directe

La méthode de l'observation directe consiste simplement à observer l'exécution d'un travail en prenant des notes. L'observation peut être faite par une personne (l'analyste) ou encore à l'aide d'un enregistrement sur vidéocassette. Cette méthode convient particulièrement bien aux emplois de production étant donné qu'elle ne révèle que ce qui est observable. Les analystes peuvent aussi utiliser l'observation pour se sensibiliser à un emploi avant d'analyser son contenu par le recours à d'autres méthodes.

4.3.2.2 L'entretien (individuel ou de groupe) en personne ou par téléphone

L'entretien consiste à colliger des informations sur un emploi auprès d'un certain nombre de titulaires d'un emploi, de certains supérieurs immédiats et/ou des clients que l'on rencontre ou que l'on interroge par téléphone. On peut conduire l'entretien avec les titulaires de l'emploi, à tour de rôle, ou avec plusieurs titulaires d'un emploi en même temps (groupes de discussion) afin de gagner du temps et d'obtenir davantage de renseignements. Pour certains emplois en particulier, on peut aussi collecter de l'information directement auprès de titulaires en les rencontrant ou au moyen d'un entretien téléphonique. Les entretiens peuvent aussi être menés auprès des supérieurs immédiats des titulaires des emplois visés, ou de leurs clients internes ou externes, ce qui permet de vérifier, de compléter ou de nuancer les informations qui ont été recueillies auprès des titulaires des emplois. Toutefois, le fait que le supérieur immédiat soit responsable du travail de ses subalternes ou que des personnes soient servies par des employés ne signifie pas que les superviseurs et les clients connaissent bien toutes les tâches des employés.

Comparativement au questionnaire, l'entretien entraîne moins de problèmes sémantiques, n'exige pas de l'analyste d'aptitude ou de motivation à rédiger et lui permet de s'exprimer plus librement. Cependant, l'entretien risque de faire ressortir le travail qui devrait être fait plutôt que celui qui est réellement accompli. Finalement, l'entretien s'avère relativement coûteux en temps aussi bien pour l'analyste que pour les participants. Le tableau 4.4 liste un ensemble de questions qui peuvent être posées lors d'un entretien visant à connaître le contenu d'un emploi.

TABLEAU 4.4

L'ENTRETIEN D'ANALYSE DES EMPLOIS : EXEMPLES DE QUESTIONS

1. De qui relevez-vous?

2. Qui relève de vous?

3. Quelles sont vos responsabilités en ce qui a trait aux budgets ou à la valeur des actifs qui vous sont confiés?

4. Quelles sont vos principales responsabilités et tâches?

5. Comment passez-vous la plupart de votre temps au travail?

6. De qui obtenez vous l'information dont vous avez besoin pour faire votre travail?

7. À qui donnez-vous de l'information sur une base quotidienne?

8. Quelles tâches doivent être accomplies avant que vous puissiez faire votre travail?

9. Que faites-vous pour ajouter de la qualité aux produits ou aux services?

10. Quels guides, quelles règles ou quelles politiques devez-vous suivre dans l'exécution de vos responsabilités?

11. Sur quels types de décisions devez-vous consulter votre supérieur immédiat avant de passer à l'action?

12. De quelles façons votre travail fait-il appel à la créativité ou à des habiletés de résolution de problèmes?

13. Avec qui avez-vous des contacts réguliers tant à l'intérieur qu'à l'extérieur de l'organisation? Quels types de liens sont établis?

14. Quelles compétences (connaissances ou expérience) devraient être exigées de la personne qui vous remplacerait afin qu'elle soit en mesure de faire le travail efficacement?

15. Dans quelles conditions physiques travaillez-vous?

16. Selon vous, pourquoi votre emploi existe-t-il?

Source : Traduit et adapté de Hackett et Williams (2004, p. 30).

4.3.2.3 Le journal des tâches et le questionnaire d'analyse des emplois

Il est également possible d'obtenir par voie écrite des informations sur le contenu des emplois. Pour certains emplois, on peut analyser le contenu de journaux de tâches existants ou encore demander aux titulaires de remplir un journal des tâches. Plus fréquemment, les organisations distribuent des questionnaires élaborés par des sociétés-conseils que ces dernières adaptent aux besoins et au contexte des organisations qui recourent à leurs services. Deux types de questionnaires permettent de colliger de l'information sur des emplois en vue de la détermination des salaires : un questionnaire présentant des questions *ouvertes* que les titulaires des emplois remplissent par écrit ainsi qu'un questionnaire de type *fermé* ou *structuré* présentant des questions à choix multiple où le titulaire coche ou encercle l'énoncé qui correspond le plus à son opinion. Mentionnons que le second type de questionnaire est utilisé plus souvent que le premier type. Ces questionnaires peuvent aussi être remplis par les titulaires des emplois visés ou par les supérieurs de ces titulaires dans la mesure où ils connaissent assez bien le contenu du travail de leurs subordonnés.

Le tableau 4.5 présente un questionnaire de type ouvert visant à analyser un emploi de cadre. Cette méthode s'applique mieux aux emplois de bureau et de cadres (et convient moins aux emplois de production) puisque les titulaires de ces emplois sont habitués à rédiger des textes. La principale limite du questionnaire ouvert a trait à l'interprétation des informations fournies par les participants, interprétation visant à apprécier les responsabilités inhérentes aux différents emplois. De fait, pour bien comprendre le sens des réponses apportées à un questionnaire ouvert, il est souvent nécessaire de recourir à l'observation des titulaires des emplois ou à une entrevue avec eux.

Le tableau 4.6 (voir les pages 160-162) consiste en des extraits de questionnaires structurés qui permettent d'analyser un emploi de cadre. Le questionnaire fermé, dont l'élaboration est plus longue et plus exigeante que celle d'un questionnaire ouvert (il faut prévoir des questions en nombre suffisant pour obtenir toute l'information pertinente sur le travail, formuler clairement les questions, etc.), a toutefois l'avantage d'être facile à remplir et à compiler. Dans bien des cas, les employeurs utilisent les questionnaires d'analyse des emplois proposés par des sociétés-conseils que ces dernières adaptent plus ou moins selon les besoins de leurs clients, leurs emplois et leur contexte. Cependant, de tels questionnaires sont sujets à l'interprétation que les participants font des questions qui leur sont soumises. Aussi, il est important de prétester les questionnaires afin de s'assurer que les énoncés sont formulés de la manière la plus simple et la plus précise.

TABLEAU 4.5

EXEMPLE D'UN QUESTIONNAIRE OUVERT VISANT À ANALYSER UN EMPLOI DE CADRE

1. IDENTIFICATION DU POSTE DE TRAVAIL

Cette section du questionnaire vise essentiellement à vous situer à l'intérieur de l'entreprise.	
Nom et prénom	Titre de votre supérieur immédiat
Titre de votre poste de travail	Nom du supérieur immédiat
Région, section ou district, selon le cas	Direction

2. SOMMAIRE DU POSTE DE TRAVAIL

Indiquez la raison d'être de votre poste de travail. Résumez vos responsabilités essentielles dans vos différents domaines d'activité. Dans la section suivante, ces responsabilités seront décomposées en tâches précises.

3. VOS RESPONSABILITÉS

Étant donné que cette section constitue le cœur même de votre description d'emploi, nous vous suggérons d'y porter une attention spéciale et de vous exprimer d'une façon précise et complète. L'expérience démontre que lorsqu'on demande à un cadre d'une organisation de procéder à une description de ce qu'il fait, certaines expressions courantes lui viennent d'abord à l'esprit. Ainsi, on trouve souvent des expressions telles que « administre », « planifie », « contrôle », « dirige ». Cependant, bien qu'elles puissent représenter ce que l'individu fait, ces expressions peuvent signifier tellement de choses différentes selon les postes de travail qu'il devient pratiquement impossible pour les lecteurs de comprendre leur signification. Toutefois, pour la personne qui les utilise, ces mots ont une signification et une portée spécifiques. Il est donc important d'utiliser des expressions précises lors de la description de votre travail.

EXEMPLE

Presque tous les cadres d'une organisation administrent ou gèrent du personnel. Cependant, cette responsabilité peut correspondre à des tâches différentes selon le poste de travail occupé. Ainsi, un cadre peut :

- répartir et assigner le travail à effectuer par ses subalternes ;
- recommander à la direction du personnel un ou des candidats pour occuper le ou les postes de travail vacants sous sa direction ;
- effectuer le choix final parmi les candidats recommandés pour occcuper le ou les postes de travail vacants sous sa direction.

Par conséquent, administrer du personnel pourra signifier, pour certaines personnes, effectuer une de ces tâches, et pour d'autres, accomplir toutes ces tâches et davantage.

TABLEAU 4.5 (*suite*)

Dans certains cas, vous pouvez avoir de la difficulté à trouver l'expression précise pour traduire ce que vous faites. Vous n'avez alors qu'à faire pour le mieux et, au cours de l'entrevue qui suivra, vous aurez l'occasion de fournir les explications verbalement.

Enfin, pour décrire ce qu'un individu fait, il est préférable de commencer par un verbe actif.

EXEMPLE

On pourrait décrire les *tâches* d'un individu *concernant directement son supérieur immédiat* en commençant par les verbes suivants :

- recommande ;
- informe ;
- soumet ;
- conseille.

En fournissant autant de détails que vous le jugez à propos, décrivez les différentes tâches que vous devez effectuer de façon à accomplir vos principales responsabilités mentionnées à la section précédente.

4. CARACTÉRISTIQUES PARTICULIÈRES

4.1 Scolarité

D'après vous, quelle formation scolaire devrait être requise pour ce poste de travail ?

4.2 Expérience

D'après vous, quelle serait l'expérience adéquate pour accéder à ce poste de travail ?

4.3 Supervision

Titre des emplois qui relèvent directement de vous (premier palier)	Nombre d'individus occupant ces emplois

TABLEAU 4.5 (suite)

Titre des emplois qui relèvent indirectement de vous (deuxième palier seulement)	Nombre d'individus occupant ces emplois
_____	_____
_____	_____
_____	_____
_____	_____
_____	_____
_____	_____

4.4 Communications

Indiquez ci-dessous les noms des unités de travail ou des organisations avec lesquelles vous avez des communications *régulières* et *essentielles* à votre travail. De plus, veuillez indiquer le but de ces communications.

Communications internes (*à l'intérieur de l'entreprise*)

Communications externes (*à l'extérieur de l'entreprise*)

4.5 Fonds et budgets

Nature et montant des fonds dont vous avez la responsabilité

Nature et montant des budgets qui vous sont alloués

DATE   a m j   Signature du participant

4.3.2.4 La consultation de sources externes d'information

L'analyste des emplois peut aussi consulter diverses sources externes pour colliger de l'information sur certains emplois. Par exemple, le gouvernement canadien a rédigé, au début des années 1970, la *Classification nationale des professions,* publiée par le Département de développement des ressources humaines du gouvernement fédéral (jusqu'en 1993, cet ouvrage était désigné sous le nom de *Classification canadienne des postes* ou de *Dictionnaire des professions*). Le tome 1 de la *Classification nationale des professions* présente, pour plus de 10 000 emplois — en plus d'un code de classification —, un code composé de trois chiffres indiquant les exigences de l'emploi à l'égard des données, des personnes et des choses. Le tome 2 décrit le profil de qualification requis pour assumer chacun des emplois (par exemple, l'intelligence, les aptitudes verbales, les aptitudes numériques, la perception spatiale, la perception des formes, la perception des écritures, la coordination de la vue, des mains et des doigts, l'habileté numérique, l'habileté manuelle, la coordination de la vue, des mains et des pieds, la distinction des couleurs, la formation requise, la préparation professionnelle, les conditions d'ambiance, les activités physiques). Les analystes des emplois peuvent consulter cet ouvrage de référence pour compléter ou valider des informations recueillies au moyen d'autres méthodes de collecte d'informations. Lors de la création d'une entreprise, on peut aussi s'inspirer des descriptions proposées dans cet ouvrage de référence pour embaucher des employés et déterminer le salaire qui sera attribué aux emplois.

Par ailleurs, plusieurs sites et des organismes accessibles sur le Web offrent des informations sur des emplois. Certaines entreprises commercialisent d'ailleurs des logiciels contenant des descriptions de milliers d'emplois présentées sous différents formats (court, long, résumé, etc.). Ces logiciels permettent aux organisations qui y font appel d'individualiser et de compléter leurs descriptions d'emplois en utilisant un processus interactif de questions et réponses. Certains livres donnent aussi des exemples de descriptions d'emplois. Par exemple, Plachy et Plachy (1993) présentent des modèles de descriptions d'emplois orientés vers les résultats pour plus de 225 postes différents. Dans son livre, Hartley (1999) propose aussi une démarche et des conseils pour gérer un processus d'analyse des emplois et pour rédiger des descriptions d'emplois.

4.4 La description des emplois

Une description d'emploi est un document présentant les informations qu'a permis de colliger l'analyse d'un emploi. L'analyste procède à la description des emplois en ayant en main les informations recueillies à l'aide d'une analyse des emplois effectuée suivant une ou plusieurs des méthodes qui ont été décrites, soit l'observation, les questionnaires maison ou préétablis de type fermé ou de type ouvert remplis par les titulaires des emplois et/ou par leurs supérieurs hiérarchiques, les entretiens de même que les descriptions d'emplois existantes, s'il y a lieu.

En plus des renseignements portant sur les tâches et les activités, ou encore sur les responsabilités et les résultats, une description d'emploi peut renfermer

TABLEAU 4.6

EXTRAITS DE QUESTIONNAIRES FERMÉS D'ANALYSE D'UN EMPLOI

SCOLARITÉ

Selon vous, quel est le *minimum* de scolarité ou l'équivalent qu'une personne devrait posséder pour accomplir les tâches relatives à votre emploi? Le niveau que vous croyez pertinent peut ne pas correspondre au niveau de scolarité présentement requis ni à votre propre niveau de scolarité.

1. Études de niveau secondaire : DES (diplôme d'études secondaires) ou DEP (diplôme d'études professionnelles) d'une durée de 600 à 900 heures ou AFP (attestation de formation professionnelle).

2. Études de formation professionnelle : DEP (diplôme d'études professionnelles) d'une durée de 1 300 à 1 800 heures ou ASP (attestation de spécialisation professionnelle) ou AEC (attestation d'études collégiales).

3. Études collégiales professionnelles (DEC).

4. Études collégiales professionnelles (DEC) plus un ou deux certificats universitaires.

5. Études universitaires (baccalauréat).

AUTONOMIE DANS L'ORGANISATION ET LA GESTION DU TRAVAIL

Jusqu'à quel point l'organisation du travail requiert-elle de travailler seul ou en équipe en vue de procéder à la planification, à la détermination des priorités et à la distribution quotidienne ou hebdomadaire du travail?

1. Mon travail est planifié et organisé par un gestionnaire.

2. L'organisation du travail requiert que je planifie et que j'organise mon travail quotidien ou hebdomadaire.

3. L'organisation du travail requiert que je procède en équipe à *l'organisation quotidienne* du travail de l'équipe ou du département.

4. L'organisation du travail requiert que je procède en équipe à *une partie de l'organisation hebdomadaire* du travail de l'équipe ou du département.

5. L'organisation du travail requiert que je procède en équipe à *l'ensemble de l'organisation hebdomadaire* du travail de l'équipe ou du département.

EFFORT PHYSIQUE

Jusqu'à quel point votre travail requiert-il un effort physique soutenu?

Définitions :

Effort modéré : marcher beaucoup *ou* travailler debout *ou* demeurer assis pendant de longues périodes avec peu d'occasions de changer de posture *ou* être dans des positions inconfortables *ou* déplacer ou manipuler des poids de moins de 10 kg.

Effort important : maintenir des postures inconfortables *ou* monter et descendre des échelles ou des escaliers *ou* déplacer ou manipuler des poids de 10 kg à 25 kg.

TABLEAU 4.6 (*suite*)

Effort très important : maintenir des postures particulièrement inconfortables pendant des périodes de temps relativement longues *ou* déplacer ou manipuler des poids de plus de 25 kg.

Mon travail exige :

1. Généralement *peu* d'efforts physiques.

2. *À l'occasion* un effort physique *modéré*.

3. *Fréquemment* un effort physique *modéré*.
   OU
   À l'occasion un effort physique *important*.

4. *Fréquemment* un effort physique *important*.
   OU
   À l'occasion un effort physique *très important*.

5. *Fréquemment* un effort physique *très important*.

BILINGUISME

Indiquez l'énoncé qui décrit le mieux le niveau de bilinguisme requis dans le cadre du travail habituel.

Nota : Cette question évalue dans quelle mesure le titulaire doit connaître une deuxième langue (le français ou l'anglais) pour accomplir son travail habituel.

1. Le titulaire *n'a pas* à connaître une deuxième langue.

2. Le titulaire doit *lire* dans une deuxième langue.

3. Le titulaire doit *donner* des *renseignements* ou entretenir une *conversation courante* dans une deuxième langue.
   ET/OU
   Le titulaire doit *composer ou corriger* des lettres ou des textes utilisant du *vocabulaire courant* dans une deuxième langue.

4. Le titulaire doit *présenter ou traiter* des sujets spécialisés ou variés dans une deuxième langue.

5. Le titulaire doit *composer ou corriger* des lettres ou des textes utilisant du *vocabulaire spécialisé* dans une deuxième langue.

6. Le titulaire doit *composer et corriger* des textes exigeant une *maîtrise* de la grammaire et d'un vocabulaire spécialisé dans une deuxième langue.
   OU
   Le titulaire doit *négocier ou représenter* une filiale ou l'ensemble de l'entreprise à des occasions importantes dans une deuxième langue.

RESPONSABILITÉ DE PERSONNEL

Indiquez l'énoncé qui décrit le mieux les responsabilités de personnel de cet emploi pour chacune des trois sous-questions. En ce qui a trait aux secteurs de l'entreprise responsables

TABLEAU 4.6 (*suite*)

régulièrement de gestion de projets, indiquez l'énoncé qui décrit le mieux les responsabilités de gestion du personnel de l'emploi qui se dégagent en moyenne durant l'année. La coordination implique d'assigner, de répartir et de vérifier le travail effectué par des collègues alors que la supervision directe implique l'ensemble des responsabilités de gestion du personnel qui relève directement du titulaire, soit l'embauche, le perfectionnement, la gestion du rendement, etc. Par des emplois de même nature, nous faisons référence à des emplois dont le contenu des tâches et des responsabilités est relativement similaire.

A. Coordination/supervision directe de personnel

1. Cet emploi ne requiert *aucune* responsabilité de coordination ou de supervision directe de personnel. Le titulaire doit parfois aider les membres du personnel en leur donnant des renseignements.

2. Cet emploi requiert de *coordonner* régulièrement le travail d'autres personnes de l'entreprise (ou d'une filiale) qui occupent des emplois de *même nature*.

3. Cet emploi requiert de *coordonner* régulièrement le travail d'autres personnes de l'entreprise (ou d'une filiale) qui occupent des emplois de *nature différente*.

4. Cet emploi requiert de *superviser* directement des personnes de l'entreprise (ou d'une filiale) qui occupent des emplois de *même nature*.

5. Cet emploi requiert de *superviser* directement des personnes de l'entreprise (ou d'une filiale) qui occupent des emplois de *nature différente*.

B. Nombre de personnes supervisées directement ou dont le travail est coordonné

Indiquez le nombre de personnes de l'entreprise (ou d'une filiale) *supervisées directement* ou *dont le travail est coordonné* par le titulaire. Si vous avez répondu 1 à la question précédente, répondez 0 à cette question.

1. Aucune
2. 1
3. 2-4
4. 5-8
5. 9 ou plus

C. Nombre de personnes supervisées indirectement

Indiquez le nombre de personnes de l'entreprise (ou d'une filiale) sous la *supervision indirecte* de l'emploi, c'est-à-dire le nombre de personnes qui sont sous la direction d'employés qui supervisent du personnel et qui relèvent directement de cet emploi.

1. Aucune
2. 1-8
3. 9-20
4. 21-60
5. 61-100
6. 101 ou plus

des informations sur les conditions de travail, les outils, les matériaux et les instruments utilisés. Il est aussi courant d'annexer à la description d'emploi un profil d'exigences listant les compétences (par exemple, l'expérience, la scolarité) que doivent avoir les candidats à un emploi. Le profil d'exigences, qui fait appel au jugement de l'analyste, ne fait pas partie de la description d'emploi.

Quel que soit le type de descriptions d'emplois — selon les tâches et les activités ou selon les responsabilités et les résultats —, on peut résumer ainsi les principaux critères à respecter lors de leur rédaction.

– Le style de la narration doit être direct et concis.

– Les phrases doivent commencer par des verbes actifs conjugués au temps présent (par exemple, « inspecte », « trie », « pèse »), l'expression « cet employé » ou « cette employée » au début de chaque phrase étant implicite.

– Les liens entre les activités doivent être exprimés de manière à faire ressortir les éléments importants de l'emploi et à en donner une idée précise et complète.

– Les termes doivent être précis. On ne doit pas dire, par exemple, « fait des poignées de bois » si le titulaire « sculpte des poignées de bois ». Il en va de même pour les expressions « planifie », « dirige », coordonne », « contrôle », « supervise », etc., qui ne donnent pas une idée précise des responsabilités inhérentes à l'emploi. Il faut aussi être précis en ce qui concerne les quantités, les poids, les mesures et les fréquences. Il ne faut pas, par exemple, inscrire « transporte des caisses », mais plutôt « transporte des caisses de 10 kilos ». Toutefois, on ne doit pas non plus faire d'excès en ce sens. Si une tâche est bien connue et établie, on peut écrire « inscrit, conformément à la procédure établie, les recettes et les débours de la journée au grand livre », plutôt que de décrire cette tâche.

Une fois les ébauches de descriptions rédigées, l'analyste des emplois doit les faire réviser par les titulaires des emplois si ce sont eux qui lui ont transmis l'information requise. Les titulaires doivent vérifier si les descriptions sont précises et si elles correspondent bien à leur emploi. Cette révision peut amener l'analyste à modifier certains termes, à ajouter certaines tâches ou responsabilités, ou encore à rayer certaines d'entre elles. Il peut ensuite soumettre les descriptions d'emplois aux supérieurs hiérarchiques de l'organisation en vue d'obtenir leur autorisation. Si ces derniers proposent des changements importants, il est recommandé que l'analyste en discute avec les titulaires, afin d'éviter que ceux-ci ne lui imputent les modifications apportées aux renseignements qu'ils lui ont fournis. Une fois que les supérieurs hiérarchiques ont accepté les descriptions, il revient à la direction d'approuver celles-ci. À ce stade, une description d'emploi n'est toutefois pas définitive, car elle se transformera au rythme du développement de l'organisation. Dans de trop nombreux cas, les descriptions d'emplois sont reléguées aux oubliettes. Une mise à jour des descriptions d'emplois devrait être faite chaque fois qu'une partie ou le contenu entier d'un emploi change, ou lorsqu'une demande de mise à jour est faite par le titulaire ou par son supérieur hiérarchique.

4.4.1 La description des emplois selon les tâches et les activités

Les descriptions d'emplois des cadres et des professionnels s'étendent généralement sur une page et demie, celle d'un emploi de bureau, sur une ou deux pages et celle d'un emploi de production, sur une page. Le tableau 4.7 présente le profil standard d'une description d'emploi, tandis que les tableaux 4.8 et 4.9 offrent des exemples de descriptions d'un emploi technique et d'un emploi de bureau.

L'agrégation de l'information collectée et transcrite dans une description d'emploi porte généralement sur les emplois et non sur chacun des postes. Ainsi, s'il y a six postes de représentant à la clientèle dans une organisation, on analysera et on décrira un seul emploi, celui de représentant à la clientèle. Toutefois, il est possible que certaines organisations retiennent l'unité administrative comme

---

TABLEAU 4.7

LE PROFIL DES INFORMATIONS CONTENUES DANS LES DESCRIPTIONS D'EMPLOIS : LES RÈGLES DE RÉDACTION

I. Renseignements généraux

Titre de l'emploi

Il doit être juste. Par exemple, le titre de «secrétaire administratif ou administrative» comporte généralement un plus grand nombre de décisions à prendre et, par conséquent, commande un salaire plus élevé que le titre de «secrétaire». Il faut s'assurer que le travail du titulaire implique réellement les responsabilités suggérées. Le titre doit être juste et ne pas constituer un artifice visant à augmenter le prestige ou les responsabilités d'un emploi et à entraîner un salaire plus élevé.

Service, nombre de titulaires et lieu de l'emploi, s'il y a lieu

Cette information peut se révéler utile pour situer la place d'un emploi dans l'ensemble de l'organisation lorsque ses unités sont dispersées géographiquement.

Titre de l'emploi du supérieur hiérarchique et des emplois qui relèvent de l'emploi

Cette information précise les relations d'autorité entourant un emploi et situe celui-ci dans la structure de l'organisation.

Nombre de subordonnés

Cette information indique l'ampleur des responsabilités de supervision.

Code de l'emploi

Certaines organisations ont un système de codification des emplois ou adoptent celui d'autres entreprises de leur secteur d'activité économique ou de leur industrie.

Date de la rédaction

Cette indication permet de s'assurer de l'exactitude de la description d'emploi, du besoin de la réviser, de la mettre à jour, etc.

TABLEAU 4.7 *(suite)*

2. Sommaire de l'emploi

La façon suivante de commencer le sommaire de l'emploi se révèle pratique : «Sous la direction de..., le (titre de l'emploi) a la responsabilité de (nommer les principales tâches ou responsabilités).» À la fin du sommaire de l'emploi, on ajoute une phrase du type : «De plus, sur demande, il effectue toute autre tâche connexe pouvant relever de cet emploi.» Cette phrase indique que l'esprit doit primer la lettre, car il est impossible de prévoir toutes les situations susceptibles de survenir et d'avoir toujours le mot juste. S'il va de soi que le contenu implicite de cette phrase ne doit pas être trop vaste, il faut aussi éviter de l'interpréter d'une façon trop restrictive.

3. Description des responsabilités et des devoirs

Cette section doit être rédigée de manière que sa lecture permette à une personne qui n'est pas familière avec l'emploi d'en comprendre la nature, le contenu et la signification. Plus précisément, elle doit indiquer ce que fait le titulaire, comment et pourquoi il le fait. Selon la nature des emplois et de l'organisation du travail, cette section peut être formulée en fonction des tâches, des responsabilités, des comportements, des compétences, etc. Ainsi, la description d'un emploi d'employé de bureau ou d'employé de production peut donner des renseignements sur les machines et les outils utilisés, sur les conditions de travail ainsi que sur les relations de travail, alors que celle d'un emploi de cadre ou de professionnel peut inclure des renseignements sur l'importance du budget à gérer. Les renseignements peuvent y être présentés selon l'importance des tâches ou des responsabilités, selon l'ordre dans lequel le travail doit être effectué, selon le temps consacré par le titulaire à l'exécution des tâches ou des responsabilités ou selon la fréquence de l'activité. L'important est de faire un choix permettant de décrire les emplois le plus clairement possible et de procéder de la même façon pour décrire tous les emplois afin d'en faciliter la comparaison.

niveau d'agrégation afin de reconnaître, par exemple, que même si la secrétaire du service de la comptabilité accomplit un travail semblable à celui de la secrétaire du service du personnel, la nature de leurs tâches ou de leurs responsabilités respectives n'est pas identique.

Une description d'emploi permet souvent d'établir une distinction entre les tâches et les responsabilités qui sont *régulières* et celles qui sont *occasionnelles*. L'adjectif «occasionnelles» indique que ces tâches n'incombent pas normalement au titulaire de l'emploi, mais que le titulaire peut être appelé à les exécuter dans certaines circonstances. Par exemple, la tâche consistant à répondre aux appels téléphoniques ne revient pas normalement au titulaire de l'emploi A, mais il l'effectue lorsque le titulaire de l'emploi désigné (emploi B) ne peut répondre à ces appels. Cette tâche est alors considérée comme «occasionnelle» pour le titulaire de l'emploi A. Cependant, si le titulaire de l'emploi A doit toujours répondre aux appels téléphoniques pendant l'heure du repas du titulaire de l'emploi B, il s'agit d'une tâche régulière de l'emploi A. Notons que la description de tâches occasionnelles nécessite que ces dernières soient relativement importantes, sinon cela risque d'entraîner trop de détails.

TABLEAU 4.8

La description d'un emploi technique basée sur les tâches et les activités

Date : Septembre 2006   Code CWS : 7-02

Service : Chaudière   Unité d'ancienneté de groupe d'occupation : 1

Titre CWS : Traceur-développeur   Classe : 16

Source de surveillance : Contremaître ; reçoit les directives du chef de groupe.

Direction exercée : Aide. Informe d'autres ouvriers des détails du travail.

Travail

1. Reçoit les instructions, les ordres de travail, les dessins, etc.

2. Lit et interprète les dessins et organise le travail selon le matériel et les outils requis.

3. Obtient ou s'arrange pour recevoir le matériel spécifié.

4. Trace ou met au point les gabarits, les plaques et le matériel de structure ou de tuyauterie pour la construction et la fabrication géométriques.

5. Élabore adéquatement le matériel tel que les transitions combinées de forme circulaire, rectangulaire, conique, excentrique, etc., par triangulation, ligne radiale, géométrie, etc.

6. Accomplit les traçages assurant un usage maximal du matériel.

7. Localise les trous, les lignes de pliage, les lignes de cisaillement, etc., en marquant, traçant, peignant, pointant les centres, etc.

8. Enregistre et identifie le matériel par le numéro de la pièce, le numéro calorique ou de travail.

9. Informe la direction d'erreurs dans les dessins et les matériaux.

10. Déplace le matériel manuellement ou à l'aide de mécanismes de levage.

11. Garde les lieux de travail et l'équipement propres et en ordre et observe les règles de sécurité.

Outils et équipement

Table à tracer, rubans, règles, équerres, niveaux, rapporteurs d'angles, compas elliptique, compas à pointes sèches, compas, tête à centrer, fil à plomb, barre rectiligne, dessins, croquis, table mathématique, stéatite, peinture, pointeaux, marteaux, mécanismes de lavage, etc.

Matériaux

Ferreux, non ferreux et alliages, plaque, formes de structure, tuyaux, pièces soudées, pièces forgées, etc.

TABLEAU 4.9

LA DESCRIPTION D'UN EMPLOI DE BUREAU BASÉE SUR LES TÂCHES ET LES ACTIVITÉS

N° de l'emploi : 121   Section : Réception

Titre de l'emploi : Réceptionniste   Sous la direction de : Directeur général

Service : Direction générale   Date : Septembre 2006

SOMMAIRE DE L'EMPLOI

Le ou la titulaire de cet emploi répond au téléphone de l'hôtel de ville et achemine les appels aux différents services, règle certaines demandes de renseignements, ouvre le courrier et l'achemine aux divers services. Il ou elle dactylographie des lettres et des rapports pour le directeur des relations publiques. Il ou elle a la charge des photocopieurs et de la perception des frais de photocopie. Sur demande, il ou elle effectuera toute autre tâche connexe pouvant relever de cet emploi.

TÂCHES À EFFECTUER

1. Appels téléphoniques, renseignements et courrier

– Répond au téléphone de l'hôtel de ville et dirige les appels vers les personnes en cause.

– Prend les messages lorsque la chose lui est demandée et les transmet aux personnes en cause.

– Reçoit les visiteurs et règle leurs demandes de renseignements ou les achemine aux personnes en cause.

– Répond aux questions d'ordre général qui lui sont posées.

– Donne l'information relative au transport en commun (circuits, fonctionnement des horaires, correspondances) et transmet le dépliant explicatif.

– Déplace la console téléphonique et branche le répondeur téléphonique.

– Reçoit, ouvre et date le courrier et le fait parvenir aux services en cause.

– Tient à jour le registre des bons d'envoi de livraisons spéciales et transmet un rapport à la comptabilité.

– Reçoit les soumissions adressées au greffier, les date et les garde jusqu'à l'ouverture des soumissions.

2. Photocopieurs et affranchissement

– Nettoie les photocopieurs, s'assure de leur bon fonctionnement et avise les réparateurs en cas de défectuosités.

– Photocopie certains textes ou documents pour différents services municipaux, organismes ou particuliers en fonction de priorités fixées par la direction générale et, dans certains cas, sur autorisation de son supérieur.

– Dépose à la Division des taxes l'argent perçu à titre de frais de photocopie.

TABLEAU 4.9 (*suite*)

- Affranchit le courrier des différents services municipaux et s'assure qu'il y a suffisamment d'argent dans le compteur pour procéder à l'affranchissement.

- Affranchit le courrier d'organismes ou de particuliers sur autorisation de son supérieur.

3. Aide au directeur des relations publiques

- Tape, sur micro-ordinateur (traitement de texte), certains documents, tableaux et lettres pour le service des relations publiques.

4. Divers

- Tape, sur micro-ordinateur (traitement de texte), certains documents pour d'autres services, sur autorisation de son supérieur.

- Vérifie les comptes d'appels interurbains et impute les charges appropriées aux services en cause.

- Recouvre les comptes personnels d'appels interurbains auprès des divers employés de la Ville.

- Dresse la revue de presse de la Ville en recueillant les articles de journaux pertinents.

- Vend, aux personnes qui en font la demande à la réception, la documentation au sujet de la Ville, fait sa caisse et en remet le contenu aux caissiers.

5. À l'occasion

- Dactylographie, à partir de notes manuscrites, certains textes et rapports pour la direction, le greffe et le service du personnel.

4.4.2 La description des emplois selon les responsabilités et les résultats

Traditionnellement, les descriptions d'emplois permettent d'établir les différences entre les emplois de manière précise et détaillée. Le problème survient lorsque ces descriptions incitent des employés à n'effectuer que le travail qui y est mentionné et à demander une révision de la valeur de leur emploi aussitôt qu'on exige d'eux des activités ou des tâches supplémentaires. Par exemple, General Motors classifiait auparavant ses emplois en employant des titres comme «poseur de sièges avant», «poseur de sièges arrière» ou «poseur de portes», de sorte qu'un poseur de sièges arrière ne posait jamais de sièges avant (Katz, 1985). Compte tenu des changements qui surviennent fréquemment dans l'organisation du travail et des exigences accrues en matière de flexibilité, on délaisse de plus en plus de telles descriptions d'emplois qui sont trop contraignantes sur le plan de la mise à jour (en matière de temps et d'argent). On traite plutôt de plus en plus de descriptions d'emplois dites «génériques», portant sur un grand nombre d'emplois similaires et permettant des assignations de tâches plus flexibles, plus variées et plus enrichissantes. Ces descriptions génériques s'attachent très souvent aux responsabilités ou aux résultats qui sont associés aux emplois plutôt qu'aux tâches ou aux activités. Le tableau 4.10 présente des exemples de descriptions d'emplois basées sur les responsabilités des titulaires des emplois. Quant au tableau 4.11 (voir les pages 172-173), il offre un exemple de description de l'emploi de contrôleur expert pour le service de la conception dans la compagnie d'assurances Standard Life.

4.5 La gestion du processus d'évaluation des emplois dans les milieux syndiqués et non syndiqués

Compte tenu de la nature subjective de la démarche d'analyse et d'évaluation des emplois, l'acceptation des résultats, en plus de dépendre de leur nature, repose sur la façon dont l'entreprise a procédé pour les obtenir. Conséquemment, bien qu'il soit important que la direction s'assure de verser des salaires équitables, il est aussi important que les employés considèrent que leurs salaires ont été déterminés équitablement. Cette perception de l'équité est fonction des salaires, mais également du sentiment de justice éprouvé par les employés en ce qui concerne le processus de gestion de l'analyse et de l'évaluation des emplois.

4.5.1 La perception de justice à l'égard du processus d'évaluation des emplois

Un processus officiel d'évaluation des emplois correspond à un processus systématique visant à définir la valeur relative des emplois au sein d'une organisation. Plus précisément, l'évaluation des emplois permet de hiérarchiser les emplois d'une organisation selon la valeur relative de leurs exigences (la structure des emplois), afin d'accorder aux employés des salaires proportionnels aux exigences de ces emplois ou cohérents par rapport à ces exigences (la structure salariale). En somme, l'évaluation des emplois permet de juger la contribution relative des emplois au succès de l'organisation en examinant la valeur ou l'importance relative des exigences de ces *emplois,* et non la contribution des *titulaires* de ces emplois (qui fait plutôt l'objet de l'évaluation du rendement et/ou de leurs compétences).

Entre les années 1920 et 1950, l'évaluation des emplois a gagné en popularité parce qu'elle permettait aux organisations de réduire le pouvoir discrétionnaire des cadres en matière de détermination des salaires en centralisant la gestion des salaires dans le service des ressources humaines. Une telle centralisation de la gestion des salaires permettait non seulement de réduire les coûts de gestion, mais

TABLEAU 4.10

Exemples de descriptions génériques d'emplois : le cas de la Société Alcan Aluminium Limitée

SUPERVISEUR DE PRODUCTION

Raison d'être

Planifier, organiser et contrôler la production d'un ou des produits selon les standards quantité/qualité requis, à l'intérieur d'un secteur donné de l'usine ou de l'établissement. Diriger et mobiliser les employés de son équipe de travail dans la réalisation d'objectifs communs.

Principales responsabilités

- Assurer, dans son équipe, la maîtrise des procédés et des processus de production, de même que la recherche de moyens et techniques susceptibles d'en maximiser le rendement.

- Gérer son unité de travail en respectant les budgets et déceler les possibilités de réduction des coûts.

- Faire appliquer les méthodes de prévention par les employés, de façon à établir un milieu de travail sain, salubre et sécuritaire.

- Voir à l'application de pratiques de travail visant à réduire au minimum l'impact sur l'environnement.

- Établir et maintenir un climat de dialogue et de coopération continue avec les employés de son équipe et leurs représentants syndicaux, s'il y a lieu.

- Participer à l'établissement et au maintien des relations avec les clients et les fournisseurs.

Formation/expérience

Le titulaire doit posséder un diplôme d'études secondaires ou collégiales (cégep) et/ou plusieurs années d'expérience en industrie, dont une bonne partie en supervision d'équipes de travail.

Niveau de l'emploi

Il s'agit d'un emploi dont le titulaire relève directement du directeur de l'usine ou de l'établissement.

Supervision

Le titulaire supervise directement jusqu'à 20 employés occupant divers emplois reliés à la production.

TECHNICIEN SPÉCIALISÉ

Raison d'être

À l'aide de connaissances techniques approfondies dans un domaine spécifique (par exemple, production, entretien, environnement, régulation automatique), contrôler un ou des procédés ou conduire des projets ou des parties importantes de projets de grande envergure.

TABLEAU 4.10 *(suite)*

Principales responsabilités

- Assurer le respect des paramètres techniques dans son domaine d'activité ou sa discipline.

- Soutenir les employés et les gestionnaires dans l'amélioration de la performance des procédés ou de l'équipement.

- Proposer et apporter des améliorations aux procédés ou aux projets suivant certaines normes établies.

- Vérifier les procédés ou les projets de façon à assurer la sécurité des systèmes de conception et d'exploitation.

- Collaborer à la formation et au développement des employés et d'autres techniciens.

Formation/expérience

Le titulaire doit posséder un diplôme d'études collégiales (cégep) dans un domaine technique spécialisé ou l'équivalent, ainsi que de cinq à sept années d'expérience pertinente en industrie.

Niveau de l'emploi

Il s'agit d'un emploi dont le titulaire relève directement d'un surintendant du groupe technique ou d'un ingénieur principal (ingénieur III).

Supervision

Sauf exception, aucune supervision directe n'est exercée par le titulaire.

SECRÉTAIRE DE DIRECTION

Raison d'être

Faciliter le travail du directeur de l'usine ou de l'établissement en accomplissant certaines tâches administratives et de secrétariat.

Principales responsabilités

- Exécuter diverses tâches administratives et de secrétariat à la demande du directeur.

- Suggérer et instaurer des tâches administratives et de secrétariat de nature à faciliter le travail et à économiser du temps au directeur.

- Établir et maintenir un système de gestion documentaire efficace.

- Établir et maintenir un système de rappels journaliers.

- Soumettre au directeur la correspondance ou d'autres éléments demandant une attention immédiate.

- Maintenir à jour les divers manuels de politiques et directives administratives ainsi que les organigrammes, et faire la distribution des mises à jour.

TABLEAU 4.10 (*suite*)

Formation/expérience

Le titulaire doit posséder un diplôme en techniques de secrétariat de niveau collégial (cégep) ou d'un établissement postsecondaire spécialisé ainsi que de trois à cinq années d'expérience pertinente.

Niveau de l'emploi

Il s'agit d'un emploi dont le titulaire relève directement du directeur de l'usine ou de l'établissement.

Supervision

Aucune supervision n'est exercée.

Source : Adapté d'Alcan Aluminium Limitée.

TABLEAU 4.11

EXEMPLE D'UNE DESCRIPTION DE POSTE BASÉE SUR LES COMPÉTENCES

Titre du poste	Contrôleur expert pour le service de la conception
Famille d'emplois	Marketing
Localisation	Royaume-Uni, SLAC, marketing, siège social d'Édimbourg
But	Offrir une aide de haute qualité au service de la conception et assurer que le travail est réalisé efficacement dans le respect des délais, du budget et des normes de l'organisation

Caractéristiques

- Sous la supervision du directeur de la conception
- Gère l'équipe visant à conseiller le service de la conception

Objectifs principaux

- Prestation des services aux clients internes
- Planification et gestion des ressources de l'équipe
- Gestion d'une équipe motivée et compétente
- Réponses aux clients

Qualification et expérience

- De 3 à 5 années d'expérience dans la vente et le marketing
- Excellente qualification en matière d'édition

TABLEAU 4.11 *(suite)*

Compétences techniques

- Processus de conception
- Imprimerie et finition
- Identité de l'entreprise
- Systèmes de traitement des transactions
- Technologie de conception graphique

Compétences personnelles

Définition	Pratiques
Orientation vers le client	• Est courtois et patient avec les clients
	• Résout rapidement les problèmes
	• Fait un suivi régulier des besoins des clients
	• Donne régulièrement de l'information aux clients
Préférence pour l'action	• Profite des possibilités qui se présentent
	• Réagit et décide rapidement en situation de crise
	• Perçoit les occasions et en tire profit à court terme
Travail d'équipe	• Aide les autres
	• Encourage et appuie les membres de l'équipe
Connaissance des affaires	• Connaît les plans de son unité
	• Comprend les plans des divisions qui s'intègrent dans le plan de l'entreprise

Source : Traduit de Cook *et al.* (2001, p. 19).

aussi de réparer des injustices et de diminuer le favoritisme et les iniquités dans la détermination des salaires des employés. En plus de répondre aux exigences d'une loi qui vise à réduire la discrimination dans la détermination des salaires pour les emplois à prédominance féminine, bien des entreprises de moyenne et de grande taille recourent à un processus d'évaluation des emplois parce qu'elles veulent réduire le chaos, l'incohérence, l'arbitraire et l'iniquité dans la gestion de salaires pour y introduire plus d'ordre, de cohérence, de critères de décision et d'équité.

Le processus de comparaison et de hiérarchisation des emplois a uniquement pour but d'indiquer quels emplois doivent être rémunérés à des taux semblables et lesquels doivent être rémunérés à des taux différents. L'objectif de ce processus consiste à accorder aux employés des salaires proportionnels aux exigences de leurs emplois, et non de déterminer des salaires individuels ou des écarts précis entre les salaires. Il ne faut donc pas confondre l'évaluation des emplois avec la détermination des salaires qui y sont associés. En effet, même si la valeur relative des exigences des emplois d'une organisation constitue un critère pertinent et important dans la détermination des salaires (l'équité interne), d'autres types d'équité doivent être envisagés, notamment l'importance du marché (l'équité externe) et des caractéristiques individuelles (l'équité individuelle).

Cette considération fait ressortir le concept de « justice du processus » et l'importance du respect d'une loi — la Loi sur l'équité salariale — présent dans le modèle de gestion de la rémunération adopté dans ce livre. La justice du processus a trait à l'équité des procédés utilisés pour déterminer et gérer la rémunération accordée aux titulaires des différents emplois, alors que la justice distributive (qui relève de la théorie de l'équité présentée au début de ce chapitre) concerne le caractère équitable du montant de la rémunération versée. Le concept de « justice du processus » revêt une importance fondamentale dans la gestion de l'évaluation des emplois. Ainsi, pour que la gestion d'un processus d'évaluation des emplois soit perçue comme étant juste, elle doit se conformer à certaines règles (Leventhal et *al.*, 1980).

– La *cohérence* : le processus d'analyse et d'évaluation des emplois doit s'appliquer de la même façon aux différents emplois dans le temps.

– La *suppression des biais* : les intérêts personnels ne doivent pas intervenir dans la façon d'appliquer le processus d'analyse et d'évaluation des emplois.

– La *possibilité de faire des corrections* : il faut mettre au point des mécanismes d'appel ou de modification des décisions en matière d'évaluation des emplois.

– La *précision* : les décisions qui découlent du processus d'évaluation des emplois doivent être fondées sur des renseignements exacts.

– *L'éthique* : les principes moraux reconnus doivent guider le processus de gestion de l'analyse et de l'évaluation des emplois.

– La *représentativité* : le processus d'analyse et d'évaluation des emplois doit être élaboré et géré en fonction du contexte d'affaires (les objectifs, la stratégie et la culture de l'entreprise), et les attentes des employés doivent pouvoir être exprimées et considérées.

Par ailleurs, si le succès d'un système d'évaluation des emplois dépend des résultats obtenus, ceux-ci seront acceptés et jugés équitables dans la mesure où les personnes en cause auront été mêlées au processus, où elles comprendront la méthode utilisée et où le processus d'analyse et d'évaluation des emplois de même que les personnes qui en sont responsables seront crédibles. C'est d'ailleurs dans cet esprit que la Loi sur l'équité salariale du Québec prévoit des règles sur la composition des membres du comité d'évaluation des emplois et sur les rôles que joue ce comité (voir le chapitre 6).

4.5.2   La composition et les rôles du comité d'évaluation des emplois

Quoique l'analyse, la description et l'évaluation des emplois fassent généralement partie des droits de gérance des employeurs, la plupart des conventions collectives ont toujours prévu une forme de participation du syndicat au processus d'évaluation des emplois, soit au moment du classement des emplois lors de la négociation de la rémunération, soit à l'occasion de l'implantation et de la gestion d'un programme d'évaluation des emplois (Hébert *et al.,* 2003). Pour assumer les rôles prévus dans la convention collective, les représentants syndicaux sont libérés de leurs activités habituelles et reçoivent la formation requise.

Avant les années 1990, les organisations dans lesquelles les syndicats n'étaient pas implantés mandataient souvent un comité — composé de six à huit membres, principalement des supérieurs des titulaires des emplois évalués, des professionnels des ressources humaines et des cadres supérieurs — pour l'évaluation et la réévaluation des emplois lors de changements technologiques, de restructurations, de la création d'emplois, etc. La plupart du temps, aucun employé ne faisait partie de ces comités d'évaluation des emplois. On craignait alors d'intégrer les employés dans ces comités pour diverses raisons, entre autres parce qu'ils manquaient d'informations sur les emplois, qu'ils risquaient de surévaluer les emplois et que l'entreprise désirait maintenir la règle du « secret » ou de la « confidentialité ». Comme la direction procédait seule à l'évaluation des emplois, les résultats et les explications présentés étaient surtout perçus comme étant la justification des volontés de la direction. Par ailleurs, lorsque cette dernière s'appuyait sur les comités où se retrouvaient des représentants de différentes parties (les employés, les syndicats, etc.), le comité d'évaluation des emplois était chargé de justifier les résultats qui étaient par la suite communiqués.

Depuis le début des années 1990, dans les milieux syndiqués et non syndiqués, le processus d'évaluation des emplois tend à être davantage la responsabilité d'un comité (au minimum, les organisations doivent respecter les exigences de la Loi sur l'équité salariale depuis son adoption, comme nous le verrons au chapitre 6). En effet, si le processus d'analyse et d'évaluation des emplois d'une organisation est géré de manière autocratique et sans la participation des employés, il risque de provoquer la suspicion, les antagonismes, si ce n'est une hostilité pure et simple. Si ce processus est démocratique et transparent, il a plus de chances de fournir une base de discussions dans un climat de confiance.

En règle générale, le comité d'évaluation des emplois se compose de cinq à huit personnes, qui sont représentatives des titulaires des emplois à évaluer. Il s'agit très souvent de titulaires des emplois visés, hommes et femmes, qui ont une bonne connaissance de l'organisation et des emplois à évaluer, qui travaillent dans différentes unités administratives et qui occupent des postes de divers niveaux hiérarchiques. En somme, on veille à y intégrer des personnes crédibles, respectées, à l'esprit ouvert et comptant plusieurs années d'ancienneté au sein de l'organisation, de façon qu'elles soient familiarisées avec sa culture, son mode de fonctionnement et le contenu des emplois à évaluer.

L'expérience montre que les comités d'évaluation des emplois composés de cinq à huit personnes — représentantes des parties en cause — sont les plus efficaces. Ces comités sont souvent présidés par un professionnel du service des ressources humaines ou par un consultant ou conseiller externe. Au Canada, les diverses lois en matière d'équité salariale prévoient des règles précises sur la constitution, la composition et les responsabilités des comités d'évaluation des emplois. Au Québec, la Loi sur l'équité salariale stipule que dans toutes les entreprises — qu'il y ait un syndicat ou non — comprenant plus de 100 salariés, le programme d'équité salariale doit être établi conjointement avec les représentants des employés. Plus précisément, les articles 16 à 30 de la loi prévoient un ensemble de modalités concernant la formation du comité, mis à part le rôle de celui-ci, qui est précisé, entre autres, dans les articles 53, 56 et 59. Nous traiterons particulièrement de ces articles au chapitre 6.

Au sein des organisations dont les employés sont syndiqués, si les conventions collectives ne traitent qu'en des termes généraux des descriptions d'emplois, elles encadrent de manière plus précise le processus d'évaluation des emplois au moment de la création, de la modification ou de l'abolition des emplois. En effet, dans la mesure où toute organisation évolue et où des emplois peuvent être créés ou d'autres modifiés de manière continue, elle doit établir un processus de mise à jour des évaluations des emplois afin de maintenir une gestion des salaires cohérente. Le comité d'évaluation des emplois doit alors examiner les nouveaux emplois et ceux qui seront modifiés. À cet égard, il est important que la composition du comité d'évaluation des emplois ne change pas trop souvent et qu'on remplace les membres un à la fois plutôt qu'en bloc.

À l'égard des postes créés et des modifications apportées aux postes qui changent le classement des emplois, des conventions collectives peuvent, par exemple, prévoir certaines clauses : l'obligation d'aviser le syndicat, la consultation d'un comité conjoint consultatif devant réévaluer l'emploi, l'établissement d'un mécanisme de révision des désaccords dans un court délai et, advenant que la mésentente persiste, le dépôt d'un grief et l'arbitrage. Sous réserve des dispositions de la convention collective, les arbitres reconnaissent que les employeurs ont le droit de créer, de changer et d'abolir des emplois sans toutefois que cela équivaille à un droit de classer ou de reclasser un emploi sans tenir compte du syndicat. Lorsqu'un grief est soumis à l'arbitrage, l'arbitre doit s'assurer que la description d'un emploi est conforme au travail accompli par le ou les titulaires et décider s'il maintient ou révise le classement de l'emploi au regard des méthodes et des critères d'évaluation qui sont en vigueur dans l'organisation ou, s'il y a lieu, qui sont décidés par les parties. À ce jour, la jurisprudence arbitrale en ce qui concerne la détermination du classement d'un emploi s'appuie sur certains principes (Hébert *et al.*, 2003 ; Palmer et Palmer, 1991) : l'emploi doit être classé d'après le travail effectivement accompli par son titulaire et non sur la base du potentiel et de l'emploi antérieur de ce titulaire ; l'emploi doit être classé selon les activités ou les composantes essentielles et courantes (et non selon les activités mineures ou réalisées occasionnellement) qu'il comporte, plutôt que sur la base du rendement du titulaire ; l'emploi peut être sujet à un reclassement dans la mesure où il y a une modifi-cation substantielle de ses tâches, de ses responsabilités ou des compétences requises.

Finalement, soulignons qu'aujourd'hui les comités d'évaluation des emplois s'assurent d'accumuler des informations sur les emplois par le biais de descriptions d'emplois ou de questionnaires d'analyse qu'ils font remplir aux titulaires de ces emplois. Dans ce contexte, le risque de voir les titulaires des emplois ou leurs représentants surévaluer les emplois s'avère moins probable, puisque ce n'est pas le niveau absolu des résultats de l'évaluation des emplois qui importe, mais plutôt les écarts entre les résultats. De plus, si l'on craint qu'une surévaluation des emplois ne mène à une augmentation des salaires, c'est qu'il y a méprise sur le rôle des comités d'évaluation des emplois : l'établissement des salaires reste, selon l'absence ou la présence d'un syndicat, un droit de gérance relevant de la direction ou une condition de travail négociée entre les dirigeants et le syndicat.

4.5.3 La planification du processus d'évaluation des emplois

L'efficacité du processus d'analyse et d'évaluation des emplois est fonction du soin accordé à sa planification. Pour cela, on ne doit pas minimiser les ressources ni le temps à investir dans cette activité. La qualité de l'information portant sur les emplois repose sur la coopération du personnel, sur le processus de collecte des données et sur la compétence des personnes responsables. En outre, il est important de bien choisir le moment de la collecte de l'information. Qu'on veuille régler ou prévenir certaines iniquités, il y a des moments plus appropriés que d'autres pour procéder à l'analyse et à l'évaluation des emplois. Selon le cycle des activités d'une organisation, il est alors opportun d'effectuer la collecte de l'information au cours de périodes où les employés ne sont pas surchargés de travail. Il faut également considérer le climat des relations de travail. Cela peut signifier d'éviter de colliger de l'information sur les emplois juste avant la fin d'un contrat de travail ou lors de la négociation de celui-ci.

Par ailleurs, il peut être de mise de faire coïncider les conséquences des résultats de l'évaluation des emplois sur la détermination des salaires avec la période du versement des augmentations de salaires annuelles. Au cours de cette période, la direction possède une plus grande marge de manœuvre et les réactions négatives des titulaires des emplois que le processus d'évaluation aurait jugés surpayés peuvent être minimisées : plutôt que d'accorder des augmentations de salaires à certains titulaires d'emplois et d'en refuser à d'autres, la direction en accorde à tous, mais de montants différents.

Finalement, il est important que la direction de l'organisation approuve et appuie les choix liés au processus d'analyse et d'évaluation des emplois, qu'il s'agisse de la nature des renseignements à colliger, des méthodes de collecte de l'information ou de la participation des personnes (comme les professionnels, les consultants externes, les employés, le comité d'évaluation des emplois). Aussi, dès la première rencontre des responsables du projet avec la direction de l'organisation, les points suivants doivent être traités :

– la clarification du rôle et des responsabilités de la direction des ressources humaines, du comité d'évaluation des emplois et du conseiller externe, s'il y a lieu ;

– l'établissement et la constitution du comité d'évaluation des emplois conformément aux exigences de la Loi sur l'équité salariale ;

– la confirmation de l'échéancier du mandat et des périodes de réalisation des activités ;

– l'établissement de la stratégie de communication pour les employés visés par le système et leur supérieur immédiat ;

– l'obtention de l'appui des dirigeants de l'entreprise.

4.5.4   La communication tout au long du processus d'évaluation des emplois

La réussite d'un processus d'analyse et d'évaluation des emplois est également fonction de la qualité de la communication. Trop souvent, les employés ne sont informés de la mise en place d'un tel processus que par une note de service, ce qui laisse le champ libre à la propagation de rumeurs et réduit les chances d'obtenir des renseignements valides. Il est primordial de bien informer les employés si l'on veut maximiser les chances qu'ils collaborent à la collecte de l'information et qu'ils trouvent juste la hiérarchie des emplois qui en résulte. Quoiqu'il n'y ait pas de recette toute faite en matière de communication, certains facteurs doivent être considérés : le style de gestion d'une organisation, la présence d'un syndicat, les catégories de personnel en cause, le processus de collecte de l'information (questionnaire, entrevue, etc.), la présence de conseillers externes, et ainsi de suite.

Les informations communiquées tant aux cadres qu'aux employés doivent expliquer les objectifs et le déroulement du processus d'analyse et d'évaluation des emplois et mentionner que ce sont les emplois qui sont évalués, et non leurs titulaires. Au début d'un programme de communication, on devrait préciser la portée et les limites du processus d'analyse et d'évaluation des emplois en répondant à certaines questions : qu'est-ce que l'évaluation des emplois ? Comment procède-t-on à celle-ci ? De quelle façon les résultats peuvent-ils modifier les salaires ? Que peuvent faire les personnes qui se sentent lésées par les résultats de l'évaluation des emplois ? Il est également important de transmettre aux employés le nom et le numéro de téléphone d'un ou de deux professionnels du service des ressources humaines auxquels ils pourront adresser leurs questions. Si les employés sont syndiqués, les représentants seront identifiés et les communications seront souvent faites de façon conjointe (direction et syndicat).

Par ailleurs, une communication efficace doit s'établir de haut en bas, c'est-à-dire de la direction aux supérieurs des employés, puis des supérieurs aux employés. Il faut que toutes les personnes touchées par le programme soient informées et puissent trouver des réponses à leurs interrogations. Si l'on a recours à l'observation ou à l'entretien comme instrument de collecte d'informations sur les emplois, les analystes des emplois, surtout s'il s'agit de consultants externes, doivent être présentés aux supérieurs hiérarchiques et aux titulaires des emplois visés par le programme. Lorsque les titulaires de ces emplois sont syndiqués, les représentants syndicaux doivent être informés du projet avant les membres. Il faut que la direction du syndicat connaisse le processus d'évaluation des emplois choisi par la direction et la façon d'appliquer celui-ci. Les représentants syndicaux peuvent être invités à faire partie du comité d'évaluation des emplois avec les représentants de la direction. Une telle entente est d'ailleurs obligatoire dans les organisations où il existe une loi proactive en matière d'équité salariale (voir le chapitre 6). Dans d'autres cas, il peut être décidé que la direction procède seule à l'évaluation des emplois et que le syndicat conserve un droit de regard sur les résultats. Il est important que les cadres comprennent bien le système d'évaluation des emplois, puisqu'ils jouent un rôle clé dans la communication de ce système à leurs subalternes.

Après l'élaboration d'un système d'évaluation et de classement des emplois, il est important de communiquer aux employés les résultats de l'ensemble du processus (la Loi sur l'équité salariale fournit également des précisions à cet égard) : résumer ce qui a été fait depuis le début (les objectifs, le plan d'action, les personnes participant aux différentes étapes, etc.), indiquer à l'employé sa nouvelle classe d'emplois, révéler l'échelle salariale de la classe d'emplois. Étant donné le type d'information à communiquer, il faut prévoir plus d'un moyen de communication. Ainsi, une note de service, une brochure ou des séances d'information en groupe peuvent servir à communiquer des renseignements sur le processus d'évaluation des emplois et les politiques de rémunération. Il faut aussi prévoir d'autres moyens pour communiquer l'information de nature confidentielle et personnelle : la nouvelle classe de l'emploi, la nouvelle échelle salariale, etc. Généralement, le supérieur immédiat est la personne la mieux placée pour transmettre ces renseignements. Toutefois, celui-ci doit recevoir une formation adéquate afin de transmettre les renseignements de façon uniforme dans tous les services.

Les modes de communication peuvent varier selon les caractéristiques des emplois visés, la philosophie de gestion et la culture de l'entreprise. Dans certains cas, l'accent est mis sur la communication écrite, alors que dans d'autres cas, on privilégie la communication orale en réunissant les employés en petits groupes, en rencontrant les supérieurs immédiats ou en recourant à l'audiovisuel. Peu importe la formule utilisée, il est important que les employés puissent obtenir des réponses à leurs questions.

4.5.5 Le traitement des plaintes en matière d'évaluation des emplois

Quel que soit le soin accordé au processus d'analyse et d'évaluation des emplois, il existera toujours une possibilité d'erreur. Et même s'il n'y a pas eu d'erreur, certains employés peuvent estimer qu'il y en a eu une dans leur cas.

Lorsqu'il existe un syndicat, les plaintes en matière d'évaluation des emplois sont assujetties au mécanisme d'arbitrage prévu dans la convention collective. Dans certains cas, les parties prévoient un mécanisme particulier pour les contestations liées à l'évaluation des emplois, afin de s'assurer, par exemple, que les arbitres qui entendent ces causes ont des connaissances en la matière. Dans les entreprises où il n'y a pas de syndicat, les mécanismes formels d'appel sont plutôt rares, malgré qu'il puisse être avantageux d'en prévoir. Dans la plupart des cas, les plaintes ou les litiges peuvent être soumis au comité d'évaluation des emplois qui doit réviser les dossiers. Il convient de distinguer une contestation des résultats de l'évaluation des emplois d'une contestation portant sur les salaires versés. Si la plainte concerne le salaire, un changement des résultats de l'évaluation des emplois modifiera l'équilibre entre les emplois et entraînera d'autres contestations. Dans la mesure où le comité maintient sa décision après l'avoir justifiée, les titulaires des emplois visés peuvent déposer leurs réclamations auprès d'une ou de deux personnes, indépendantes du comité d'évaluation des emplois et occupant des postes élevés dans la hiérarchie, qui devront prendre une décision finale. Dans ce dernier cas, l'employeur détermine le processus à suivre.

4.6 Les méthodes d'évaluation des emplois

On peut classer les méthodes traditionnelles d'évaluation des emplois selon qu'elles sont globales ou analytiques. D'une part, les méthodes *globales* ou *non analytiques* d'évaluation des emplois comparent ou analysent les emplois dans leur ensemble et non facette par facette. Elles comprennent la *méthode de comparaison avec le marché* et la *méthode de rangement des emplois*. D'autre part, les méthodes *analytiques* d'évaluation des emplois comprennent la *méthode de classification des emplois* et la *méthode des points et facteurs,* lesquelles analysent facette par facette la valeur relative des emplois. Cette section traite succinctement de diverses méthodes d'évaluation des emplois en insistant sur la méthode des points et facteurs parce qu'elle est la plus fréquemment utilisée.

4.6.1   La méthode de comparaison avec le marché

La méthode de comparaison avec le marché mesure la valeur relative des exigences des emplois repères au sein d'une organisation en considérant leur rémunération respective sur le marché et en rangeant ces emplois, les uns par rapport aux autres, selon leur taux de rémunération sur le marché. Suivant cette méthode, on effectue une ou des enquêtes de rémunération pour établir la valeur des emplois visés sur le marché. Ensuite, on peut déterminer la valeur des emplois — pour lesquels il n'y a pas de données sur le marché — en les comparant avec la valeur des autres emplois pour lesquels une valeur sur le marché a été déterminée. Il s'agit d'une méthode non analytique selon laquelle les emplois sont comparés avec des emplois repères que l'on présume être correctement classés. Les emplois sont alors rangés comme étant du même groupe ou de la même classe que celui de l'emploi repère avec lequel il est jugé globalement comparable. En somme, cette méthode privilégie l'équité externe en vue d'établir l'équité interne.

Aux États-Unis, la comparaison avec le marché est la méthode de détermination des salaires la plus utilisée. Une étude a d'ailleurs montré que le taux du marché est un meilleur déterminant des taux de salaires des emplois que la valeur en points de leurs exigences (Rynes *et al.*, 1989). Cette méthode est simple, souple, facile à comprendre et d'application rapide lorsqu'un nombre restreint d'emplois doivent être évalués.

Toutefois, la méthode de comparaison avec le marché comporte plusieurs limites. La hiérarchie des emplois établie à partir d'enquêtes de rémunération repose très souvent sur l'ordre des salaires sur le marché, alors que ceux-ci ne constituent qu'une composante de la rémunération. De plus, cette méthode ne tient pas compte des particularités des entreprises : s'il est ardu de trouver un emploi identique dans une autre organisation, on peut imaginer combien il est difficile de trouver un tel emploi dans une entreprise où les conditions de travail sont identiques[4]. Par ailleurs, lorsque certains emplois sont propres à une organisation, ils n'existent pas sur le marché ; leur évaluation à l'aide de la méthode de comparaison avec le marché est alors impossible. De plus, comme on estime que cette méthode perpétue inévitablement les biais sexistes existant sur le marché du travail, elle est proscrite par les lois visant à contrer les biais dans l'évaluation des emplois à prédominance féminine. Ensuite, pour des emplois soumis aux aléas des pénuries et des surplus de main-d'œuvre, cette approche peut impliquer d'importants changements de salaires sur une courte période. Enfin, comme la valeur d'un emploi sur le marché ne reflète pas toujours l'équité interne car elle est fonction des éléments valorisés par d'autres entreprises, une détermination des salaires fondée seulement sur le taux du marché peut amener certains employés à déposer des plaintes en matière d'iniquité. L'employeur doit juger l'importance relative de l'équité interne et des conditions du marché externe.

---

4   Voir le chapitre 3, où sont traités les problèmes que posent les enquêtes de rémunération comme outil de détermination de la valeur des emplois.

4.6.2   La méthode de rangement des emplois

La méthode de rangement des emplois consiste à situer les emplois les uns par rapport aux autres selon l'importance relative de leurs exigences considérées de façon globale (à partir de descriptions d'emplois, s'il y a lieu). Pour ce faire, les membres du comité d'évaluation des emplois peuvent utiliser l'une ou l'autre des techniques résumées au tableau 4.12.

TABLEAU 4.12

QUELQUES TECHNIQUES DE RANGEMENT DES EMPLOIS QUE PEUVENT UTILISER LES MEMBRES DE COMITÉS D'ÉVALUATION DES EMPLOIS

Rangement global général

Les membres du comité (d'abord individuellement, puis en comité, ou directement en comité) rangent les emplois selon la valeur relative de leurs exigences, de l'emploi le plus exigeant à l'emploi le moins exigeant. Cette façon de procéder risque d'être compliquée et imprécise dès que le nombre d'emplois est supérieur à 15.

Rangement global alternatif

Les membres du comité (d'abord individuellement, puis en comité, ou directement en comité) déterminent l'emploi le plus exigeant, puis l'emploi le moins exigeant, et recommencent ce processus jusqu'à ce que tous les emplois aient été rangés.

Rangement global par paires

Les membres du comité (d'abord individuellement, puis en comité, ou directement en comité) comparent systématiquement les emplois les uns avec les autres en vue de déterminer, pour chaque paire possible, l'emploi le plus exigeant. Cette méthode est reconnue par la Commission sur l'équité salariale au Québec.

Rangement différencié et/ou pondéré (général, alternatif ou par paires)

Les membres du comité (d'abord individuellement, puis en comité, ou directement en comité) procèdent au rangement des emplois en utilisant plusieurs critères d'exigences. Dans ce cas, le rangement des emplois se fait selon chaque critère et le rang d'un emploi correspond à la moyenne des rangs obtenus pour les différents critères. Si l'on accorde plus ou moins d'importance à un critère, cette technique ressemble alors à la méthode des points.

Cette méthode, qui est simple et facile à comprendre, est surtout utilisée au sein des organisations de petite taille. Peu coûteuse à implanter, elle peut aussi servir à valider les résultats obtenus au moyen d'une autre méthode d'évaluation des emplois. La méthode de rangement des emplois peut également être présentée initialement aux membres d'un comité d'évaluation des emplois afin qu'ils prennent conscience de ses limites, qu'ils comprennent les atouts d'une autre méthode ou qu'ils apprécient les résultats obtenus au moyen d'une autre méthode.

Toutefois, la méthode de rangement des emplois est relativement longue à appliquer lorsqu'il y a de nombreux emplois à évaluer. De plus, les emplois risquent d'être classés à partir d'une opinion globale incomplète ou biaisée étant donné que les critères permettant d'apprécier la valeur relative des emplois ne sont ni précisés ni pondérés. Cette méthode est plus sujette à entraîner des biais liés aux salaires versés pour les emplois et aux caractéristiques de leurs titulaires (notamment, leur sexe). En outre, si elle a l'atout de ne pas se perdre dans les détails, par contre elle limite les échanges d'informations précises et peut rendre difficile l'obtention d'un consensus chez les membres du comité d'évaluation des emplois car chacun adopte ses propres critères. Par ailleurs, comme le rangement ne donne aucune information sur l'ampleur de la différence de valeur entre deux emplois (par exemple, l'écart de valeur entre le 14e et le 15e emploi peut être beaucoup plus grand que l'écart entre le 3e et le 4e emploi), il n'est pas utile à l'établissement d'une structure salariale. De plus, la méthode de rangement des emplois manque de flexibilité : lorsqu'on crée un nouvel emploi ou qu'on modifie le contenu d'un emploi existant, il faut reprendre entièrement le processus de rangement des emplois et les évaluer les uns par rapport aux autres.

4.6.3   La méthode de classification des emplois

La méthode de classification des emplois consiste à apparier le contenu d'une description d'emploi avec le texte décrivant les exigences d'une classe d'emplois qui s'en rapproche le plus. Par exemple, la classe d'emplois 1 peut se lire ainsi : « Travail simple, très répétitif, accompli sous une direction étroite, nécessitant peu de formation, peu de responsabilités ou peu d'initiative », et la classe d'emplois 5 peut être présentée de la façon suivante : « Travail complexe et varié effectué sous une direction générale. Haut niveau d'habiletés requis. L'employé est responsable de l'équipement et de la sécurité ; il doit régulièrement faire preuve de beaucoup d'initiative. » Le nombre de classes d'emplois varie généralement de 4 à 8. Le fait que cette méthode soit basée sur une description écrite de certaines exigences particulières des emplois explique pourquoi on la qualifie de méthode « analytique » de type « qualitatif ».

Une méthode de classification des emplois permet de comparer systématiquement un grand nombre d'emplois pouvant appartenir à des familles d'emplois différentes. Pour cette raison, au Canada comme aux États-Unis, la gestion des salaires des emplois dans le secteur public s'appuie sur un système dans lequel les emplois sont associés à des classes (ou « grades ») d'emplois (Holley et O'Connell, 1997). Établie en 1949, la *General Schedule* (GS) permet d'évaluer plus de la moitié des emplois du gouvernement fédéral américain en fonction de 18 classes (de GS-1 à GS-18). À titre d'illustration, la classe GS-1 comprend les catégories d'emplois consistant à accomplir, sous contrôle immédiat, avec peu ou aucune latitude pour le jugement personnel : (*a*) le plus simple travail courant, dans les domaines administratif, commercial ou fiscal, et (*b*) un travail élémentaire, de niveau subalterne, relevant d'une profession libérale, scientifique ou technique. Les emplois de commis et de messager font partie de cette classe. La classe GS-5 comprend des emplois qui sont difficiles, impliquant des responsabilités, exigeant une connaissance étendue d'un aspect particulier d'un sujet, d'un bureau, d'un laboratoire, de l'ingénierie, et nécessitant un jugement personnel dans un domaine précis. Elle comporte aussi des emplois qui consistent à accomplir, sous un contrôle direct et avec très peu de possibilités d'exercer un jugement personnel, un travail simple et élémentaire, nécessitant une formation professionnelle, scientifique ou technique (voir le site Web de l'Office of Personnel Management). Cette classe d'emplois comprend, par exemple, les emplois de chimiste et de comptable.

La méthode de classification a aussi l'avantage d'être simple à comprendre. De plus, lors de la création de nouveaux emplois ou de la modification d'emplois existants, on n'a pas à recommencer tout le processus d'évaluation des emplois; il s'agit uniquement de revoir le classement de l'emploi créé ou modifié. Par contre, la détermination et la définition des classes requièrent une connaissance très poussée des emplois et une grande capacité de synthèse. La qualité de cette méthode repose en fait sur le contenu du texte permettant de décrire les différentes classes d'emplois et de les distinguer entre elles. Dans la mesure où la plupart des emplois, leur organisation du travail et les outils de travail ont changé, le défi consiste à revoir au complet le système de classification des emplois, processus qui peut s'avérer difficile à implanter, particulièrement dans le secteur public.

BULLETIN$ 4.1

Après 12 années d'efforts et une facture de plusieurs centaines de millions de dollars, le gouvernement fédéral n'a pas fait de progrès dans son projet de réforme de son système de classification des emplois vieux de 40 ans. En 2001, le secrétariat du Conseil du Trésor a décidé de cesser les travaux entrepris en 1991 qui visaient à mettre au point une méthode universelle de classification qui simplifierait le système d'évaluation des emplois compte tenu de nombreuses contraintes rattachées à ce projet. En 2002, la présidente du Conseil du Trésor a annoncé qu'elle allait adopter une nouvelle approche graduelle et adaptée sur mesure. Ainsi, à l'heure actuelle, les ministères continuent à utiliser les 72 anciennes normes, dont un grand nombre sont périmées, notamment parce qu'elles ne satisfont pas à la Loi canadienne sur les droits de la personne, à l'Ordonnance sur la parité salariale (équité salariale) ou encore parce qu'elles font mention d'activités ou de matériel qui ne servent même plus dans la fonction publique d'aujourd'hui.

Source : Adapté de Gaboury (2003, p. 6).

4.6.4   La méthode des points et facteurs

La méthode des points, souvent qualifiée de « méthode des points et facteurs », nécessite l'élaboration d'une grille contenant plusieurs *facteurs* et *sous-facteurs* (qui représentent un aspect plus fin, une facette ou une composante d'un facteur) dont le *poids* et les *niveaux de présence* respectifs sont préétablis, définis et associés à un certain nombre de points. En fait, les divers types de méthodes des points et facteurs comportent tous des *facteurs d'évaluation,* qui sont *associés à une échelle de niveaux de présence* et *dont le poids respectif varie en fonction de leur importance relative*. Selon cette méthode, la valeur relative des emplois — par conséquent, leur position dans la structure des emplois — est déterminée par le total des points obtenus à la suite de leur évaluation. À cause de la décomposition des emplois en différentes facettes, cette approche constitue une technique *analytique,* et en raison des valeurs numériques dont elle fait usage, elle constitue une technique *quantitative.*

Après la méthode de comparaison avec le marché, la méthode des points et facteurs constitue la méthode d'évaluation des emplois la plus utilisée en Amérique du Nord. On y fait appel surtout dans les moyennes et les grandes entreprises. Quoique cette méthode ne soit pas obligatoire, les exigences contenues dans la Loi sur l'équité salariale — notamment celle qui demande qu'on tienne compte de quatre facteurs d'évaluation (les qualifications requises, les responsabilités assumées, les efforts requis et les conditions de travail) — favorisent son adoption.

La méthode des points présente un certain nombre d'avantages. Elle est assez simple et assez facile à expliquer aux employés pourvu qu'on leur communique clairement la définition des facteurs et des sous-facteurs, sinon ceux-ci pourront être interprétés différemment selon les personnes. Comparativement à la méthode de rangement des emplois et à la méthode de classification des emplois, elle permet de préciser des facteurs d'évaluation et de les apprécier de manière distincte. Par ailleurs, la détermination de facteurs et de sous-facteurs uniformisés permet de comparer une grande variété d'emplois sous divers angles ou facettes. Cette méthode est très flexible : lorsque les responsabilités des emplois sont modifiées, pour diverses raisons (changements technologiques, réduction d'effectifs, etc.), ou que des emplois sont créés, ces emplois sont réévalués ou évalués à l'aide de la même grille, sans qu'on doive recommencer tout le processus d'évaluation des emplois. De plus, le caractère analytique de cette méthode permet d'apprécier les exigences d'un emploi, alors que son caractère quantitatif rend plus facile et plus rapide le classement des emplois, tout en permettant une évaluation chiffrée de leurs exigences. En fait, cette approche simplifie l'administration et favorise la participation des employés.

Par contre, la méthode des points et facteurs comporte des inconvénients. Quoique son caractère chiffré lui confère une *objectivité apparente,* la détermination, la définition et la pondération des facteurs et des sous-facteurs sont autant de décisions que les membres du comité d'évaluation des emplois doivent prendre sur la base de leur jugement ou de résultats d'analyses statistiques. De fait, si la somme des points attribués aux emplois résulte d'une démarche précise, le contenu de chaque étape reste essentiellement subjectif. Par ailleurs, comme seuls les facteurs communs à l'ensemble des emplois doivent être considérés, cette méthode ne permet pas de tenir compte des exigences propres à certains emplois.

Selon la taille des organisations et les outils informatiques disponibles, la méthode des points et facteurs peut prendre deux formes : elle peut se baser sur une grille élaborée par un comité ou par un organisme externe ou s'appuyer sur un questionnaire d'analyse des emplois sur mesure ou encore préétabli. Compte tenu de la popularité importante de ces deux formes, elles feront l'objet des deux prochaines sections.

4.7   La méthode des points et facteurs basée sur une grille élaborée par un comité ou par un organisme externe

Selon cette approche de la méthode des points et facteurs qui vise à mesurer la valeur relative des exigences de certains emplois, le comité d'évaluation des emplois procède à l'analyse de leur description (document) et estime leur valeur en s'appuyant sur une grille d'évaluation qu'il a élaborée préalablement (grille d'évaluation maison ou sur mesure) ou sur une grille d'évaluation élaborée et commercialisée par un organisme externe, souvent une société-conseil (grille préétablie).

Cette approche de l'évaluation des emplois est utilisée dans les entreprises pour lesquelles les emplois visés font l'objet de descriptions. Elle est aussi adoptée par des entreprises qui ne veulent pas colliger d'informations sur les emplois au moyen d'un questionnaire pour diverses raisons, notamment leur taille, leur type de gestion ou leur climat de travail. Ces organisations préfèrent mettre au point des descriptions d'emplois pour ensuite être en mesure de déterminer la valeur relative des exigences des emplois.

4.7.1   L'utilisation d'une grille sur mesure ou d'une grille préétablie

Il s'agit ici d'évaluer le contenu de chaque emploi en considérant sa description à la lumière d'une grille d'évaluation des emplois par points. L'analyse d'une description d'emploi permet d'estimer à quel niveau de présence du facteur et du sous-facteur l'emploi correspond le mieux et de faire la somme des points qu'il a obtenus pour les facteurs et les sous-facteurs. Le tableau 4.13 propose un exemple de grille d'évaluation et de descriptions des facteurs et des sous-facteurs qui peuvent servir à l'évaluation des emplois. L'évaluation ou la cotation des emplois par le comité d'évaluation des emplois consiste à déterminer pour chaque emploi le niveau de présence de chaque facteur et de chaque sous-facteur d'évaluation des emplois sur l'échelle de présence proposée dans la grille d'évaluation des emplois retenue par le comité (une grille maison ou une grille préétablie). Pour coter les emplois, il est préférable que le comité évalue tous les emplois sur un facteur d'évaluation à la fois afin de s'assurer d'une meilleure compréhension et d'une application plus constante du facteur d'un emploi à l'autre. Par ailleurs, les membres du comité devraient d'abord coter individuellement les emplois, partager leurs opinions et prendre la décision finale en suivant la règle du consensus plutôt que celle de la moyenne des

---

TABLEAU 4.13

GRILLE D'ÉVALUATION (FICTIVE) DES EMPLOIS PAR POINTS COMPORTANT DES EXEMPLES DE DÉFINITION DE FACTEURS ET DE LEURS NIVEAUX DE PRÉSENCE

A. EXEMPLE : MATRICE D'UN SYSTÈME DE POINTS ET DE FACTEURS

Facteurs d'évaluation des emplois	Niveaux					
	I	II	III	IV	V	VI
1. Responsabilités						
Sécurité de la personne	50	75	100			
Équipement et matériel	20	40	60	80		
Appui au personnel en formation	5	15	25	35	45	55
Qualité des services et des produits	40	60	80			
2. Habiletés						
Expérience	45	90	135	180	225	
Formation et scolarité	25	50	75	100		
3. Effort						
Physique	50	75	100			
Intellectuel	35	70	105	150		
4. Conditions de travail						
Conditions physiques	20	40	60			
Risques d'accident	10	20	40	60		
Interventions dans le travail	10	20	30	40	50	60
Total des points : 310 (minimum) ; 1 070 (maximum)						

TABLEAU 4.13 (*suite*)

B. DÉFINITION DU SOUS-FACTEUR «RESPONSABILITÉS : ÉQUIPEMENT ET MATÉRIEL»	
Responsabilités	
Équipement et matériel. L'employé a la responsabilité de maintenir en bon état l'équipement et de s'assurer de la qualité du matériel. Ainsi, il doit rapporter toute défectuosité de l'équipement et du matériel, garder propres et en état de marche l'équipement et les matériaux, réparer l'équipement et les matériaux. L'entreprise reconnaît que la responsabilité de l'équipement et du matériel varie dans l'organisation.	
Niveau I	L'employé rapporte un mauvais fonctionnement de l'équipement ou une mauvaise qualité du matériel à son supérieur immédiat.
Niveau II	L'employé s'assure du bon état de l'équipement et commande les matériaux. Il vérifie la sécurité de l'équipement et la qualité des matériaux.
Niveau III	L'employé fait l'entretien préventif de l'équipement. Il exécute les réparations mineures que nécessite l'équipement ou corrige les défectuosités mineures du matériel.
Niveau IV	L'employé procède à l'entretien majeur de l'équipement ou à sa remise en bon état, ou encore il décide du type, de la quantité et de la qualité des matériaux à utiliser.

cotations individuelles. En effet, un échange d'informations entre les membres du comité d'évaluation des emplois augmente les chances que les différents aspects du travail soient considérés et que les résultats soient acceptés.

Bien entendu, un comité d'évaluation des emplois doit recourir aux services de la société-conseil s'il veut se servir de la grille préétablie d'évaluation des emplois qu'elle commercialise et dont elle possède les droits d'utilisation. Plusieurs sociétés-conseils proposent une grille d'évaluation dont le contenu peut être plus ou moins adapté aux besoins particuliers des clients (voir le tableau 4.14). Parmi les grilles d'évaluation des emplois préétablies les plus connues, mentionnons celle de la société-conseil en gestion Hay, celle de CWS et celle de la NEMA-NMTA. Certaines sociétés proposent leur propre méthode d'évaluation d'emplois. Ainsi, la firme Towers Perrin a établi la méthode WJQ, alors que le Groupe-conseil KPMG suggère la méthode Aiken. D'autres firmes, comme Mercer, Consultation en ressources humaines et Watson Wyatt Worldwide, proposent d'adapter le contenu de leur grille d'évaluation des emplois aux caractéristiques des organisations qui font appel à leurs services et des emplois visés.

TABLEAU 4.14

QUELQUES MÉTHODES OU GRILLES D'ÉVALUATION DES EMPLOIS PRÉÉTABLIES OU ÉLABORÉES PAR DES ORGANISMES EXTERNES

Méthode CWS

Cette méthode résulte des travaux du groupe Cooperative Wage Study (CWS) mis sur pied en 1944 par 12 entreprises de l'industrie de l'acier aux États-Unis. Appliquée aux emplois d'usine, la méthode CWS repose sur 12 facteurs dont la pondération et la distribution des points ont été établies par une régression multiple qui respectait la distribution des salaires dans le secteur de l'acier à cette époque. Au fil des années, on a ajouté une grille d'évaluation élaborée pour les emplois techniques et les emplois de bureau en se basant sur la pondération des facteurs qui visent à évaluer les emplois d'usine. Cette méthode permet au comité d'évaluation de s'appuyer sur un recueil décrivant et évaluant 662 emplois repères pour procéder aux évaluations. Comme la grille d'évaluation est propre au secteur de l'acier, un problème survient lorsqu'on désire l'utiliser à l'extérieur de cette industrie. Aujourd'hui, on peut s'interroger sur la pertinence des valeurs véhiculées par cette grille d'évaluation et sur sa capacité à évaluer des emplois recourant aux nouvelles technologies ou liés à de nouvelles formes d'organisation du travail.

Méthode NEMA-NMTA (ou MIMA)

Cette grille d'évaluation, qui comporte 11 facteurs, a été implantée en 1937 pour les emplois manuels dans les usines de trois fabricants d'équipements électriques (Western Electric, General Electric et Westinghouse). En 1949, on a annexé une méthode d'évaluation des emplois techniques, des emplois de bureau et des emplois de direction. Cette méthode est employée couramment dans le secteur manufacturier américain étant donné que son utilisation n'est pas protégée par un copyright.

Méthode Hay

Cette grille d'évaluation des emplois a été élaborée au cours des années 1930 et 1940 et a été utilisée partout dans le monde. À l'origine, elle reposait sur trois facteurs subdivisés en sous-facteurs : «la compétence», qui comprend les sous-facteurs «scientifique et technique», «relations humaines» et «capacité de direction»; «l'initiative créatrice», qui comporte deux aspects : «le cadre dans lequel a lieu la réflexion» et «l'exigence des problèmes à résoudre»; «la finalité», qui comporte «la liberté d'action», «l'impact plus ou moins direct du poste sur les résultats finaux» et «l'ampleur du champ d'action». Au début des années 1980, le facteur «conditions de travail», comportant quatre sous-facteurs («effort physique», «caractère non agréable de l'environnement», «risques» et «attention sensorielle») a été ajouté. La grille de la méthode Hay a été élaborée et uti-lisée surtout pour l'évaluation des emplois de direction et de cadres. Toutefois, les orga-nisations qui y recourent pour leurs emplois de cadres peuvent aussi — et plusieurs le font — s'en servir pour évaluer des emplois de professionnels et même des emplois de bureau.

Méthode Aiken

Élaborée à la fin des années 1940, cette méthode comporte neuf facteurs d'évaluation, dont l'initiative, les conséquences des erreurs, la scolarité et les conditions de travail. La méthode Aiken est simple et elle ressemble à la méthode CWS. Aujourd'hui, cette méthode est la propriété de la firme KPMG.

Un comité d'évaluation des emplois peut décider, pour plusieurs raisons, de retenir des grilles d'évaluation préétablies ou mises au point par des organisations externes. En effet, ces grilles présentent les avantages suivants :

– elles permettent d'éviter les étapes de l'élaboration d'une grille d'évaluation des emplois maison (par exemple, la détermination et la définition des facteurs d'évaluation et de leurs niveaux de présence) ;

– elles peuvent faciliter le travail d'enquête en permettant un meilleur appariement des emplois. Par exemple, le service complémentaire d'enquêtes salariales offert par la firme Hay permet aux organisations qui y recourent de comparer les salaires qu'elles versent avec ceux qui sont accordés par d'autres entreprises utilisant la même grille d'évaluation ;

– elles peuvent sembler rassurantes étant donné qu'elles sont utilisées par d'autres firmes et dans d'autres industries et qu'elles ont souvent été testées préalablement auprès de nombreux emplois.

Toutefois, les grilles d'évaluation des emplois préétablies ne sont pas exemptes d'inconvénients.

– La plupart des grilles d'évaluation des emplois préétablies qu'on trouve sur le marché ont été élaborées entre les années 1930 et 1950 ; elles sont donc susceptibles de refléter des valeurs et des modes d'organisation du travail qui n'ont plus cours aujourd'hui.

– Ces grilles reposent sur un ensemble de facteurs et de niveaux d'évaluation qualifiés d'« universels » parce qu'ils sont utilisés partout, alors qu'il n'y a pas de facteurs d'évaluation des emplois qui s'appliquent à tous les emplois et à toutes les organisations.

– La pertinence de l'utilisation des grilles préétablies dans les enquêtes salariales peut être mise en doute. Alors que l'évaluation des emplois vise à assurer l'équité interne sur le plan des salaires, l'enquête salariale recherche l'équité externe. Ces deux processus ne devraient donc pas nécessiter le même type d'outils. Si l'on ne distingue pas l'enquête salariale de l'évaluation des emplois, on ne différencie pas les considérations qui régissent l'attribution des salaires.

– L'interprétation des facteurs et des sous-facteurs des grilles préétablies peut changer d'une organisation à l'autre et d'un comité à l'autre.

– L'argument selon lequel les grilles d'évaluation des emplois préétablies font gagner du temps, en comparaison des grilles maison, est discutable, puisqu'il faut consacrer du temps à la formation des membres du comité d'évaluation des emplois afin qu'ils comprennent une grille qui peut s'avérer très complexe selon les cas. De plus, comme ces grilles utilisent un vocabulaire qui n'est pas forcément connu des membres du comité, leur utilisation peut susciter de longues discussions lors de la cotation des emplois (en raison des problèmes d'interprétation qu'ils soulèvent).

4.7.2 Les étapes de l'élaboration d'une grille d'évaluation des emplois par points et facteurs

Un comité d'évaluation des emplois qui veut mettre au point sa propre grille d'évaluation des emplois par points et facteurs doit, d'abord, déterminer et définir des facteurs et des sous-facteurs d'évaluation des emplois, ensuite, allouer des points aux différents niveaux des échelles de présence des facteurs et, enfin, pondérer les facteurs et les sous-facteurs.

4.7.2.1 La détermination et la définition des facteurs et des sous-facteurs

Les facteurs d'évaluation des emplois correspondent aux exigences relatives des emplois qu'une organisation valorise et veut reconnaître par les salaires qu'elle verse. Ces facteurs, qui représentent les raisons pour lesquelles certains emplois sont plus exigeants que d'autres, sont à la base de la hiérarchisation des emplois. Ils peuvent correspondre à des intrants dans le travail (la scolarité, la formation ou l'expérience), aux exigences du travail (les efforts mentaux et physiques, la prise de décision, la supervision), à des extrants dans le travail (les conséquences des erreurs, la précision des résultats) et à des conditions de travail (l'environnement de travail, les risques). Quoique les quatre facteurs imposés par la Loi sur l'équité salariale soient les habiletés, les responsabilités, les efforts et les conditions de travail, la diversité des catégories d'emplois à évaluer rend nécessaire une subdivision de ces quatre facteurs en sous-facteurs ; par exemple, les efforts peuvent correspondre à des efforts physiques ou à des efforts intellectuels. Le tableau 4.15 présente des sous-facteurs que les organisations peuvent adopter pour définir les quatre facteurs prescrits par la réglementation en matière d'équité salariale.

Idéalement, un facteur d'évaluation des emplois remplit les fonctions suivantes :

- il appuie la stratégie d'affaires et reflète les valeurs de la direction ;
- il est jugé important pour le succès de l'organisation et cette dernière est prête à en payer le prix ;
- il facilite la différenciation des emplois ; par exemple, si tous les emplois visés requièrent la même scolarité, il n'y a pas lieu de retenir cette exigence, puisqu'elle ne permet pas de différencier les emplois en vue de les hiérarchiser ;
- il permet de mesurer le contenu de l'ensemble des emplois visés ;
- il doit être défini, mesurable et pertinent ;
- il est accepté ou considéré comme devant être rémunéré ; par exemple, si les employés estiment que leur salaire doit être établi selon des conditions physiques de travail, ce facteur d'évaluation peut être retenu par l'entreprise, même si ses dirigeants savent que cela ne change en rien le rangement des emplois, puisque les conditions sont similaires pour 90 % des emplois de l'entreprise ;

– il correspond à l'un des quatre facteurs prônés par la Loi sur l'équité salariale visant à réduire les biais discriminatoires dans l'évaluation des emplois à prédominance féminine.

TABLEAU 4.15

EXEMPLES DE SOUS-FACTEURS DES QUATRE FACTEURS D'ÉVALUATION DES EMPLOIS PRESCRITS PAR LA LOI SUR L'ÉQUITÉ SALARIALE

1. Habiletés. Ce facteur sert à mesurer la difficulté des tâches qui exigent une formation ou de l'expérience. Il comporte des compétences intellectuelles et physiques.

- Connaissances professionnelles
- Capacités d'analyse
- Connaissance des produits ou des services
- Connaissance du contexte organisationnel
- Dextérité
- Expérience
- Habiletés analytiques
- Habiletés interpersonnelles
- Habiletés de communication (communication verbale, communication écrite, langues étrangères)
- Habiletés manuelles et motrices
- Habiletés physiques
- Habiletés sensorielles
- Habiletés interpersonnelles
- Initiative
- Polyvalence
- Résolution de problèmes
- Scolarité

2. Responsabilités. Ce facteur sert à mesurer les éléments dont l'importance ou l'ampleur de la présence varie pour l'organisation. Il se rapporte aux responsabilités de l'emploi ainsi qu'à leurs incidences possibles sur l'organisation, notamment les ressources techniques, financières et humaines.

- Contacts (public, clients, consommateurs)
- Confidentialité des informations
- Coordination
- Élaboration de politiques d'entreprise
- Équipement et machinerie
- Finances

TABLEAU 4.15 (*suite*)

- Imputabilité
- Qualité des produits ou des services
- Sécurité des biens
- Sécurité des personnes
- Supervision de personnel

3. **Efforts.** Ce facteur mesure les efforts physiques ou intellectuels que les employés doivent déployer pour satisfaire aux exigences physiques et intellectuelles de leur emploi.

- Concentration
- Exigences physiques (complexité, continuité, intensité, caractère répétitif)
- Exigences intellectuelles (complexité, continuité, intensité, caractère répétitif)
- Interactions avec des personnes difficiles
- Volume de travail
- Fatigue (nerveuse, physique)

4. **Conditions de travail.** Ce facteur se rapporte au stress ainsi qu'au caractère dangereux ou ennuyeux du travail. Il porte sur l'environnement physique et le climat psychologique dans lesquels les employés doivent accomplir leur travail.

- Danger
- Agressivité des personnes
- Déplacements à l'extérieur de la ville
- Imprévisibilité des conditions de travail
- Interruptions constantes
- Monotonie
- Risques d'accident
- Risques pour la santé
- Saleté
- Stress lié à la multitude de demandes
- Rythme de travail, pression exercée par la surcharge

De fait, les facteurs et les sous-facteurs d'évaluation des emplois doivent être adaptés au contexte particulier d'une organisation, car ils envoient des messages implicites, comme les suivants, aux employés :

–   une organisation dont la stratégie est orientée vers la *satisfaction des clients* peut adopter comme facteur d'évaluation des emplois la nature et l'ampleur des contacts avec les clients, les habiletés interpersonnelles, etc. ;

– une organisation pour laquelle la *créativité* est un facteur de succès peut tenir compte de facteurs comme l'innovation requise, l'initiative et la gestion du changement ;

– une organisation fortement orientée sur les *résultats mesurables* peut privilégier des facteurs visant à mesurer les effets et les contributions ;

– une organisation pour laquelle la *flexibilité* est importante choisira des facteurs tels que la variété des compétences, la polyvalence de même que la diversité et la complexité des tâches ;

– une organisation qui valorise les *habiletés* et les *compétences* ainsi que leur acquisition en fera des facteurs particuliers ;

– une organisation qui s'intéresse particulièrement aux *responsabilités* considérera des facteurs comme l'ampleur des ressources à gérer et l'autonomie des titulaires ;

– une organisation qui est engagée dans les *soins* donnés aux personnes adoptera des facteurs liés aux relations et aux habiletés dans les soins ;

– une organisation qui recourt à des *employés de production* ou *manuels* tiendra compte de facteurs comme les habiletés manuelles, la dextérité requise, l'effort physique et les conditions physiques ;

– une organisation qui est particulièrement préoccupée par la *loi* visant à réduire les biais dans l'évaluation des emplois à prédominance féminine sera soucieuse de choisir des facteurs mis en avant par cette législation ;

– une organisation qui veut accorder plus d'importance aux *opérations internationales* peut ajouter les « responsabilités en matière d'opérations internationales » comme facteur d'évaluation des emplois ;

– une organisation qui veut mettre l'accent sur la *réduction des comportements opportunistes* et l'*incitation à faire plus avec moins* pourra retirer le facteur « responsabilité de supervision » — mesuré à partir du nombre de subordonnés — de façon que les cadres soient moins tentés de se « bâtir des empires ».

Quant au nombre de facteurs d'évaluation des emplois à utiliser, il n'y a pas de chiffre optimal. Toutefois, si le nombre de facteurs est trop restreint, la capacité de différenciation de la méthode risque d'être réduite et cette situation peut amener des employés à penser que certaines exigences du travail ne sont pas prises en considération. À l'inverse, si le nombre de facteurs est trop élevé, il y a un risque de créer un problème de dédoublement. En pratique, les méthodes de points traditionnelles comprennent entre 7 et 15 facteurs, avec une moyenne se situant autour de 10. Cependant, il est important de considérer les perceptions des titulaires dans le choix des facteurs d'évaluation des emplois, puisqu'il y va de l'acceptabilité des résultats. En effet, même si des études passées montrent que de trois à cinq facteurs d'évaluation des emplois peuvent permettre d'obtenir des résultats identiques à ceux que l'on obtient avec un nombre plus élevé de facteurs (Heneman, 2001), il n'est pas évident que les employés percevront qu'un nombre de trois à cinq facteurs est suffisant pour mesurer équitablement la valeur des emplois.

4.7.2.2 L'allocation de points aux différents niveaux des échelles de présence des facteurs

Cette opération consiste à associer à chacun des facteurs ou des sous-facteurs d'évaluation des emplois des niveaux de présence selon leur intensité, leur difficulté ou leur fréquence. En pratique, peu de grilles proposent un nombre identique de niveaux de présence pour chacun des facteurs. Par exemple, pour le sous-facteur « scolarité », le niveau le plus élevé peut être un diplôme de doctorat alors que le niveau le plus faible serait un diplôme d'études secondaires. Selon les facteurs d'évaluation des emplois, le nombre de niveaux d'exigences peut différer et la nature de la progression des points entre les niveaux d'exigences peut varier selon qu'elle est géométrique, arithmétique ou discontinue (voir le tableau 4.16).

TABLEAU 4.16

LES PRINCIPAUX TYPES DE PROGRESSION DANS LES NIVEAUX DE PRÉSENCE DES FACTEURS D'ÉVALUATION DES EMPLOIS

Progression géométrique

Cette progression correspond à une suite de nombres dans laquelle chaque nombre est le produit du précédent multiplié par une constante. Si a_1 est le premier terme de la progression et r, la raison, alors le deuxième terme est $a_2 = a_1 \times r$, le troisième terme est $a_3 = a_1 \times r_2$, et ainsi de suite. Par exemple, si le premier niveau d'un facteur est égal à 10 et si la constante est de 2, la progression entre les niveaux est la suivante : 10, 20, 40, 80, 160, etc. Si la constante est de 1,5, la progression est la suivante : 10, 15, 22,5, 33,8, 50,7, etc. Comme une progression géométrique établit un écart croissant et constant entre chaque niveau, elle entraîne plus de différences entre les salaires alloués aux emplois qu'une progression arithmétique.

Progression arithmétique

Cette progression implique un écart constant entre les niveaux de présence d'un facteur d'évaluation. Selon la grille de pondération présentée au tableau 4.18, la somme des écarts entre les facteurs a été établie à 1 250 points. Si l'on accorde une pondération de 10 % à un facteur, on doit répartir 125 points entre ses niveaux de présence, de manière que l'écart entre le degré maximal et le degré minimal soit de 125 points. L'écart entre les niveaux de présence du facteur d'évaluation est égal au nombre de points attribués au facteur divisé par le nombre de niveaux moins 1. Dans le cas du facteur « expérience préalable », l'écart entre les niveaux est le suivant : $125 \div (6 - 1) = 25$. Le nombre de points à accorder au premier niveau de présence du facteur est arbitraire et sans importance. Toutefois, si le niveau de présence le plus faible est défini par l'expression « aucun », comme il pourrait l'être dans le cas du facteur « supervision », il est préférable de ne pas lui accorder de point. Les organisations tendent à utiliser un type de progression arithmétique pour tous les facteurs qui, en comparaison d'une distribution géométrique, entraînent des écarts de points plus faibles entre les emplois et une structure salariale plus aplatie.

Progression discontinue

Cette progression implique un écart irrégulier entre la suite de niveaux de présence de facteurs. Par exemple, les écarts entre cinq niveaux consécutifs de présence d'un facteur peuvent être les suivants : 10, 20, 25, 40, 60.

Toutefois, plusieurs praticiens sont d'avis qu'il est préférable d'adopter la même approche pour l'ensemble des facteurs.

Généralement, les échelles de présence des facteurs comprennent de trois à sept niveaux. S'il y a trop de niveaux de présence et que certains d'entre eux ne sont pas utilisés, les employés croiront que les membres du comité d'évaluation ont été trop sévères et seront portés à contester leurs décisions. Par contre, le nombre de niveaux de présence des facteurs doit être suffisant pour permettre une différenciation des variations réelles dans les exigences relatives des emplois. Par exemple, si les membres du comité d'évaluation des emplois considèrent que, parmi les emplois à évaluer, il devrait y avoir trois niveaux pour le facteur « habileté manuelle » (« très faible », « moyenne » et « élevée »), l'échelle ne doit comprendre que ces niveaux. Après usage, s'il apparaît que l'ajout d'un autre niveau d'exigence permettrait une évaluation plus précise, il faudra alors revoir la cotation de tous les emplois en fonction de la nouvelle échelle.

Le comité d'évaluation des emplois doit être le plus précis possible dans ses définitions des niveaux de présence des facteurs. Pour certains facteurs — notamment le facteur « scolarité requise » —, il peut être facile de faire preuve de précision, alors que, pour d'autres — notamment le facteur « initiative » ou le facteur « complexité des tâches » —, l'exercice n'est pas évident. Dans ce dernier cas, la solution consiste à définir les niveaux d'exigences au moyen d'expressions générales (« très peu », « moyennement », « passablement » et « beaucoup »). Le tableau 4.17 résume les principales règles à respecter pour déterminer et définir les facteurs et les sous-facteurs d'évaluation des emplois et leurs niveaux de présence.

TABLEAU 4.17

LES CONDITIONS À RESPECTER DANS LA DÉTERMINATION ET LA DÉFINITION DES FACTEURS ET DES SOUS-FACTEURS ET DE LEURS NIVEAUX DE PRÉSENCE

1. La précision et la cohérence

La définition d'un facteur ou d'un sous-facteur ne doit pas renvoyer à plusieurs éléments. Par exemple, si l'on définit le sous-facteur « complexité des tâches » en se référant à des concepts d'autonomie, de règles à suivre, de créativité et de disponibilité des ressources, il devient impossible de savoir ce que ce sous-facteur mesure réellement. Il faut également s'assurer que les définitions des niveaux de présence d'un facteur sont cohérentes par rapport à la définition du facteur. Par exemple, le sous-facteur « habileté analytique », défini comme « l'habileté à examiner des données, à établir des profils et des liens », ne doit pas être associé à des niveaux de fréquence allant de « peu de créativité requise » à « créativité continuelle requise ». De plus, les définitions des différents niveaux de présence des facteurs d'évaluation doivent être cohérentes entre elles en renvoyant à la même exigence. Par exemple, si les quatre premiers niveaux d'exigences vont de « aucune responsabilité de supervision » à « responsable de 10 employés et plus » et que le niveau 5 mentionne la « responsabilité de l'élaboration des politiques du service », ce dernier niveau mesure une exigence complètement différente. Ainsi, il est possible de ne pas avoir de responsabilité de supervision, mais de devoir déterminer des politiques de gestion. Il faut aussi s'assurer

TABLEAU 4.17 (suite)

qu'il y a une continuité d'un niveau à l'autre. Si, pour le facteur «conditions de travail», le premier niveau correspond à «devoir voyager fréquemment» et que le deuxième niveau mentionne une «exposition fréquente à certains risques», il est difficile de classer un emploi qui exige des voyages fréquents et qui comporte des risques.

2. L'absence de chevauchement

Lorsque les définitions de facteurs ou de sous-facteurs se chevauchent, le facteur commun est compté plusieurs fois dans l'évaluation. Très souvent, cette situation survient lorsque le titre de certains facteurs semble différent mais que leur définition est similaire et difficile à différencier. On pense, par exemple, au facteur «jugement», correspondant à la possibilité d'exercer un jugement et à la présence de règles, de procédés et de méthodes visant à baliser la prise de décision, ainsi qu'au facteur «liberté d'agir», défini comme la liberté d'action détenue par les titulaires selon que leurs responsabilités sont plus ou moins clairement délimitées et routinières et que leur travail est plus ou moins contrôlé. Ce peut également être le cas pour les sous-facteurs «responsabilité de relations avec autrui» et «responsabilité de supervision». Les niveaux de présence des facteurs ne doivent pas non plus se chevaucher. Par exemple, pour le facteur «responsabilité de supervision», si le niveau 4 correspond à une supervision de 20 à 30 personnes et que le niveau 5 corresponde à une supervision de 25 à 50 personnes, l'emploi d'un cadre qui supervise 25 employés peut être classé dans les deux niveaux.

3. L'objectivité du processus d'évaluation visant à respecter la gradation des exigences relatives des emplois

L'objectif de l'évaluation est d'établir une hiérarchie en examinant les composantes (facteurs et sous-facteurs) des emplois. Toutefois, il existe un risque que le statut actuel des emplois biaise le processus d'évaluation. Par exemple, le facteur «niveau de responsabilité des actions» auquel on accolerait des niveaux de fréquence allant de «se rapporter au superviseur de section» à «se rapporter au président» reflète davantage une progression dans la structure hiérarchique qu'une gradation dans les exigences relatives des emplois. C'est aussi le cas si le niveau d'expérience le plus élevé correspond, par exemple, à 20 ans d'ancienneté dans une entreprise.

4.7.2.3 La pondération des facteurs

Pondérer un facteur ou un sous-facteur d'évaluation des emplois consiste à déterminer son importance relative pour l'entreprise. Le poids relatif des facteurs d'évaluation des emplois doit refléter les valeurs de l'organisation et ne pas sous-évaluer les facteurs liés aux emplois à prédominance féminine.

Le poids d'un facteur est égal à l'écart existant entre le nombre de points accordé au niveau d'exigences le plus élevé du facteur et le nombre de points accordé au niveau d'exigences le plus bas, divisé par la somme des écarts de l'échelle. Par exemple, dans le tableau 4.18, la pondération du facteur «expérience préalable» est de 10 %, soit 125 (la somme des écarts entre le niveau d'exigences le plus élevé et le niveau d'exigences le plus bas) divisé par 1 250 (le total de la somme des écarts entre les niveaux d'exigences pour chaque facteur). Dans le cas de ce facteur, au lieu de répartir les points entre 25 et 150 avec des écarts de 25, on pourrait tout aussi bien les répartir entre 75 et 200, avec des écarts de 25. La somme des écarts demeure égale à 125 et la pondération est la même, soit 10 % (125 divisé par 1 250). Le nombre absolu de points n'a pas d'importance lorsqu'il s'agit de déterminer la valeur relative des exigences des emplois. Que l'on répartisse les points entre 25 et 150 avec des écarts de 25 points ou entre 75 et 200 avec des écarts de 25 points, l'écart entre le nombre total de points obtenus par deux emplois ayant été cotés à un niveau de différence pour le facteur « expérience préalable » demeure toujours de 25 points.

TABLEAU 4.18

EXEMPLE DE GRILLE DE PONDÉRATION DES FACTEURS D'ÉVALUATION DES EMPLOIS

Facteurs	Niveaux de présence						Somme des écarts entre les niveaux de présence	Pondération (%)
	1	2	3	4	5	6		
Expérience préalable	25	50	75	100	125	150	125	10,0 %
Formation	30	60	90	120	150		120	9,6 %
Supervision	0	15	30	45			45	3,6 %
Responsabilité financière	30	60	90	120	150		120	9,6 %
Conditions de travail	10	20	30	40			30	2,4 %
⋮	⋮	⋮	⋮	⋮	⋮	⋮	⋮	⋮
TOTAL	...	...	...	...	...	...	1 250	100 %

Le tableau 4.19 décrit les trois techniques de pondération des facteurs d'évaluation des emplois en fonction de leur importance relative : le jugement des membres du comité d'évaluation des emplois, l'analyse de régression multiple et une technique mixte combinant les deux premières approches. Auparavant, la pondération des facteurs contenus dans les grilles d'évaluation des emplois était surtout déterminée par le jugement des membres du comité d'évaluation. Aujourd'hui, l'utilisation des questionnaires d'évaluation des emplois permet le recours aux analyses de régression multiple pour déterminer le poids relatif des facteurs. Le tableau 4.20 présente des exemples de facteurs d'évaluation des emplois et la pondération utilisée pour différentes catégories de personnel. Notons que, au moment de l'élaboration d'une grille et de l'évaluation initiale des emplois, on peut recommander de procéder à la cotation des emplois avant de pondérer les facteurs d'évaluation des emplois, puisque la pondération est susceptible d'entraîner des biais. En effet, l'étape de la cotation risque moins d'être biaisée lorsque les évaluateurs ne possèdent pas d'information sur le nombre de points accordés à chaque niveau d'exigences. Ils savent évidemment qu'un niveau d'exigences est plus élevé qu'un autre, mais comme ils ignorent dans quelle mesure il est plus élevé, ils ne peuvent voir l'effet de leur cotation sur la valeur des exigences relatives des emplois.

TABLEAU 4.19

TROIS TECHNIQUES DE PONDÉRATION DES FACTEURS D'ÉVALUATION DES EMPLOIS

1. Le jugement des membres du comité d'évaluation des emplois

Cette technique consiste à recueillir les jugements des membres du comité d'évaluation des emplois sur la valeur relative des exigences des emplois et à obtenir un consensus sur leur importance relative.

2. L'analyse de régression multiple

Cette technique consiste à déterminer l'importance relative des facteurs d'évaluation dans la justification des salaires versés pour les emplois sur le marché ou dans l'organisation. Dans le premier cas, la régression multiple permet de déterminer l'importance relative des divers facteurs d'évaluation susceptibles d'expliquer le plus de variance dans les salaires accordés aux divers emplois sur le marché. En somme, cette approche confond la notion d'équité interne avec celle d'équité externe, puisqu'elle reporte les résultats des enquêtes de rémunération (avec toutes les iniquités que peut présenter le marché) dans le processus d'évaluation des emplois. Dans le second cas, la technique consiste à trouver l'équation de régression multiple indiquant la combinaison de facteurs susceptibles d'expliquer le plus de variance dans les salaires actuellement versés par l'organisation pour les emplois en cause. Cette approche permet de s'assurer que la pondération des facteurs respecte la hiérarchie des salaires offerts dans l'entreprise. La principale limite de cette technique vient du fait qu'elle transpose les iniquités salariales potentielles du marché ou de l'organisation dans le processus d'évaluation des emplois ; il suffit de songer aux salaires versés pour les emplois occupés en majorité par des femmes sur le marché ou dans l'organisation. Il est donc recommandé de vérifier l'effet du sexe des titulaires des emplois sur la pondération avant de prendre une décision. Une façon de résoudre le problème de l'iniquité liée au sexe consiste à ajouter la proportion de femmes dans chaque emploi comme variable indépendante dans les analyses de régression multiple ou à effectuer des analyses de régression distinctes pour le groupe d'emplois occupés majoritairement par des hommes et pour le groupe d'emplois occupés majoritairement par des femmes.

3. La technique mixte du jugement des membres du comité et de l'analyse de régression multiple

Cette technique consiste à effectuer une analyse de régression multiple pour déterminer l'importance relative des facteurs, qui permet le mieux d'expliquer les salaires attribués actuellement aux emplois dans l'organisation ou les salaires du marché, selon le sexe des titulaires. Par la suite, le comité d'évaluation des emplois peut modifier les résultats pour qu'ils reflètent le système de valeurs de la direction.

TABLEAU 4.20

EXEMPLES DE FACTEURS D'ÉVALUATION DES EMPLOIS ET PONDÉRATION UTILISÉE POUR DIFFÉRENTES CATÉGORIES DE PERSONNEL

I. SYSTÈME DE LA NATIONAL ELECTRICAL MANUFACTURERS ASSOCIATION (NEMA), ADOPTÉ PAR LA NATIONAL METAL TRADES ASSOCIATION (NMTA) ET PAR D'AUTRES ORGANISMES ASSOCIÉS À LA NMTA, REGROUPÉS SOUS LA COORDINATION DE LA MIDWEST INDUSTRIAL MANAGEMENT ASSOCIATION (MIMA)*

A) EMPLOIS DE PRODUCTION ET D'ENTRETIEN (USINE)

Facteurs	Nombre de niveaux	Pondération	
Qualification :		250	
1. Instruction	5		70
2. Expérience	5		110
3. Initiative et ingéniosité	5		70
Effort :		75	
4. Physique..........................	5		50
5. Mental et visuel	5		25
Responsabilités :		100	
6. Équipement ou opérations	5		25
7. Matières ou produits..........	5		25
8. Sécurité des autres	5		25
9. Travail des autres	5		25
Conditions :		75	
10. Conditions de travail........	5		50
11. Risques inévitables...........	5		25
Total des points			500

B) EMPLOIS DE BUREAU

Facteurs	Nombre de niveaux	Pondération
1. Instruction.....................	6	100
2. Expérience.....................	7	150
3. Complexe du travail........	6	100
4. Supervision nécessaire	5	60
5. Conséquences des erreurs..	6	80
6. Relation avec d'autres personnes	6	80
7. Renseignements confidentiels...................	5	25
8. Effort mental ou visuel....	5	25
9. Conditions de travail	5	25
Total des points		645

TABLEAU 4.20 (suite)

C) EMPLOIS DE DIRECTION

Les mêmes facteurs, avec la même
pondération, que pour les emplois
de bureau, auxquels on ajoute :

10. Type de direction exercée..	6	80
11. Complexe du travail	7	100
Total des points		825

2. Co-operative wage study – cws**

A) EMPLOIS DE PRODUCTION ET D'ENTRETIEN (USINE) ET EMPLOIS DE BUREAU
   ET TECHNIQUES

Facteurs	Nombre de niveaux	Pondération
1. Formation préparatoire	3	1,0
2. Formation et expérience professionnelles...............	9	4,0
3. Dextérité mentale...........	6	3,5
4. Dextérité manuelle...........	5	2,0
5. Responsabilité : matériel...	32	10,0
6. Responsabilité : outils et équipement	16	4,0
7. Responsabilité : opérations	8	6,5
8. Responsabilité : sécurité d'autrui	5	2,0
9. Effort mental	5	2,5
10. Effort physique	5	2,5
11. Milieu de travail	5	3,0
12. Risques	5	2,0
Total des points		43,0

B) EMPLOIS DE BUREAU ET TECHNIQUES

Facteurs	Nombre de niveaux	Pondération
1. Formation préparatoire	3	1,0
2. Formation et expérience professionnelles.............	9	4,0
3. Dextérité mentale...........	6	3,5
4. Dextérité manuelle.........	5	2,0
5. Responsabilité : matériel...	5	10,0
6. Responsabilité : outils et équipement	16	4,0

TABLEAU 4.20 (suite)

7. Responsabilité : opérations	6	4,0
8. Responsabilité : sécurité d'autrui	5	2,0
9. Effort mental	4	2,5
10. Effort physique	5	2,5
11. Milieu de travail..............	5	3,0
12. Risques	5	2,0
Total des points		40,5

*   Tiré de NMTA Associates, *The National Position Evaluation Plan*, Westchester, Ill., Midwest Industrial Management Association (MIMA), non daté. Reproduit avec l'autorisation de la MIMA.

**   Tiré de Métallurgistes unis d'Amérique, Manuel – *Description et classification des occupations et administration des salaires. Étude conjointe des salaires* (CWS), Montréal, Syndicat des métallos, 1976. Reproduit avec l'autorisation de l'éditeur.

4.8 La méthode des points et facteurs basée sur un questionnaire d'analyse des emplois sur mesure ou préétabli

Selon une approche plus contemporaine de l'évaluation des emplois, un comité d'évaluation des emplois distribue un questionnaire d'analyse des emplois parmi le personnel afin de colliger des informations sur les emplois et de les évaluer. Cette approche est souvent utilisée par des entreprises dont les emplois visés ne font pas l'objet de descriptions, de même que par des entreprises qui préfèrent recueillir des informations sur les emplois en distribuant un questionnaire parmi les employés pour diverses raisons (comme leur grande taille, leur type de gestion ou leur climat de travail), pour pouvoir ensuite être en mesure d'apprécier la valeur relative des exigences des emplois.

Suivant cette méthode, après avoir sélectionné un questionnaire d'analyse des emplois préétabli ou élaboré un questionnaire d'analyse des emplois sur mesure, le comité d'évaluation des emplois doit distribuer le questionnaire, compiler et valider les réponses et calculer la valeur relative des exigences des emplois. Le tableau 4.21 présente un exemple de matrice de points associée à l'utilisation d'un questionnaire d'analyse des emplois rempli par les employés. On peut observer que, selon les facteurs d'évaluation, le nombre de niveaux de présence varie de 3 à 9.

TABLEAU 4.21

GRILLE D'ÉVALUATION DES EMPLOIS ASSOCIÉE À L'UTILISATION D'UN QUESTIONNAIRE STRUCTURÉ D'ANALYSE DES EMPLOIS : EXEMPLE RÉEL

	Q1	Q2	Q3	Q4.1	Q4.2	Q5	Q6	Q7.1	Q7.2	Q7.3	Q8	Q9	Q10	Q11	Q12	Q13	Q14
Nombre de niveaux de présence	8	6	6	4	3	3	9	5	5	6	7	8	7	4	6	4	4
Nombre d'écarts	7	5	5	3	2	2	8	4	4	5	6	7	6	3	5	3	3
Niveaux de présence																	
1	20	20	0	8	2	4	16	9	0	0	30	20	14	8	24	0	5
2	49	60	12	35	12	24	36	27	10	10	80	49	37	35	72	17	22
3	77	100	24	61	22	44	56	45	20	20	130	77	61	61	120	33	38
4	106	140	36	88			76	81	30	30	180	106	84	88	168	50	55
5	134	180	48				96	99	40	40	230	134	107		216		
6	163	220	60				116			50	280	163	131		264		
7	191						136				330	191	154				
8	220						156					220					
9							176										
Pondération (%)	10	10	3	4	1	2	8	4,5	2	2,5	15	10	7	4	12	2,5	2,5	100
Coefficient	29	40	12	27	10	20	20	18	10	10	50	29	23	27	48	17	17	405

Pointage minimal   180

Pointage maximal   2 180

* Les questions mesurent la présence de facteurs et de sous-facteurs d'évaluation des emplois (par exemple, scolarité, créativité, effort physique).

4.8.1 L'utilisation d'un questionnaire d'analyse des emplois sur mesure ou préétabli

Un questionnaire d'analyse des emplois collecte les informations requises pour la mesure de la valeur relative des exigences des emplois. De fait, le contenu de ce type de questionnaire correspond un peu à la grille d'évaluation des emplois qui a été décrite précédemment, sauf qu'il donne plus de précisions sur les exigences relatives des emplois. Ainsi, comparé à la grille d'évaluation des emplois où un facteur d'évaluation fait référence à la supervision de personnel, le questionnaire d'analyse des emplois peut proposer trois questions sur le sujet : la nature de la supervision exercée (l'attribution de tâches, la formation, le contrôle du travail, l'appréciation du rendement, etc.), le nombre d'employés sous supervision directe ou indirecte ainsi que la nature des emplois faisant l'objet d'une supervision.

La firme Hay a converti sa grille traditionnelle d'évaluation des emplois en un questionnaire structuré permettant d'analyser et d'évaluer les emplois en fonction des tâches ou des responsabilités, des capacités et des comportements requis. D'autres sociétés-conseils, comme la société Mercer, Consultation en ressources humaines, proposent de personnaliser les questionnaires d'analyse des emplois afin qu'ils respectent la situation particulière, les besoins, les valeurs et la culture de gestion de chaque entreprise qui recourt à leurs services. Dans cette perspective, les questionnaires sur mesure permettent de colliger des renseignements sur des facteurs d'évaluation choisis par le comité de chaque organisation en cause à partir de la banque de questions élaborée au fil des ans. En effet, pour concevoir un questionnaire d'analyse des emplois sur mesure, le comité d'évaluation des emplois doit choisir des facteurs d'évaluation et élaborer des questions à choix multiple visant à déterminer l'importance relative de ces facteurs pour chaque emploi à évaluer. On peut y trouver des questions comme celles-ci : « Combien d'années d'expérience requiert le poste : 2 ans et moins, de 3 à 5 ans, de 6 à 10 ans, plus de 10 ans ? » « À quelle fréquence le titulaire est-il en relation avec d'autres personnes : rarement, à l'occasion, régulièrement, souvent, continuellement ? »

Dans toutes les provinces du Canada, la législation recommande que l'évaluation des emplois tienne compte de quatre facteurs : les connaissances et les habiletés, l'effort, les responsabilités et les conditions de travail. Le questionnaire doit donc inclure au minimum une question sur chacun de ces thèmes. En général, ces questionnaires contiennent entre 15 et 20 questions. Toutefois, plus les emplois visés sont variés, plus le nombre de questions est élevé.

Après avoir pris connaissance des emplois à évaluer ainsi que des valeurs et de la culture de l'organisation, le consultant ou le professionnel peut rassembler des exemples de questions extraites de banques de données colligées par les sociétés-conseils. Alors, le comité d'évaluation des emplois modifie ou ajuste ces questions en vue de préparer une première ébauche du questionnaire d'analyse des emplois. Le consultant ou le professionnel peut aussi avoir des séances de discussion avec les employés — pour obtenir leurs opinions sur les informations qui devraient être demandées dans le questionnaire — et en rapporter la teneur au comité d'évaluation des emplois pour que celui-ci en tienne compte au cours de l'élaboration de l'outil. Une fois les questions formulées, il faut déterminer l'échelle de réponses pour chaque question de manière à faire ressortir la fréquence de l'activité, son importance, le temps qu'elle requiert, son niveau de difficulté, etc.

D'une société-conseil à l'autre, les questionnaires d'analyse des emplois proposés sont assez semblables — tous sont de type structuré avec des réponses à choix multiple —, les différences apparaissant surtout dans la formulation des questions et dans les modalités de réponse. En fait, les questionnaires d'analyse des emplois préparés par ces sociétés peuvent s'appuyer sur une longue expérience. Aujourd'hui, la méthode des points et facteurs basée sur un questionnaire d'analyse des emplois est utilisée par la plupart des moyennes et des grandes entreprises. En effet, ces questionnaires comportent plusieurs avantages.

–   Ils ont été élaborés en collaboration avec plusieurs utilisateurs de diverses industries et de divers pays.

–   Ils ont été mis à jour et analysés statistiquement de manière à constituer des versions plus courtes et plus simples à remplir tout en incorporant des facteurs indispensables à la comparaison de tous les types de postes dans la plupart des secteurs.

–   Ils demandent moins de temps que les questionnaires maison (pour leur évaluation, leur utilisation et leur mise à jour), ce qui permet aux membres du comité d'employer leur temps de façon plus judicieuse.

–   Ils peuvent généralement être utilisés par des sociétés multinationales qui veulent gérer leurs modes d'analyse et d'évaluation des emplois de manière semblable dans toutes leurs unités d'affaires (par exemple, Mercer, Consultation en ressources humaines, Tower Perrin).

–   Ils font l'objet d'une révision continue permettant de les adapter aux besoins changeants des organisations.

–   Ils permettent d'évaluer des emplois pour lesquels une organisation ne dispose pas de descriptions d'emplois officielles à jour.

–   Ils procurent aux organisations des informations sur les emplois qui pourront leur permettre d'élaborer, d'adapter ou de mettre à jour des descriptions d'emplois qui pourront servir au recrutement, à la formation et à la gestion du rendement.

–   Ils s'avèrent particulièrement intéressants pour un employeur qui veut se doter d'un nouveau système d'évaluation des emplois pour un grand nombre d'emplois, puisque cela lui permet d'obtenir un système informatisé d'évaluation des emplois clés en main.

- Ils facilitent les décisions des membres du comité d'évaluation (par exemple, la détermination et la pondération des facteurs peuvent s'appuyer sur les résultats d'analyses statistiques), en raison des données et des outils statistiques qui sont à leur disposition.

- Ils répondent aux pressions légales, sociales et politiques lorsque leur élaboration s'est appuyée sur la participation et la consultation des employés.

- Ils augmentent les chances que les employés estiment équitable le processus d'évaluation des emplois lorsqu'ils ont collaboré à leur création.

- Certains questionnaires maison mènent à des résultats d'évaluation (la détermination de classes d'emplois) que l'organisation peut utiliser pour effectuer des comparaisons salariales avec les enquêtes salariales de la société-conseil (par exemple, la méthode Hay). Cette manière de s'assurer de l'équité externe est critiquable (voir le chapitre 3) même si elle est présentée comme un atout par ces sociétés-conseils.

Toutefois, la méthode du questionnaire structuré ne constitue pas une solution miracle au problème de l'évaluation des emplois. Il est important de rappeler qu'il n'existe pas de système d'évaluation des emplois objectif : ce processus reste essentiellement subjectif. Il n'existe pas non plus de critères universels objectifs pour déterminer les exigences relatives des emplois. Les méthodes d'évaluation ont toujours nécessité et nécessitent encore du jugement, de la discrétion, de la négociation et de la rationalisation. L'utilisation de questionnaires dont les résultats peuvent être analysés statistiquement ne rend pas l'évaluation des emplois plus scientifique : elle aide les gens à mieux collecter, analyser et synthétiser l'information et à faire des choix.

4.8.2 Le prétest et la distribution du questionnaire d'analyse des emplois

Lorsque le comité d'évaluation des emplois est satisfait du questionnaire d'analyse des emplois élaboré, il doit le valider (c'est-à-dire le vérifier ou le prétester) auprès d'un échantillon représentatif d'employés et de supérieurs immédiats. En effet, même si les membres du comité et les consultants peuvent être satisfaits du travail effectué, cela ne garantit pas la qualité du questionnaire quant à sa clarté, à son exhaustivité et à la pertinence de ses questions aux yeux des employés qui seront sollicités pour remplir le questionnaire. De plus, la vérification du questionnaire permet d'obtenir des commentaires sur l'outil avant que celui-ci ne soit terminé et de décider de son format définitif en collaboration avec le comité d'évaluation des emplois. L'étape du prétest soumis aux employés varie selon qu'il s'agit d'un questionnaire sur mesure ou d'un questionnaire préétabli : dans le premier cas, on fait passer le prétest à un plus grand nombre d'employés et l'on ajuste le questionnaire sur mesure en fonction des remarques colligées ; dans le second cas, on soumet le prétest à un nombre plus restreint d'employés et l'on obtient l'approbation des membres du comité d'évaluation des emplois avant d'apporter des changements ou d'adapter le questionnaire préétabli ou structuré en conséquence.

Une fois le contenu du questionnaire d'analyse des emplois validé, il faut planifier sa passation et déterminer les employés qui le rempliront, l'endroit où il sera rempli, le moment auquel il sera rempli et le genre d'aide que les participants recevront. Le questionnaire peut être rempli par les titulaires des emplois visés et/ou par leurs supérieurs immédiats. Pour les emplois comprenant plusieurs titulaires, certaines organisations préfèrent faire remplir le questionnaire par un certain pourcentage des titulaires d'un même emploi (échantillon). Il est souvent recommandé de le faire remplir à la fois par les titulaires, qui sont engagés directement dans l'accomplissement du travail, et par les supérieurs immédiats, qui permettent de valider les réponses. Il est alors préférable que chaque titulaire et chaque supérieur remplisse le questionnaire séparément, pour qu'il n'y ait pas d'influence réciproque. Toutefois, dans certains cas, un climat organisationnel particulier peut expliquer que seuls les supérieurs immédiats des titulaires soient invités à remplir le questionnaire pour chaque emploi placé sous leur supervision.

En ce qui a trait au lieu où seront remplis les questionnaires, il peut être avantageux de réunir les employés en groupes dans une salle et de leur demander de remplir le questionnaire sur-le-champ. Environ une heure plus tard, les questionnaires pourront déjà être traités. De plus, les employés peuvent avoir une réponse immédiate à leurs questions. Pour la distribution du questionnaire, le service des ressources humaines peut utiliser le courrier interne ; les employés lui retourneront les questionnaires une fois qu'ils les auront remplis.

4.8.3 La compilation et le traitement des réponses au questionnaire d'analyse des emplois

Lorsque tous les questionnaires d'analyse des emplois ont été remplis par les employés et/ou par les supérieurs immédiats, ils sont souvent retournés à la société-conseil pour que celle-ci puisse compiler et traiter les réponses et faciliter ainsi le travail du comité d'évaluation des emplois.

La société-conseil produit alors une liste des réponses aux questions et elle compile la moyenne et le mode (le niveau de présence de l'échelle qui a été le plus souvent choisi par les participants) pour les emplois ayant plus d'un titulaire. À partir de cette liste, un ensemble de réponses par emploi peut aisément être retenu. Le tableau 4.22 présente un exemple d'une liste de réponses.

Une telle compilation des résultats d'un questionnaire d'analyse des emplois propose une base de comparaison que les membres du comité d'évaluation des emplois peuvent analyser. Lors de ce processus, des descriptions d'emplois à jour — lorsqu'elles sont disponibles — peuvent s'avérer utiles si les membres du comité veulent apprécier et analyser plus à fond certains résultats.

TABLEAU 4.22

Emploi	Nombre de titulaires	Question 1		Question 2		Question 3	
		Titulaires	Supérieurs immédiats	Titulaires	Supérieurs immédiats	Titulaires	Supérieurs immédiats
A	1	3	3	3	3	3	3
	2	3	3	4	3	3	3
	3	3	3	4	3	2	3
	4	2	3	4	3	4	3
Moyenne		2,75	3	3,75	3	3	3
Mode		3	3	4	3	3	3

4.8.4 La validation des réponses au questionnaire d'analyse des emplois

Avant de procéder à la validation des réponses au questionnaire, la société-conseil (ou l'organisation) doit donner la formation nécessaire au comité d'évaluation des emplois, puis assister celui-ci dans ses rencontres de travail dont le but sera de procéder à la validation des réponses à l'égard de chaque emploi à évaluer. Plus précisément, le comité doit sélectionner des emplois repères parmi les différents emplois à évaluer (environ 30 % de tous les emplois). Les autres emplois (ceux qui ne seront pas évalués par le comité) seront évalués par les professionnels du service des ressources humaines de l'organisation ; les résultats de ces dernières évaluations seront validés par le comité.

4.8.5 La pondération des facteurs d'évaluation des emplois

Après que le comité a validé les résultats de l'évaluation des emplois, il effectue la pondération de chaque question (ou facteur) afin d'obtenir un total en points pour chaque emploi. En effet, comme certains des facteurs d'évaluation ont un impact plus ou moins important sur l'organisation selon sa culture, ses valeurs et sa stratégie, ils doivent être pondérés différemment.

Dans ce contexte, il est possible d'élaborer différents scénarios de pondération des facteurs d'évaluation et de dégager leurs répercussions respectives, notamment en matière de classement des emplois au regard de la situation actuelle. Cela fournira aux dirigeants d'entreprise tous les éléments requis pour décider de la pondération des facteurs d'évaluation et leur assurera que les valeurs et la culture de leur firme sont correctement prises en considération.

Évidemment, les réponses à plusieurs questions sont liées entre elles. Ainsi, si un titulaire répond que son emploi exige une scolarité de niveau secondaire, il n'est pas surprenant que les aptitudes en calcul requises correspondent à des analyses de ratios et de pourcentages et non à des méthodes statistiques avancées. On peut donc prévoir la réponse à une question en se fondant sur les réponses fournies aux autres questions qui y sont rattachées. Grâce à l'informatique, il est possible d'effectuer des analyses statistiques pour dégager les différents profils d'emplois, les comparer les uns avec les autres et déterminer leur valeur relative de même que pour relever les questions qui doivent être regroupées sous un même facteur.

Lorsque le nombre de participants est suffisamment élevé, des analyses statistiques de régression multiple peuvent permettre de prédire les réponses aux questions pour chaque emploi et de pondérer les facteurs d'évaluation des emplois. Lorsque le nombre de participants est peu élevé (par exemple, moins de 100), la pondération des facteurs doit être déterminée par les membres du comité d'évaluation des emplois.

Les résultats compilés des questionnaires d'analyse des emplois et les valeurs des emplois prédites par le modèle de régression (s'il y a lieu) sont acheminés au comité d'évaluation des emplois, qui doit les examiner et corriger les incohérences. Soulignons qu'il faut éviter d'accorder plus d'importance aux valeurs des emplois — statistiquement prédites par un modèle de régression — qu'à la consultation des membres du comité. Des résultats statistiques peuvent guider le jugement humain, mais non le remplacer.

4.8.6   Le classement des emplois

L'application du modèle de pondération des facteurs d'évaluation des emplois retenu par le comité d'évaluation des emplois permet de calculer la valeur de chaque emploi selon un nombre de points. Il y a alors lieu de déterminer des intervalles de résultats permettant de regrouper dans une même classe les emplois dont la valeur en points est similaire. En effet, dans une évaluation, une différence de 10 points ne veut pas nécessairement dire qu'un emploi est plus exigeant qu'un autre. Une telle conversion permet d'appliquer le système d'une manière plus souple, plus simple et plus pratique, si bien que de petits écarts de points ne pourront mener à des écarts salariaux. Pour y parvenir, des sociétés-conseils fournissent une table de conversion permettant de convertir les emplois, selon leur valeur en nombre de points, en classes d'emplois. Les délimitations des bornes des classes d'emplois qu'elles proposent permettent aussi de comparer les salaires versés pour les emplois dans une organisation qui est leur cliente avec les salaires que d'autres organisations, sondées lors de leurs enquêtes de rémunération, versent pour des emplois appartenant à des classes semblables. Encore ici, il est intéressant d'analyser et de comparer les répercussions de divers scénarios de classement — avec ceux de la structure des emplois actuelle — avant de faire des choix.

En résumé, le comité d'évaluation des emplois a un rôle primordial à jouer en ce qui concerne la méthode de collecte d'informations sur les emplois au moyen d'un questionnaire. Il doit participer à la conception du questionnaire ou à l'adaptation d'un questionnaire préétabli (s'il y a lieu), à la validation des réponses aux questionnaires remplis, à la pondération des facteurs d'évaluation ainsi qu'au calcul des écarts de salaires entre les emplois; ce dernier point sera traité au prochain chapitre.

4.9   L'efficacité du processus d'évaluation des emplois

Quoique les méthodes d'évaluation des emplois soient multiples et que les entreprises les utilisent depuis longtemps, seules quelques études — dont la plupart ont été effectuées avant les années 1980 — se sont penchées sur leur efficacité en s'appuyant sur des indicateurs comme la fidélité, la validité et le taux de succès.

La *fidélité* d'une méthode d'évaluation des emplois correspond à la constance ou à la stabilité des résultats obtenus par différents évaluateurs ou, à divers moments, exprimés à l'aide d'un indice de corrélation variant de 1 (relation positive parfaite entre les deux séries de résultats) à 0 (aucune relation entre les deux séries de résultats). En général, ces études montrent que les résultats de la mesure *globale* de la valeur des emplois sont assez stables entre les évaluateurs, alors que les résultats enregistrés pour chacun des facteurs d'évaluation des emplois varient considérablement d'un évaluateur à l'autre (Madigan, 1985; Treiman, 1979).

Bien qu'il soit possible d'utiliser la distribution des salaires en vigueur sur le marché du travail pour estimer la *validité* d'une méthode d'évaluation des emplois, cette façon de faire confond les notions d'équité interne et d'équité externe. La meilleure façon d'analyser la validité d'une méthode d'évaluation des emplois consiste à appliquer différentes méthodes d'évaluation à un même ensemble d'emplois et à comparer leurs résultats respectifs : s'ils sont corrélés, la méthode est jugée valide. Certaines études ayant estimé la convergence des hiérarchisations d'emplois qui résultent de différentes méthodes d'évaluation des emplois montrent une corrélation élevée. Toutefois, l'ampleur de la corrélation entre les résultats de différentes méthodes d'évaluation des emplois ne correspond pas à la vraie préoccupation : il est fort différent de constater que le rangement d'un ensemble d'emplois est semblable à celui qui est généré par une autre méthode et de s'apercevoir que le rangement respectif suggéré par les méthodes a pour effet de disposer les emplois à l'intérieur des mêmes classes d'emplois ou de classes d'emplois différentes. Dans ce dernier cas, les conséquences sur la détermination des classes salariales sont plus importantes, puisque chacune d'elles correspond à des taux (minimal et maximal) et à des progressions de salaires différents, d'où le recours au taux de succès.

Le *taux de succès* correspond à la fréquence à laquelle diverses méthodes d'évaluation placent les divers emplois évalués dans les mêmes classes d'emplois. Des études confirment que la classe d'emplois attribuée à un emploi varie selon les méthodes d'évaluation utilisées (Caron, 1988 ; Gomez-Mejia *et al.,* 1982 ; Madigan, 1985 ; Risher, 1989). Par exemple, Caron (1988) montre qu'entre 30 % et 60 % des emplois se trouvent dans des classes d'emplois différentes selon les méthodes d'évaluation utilisées. L'étude de Risher (1989) indique que la variance dans les évaluations d'un même emploi peut correspondre à une différence de salaire de plus de 20 %. L'écart salarial entre les classes d'emplois est un élément à considérer pour juger de l'acceptabilité d'un taux de succès. Ainsi, un écart de ± 1 classe d'emplois est plus acceptable lorsqu'une structure salariale indique des écarts faibles entre les salaires des classes que lorsqu'elle indique des écarts importants entre eux.

L'état actuel des connaissances ne permet pas d'avancer qu'un processus d'évaluation des emplois obtient de meilleurs résultats qu'un autre. Les seules affirmations que l'on puisse faire à cet égard sont celles qui suivent. Premièrement, il est important que les résultats d'un processus d'analyse et d'évaluation des emplois soient compris et acceptés par l'ensemble des personnes en cause. Deuxièmement, peu de dirigeants considèrent l'évaluation des emplois comme un strict outil de mesure ; ils la perçoivent plutôt comme un processus d'échange visant à rationaliser une structure salariale au sujet de laquelle on s'accorde à dire qu'elle répond de manière optimale aux besoins et qu'elle permet de s'adapter aux changements. Troisièmement, pour rendre positives les réactions des personnes à l'égard d'un processus d'évaluation des emplois, l'employeur doit se préoccuper non seulement de la qualité des outils utilisés (méthodes, techniques, etc.), mais aussi de la démarche employée (participation, communication, etc.). De fait, Quaid (1993) a probablement en partie raison de conclure qu'un processus d'évaluation des emplois est un rituel institutionnel qui permet de traduire et de justifier un système de valeurs dans un processus qui, autrement, serait très difficile à gérer.

Du côté des organisations, les réactions des employés au processus d'évaluation des emplois peuvent donner des indications sur ses qualités et son acceptation. En effet, le test ultime n'est pas tant de vérifier si le processus d'évaluation des emplois utilisé est objectif (il ne l'est pas et ne le sera jamais!) que de vérifier s'il est accepté et considéré comme équitable par les dirigeants et les employés. Une autre manière d'analyser la valeur d'un processus d'évaluation des emplois consiste à considérer son efficacité sous l'angle des coûts et des bénéfices. Les coûts de l'évaluation des emplois comprennent le temps qui y est consacré et les expertises auxquelles il faut faire appel lors de son élaboration, de son implantation et de sa gestion. L'entreprise doit donc se demander si un processus de hiérarchisation des emplois en fonction de la valeur relative de leurs exigences lui permet d'atteindre ses objectifs (le respect des lois, la simplicité, la flexibilité, etc.) de la manière la plus efficace possible.

Comme l'expliquent Armstrong et Baron (1996), les syndicats se sont traditionnellement montrés plutôt sceptiques à l'endroit du processus d'évaluation des emplois. Pour les syndicats, ce processus « pseudo-scientifique », qui est souvent géré de manière peu transparente par les patrons, risque d'éroder leur pouvoir de négociation des salaires. Ils ont d'ailleurs été plus réticents à l'égard des méthodes d'évaluation des emplois mises au point par des patrons, ou encore par des sociétés-conseils qui visaient à répondre à des besoins patronaux.

Historiquement, les syndicats ne se sont pas opposés à une gestion des salaires basée sur ce que les employés font; ils se sont plutôt opposés aux approches visant à lier les salaires au rendement individuel des employés. Au fil des années, ils ont d'ailleurs été pressés de collaborer à l'élaboration et à l'application d'un processus d'évaluation des emplois avec des employeurs. L'expérience montre qu'ils collaborent à condition que des préalables soient respectés : par exemple, ils veulent participer au processus, faire leur propre enquête de rémunération, avoir le droit de négocier tout changement en matière salariale qui résulte de l'enquête de rémunération, voir adopter les méthodes analytiques d'évaluation des emplois qui rendent plus explicites et plus transparents les critères de décision.

4.10 Les limites du processus d'évaluation des emplois

Comme toute autre pratique de gestion, l'évaluation des emplois comporte des limites. Rappelons d'abord que le processus d'évaluation des emplois est subjectif et que son élaboration et sa gestion sont coûteuses. Par ailleurs, il n'existe pas de critères universels et non équivoques pour déterminer les exigences relatives des emplois, et toutes les méthodes d'évaluation des emplois nécessitent du jugement, de la discrétion, de la négociation et de la rationalisation. L'utilisation récente de la statistique en matière d'évaluation des emplois ne rend pas celle-ci plus scientifique; simplement, elle facilite l'analyse et la synthèse de l'information de même que la prise de décision.

Une autre critique qu'on adresse au processus d'évaluation des emplois consiste à dire que tout ce travail ne sert, dans bien des cas, qu'à justifier des décisions qui étaient déjà prises : les cadres auraient tendance à déterminer la classe d'un emploi, puis à rédiger et à réviser la description d'emploi de manière à justifier la classe qu'ils ont choisie sur la base de critères qui, souvent, ne sont pas pertinents (par exemple, leurs impressions sur ce qu'est le taux courant du marché, une entente prise avec un candidat nouvellement embauché, le favoritisme, le besoin de retenir un employé qui a manifesté l'intention de quitter l'entreprise). Considérant cette possibilité, il est important que le processus d'évaluation des emplois soit transparent et que le service des ressources humaines veille à ce que ses résultats soient sensés.

D'autre part, si l'évaluation des emplois, à travers le choix des facteurs ou des valeurs sur lesquels elle repose, peut servir de levier pour appuyer des changements culturels dans l'organisation (par exemple, la réduction des barrières dressées par le pouvoir hiérarchique), elle peut aussi représenter un frein aux changements culturels lorsqu'elle renforce les valeurs traditionnelles et qu'elle n'est pas adaptée à la nouvelle réalité.

Rappelons également que l'évaluation des emplois porte sur une appréciation des *emplois* et non de leurs *titulaires*. L'objectif d'une telle évaluation consiste à accorder aux emplois des salaires proportionnels aux exigences qu'ils comportent et non à déterminer des écarts précis entre les salaires des titulaires des emplois. Il s'agit uniquement d'indiquer quels emplois doivent être rémunérés à des taux identiques et quels emplois doivent être rémunérés à des taux différents, au moyen de l'ordonnancement ou de la hiérarchisation des emplois. Par conséquent, il ne faut pas confondre l'*évaluation des emplois* avec la *détermination des salaires des titulaires des emplois*.

Par ailleurs, même si les exigences des différents emplois d'une organisation constituent un critère pertinent de détermination des salaires (l'équité interne), d'autres principes, notamment l'importance du marché (l'équité externe) et certaines caractéristiques individuelles (l'équité individuelle), jouent un rôle dans la fixation des salaires. L'équité interne n'est qu'une des formes d'équité à respecter en matière de gestion de la rémunération. On peut penser, par exemple, aux spécialistes de l'informatique, à qui l'on offre de bien meilleures conditions de rémunération qu'à d'autres emplois différents ayant des exigences semblables, tout simplement parce que ces spécialistes sont trop peu nombreux sur le marché. Dans ce cas, l'influence relative du principe de l'équité externe est plus importante que celle de l'équité interne dans la détermination du salaire.

4.11 La raison d'être et les conditions de succès du processus d'évaluation des emplois

4.11.1 L'évaluation des emplois ou des personnes?

L'apparition des nouvelles technologies de l'information et de la communication, l'adoption de nouvelles formes d'organisation du travail et la réduction des niveaux hiérarchiques ont des effets sur le contenu des emplois et sur les exigences requises pour les assumer. Dans les années 1990, plusieurs auteurs ont proposé de procéder à l'analyse et à l'évaluation des compétences (les habiletés, les connaissances, les traits de personnalité, etc.) des employés plutôt qu'à celles des exigences relatives des emplois en vue de la fixation des salaires et de la gestion des augmentations de salaires. Une dizaine d'années plus tard, force est de reconnaître que les structures salariales basées sur les personnes ont été adoptées par une minorité d'entreprises manufacturières auprès de leurs employés de production (salaires basés sur les habiletés) et qu'un nombre encore plus restreint d'organisations les ont adoptées pour leur personnel cadre et/ou professionnel.

En somme, encore aujourd'hui, la plupart des organisations déterminent et gèrent les salaires en s'appuyant sur un processus d'évaluation des emplois, et ce, même si on lui reconnaît de nombreuses limites et que l'on en sait très peu sur son efficacité. Au Canada, les lois visant à éliminer la discrimination dans la rémunération des catégories d'emplois à prédominance masculine et à prédominance féminine suggèrent implicitement l'adoption d'un processus d'établissement et de gestion de structures salariales basées sur les exigences relatives des emplois. De fait, comme des salaires basés sur les compétences des employés ne se prêtent pas ni directement, ni facilement à un examen selon les règles des lois en matière d'équité salariale, les dirigeants ont davantage intérêt à conserver leurs méthodes d'évaluation des emplois pour être en mesure de mieux défendre leur mode de gestion des salaires.

Toutefois, le peu d'enthousiasme manifesté à l'égard des structures salariales basées sur les compétences n'est pas attribuable seulement à des considérations légales puisque, aux États-Unis, où les lois sont pourtant beaucoup moins contraignantes, les structures salariales basées uniquement sur les compétences sont aussi très peu fréquentes. S'il existe un consensus parmi les dirigeants d'entreprise sur l'utilité de gérer les compétences des employés, la nécessité de lier *directement* la rémunération — en totalité ou en partie — à l'acquisition de compétences n'est certes pas partagée. En pratique, la plupart des dirigeants conservent leur processus d'évaluation des emplois, quitte à intégrer davantage le concept de compétences ou à prendre en considération de nouvelles compétences dans le choix et la pondération des facteurs et des sous-facteurs. Heneman (2003) parle alors de l'évaluation « du travail » plutôt que de l'évaluation « des emplois » afin d'élargir la portée de l'évaluation, d'y intégrer une évaluation des rôles, des compétences et des habiletés en sus des tâches et des responsabilités prises en considération dans l'évaluation des emplois traditionnelle. Cela permettra de mieux s'adapter à la nature changeante des emplois.

4.11.2   Les conditions de succès du processus d'évaluation des emplois

La préoccupation pour les compétences n'a pas entraîné la disparition du processus d'analyse, de description et d'évaluation des emplois, mais elle a permis d'aligner le contenu de ces derniers sur les priorités de l'organisation. Ainsi, on a révisé les descriptions d'emplois détaillées de manière à les rendre plus générales (le qualificatif « génériques » est couramment utilisé) et à ajouter aux emplois des responsabilités, de l'autonomie et de la variété. De la même façon, on a revu certains aspects du processus d'évaluation des emplois — notamment le choix des facteurs et des sous-facteurs — afin qu'il tienne compte de compétences correspondant aux besoins et à la stratégie d'affaires de l'organisation. D'autres organisations, appartenant souvent à des domaines de la nouvelle économie, ont décidé d'abandonner la méthode des points et facteurs au profit d'une méthode de classification des emplois, jugeant cette dernière moins compliquée et plus adaptable aux changements contextuels. Finalement, on a révisé les échelles de salaires afin de pouvoir gérer davantage les salaires sur la base des compétences. Pour ce faire, on a eu tendance à revoir l'évaluation du rendement des cadres et des professionnels pour faire en sorte que leurs augmentations de salaires ne soient plus uniquement fonction d'une cote de rendement basée sur la réalisation de résultats (le quoi), mais aussi de la mise en pratique de compétences (le comment).

Selon Armstrong et Baron (1996), les organisations continuent d'utiliser un processus d'évaluation des emplois et il y a de bonnes raisons de croire qu'elles devraient conserver ce processus, car il est perçu comme étant logique, systématique et juste quant au respect de la Loi sur l'équité salariale (voir le chapitre 6). Toutefois, pour optimiser la valeur du processus, ces auteurs font les recommandations suivantes :

– le processus d'évaluation des emplois devrait être géré de manière assez flexible afin qu'il puisse s'adapter aux changements survenant dans le contexte et l'organisation du travail ;

– il ne devrait pas servir à accentuer des hiérarchies d'emplois ;

– il devrait refléter le contenu plus flexible et plus changeant des emplois d'aujourd'hui ;

- il devrait prendre en considération l'importance accrue accordée au travail d'équipe ;

- il ne devrait pas s'appuyer sur des descriptions d'emplois très détaillées et contraignantes ;

- il ne devrait pas entraîner l'organisation dans un processus trop coûteux en ce qui concerne les étapes, les contraintes, les expertises et le temps consacré à la gestion ;

- il devrait être assez simple à appliquer de manière à faciliter le transfert de la prise de décision ;

- il devrait fournir un cadre officiel d'opérations permettant de porter des jugements cohérents et respectueux des exigences des lois qui visent à éliminer la discrimination dans l'évaluation des emplois à prédominance masculine et à prédominance féminine ;

- il devrait être révisé à la lumière des changements qui se produisent dans le travail, les valeurs, la culture, les exigences d'affaires, le climat de travail, les lois, etc. ;

- il devrait être géré de manière transparente afin que tous les employés touchés comprennent comme il est appliqué et comment son application a des effets sur eux ;

- il devrait être accepté et perçu comme étant équitable en optimisant la participation des employés et de leurs représentants à son élaboration et à sa gestion.

Conclusion

Ce chapitre a souligné l'importance accordée traditionnellement au principe de l'équité interne dans la gestion des salaires en Amérique du Nord. Un tel principe vise à accorder des salaires aux emplois dans une organisation en fonction de la valeur relative de leurs exigences. Avant d'estimer les exigences relatives des emplois, il faut collecter de l'information sur leur contenu. Dans ce chapitre, nous avons traité de l'analyse des emplois et décrit les méthodes permettant de collecter de l'information sur les emplois. Ensuite, nous avons discuté des règles à respecter dans la rédaction des descriptions d'emplois traditionnelles et génériques.

Ce chapitre a aussi fait le point sur le processus d'évaluation des emplois. Dans les années 1930 et 1940, on a mis au point la majorité des méthodes utilisées de nos jours en matière d'évaluation des emplois : la méthode de comparaison avec le marché, la méthode de rangement des emplois, la méthode de classification des emplois et la méthode des points et facteurs. Il existe deux versions de la méthode des points et facteurs, soit l'utilisation d'une grille faite sur mesure et l'utilisation d'une grille préétablie. La grille faite sur mesure a pour avantage de refléter les valeurs de l'organisation et la nature des emplois évalués, tandis que la grille préétablie connaît une application universelle. Traditionnellement, la grille d'évaluation des emplois par points et facteurs a été la méthode la plus utilisée. Depuis le début des années 1980, on a vu apparaître une démarche contemporaine fondée sur la méthode des points et facteurs, à savoir une méthode recourant à un questionnaire structuré, qui fait appel à la statistique et à l'informatique pour le traitement des renseignements recueillis. Finalement, ce chapitre a mis en lumière les conditions de succès et les limites du processus d'évaluation des emplois.

Questions de révision

1. Pourquoi est-il important de s'assurer de l'équité interne (ou de la cohérence interne) de la structure des emplois dans une organisation ?

2. De quelle manière la gestion des salaires influe-t-elle sur les attitudes et les comportements des employés, ainsi que sur les performances d'une entreprise ?

3. Quelles variables déterminent les caractéristiques des structures salariales des organisations ? Pour quelles catégories de personnel et pour quels milieux l'équité interne est-elle particulièrement importante ?

4. Définir et distinguer certains termes clés liés à l'établissement des structures salariales (par exemple, famille d'emplois, emploi, poste).

5. Qu'est-ce qu'un processus d'analyse des emplois et quelle est son utilité dans l'établissement d'une structure salariale basée sur les exigences relatives des emplois ?

6. Distinguer les approches traditionnelles et contemporaines de l'analyse des emplois.

7. Qu'est-ce qu'une description d'emploi ? Quel est son contenu ? Comment la description d'emploi doit-elle être rédigée ?

8. Quelle est l'importance traditionnellement accordée aux descriptions d'emplois en matière de gestion des salaires ? Commenter.

9. Distinguer le contenu des descriptions d'emplois dites « traditionnelles » des descriptions d'emplois qualifiées de « génériques ».

10. Qu'est-ce que l'évaluation des emplois ? Quel est son lien avec la recherche de l'équité interne en matière de rémunération ?

11. Distinguer la méthode basée sur une grille d'évaluation des emplois et la méthode basée sur un questionnaire d'analyse des emplois.

12. Quelles sont les étapes de l'élaboration d'une grille d'évaluation des emplois et de l'évaluation des emplois selon la méthode du questionnaire d'analyse des emplois ?

13. Commenter l'importance de gérer avec soin un processus d'évaluation des emplois en insistant sur des aspects ou des facettes clés de la gestion.

14. Commenter les multiples incidences d'un processus d'analyse, de description et d'évaluation des emplois dans un contexte marqué par la présence d'un syndicat.

15. Que sait-on de l'efficacité du processus d'évaluation des emplois?

16. Traiter des limites du processus d'analyse et d'évaluation des emplois dans la détermination des salaires.

17. Malgré les limites du processus d'évaluation des emplois, pourquoi les employeurs l'utilisent-ils encore afin de déterminer les salaires? Pourquoi ne privilégient-ils pas une approche basée sur la valeur des personnes?

18. Quelles sont les principales conditions à respecter pour optimiser l'efficacité d'un processus d'évaluation des emplois?

Références

ADAMS, J.S. (1963). « Toward an understanding of inequity », *Journal of Abnormal and Social Psychology,* vol. 67, p. 422-436.

ARMSTRONG, M. et A. BARON (1996). *The Job Evaluation Handbook,* Londres, Institute of Personnel and Development.

BECKER, G.S. (1975). *Human Capital,* Chicago, University of Chicago Press.

CARON, I. (1988). « Étude sur la convergence des résultats d'évaluation de deux méthodes de points d'évaluation des emplois », mémoire de maîtrise, Montréal, HEC Montréal.

COOK, G., M. WILKOJC et P. JACOBS (2001). « Using competencies and rewards to enhance business performance and customer service at the Standard Life Assurance Company », *Compensation & Benefits Review,* juillet-août, p. 14-24.

GABOURY, P. (2003). « Le fédéral n'avance pas dans la classification des employés », *Le Droit,* cahier « La Capitale », 28 mai, p. 6.

GOMEZ-MEJIA, L.R., R.C. PAGE et W.C. TORNOW (1982). « A comparison of the practical utility of traditional, statistical and hybrid job evaluation approaches », *Academy of Management Journal,* vol. 25, n° 4, p. 790-809.

HACKETT, T.J. et V.C. WILLIAMS (2004). *Documenting Job Content,* Scottsdale, Ariz., WorldatWork, How-to Series for HR Professional.

HARTLEY, D.E. (1999). *Job Analysis at the Speed of Reality,* Amherst, Mass., HRD Press.

HÉBERT, G. *et al.* (2003). *La convention collective au Québec,* Montréal, Gaëtan Morin Éditeur.

HENEMAN, R.L. (2001). « Work evaluation : Current state of the art and future prospects », *WorldatWork Journal,* vol. 10, n° 3, p. 32-41.

HENEMAN, R.L. (2003). « Job and work evaluation : A literature review », *Public Personnel Management,* vol. 32, n° 1, p. 47-71.

HOLLEY, L.M. et J.R. O'CONNELL (1997). « Job classification : The support system for personnel decision making », dans H. Risher et C.H. Fay et Associés (sous la dir. de), *New Strategies for Public Pay,* San Francisco, Jossey-Bass, p. 76-97.

KATZ, H.E. (1985). *Shifting Gears : Changing Labour Relations in the U.S. Automobile Industry,* Cambridge, Mass., MIT Press.

LEVENTHAL, G.S., J. KARUZA et W.R. FRY (1980). « Beyond fairness : A theory of allocation preferences », dans G. Mikula (sous la dir. de), *Justice and Social Interaction,* New York, Springer Verlag, p. 167-218.

MADIGAN, R.M. (1985). « Comparable worth judgments : A measurement properties analysis », *Journal of Applied Psychology,* vol. 70, p. 137-147.

OFFICE OF PERSONNEL MANAGEMENT. The Federal Government's Human Resources Agency, Washington, D.C., http:\\www.opm.gov, consulté le 9 novembre 2005.

PALMER, E.E. et B.M. PALMER (1991). *Collective Agreement Arbitration in Canada,* Toronto et Vancouver, Butterworths.

PLACHY, R.J. et S.J. PLACHY (1993). *Results-oriented Job Descriptions,* New York, AMACOM.

QUAID, M. (1993). « Job evaluation as institutional myth », *Journal of Management Studies,* vol. 33, n° 2, p. 239-260.

RISHER, H.W. (1989). « Job evaluation : Validity and reliability », *Compensation & Benefits Review,* janvier-février, p. 22-36.

RYNES, S.L., C.L. WEBER et G.T. MILKOVICH (1989). « The effects of market survey rates, job evaluation, and job gender on job pay », *Journal of Applied Psychology,* vol. 74, n° 1, p. 114-123.

ST-ONGE, S. *et al.* (2004). *Relever les défis de la gestion des ressources humaines,* 2e éd., Montréal, Gaëtan Morin Éditeur.

TREIMAN, D.J. (1979). *Job Evaluation : An Analytical Review,* Washington, D.C., National Academy of Sciences.

VALLERAND, N. (2004). « Combien payer vos employés ? », *PME,* vol. 20, n° 2, février, p. 10.

Chapitre 5

La gestion des salaires

Objectifs

Ce chapitre vise à :

➤ démontrer l'importance de maintenir une structure salariale équitable ;

➤ présenter le processus courant d'élaboration d'une structure salariale davantage liée aux responsabilités des emplois et d'une structure salariale davantage liée aux compétences des titulaires des emplois, tant les salaires basés sur les compétences que les bandes de salaires ou encore les bandes de cheminement de carrière ;

➤ démystifier les concepts relatifs à l'élaboration des structures salariales, notamment les classes (ou bandes) d'emplois, les bornes salariales, les échelles salariales, le chevauchement des échelles salariales et le ratio comparatif ;

➤ améliorer les connaissances en ce qui concerne la gestion des salaires, c'est-à-dire la planification des augmentations de salaires, l'ajustement des structures salariales, la révision des salaires individuels, le moment de l'attribution des augmentations de salaires, la communication au sujet des salaires et le contrôle des salaires ;

➤ exposer des problèmes ou des défis touchant à la gestion des salaires, comme le phénomène de la compression salariale, la double structure salariale et les courbes de maturité.

Cas et conjoncture

 La gestion des bandes salariales élargies à la Standard Life[1]

En 1825, le Groupe Standard Life est fondé à Édimbourg, en Écosse. En 1833, l'entreprise ouvre sa première agence au Québec et devient alors la première compagnie d'assurance vie du Canada. Depuis 1846, le siège social de cette société se situe à Montréal. Depuis le début du XIXe siècle, alors que cette société offrait essentiellement des produits d'assurance vie, son champ d'expertise s'est beaucoup élargi et la société s'affirme aujourd'hui comme chef de file dans le secteur des services financiers en offrant des produits d'assurance, d'épargne et de retraite individuelle en plus de régimes de retraite à l'intention des petites et des grandes entreprises. En juillet 2005, les actifs de l'entreprise représentaient plus de 248,4 milliards de dollars à l'échelle mondiale et plus de 36,1 milliards au Canada. Aujourd'hui, l'entreprise compte plus de 12 000 employés à travers le monde, dont 2 300 au Canada.

Le programme « Gestion liée aux contributions » (GLC)

Afin de rester concurrentielle, la Standard Life adopte une stratégie de satisfaction totale de la clientèle et promulgue les valeurs fondamentales suivantes : un service à la clientèle exceptionnel, l'intégrité de ses politiques et décisions, l'importance de ses effectifs, une gestion fondée sur les faits et l'amélioration continue des processus et des innovations. Pour les dirigeants de la Standard Life, la réalisation de cet objectif de qualité exige une souplesse accrue à tous les niveaux. Sur le plan organisationnel, une meilleure flexibilité permettrait d'apporter des changements afin de répondre toujours mieux et plus rapidement aux exigences des clients. En matière de ressources humaines, une souplesse accrue faciliterait le développement du personnel.

En 1999, afin de rendre sa gestion plus flexible et d'aligner davantage sa gestion du personnel sur la stratégie et les valeurs, la direction de la firme adopte un programme : la Gestion liée aux contributions (GLC). Ce programme modifie la culture, la philosophie et les approches de gestion. Plus précisément, il implique une révision de l'ensemble des activités de gestion des ressources humaines de l'entreprise, particulièrement la gestion des carrières, du rendement et de la rémunération. Ainsi, par le passé, un seul cheminement de carrière en gestion permettait aux employés d'être parmi les classes d'emplois les mieux rémunérées. Les spécialistes ou les professionnels, dont les salaires plafonnaient rapidement dans ce système, devaient accepter un emploi de gestionnaires pour augmenter leur salaire même si cela ne correspondait ni à leurs centres d'intérêt ni à leurs aptitudes. En raison de cette réalité, il devenait plus difficile de retenir les spécialistes compétents ; certains quittaient l'entreprise ou décidaient d'occuper des postes de gestion pour lesquels ils n'étaient pas nécessairement doués. Avec l'avènement du programme GLC, deux types de cheminement de carrière parallèles sont désormais possibles pour les gestionnaires et les spécialistes, puisque leurs tranches professionnelles se chevauchent pendant toute leur carrière. Les divers spécialistes peuvent alors accéder aux échelles salariales supérieures en respectant leur champ de compétences et d'intérêt (là où ils sont les plus heureux et les plus rentables pour l'entreprise).

1   Nous remercions M. Robert Hamel, directeur rémunération, avantages sociaux et système, à la Standard Life, à Montréal, de sa précieuse collaboration à la rédaction de cette rubrique. Ce texte correspond à une mise à jour, faite par Isabelle Caron, du cas intitulé « La gestion des bandes salariales élargies à la Standard Life », déposé au Centre de cas de HEC Montréal.

La direction de la Standard Life décide aussi d'augmenter les responsabilités des employés à l'égard de leur avancement personnel, de leur développement professionnel et de la gestion de leur rendement. Ainsi, on doit établir un plan de carrière pour chaque employé afin de guider celui-ci dans son cheminement professionnel. L'objectif consiste à répondre à la fois aux ambitions de carrière des employés et aux besoins de la Standard Life en matière de personnel. Par ailleurs, la gestion du rendement devient davantage un processus qui se réalise tout au long de l'année en partenariat avec l'employé. Le gestionnaire et l'employé doivent se rencontrer régulièrement, de façon informelle, pour discuter des objectifs de rendement, des réalisations, de leurs attentes et de leur perfectionnement. Alors qu'auparavant l'accent était mis sur l'amélioration continue des employés, on se préoccupe maintenant davantage de la contribution des personnes à la Standard Life ainsi que de leur potentiel.

La gestion des salaires par « tranches professionnelles »

Description. Le programme GLC implique qu'on doit revoir la manière traditionnelle de gérer les salaires. Dorénavant, il faut gérer les salaires en fonction de quatre tranches professionnelles plutôt qu'en fonction de la hiérarchie traditionnelle des emplois et des échelles salariales. Une tranche professionnelle correspond à un regroupement de rôles (postes) ayant des caractéristiques générales communes, des niveaux d'influence semblables et des résultats escomptés similaires. En somme, la notion de « tranche professionnelle » adoptée par la Standard Life correspond au concept de « bandes salariales élargies » (*broadbanding*), soit un élargissement des classes d'emplois traditionnelles combiné avec un allongement des échelles de salaires. Plus concrètement, il s'agit de passer d'une gestion des salaires selon trois échelles et s'appuyant sur plus de 40 classes d'emplois à une gestion des salaires en fonction des quatre tranches professionnelles suivantes : les leaders clients, les leaders opérations, les leaders affaires et les leaders d'entreprise.

- Les *leaders clients* sont des employés qui *fournissent des informations, des conseils et des services à la clientèle*. Cette tranche professionnelle regroupe les postes occupés par les associés, le personnel de soutien, les agents du service à la clientèle, les coordonnateurs et les adjoints à l'administration.

- Les *leaders opérations* sont des employés qui *utilisent des compétences et des techniques plus avancées pour appuyer l'orientation stratégique* de la Standard Life. On y trouve les associés de direction, les professionnels, les spécialistes et les superviseurs de premier niveau.

- Les *leaders affaires* sont des employés qui *influencent la direction stratégique des fonctions*. Il s'agit des directeurs de premier niveau et des professionnels principaux.

- Les *leaders d'entreprise* sont les employés qui *influencent l'orientation stratégique ou technique à long terme* de l'organisation. On y trouve les premiers directeurs, les vice-présidents et les professionnels spécialistes ayant un impact sur la performance organisationnelle (tels que les actuaires principaux).

Ce nouveau mode de gestion des salaires en fonction des contributions met l'accent sur la reconnaissance des compétences et des contributions individuelles. L'entreprise entend par «compétences» toutes les techniques, connaissances et habiletés personnelles influençant la façon dont le travail doit être fait pour que l'entreprise atteigne les objectifs fixés. Plus précisément, la Standard Life a déterminé et défini sept compétences fondamentales nécessaires à la réalisation de son objectif de *satisfaction totale des clients* : l'orientation vers le client, le sens des affaires, l'orientation vers l'action, la pensée stratégique, la capacité au travail d'équipe, le perfectionnement professionnel et le leadership. Selon cette approche, un employé faisant preuve de ces qualités a le potentiel pour gravir les échelons hiérarchiques de l'entreprise.

L'implantation. La mise en place d'un tel système de bandes salariales élargies s'est effectuée sur plusieurs mois. La direction a accordé beaucoup de temps aux études de faisabilité, à la communication, à l'élaboration du matériel de formation ainsi qu'à la formation des gestionnaires et des employés. On a d'abord testé le système dans le service de la technologie de l'information en franchissant les étapes suivantes :

Première étape : l'établissement du profil de rôles. Les gestionnaires ont défini les différentes tâches et activités effectuées par les titulaires des emplois en fonction de rôles. Ensuite, les professionnels du service des ressources humaines ont élaboré un dictionnaire des compétences (techniques et non techniques) et assigné les divers rôles retenus aux différentes tranches professionnelles.

Deuxième étape : la détermination du profil des employés. Les gestionnaires ont ensuite fait l'inventaire des habiletés, des connaissances et des tâches de leurs employés afin de les transcrire en compétences et de déceler leurs besoins en formation.

Troisième étape : la communication et la formation. Les professionnels du service des ressources humaines ont fait une présentation à tous les employés au sujet de l'importance de la GLC, de ses objectifs et de sa mise en application. Ils ont aussi formé les dirigeants et les cadres de tous les services afin que le processus d'implantation soit compris par tous.

Quatrième étape : le positionnement des employés. Les gestionnaires ont positionné chacun de leurs employés à l'intérieur des tranches professionnelles. Leur positionnement respectif était validé par les autres gestionnaires de manière qu'il n'y ait pas de disparités entre les services ou que le positionnement proposé ne soit pas trop différent de ce qui existait auparavant.

Cinquième étape : la tenue de rencontres entre le gestionnaire et chaque employé. Au cours de ces rencontres, le gestionnaire revoit le système afin de s'assurer que l'employé le comprend. Il informe aussi l'employé de son rôle, de son positionnement dans les tranches professionnelles, de son salaire et de ses possibilités d'avancement. Enfin, il lui remet une confirmation des ententes prises.

Les avantages attendus lors de l'implantation de la gestion des salaires par tranches professionnelles

Un tel système devrait faire en sorte que les employés soient moins résistants aux changements, plus encouragés à acquérir de nouvelles compétences et plus enclins à devenir mobiles. En effet, les tranches professionnelles offrent plusieurs possibilités d'avancement aux employés, notamment par les transferts à l'intérieur des tranches professionnelles et par la réduction de l'importance des titres et des statuts dans la détermination des salaires. Ainsi, les changements de fonction peuvent s'effectuer de façon latérale et entre les différentes fonctions, selon les priorités organisationnelles et les intérêts individuels. Cette formule favorise ainsi le développement personnel et offre de nouvelles possibilités de croissance personnelle.

Pour les gestionnaires, ce système leur donne un plus grand pouvoir discrétionnaire dans l'attribution des tâches, dans la définition des rôles et des responsabilités ainsi que dans la détermination des salaires des employés. Il devient alors davantage possible pour un superviseur de reconnaître un employé, puisque ses décisions ne sont plus contraintes par les étroites échelles salariales des nombreuses classes d'emplois qui existaient auparavant.

Pour la direction, l'adoption de bandes salariales élargies favorise le recrutement et la conservation du personnel clé puisqu'elles accordent plus d'importance aux contributions individuelles et moins au contenu des emplois. De même, les bandes salariales élargies valorisent davantage l'équité individuelle, laquelle incite à la polyvalence et à la prise de responsabilités accrues. Comme les employés les plus performants peuvent être mieux rétribués, ils sont plus susceptibles de rester dans l'organisation et de maintenir leurs efforts au travail.

Les incidences observées de la gestion des salaires par tranches professionnelles

Quoique le changement dans le système de gestion des salaires existe depuis 1999, la direction de la Standard Life peut déjà observer certains résultats. Comme les employés sont plus responsabilisés et davantage mobilisés, ils se montrent exigeants. Ils veulent plus de formation afin d'améliorer les compétences leur permettant d'accéder à de nouveaux postes, tant par la voie latérale que par la voie verticale. Ces nouvelles exigences de la part des employés posent des exigences correspondantes chez les gestionnaires en matière de *coaching*, de communication, etc. Par ailleurs, le changement de système a aussi permis d'établir et de maintenir un partenariat entre les professionnels du service des ressources humaines, les gestionnaires de divisions et les gestionnaires de groupes. Alors que les gestionnaires doivent assumer plus de responsabilités en matière de gestion des salaires, des carrières et des performances, les professionnels des ressources humaines ont vu leurs rôles modifiés, puisque, de contrôleurs qu'ils étaient, ils sont devenus conseillers. Particulièrement, on note que le gestionnaire immédiat comprend mieux maintenant les rôles de son secteur et ceux des autres secteurs étant donné qu'il participe à l'évaluation des changements apportés aux rôles sous sa responsabilité conjointement avec le service des ressources humaines. L'évaluation des rôles l'amène à tenir compte de l'équité dans son service, dans sa division et dans l'entreprise ; il peut alors mieux répondre aux questions des employés. Finalement, lors de l'implantation du nouveau système de gestion des salaires, celui-ci a augmenté la masse salariale d'environ 1 % ou 2 % en raison des réajustements requis par les règles liées aux exigences des rôles, des changements dans les processus de gestion, etc. Depuis, la Standard Life accompagne son marché de référence en ce qui a trait à la rémunération.

Source : Cas préparé par Isabelle Caron, Julie Charbonneau, Michelle Masse et Sylvie St-Onge.

Introduction

Ce chapitre traite de la gestion des salaires des employés. Dans la première section, il est question de l'intégration des divers principes d'équité dans la gestion des salaires. La deuxième section examine l'établissement d'une structure salariale basée sur les exigences que comportent les emplois, soit la structure la plus couramment adoptée en Amérique du Nord. Les troisième et quatrième sections se penchent sur des structures salariales plus récentes, soit celle qui s'appuie sur les compétences des employés et celle qui est basée sur des bandes d'emplois ou des bandes de cheminement de carrière. La cinquième section examine la gestion des structures salariales, à savoir l'ajustement des structures salariales, la révision des salaires individuels, le moment de l'attribution des augmentations de salaires, le contrôle des salaires et la communication en matière de gestion des salaires. Enfin, la sixième section aborde des défis ou des cas particuliers entourant la gestion des salaires, soit le problème de la compression salariale, la double structure salariale et les courbes de maturité.

5.1 L'intégration des divers principes d'équité dans la gestion des salaires

La figure 5.1 illustre comment la détermination et la gestion des salaires au sein des organisations doivent permettre d'intégrer les principes de l'équité interne, de l'équité externe, de l'équité individuelle ainsi que le principe de justice, en tenant compte notamment des exigences de la Loi sur l'équité salariale visant à contrer la discrimination dans la gestion des emplois à prédominance féminine (voir le chapitre 6). Par ailleurs, tout au long du processus de détermination et de gestion des salaires, il ne faut pas négliger le principe de justice du processus, puisque les employés réagissent non seulement aux résultats et aux décisions prises en matière salariale, mais aussi, voire surtout, à la façon dont ces décisions sont prises, expliquées et communiquées.

La détermination et la gestion des salaires fondées principalement sur la valeur relative des exigences des emplois reposent sur des processus d'analyse, de description et d'évaluation des responsabilités des emplois, processus qui ont été décrits au chapitre 4. Par ailleurs, la détermination et la gestion des salaires s'appuyant principalement sur les compétences des titulaires des emplois intègrent des processus d'analyse, de description et d'évaluation des habiletés, des compétences et/ou des connaissances des employés.

FIGURE 5.1

LA DÉTERMINATION ET LA GESTION DES SALAIRES

PHASE I : DÉTERMINATION DES SALAIRES

RESPECT DE L'ÉQUITÉ EXTERNE ET DES PRINCIPES DE JUSTICE DU PROCESSUS	RESPECT DE L'ÉQUITÉ INTERNE, DE L'ÉQUITÉ INDIVIDUELLE, DES LOIS ET DES PRINCIPES DE JUSTICE DU PROCESSUS
Détermination du marché de référence ↓ Conduite des enquêtes de rémunération ↓ Choix de politiques de rémunération	Analyse des emplois et/ou des compétences des employés ↓ Description des emplois et/ou des compétences des employés ↓ Évaluation des emplois et/ou des compétences des employés ↓ Établissement d'une structure d'emplois et/ou d'une structure de compétences ↓ Élaboration d'une structure salariale

PHASE 2 : GESTION DES SALAIRES

RESPECT DE L'ÉQUITÉ INDIVIDUELLE, DES LOIS ET DES PRINCIPES DE JUSTICE DU PROCESSUS
Gestion des salaires plus ou moins influencée par des caractéristiques des titulaires (années de service, rendement, compétences, etc.)

L'élaboration et la gestion d'une structure salariale peuvent nécessiter de comparer graphiquement la droite des salaires des divers emplois de l'organisation, la droite des salaires de ces emplois sur le marché du travail et la droite de la politique salariale visée par l'organisation. Pour représenter la droite salariale de l'organisation, on indique les résultats de l'évaluation des emplois et les salaires actuellement accordés à ces emplois dans un graphique où les différents taux de salaires se situent sur un axe vertical, alors que la valeur relative des exigences des divers emplois (ici, le nombre de points d'évaluation des emplois) est indiquée sur un axe horizontal.

Afin de visualiser adéquatement cette relation, on peut tracer une droite ou une courbe salariale représentant le mieux la façon dont sont distribuées les coordonnées « salaires – résultats de l'évaluation des emplois » en recourant à diverses techniques (voir la figure 5.2). Pour évaluer la compétitivité de la courbe des salaires d'une organisation, on peut tracer sur le même graphique la droite ou la courbe des salaires moyens sur le marché en faisant appel aux mêmes techniques, ainsi que la droite ou la courbe de la politique salariale de l'entreprise, si cette politique ne consiste pas à accompagner le marché (dans ce dernier cas, la droite des salaires du marché correspond à la droite de la politique salariale). Plusieurs organisations s'appuient sur la droite de la politique salariale (accompagner le marché, être à la remorque du marché ou être à la tête du marché) pour établir le point milieu ou maxi-normal de l'échelle salariale de chaque classe d'emplois. La droite de la politique salariale est utile pour comparer les salaires actuellement versés par l'organisation pour les emplois repères d'une structure salariale avec ceux que les emplois repères obtiennent sur le marché de référence. La droite de la politique salariale de l'organisation peut aussi servir à établir les taux de salaires minimaux et maximaux des échelles salariales ainsi que l'étendue des classes d'emplois.

Le dernier graphique de la figure 5.2 illustre une telle comparaison des distributions des salaires. Les points *x* représentent les salaires actuellement versés, alors que les points *o* représentent les salaires versés sur le marché. Dans ce graphique, la courbe salariale du marché est moins accentuée que celle de l'organisation. De plus, on constate que les emplois dont les exigences sont inférieures sont mieux rémunérés sur le marché que dans l'organisation, alors que cette situation est inversée pour les emplois dont les exigences sont élevées. On considère comme concurrentiels les emplois dont le salaire correspond au taux du marché.

En pratique, les firmes établissent ou gèrent les salaires en comparant la droite des salaires du marché avec leur politique salariale. Par exemple, si la politique de rémunération pour les titulaires des emplois visés consiste à payer 10 % de plus que le marché, la droite des salaires de l'entreprise devrait se situer 10 % au-dessus de la droite des salaires du marché. Par conséquent, si la politique salariale est d'accompagner le marché, la droite des salaires du

FIGURE 5.2

Comparaison entre les salaires versés par une organisation et les salaires versés sur le marché

Techniques pour représenter la distribution des salaires d'une organisation et la distribution des salaires sur le marché

A. DISTRIBUTION DES SALAIRES DE L'ORGANISATION

Pour représenter la distribution des salaires de l'organisation, la première technique, qui consiste à relier le salaire le plus bas au salaire le plus élevé par une ligne droite (AA' dans la figure ci-dessous), est peu utilisée parce qu'elle a comme postulat que les taux des salaires extrêmes sont corrects, ce qui n'est pas nécessairement le cas. La deuxième technique consiste à tracer la droite qui correspond le mieux à la distribution des points « salaires – résultats de l'évaluation des emplois » à main levée ou en utilisant l'équation statistique $Y = a + bx$ (BB'),

où

Y = taux de salaire actuel

x = nombre de points obtenus lors de l'évaluation des emplois

a = endroit où la droite croise l'axe vertical (valeur de Y lorsque $x = 0$)

b = pente de la droite ou valeur en dollars de chaque point d'évaluation

Courbes salariales

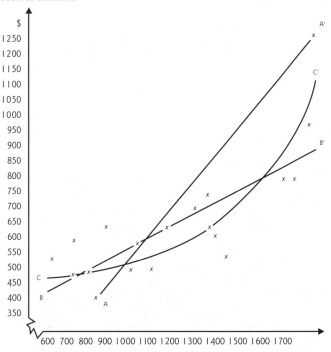

Résultats de l'évaluation des emplois (points)

FIGURE 5.2 (*suite*)

Comme, la plupart du temps, la distribution est plus fidèlement exprimée par une courbe, on peut aussi tracer celle-ci à main levée ou en recourant à la statistique. L'équation statistique est alors la suivante : $Y = a + bx + cx^2$ (voir CC' de la figure précédente).

AA' : droite reliant le salaire le plus bas au salaire le plus élevé.

BB' : droite à main levée représentant la distribution des coordonnées.

CC' : courbe à main levée représentant la distribution des coordonnées.

B. DISTRIBUTION DES SALAIRES SUR LE MARCHÉ

De la même manière, la distribution des salaires sur le marché peut être représentée à l'aide d'une droite tracée à main levée ou en recourant à l'équation statistique suivante :

$Y = a + bx$ = taux de salaire moyen sur le marché

x = nombre de points obtenus lors de l'évaluation des emplois

a = endroit où la droite croise l'axe vertical (valeur de Y lorsque $x = 0$)

b = pente de la droite ou valeur en dollars de chaque point d'évaluation

Il est aussi possible de représenter les salaires du marché à l'aide d'une courbe en utilisant l'équation statistique $Y = a + bx$. On peut également tracer les courbes de salaires représentant la bande dans laquelle se situent l'ensemble des salaires offerts sur le marché pour des emplois équivalents. Ainsi, la courbe minimale peut être constituée des salaires payés au 25ᵉ centile pour les emplois, et la courbe maximale, des salaires payés au 75ᵉ centile.

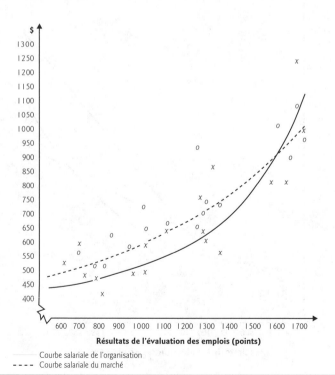

Résultats de l'évaluation des emplois (points)

——— Courbe salariale de l'organisation

- - - - Courbe salariale du marché

marché doit correspondre à la droite des salaires de l'organisation. La droite des salaires d'une entreprise doit donc relier graphiquement les points milieu de chacune des classes d'emplois qui seront équivalents au taux moyen ou médian offert sur le marché.

5.2 La structure salariale basée sur les exigences des emplois

5.2.1 Illustration d'une structure salariale basée sur les exigences des emplois

La figure 5.3 illustre une structure salariale typique balisant la détermination et la gestion des salaires.

Sur l'axe horizontal, on trouve les classes d'emplois, qui correspondent à des groupes d'emplois dont les exigences sont jugées similaires selon une méthode d'évaluation des emplois (voir le chapitre 4) et qu'on rémunère de la même façon (soit par un taux de salaire unique ou par une échelle salariale).

Sur l'axe vertical, on trouve les échelles, ou fourchettes salariales, qui décrivent la progression des salaires des titulaires des emplois d'une même classe d'emplois. Toute échelle salariale comporte un taux de salaire minimal offert au titulaire qui commence à occuper un poste de cette classe d'emplois, un taux maxi-normal qui correspond au point milieu de l'échelle et qui sert de base à l'établissement des salaires selon la politique de l'organisation au regard du marché et un taux de salaire maximal qui correspond au salaire le plus élevé qui peut être officiellement versé aux titulaires des emplois de la classe d'emplois.

En conséquence, les structures salariales déterminent des taux de salaires différents pour des emplois dont les exigences sont inégales et fournissent un cadre de référence pour la reconnaissance de différences en matière de contribution individuelle. Les principales caractéristiques d'une structure salariale basée principalement sur la valeur relative des exigences des emplois sont les suivantes :

– une hiérarchie des classes d'emplois est établie selon les méthodes d'évaluation des emplois présentées au chapitre 4 ;

– une échelle salariale ou un taux unique de salaire est associé à chaque classe d'emplois ;

– les échelles salariales sont ajustées selon les taux du marché et la politique de l'organisation ;

FIGURE 5.3

LA REPRÉSENTATION D'UNE STRUCTURE SALARIALE

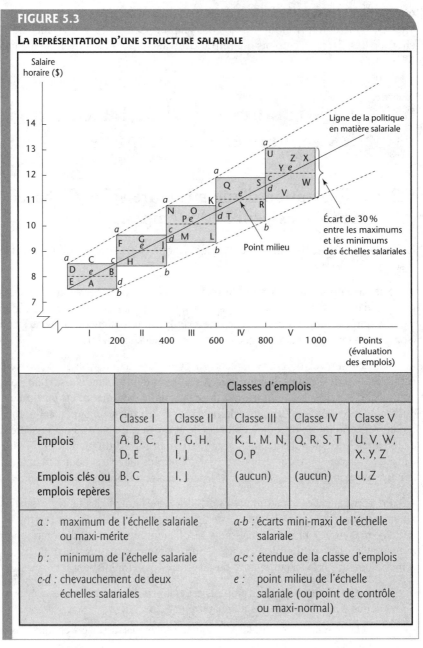

	Classes d'emplois				
	Classe I	Classe II	Classe III	Classe IV	Classe V
Emplois	A, B, C, D, E	F, G, H, I, J	K, L, M, N, O, P	Q, R, S, T	U, V, W, X, Y, Z
Emplois clés ou emplois repères	B, C	I, J	(aucun)	(aucun)	U, Z

a : maximum de l'échelle salariale ou maxi-mérite

b : minimum de l'échelle salariale

c-d : chevauchement de deux échelles salariales

a-b : écarts mini-maxi de l'échelle salariale

a-c : étendue de la classe d'emplois

e : point milieu de l'échelle salariale (ou point de contrôle ou maxi-normal)

Source : St-Onge *et al.* (2004, p. 439).

- les emplois associés à chaque classe d'emplois comportent des responsabilités de valeur semblable ;

- à l'intérieur de chaque classe d'emplois, le salaire individuel des titulaires des emplois peut progresser dans l'échelle salariale selon des caractéristiques individuelles (par exemple, le rendement, les compétences, l'ancienneté) ;

- la taille des échelles salariales des classes d'emplois varie selon le nombre de classes d'emplois : plus le nombre de classes est élevé, moins les échelles salariales sont longues, et inversement ;

- on peut faire chevaucher les échelles salariales pour obtenir une plus grande flexibilité et pour reconnaître que le titulaire qui a le meilleur rendement dans une classe d'emplois donnée peut avoir plus de valeur pour l'organisation que celui qui a été embauché récemment pour occuper un emploi dans une classe d'emplois supérieure.

5.2.2   L'importance des structures salariales

Une structure salariale officialise, balise et encadre la gestion des salaires au sein des organisations. Elle est importante en raison de ses effets, non seulement sur les coûts de la main-d'œuvre, mais aussi sur les comportements et les attitudes des employés, notamment sur leur désir d'acquérir de nouvelles compétences, sur leur stabilité (le taux de roulement), sur leur satisfaction et sur leur motivation à entrer au service de l'entreprise et à accepter des promotions. Ainsi, une structure salariale qui reconnaît l'ancienneté augmente les chances de l'entreprise de retenir ses employés.

Par ailleurs, une structure salariale plate — où il y a beaucoup de chevauchements entre les échelles salariales de classes d'emplois adjacentes et peu de différences entre les points milieux des classes d'emplois adjacentes — est moins susceptible d'inciter les employés à accepter des promotions étant donné qu'il y a peu de différences pécuniaires entre les salaires des titulaires des emplois de niveaux hiérarchiques différents. En outre, elle est plus susceptible de pousser les employés à faire réviser l'évaluation de leur emploi aussitôt qu'on leur attribue des responsabilités ou des tâches supplémentaires de manière que leur emploi puisse se retrouver dans une classe d'emplois supérieure. Enfin, elle est plus susceptible d'amener les employés à attacher de l'importance aux titres des emplois et aux récompenses symboliques (par exemple, la qualité de la moquette dans les bureaux, la hauteur des chaises, le nombre de fenêtres, la place de stationnement réservée). Faute d'une logique économique liée à l'exécution de responsabilités supplémentaires, les symboles prennent de l'importance !

En somme, la façon dont les structures salariales sont élaborées doit inciter les employés à adopter des comportements qui aideront les entreprises à atteindre leurs objectifs d'affaires, entraîner l'adhésion des employés au sujet de ces structures salariales, retenir les employés compétents et respecter les lois qui ont été promulguées. Sur ce dernier point, les lois canadiennes visant à contrer la discrimination salariale à l'égard des emplois à prédominance féminine doivent être prises en considération dans la gestion des structures salariales, comme nous le verrons au chapitre 6.

5.2.3   Le nombre de structures salariales

Jusqu'au début des années 1990, le processus d'évaluation des emplois, de même que le processus de gestion des salaires, se faisait par famille d'emplois, c'est-à-dire par un regroupement d'emplois qui peuvent être comparables en fonction d'un ensemble de caractéristiques communes et qui se retrouvent sur un marché de l'emploi similaire. On pense, par exemple, aux emplois de direction, aux emplois de cadres, de professionnels et de techniciens, aux emplois de bureau, aux emplois de production et d'entretien et, dans certains cas, aux emplois dans la vente. Traditionnellement, chaque famille d'emplois comportait sa propre structure salariale ; il y avait donc autant de structures salariales que de familles d'emplois dans une organisation. Il en était ainsi parce que les emplois de diverses familles sont souvent évalués au moyen de différents systèmes d'évaluation des emplois. De plus, comme la mobilité des titulaires des emplois des diverses familles est différente, les emplois font souvent l'objet d'enquêtes de rémunération qui préconisent différents marchés de référence.

Selon cette approche traditionnelle, une représentation graphique de la distribution des points d'évaluation des emplois d'une organisation pouvait aussi aider à trouver le nombre de familles d'emplois : s'il n'y a qu'une famille d'emplois, une ligne droite peut refléter parfaitement la distribution des points, alors que si les emplois ne font pas tous partie de la même famille, seule une courbe constitue la meilleure représentation de cette distribution. À titre d'illustration, selon la figure 5.2 (section B), les emplois qui ont obtenu plus de 1 400 points lors de leur évaluation pourraient être associés à une deuxième famille d'emplois. En fait, deux lignes droites présentant des pentes différentes auraient pu être représentatives des salaires versés : la première aurait illustré les emplois dont les résultats de l'évaluation se situent entre 600 et 1 400 points, alors que la seconde aurait représenté les emplois ayant obtenu plus de 1 400 points.

En principe, toutefois, l'équité doit exister entre les emplois de la même famille, ainsi qu'entre les emplois appartenant à des familles différentes dans l'organisation. Aussi, moins il y a de familles d'emplois, moins il y a de structures salariales, et plus on se rapproche de la possibilité de comparer systématiquement les exigences de tous les emplois au sein d'une organisation. La multiplication des familles d'emplois, tout en facilitant les comparaisons entre les emplois de chaque famille, peut augmenter les risques d'iniquité dans l'ensemble de l'organisation. En effet, comment s'assurer que la structure salariale des emplois de bureau est équitable comparativement à celle des emplois techniques? À ce jour, les organisations se sont davantage préoccupées de questions d'équité entre les salaires respectifs des emplois de la même famille que d'équité entre les salaires des emplois de familles différentes.

La prémisse de l'équité salariale consiste d'ailleurs à affirmer qu'il y a une seule grande famille d'emplois à l'intérieur d'une organisation et qu'il ne devrait donc y avoir qu'un seul système d'évaluation des emplois et qu'une seule structure salariale par entreprise. Toutefois, les législations en matière d'équité salariale des provinces de l'Ontario et du Québec — qui s'appliquent aux employeurs du secteur privé — permettent, pour certaines raisons, aux employeurs d'avoir plus d'un programme d'équité salariale et plus d'un système d'évaluation des emplois. Nous reviendrons sur cette question au chapitre 6.

Il est important de soulever le cas des organisations ayant des unités d'affaires dispersées au Québec, au Canada et à travers le monde. Ces organisations doivent décider si elles établiront des structures salariales différentes ou particulières selon les conditions locales, notamment le coût de la vie, la fiscalité et les avantages sociaux publics.

5.2.4 Les classes d'emplois

Il est d'usage d'établir des classes d'emplois (souvent appelées « classes salariales »), c'est-à-dire des groupes d'emplois dont les exigences sont semblables ou équivalentes et qui sont rémunérés de la même façon : même taux unique ou même salaire minimal et même salaire maximal. En fait, les classes d'emplois correspondent aux regroupements des emplois sur l'axe horizontal. Ainsi, les traits horizontaux *a-c* de la figure 5.3 présentent l'étendue des classes salariales. Lorsque les classes d'emplois sont déterminées, les emplois d'une classe sont considérés comme équivalents et les différences entre les résultats de l'évaluation des emplois d'une classe ne sont plus pertinentes. Les responsables de la rémunération peuvent alors établir les taux de salaires qu'ils désirent offrir pour diverses classes d'emplois. En somme, il s'agit d'appliquer la politique de rémunération de l'organisation en fonction des salaires (voir le chapitre 3) dans le positionnement de la courbe des salaires de l'organisation comparativement à la courbe des salaires du marché.

5.2.4.1 Les raisons de créer des classes d'emplois

On procède à des regroupements d'emplois en différentes classes d'emplois pour trois raisons principales. Premièrement, le regroupement en classes d'emplois permet de reconnaître que le processus d'évaluation des emplois, quoiqu'il soit rationnel et standardisé, est essentiellement subjectif. En effet, la détermination de classes permet de grouper des emplois jugés semblables ou équivalents en matière d'exigences malgré une évaluation différente (notamment un nombre différent de points d'évaluation si l'on adopte la méthode des points et facteurs) mais assez semblable.

Deuxièmement, le regroupement des emplois équivalents en classes d'emplois facilite la gestion des salaires. On limite alors le nombre de décisions à prendre en matière de salaires, puisque ces décisions touchent un groupe d'emplois (une classe d'emplois) plutôt qu'un emploi à la fois. De plus, si certains emplois subissent de faibles modifications, il n'est pas requis de les réévaluer, à moins qu'ils ne soient situés très près des bornes de leur classe d'emplois.

Troisièmement, le regroupement des emplois équivalents en classes d'emplois facilite la communication entre la direction et les employés ainsi que l'acceptation d'une structure salariale. En effet, il serait difficile de justifier le fait que certains emplois ayant obtenu des résultats d'évaluation semblables, mais non égaux, soient rémunérés différemment. Il est probable que les employés estimeront que ces emplois devraient être rémunérés de la même façon. En pratique, il est difficile de gérer une droite de salaires (plutôt qu'une structure en forme d'escalier) où un salaire différent correspondrait à un nombre total de points différent (par exemple, un total de 430 points équivalant à un salaire de 37 500 $ et un total de 432 points, à un salaire de 37 565 $). Il est facile d'imaginer la complexité d'une telle gestion, sans compter la pression qu'exerceraient les employés pour faire réévaluer les exigences de leur emploi, chaque point gagné équivalant à quelques sous de plus!

5.2.4.2 Le nombre de classes d'emplois

Le nombre de classes d'emplois dans une structure salariale est fonction de diverses variables. Par exemple, plus le nombre d'emplois est élevé, plus le nombre de classes d'emplois est susceptible d'être élevé. Plus les exigences des emplois visés diffèrent, plus le nombre de classes d'emplois tend à s'accroître. Par ailleurs, plus l'écart salarial entre l'emploi le plus rémunéré et celui qui est le moins rémunéré est grand, plus le nombre de classes d'emplois peut être élevé. En outre, si l'étendue des échelles salariales des classes d'emplois est peu élevée ou si plusieurs emplois sont rémunérés à un taux unique, il est important d'augmenter le nombre de classes d'emplois pour fournir suffisamment d'occasions de promotions et d'augmentations de salaires aux titulaires. À l'inverse, lorsqu'une organisation adopte une politique de variation des salaires des titulaires d'emplois équivalents, elle peut délimiter un plus petit nombre de classes, puisque les titulaires des emplois peuvent recevoir une augmentation de salaire sans changer d'emploi.

Bien que le nombre de classes d'emplois varie beaucoup d'une structure salariale à l'autre, on trouve le plus souvent des structures salariales comportant entre 8 et 15 classes d'emplois. Si une structure salariale se développe et se modifie au fil des années, on conseille toutefois de s'assurer que le nombre de ses classes d'emplois n'est soit pas trop élevé ni trop bas. Ainsi, plus le nombre de classes d'emplois est élevé, moins il y a d'écarts de salaires entre elles, et plus les emplois de deux classes adjacentes risquent de ne pas être perçus comme comportant des exigences différentes et, donc, comme devant être rémunérés de manière différente. À l'opposé, plus le nombre de classes d'emplois est faible, plus les écarts de salaires entre elles sont élevés, et plus les emplois de la même classe risquent d'être perçus comme comportant des exigences différentes et, donc, comme devant être rémunérés de manière différente.

Finalement, on peut délimiter des classes d'emplois inoccupées ou contenant très peu d'emplois afin de pouvoir s'adapter aux changements éventuels dans le contenu des emplois et leur évaluation. Toutefois, il importe que le nombre de classes d'emplois inoccupées ne soit pas trop élevé, car les employés dont les emplois se situent dans une classe précédant une classe vide seront peut-être portés à croire que le comité d'évaluation des emplois a été trop sévère en plaçant leur emploi dans une classe d'emplois inférieure.

5.2.4.3 L'étendue des classes d'emplois

Lorsqu'une organisation recourt à une méthode de classification des emplois pour évaluer ceux-ci, les classes d'emplois sont déjà délimitées et décrites. Lorsqu'elle utilise une méthode de rangement des emplois, elle doit déterminer un intervalle de rangs pour chaque classe d'emplois (par exemple, la classe 1 regrouperait les rangs 1 à 7, la classe 2, les rangs 8 à 18, etc.). Lorsqu'elle se sert d'une méthode des points et facteurs, elle peut déterminer l'étendue des classes d'emplois selon diverses approches. Le tableau 5.1 décrit quatre méthodes de détermination des bornes, c'est-à-dire des extrémités minimales et maximales des classes d'emplois : l'analyse de la distribution des résultats de l'évaluation des emplois, l'analyse de la distribution des points entre les divers niveaux de présence des facteurs d'évaluation des emplois, l'analyse du seuil de perception et, enfin, l'analyse de l'erreur type de mesure. Notons qu'une combinaison des méthodes précédentes peut être utilisée, puisque aucune d'elles n'est parfaite et que chacune d'elles présente une classification possible.

L'étendue des classes d'emplois peut correspondre à un nombre absolu de points d'évaluation des emplois ou à un pourcentage du nombre total de points d'évaluation. Par exemple, si la taille des classes d'emplois est fixée à 250 points, la classe 1 inclut les emplois ayant obtenu de 1 à 250 points d'évaluation, la classe 2, ceux qui ont obtenu de 251 à 500 points, la classe 3, ceux qui ont obtenu de 501 à 750 points et la classe 4, ceux qui ont obtenu de 751 à 1 000 points. Une firme peut également décider d'augmenter l'étendue des classes d'emplois à mesure qu'on monte dans la structure salariale, de manière à reconnaître la plus grande ampleur des responsabilités requises par les emplois se trouvant au sommet de la structure d'emplois. Par exemple, la classe 1 peut regrouper les emplois ayant obtenu de 1 à 200 points d'évaluation, la classe 2, ceux qui ont obtenu de 201 à 500 points et

TABLEAU 5.1

EXEMPLES DE MÉTHODES DE DÉTERMINATION DES BORNES DES CLASSES D'EMPLOIS

1. L'ANALYSE DE LA DISTRIBUTION DES RÉSULTATS DE L'ÉVALUATION DES EMPLOIS

Cette méthode consiste à vérifier si certains points de rupture apparaissent dans les résultats de l'évaluation des emplois. Par exemple, la distribution suivante permet de dégager trois regroupements : les emplois A à E, F à H et I à M. On peut déterminer les bornes des classes d'emplois en tenant compte du fait qu'il y a moins de différence entre les deux points extrêmes d'un regroupement qu'entre le nombre de points le plus élevé d'un regroupement et le nombre de points le moins élevé du regroupement suivant. Par exemple, l'écart entre 600 et 688 est inférieur à celui qui existe entre 688 et 846.

Emplois	Nombre de points d'évaluation	Emplois	Nombre de points d'évaluation
A	600	H	957
B	620	I	1 055
C	645	J	1 069
D	675	K	1 070
E	688	L	1 092
F	846	M	1 102
G	918		

2. L'ANALYSE DE LA DISTRIBUTION DES POINTS ENTRE LES DIVERS NIVEAUX DE PRÉSENCE DES FACTEURS D'ÉVALUATION DES EMPLOIS

Par exemple, dans le tableau suivant, une erreur constante d'évaluation à la hausse ou à la baisse d'un niveau sur chacun des facteurs amène une surévaluation ou une sous-évaluation des emplois de 225 points (la somme des écarts entre les niveaux pour l'ensemble des facteurs). En pratique, une telle erreur «constante» pour un emploi est peu probable : il peut y avoir une surévaluation pour un facteur et une sous-évaluation pour un autre, de sorte qu'un certain nombre d'erreurs s'annulent. Mais, étant donné que le risque d'erreurs demeure toujours, il faut se donner une règle de conduite. Par exemple, on peut diviser l'erreur constante par 3 et déterminer que les bornes des classes présentent des écarts de 75 points, soit 225 divisé par 3, en faisant l'hypothèse que les deux tiers des erreurs s'annulent et que l'écart entre les bornes des classes est constant, soit 75 points (progression arithmétique). De fait, l'écart entre les bornes peut être constant, croissant ou décroissant d'une classe d'emplois à l'autre. Il faut donc s'assurer que si, contrairement au tableau suivant, les écarts concernant certains facteurs sont croissants, les écarts entre les bornes des classes sont également croissants. Plus on attribue des niveaux élevés à un emploi, plus la répercussion d'une erreur est grande.

TABLEAU 5.1 (*suite*)

GRILLE DE POINTS ENTRE LES NIVEAUX DE PRÉSENCE DES FACTEURS D'ÉVALUATION

Facteurs d'évaluation	Niveaux de présence des facteurs d'évaluation						Écart de points entre les niveaux de présence des facteurs
1	10	20	30	40			10
2	15	30	45	60	75		15
3	50	100	150	200	250		50
4	30	60	90	120	150	180	30
5	60	120	180	240	300		60
6	20	40	60				20
7	15	30	45	60	75	90	15
8	25	50	75	100			<u>25</u>
Total							225

3. L'ANALYSE DU SEUIL DE PERCEPTION

L'application de la loi de Weber à l'évaluation des emplois montre qu'une différence d'exigences entre deux emplois n'est perceptible que dans la mesure où il existe 15 % ou plus de différence entre leurs résultats d'évaluation. On peut donc établir l'écart entre les bornes en utilisant le barème de 15 % ou moins de différence entre les résultats de l'évaluation des emplois. Bien qu'une telle façon de procéder donne des indications sur les écarts qu'il peut y avoir entre les bornes des classes, certains emplois présentant des écarts inférieurs à 15 % se retrouveront dans deux classes différentes. Par exemple, entre l'emploi B, classe I, et l'emploi C, classe II, du tableau suivant, l'écart est de moins de 15 %.

Classes d'emplois	Bornes	Emplois	Nombre de points d'évaluation
I	100-115	A	100
		B	104
II	116-133	C	116
		D	117
		E	127

TABLEAU 5.1 (*suite*)

Classes d'emplois	Bornes	Emplois	Nombre de points d'évaluation
III	134-154	F	138
		G	150
IV	155-178	H	163
		I	170
		J	172
		K	173

4. L'ANALYSE DE L'ERREUR TYPE DE MESURE

On peut aussi déterminer les bornes des classes d'emplois en s'appuyant sur la formule mathématique de l'erreur type de mesure, soit $\sigma \text{ mesure} = \sigma_x (1 - r_{kk})^{\frac{1}{2}}$, où σ_x représente l'écart type de la distribution des résultats de l'évaluation des emplois obtenus et r_{kk}, l'indice de fidélité des résultats. Bien qu'il soit possible de calculer ces deux indices, on sait que l'indice de fidélité des résultats de l'évaluation des emplois est de l'ordre de 0,90. Ainsi, lorsqu'on calcule l'écart type de la distribution des résultats et qu'on fait appel à l'indice de fidélité de 0,90, il est possible d'estimer l'erreur type de mesure en substituant ces valeurs aux symboles mathématiques dans la formule. Les bornes des classes sont alors établies au moyen de cet indice selon un écart constant.

la classe 3, ceux qui ont obtenu de 501 à 1 000 points. Selon l'approche adoptée pour déterminer les bornes des classes d'emplois et la progression des niveaux de présence de chaque facteur d'évaluation des emplois (par exemple, la progression arithmétique ou la progression géométrique, comme nous le verrons plus loin dans ce chapitre), une firme envoie un message implicite à propos de l'importance relative des emplois et des facteurs d'évaluation des emplois qu'elle privilégie.

Les classes d'emplois ne doivent pas être trop larges ni trop étroites. D'une part, des classes d'emplois très larges risquent d'englober des emplois pour lesquels les employés percevront des différences assez importantes en matière d'exigences pour justifier qu'ils soient rémunérés différemment. D'autre part, des classes d'emplois très étroites risquent de faire en sorte que l'organisation verse des salaires différents pour des emplois dont les exigences sont perçues comme étant semblables par les employés. De plus, lorsque les classes d'emplois sont très étroites, les employés sont incités à demander une réévaluation de leur emploi aussitôt qu'on leur assigne une responsabilité supplémentaire étant donné qu'un léger changement dans les résultats de l'évaluation de leur emploi peut justifier un reclassement dans une classe d'emplois supérieure et, donc, un salaire plus élevé.

5.2.4.4 Les emplois situés à proximité des bornes des classes d'emplois

Comment peut-on classer les emplois qui se situent près des bornes d'une classe d'emplois? Prenons le cas où les bornes d'une classe d'emplois sont de 650 et 750 points et où un emploi obtient 745 points, un deuxième, 740 points et un troisième, 725 points. Dans la mesure où les résultats de l'évaluation des emplois et les bornes des classes d'emplois sont connus, on peut s'attendre à ce que les personnes dont les emplois ont obtenu 745 ou 740 points soient tentées de demander une révision à la hausse de l'évaluation de leur emploi. Si l'entreprise acquiesce à leur demande, elle risque de transmettre le message : au suivant! Les titulaires des emplois ayant obtenu 725 points voudront à leur tour demander une réévaluation de leur emploi, et ainsi de suite. Après quelques années de « rapiéçage », la gestion des salaires sera devenue complètement incohérente.

Dans ce cas, il vaudrait mieux retourner aux résultats initiaux du processus d'évaluation des emplois (par exemple, le comité d'évaluation des emplois, la compilation des questionnaires d'analyse des emplois remplis) pour examiner d'éventuelles variations dans les opinions ou les résultats. Prenons le cas d'un comité d'évaluation des emplois composé de six membres qui évaluent un emploi de la façon présentée dans le tableau 5.2. Pour le facteur d'évaluation A, trois membres du comité retiennent le niveau 3 et trois autres, le niveau 2. Il en est de même pour le facteur d'évaluation D : trois membres indiquent le niveau 4 et trois autres, le niveau 5. Une majorité se dégage à propos des niveaux attribués aux autres facteurs d'évaluation. Après quelques discussions, le niveau d'évaluation final est déterminé : le niveau 3 est retenu pour le facteur A et le niveau 5, pour

TABLEAU 5.2

LE PROFIL DES NIVEAUX DE PRÉSENCE ACCORDÉS À 5 FACTEURS D'ÉVALUATION D'UN EMPLOI PAR LES MEMBRES D'UN COMITÉ

Facteurs d'évaluation	Niveaux de présence des facteurs d'évaluation						Résultats finals
	1	2	3	4	5	6	
A	2	3	2	3	2	3	3
B	3	3	3	3	3	4	3
C	1	1	2	1	1	2	1
D	4	4	5	5	4	5	5
E	3	2	3	2	3	3	3

le facteur D. Une fois ces résultats transformés en nombre de points, l'emploi en question est évalué à 745 points, ce qui le situe tout près de la limite supérieure de 750 de la classe d'emplois. Il est alors possible de modifier à la baisse les résultats de l'évaluation de cet emploi pour les facteurs A ou D, sans trahir l'esprit des travaux du comité d'évaluation des emplois. Lorsqu'on procède ainsi, l'évaluation globale de 745 points est réduite et l'emploi se trouve à une distance acceptable de la borne. Dans la mesure où les niveaux initiaux retenus pour les facteurs A et D auraient été respectivement de 2 et 4, il aurait été possible d'augmenter d'un niveau ces facteurs tout en respectant les choix du comité. L'emploi aurait alors été placé dans une classe d'emplois supérieure.

Lorsqu'il semble plus difficile de modifier les résultats de certaines évaluations en respectant l'esprit des travaux du comité d'évaluation des emplois ou la compilation des résultats d'un questionnaire, on peut demander au comité de réviser l'évaluation qui a été faite d'un emploi. Dans l'éventualité où le comité décide de modifier les résultats de l'évaluation, il doit veiller à ce que ceux-ci soient cohérents par rapport aux évaluations des autres emplois. Il est possible que l'évaluation d'un emploi situé près d'une borne ne soit pas modifiée parce qu'elle ne semble pas comporter d'erreur ou parce qu'un changement soulèverait plus de problèmes qu'il n'en résoudrait. Il s'avère alors important d'être inflexible envers les employés qui manifestent leur mécontentement afin de maintenir la cohérence du système d'évaluation des emplois et de préserver les sentiments d'équité parmi tout le personnel. Toutefois, des modifications appropriées et judicieuses au contenu d'un emploi situé près d'une borne d'une classe d'emplois peuvent justifier la réévaluation de celui-ci.

5.2.5   L'échelle salariale associée à chaque classe d'emplois

Doit-on verser le même salaire à un employé qui occupe un poste depuis 6 mois qu'à un autre employé qui occupe un poste identique depuis 3 ou 10 ans ? L'augmentation de salaire accordée à un employé qui a un rendement nettement supérieur à la moyenne doit-elle être égale à celle d'un employé qui a un rendement à peine satisfaisant ? L'organisation doit décider si elle accorde le même salaire (taux unique) à tous les titulaires des emplois d'une même classe d'emplois ou si les salaires varieront d'un titulaire à l'autre sur une échelle (ou fourchette) salariale selon diverses caractéristiques individuelles (les années de service, le rendement, etc.).

5.2.5.1 Le taux unique de salaire ou l'échelle salariale pour une ou des classes d'emplois

Si l'entreprise décide de ne pas tenir compte des caractéristiques individuelles dans la gestion des salaires, elle fixe alors des taux uniques par classe d'emplois et assure l'équité des écarts entre les salaires des classes d'emplois adjacentes.

Les structures salariales comportant des taux uniques de salaires par classe d'emplois ou par fonction ont traditionnellement concerné le personnel de métier et de production syndiqué au sein de petites entreprises dans des industries particulières. Une structure salariale à taux unique ne fournit pas de possibilité d'augmentation de salaire à l'intérieur d'une fonction ou d'une classe d'emplois. Lorsque l'employé a terminé son apprentissage, il est censé avoir les compétences requises pour son poste et son salaire correspond à un taux uniforme, qu'il ait 15 jours, 1 an ou 20 ans d'expérience ou d'ancienneté dans sa fonction. Toutefois, même avec des structures salariales à taux uniques, certains employeurs (notamment dans le secteur de la construction) embauchent du personnel à un taux inférieur à celui qui est prévu pour un employé permanent et qualifié ; le nouvel employé (apprenti ou compagnon) pourra atteindre le taux unique de salaire dans une période variant de trois mois à trois ans.

La gestion des salaires tient compte des caractéristiques individuelles des employés dans la mesure où elle associe à une classe d'emplois une échelle salariale. Il est courant d'établir de telles échelles salariales, c'est-à-dire de mettre en place une progression salariale (avec un salaire minimal et un salaire maximal) pour les titulaires des emplois d'une classe d'emplois. En somme, une échelle salariale correspond au regroupement de salaires sur l'axe vertical d'une structure salariale. Le salaire minimal d'une échelle correspond au taux de salaire offert aux personnes qui ne possèdent pas d'expérience dans l'emploi ; le salaire maximal représente le taux de salaire le plus élevé que l'entreprise offre aux employés d'une classe d'emplois. Bien des conventions collectives présentent des taux variables selon le temps dans une fonction, un salarié devant travailler un nombre d'heures préétabli dans la convention collective avant de changer d'échelon et d'atteindre éventuellement le sommet de l'échelle. Il s'agit des augmentations « statutaires » ou « automatiques » qui sont versées lorsqu'un employé change d'échelon, souvent en fonction de son ancienneté. En général, les augmentations de salaires attribuables à un changement d'échelon sont versées même s'il y a un gel des salaires, et elles peuvent être accordées à un moment différent de celui auquel sont octroyées les augmentations générales de salaires (par exemple, à la date d'entrée dans le poste). À la figure 5.3, les échelles salariales correspondent aux écarts mini-maxi *a-b*. Plus l'écart entre le salaire minimal et le salaire maximal d'une échelle salariale est grand, plus l'équité individuelle est valorisée.

TABLEAU 5.3

LA DÉTERMINATION DES TAUX MINIMAUX ET MAXIMAUX DES ÉCHELLES SALARIALES ET LE CALCUL DE L'ÉTENDUE DES ÉCHELLES SALARIALES

A. LES APPROCHES SERVANT À DÉTERMINER LES SALAIRES MAXIMAUX ET MINIMAUX DES ÉCHELLES SALARIALES

Distribution des salaires sur le marché

Par exemple, dans la mesure où une entreprise désire se situer à la médiane du marché, elle peut utiliser les points de référence suivants pour établir ses échelles salariales :

- minimum au 10e centile : salaire offert aux employés en formation ou en période d'essai ;

- minimum effectif normal au 25e centile : salaire offert aux personnes pleinement formées ou ayant terminé la période d'essai ;

- maximum effectif normal au 75e centile : salaire offert aux employés ayant une longue expérience de travail et un bon rendement ;

- maximum au 90e centile : salaire offert aux employés dont le rendement se situe de façon régulière à un niveau supérieur ou exceptionnel.

Formules mathématiques

Si l'écart autour du point de contrôle est établi à 20 % et que le point de contrôle est connu :

- salaire maximal = salaire au point de contrôle (point milieu) × 1,20

- salaire minimal = salaire au point de contrôle (point milieu) × 0,80

$$\text{L'écart mini-maxi en \%} = \frac{\text{salaire maximal} - \text{salaire minimal}}{\text{salaire minimal}} \times 100\,\%$$

B. LES ÉTAPES DU CALCUL DE L'ÉTENDUE DE L'ÉCHELLE SALARIALE*

1. Déterminer le point milieu	30 000 $
2. Déterminer l'étendue de l'échelle salariale	Plus ou moins 20 % autour du point de contrôle et 50 % d'écart entre le salaire maximal et le salaire minimal
3. Calculer le salaire minimal	30 000 $ × 0,80 = 24 000 $
4. Calculer le salaire maximal	30 000 $ × 1,20 = 36 000 $

* Ces calculs partent du postulat que des intervalles sont symétriques, c'est-à-dire qu'il y a une distance égale entre le point milieu et le maximal et entre le point milieu et le minimal des échelles salariales.

5.2.5.2 La taille d'une échelle salariale associée à une classe d'emplois

La taille d'une échelle salariale correspond à l'écart de salaire entre le taux minimal et le taux maximal de l'échelle. Cette étendue est exprimée par un pourcentage de la différence entre le taux maximal et le taux minimal de l'échelle salariale, divisé par le taux minimal. La taille d'une échelle salariale est fonction de divers facteurs, notamment le niveau hiérarchique des emplois visés, les possibilités ou les politiques de promotion, la structure organisationnelle, les taux de salaires minimaux et maximaux sur le marché, le nombre de classes d'emplois dans la structure salariale, etc.

Par exemple, une organisation dont le cycle de vie se trouve à maturité et qui offre peu de possibilités de promotion à ses employés peut être tentée d'adopter de longues échelles salariales afin d'inciter ces derniers à rester à son service. À l'inverse, une organisation en pleine croissance offrant d'intéressantes possibilités de promotion peut avoir des échelles salariales plus courtes étant donné que ses employés peuvent augmenter leur salaire en obtenant des promotions. Aussi, moins il y a de niveaux hiérarchiques dans la structure d'une organisation, plus la taille des échelles salariales tend à augmenter. Ensuite, plus les dirigeants d'une organisation veulent reconnaître pécuniairement les caractéristiques des employés (l'ancienneté, le rendement, etc.), plus la taille des échelles salariales devrait être grande. Par ailleurs, plus une structure salariale contient de classes d'emplois, plus celles-ci sont étroites et sont liées à de courtes échelles salariales, et vice versa.

Les entreprises adoptent souvent de courtes échelles salariales au bas de la structure salariale parce qu'à ce niveau les emplois sont généralement transitoires, que l'apprentissage et la réalisation des emplois de manière autonome et compétente sont rapides, que les titulaires des emplois ont peu d'effets sur les résultats de l'organisation et que le rendement varie peu entre les titulaires d'un même emploi. À l'inverse, les échelles salariales des emplois situés au sommet de la structure salariale doivent être plus longues parce qu'à ce niveau il faut souvent plus de temps pour assumer les responsabilités de façon satisfaisante et autonome, que les titulaires ont généralement plus d'effets sur les résultats de l'organisation et que le rendement relatif des titulaires des emplois varie davantage.

Ainsi, il est fréquent de voir des échelles salariales dont l'étendue varie de 10 % à 25 % pour les employés de production et d'entretien, de 30 % à 40 % pour le personnel de bureau, de 30 % à 60 % pour les professionnels et les cadres et de 60 % et plus pour le personnel de direction de grandes entreprises.

5.2.5.3 Le point de contrôle des échelles salariales et le ratio comparatif

Selon leur politique salariale au regard du marché, les firmes doivent établir les « points milieux », aussi qualifiés de « points de contrôle », des échelles salariales des classes d'emplois. Par exemple, si une entreprise veut être à la tête du marché, elle doit établir les points milieux des échelles salariales de ses classes d'emplois à un taux plus élevé que le salaire moyen offert pour des emplois similaires sur le marché. À l'inverse, si une entreprise veut être à la remorque du marché, elle doit fixer les points milieux de ses échelles salariales à un taux inférieur au taux du marché. Comme la politique salariale des entreprises consiste souvent à accompagner le marché, le point milieu de l'échelle est habituellement égal au taux de salaire moyen ou médian offert sur le marché selon les résultats d'une ou de plusieurs enquêtes de rémunération. Ce taux de salaire moyen est aussi associé à un rendement satisfaisant et autonome dans l'exécution du travail.

Afin d'assurer le respect de la politique salariale, l'organisation contrôle les salaires, notamment en se référant au ratio comparatif, qu'on calcule en divisant le salaire actuel de chaque employé par le point de contrôle (point milieu ou maxi-normal) de l'échelle salariale de sa classe d'emplois. Par exemple, si le salaire annuel d'un employé est de 34 000 $ et que le point milieu de son échelle salariale soit de 30 000 $, la valeur du ratio comparatif du salaire de cet employé est de 1,13 (34 000 $ ÷ 30 000 $) ou de 113 % s'il est exprimé en pourcentage. En plus d'être calculés pour chaque employé, les ratios comparatifs peuvent être calculés pour chaque classe d'emplois, pour chaque service, et ainsi de suite. Ces ratios s'interprètent de la façon suivante : un ratio comparatif de 1 (ou de 100 %) signifie que le salaire de l'employé est égal au point de contrôle de l'échelle salariale ; lorsque le ratio est inférieur à 1 (ou à 100 %), le salaire de l'employé est inférieur au point de contrôle, et lorsqu'il est supérieur à 1 (ou à 100 %), son salaire est supérieur au point de contrôle.

5.2.5.4 Le taux minimal et le taux maximal d'une échelle salariale

Afin de déterminer le taux minimal et le taux maximal d'une échelle salariale, on s'appuie couramment sur les résultats d'enquêtes de rémunération. Ainsi, on peut d'abord établir le point milieu de l'échelle salariale à un taux concurrentiel par rapport au marché et, ensuite, déterminer l'écart qui est requis de chaque côté du point milieu pour qu'on reconnaisse les différences individuelles entre les titulaires des emplois. Par ailleurs, si une entreprise désire se situer à la médiane du marché, il est possible de tracer les courbes représentant les premiers quarts et les troisièmes quarts de la distribution des salaires versés sur le marché. Pour bon nombre d'organisations, ces courbes salariales (le 25e et le 75e centile) fournissent un indice permettant d'établir les minimums et les maximums de chacune des classes d'emplois de la structure salariale. On établit les niveaux minimaux de salaires en tenant compte du fait qu'il s'agit des salaires offerts lors du recrutement de candidats sans expérience dans un emploi. Les salaires offerts doivent donc permettre de recruter des candidats sur le marché, particulièrement pour les classes inférieures d'emplois, là où l'on embauche le plus de candidats sans expérience. L'intervalle entre le salaire minimal et le point milieu d'une échelle salariale doit être ajusté selon la période moyenne requise pour que les employés aient un rendement pleinement satisfaisant dans l'exécution de leur travail.

Le tableau 5.3 (voir la page 244) montre comment calculer les salaires minimal et maximal d'une échelle salariale une fois que son point de contrôle et son étendue sont déterminés. Notons que les formules suggérées proposent des intervalles symétriques, c'est-à-dire une distance égale entre le point milieu et le maximum et entre le point milieu et le minimum, ce qui est d'ailleurs souvent le cas. Toutefois, si le minimum de l'échelle salariale est fixé à 12 % de moins que le maxi-normal et si l'écart entre le maxi-normal et le maxi-mérite est établi à 20 %, on ne peut plus utiliser l'expression « point milieu » pour décrire le maxi-normal, puisqu'il ne se situe pas au point milieu de l'échelle des salaires.

5.2.5.5 Les échelons des échelles salariales

Bien qu'on trouve des échelles salariales comportant entre 3 et 15 échelons, les échelles salariales à 6 ou à 7 échelons sont plus courantes. Pour déterminer les échelons d'une échelle salariale, il faut d'abord considérer le pourcentage d'écart entre le point minimal et le point maximal et, par la suite, décider d'un pourcentage acceptable d'augmentation de salaire d'un échelon à l'autre. Lorsqu'on veut proposer des échelles comprenant de nombreux échelons, le pourcentage d'augmentation de salaire peut être de 2 %. Toutefois, comme ce pourcentage paraît faible si l'on considère l'impôt sur le revenu, il n'est pas rare d'utiliser un taux de l'ordre de 3 % ou 4 %.

On constate que le temps requis pour passer du point minimal au point milieu (ou maxi-normal) peut différer d'une famille d'emplois à l'autre ; ainsi, on peut établir qu'il est de trois ans pour le personnel de bureau et de quatre ans pour les professionnels. La détermination de l'écart de salaire entre le point milieu (ou maxi-normal) et le maximum (ou maxi-mérite) doit correspondre à un écart jugé approprié, par exemple, entre un employé dont le rendement est exceptionnel et un autre dont le rendement est satisfaisant.

L'établissement d'échelons « officiels » est présent surtout dans certains contextes, notamment dans les milieux syndiqués et chez les employés de production. Par ailleurs, on s'appuie moins fréquemment sur des échelons préétablis pour gérer les salaires des titulaires des emplois de cadres et de professionnels dans les entreprises du secteur privé qui ne comptent pas de syndicat.

5.2.5.6 Le chevauchement des échelles salariales

En règle générale, les échelles salariales adjacentes d'une structure salariale se chevauchent, de sorte que le taux maximal de l'échelle salariale d'une classe d'emplois est supérieur au taux minimal de l'échelle salariale de la classe d'emplois suivante (voir les distances *c-d* dans la figure 5.3). Le chevauchement de deux échelles salariales adjacentes signifie qu'un employé occupant un emploi d'une classe d'emplois inférieure peut avoir un salaire plus élevé qu'un employé occupant un emploi d'une classe d'emplois supérieure. Un tel chevauchement permet de reconnaître les contributions individuelles (par exemple, le rendement, l'ancienneté, le potentiel) sans qu'il y ait de changement de classe d'emplois. De plus, un tel recoupement des échelles salariales des classes d'emplois adjacentes reconnaît la subjectivité des résultats de l'évaluation des emplois. Ainsi, plus les taux de salaires de classes d'emplois adjacentes se chevauchent, moins les conséquences d'une erreur d'évaluation de leurs emplois ont des incidences sur le salaire. À l'opposé, moins les échelles salariales des classes d'emplois adjacentes se recoupent, plus l'évaluation des emplois doit être exacte car la variance dans les salaires versés pour les emplois de ces deux classes d'emplois est plus importante.

Le tableau 5.4 montre comment calculer le pourcentage du chevauchement des échelles salariales de deux classes d'emplois adjacentes. Plus le recoupement des échelles salariales des classes d'emplois adjacentes est important, moins la structure salariale incite les employés à progresser dans la structure des emplois, et plus les promotions soulèvent des problèmes de respect de la structure salariale (on parle alors d'un problème de compression salariale). En effet, lorsqu'il y a beaucoup de recoupements des échelles salariales adjacentes qui reconnaissent le rendement des titulaires au-delà du point milieu, l'employé

TABLEAU 5.4

Le calcul du pourcentage de chevauchement des échelles salariales de deux classes d'emplois adjacentes

Formule :

$$\frac{\text{Salaire maximal classe } (n)^* - \text{Salaire minimal classe } (n+1)}{\text{Salaire maximal classe } (n) - \text{Salaire minimal classe } (n)} \times 100$$

Exemple :

$$\frac{(9,00\ \$ - 7,91\ \$) \times 100\ \%}{(9,00\ \$ - 7,00\ \$)}$$

$$\frac{(1,09) \times 100\ \% = 54,5\ \%}{(2,00)}$$

* Taux horaire ou salaire annuel.

promu peut se voir accorder un salaire plus élevé que le salaire correspondant au point milieu de la classe d'emplois de son nouvel emploi. Pour éviter de tels problèmes liés aux promotions internes, on peut établir que le taux de salaire maximal d'une classe d'emplois reste inférieur au point milieu de la classe d'emplois subséquente. Comme les employés promus peuvent être près du maximum de leur échelle salariale, cela permet de leur accorder une certaine augmentation de salaire et de leur offrir un potentiel de progression salariale. Par exemple, si une politique exige qu'on accorde aux employés nouvellement promus une augmentation de salaire minimale de 10 %, une structure salariale où les maximums des classes seraient d'environ 10 % inférieurs aux points milieux des classes d'emplois supérieures adjacentes serait adéquate.

Finalement, l'acceptation des chevauchements par les employés est inversement proportionnelle à l'ampleur de ces chevauchements. Un chevauchement supérieur à trois ou quatre classes d'emplois risque d'apparaître comme trop grand et d'être jugé inéquitable étant donné que des employés dont les responsabilités ont une valeur très différente peuvent obtenir le même salaire. Il faut que les promotions correspondent non seulement à un changement de titre, mais également à un changement de salaire et à un potentiel de progression du salaire jugés suffisants pour encourager les employés à rechercher et à accepter les promotions ou à se perfectionner.

5.2.5.7 Les écarts entre les points milieux des échelles salariales des classes d'emplois adjacentes

Les écarts entre les points milieux des échelles salariales des classes d'emplois adjacentes peuvent être constants ou croissants. Bien que les écarts constants soient plus faciles à justifier, les écarts croissants peuvent être acceptés par des employés. Les raisons qui justifient une telle croissance dans les écarts entre les points milieux des échelles salariales des classes d'emplois adjacentes sont essentiellement les mêmes que celles qui justifient la taille croissante des échelles salariales. Ces raisons sont l'influence du poste sur les résultats de l'organisation, la structure progressive des impôts à contrebalancer, la rareté relative des personnes aptes et intéressées à occuper les postes de niveaux hiérarchiques supérieurs de même que les salaires octroyés sur le marché.

Ainsi, plus les écarts entre les points milieux des échelles salariales des classes d'emplois adjacentes sont importants, plus la structure salariale incite les employés à progresser dans la structure des emplois. Par ailleurs, une accentuation des écarts entre ces points milieux signifie que plus les employés progressent dans la structure des emplois, plus ils y gagnent sur le plan du salaire. En pratique, les écarts entre les points milieux des classes d'emplois adjacentes varient de 3 % à 5 % au bas de la structure et atteignent de 25 % à 30 % dans le haut de la structure. Dans les grandes organisations, il n'est pas rare de trouver des écarts salariaux de 40 % à 50 % entre les points milieux des classes d'emplois supérieures.

Toutefois, d'une façon générale, il est assez fréquent de trouver des écarts de 5 % à 7 % entre les points milieux des classes d'emplois adjacentes des structures salariales du personnel de production ou du personnel de bureau. Dans le cas des professionnels et du personnel de soutien, une norme minimale de 10 % à 15 % est souvent adoptée.

L'étendue des écarts entre les points milieux des classes d'emplois adjacentes a un effet direct sur l'ampleur du chevauchement des échelles salariales. Ainsi, plus les échelles salariales sont longues, plus il y a de chevauchements entre elles lorsque les écarts entre ces points milieux sont faibles. L'inverse est également vrai : plus les échelles de salaires sont petites, moins les classes d'emplois se chevauchent lorsque les écarts salariaux entre les points milieux sont importants. En résumé, il faut considérer les aspects suivants pour fixer les différences entre les points milieux des classes d'emplois adjacentes.

– Moins il y a de différence entre les points milieux des échelles salariales des classes d'emplois adjacentes, moins les échelles salariales peuvent être longues (moins les titulaires d'un même emploi peuvent se voir accorder des salaires différents). Ainsi, une différence «point milieu – point milieu» de 3 % peut provoquer l'établissement de 50 classes d'emplois, alors qu'une différence de 20 % peut mener à l'établissement de 5 ou 6 classes d'emplois.

– Plus les échelles salariales des classes d'emplois sont longues, plus on accorde des taux de salaires différents pour des titulaires d'un même emploi ou d'emplois ayant des exigences semblables (des emplois de la même classe d'emplois).

5.2.5.8　Les critères de progression dans les échelles salariales

Comment les employés peuvent-ils progresser dans les échelles salariales? La réponse à cette question dépend d'abord des critères d'octroi des augmentations de salaires individuelles et du type d'échelles salariales.

Les années de service

À quel moment les entreprises tendent-elles à rajuster les salaires selon l'ancienneté des employés? Généralement, elles effectuent ce rajustement lorsqu'elles valorisent la stabilité de la catégorie de personnel visée, lorsque le coût du roulement de ce personnel est élevé, lorsque le rendement d'une catégorie de personnel est fonction des années de service ou lorsque le personnel est syndiqué. En effet, le seul critère d'individualisation des salaires historiquement accepté par les syndicats est l'ancienneté, principalement en raison de son caractère objectif. Toutefois, il faut reconnaître que les augmentations de salaires basées sur les années de service ne représentent pas le seul moyen d'inciter le personnel à rester au service de l'entreprise. Des organisations préfèrent procéder autrement, par exemple en offrant de meilleurs avantages sociaux ou de meilleures possibilités de promotion.

Si l'on veut que la gestion des salaires reconnaisse les années de service, les augmentations de salaires peuvent être annuelles et, dans ce cas, le nombre d'échelons devient théoriquement illimité. Ainsi, après 30 années de service, un employé peut encore recevoir une augmentation de salaire ou une prime d'ancienneté. Cependant, il serait pour le moins irrationnel d'accorder des augmentations de salaires ou des primes d'ancienneté durant une période aussi longue. La pratique courante consiste à accorder des augmentations de salaires plus fréquentes au début de l'emploi et à les espacer de plus en plus par la suite, puisque c'est au début d'un emploi qu'un employé est le plus porté à quitter l'organisation. Pour le personnel syndiqué et le personnel de bureau, on trouve souvent des échelles salariales, comportant six ou sept échelons, où le salaire des employés est fonction de leur ancienneté. Ainsi, le minimum peut représenter le salaire lors de l'embauche, et le salaire de l'employé peut ensuite augmenter d'un échelon chaque année, ou encore son salaire peut se situer à l'échelon 1 après sa période d'essai, à l'échelon 2 après 6 mois, à l'échelon 3 après 1 an, à l'échelon 4 après 3 ans, à l'échelon 5 après 5 ans et à l'échelon maximal après 10 ans. Prenons un autre exemple : un employé embauché au taux minimal d'une échelle salariale peut voir son salaire augmenter de 3 % après trois mois, six mois et un an. Par conséquent, à la fin de la première année, son salaire est plus élevé de près de 10 % qu'à son arrivée dans l'organisation. Par la suite, les augmentations de salaire fondées sur l'ancienneté seront de plus en plus espacées.

Le rendement individuel

Le salaire dit « au mérite » consiste à tenir compte du rendement individuel des employés dans la détermination de leur augmentation (généralement annuelle) de salaire. Si l'idée du salaire au mérite est largement appliquée en Amérique du Nord pour les cadres, elle ne revêt pas la même importance dans toutes les politiques salariales ni pour toutes les catégories de personnel. Les syndicats s'opposent d'ailleurs au versement d'augmentations de salaires en fonction du rendement individuel.

Il existe divers types d'échelles salariales basées sur le rendement individuel. La figure 5.4 illustre une échelle « mini-maxi » dans laquelle on trouve deux maximums : le maxi-normal (point de contrôle ou point milieu) et le maxi-mérite. Ce type d'échelle vise à offrir aux employés un salaire correspondant au salaire qui est attribué sur le marché à des titulaires occupant des emplois semblables et qui s'accorde avec le niveau de leur rendement. S'il ne détient aucune expérience dans l'emploi, un candidat est embauché au taux minimal.

Toutefois, comme l'entreprise tient compte de l'expérience et du rendement prévu pour établir le salaire d'un nouvel employé, il est assez fréquent que le salaire fixé au moment de l'embauche se situe entre le minimum et le maxi-normal selon l'expérience et que le titulaire voie ensuite son salaire augmenter progressivement jusqu'au maxi-normal en fonction de son rendement. Le maxi-normal correspond aux salaires versés aux titulaires des emplois qui sont qualifiés et qui ont un rendement pleinement satisfaisant, et donc un niveau de mérite normal. Il correspond souvent au point milieu de l'échelle « mini-maxi-mérite ». Le maxi-normal constitue alors un point de contrôle et la rémunération est appelée « salaire aux points de contrôle ». Les points milieux des échelles sont souvent établis de manière à être équivalents aux taux du marché dans la mesure où la politique de la majorité des organisations consiste à accompagner le marché.

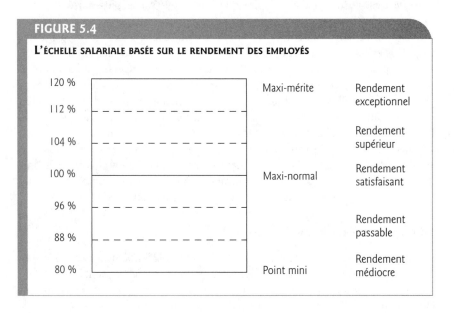

FIGURE 5.4

L'ÉCHELLE SALARIALE BASÉE SUR LE RENDEMENT DES EMPLOYÉS

120 %	Maxi-mérite	Rendement exceptionnel
112 %		
104 %		Rendement supérieur
100 %	Maxi-normal	Rendement satisfaisant
96 %		
88 %		Rendement passable
80 %	Point mini	Rendement médiocre

Lorsque le rendement d'un employé se maintient à un niveau plus que satisfaisant, son salaire doit se situer entre le maxi-normal et le maxi-mérite. Le maxi-mérite équivaut au salaire versé à l'employé dont le rendement est exceptionnel et soutenu. Par ailleurs, comme un employé acquiert plus rapidement de l'expérience au cours de ses premiers mois ou de ses premières années de travail, le salaire d'un nouvel employé peut, par exemple, être révisé en fonction de son rendement après trois mois, six mois et, par la suite, chaque année. Pour les cadres, les entreprises utilisent souvent des échelles salariales mini-maxi-mérite sans échelon qui peuvent être ou ne pas être graduées, de sorte que différents montants de salaires correspondent à différents niveaux de rendement.

Les salaires au rendement ne laissent personne indifférent : certains sont pour, d'autres sont contre. Quelques-uns le favorisent en principe mais s'y opposent en pratique, alors que d'autres s'y opposent formellement sous quelque angle qu'on l'aborde, ce qui est le cas pour les syndicats. Au chapitre 7, nous traiterons plus en détail de la gestion des salaires au mérite, et plus précisément des matrices ou des grilles de salaires au mérite. Nous y traiterons aussi des atouts, des limites et des conditions de succès de ce mode de rémunération variable basé sur le rendement individuel.

Les compétences individuelles

Les structures salariales peuvent également permettre de rémunérer de manière plus ou moins importante l'acquisition ou la mise en application de compétences, de connaissances ou d'habiletés parmi le personnel. En effet, lorsqu'une structure propose des échelles salariales, il est possible d'accorder des augmentations de salaires en tenant compte — en totalité ou en partie — des compétences des employés. Ce mode de rémunération est traditionnellement utilisé pour les cadres et les professionnels. Les compétences sont prises en considération lors de l'évaluation du rendement et, ensuite, la cote de rendement influe sur les augmentations de salaires qui sont versées. Spencer et Spencer (1993) confirment d'ailleurs cette similarité avec la notion de « salaire au mérite » lorsqu'ils recommandent de récompenser les employés pour l'acquisition de leurs compétences en leur octroyant des « salaires au mérite pour les compétences ». La plupart des firmes tiennent d'ailleurs compte de la mise en application des compétences dans la détermination de la cote de rendement individuel des employés, cote de rendement qui détermine les augmentations de salaires (Sibson & Company, 1997). Une enquête de l'American Compensation Association (1996) indique que la façon courante de rémunérer les compétences consiste à les considérer dans la détermination des augmentations de salaires des employés.

Les critères mixtes

Quoique cela ne se produise pas fréquemment, certaines échelles salariales sont pourvues d'échelons jusqu'au point milieu, mais pas au-delà. Le minimum représente le taux de salaire octroyé au moment de l'embauche. Par la suite, le salaire peut progresser selon un critère comme l'ancienneté jusqu'au maximum normal. Au-delà du maxi-normal, les augmentations de salaires individuelles reposent sur un rendement extrêmement satisfaisant ou sur l'acquisition de compétences de base. Comme aucun échelon n'a été établi au-delà du maxi-normal, l'ordre de grandeur des augmentations de salaires est très flexible. La rapidité de la progression jusqu'au maxi-normal peut aussi être fonction de critères tels que les résultats de l'évaluation du rendement ou l'acquisition de compétences particulières. Par exemple, une cote de rendement satisfaisante ou l'acquisition d'une compétence peut correspondre à un échelon.

5.3   La structure salariale basée sur les compétences des employés[2]

On reproche souvent au processus traditionnel de détermination des salaires basée sur la valeur relative des exigences des emplois les limites suivantes :

— il alimente une culture de rigidité, d'inflexibilité, de résistance aux changements ou d'inefficacité. On pense, par exemple, au syndrome du « ce n'est pas mon travail ». Les employés se montrent réfractaires à l'acquisition d'habiletés ou refusent d'accomplir des tâches qui ne sont pas mentionnées dans leur définition d'emploi à moins qu'on ne procède à une réévaluation de celui-ci ou des facteurs d'évaluation ;

— il apprécie la valeur des emplois en considérant leurs exigences relatives plutôt que leur valeur sur le marché ;

— il délimite de manière précise le contenu des emplois, alors que certaines entreprises révisent constamment leur mode d'organisation et ne peuvent ni ne veulent plus définir les emplois de cette façon, pour diverses raisons (coûts et temps d'élaboration et de mise à jour) ;

— il alimente les jeux politiques, puisqu'il pousse les employés à exagérer les exigences de leur emploi. Le processus d'évaluation des emplois, même s'il est uniformisé, demeure subjectif ;

— il accorde une valeur trop importante aux habiletés de gestion par rapport aux habiletés techniques ou scientifiques ;

— il est inadéquat ou a des effets négatifs pour certaines catégories d'employés — notamment les cadres, les professionnels et les scientifiques — dont les comportements sont complexes et difficiles à prescrire.

Le changement du contexte d'affaires et les limites du processus d'évaluation des emplois pressent les dirigeants d'entreprise de revoir leur mode de gestion des salaires pour l'ensemble ou une partie de leur personnel. Certains d'entre eux adoptent deux approches émergentes, et ce, souvent de manière conjointe : la gestion des salaires basée sur les compétences, traitée dans cette section, et la gestion des salaires basée sur des bandes d'emplois, que nous verrons plus loin dans ce chapitre. Pour illustrer de telles initiatives en matière de gestion des salaires, le tableau 5.5 présente une synthèse des changements en matière de gestion des salaires que la société d'assurances Standard Life a instaurés afin d'améliorer sa performance d'affaires et le service à la clientèle. Le cas présenté au début de ce chapitre s'inscrit dans le contexte des changements qui se sont produits dans cette firme.

---

2 Cette section s'appuie sur des extraits du chapitre « Salaires liés aux compétences : bilan des connaissances et des pratiques » de St-Onge et Morin (à paraître).

TABLEAU 5.5

REPRÉSENTATION SCHÉMATIQUE DES CHANGEMENTS EN MATIÈRE DE RÉMUNÉRATION RÉALISÉS PAR LA SOCIÉTÉ STANDARD LIFE

Familles d'emplois

- Buts :
    - Regrouper des personnes et des rôles pour le développement
    - Refléter le marché et les différences de taux sur le marché
- Regroupement des emplois à l'intérieur de 20 familles d'emplois

Évaluation des emplois à l'intérieur de l'organisation

- Abandonner la méthode des points et facteurs comme principal moyen d'évaluation des emplois
- Conserver la méthode des points et facteurs pour l'évaluation des emplois pour lesquels des données sur le marché ne sont pas disponibles

Profils des emplois

- Les emplois doivent être moins nombreux et leur description plus standardisée
- Composantes principales des descriptions d'emplois :
    - But
    - Dimensions
    - Résultats
    - Compétences techniques
    - Compétences personnelles

Structures salariales

- Réduction du nombre de niveaux hiérarchiques
- Adoption de structures salariales différentes selon les familles d'emplois
- Bandes salariales prescrivant un salaire minimal mais pas de salaire maximal ; les taux de salaires sont présentés à titre indicatif et basés sur les données du marché

Autres récompenses

- Moins tenir compte de la classe d'emplois pour définir les bénéfices et les conditions de travail des employés et tenir compte davantage de ce que le marché offre par famille d'emplois

> **TABLEAU 5.5 (suite)**
>
> **Progression salariale**
>
> - Adoption de règles de progression salariale plus flexibles permettant de différencier les salaires versés aux employés tout en respectant les budgets
> - Moins d'importance accordé aux points milieux des échelles salaires et au suivi des ratios comparatifs
> - Plus d'informations et de guides (par exemple, l'étendue des salaires sur le marché) fournis par les professionnels des ressources humaines
> - Variation des budgets salariaux de manière à refléter les différences sur le marché
> - Positionnement dans une bande d'emplois, selon la contribution des employés
>
> **Processus d'appui**
>
> - Développement : encourager les déplacements entre les familles d'emplois et le développement professionnel
> - Planification et budgétisation des salaires : processus plus sophistiqué, communiqué davantage aux employés et plus aligné sur le marché
> - Gestion du rendement : davantage en fonction d'objectifs préétablis et plus de liens avec la gestion des salaires et le développement
> - Formation offerte aux cadres en matière de *coaching*
> - Communications : ouverture, honnêteté, précision et recours à différents médias
> - Systèmes d'information conçus avec la participation des employés

Source : Traduit et adapté de Brown (2001, p. 21).

5.3.1 La structure salariale basée sur les compétences relatives des employés

Puisque le succès des organisations repose de plus en plus sur les employés, des dirigeants d'entreprise ont décidé d'appuyer leur gestion des ressources humaines sur une logique de développement d'habiletés et de compétences clés afin de bénéficier d'un avantage concurrentiel. Dans cet esprit, certains dirigeants ont revu leurs modes de gestion des salaires afin qu'ils tiennent compte davantage des habiletés et/ou des compétences des employés.

Une structure salariale basée sur les caractéristiques des personnes — c'est-à-dire leurs *habiletés*, leurs *connaissances* et/ou leurs *compétences* — peut permettre de pallier les limites des structures de gestion des salaires basées sur la valeur relative des exigences des emplois. Selon une structure de gestion des salaires basée sur les caractéristiques des personnes, le salaire des titulaires des postes basée sur les caractéristiques des personnes, le salaire des titulaires des postes devient fonction de ce qu'ils *sont* (ou peuvent faire) et non plus de ce qu'ils *font,* comme le présume le mode traditionnel de gestion des salaires basé sur la valeur relative des exigences des emplois. En effet, une structure salariale basée sur les compétences lie le salaire des employés à la *nature,* à la *variété* ou à la *spécialisation* d'habiletés, de connaissances ou de compétences pertinentes au travail qu'ils acquièrent, et ce, sans égard au fait que leur travail requiert l'utilisation de la totalité ou d'une partie de leurs habiletés, connaissances ou compétences.

Comme l'indique la figure 5.1, quel que soit le type de structure salariale, cette dernière repose toujours sur un processus d'analyse et de description des emplois à des fins d'évaluation de ceux-ci pour la détermination des salaires. D'une part, les structures salariales courantes — basées sur les emplois — reposent sur un processus d'analyse, de description et d'évaluation de leurs exigences relatives. D'autre part, les structures salariales basées sur les caractéristiques des personnes s'appuient sur un processus d'analyse, de description et d'évaluation des acquisitions (d'habiletés, de compétences et/ou de connaissances) des employés.

On fait couramment appel à deux expressions pour traiter de la rémunération basée sur les caractéristiques des personnes : la première expression, les « salaires basés sur les habiletés », est souvent utilisée au sein des organisations manufacturières ou pour les emplois de production et de services ; quant à la seconde expression, les « salaires basés sur les compétences », elle est souvent adoptée à l'endroit des cadres et des professionnels ou encore dans les organisations de services. De fait, on constate que les gestionnaires semblent regrouper sous le terme « compétences » tous les critères autres que ceux qui portent sur des *résultats* (tels les ventes, le nombre d'unités produites, la réalisation d'objectifs). En effet, dans la mesure où une entreprise tient compte, de quelque façon que ce soit, des connaissances, des habiletés, des traits de personnalité, des aptitudes ou des comportements (des concepts différents des résultats) dans la détermination de la rémunération d'une catégorie d'employés (l'établissement des salaires, des augmentations, de la rémunération variable, etc.), elle peut dire qu'elle rémunère ceux-ci selon les compétences. Comme il n'y a pas de consensus sur ce qu'est la rémunération selon les compétences, il faut se montrer prudent dans l'interprétation des résultats d'enquêtes visant à estimer la fréquence de l'implantation de la rémunération des compétences.

5.3.2   La variété des modes de reconnaissance des compétences des employés

En pratique, la rémunération basée sur les compétences ne correspond pas du tout à une pratique particulière, unique et uniforme. On peut d'ailleurs s'interroger sur l'opposition que certains auteurs voient entre la rémunération basée sur les emplois et la rémunération basée sur les compétences. Tout n'est pas blanc ou noir; au contraire, il existe une palette d'approches en demi-teintes qu'on privilégie pour rémunérer les compétences ou les habiletés des personnes. Par ailleurs, le fait que les firmes décident de gérer les salaires en fonction des compétences ne signifie pas qu'elles ignorent d'autres facteurs comme les salaires offerts sur le marché, les exigences relatives des emplois, le budget disponible ou le rendement des employés. Si toutes ces firmes disent tenir compte des compétences dans la gestion des salaires, le poids relatif qu'elle leur accorde par rapport à tous les autres facteurs est très variable. Par conséquent, la distinction prétendument claire entre des salaires basés sur les compétences relatives des employés et des salaires basés sur les exigences relatives des emplois peut se révéler, en pratique, plus ou moins importante et difficile à établir.

En somme, les compétences peuvent être rémunérées et reconnues par une variété de moyens utilisés seuls ou simultanément (Brown, 2000; Ledford et Heneman, 2000). Nous appuyant sur la typologie illustrée au tableau 5.6, nous regroupons les formes possibles de liens entre les compétences et la rémunération comme suit : la structure de gestion des salaires basée principalement sur les exigences relatives des emplois, la structure de gestion des salaires basée principalement sur les compétences relatives des personnes et le programme de reconnaissance visant à récompenser les employés. Nous clarifierons par la suite ces trois grands modes de reconnaissance des compétences.

5.3.2.1 La structure de gestion des salaires basée principalement sur les exigences relatives des emplois

Même si ce type de structure salariale fixe et gère les salaires en s'appuyant principalement sur les exigences relatives des emplois, il peut aussi considérer les compétences des employés. En effet, les structures salariales basées sur les exigences des emplois permettent de rémunérer indirectement et directement les compétences au moyen de la détermination des salaires minimaux et maximaux des échelles salariales et de la fixation des augmentations de salaires individuelles qui peuvent être fonction du rendement mesuré par l'acquisition de compétences. En effet, la méthode des points et facteurs tient compte de certaines compétences requises (par exemple, la scolarité ou les habiletés de gestion) par les titulaires des emplois dans la détermination de la valeur relative des emplois. De plus, les cadres peuvent établir les augmentations de salaires individuelles de leurs subordonnés en examinant leur rendement, qui peut être en partie fonction de l'acquisition ou de la mise en application de certaines compétences préétablies.

Les structures salariales basées sur une mesure de la valeur relative des responsabilités permettent de payer *indirectement* les titulaires des emplois pour leurs compétences. Selon cette approche, la valeur relative des responsabilités des emplois — un intrant important dans la détermination de leur salaire de base relatif — est appréciée selon des facteurs d'évaluation qui tiennent inévitablement compte des compétences requises par les emplois (comme les habiletés et les connaissances).

TABLEAU 5.6

DESCRIPTION DES MOYENS DE RÉMUNÉRER OU DE RECONNAÎTRE LES COMPÉTENCES

Modes de reconnaissance des compétences	Structure salariale basée principalement sur les exigences relatives des emplois	Structure salariale basée principalement sur les compétences relatives des employés
Évaluation des emplois et des employés	Processus d'évaluation de la valeur des emplois (méthode des points et facteurs, etc.) tenant compte des responsabilités assumées par les titulaires de même que des compétences, des habiletés et des connaissances requises par les titulaires pour occuper les emplois	Processus d'évaluation (certification, requalification, etc.) des employés en fonction des habiletés, des compétences et/ou des connaissances qu'ils possèdent à l'embauche ou qu'ils acquièrent dans leur emploi
Détermination et ajustement des salaires individuels	Échelles, bandes, matrices ou grilles permettant d'ajuster les salaires individuels des employés en tenant compte — uniquement ou en partie — de leurs compétences, habiletés, comportements et/ou connaissances, d'autres facteurs liés au rendement pouvant également être pris en considération dans la détermination et l'ajustement des salaires individuels	
Programme de reconnaissance	Versement de primes (horaires, annuelles, etc.) ou d'autres formes de reconnaissance (prix, plaque honorifique, etc.) permettant de rémunérer ou de reconnaître — uniquement ou en partie — des habiletés, des compétences, des comportements et/ou des connaissances que les employés possèdent ou acquièrent, d'autres facteurs liés au rendement pouvant également être pris en considération dans l'octroi des reconnaissances	

Ces structures salariales peuvent également permettre de rémunérer *directement*, de manière plus ou moins importante, les compétences des employés. En effet, lorsqu'une structure propose des échelles salariales (ou bandes salariales), il est possible d'accorder des augmentations de salaires en tenant compte — en totalité ou en partie — des compétences des employés. Ce mode de rémunération est traditionnellement utilisé pour les cadres et les professionnels. Les compétences entrent dans l'évaluation du rendement, puis la cote de rendement influence les augmentations de salaires versées. De fait, pour les cadres et les professionnels, les conditions de succès d'un régime salarial basé sur les compétences, qui lie leurs augmentations de salaires annuelles à leurs compétences, devraient être semblables à celles qui sont associées au succès du traditionnel régime de salaire au mérite (Heneman, 1992 ; St-Onge, 1992, 2000), qui lie leurs augmentations de salaires à leur cote de rendement individuel (par exemple, le processus d'évaluation, la compétence et la motivation des évaluateurs, les budgets disponibles).

Selon ce mode de gestion des salaires, la préoccupation pour les compétences ne remplace pas les façons de faire traditionnelles et courantes ; elle s'intègre plutôt à elles. Cela semble d'ailleurs l'approche privilégiée par la majorité des organisations. Rappelons que la plupart des firmes tiennent compte de la mise en application de compétences dans la détermination de la cote de rendement individuel des employés, cote de rendement qui détermine les augmentations de salaires (Sibson & Company, 1997). Ainsi, une enquête (Towers Perrin, 1997) montre que, parmi les organisations qui disent offrir une rémunération basée sur les compétences, 84 % d'entre elles continuent d'utiliser leur processus d'évaluation des emplois et 70 % d'entre elles disent octroyer les augmentations de salaires individuelles en tenant compte du rendement aussi bien que des compétences des employés. Une autre enquête (American Compensation Association, 1996) indique que les applications les plus courantes de la rémunération des compétences consistent à considérer celles-ci dans la détermination des augmentations de salaires (42 %) et dans l'évaluation des emplois (15 %). En somme, pour les organisations qui appuyaient de manière prépondérante leur processus de gestion du rendement individuel sur des indicateurs liés aux résultats (la réalisation d'objectifs), l'approche basée sur les compétences a permis d'y inclure des indicateurs comportementaux ou de compétences afin d'apprécier non seulement la nature des résultats atteints (le quoi), mais aussi la façon dont ils sont atteints (le comment).

Par conséquent, à l'égard des cadres et des professionnels, le passage du salaire au mérite au salaire selon les compétences est souvent davantage une question de sémantique qu'un changement de fond. En effet, le principe de l'individualisation des salaires est mis en pratique depuis longtemps pour cette catégorie d'employés, dans l'attribution de leur salaire au mérite, c'est-à-dire octroyé en fonction de leur rendement individuel. En fait, pour eux, le changement correspond souvent à une révision des critères de détermination des augmentations de salaires. On ajoute des critères, on en enlève ou on les modifie de manière que les standards soient plus clairs et davantage liés à la stratégie d'affaires ou à de nouveaux comportements à adopter. Le tableau 5.7 illustre deux manières dont les compétences peuvent être rémunérées à l'aide d'une structure salariale basée sur les responsabilités des emplois.

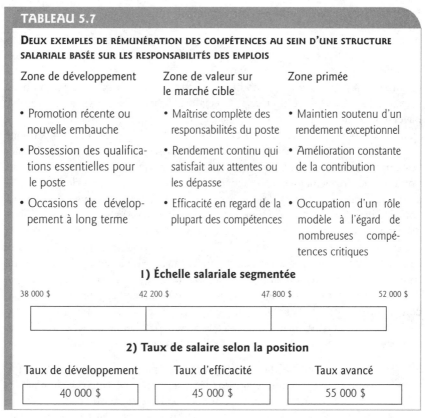

TABLEAU 5.7

Deux exemples de rémunération des compétences au sein d'une structure salariale basée sur les responsabilités des emplois

Zone de développement	Zone de valeur sur le marché cible	Zone primée
• Promotion récente ou nouvelle embauche	• Maîtrise complète des responsabilités du poste	• Maintien soutenu d'un rendement exceptionnel
• Possession des qualifications essentielles pour le poste	• Rendement continu qui satisfait aux attentes ou les dépasse	• Amélioration constante de la contribution
• Occasions de développement à long terme	• Efficacité en regard de la plupart des compétences	• Occupation d'un rôle modèle à l'égard de nombreuses compétences critiques

1) Échelle salariale segmentée

38 000 $ 42 200 $ 47 800 $ 52 000 $

2) Taux de salaire selon la position

Taux de développement	Taux d'efficacité	Taux avancé
40 000 $	45 000 $	55 000 $

Source : Traduit de Rahbar-Daniels (2003, p. 71).

5.3.2.2 La structure de gestion des salaires basée principalement sur les compétences relatives des personnes

Cette structure salariale lie les salaires et les augmentations de salaires des employés à leurs compétences individuelles (leurs connaissances, leurs habiletés, etc.). Ce type de structure salariale a d'abord été adopté pour les employés de production ; on utilisait alors l'expression « salaires basés sur les habiletés ». Plus récemment, des auteurs ont prôné l'adoption de structures salariales basées sur les compétences pour les cadres et les professionnels en les qualifiant de « salaires basés sur les compétences ».

La structure salariale basée sur les habiletés

À ce jour, les salaires basés sur les habiletés (ou compétences techniques) ont surtout été adoptés par de grandes organisations manufacturières à l'intention des employés de production, et ce, pour diverses raisons. Premièrement, de telles organisations apportaient des modifications importantes à leur organisation du travail, à leur style de gestion, etc., et cela devait se refléter dans la manière de payer le personnel. Deuxièmement, les valeurs, les attitudes et les comportements traditionnels des employés de production menaçaient la survie et la compétitivité des entreprises manufacturières. Pour les entreprises, il était nécessaire d'inciter ces employés à acquérir de nouvelles habiletés afin qu'ils puissent accroître leur polyvalence. Troisièmement, les habiletés requises du personnel de production sont plus facilement repérables et mesurables d'une façon qui peut être perçue comme étant objective. Quatrièmement, les salaires basés sur les *habiletés individuelles* sont plus susceptibles d'être acceptés par les syndicats, parce qu'on ne parle pas ici du *rendement individuel*. En effet, historiquement, les syndicats se sont opposés à la rémunération selon le rendement individuel, qu'il soit mesuré à partir de traits de personnalité, de comportements ou de résultats. Pourtant, on peut fort bien décrire la rémunération des habiletés implantée dans ces entreprises comme un régime qui lie le salaire des employés de production à leur rendement individuel, mesuré selon le nombre et la valeur des habiletés acquises par les employés. On peut voir comme le choix d'un terme peut faire la différence!

En définitive, le véritable changement apporté par la rémunération des habiletés (ou compétences techniques) est le fait d'avoir permis l'*individualisation* des salaires des employés de premier niveau sur une base autre que l'*ancienneté* (un dogme des milieux syndiqués). Il n'est d'ailleurs pas étonnant de constater que les employés de production reprochent à ce mode de détermination des salaires de ne pas tenir compte de l'ancienneté (St-Onge et Péronne-Dutour, 1998), une caractéristique individuelle traditionnellement mise en avant par les syndicats en raison de son objectivité. Les employés les plus réticents à ce mode de rémunération sont ceux que le critère d'ancienneté privilégie, c'est-à-dire les plus vieux employés. Soulignons l'importance de l'assentiment du syndicat pour la réussite d'un régime qui accorde un certain pouvoir discrétionnaire aux cadres en matière de salaires. Cette exigence constitue sans doute la raison pour laquelle les régimes salariaux basés sur les habiletés sont adoptés plus fréquemment dans des milieux non syndiqués.

Il y a une multitude de façons de rémunérer les habiletés ou les compétences techniques des employés de production. Une approche courante consiste à exiger que les employés aient tous, au moment de leur embauche dans l'entreprise, des habiletés de base préétablies pour pouvoir obtenir un salaire horaire de base préétabli. Par la suite, un employé peut voir son salaire augmenter en suivant des cours de formation, proposés ou optionnels. Selon le nombre de points que valent les diverses formations et le nombre de cours optionnels suivis, l'employé peut être désigné comme technicien d'un niveau donné (par exemple, I, II, III ou IV) et voir son salaire augmenter en conséquence, et ce, quelle que soit la nature du travail qu'il exécute. Le tableau 5.8 fournit un exemple de structure salariale basée sur les habiletés pour le personnel de production. La mise en place d'une telle structure salariale nécessite les étapes suivantes : la détermination et la définition des habiletés, l'établissement d'une structure de progression des salaires selon les habiletés ainsi que l'adoption d'un processus d'évaluation et de certification des compétences.

L'efficacité des structures salariales basées sur les habiletés repose fondamentalement sur la *détermination* et la *définition des habiletés* faites à la lumière du mode d'organisation du travail. L'organisation doit définir, notamment, ce qu'elle entend par « habiletés » ou « compétences techniques ». S'agit-il de responsabilités, de connaissances, d'aptitudes, de comportements, etc., associés à une seule des étapes du processus de production ? à certaines de ces étapes ? à toutes ces étapes ? Pour déterminer le nombre d'unités (ou de blocs) d'habiletés, l'organisation doit considérer le potentiel des employés, la nature du travail et l'ampleur de la polyvalence recherchée.

De tels régimes reconnaissent souvent l'acquisition d'habiletés horizontales ou élargies, c'est-à-dire l'acquisition d'une multitude d'habiletés diverses, mais comparables quant à la difficulté qu'elles comportent. Il peut s'agir d'apprendre toutes les activités d'une équipe de travail, ou encore de maîtriser toutes les activités d'un processus d'offre de service ou de production d'un bien. Le nombre total de blocs d'habiletés ne doit pas être trop petit ni trop grand si l'on veut qu'il y ait une réelle possibilité de croissance et d'amélioration du salaire pour les employés et que le régime reste simple à gérer et compréhensible et réaliste pour les employés.

Par ailleurs, la *structure de progression des salaires selon les habiletés* est souvent établie suivant une analyse et une classification de toutes les habiletés (en « blocs de connaissances techniques », dans bien des cas) nécessaires pour faire le travail au sein d'une organisation. La progression des salaires individuels selon les habiletés est alors souvent fonction du nombre et/ou de la valeur des blocs d'habiletés, susceptibles d'être très près des tâches, que les employés sont susceptibles d'acquérir en suivant des formations particulières qui peuvent être de nature variée (par exemple, des cours théoriques ou le *coaching* du superviseur et/ou de collègues).

Pour élaborer une structure salariale basée sur les habiletés, il faut également analyser et prévoir le temps requis pour atteindre le taux de salaire maximal et pour apprendre chacune des unités d'habiletés et les transférer dans le travail quotidien. Il faut s'assurer que la période d'apprentissage n'est pas trop courte, parce qu'il faudrait alors rémunérer des personnes pour des habiletés qu'elles ne maîtrisent pas entièrement, ni trop longue, pour ne pas provoquer de frustrations chez les employés. En fait, la structure de progression des salaires doit être représentative du niveau de difficulté de l'apprentissage.

TABLEAU 5.8

EXEMPLE DE STRUCTURE SALARIALE BASÉE SUR LES HABILETÉS POUR DES TECHNICIENS

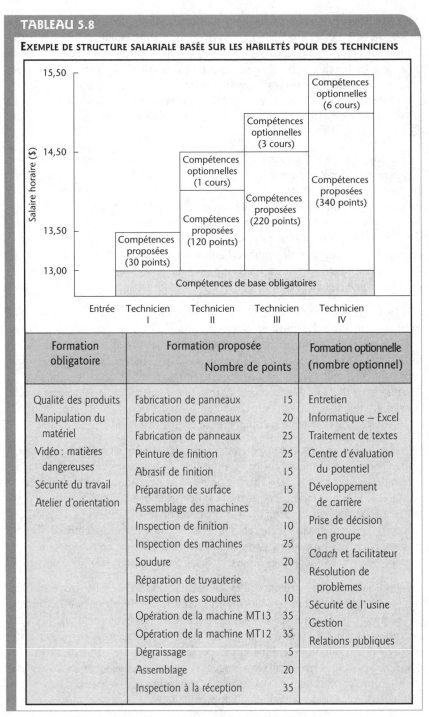

Formation obligatoire	Formation proposée	Nombre de points	Formation optionnelle (nombre optionnel)
Qualité des produits	Fabrication de panneaux	15	Entretien
Manipulation du matériel	Fabrication de panneaux	20	Informatique – Excel
	Fabrication de panneaux	25	Traitement de textes
Vidéo : matières dangereuses	Peinture de finition	25	Centre d'évaluation du potentiel
Sécurité du travail	Abrasif de finition	15	Développement de carrière
Atelier d'orientation	Préparation de surface	15	
	Assemblage des machines	20	Prise de décision en groupe
	Inspection de finition	10	
	Inspection des machines	25	*Coach* et facilitateur
	Soudure	20	Résolution de problèmes
	Réparation de tuyauterie	10	
	Inspection des soudures	10	Sécurité de l'usine
	Opération de la machine MT13	35	Gestion
	Opération de la machine MT12	35	Relations publiques
	Dégraissage	5	
	Assemblage	20	
	Inspection à la réception	35	

Source : Traduit et adapté de Milkovitch et Newman (2002).

Certaines organisations adoptent des règles en ce qui a trait au délai de récupération des habiletés (*pay back period,* qui peut signifier un nombre de semaines ou de mois selon les firmes), de manière à s'assurer que l'employé maîtrise adéquatement les habiletés nouvellement acquises et qu'il donne un rendement satisfaisant et constant avant d'entreprendre un nouvel apprentissage. Pour établir le montant du salaire associé à l'acquisition des différentes habiletés, divers critères peuvent être considérés tels que la valeur relative accordée aux différentes unités d'habiletés, la durée de l'apprentissage et la valeur des habiletés sur le marché.

Dans certaines organisations, le passage d'un niveau d'habiletés à un autre est quasi automatique après que l'employé a suivi une formation ou passé un certain temps à exécuter une tâche, alors que dans d'autres, l'employé doit se soumettre à une évaluation plus officielle (par exemple, un examen écrit, une évaluation par le supérieur, par les pairs). Les modes d'*évaluation* et de *certification des compétences* sont multiples : examens écrits, simulations, vérification de la capacité à effectuer une tâche ou à occuper un poste d'une façon satisfaisante pendant un certain temps. La certification correspond à une augmentation de salaire préétablie et, dans certains cas, à l'obtention d'un diplôme ou d'une mention. Certaines organisations ont également mis en place des mécanismes de réévaluation des habiletés, afin de s'assurer que les employés maintiennent le niveau d'habiletés pour lequel ils sont payés, et même pour éviter aux employés une baisse de salaire. Quoique le superviseur immédiat puisse assumer seul la responsabilité de la validation des habiletés, il peut aussi le faire en compagnie d'autres intervenants, comme un professionnel du service des ressources humaines, d'autres cadres ou des collègues de l'employé.

La structure salariale basée sur les compétences

Si l'adoption de structures salariales basées sur les compétences s'est d'abord concentrée parmi les employés de production des entreprises manufacturières, elle s'est peu à peu étendue à d'autres catégories de personnel, comme les cadres, le personnel de recherche et développement, les techniciens et les professionnels, ainsi qu'à d'autres secteurs d'activité, comme ceux des services et de la haute technologie, sous le vocable de « structure salariale basée sur les compétences ». Selon ce type de structure salariale, les compétences relatives des cadres et d'autres catégories de personnel déterminent leur salaire de base et leur statut respectif. Les membres de ces catégories de personnel peuvent ensuite améliorer leur salaire individuel en acquérant ou en démontrant la maîtrise de compétences désignées comme étant liées aux facteurs de succès de l'organisation (voir le tableau 5.9). De tels régimes reconnaissent généralement l'acquisition d'habiletés verticales, c'est-à-dire d'habiletés supérieures (par exemple, en gestion ou en supervision). Ainsi, il peut s'agir de l'acquisition d'habiletés relatives à la formation, à la communication, à la conduite de réunions (pour ce qui est des habiletés de gestion) ou de contrôle de la qualité (pour ce qui est des habiletés techniques ou professionnelles supérieures). Selon les organisations et son contexte particulier, ce potentiel de reconnaissance salariale des compétences peut être plus ou moins important, étant donné la largeur des échelles salariales ou des bandes d'emplois ou de carrières (voir le tableau 5.15 à la page 284).

TABLEAU 5.9

LE PROCESSUS DE VISION STRATÉGIQUE LIÉ À L'IDENTIFICATION DES COMPÉTENCES CLÉS

Priorité stratégique	Facteurs de réussite	Processus/fonctions de gestion à valeur ajoutée	Mesures clés de rendement	Comportements critiques
• Augmentation rapide de la part de marché	• Gestion des commandes • Réputation des produits • Canaux de distribution • Politique de prix	• Réalisation des commandes • Marketing • Ventes • Fabrication des produits	• Contrôle de la qualité au moment du traitement des commandes • Processus intégré de fabrication des produits • Choix des meilleurs réseaux de distribution	• Raisonnement analytique • Orientation vers l'amélioration continue • Orientation vers l'équipe • Orientation vers les résultats • Orientation vers les clients

Source : Traduit et adapté de Rahbar-Daniels (2003, p. 68).

En pratique, pour élaborer un modèle de gestion des salaires fondé sur les compétences, la plupart des entreprises s'appuient sur des compétences déjà définies dans des ouvrages comme celui de Spencer et Spencer (1993), qui considèrent les compétences comme des caractéristiques profondes et constantes de la personnalité telles que le leadership, l'esprit d'innovation, l'esprit d'équipe, la communication, la flexibilité ou la coopération. Une enquête réalisée par l'American Compensation Association (1996) révèle que les modèles de gestion basés sur les compétences qu'utilisent les firmes incluent des comportements associés au rendement (94 %, comme le travail d'équipe, le leadership), des attributs personnels (83 %, comme la flexibilité, l'intégrité, l'orientation vers les résultats, le souci du client), des connaissances (61 %, comme la gestion, les produits de la firme) et des habiletés techniques (55 %, comme la comptabilité, la vente). Une recension des compétences considérées par des firmes recourant à la gestion des salaires basée sur les compétences (Zingheim *et al.,* 1996 ; Zingheim et Schuster, 2002) montre qu'elles sont les suivantes : l'orientation vers le client, la communication, l'orientation vers l'équipe, l'expertise technique, l'orientation vers les résultats, le leadership, l'adaptabilité et l'innovation (voir le tableau 5.10). Aussi, le prétendu caractère distinctif ou unique que procurerait à une firme un tel mode de rémunération repose plutôt sur sa façon particulière de mesurer des compétences qui sont fondamentalement semblables.

TABLEAU 5.10

LES COMPÉTENCES LES PLUS SOUVENT RÉCOMPENSÉES PAR LES ENTREPRISES

	Comportements existants	Comportements désirés
Orientation vers le client	Vendre Mesures financières Parler Donner la priorité aux besoins de l'entreprise Perspective à court terme	Consulter Mesures financières, mesures de qualité et de satisfaction Écouter Équilibrer les besoins de l'entreprise et ceux des clients Perspective à long terme
Communication	Du haut en bas Informer Restreinte	Multidirectionnelle Faire participer et écouter Étendue
Orientation vers l'équipe	Coopération Responsabilité de l'encadrement	Collaboration Responsabilité des équipes
Expertise technique	Rigidité des rôles Spécialisation	Flexibilité des rôles Habiletés multiples
Orientation vers les résultats	Évitement des risques Standards traditionnels	Prise de risques calculés Hausse des standards
Leadership	Superviseur Rendement individuel Ordonner, commander	*Coach* (entraîneur) Rendement individuel et rendement d'équipe Agir comme modèle
Adaptabilité	Rigidité Résistance aux changements	Flexibilité Ouverture sur les changements
Innovation	*Statu quo* Solution routinière	Changement Solution innovatrice

Source : Traduit et adapté de Zingheim *et al.* (1996) avec l'autorisation de l'American Compensation Association.

Par ailleurs, lorsque des compétences correspondent à des traits de personnalité, on peut se demander en quoi la rémunération des compétences améliore les choses. En effet, quelle est la plus-value d'un régime de gestion des salaires qui s'appuie en partie ou en totalité sur des traits de personnalité alors qu'il s'agit là d'un reproche traditionnellement exprimé à l'égard des régimes de salaires au mérite lorsque le rendement est évalué sur la base de traits de personnalité ? Lawler (1996, p. 24) exprime d'ailleurs cette mise en garde à propos des salaires basés sur les compétences en demandant : « Pourquoi répéter nos erreurs ? » Depuis plusieurs années, on martèle l'idée que l'évaluation des personnes en fonction de traits individuels est un processus subjectif, nuisible au développement et non valable devant les tribunaux. Que l'on qualifie cet exercice « d'évaluation des compétences » plutôt que « d'évaluation du rendement » ne le rend pas plus valide, ni plus pertinent, ni plus utile. L'évaluation de toutes les catégories de personnel repose sur un préalable : éviter l'évaluation des traits de personnalité et leur préférer des résultats et des *comportements* (ou des compétences *appliquées* ou *comportementales*) liés directement au succès obtenu dans le poste occupé.

En conclusion, pour les cadres, si le mouvement de la rémunération des compétences mène à lier la rémunération des cadres à des critères de personnalité, il est difficile de voir où se trouve le progrès. Dans la mesure où l'exercice permet de mettre davantage en rapport la rémunération des cadres et l'adoption de *comportements* associés au succès de l'entreprise, il peut s'avérer sain, quoiqu'il n'assure pas l'obtention de *résultats* ou d'objectifs.

5.3.2.3 Le programme de reconnaissance visant à récompenser les employés

Ce type de programme recouvre une variété de modes de reconnaissance visant à récompenser l'acquisition ou l'adoption de certaines compétences parmi les employés. Les compétences peuvent être reconnues à l'aide de primes ou de moyens autres que le salaire et les augmentations de salaires, quoique l'enquête menée par l'American Compensation Association (1996) démontre que très peu d'organisations procèdent de cette manière. Une organisation peut aussi rémunérer l'acquisition de compétences par le biais de primes, c'est-à-dire de montants forfaitaires versés en plus des salaires. On peut verser une prime annuellement en s'appuyant sur un mécanisme d'évaluation des caractéristiques des personnes (qualifié d'évaluation du rendement ou des compétences) qui tient compte, uniquement ou en partie, des compétences. On peut aussi rattacher une prime (un montant forfaitaire) à une formation particulière qu'un employé suivra. Ce mode de rémunération, qui s'adapte à la structure salariale traditionnelle basée sur les emplois, est davantage appliqué aux cadres et aux professionnels. La rémunération des compétences n'influe alors pas sur la détermination et la gestion des salaires (et sur les avantages sociaux), mais plutôt sur la partie variable de la rémunération globale. Toutefois, cette prime peut aussi s'intégrer au salaire. En effet, une organisation peut également rémunérer l'acquisition de compétences à l'aide de « primes au taux horaire standard », c'est-à-dire d'une bonification du taux horaire des employés qui possèdent certaines compétences prisées ou supérieures. Finalement, l'acquisition de compétences peut être reconnue par le recours à une grande variété de mécanismes ponctuels de reconnaissance de type pécuniaire et de type non pécuniaire. Pensons à un prix en argent ou à une plaque honorifique remis aux employés qui se distinguent par une contribution exceptionnelle mesurée par des critères qui tiennent compte, uniquement ou en partie, des compétences déployées.

BULLETIN$ 5.1

LES PRIMES À L'ACQUISITION DE CONNAISSANCES CHEZ ACIERS ALGOMA INC., À SAULT-SAINTE-MARIE (ONTARIO)

En 1991, alors que les actions de la société valaient 2 $ et qu'elle accusait une dette de 800 millions de dollars, ses 6 000 travailleurs ont négocié un emprunt auprès du gouvernement pour prendre le contrôle de la société (60 % des actions). En 1994, après une restructuration de l'usine, la valeur des actions atteignait 16,50 $. L'un des éléments de ce succès a été la restructuration de l'effectif en équipes autonomes et l'adoption d'un système de primes à l'acquisition de connaissances visant à inciter les employés à poursuivre leur formation. Selon les responsables, la mise en œuvre du régime de primes à l'acquisition de connaissances a nécessité plusieurs étapes :

- *la détermination des critères de sélection formels des groupes de travail, des emplois ou des métiers qui seront candidats aux primes ;*

- *l'établissement des critères d'identification des «groupes de compétences» transférables, non seulement au sein de l'usine d'Aciers Algoma et de l'industrie sidérurgique, mais dans toutes les industries où l'on a besoin de métiers et de techniciens analogues ;*

- *la définition de ces groupes de compétences ;*

- *la détermination d'un répertoire des compétences des travailleurs des équipes ;*

- *l'établissement des plans de formation ;*

- *la mise en place des systèmes de gestion de la formation ;*

- *la mise en place des systèmes visant à déterminer les augmentations de la rémunération liées à l'acquisition de connaissances.*

Une fois ces étapes effectuées, il a fallu gérer le régime, c'est-à-dire planifier la formation, suivre son déroulement, surveiller le moment où une personne a terminé sa formation et concrétiser ce succès rapidement sur sa paie.

Source : Adapté de Développement des ressources humaines Canada (1998, p. 72-79).

La reconnaissance des compétences selon des modes de rémunération versée en plus du salaire comporte plusieurs atouts. Premièrement, un régime de primes peut être adopté et géré parallèlement à une structure salariale basée sur les emplois. Deuxièmement, cela permet de ne pas hausser, à long terme (annuité), la masse salariale (et les avantages sociaux) et, ainsi, d'accorder des montants plus importants, montants dont la valeur peut être revue au fil des changements requis dans les compétences à acquérir. Troisièmement, un régime de primes est plus flexible et donc plus facile à créer, à implanter, à mettre à jour et à abandonner selon les changements susceptibles de se produire dans les exigences de compétences et dans les affaires. Quatrièmement, un régime de primes est simple à gérer et à comprendre.

5.3.3 Les incidences des salaires basés sur les compétences

On attribue aux structures salariales basées sur les compétences plusieurs effets positifs potentiels tant sur les employés que sur les employeurs[3]. Ainsi, ce mode de gestion des salaires améliorerait la polyvalence, la créativité, la motivation à acquérir des habiletés et à les améliorer, la participation, les compétences, la satisfaction et l'assiduité des employés, et elle inciterait ces derniers à demeurer au service de l'organisation. Ces incidences sur les attitudes et les comportements des employés auraient des conséquences bénéfiques pour les organisations, notamment :

– une qualité accrue des produits et des services ;

– une productivité supérieure ;

– un meilleur service à la clientèle ;

– un travail d'équipe plus efficace et une plus grande coopération ;

– une meilleure utilisation des nouvelles technologies ;

– une réduction du roulement du personnel ;

– un personnel plus polyvalent et plus compétent pouvant mieux s'adapter aux fluctuations de la demande de produits ou de services, aux changements technologiques et de procédés de production, aux absences et aux congés du personnel ;

– une plus grande facilité à recruter et à retenir les employés ;

– une réduction des coûts de la main-d'œuvre.

En outre, les salaires basés sur les compétences entraîneraient une meilleure gestion du rendement au travail puisqu'elle implique de rémunérer, et donc de préciser et de communiquer, les résultats à atteindre et surtout la manière d'atteindre ceux-ci (Heneman et Gresham, 1998 ; Smither, 1998). Ainsi, cela aurait l'avantage de forcer les dirigeants à déterminer les habiletés et/ou les compétences propres à leur stratégie d'affaires (Lawler, 1996 ; Zingheim *et al.,* 1996). D'après Lawler *et al.* (1998), les salaires basés sur les habiletés sont généralement acceptés par les employés étant donné qu'il est facile pour eux de voir le lien entre le plan, le travail et leur salaire individuel, ce qui les motive à « apprendre à gagner » en améliorant leurs habiletés.

---

3   À ce sujet, voir Gupta *et al.* (1986), Jenkins *et al.* (1992), Jenkins et Gupta (1985), Johnson et Ray (1993), Klarsfeld (1997), Klarsfeld et St-Onge (2000), Lawler (1981, 1990), Lawler et Ledford (1985, 1987), Ledford (1995), Shenberger (1995), St-Onge (1998), Zarifian (1988).

Si bon nombre d'auteurs ont traité des atouts potentiels des structures salariales basées sur les compétences, les études sur le sujet sont encore peu nombreuses et comportent souvent des limites méthodologiques telles que la taille restreinte des échantillons, l'absence d'analyses statistiques, les mesures perceptives plutôt qu'objectives, des variables souvent colligées auprès des promoteurs de ce mode de rémunération, le nombre très limité de déterminants ou d'effets pris en considération, l'absence de groupe de contrôle (avec et sans régime de rémunération) et d'approche longitudinale (avant et après l'adoption du régime de rémunération).

À la fin des années 1980 et au début des années 1990, plusieurs écrits ont relaté les résultats d'enquêtes menées auprès de divers intervenants (comme les responsables des ressources humaines ou les employés) ou les résultats d'études de cas au sein d'entreprises ayant adopté un mode de gestion des salaires basée sur les habiletés d'employés de production[4]. Au cours de la dernière décennie, seuls quelques chercheurs ont examiné les répercussions des structures salariales basées sur les compétences sur des indicateurs objectifs de performance organisationnelle (par exemple, Murray et Gerhard, 1998 ; Long, 1993 ; Parent et Weber, 1994). Si les résultats des études semblent confirmer les atouts associés à ce mode de rémunération (notamment l'amélioration de la polyvalence de la main-d'œuvre, la réduction des coûts de la main-d'œuvre, l'augmentation de la qualité des produits, l'amélioration de la productivité, l'amélioration de la satisfaction des consommateurs et la réduction du taux de roulement du personnel visé), il reste encore difficile d'affirmer ou de nier l'efficacité des structures salariales basées sur les compétences. Les études portant sur le sujet sont peu nombreuses et s'intéressent surtout à la rémunération des habiletés d'employés de production travaillant dans des entreprises manufacturières. À l'heure actuelle, il semble prudent de dire qu'une structure salariale basée sur les compétences n'est pas une panacée et que son efficacité repose sur diverses conditions de succès.

5.3.4 Les conditions de succès des salaires basés sur les compétences

L'efficacité de la rémunération des compétences dépend de plusieurs conditions. Le nombre et l'ampleur de ces conditions varient, bien entendu, selon le type de régime de rémunération des compétences retenu, certains régimes étant plus exigeants que d'autres. Le tableau 5.11 énumère les conditions de succès traditionnellement associées aux régimes salariaux basés sur les habiletés des employés de production. Pour les besoins de ce chapitre, nous insistons sur deux grandes conditions : l'importance d'élaborer et de gérer adéquatement ce mode de gestion des salaires ainsi que la nécessité d'appuyer ce mode de gestion sur la culture de gestion et sur les dirigeants.

---

4 Voir les recherches et les enquêtes suivantes : Gupta *et al.* (1986, 1992), Jenkins *et al.* (1992), LeBlanc (1991), Ledford (1991, 1992), Ledford et Bergel (1991), Ledford *et al.* (1991), Stark *et al.* (1996), St-Onge *et al.* (2004), St-Onge et Péronne-Dutour (1998).

TABLEAU 5.11

LES PRINCIPALES CONDITIONS DE SUCCÈS DES STRUCTURES SALARIALES BASÉES SUR LES HABILETÉS DES EMPLOYÉS DE PRODUCTION

- L'entreprise doit établir le type, le nombre et la valeur des compétences dont elle a besoin pour fonctionner efficacement.

- Elle doit prévoir les périodes nécessaires aux employés pour atteindre le taux de salaire maximal et pour faire l'apprentissage de chacune des unités (ou de chacun des blocs) de compétences, y compris les périodes d'essai entre les formations.

- Elle doit fournir aux employés des occasions de formation adéquates, fréquentes et structurées leur permettant d'améliorer leurs salaires.

- Elle doit accorder des augmentations de salaires après que les compétences auront été certifiées à l'aide d'une méthode jugée valide, efficace et équitable. La certification devrait être officialisée, par exemple, sous forme de diplôme.

- Elle doit prévoir une politique portant sur la formation et les salaires, ainsi que des règles à suivre lors des changements technologiques, afin d'éviter de rétribuer des compétences désuètes.

- Elle doit communiquer aux employés et aux cadres les objectifs poursuivis par ce mode de gestion des salaires et former les superviseurs pour qu'ils puissent assumer leur nouveau rôle.

- Elle doit faire participer les employés et le syndicat à la conception, à l'implantation et à l'administration de ce nouveau système de gestion des salaires.

- Elle doit s'assurer de recevoir l'appui des dirigeants et la confirmation que ces derniers accepteront les problèmes d'adaptation passagers.

- Elle doit implanter ce mode de gestion des salaires dans un contexte où la culture est égalitaire et axée sur la mobilisation, l'engagement et la responsabilisation des employés.

- Elle doit gérer ses autres activités de gestion des ressources humaines de manière cohérente (ainsi, lors de la sélection des employés, elle doit faire ressortir l'importance du travail d'équipe, de la participation et de la polyvalence).

5.3.4.1 Les ressources requises quant à l'expertise, au temps, à l'argent et au suivi

Les structures salariales basées sur les compétences ne sont pas moins exemptes de lourdeur administrative que les structures salariales basées sur les exigences relatives des emplois. L'élaboration d'une structure salariale basée sur les compétences est d'ailleurs relativement complexe et s'appuie sur une bonne connaissance du contexte d'affaires, du style de gestion et des tâches à effectuer. Le principal défi entourant l'élaboration d'un mode de gestion des salaires basé sur les compétences consiste d'ailleurs à déterminer des compétences pertinentes et mesurables. Ce défi concerne bien sûr les employés de production et la détermination d'habiletés clés, mais encore davantage les professionnels et les cadres dont il s'agit de déterminer des compétences clés. L'expérience nous montre qu'il faut s'assurer de repérer des compétences observables ou appliquées et éviter les traits de personnalité.

La gestion des salaires en fonction des compétences n'est pas une initiative ponctuelle ; c'est un processus continu de détermination, de définition, de communication, d'évaluation et de réévaluation des compétences auquel la direction doit accorder des efforts constants, du temps et de l'argent. Aussi efficace soit-il, un régime de gestion des salaires basé sur les compétences est susceptible de devenir inefficace et doit faire l'objet d'un suivi continu. En effet, la gestion de structures salariales basées sur les compétences est exigeante sur le plan du suivi, puisqu'il faut les revoir au rythme des changements technologiques, du développement des personnes, etc. Une étude menée par Lee *et al.* (1999) au sein d'une entreprise ayant implanté un système de gestion des salaires basée sur les compétences montre que la perception qu'ont les employés d'être traités équitablement est fonction de la facilité avec laquelle le système — notamment la conception du processus de certification de l'acquisition de connaissances — peut leur être expliqué et peut être compris par eux.

La gestion de structures salariales basées sur les compétences exige donc des investissements importants en temps et en ressources humaines, qui peuvent s'ajouter à la hausse des salaires qu'elle entraîne. Entre autres, la réussite de la rémunération des compétences nécessite un investissement en temps et en argent pour la formation de divers intervenants. En effet, la gestion des salaires en fonction des compétences accorde — comme le font les salaires au mérite — un pouvoir discrétionnaire aux superviseurs en matière de détermination des salaires. Le succès de ce mode de rémunération tient d'ailleurs à un réel engagement à promouvoir les rôles des gestionnaires dans la gestion des coûts de la main-d'œuvre en leur fournissant une formation et en leur offrant les outils nécessaires (Wilson, 1995). Paradoxalement, les dirigeants cherchent trop souvent à réduire au minimum le temps et les efforts consacrés à l'*élaboration* des modèles de compétences, afin de consacrer sans délai beaucoup d'énergie à leur *application*, puisqu'ils sont préoccupés de recevoir l'assentiment des employés, de mesurer l'acquisition des compétences, de sensibiliser leurs employés à la valeur des compétences et de s'assurer que leurs compétences sont utilisées adéquatement.

5.3.4.2 La cohérence par rapport à la culture de gestion ainsi que l'appui des dirigeants

La structure de gestion des salaires basée sur les compétences est plus qu'une technique : elle correspond à une philosophie de gestion où les employés de l'entreprise sont mieux payés que les autres employés sur le marché en raison des efforts qu'ils déploient dans leur formation, tandis que les employeurs doivent veiller à bien utiliser les compétences des employés dans leur travail. Dans la mesure où la gestion et l'organisation du travail n'exigent pas cette vision ni ne l'appuient, ce mode de gestion risque d'être un feu de paille, d'engendrer un piètre rapport coûts/bénéfices et de causer plus de tort que de bien. On peut penser aux dirigeants qui hésitent à déterminer en collaboration avec leurs employés des « compétences stratégiques » ou à leur communiquer celles-ci de peur de révéler leur stratégie d'affaires et de perdre un avantage concurrentiel. On peut également penser à d'autres dirigeants qui veulent réduire les dépenses en formation, car ils ne perçoivent dans ces dernières qu'un coût (au lieu d'y voir un investissement) ou craignent, s'ils forment leurs employés, de les perdre au profit de leurs concurrents.

D'une part, les dirigeants ne doivent pas considérer les salaires basés sur les compétences comme un remède à tous les problèmes sur le plan financier ou sur le plan des relations de travail. Le changement de mode de rémunération est rarement la principale solution aux graves problèmes de rendement, lesquels découlent souvent de l'incompétence des gestionnaires, de produits non compétitifs, de conditions du marché qui ne sont pas maîtrisées par l'entreprise, et ainsi de suite. Ce mode de gestion des salaires ne règle pas non plus un problème d'insatisfaction à l'égard d'autres conditions de travail comme les avantages sociaux, l'équipement ou le climat de travail.

D'autre part, les dirigeants ne doivent pas voir dans les salaires basés sur les compétences un moyen qui changera à lui seul la culture de l'organisation. D'ailleurs, une structure salariale basée sur les compétences — surtout à l'intention des cadres et/ou des professionnels — est adoptée par des organisations qui ont préalablement choisi le concept de compétences et qui l'ont intégré à leurs autres activités de gestion des ressources humaines, notamment la dotation, la formation et la gestion du rendement (Brown, 2000). Aussi une analyse des besoins et de la situation propre à chaque organisation peut-elle mener à divers constats tout aussi valables : il est pertinent et important de verser des salaires en fonction des compétences ou il est préférable de maintenir le mode traditionnel de gestion des salaires en y mettant davantage l'accent sur les compétences. En effet, dans certains contextes, il peut se révéler préférable de continuer à déterminer et à gérer les salaires selon les responsabilités tout en cherchant à réduire les limites de cette approche (Wilson, 1995 ; Brown, 2000). Par exemple, il est recommandé de ne pas implanter de structures salariales basées sur les compétences lorsque le nombre de titulaires est restreint, que ceux-ci occupent des emplois très spécialisés et qu'ils travaillent dans un environnement de travail structuré où la minimisation des coûts s'avère prioritaire. De fait, une approche « pure » de détermination des salaires fondée sur les compétences auprès des cadres est plus susceptible d'être adoptée dans une situation de crise ou encore dans des petites organisations dotées d'une culture d'entreprise. En effet, les organisations plus grandes et plus complexes ont tendance à adopter une approche plus équilibrée en tenant compte des résultats (quoi) et des compétences (comment).

Nous avons montré que le mot « compétence » comporte diverses définitions et qu'il y a différentes façons de rémunérer les compétences, certaines entraînant des changements majeurs alors que d'autres s'intègrent à la manière traditionnelle de gérer les salaires. Selon ses besoins, son contexte, son budget et ses attentes, une organisation peut choisir la forme qui lui paraît la plus appropriée, quitte à la faire évoluer progressivement avec le temps.

5.3.5 Les raisons du faible taux d'adoption de la rémunération des compétences

Quoique de nombreux auteurs aient proposé l'adoption de la rémunération des compétences au cours des années 1990, force est d'admettre que les structures salariales basées sur les compétences restent peu répandues. Une enquête effectuée par le Conference Board of Canada (1999) révèle que, en 1998, 13 % des organisations sondées disaient gérer les salaires en tenant compte des compétences. Plusieurs raisons contribuent à expliquer le faible taux d'adoption de la rémunération des compétences en Amérique du Nord.

– Comme les structures salariales basées sur les compétences sont souvent complexes à élaborer, à gérer, à réviser et à communiquer, les dirigeants préfèrent la simplicité des modes de rémunération traditionnels basés sur les exigences des emplois, quitte à les ajuster pour le mieux au concept de compétences.

– Comme les quelques cas de réussite des structures salariales basées sur les habiletés ont été recensés surtout dans des entreprises manufacturières et que ces régimes étaient destinés aux employés de production, les dirigeants d'entreprise doutent du succès de cette approche au sein des entreprises d'auteurs secteurs et dans d'autres catégories de personnel. Selon Wilson (1995), une structure salariale basée sur les compétences qui viserait les cadres serait particulièrement difficile à mettre au point et à gérer.

– Étant donné le caractère subjectif du processus de détermination des compétences et du processus d'évaluation et de révision (de certification) des compétences clés, les compétences représentent un critère risqué en ce qui a trait à la gestion des salaires du personnel. Aux yeux des dirigeants, les techniques et les méthodes traditionnelles permettant d'évaluer les responsabilités des emplois (notamment la méthode des points et facteurs) aux fins de la gestion des salaires sont moins sujettes aux critiques que celles qui permettent d'évaluer les compétences prises en considération dans une structure salariale basée sur les compétences.

– Puisque l'introduction de la rémunération des compétences exige des changements dans bien des activités de gestion (la sélection, la formation, l'organisation du travail, etc.) et a des incidences majeures sur les attitudes et les comportements des employés, les dirigeants se bornent souvent à intégrer le concept de compétences aux activités de dotation et de formation. De fait, la rémunération se révèle souvent la dernière activité de gestion des ressources humaines dans laquelle on intègre le concept de compétences.

– Étant donné que l'adoption de la rémunération des compétences risque d'augmenter les coûts de la main-d'œuvre (les taux de salaires et les coûts de leur gestion), les dirigeants d'entreprise ne sont pas certains que cela en vaille la peine et ils ont peur de ne plus pouvoir revenir en arrière. Bien des dirigeants restent sceptiques, se demandant s'il est approprié de payer des personnes pour ce qu'on pense qu'elles sont capables de faire sans égard à ce qu'elles font réellement ; ils préfèrent continuer à les payer pour ce qu'elles font sans égard à ce qu'elles sont. Cette approche présume que le management saura utiliser à bon escient les compétences des personnes alors que de nombreux facteurs influençant l'utilisation des compétences des personnes échappent à leur maîtrise. De plus, certains dirigeants se demandent si les rendements des investissements accrus en formation et en rémunération seront suffisants, si l'octroi de la formation ne créera de fausses attentes en matière de perspectives de carrière et de rémunération, si cela augmentera le taux de roulement, si la productivité souffrira du fait que le nombre d'employés en apprentissage sera plus important, etc.

– Sachant que l'adoption de la rémunération des compétences rend plus difficile le contrôle de la compétitivité de la rémunération sur le marché, les dirigeants interrogent sa viabilité à long terme. Plusieurs auteurs ont d'ailleurs traité de la difficulté à s'assurer de la compétitivité des salaires basés sur les compétences, car plusieurs enquêtes de rémunération donnent des informations sur les salaires en fonction des responsabilités des emplois et non des compétences des employés (Davis, 1997 ; Mays, 1997 ; Yurkutat, 1997).

– L'adoption de la rémunération des compétences s'appuie sur des modes de gestion qui ne sont pas cités par la législation visant à contrer la discrimination des salaires entre les emplois à prédominance masculine et les emplois à prédominance féminine. En effet, le contenu de ces lois désigne implicitement une gestion traditionnelle de la rémunération reposant sur l'évaluation des exigences des emplois. La rémunération basée sur les compétences ne se prête ni directement ni facilement à un examen de la situation selon les lois en matière d'équité salariale.

– S'il existe un consensus sur l'utilité de gérer les compétences des employés, la nécessité de lier *directement* la rémunération — en totalité ou en partie — aux compétences fait l'objet d'une controverse. En effet, certains dirigeants considèrent qu'ils rémunèrent *indirectement* les compétences en sélectionnant un candidat pour ses compétences et en lui versant une rémunération variable basée sur le rendement. Aussi, ils peuvent légitimement se demander s'il n'est pas redondant (et inutilement coûteux) de rémunérer *directement* les compétences des employés. Doit-on nécessairement rétribuer directement l'acquisition de compétences pour amener des personnes à se préoccuper de celle-ci ?

– Comme peu d'employés et de syndicats tendent à réclamer qu'on paie les employés en fonction de ce qu'ils sont plutôt qu'en fonction du travail qu'ils font, les employeurs ne sont pas pressés d'emprunter cette direction. Les employeurs qui adoptent des structures salariales basées sur les compétences doivent percevoir de réels avantages pour l'organisation.

– Puisque l'adoption de la rémunération des compétences pour une catégorie d'employés risque d'alimenter des perceptions d'iniquité parmi le personnel, certains dirigeants préfèrent appliquer uniformément un mode traditionnel de rémunération basé sur les exigences des emplois.

Les considérations qui précèdent devraient inciter au réalisme et à la prudence. Comme les gains associés à l'implantation d'une structure salariale basée sur les compétences sont incertains et potentiellement modestes en comparaison de l'ampleur des énergies et des coûts à investir pour s'assurer de l'efficacité à long terme de ce régime, il ne faut pas s'attendre à voir la fréquence de leur adoption augmenter. Les « pures » structures salariales basées sur les compétences resteront l'apanage d'une minorité d'organisations canadiennes.

5.4 La gestion des salaires basée sur des bandes d'emplois

Depuis le début des années 1980, un certain nombre d'employeurs ont révisé leur structure salariale afin qu'elle s'applique à un plus grand nombre de familles d'emplois, qu'elle compte moins de classes d'emplois et de titres d'emplois et qu'elle propose de plus longues échelles salariales de manière à individualiser davantage les salaires. Les premières expériences de regroupement des classes d'emplois en bandes d'emplois plus larges ont été menées au début des années 1980 dans le secteur public américain (Schay, 1996). Le concept des bandes d'emplois n'est pas nouveau. Dans le secteur privé, les premières expériences datent du début des années 1990, période durant laquelle plusieurs grandes entreprises ont effectué des réorganisations importantes (Rosen et Turetsky, 2002). Aux États-Unis, une étude (Rosen et Turetsky, 2002) conduite auprès de 52 entreprises montre que plus du tiers d'entre elles ont implanté un système de bandes d'emplois en 2002 ; de ce nombre, plus de la moitié (61 %) l'ont implanté au cours des trois années précédentes et plus des trois quarts (78 %) se disent satisfaites de ce changement.

BULLETIN$ 5.2

En 1989, la division GE Appliances de General Electric Co., de Louisville, au Kentucky, a regroupé les 14 classes d'emplois de personnel non syndiqué — chacune étant associée à une échelle salariale ayant un écart mini-maxi d'environ 50 % — en quatre bandes d'emplois ayant des écarts mini-maxi de près de 130 %. Ce changement a permis d'améliorer la mobilité entre les fonctions, de simplifier la gestion des salaires, d'éliminer les négociations continues à propos de l'évaluation des emplois et de leur classification.

Sources : Traduit et adapté d'Abosch et al. (1994) et de Risher et Butler (1993-1994).

Après 20 ans, JC Penney a récemment décidé de réviser complètement son mode de gestion des salaires basé sur 29 classes d'emplois. Entre autres, l'exercice a nécessité de regrouper les emplois en un nombre restreint de bandes de cheminement de carrière (par exemple, les professionnels, les spécialistes principaux) en fonction de leurs incidences sur les résultats d'affaires, de réviser les emplois repères ainsi que les enquêtes de rémunération qui serviront de balises.

Source : Traduit et adapté de Graebner et Seaweard (2004).

5.4.1   La gestion des salaires en fonction des bandes de cheminement de carrière et des bandes d'emplois

Pour qualifier les changements apportés à leurs modes de gestion des salaires afin de les rendre plus flexibles et plus simples, plusieurs employeurs utilisent deux approches, soit la création de « bandes de cheminement de carrière » (*career bands*) et la création de « bandes d'emplois élargies » ou « bandes d'emplois » (*broad grades, bands, broadbanding*).

L'approche des *bandes de cheminement de carrière,* qui est très radicale, se distingue davantage des structures salariales traditionnelles basées sur les classes d'emplois. Ce type de structure salariale consiste à analyser les emplois, à les regrouper en un nombre très restreint de bandes de cheminement de carrière, chacune étant liée à une très longue échelle salariale. Généralement, on opte pour cette approche dans le but d'appuyer la planification et le développement de grands profils ou de types de cheminement de carrière chez une partie du personnel, souvent le personnel de recherche et développement. Le tableau 5.12 illustre une telle structure salariale basée sur des bandes de cheminement de carrière.

L'approche des *bandes d'emplois élargies,* qui est adoptée plus fréquemment que l'approche précédente, s'avère moins radicale. Comme l'indique le tableau 5.13, cette approche peut recouvrir une variété de pratiques selon qu'on procède ou bien à une réduction du nombre de classes d'emplois *et* à un allongement des échelles salariales (case A), ou bien à une réduction du nombre de classes d'emplois *ou* à un allongement des échelles salariales (cases B et C).

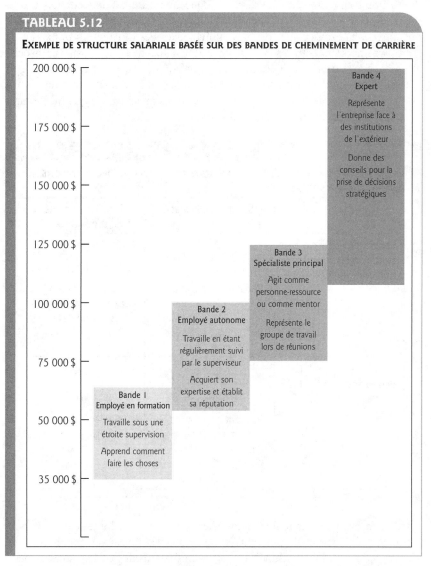

TABLEAU 5.12

EXEMPLE DE STRUCTURE SALARIALE BASÉE SUR DES BANDES DE CHEMINEMENT DE CARRIÈRE

La documentation portant sur les bandes d'emplois élargies traite surtout du cas où l'on procède à la réduction du nombre de classes d'emplois *et* à l'allongement des échelles salariales associées à chaque classe d'emplois élargie ou bandes (soit la case A du tableau 5.13). Il s'agit alors de regrouper un certain nombre de classes d'emplois de la structure existante (habituellement quatre ou cinq) en une classe d'emplois élargie (souvent appelée « bande d'emplois ») à laquelle on associe une échelle salariale plus grande. En somme, cette pratique consiste, d'une part, à regrouper des emplois — auparavant regroupés dans des classes différentes puisqu'ils étaient jugés passablement différents — à l'intérieur d'une même large classe d'emplois qualifiée de «bande d'emplois» et, d'autre part, à faire que cette bande d'emplois corresponde à des règles de détermination et de progression des salaires permettant de mieux reconnaître les caractéristiques individuelles des titulaires en proposant un écart plus important entre les taux minimal et maximal de l'échelle salariale associée à chaque bande d'emplois. L'écart minimum-maximum peut, par exemple, être de 130 %, alors que l'écart dans la structure salariale traditionnelle varie de 30 % à 50 %. Cette approche conserve l'existence de points milieux et de quartiles comme la méthode traditionnelle de gestion des salaires.

TABLEAU 5.13

LA CLASSIFICATION DE CHANGEMENTS APPORTÉS PAR CERTAINES ORGANISATIONS À LEURS STRUCTURES SALARIALES

	Échelles salariales allongées ou élargies	Échelles salariales semblables
Les classes d'emplois sont élargies et leur nombre est réduit	A But : Reconnaître davantage les caractéristiques individuelles *et* réduire le nombre de classes d'emplois	B But : Changer le nombre de classes d'emplois *sans* reconnaître davantage les caractéristiques individuelles
Les classes d'emplois demeurent semblables	C But : Reconnaître davantage les caractéristiques individuelles *sans* changer le nombre de classes d'emplois	D But : Garder le *statu quo sans* élargir les bandes salariales

---

Les firmes peuvent réduire leurs classes d'emplois à l'intérieur de bandes d'emplois en fonction de différents critères, soit les niveaux hiérarchiques des emplois (comme les cadres supérieurs, les cadres intermédiaires, les professionnels), les familles d'emplois (comme les emplois de bureau, les emplois de production, les techniciens, les cadres), les groupes fonctionnels (comme le personnel de R & D, le personnel de vente). Le tableau 5.14 compare la structure salariale du personnel de recherche et développement, avant et après le regroupement de classes d'emplois en un nombre plus restreint de bandes d'emplois, chacune étant associée à une échelle salariale allongée.

TABLEAU 5.14

COMPARAISON DE LA GESTION DES SALAIRES D'EMPLOIS DE RECHERCHE ET DÉVELOPPEMENT AVANT ET APRÈS LEUR REGROUPEMENT EN BANDES D'EMPLOIS

Avant le regroupement des emplois				
Emploi	Classe d'emplois	Salaire minimal	Salaire médian	Salaire maximal
Technicien spécialiste adjoint	50	40 365 $	50 370 $	60 375 $
Concepteur technique	51	46 025 $	53 130 $	63 685 $
Technicien spécialiste	52	46 115 $	56 120 $	67 275 $
Spécialiste en technologie	54	50 785 $	63 250 $	75 830 $
Technicien spécialiste en chef	55	53 615 $	64 630 $	80 245 $
Conseiller-expert technique	57	59 685 $	74 520 $	89 355 $
Chef de section	58	63 455 $	79 235 $	95 015 $
Directeur de recherche et développement	58	63 455 $	79 235 $	95 015 $
Directeur de projet	60	72 565 $	90 620 $	108 675 $
Directeur des laboratoires	61	77 900 $	97 290 $	116 680 $
Directeur de la technologie	62	83 790 $	104 650 $	125 510 $
Directeur des essais	62	83 790 $	104 650 $	125 510 $
Directeur de l'ingénierie	62	83 790 $	104 650 $	125 510 $

Après le regroupement des emplois en bandes d'emplois			
Bande	Zone de développement	Zone de référence	Zone supérieure
1. Technicien spécialisé	40 020 $ – 50 025 $	50 026 $ – 62 531 $	62 532 $ – 78 163 $
2. Expert-conseil	59 340 $ – 74 175 $	74 176 $ – 92 720 $	92 721 $ – 115 902 $
3. Directeur	63 250 $ – 79 063 $	79 179 $ – 98 829 $	98 830 $ – 123 538 $

Par ailleurs, le changement apporté par plusieurs organisations en matière de gestion des salaires peut être classé dans les cases B ou C du tableau 5.13. Ainsi, pour plusieurs organisations, le défi consiste seulement à réduire le nombre de classes d'emplois en classes d'emplois élargies ou en bandes d'emplois (case B). Pour d'autres organisations, le changement consiste seulement à allonger les échelles salariales de classes d'emplois actuelles afin de mieux reconnaître la contribution individuelle des titulaires des emplois (case C).

En somme, le concept d'élargissement des bandes d'emplois est relatif, en ce sens qu'une organisation peut affirmer qu'elle y a procédé dans la mesure où elle compare sa situation actuelle avec sa situation antérieure, au lieu de se comparer avec les autres organisations. Ainsi, une firme dont l'écart entre les points mini-maxi des échelles s'élevait à 20 % peut dire qu'elle a effectué un élargissement de ses bandes salariales dans la mesure où elle a accru cet écart à 35 %, et ce, même si d'autres firmes de son secteur ont des échelles salariales comportant des écarts mini-maxi de 70 % pour la même catégorie de personnel. Par ailleurs, de tels changements apportés à la gestion des salaires peuvent aussi être faits à l'égard d'une partie seulement du personnel d'une organisation. La figure 5.5 montre comment une organisation peut gérer des salaires de bandes d'emplois en fonction des taux de salaire sur le marché.

FIGURE 5.5

LA GESTION DES SALAIRES DES BANDES D'EMPLOIS EN FONCTION DU MARCHÉ

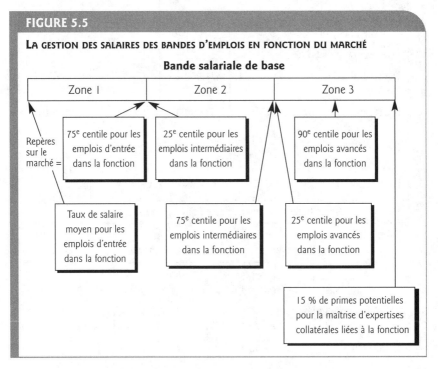

Source : Traduit de Rahbar-Daniels (2003, p. 77).

5.4.2 Les avantages de la gestion des salaires par bandes d'emplois

L'adoption des bandes salariales élargies comporte les avantages décrits ci-après (Abosch et Hand, 1994a, b ; Enos et Limoges, 2000).

– *Cette approche appuie les changements apportés à la stratégie d'affaires, à la culture de gestion et à l'organisation du travail propres à une entreprise.* Elle favorise donc un climat de développement personnel, de coopération, de partenariat et de collaboration souvent recherché par les entreprises, notamment celles qui se tournent vers un mode de gestion par équipes de travail, une culture de la qualité, un modèle de gestion au moyen des compétences ou dont la structure organisationnelle comprend peu de niveaux hiérarchiques. Par exemple, les nouveaux membres de l'équipe peuvent être payés au taux le plus bas de la bande salariale et voir leur salaire augmenter avec l'amélioration de leurs connaissances, de leurs habiletés et du nombre et de la variété des tâches et des responsabilités qu'ils peuvent assumer.

– *Elle réduit la résistance au changement.* Comme l'approche des bandes salariales élargies a l'avantage de réduire la probabilité que les emplois soient classés différemment (les bornes des classes sont élargies) à la suite d'une réorganisation, elle réduit la résistance aux changements des employés ainsi que les affrontements et les jeux politiques associés à la réévaluation des emplois.

– *Elle facilite le recrutement et la conservation du personnel clé en offrant des salaires plus compétitifs par rapport au marché et en reconnaissant davantage la contribution individuelle.* De même, cette approche permet aux employés d'accroître leur salaire sans nécessairement leur octroyer une promotion ou sans qu'ils changent de bande d'emplois.

– *Elle incite les employés à acquérir de nouvelles compétences et à être plus polyvalents.* Comme l'approche des bandes élargies accorde moins d'importance au contenu des emplois qu'à la contribution individuelle en matière de compétences et de rendement, elle amène les employés à être plus polyvalents et plus souples sur le plan des responsabilités et des rôles.

– *Elle simplifie et rend plus flexibles, plus rapides et plus efficaces la gestion des salaires et la prise de décision à ce sujet.* Cette approche réduit la bureaucratie, les ressources, les coûts et le temps requis pour évaluer les emplois comme elle accompagne souvent une réduction du nombre de niveaux hiérarchiques, du nombre d'emplois et du nombre de classes d'emplois. Dans bien des cas, elle réduit aussi l'importance d'éléments de contrôle des salaires (par exemple, le ratio comparatif ou les points de contrôle) ainsi que l'ampleur des conflits, des jeux politiques liés à l'évaluation et à la classification des emplois.

– *Elle facilite la gestion de la rémunération pour les firmes ayant des unités d'affaires à travers le monde.* Le tableau 5.15 montre comment un modèle mondial de regroupement par bandes d'emplois peut faciliter la gestion de la rémunération à l'échelle internationale (par exemple, le regroupement des emplois à l'intérieur de bandes d'emplois définies de manière large, l'admissibilité à certains modes de rémunération variable, les titres des emplois) tout en permettant certains ajustements ou décisions au niveau local, notamment sur le plan des salaires associés aux bandes.

— *Elle optimise l'intégration des structures salariales de différentes firmes à la suite d'opérations de fusion et d'acquisition.*

— *Elle améliore les possibilités de carrière des employés.* En effet, elle favorise les mouvements latéraux, les mutations ou la mobilité horizontale et réduit l'importance des titres des emplois, des promotions, des différences de statut, des niveaux hiérarchiques, du nombre de points d'évaluation des emplois et de l'ancienneté dans la détermination des salaires.

— *Elle accorde plus de pouvoir discrétionnaire aux cadres en matière de gestion des salaires.* Cela leur permet de définir les rôles et les responsabilités de leurs employés, de classer les emplois et de reconnaître leur contribution individuelle conformément aux valeurs de l'organisation (les compétences, le rendement, l'ancienneté, etc.).

TABLEAU 5.15

EXEMPLES DE BANDES D'EMPLOIS ET DE DIRECTIVES À L'ÉGARD DU VERSEMENT DES OPTIONS ET DES PRIMES : LE CAS D'UNE SOCIÉTÉ AYANT DES OPÉRATIONS À L'ÉTRANGER

Six bandes d'emplois	Description des bandes d'emplois
Dirigeants	Gèrent plusieurs fonctions importantes de l'entreprise. Responsables du processus de planification stratégique à long terme. Établissent les politiques et les normes d'exploitation qui appuient la mission, les valeurs et la culture de l'entreprise. Responsables du succès financier, légal et opérationnel de l'entreprise. Agissent comme porte-parole de l'entreprise. Sont sous la direction du PDG et/ou du conseil d'administration. Souvent membres du conseil de gestion de l'entreprise.
Cadres supérieurs	Responsables de la gestion d'une ou de plusieurs fonctions importantes de l'entreprise. Mettent au point la stratégie et les plans à court et à long terme pour leur fonction et contribuent à la stratégie mondiale de l'entreprise. Généralement responsables de l'obtention des résultats opérationnels mondiaux de leur fonction. Traduisent les objectifs de l'entreprise en des plans organisationnels qui s'intègrent aux autres fonctions de l'entreprise. Sous la direction d'un des membres du conseil de gestion. Habituellement membres du conseil de direction.

TABLEAU 5.15 (*suite*)

Six bandes d'emplois	Description des bandes d'emplois
Cadres intermédiaires	Responsables de la gestion d'une partie d'une fonction importante de l'entreprise. Mettent au point la stratégie pour leur secteur et contribuent à l'établissement de la stratégie mondiale. Sont ordinairement responsables du budget et dirigent un groupe de directeurs, de professionnels et d'employés de bureau. S'assurent, au moyen de plans et de politiques, que la stratégie fonctionnelle est exécutée effectivement et liée aux autres parties de la fonction. Peuvent être sous la direction d'un membre du conseil de gestion ou d'un membre du conseil de direction.
Directeurs	Responsables des opérations quotidiennes d'un ou de plusieurs services. Offrent de l'aide aux chefs d'équipes, aux professionnels et aux employés de bureau conformément aux buts poursuivis par les services et aux politiques de l'entreprise. Responsables de la gestion du personnel, incluant la gestion de leurs salaires, de leur rendement, etc. Peuvent être responsables d'un budget. Interprètent, exécutent et recommandent des modifications aux politiques organisationnelles.
Professionnels	Offrent une expertise technique et administrative basée sur une formation universitaire et/ou professionnelle La supervision de leur travail dépend du niveau du poste. Les chefs de groupes peuvent superviser le travail du personnel de bureau.
Personnel de la base	Offre diverses formes d'aide (travail de bureau, de production, d'entretien, etc.) au personnel professionnel selon sa scolarité et/ou sa formation et/ou son expérience.

Bande d'emplois	Valeur des options d'achat d'actions ($)	Objectif pour la prime annuelle (% du salaire)	Titre des emplois
Dirigeants	25 000 – 50 000	40-60	Membre de la direction
Cadres supérieurs	10 000 – 15 000	20-40	Vice-président
Cadres intermédiaires	5 000 – 7 500	10-25	Directeur
Directeurs	1 000 – 2 500	5-15	Gestionnaire
Professionnels	750 – 1 000	5-10	Principal – III
	300 – 500	0	Intermédiaire – II
	0	0	Débutant – I
Personnel de base	0	0	

Source : Traduit de Baker et Duggan (2004, p. 24-35).

5.4.3 Les inconvénients de la gestion des salaires par bandes d'emplois

Quoique plusieurs avantages soient associés à la gestion des salaires par bandes d'emplois ou bandes de cheminement de carrière, les expériences montrent[5] qu'elle comporte les limites, les risques ou les inconvénients décrits ci-après.

– *Cette approche exige du temps et s'avère complexe.* Elle implique bien des changements : la réduction du nombre de paliers hiérarchiques, du nombre de familles d'emplois, du nombre d'emplois, du nombre de classes d'emplois, la formation de bandes ou catégories d'emplois définies de manière générique (en fonction des responsabilités), la promotion de nouveaux cheminements de carrières, etc. Une étude montre que le fait de communiquer et d'expliquer l'adoption de cette nouvelle façon de gérer les salaires a pris plus de 8 mois pour plus de 70 % des entreprises participantes (Enos et Limoges, 2000).

– *Elle rend plus difficile le contrôle de la masse salariale et risque d'augmenter les coûts.* Les cadres ont plus de responsabilités, de pouvoir décisionnel et de marge de manœuvre à l'égard des salaires et des augmentations de salaires de leurs subordonnés. De plus, le taux de salaire maximal octroyé à une bande d'emplois (ou classe d'emplois élargie) peut être considérablement plus élevé que le salaire maximal de la plupart des classes d'emplois qui ont été regroupées. Quoiqu'on puisse encore consulter les données d'enquêtes pour contrôler les salaires des emplois repères, le point milieu de l'échelle associée à chaque bande d'emplois ne suit plus nécessairement le taux du marché ; par conséquent, le point de contrôle et le ratio comparatif s'appliquent moins bien. Au mieux, des organisations peuvent établir un « point milieu » de référence par emploi compris dans une bande. Si l'évaluation des emplois devient plus simple et moins coûteuse, il faut maintenant consacrer plus de temps et d'argent à l'évaluation des personnes par les cadres (par exemple, l'élaboration d'outils, la formation et la motivation des cadres).

– *Elle peut entraîner de la résistance parmi les cadres.* Ce n'est pas tous les cadres qui ont la compétence et la motivation nécessaires pour assumer des responsabilités supplémentaires en matière de gestion des salaires. Par ailleurs, même si la contribution individuelle des employés est variable, il se peut que de nombreux cadres ne veuillent pas établir de différences de salaires aussi marquées de manière à éviter des insatisfactions, des plaintes, etc. En somme, il faut amener les gestionnaires à s'approprier leur nouveau rôle.

– *Elle peut signifier une réduction des possibilités de carrière pour les employés.* Même si les mouvements latéraux permettent de pallier la réduction des mouvements verticaux en raison de la réduction des niveaux hiérarchiques, les employés continuent de se comparer avec leurs semblables travaillant au sein d'autres entreprises, lesquels sont susceptibles d'avoir plus de possibilités de promotions et d'occuper des postes comportant des titres supérieurs. Par

---

5 Plusieurs auteurs traitent des limites de la gestion des salaires en fonction de larges bandes d'emplois, notamment Mercer (1994), McIntyre Brown (1997), Enos et Limoges (2000), Haslett (1995), LeBlanc (1992), LeBlanc et Ellis (1995), Schay *et al.* (1992), Tucker (1995), Tyler (1998).

conséquent, il peut s'avérer difficile pour les entreprises adoptant l'approche des bandes d'emplois de garder les employés les plus qualifiés à cause de possibilités de promotions moins favorables qu'ailleurs.

– *Elle peut signifier une perte de reconnaissance, de symboles de statut et de privilèges pour les employés.* Une étude montre que des employés peuvent se plaindre de la diminution des titres d'emplois, des niveaux hiérarchiques, des possibilités de promotions, etc., et de perdre ainsi des indicateurs de statut, des indices de réussite et des marques de reconnaissance au sein de l'entreprise et avec les clients (Haslett, 1995). Cette approche risque aussi d'alimenter certaines attentes en matière salariale qui ne seront pas comblées.

– *Elle peut entraîner des plaintes pour iniquité dans le salaire des employés ou pour favoritisme envers certains employés, groupes de travail, services ou unités administratives.* Ce peut être le cas pour les titulaires des emplois qui étaient dans une classe d'emplois et qui, à la suite de l'élargissement des classes d'emplois, se retrouvent dans la même bande que d'autres emplois auparavant considérés comme ayant moins de valeur.

5.4.4   Les conditions de succès de la gestion des salaires par bandes d'emplois

L'approche des bandes salariales élargies n'est pas le remède à tous les maux, et les expériences[6] montrent que, lorsqu'elle s'est révélée appropriée, son succès était lié à diverses conditions dont voici les principales.

– *L'appui et le parrainage offerts par les dirigeants.* Le regroupement en bandes d'emplois ne constitue pas qu'un simple changement administratif; il nécessite également un changement dans les valeurs et la culture de l'organisation. C'est pourquoi l'appui de la direction et l'engagement des cadres supérieurs dans l'implantation de ce changement s'avèrent essentiels à son succès. Les dirigeants qui s'interrogent sur la pertinence d'une gestion des salaires en fonction de bandes d'emplois peuvent s'autoévaluer en fonction des critères suivants :

  • l'entreprise veut réduire le nombre de niveaux hiérarchiques et les privilèges ou les modes de reconnaissance (réels et symboliques) rattachés à un poste ou à un niveau hiérarchique ;

  • l'entreprise veut valoriser davantage la reconnaissance de la contribution individuelle (l'équité individuelle) et investir davantage dans l'adoption et la gestion de méthodes ou d'outils efficaces pour apprécier la valeur des individus (conséquemment, l'entreprise veut réduire l'importance de la valeur des emplois et investir moins dans la gestion de ce processus) ;

  • les cadres veulent assumer davantage de responsabilités en matière de gestion des salaires et ils ont les compétences requises.

---

6   Plusieurs écrits traitent de ces conditions de succès, notamment Abosch et Hand (1994a, b), Dyekman et French (1994), Enos et Limoges (2000), Hofrichter (1993), LeBlanc et Ellis (1995), LeBlanc et McInerney (1994), McIntyre Brown (1997), Messin (2000), Reissman (1995), Stoskopf (2002).

– *La communication et la participation.* Les employés et les cadres doivent comprendre ce mode de gestion des salaires, sa raison d'être de même que ses conséquences à divers égards, notamment la réduction des occasions de promotions, l'importance moins grande accordée aux cheminements de carrières et au rétrécissement des profils de carrières ainsi que les changements apportés aux titres des emplois. En prenant le temps de bien communiquer tout au long de la démarche d'implantation de ce régime salarial, l'entreprise réduit chez les employés les risques de résistance au changement tout en gérant mieux leurs attentes. Il est impératif que les employés comprennent ce qui change, pourquoi cela change et comment ce changement les touchera. Il importe surtout d'expliquer clairement aux employés comment les décisions liées aux salaires, aux titres des emplois et aux promotions sont prises et quels sont les critères de progression des salaires à l'intérieur des bandes d'emplois. Finalement, il est également préférable de faire appel à des groupes de discussion (*focus groups*) pour tester la nouvelle structure de salaire de manière à régler les problèmes de conception et de communication avant de lancer le processus d'implantation.

– *La formation des acteurs.* Comme cette approche décentralise la gestion des salaires, il est essentiel que les cadres et les professionnels des ressources humaines y soient réceptifs. Pour ce qui est des cadres, ils doivent maîtriser la stratégie, les objectifs et le fonctionnement de ce nouveau mode de gestion des salaires, s'approprier leurs rôles dans ce processus et comprendre les outils et les techniques qui y sont rattachés. En ce qui a trait aux professionnels des ressources humaines, il importe de les former pour qu'ils assument efficacement un rôle de conseiller (et non plus un rôle de contrôleur) qui propose des points de repère (et non plus des règles précises) visant à aider les cadres à analyser les données d'enquêtes de rémunération et à prendre des décisions en matière salariale.

– *Une gestion cohérente par rapport au contexte organisationnel et aux autres activités de gestion.* Le succès d'un système de gestion des salaires au moyen de larges bandes d'emplois dépend de la culture, de la philosophie de gestion, de la gestion des carrières, etc. Les dirigeants ont-ils une idée claire de ce que les salaires doivent reconnaître ? La culture d'entreprise appuie-t-elle une approche de gestion des salaires centrée sur l'individu ? L'entreprise est-elle prête à donner autant de responsabilités aux cadres en matière de gestion des salaires ?

– *L'octroi de budgets adéquats d'augmentations de salaires aux cadres.* L'enveloppe budgétaire allouée aux cadres doit permettre à ces derniers de pouvoir réellement récompenser les employés ayant fourni une contribution remarquable.

– *L'évaluation et le suivi.* L'entreprise doit s'assurer que l'approche des bandes d'emplois reste dynamique et répond aux besoins particuliers de l'entreprise (en ce qui concerne la culture, la stratégie et les objectifs d'affaires) en évitant de se transformer en une bureaucratie ayant pour effet de s'éloigner de l'objectif initial qui était de rendre plus flexible la gestion des salaires.

5.5 La gestion des structures salariales

Quel que soit le type de structure salariale — que les salaires soient plus ou moins basés sur les responsabilités des emplois regroupés en classes ou en bandes ou qu'ils soient plus ou moins fonction des compétences des titulaires des emplois —, il est important de faire en sorte que l'application d'une structure salariale soit cohérente et efficace, qu'elle reste équitable et compétitive avec le temps et qu'elle soit perçue comme telle par les employés visés. Cette section porte sur l'ajustement des structures salariales, sur la révision des salaires individuels des titulaires des emplois relevant de la structure salariale, sur le moment de l'octroi des augmentations de salaires, sur le contrôle de la masse salariale et sur la communication en matière de gestion des salaires.

5.5.1 L'ajustement des structures salariales et de la masse salariale

Dans plusieurs grandes organisations, le processus de détermination des augmentations de salaires annuelles débute de trois à cinq mois avant la fin de l'année financière. Au cours de cette période, les dirigeants doivent fixer les pourcentages d'augmentation des échelles salariales en prenant en considération leur politique salariale selon le marché, l'augmentation prévue des échelles salariales sur le marché, l'augmentation du coût de la vie et leur capacité de payer. Ainsi, il est possible que, malgré une politique de parité avec le marché et des prévisions d'augmentation de salaires de 5 % à 6 % sur le marché, les dirigeants décident d'accorder des augmentations de salaires de seulement 3 % en moyenne en raison d'une situation financière précaire.

Les renseignements portant sur les prévisions de rajustement des échelles salariales et des salaires proviennent d'enquêtes annuelles effectuées par certains organismes publics (tels que le Conference Board of Canada), des organisations professionnelles (comme WorldatWork) et des sociétés-conseils en rémunération. Au cours de l'automne, ces dernières publient leurs prévisions d'augmentations de salaires pour l'année à venir. Ces prévisions, dans lesquelles on distingue habituellement les rajustements des échelles salariales des augmentations de salaires, sont faites à partir d'enquêtes menées auprès d'entreprises un peu plus tôt dans l'année. Certaines sociétés-conseils rendent cette information publique alors que d'autres ne la distribuent qu'aux organisations qui ont participé à leur enquête, afin d'éviter certains problèmes d'interprétation. Des prévisions analogues sont également faites au niveau international, à l'intention des entreprises qui exercent leurs activités dans de nombreux pays.

Le critère du coût de la vie[7] (avec ou sans formule d'indexation) pour déterminer l'ajustement des structures salariales est ordinairement accepté à cause de sa simplicité, de son objectivité et de son équité apparente. Le recours au critère du coût de la vie se traduit par une indexation plus ou moins automatique des salaires, basée sur l'évolution d'un ou de plusieurs indices des prix à la consommation. En raison de l'inflation, les révisions des structures salariales liées au coût de la vie étaient une pratique généralisée au cours des années 1970 et jusqu'au milieu des années 1980. Depuis lors, à l'exception du personnel syndiqué de certaines organisations, il est plutôt rare qu'une entreprise utilise directement et uniquement l'augmentation de l'indice des prix à la consommation comme critère d'augmentation de salaire. On modifie plutôt la structure salariale selon l'ajustement prévu des échelles sur le marché, l'augmentation générale des salaires ou la croissance économique.

Cependant, l'indice des prix à la consommation (IPC) comme indicateur de gestion des structures salariales comporte certaines limites. Ainsi, très peu de personnes vivent une situation qui correspond à la moyenne et se procurent le panier de produits de la population cible. On pense, par exemple, à une personne qui ne consomme ni tabac ni alcool, qui n'a pas d'automobile et ne fréquente pas les restaurants. Par ailleurs, la variation du coût de la vie n'influence pas de la même façon la personne qui gagne 50 000 $ par année et celle qui gagne 100 000 $. De plus, les organisations ont tendance à s'appuyer sur l'indice national de l'IPC pour ajuster leurs structures salariales alors qu'il varie d'une région à l'autre du pays.

5.5.2   La révision des salaires individuels

Une fois l'ajustement de la structure salariale déterminé, on doit réviser les salaires qui seront versés à chacun des employés. Les salaires de certains employés peuvent se situer en deçà des salaires prévus par la nouvelle échelle salariale ou carrément au-delà de cette échelle.

Quant aux employés dont le salaire se situe en deçà du salaire prévu dans la nouvelle échelle (les « cercles verts »), il faut augmenter leur salaire au taux prévu par la nouvelle échelle salariale. Toutefois, il est possible que cette situation soit justifiée lorsqu'un employé n'accomplit pas entièrement le travail prévu par l'emploi, que son rendement est inférieur au rendement attendu ou qu'il est en période d'apprentissage. Selon la situation, diverses actions sont envisageables. Lorsqu'un employé n'exécute qu'une partie de son travail, on peut modifier la description de son emploi de façon à la rendre plus conforme à la réalité, à réévaluer son emploi et à le reclasser. Lorsque le rendement d'un employé ne répond pas aux attentes, on peut viser l'amélioration de son rendement à travers un programme de formation, muter l'employé dans un emploi qui correspond

---

7   Cet indice est calculé suivant la valeur d'un panier de produits consommés par une population cible composée de familles et de personnes vivant seules dans des centres urbains de 30 000 habitants et plus. On établit le coût de ce panier en considérant les achats effectués par la population cible au cours d'une période de référence durant l'année. Le contenu et la proportion des composantes de ce panier sont mis à jour régulièrement pour tenir compte des changements dans la structure des achats. Ce panier contient sept groupes de produits dont chacun a un poids respectif.

mieux à ses compétences ou le congédier si le cas est extrême. Lorsqu'un employé est en période d'apprentissage, on aura tendance à lui accorder le salaire minimal de la classe d'emplois, mais il arrive aussi qu'on lui accorde un taux inférieur (de 10 %, par exemple) au taux minimal.

Lorsque le salaire actuel d'un employé se situe carrément au-delà du point maxi (les «cercles rouges»), diverses solutions peuvent être envisagées. D'abord, il est possible de ramener son taux de salaire à celui qui correspond au point maxi, quoiqu'une telle mesure ait pour effet de démotiver l'employé. Une autre solution consiste à ne rien faire, bien que cela ne règle pas le problème : l'injustice est maintenue alors que l'objectif poursuivi lors de l'établissement ou de la révision de la structure salariale était l'élimination des cas d'iniquité, surtout les cas les plus fla-grants. On peut également geler le salaire de l'employé jusqu'à ce que l'échelle sala-riale arrive au niveau de son salaire à la suite d'augmentations générales. Cependant, plus le salaire de cet employé se situe au-delà du point maxi, plus cette solution le pénalise. Une autre approche consiste à ralentir la progression du salaire de l'em-ployé de manière que l'échelle salariale arrive au niveau de son salaire au bout d'un certain temps. On peut alors maintenir le taux de salaire de l'employé et lui accor-der les augmentations générales jusqu'à ce qu'on change son affectation, afin de réparer une faute antérieure de gestion. De même, il est possible de n'allouer à cet employé qu'une partie des augmentations salariales générales accordées par l'orga-nisation. On peut également décider de ne pas donner d'augmentations générales de salaires à cet employé et de ne pas reconnaître son rendement au moyen de primes. De plus, on peut modifier le contenu de son poste de façon à le rendre plus exigeant, à le réévaluer et à le placer dans une classe d'emplois plus élevée. Il doit alors s'agir d'une modification véritable du contenu de l'emploi et non d'un simple changement de titre : les employés ne sont pas dupes! Cependant, cette solution n'est envisageable que dans la mesure où le potentiel de l'employé le permet et où la nature du travail s'y prête. Lorsque ces conditions ne sont pas remplies, on peut muter cette personne ou lui accorder une promotion.

Une dernière situation peut se produire, selon laquelle le salaire d'un employé se situe au-dessus du niveau maximal prévu par la nouvelle échelle salariale alors que son emploi est correctement évalué, que son rendement est satisfaisant et que la nouvelle échelle salariale est adéquate. L'état de l'offre et de la demande pour certains emplois sur le marché du travail peut expliquer une telle situation. On peut citer le cas de certains emplois liés à l'informatique, dont les salaires offerts sur le marché sont plus élevés que les salaires offerts pour des emplois différents mais équivalents quant à leurs exigences. Les résultats de l'enquête de rémunération entrent alors en contradiction avec les résultats de l'évaluation des emplois. Dans une telle situation, il ne faut pas modifier à la hausse la classification de l'emploi, sinon cela aurait un effet inflationniste sur les évaluations des autres emplois. Une solution courante consiste à accorder des salaires plus élevés aux titulaires de ces emplois lorsque leurs salaires révisés ne sont pas supérieurs au maximum de l'échelle salariale de leur classe d'emplois. Une autre solution consiste à accorder des primes de marché pour de tels emplois. Par exemple, certains milieux universitaires donnent des primes de marché aux professeurs de médecine, d'actuariat, de comptabilité et de finance afin de faciliter leur recrutement ou de retenir leurs services alors que les conditions de rémunération sur le marché sont meilleures. L'attribution de primes de marché se révèle délicate : comment justifier le fait que certains employés aient une prime de marché alors que d'autres n'en ont pas? Comment cesser d'attribuer une telle prime lorsque le marché de l'emploi change? Et ainsi de suite.

5.5.3 Le moment de l'octroi des augmentations de salaires

La plupart des organisations ont l'habitude d'attribuer des augmentations de salaires à la même date pour tous les membres de leur personnel. Cette façon de faire permet une utilisation optimale du temps des cadres et une gestion plus efficace du processus de révision salariale. Par ailleurs, lorsque les décisions concernant les augmentations de salaires sont prises au même moment, les comparaisons entre les situations individuelles sont plus faciles à établir et, par conséquent, les chances que le personnel considère le processus comme équitable sont augmentées. En outre, une politique ou un contrôle plus ou moins officiel de distribution des cotes de rendement individuel — que plusieurs organisations adoptent — n'est possible et réaliste que dans un contexte où toutes les augmentations de salaires sont accordées au même moment de l'année. On juge toutefois préférable que la révision des salaires se fasse après la fin de l'exercice financier de l'organisation, de façon à permettre une meilleure comparaison entre les évaluations du rendement individuel et les résultats de l'organisation, car l'efficacité du contrôle des politiques salariales sera alors facilitée.

Par ailleurs, certains arguments justifient également le choix de la date anniversaire d'entrée de l'employé dans l'organisation pour l'attribution d'une augmentation de salaire. D'abord, cette façon de faire rend le processus plus significatif aux yeux des employés. Certains employeurs peuvent individualiser l'octroi des augmentations de salaires afin de compliquer les comparaisons entre les augmentations de salaires versées aux employés, ce qui aura pour effet de réduire le nombre de plaintes ou de leur éviter d'avoir à justifier leurs décisions. De plus, sur le plan financier, ce processus permet d'étaler les augmentations de salaires sur toute l'année.

En contrepartie, le choix de la date anniversaire d'entrée dans l'organisation comporte quelques inconvénients. Par exemple, dans un contexte de rémunération au mérite, il devient presque impossible de contrôler la distribution des cotes de rendement des employés. Il est alors plus difficile pour les cadres de réviser les salaires de façon efficace et équitable étant donné qu'ils sont moins concentrés que lors d'un exercice où ils doivent réviser les salaires de tous leurs subordonnés en même temps.

En effet, certaines iniquités peuvent être créées ou maintenues lorsque les cadres ne voient pas l'utilité d'examiner l'effet de chacune des augmentations qu'ils accordent sur l'ensemble des tendances salariales se dégageant de leur unité administrative.

Il est également important de considérer le moment de la révision salariale des différentes catégories de personnel : le personnel non syndiqué et le personnel syndiqué, les employés de bureau et les employés de production, etc. On peut songer au cas d'une organisation qui verse en septembre les augmentations de salaires du personnel syndiqué et qui accorde en mars les augmentations des cadres en tenant compte des augmentations salariales versées au personnel syndiqué. Dans ce contexte, les cadres se disent satisfaits de leurs salaires entre avril et septembre. À la fin de septembre, soit au moment où les salaires du personnel syndiqué sont augmentés, les écarts de salaires entre ces derniers et les cadres (notamment les contremaîtres) se réduisent pour devenir, dans certains cas, à l'avantage des syndiqués. La satisfaction des cadres à l'égard de leurs salaires baisse alors au cours des mois de novembre et décembre et constitue un véritable problème en janvier et février. Un tel problème peut être évité si l'on attribue les augmentations de salaires des cadres juste après celles qui ont été versées au personnel syndiqué, de façon à maintenir des écarts de salaires acceptables tout au long de l'année entre les cadres et le personnel de production.

5.5.4 Le contrôle des salaires

Le caractère adéquat et satisfaisant de la gestion d'une structure salariale ne peut être maintenu sans un examen continu des changements externes (comme les changements économiques, sociaux et légaux), de l'évolution des coûts et des réactions des employés. Une organisation, quelle qu'elle soit, possède des ressources limitées ; il importe alors que celles-ci soient utilisées de la manière la plus efficace possible.

Au sein des grandes organisations, le contrôle du processus de gestion des salaires s'avère complexe parce que plusieurs acteurs interviennent et ont une part de responsabilité. Ainsi, la responsabilité des enquêtes de rémunération peut être confiée au service des ressources humaines ; le contrôle des salaires peut relever des cadres seuls ou s'effectuer conjointement avec le service des ressources humaines ; le contrôle de la masse salariale peut relever du responsable des finances et/ou du service des ressources humaines ; le contrôle de la rémunération variable pour le personnel de production peut relever du service du génie ; le contrôle de la distribution des cotes de rendement individuel et des salaires de base peut relever du service des ressources humaines ; le contrôle des descriptions d'emplois peut reposer sur les cadres ; le contrôle de la gestion des salaires peut nécessiter l'appui du service de l'informatique.

Le tableau 5.16 résume les quatre formes de contrôle des dépenses en matière salariale : un contrôle par l'approbation des cadres supérieurs, un contrôle basé sur le respect des budgets, un contrôle basé sur une comparaison avec des statistiques ou des standards et un contrôle basé sur l'expertise des cadres.

Le contrôle en matière de gestion des salaires peut porter sur diverses facettes, soit les coûts de la main-d'œuvre, les taux de salaires, la structure salariale, les salaires individuels et les augmentations de salaires.

Le *suivi des coûts et des ratios de la main-d'œuvre* consiste à faire un suivi en ce qui concerne les budgets des salaires globaux ou particuliers, par exemple à l'égard de différentes catégories de personnel (le personnel de vente, de production, de bureau, etc.) ou encore en matière d'heures supplémentaires pour l'ensemble de l'organisation ou diverses unités. Ce contrôle considère aussi des ratios comme celui des salaires sur les ventes ou celui des salaires sur la valeur de la production.

TABLEAU 5.16

QUELQUES FAÇONS DE CONTRÔLER LES DÉPENSES EN MATIÈRE SALARIALE

Approbation des cadres supérieurs

Cette façon de faire permet de s'assurer du respect des politiques en matière salariale et d'obtenir l'avis ou l'appui des dirigeants sur des décisions ou des politiques en matière salariale. Toutefois, la sollicitation de l'approbation des dirigeants est moins appropriée lorsqu'il s'agit de prendre des décisions salariales au cas par cas, étant donné que les dirigeants consultés ne connaissent pas tous les employés et leur situation propre.

Respect des budgets

Cette forme de contrôle permet de s'assurer que les dépenses en matière salariale respectent une enveloppe budgétaire préétablie. Cependant, elle ne garantit pas la qualité des décisions en matière salariale. Par exemple, le respect d'un budget d'augmentations de salaires au mérite ne signifie pas que l'octroi des augmentations a toujours été fonction du rendement individuel des employés.

Comparaison avec des statistiques et des standards

Souvent jumelée avec le mode de contrôle s'appuyant sur le respect des budgets, cette approche compare les dépenses en matière salariale avec des standards d'efficacité historiques ou autres. Les technologies de l'information rendent disponible une multitude d'indicateurs statistiques. Le défi consiste surtout à trouver et à appliquer des indices pertinents, simples, rapidement accessibles et à respecter la confidentialité des données.

Expertise des cadres

Cette forme de contrôle consiste à aider les cadres à prendre des décisions adéquates et cohérentes en matière salariale en adoptant des politiques, en leur proposant des outils, en leur donnant les informations nécessaires, en les invitant à obtenir des conseils auprès des spécialistes de la rémunération au besoin, en veillant à ce qu'ils possèdent la formation requise pour prendre ce type de décisions et en leur confiant la responsabilité de ces décisions.

Le *contrôle de la compétitivité des salaires* s'effectue en comparant les salaires offerts avec les résultats des enquêtes salariales, en analysant les taux de roulement du personnel, les taux de rejet d'offres d'emplois, etc.

Pour s'assurer du *contrôle de l'équité de la structure salariale*, c'est-à-dire de la compréhension et de l'acceptation de cette structure salariale, on peut examiner les entrevues ou les sondages menés auprès du personnel, les demandes de réévaluation des emplois, les refus de promotions, les problèmes de rémunération, etc. Par exemple, lorsque les écarts de salaires entre les emplois de différentes classes salariales sont perçus comme étant insuffisants, les employés sont peu incités à rechercher les promotions.

En ce qui touche au *contrôle des salaires individuels*, certaines entreprises adoptent des règles concernant l'établissement des salaires lors de l'embauche, des mutations ou des promotions. Par exemple, une organisation peut décider qu'une promotion doit être associée à une augmentation de salaire d'au moins 10 % tout en respectant les balises suivantes : le nouveau taux de salaire n'est ni supérieur au salaire maximal de l'échelle salariale de la nouvelle classe d'emplois, ni inférieur au taux minimal de cette échelle salariale. On peut aussi exercer le contrôle des salaires versés à un ou à plusieurs employés en déterminant le *ratio comparatif* selon le calcul qu'on trouve plus loin. Ainsi, dans une échelle salariale comportant des taux minimaux et maximaux situés à plus ou moins 20 % du point de contrôle (point milieu), le ratio comparatif de chaque employé peut varier de 0,80 à 1,20. Sur une base collective, cet indice permet de situer le taux des salaires versés par rapport à la politique salariale de l'organisation. Par exemple, il y a une différence entre une politique salariale visant à se situer au 60e centile du marché de référence et un ratio comparatif effectif moyen de 0,92 ou 1,05.

$$\text{Ratio comparatif} = \frac{\text{salaire de l'employé (ou du groupe d'employés) visé}}{\substack{\text{salaire au point milieu (ou point de contrôle,} \\ \text{ou point maxi-normal, ou point cible) de l'échelle salariale}}}$$

Pour contrôler les salaires, une organisation peut aussi calculer un indice de progression dans l'échelle salariale qui montre jusqu'à quel point un titulaire a progressé dans son échelle salariale (voir le calcul plus loin). Dans ce cas, la direction doit aussi donner des règles ou des lignes de conduite pour baliser la progression des salaires. Comme le ratio comparatif, cet indice peut être calculé pour chaque employé ou pour un groupe d'employés. Par exemple, si le salaire minimal est de 66 800 $, si le salaire maximal s'élève à 100 300 $ et que le salaire d'un titulaire soit de 85 000 $, son indice de progression dans l'échelle égale :

$$\frac{(85\,000\,\$ - 66\,800\,\$)}{(100\,300\,\$ - 66\,800\,\$)} = 54,3\,\%$$

$$\begin{array}{l}\text{Indice de} \\ \text{progression dans} \\ \text{l'échelle salariale} \\ \text{en (\%)}\end{array} = \frac{\left(\text{salaire du titulaire} - \text{salaire minimal de l'échelle}\right)}{\left(\text{salaire maximal de l'échelle} - \text{salaire minimal de l'échelle}\right)} \times 100$$

Enfin, pour exercer le *contrôle des augmentations de salaires individuelles,* on peut s'appuyer sur des budgets d'augmentations de salaires liées au mérite, aux promotions, à l'ancienneté, au coût de la vie, etc. En ce qui concerne les augmentations de salaires liées au mérite individuel (voir le chapitre 7), la plupart des entreprises utilisent une matrice ou une grille des augmentations de salaires qui prescrit les augmentations de salaires à verser en fonction de la cote de rendement et de la position du salaire de l'employé dans l'échelle salariale, soit son ratio comparatif. Certaines firmes exigent aussi des cadres qu'ils appliquent une certaine distribution des cotes de rendement parmi leurs subordonnées et/ou qu'ils respectent un budget préétabli d'augmentations de salaires.

5.5.5   La communication en matière de gestion des salaires

On peut prôner la divulgation de renseignements sur les structures salariales afin d'inciter les employés à rechercher ou à accepter une promotion. Toutefois, les employés doivent percevoir des différences de salaires appréciables entre les emplois pour vouloir progresser dans l'entreprise. Cet élément est d'autant plus important que les recherches indiquent que les employés tendent à sous-estimer les salaires de ceux qui sont dans une position hiérarchique supérieure à la leur et à surévaluer ceux de leurs subalternes. Ainsi le manque d'information au sujet des salaires versés pour les autres emplois a-t-il pour effet de rendre les employés moins aptes à porter des jugements éclairés à cet égard. Certains croient d'ailleurs qu'une politique de salaires secrets fausse les perceptions des employés au sujet des salaires de leurs subalternes et de leurs collègues, augmentant par conséquent leur insatisfaction à ce sujet. D'autres pensent même que si les employés ignorent que des augmentations de salaires plus importantes sont accordées aux employés ayant un meilleur rendement, et vice versa, leur motivation au travail diminue.

Malgré ces avantages, de nombreuses organisations communiquent peu d'information sur les salaires pour des raisons variées. Par exemple, lorsque les salaires ne sont pas gérés de manière adéquate et uniformisée, leur divulgation entraînerait de la confusion et de la dissension parmi les employés. Le maintien du secret en ce qui a trait aux salaires peut s'avérer cohérent par rapport à une culture de gestion où l'on estime que la détermination des salaires fait partie des responsabilités des dirigeants et où l'on juge que les employés n'ont qu'à accepter leurs décisions sur ce point. Certains dirigeants sont aussi craintifs : plus on communique de l'information, plus les employés risquent de poser des questions, et plus on se doit de fournir des explications supplémentaires.

La divulgation individuelle des salaires empêche les comparaisons entre les employés et permet donc de limiter leur insatisfaction à ce propos. Toutefois, il ne faut pas se leurrer : faute d'information, les employés comparent tout de même leurs salaires et ils se forment une opinion en se basant sur le peu de renseignements qu'ils ont pu obtenir par leurs propres moyens ou par leurs relations. Cependant, il est démontré que la majorité des employés ne désirent pas que leur employeur dévoile leur salaire aux autres employés.

Des recherches montrent qu'une politique de salaires — privilégiant l'ouverture ou le secret — peut influencer les décisions des cadres en matière salariale (Heneman, 1992). Ainsi, il apparaît que les cadres auraient davantage tendance à accorder des pourcentages variés d'augmentations de salaires à leurs employés (une plus grande différenciation dans les octrois) lorsqu'ils savent que leurs décisions ne seront pas connues de tous. Plus la communication concernant les salaires est ouverte, plus les cadres semblent avoir peur qu'une grande différenciation des augmentations de salaires n'entraîne des réactions négatives parmi les employés.

5.6 Les problèmes et les défis en matière de gestion des salaires

Cette dernière section du chapitre examine d'abord un défi auquel font face certains employeurs en matière de gestion des salaires : le phénomène de la compression salariale. Elle traite ensuite des litiges entourant l'adoption d'une double structure salariale. Finalement, elle revient sur le sujet des courbes de maturité que certaines associations professionnelles proposent comme aide à la gestion des salaires de leurs membres.

5.6.1 Le problème de la compression salariale

Un phénomène dit de « compression salariale » survient lorsqu'il y a un faible écart salarial entre un nouveau titulaire inexpérimenté et un titulaire qualifié qui a une certaine ancienneté. La compression d'une structure salariale se manifeste par un niveau élevé de chevauchement des échelles salariales des classes d'emplois. Ce problème survient lorsque les salaires des postes comblés par des candidats du marché (recrutement externe) augmentent plus vite que les salaires des postes comblés par des candidats de l'entreprise (recrutement interne ou promotions).

Une compression des salaires, c'est-à-dire une réduction de l'écart entre les taux de salaires les plus élevés et les taux les plus faibles d'une entreprise, peut être causée par plusieurs facteurs : un taux d'inflation élevé, une économie qui tourne au ralenti, une augmentation des taux de salaires minimaux des échelles salariales qui n'est accompagnée d'aucune augmentation des taux maximaux pendant un certain temps, des pressions syndicales qui visent une hausse salariale pour les employés occupant des emplois au bas de la structure salariale et la rareté de la main-d'œuvre qualifiée. Dans ce cas, on parle d'une structure salariale plate.

Par exemple, lorsque le salaire minimal est augmenté, l'employeur qui a un grand nombre d'employés payés selon le salaire minimal doit décider s'il ajuste à la hausse toute sa structure salariale dans la même proportion pour maintenir les différentiels de salaires ou s'il réduit ces différentiels en n'augmentant pas ou en augmentant peu les salaires attribués à tous les emplois. Les problèmes de compression salariale surviennent aussi fréquemment parmi la main-d'œuvre professionnelle (les ingénieurs, les spécialistes de l'informatique, etc.) lorsque, étant donné la rareté de l'offre sur le marché, les candidats récemment diplômés exigent des salaires presque égaux à ceux des candidats de l'entreprise qui ont de trois à cinq ans d'expérience.

Au moins deux pratiques de rémunération peuvent entraîner une réduction des différentiels de salaires entre les classes d'emplois et entraîner un problème de compression salariale. D'abord, l'établissement d'un chevauchement important des échelles salariales de classes d'emplois adjacentes amène les employés à considérer que des emplois perçus comme plus exigeants ne sont pas suffisamment payés par rapport aux emplois jugés moins exigeants. Ensuite, l'attribution d'un même montant d'augmentation de salaire (plutôt que d'un même pourcentage) à tous les emplois de la structure salariale, quoique justifiable sur le plan de l'égalité du traitement, contribue à réduire les différences salariales entre les emplois. Toutefois, ici encore, tout est question de perception. Ce qui constitue une compression salariale pour les uns s'avère une mesure égalitaire pour les autres (moins de différences entre les emplois).

En plus de causer d'éventuels problèmes de progression salariale parmi le nouveau personnel, la compression salariale peut amener les employés en place — notamment les contremaîtres et les cadres intermédiaires — à se sentir injustement traités lorsqu'ils comparent leurs salaires avec ceux de leurs subalternes ou lorsqu'ils constatent que les nouveaux arrivants touchent des salaires qui présentent des écarts minimes par rapport aux leurs. Un problème de compression salariale occasionne un roulement anormal du personnel, puisqu'il incite les employés compétents et très performants à quitter l'entreprise parce qu'ils s'estiment injustement payés par rapport aux titulaires d'emplois possédant moins d'expérience ou fournissant un moins bon rendement.

Une solution traditionnelle au problème de la compression salariale est la réduction du nombre de classes d'emplois, laquelle passe généralement par une réduction du nombre de niveaux hiérarchiques. En effet, la présence d'un nombre réduit de classes d'emplois permet de mieux reconnaître pécuniairement une promotion. Pour réduire au minimum la compression salariale, les entreprises peuvent aussi s'assurer que les taux de salaires maximaux des échelles représentent bien les montants maximaux qu'elles sont prêtes à accorder aux titulaires des classes d'emplois, que ces derniers montants sont compétitifs par rapport au marché et que les salaires versés aux employés en place varient réellement selon leur échelle salariale. Les employeurs peuvent aussi atténuer le problème de la compression salariale en utilisant le recrutement interne (les promotions) pour pourvoir leurs postes vacants, de façon à réduire les pressions exercées par le marché. Tout récemment, pour résoudre un problème de compression salariale, certaines entreprises ont procédé à un regroupement de classes salariales adjacentes à l'intérieur de bandes d'emplois élargies. D'autres entreprises rendent admissibles à des régimes de rémunération variable les employés à haut rendement qui sont susceptibles de percevoir de l'iniquité (Klein *et al.*, 2002).

5.6.2 La double structure salariale

Une structure salariale à deux paliers, ou régime de salaire à double palier (*two-tier wage structure*) établit des différences salariales en fonction de la date d'embauche des employés. Ainsi, selon cette double structure salariale, les employés embauchés après une date déterminée seront soumis à une structure salariale différente de celle qui régit les employés qui étaient en place avant cette date.

La figure 5.6 schématise diverses formes de double structure salariale en déterminant que la ligne ADB représente la structure salariale des employés en place. Le type le plus courant de double structure salariale semble temporaire et peut être représenté par la ligne CDB. Les nouveaux employés sont embauchés à un taux de salaire inférieur à celui de la structure salariale des employés en place. Toutefois, après une certaine période (environ cinq ans), la seconde structure salariale rejoint la première et, à compter de ce moment, les salaires de tous les employés sont régis par la même structure salariale. Habituellement, l'écart entre le point A et le point C varie de 20 % à 25 %. Un autre type de double structure salariale est représenté par la ligne CD. Dans ce cas, lorsque les salaires de la seconde structure salariale rejoignent ceux de la première, les salaires des employés régis par la seconde structure salariale cessent d'augmenter (ou cessent d'augmenter plus rapidement) en fonction de leurs années de service. Finalement, un autre type de double structure salariale, de nature permanente, correspond au cas où les deux structures salariales sont parallèles (lignes AB et CE), afin que les salaires des nouveaux employés soient toujours inférieurs à ceux des employés embauchés avant la signature de l'entente la plus récente. L'écart de salaire entre les deux structures salariales peut alors être supérieur à 10 %.

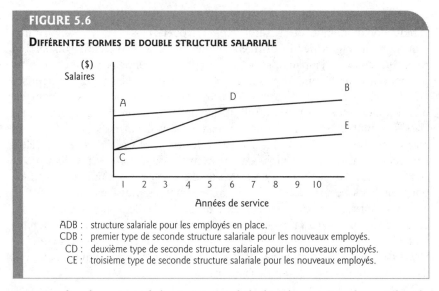

FIGURE 5.6

DIFFÉRENTES FORMES DE DOUBLE STRUCTURE SALARIALE

ADB : structure salariale pour les employés en place.
CDB : premier type de seconde structure salariale pour les nouveaux employés.
CD : deuxième type de seconde structure salariale pour les nouveaux employés.
CE : troisième type de seconde structure salariale pour les nouveaux employés.

C'est dans le contexte de la récession et de la déréglementation des marchés du début des années 1980 qu'est apparue la pratique de la double structure salariale dans les organisations syndiquées aux États-Unis (Martin et Heetderks, 1991; Martin et Lee, 1992), notamment dans les secteurs des chaînes d'alimentation et des compagnies aériennes. Il s'agissait alors d'un moyen simple de réduire les coûts du personnel pour assurer la compétitivité. Il faut considérer qu'à l'époque, après des années de concessions (en matière de suppression de postes, de gel ou de diminution des salaires), les employés étaient plus favorables à cette approche, parce qu'elle protégeait les conditions de travail des employés en place (salaires, sécurité de l'emploi, etc.) et n'avait des effets négatifs que sur les futurs employés de l'entreprise.

Aux États-Unis, entre 1989 et 1995, près d'une convention collective sur trois contenait une clause orphelin (Bureau of National Affairs, 1995). De nombreuses mises en garde ont été faites à propos de l'adoption de la double structure salariale en raison de plusieurs limites, problèmes ou risques : un mauvais climat de travail, un sentiment d'insatisfaction ou d'injustice, une baisse de loyauté, une qualité moindre des produits, une baisse de productivité, une discrimination indirecte en fonction de l'âge et à l'égard des femmes ou des minorités étant donné qu'elles sont plus présentes parmi les recrues embauchées, etc. Les résultats des études sur le sujet[8], quoique assez relatifs, semblent privilégier un recours prudent à cette pratique sur une base temporaire.

Au Québec, l'expression « clause orphelin » dans les contrats de travail dépasse le phénomène des structures salariales à deux paliers ou plus. Cette clause impose à de nouveaux employés des conditions de travail inférieures à celles qui sont offertes aux anciens employés, en distinguant pour les uns et les autres non seulement la rémunération, mais aussi le nombre d'échelons salariaux,

---

8 Voir Cappelli et Sherer (1990), Martin et Lee (1992), Martin et Heetderks (1991), Martin et Peterson (1987), McFarlin et Frone (1990).

le taux de salaire au moment de l'embauche, l'admissibilité aux avantages sociaux ou l'étendue de ceux-ci, la sécurité de l'emploi, la durée de la période d'essai, et ainsi de suite. On constate également des cas comme l'octroi du statut d'employé temporaire à tout nouvel employé, alors qu'auparavant les postes menaient à la permanence, la baisse des salaires des employés à statut précaire combiné avec une augmentation ou un maintien des salaires des employés permanents, la création d'une catégorie d'emplois dits « étudiants » ou « temporaires » dont la rémunération est inférieure à celle des employés occasionnels, la privation de certains avantages et primes accordés aux employés permanents. Au Québec, près de 7 % des conventions collectives des secteurs privé et public contenaient une clause orphelin à la fin des années 1990 (Gagnon, 1998). Le recours accru à cette clause a surtout été le fait des secteurs municipal, public et parapublic québécois, qui étaient pressés de réduire leur masse salariale.

En 2001, toutefois, des dispositions ont été intégrées à la Loi sur les normes du travail afin d'empêcher que soit accordée à un salarié, uniquement en raison de sa date d'embauche, des conditions de travail moins avantageuses (qu'il s'agisse du salaire, de la durée du travail, des jours fériés, des congés annuels payés, des périodes de repos, des congés pour événements familiaux, de l'avis de cessation d'emploi ou des mises à pied ou encore d'autres normes concernant les uniformes, les primes et les allocations) que celles qui sont consenties à d'autres salariés qui effectuent les mêmes tâches dans le même établissement. Ainsi, des conditions de travail moins avantageuses fondées sur l'ancienneté ou les années de service ne dérogent pas à la loi, pas plus que les disparités temporaires, dans la mesure où celles-ci se résorbent dans un délai raisonnable ; si les effets sont permanents, la clause est interdite parce que la loi interdit désormais de fixer des conditions de travail différentes pour les anciens employés et les nouveaux. Si le principe de l'équité intergénérationnelle et de la reconnaissance des jeunes sur le marché du travail a été mis en avant par certains pour appuyer cette réglementa-tion, il faut observer que les nouveaux employés ne sont pas toujours jeunes et qu'une clause orphelin touche tout nouvel employé, qu'il ait 18 ans ou 60 ans.

Aujourd'hui, comme les clauses de disparités de traitement (que ce soient des clauses salariales ou d'autres clauses) sont encore présentes dans des contrats de travail et les conventions collectives (particulièrement dans le secteur de l'alimentation où c'est le cas pour près de 18 % des conventions collectives), la Commission des normes du travail (2005) du Québec s'est vu confier par le ministre du Travail le mandat de mettre en œuvre un plan d'action axé sur la prévention auprès des employeurs et des syndicats.

5.6.3 Les courbes de maturité

En Amérique du Nord, pour gérer les salaires de certaines catégories de personnel (comme les avocats, les ingénieurs et les comptables), certaines firmes utilisent les courbes de maturité (ou courbes d'apprentissage) de leurs associations profession-nelles respectives, qui prescrivent un taux de rémunération lié au nombre d'années d'expérience depuis l'obtention du diplôme. Une enquête de maturité présente le lien entre le salaire offert sur le marché et l'expérience du candidat. En Europe, on attribue couramment une reconnaissance salariale formelle au nombre d'années d'expérience des employés dans la profession en cause. Ainsi, quelles que soient les catégories de personnel, on émet l'hypothèse que leur expérience a un effet positif sur le rendement au travail, quoique cette relation soit loin d'être clairement établie.

BULLETIN$ 5.3

Le Groupe d'action pour l'égalité et l'équité salariale (GAPES-Québec), qui repré-sente quelque 270 des 700 policiers de la Ville, demande à la Commission des droits de la personne et des droits de la jeunesse de porter devant les tribunaux le dossier sur les disparités de traitement salarial (clause orphelin) des jeunes policiers qui l'oppose à la Ville de Québec. Une plainte avait déjà été déposée en 2002 auprès de la Commission, mais a été laissée en suspens dans l'espoir d'un règlement avec la Ville. Les policiers qui comptent sept années d'expérience et moins prétendent avoir perdu des dizaines de milliers de dollars depuis l'entrée en vigueur de cette clause en 1997 : le salaire à l'embauche était alors passé de 32 000 $ à 24 700 $.

Source : Adapté de Néron (2005, p. A10).

Conclusion

Ce chapitre a présenté les étapes à suivre et les options possibles en vue d'intégrer divers principes d'équité à la détermination et à la gestion des salaires. Cette intégration se fait par l'élaboration d'une structure salariale nécessitant plusieurs choix et étapes.

Dans ce chapitre, nous avons analysé et comparé divers types de structures salariales : les structures salariales courantes basées sur les exigences relatives des emplois, les structures salariales basées sur les compétences des employés et la gestion des salaires par bandes d'emplois ou par bandes de cheminement de carrière. Nous avons pu constater que chaque type de structure salariale comporte des avantages et des limites et que les choix à cet égard doivent tenir compte du contexte organisationnel (par exemple, le climat de travail, la stratégie d'affaires). Aussi une analyse de la situation propre à chaque organisation peut-elle mener à la conclusion que le mode traditionnel de gestion des salaires basée sur la valeur relative des exigences des emplois reste le plus approprié.

Notons que même si nous avons présenté de manière successive la gestion des salaires basée sur les compétences et la gestion des salaires basée sur des bandes d'emplois, ces approches peuvent être implantées simultanément dans une entreprise. Dans ce contexte, cette dernière peut, par exemple, décrire, pour chaque bande d'emplois, les compétences clés requises par les emplois, les objectifs de développement des titulaires de ces emplois ainsi que le type et le contenu de la formation recommandée pour les employés de chaque bande d'emplois.

Questions de révision

1. Traiter des étapes de l'élaboration d'une structure salariale.

2. Qu'est-ce qu'une structure salariale basée principalement sur les exigences des emplois? Comme peut-on l'illustrer? Commenter les principes de son élaboration.

3. Commenter l'importance des effets des structures salariales ainsi que l'évolution des pratiques et des jugements à l'égard du nombre de structures salariales à établir.

4. Pourquoi dresse-t-on les diverses droites ou courbes salariales suivantes : la courbe des salaires de l'organisation, la courbe des salaires du marché, la courbe de la politique salariale de l'organisation? De quelle façon dresse-t-on ces droites et ces courbes salariales?

5. Pourquoi regroupe-t-on les emplois en classes? Comment détermine-t-on le nombre de classes d'emplois ainsi que leurs bornes?

6. Quelle est l'importance des échelles salariales et quelles sont les normes requises pour les élaborer et pour gérer la progression dans les échelles salariales?

7. Comment détermine-t-on l'étendue des échelles salariales? Comment établit-on leur maximum et leur minimum?

8. Traiter des échelles salariales basées sur l'ancienneté et des échelles salariales basées sur le rendement individuel.

9. Commenter l'utilité d'un certain chevauchement des échelles salariales et décrire les problèmes engendrés par un chevauchement trop important.

10. Qu'est-ce qu'une structure salariale basée principalement sur les compétences?

11. Quels ont les avantages présumés de la rémunération des compétences?

12. Que peut-on affirmer à propos de la fréquence de la rémunération des compétences?

13. De quelles façons peut-on reconnaître les compétences des personnes?

14. Que peut-on dire sur l'efficacité de la rémunération des compétences?

15. Pourquoi la plupart des organisations conservent-elles un mode de gestion des salaires basés principalement sur la valeur relative des exigences des emplois et peu d'entre elles se tournent-elles vers une gestion basée sur les compétences ou les habiletés?

16. Qu'est-ce qui distingue les « salaires basés sur les habiletés » des « salaires basés sur les compétences » ?

17. Quelles recommandations pourrait-on faire en vue d'assurer le succès d'un régime de salaires basé principalement sur les compétences ?

18. Qu'est-ce que l'approche des salaires gérés en fonction des bandes d'emplois ou des bandes de cheminement de carrière ? Définir les diverses pratiques que l'on peut regrouper sous ces expressions.

19. Quels avantages associe-t-on à la gestion des salaires en fonction des bandes d'emplois ?

20. Quelles sont les conditions de succès de la gestion des salaires par bandes d'emplois ?

21. Traiter de l'importance de la communication en matière de gestion des salaires et proposer certains conseils à cet égard.

22. Qu'est-ce que l'indice des prix à la consommation ? Quel est son lien avec la gestion traditionnelle des salaires au sein des organisations ?

23. Traiter de l'importance du contrôle en matière de gestion des salaires et des divers outils ou approches qui y sont liés.

24. Qu'entend-on par « double structure salariale » ? Commenter les buts et les limites de cette approche ainsi que la fréquence de son utilisation en Amérique du Nord.

25. Qu'est-ce qu'un problème de compression salariale ? Quels facteurs peuvent engendrer ce problème et comment peut-on résoudre celui-ci ?

26. En quoi consiste une courbe de maturité qui permet de gérer les salaires de certaines catégories de personnel ?

Références

ABOSCH, K.S., D. GILBERT et S.M. DEMPSEY (1994). « Contrasting perspectives – Broadbanding : Approaches of two organizations », *ACA Journal*, vol. 3, n° 1, printemps, p. 46-53.

ABOSCH, K.S. et J.S. HAND (1994a). *Broadbanding Design, Approaches and Practices*, Scottsdale, Ariz., American Compensation Association.

ABOSCH, K.S. et J.S. HAND (1994b). « Characteristics and practices of organizations with broadbanding : A study of alternative approaches », *ACA Journal*, automne, p. 6-16.

AMERICAN COMPENSATION ASSOCIATION (1996). *Raising the Bar : Using Competencies to Enhance Employee Performance*, Scottsdale, Ariz., American Compensation Association.

BAKER, G.C. et J. DUGGAN (2004). « A global banding program and a consultant's critique », *WorldatWork Journal,* vol. 13, n° 2, p. 24-35.

BROWN, D. (2000). « Relating competencies to pay », dans L.A. Berger et D.R. Berger (sous la dir. de), *The Compensation Handbook : A State-of-the-art Guide to Compensation Strategy and Design,* New York, McGraw-Hill, p. 157-171.

BROWN, D. (2001). « Using competencies and rewards to enhance business performance and customer service at the Standard Life Assurance Company », *Compensation & Benefits Review,* juillet-août, p. 21.

BUREAU OF NATIONAL AFFAIRS (1995). *Collective Bargaining Negociations and Contracts,* n° 1302, Washington, D.C., Bureau of National Affairs.

CAPPELLI, P. et P.D. SHERER (1990). « Assessing worker attitudes under a two-tier wage plan », *Industrial and Labor Relations Review,* vol. 43, n° 2, p. 225-244.

COMMISSION DES NORMES DU TRAVAIL (2005). *Bulletin INFO +,* vol. 1, n° 1, 7 mars.

CONFERENCE BOARD OF CANADA (1999). *Compensation Planning Outlook,* Ottawa.

DAVIS, J.H. (1997). « The future of salary when jobs disappear », *Compensation & Benefits Review,* vol. 29, n° 1, p. 18-26.

DÉVELOPPEMENT DES RESSOURCES HUMAINES CANADA (1998). « Le programme de partenariat syndical-patronal appuie les innovations en milieu de travail », *Gazette du travail,* Programme de partenariat syndical-patronal, Service fédéral de médiation et de conciliation, Programme du travail, Développement des ressources humaines Canada, été, p. 72-79.

DYEKMAN, M. et J. FRENCH (1994). « Broadbanding : Communication is key to success », *ACA News,* septembre, p. 11-12.

ENOS, M. et G. LIMOGES (2000). « Broadbanding : Is that your company's final answer ? », *WorldatWork Journal,* 4e trimestre, p. 61-79.

GAGNON, K. (1998). « Clauses orphelin : une loi dès l'automne ? », *La Presse,* 20 août, p. B1.

GRAEBNER, D.R. et K.A. SEAWEARD (2004). « Bringing it all inside job evaluation and market pricing at JC Penney », *Workspan,* n° 8, p. 31-35.

GUPTA, N., G.D. JENKINS et W.P. CURINGTON (1986). « Paying for knowledge : Myths and realities », *National Productivity Review,* vol. 5, n° 2, p. 107-123.

GUPTA, N. *et al.* (1992). « Survey-based prescriptions for skill-based pay », *ACA Journal,* vol. 1, n° 1, p. 48-59.

HASLETT, S. (1995). « Broadbanding : A strategic tool for organizational change », *Compensation & Benefits Review,* vol. 27, n° 6, p. 40-48.

HENEMAN, L.H. (1992). *Merit Pay,* New York, Addison Wesley, HRM Series.

HENEMAN, R.L. et M.T. GRESHAM (1998). « Performance-based pay plans », dans J.W. Smither (sous la dir. de), *Performance Appraisal : State-of-the-art Methods for Performance Management,* San Francisco, Jossey-Bass, p. 496-536.

HOFRICHTER, D. (1993). « Broadbanding : A « second generation » approach », *Compensation & Benefits Review,* septembre-octobre, p. 53-58.

JENKINS, G.D. et N. GUPTA (1985). « The payoffs of paying for knowledge », *National Productivity Review,* printemps, p. 121-130.

JENKINS, G.D. *et al.* (1992). *Skill-based Pay : Practices, Payoffs, Pitfalls and Prescriptions,* Scottsdale, Ariz., American Compensation Association.

JOHNSON, B.A. et H.H. RAY (1993). « Employee developed pay systems increases productivity », *Personnel Journal,* vol. 72, p. 112-118.

KLARSFELD, A. (1997). « Rémunérer les compétences : bilan d'une expérience », *Personnel-ANDCP,* n° 385, p. 32-36.

KLARSFELD, A. et S. ST-ONGE (2000). « La rémunération des compétences : théorie et pratique », dans J.M. Peretti et P. Roussel (sous la dir. de), *Les rémunérations : politiques et pratiques pour les années 2000,* Paris, Vuibert, coll. « Entreprendre », série « Vital Roux », p. 65-80.

KLEIN, A.L., M.K. KIMBERLEY et L.M. RUGGIERO (2002). « The perils of pay inequity : Addressing the problems of compression », *WorldatWork Journal,* 4e trimestre.

LAWLER, E.E. (1981). *Pay and Organizational Development,* San Francisco, Jossey-Bass.

LAWLER, E.E. (1990). *Strategic Pay,* San Francisco, Jossey-Bass.

LAWLER, E.E. (1996). « Competencies : A poor foundation for the new pay », *Compensation & Benefits Review,* vol. 28, n° 6, p. 20-26.

LAWLER, E.E. et G.E. LEDFORD (1985). « Skill-based pay : A concept that is catching on », *Personnel,* vol. 62, n° 9, p. 30-37.

LAWLER, E.E. et G.E. LEDFORD (1987). « Skill-based pay : A concept that is catching on », *Management Review,* vol. 72, n° 2, p. 46-51.

LAWLER, E.E., S.A. MOHRMAN et G.E. LEDFORD (1998). *Strategies for High Performance Organizations,* San Francisco, Jossey-Bass.

LeBLANC, P.V. (1991). « Skill-based pay case number 2 : Northern Telecom », *Compensation & Benefits Review,* vol. 23, n° 2, p. 39-56.

LeBLANC, P.V. (1992). « Pay-banding can help align pay with new organizational structures », *National Productivity Review,* été, p. 317-330.

LeBLANC, P.V. et C.M. ELLIS (1995). « The many faces of banding », *ACA Journal*, vol. 4, n° 4, hiver, p. 52-63.

LeBLANC, P.V. et M. McINERNEY (1994). « Need a change ? Jump in the banding wagon », *Personnel Journal*, janvier, p. 72-78.

LEDFORD, G.E. (1991). « Three case studies on skill-based pay : An overview », *Compensation & Benefits Review*, vol. 23, n° 2, p. 11-23.

LEDFORD, G.E. (1992). « Attitudinal effects of skill-based pay : A longitudinal study », *Academy of Management Annual Meeting*, août.

LEDFORD, G.E. (1995). « Paying for the skills, knowledge, and competencies of knowledge workers », *Compensation & Benefits Review*, vol. 28, n° 4, p. 55-62.

LEDFORD, G.E. et G. BERGEL (1991). Skill-based pay case number 1 : General Mills », *Compensation & Benefits Review*, vol. 23, n° 2, p. 24-38.

LEDFORD, G.E. et R.L. HENEMAN (2000). « Pay for skills, knowledge, and competencies », dans L.A. Berger et D.R. Berger (sous la dir. de), *The Compensation Handbook : A State-of-the-art Guide to Compensation Strategy and Design*, New York, McGraw-Hill, p. 143-156.

LEDFORD, G.E., W.R. TYLER et W.B. DIXEY (1991). « Skill-based pay case number 3 : Honeywell Ammunition Assembly Plant », *Compensation & Benefits Review*, vol. 23, n° 2, p. 57-77.

LEE, C., K.S. LAW et P. BOBKO (1999). « The importance of justice perceptions on pay effectiveness : A two-year study of a skill-based pay plan », *Journal of Management*, vol. 25, n° 6, p. 851-873.

LONG, R. (1993). « The relative effects of new information technology and employee involvement on productivity in Canadian companies », *Proceedings of the Administrative Sciences Association of Canada*, vol. 14, n° 2, p. 61-70.

MARTIN, J.E. et T.D. HEETDERKS (1991). « Employee perceptions of the effects of a two-tier wage structure », *Journal of Labor Research*, vol. 12, n° 3, p. 279-295.

MARTIN, J.E. et R.T. LEE (1992). « Pay knowledge and referents in a tiered-employment setting », *Industrial Relations*, vol. 47, n° 4, p. 654-665.

MARTIN, J.E. et M.M. PETERSON (1987). « Two-tier wage structures : Implications for equity theory », *Academy of Management Journal*, vol. 30, n° 2, p. 297-315.

MARTOCCHIO, J.J. (1997). *Strategic Compensation*, Upper Saddle River, N.J., Prentice-Hall.

MAYS, J. (1997). « Why we haven't seen "the end of jobs" or the end of pay survey ? », *Compensation & Benefits Review*, vol. 29, n° 4, p. 25-27.

McFARLIN, J.E. et M.R. FRONE (1990). « A two-tier wage structure in a non-union firm », *Industrial Relations*, vol. 29, n° 1, p. 145-155.

McINTYRE BROWN, A. (1997). « The pay bandwagon », *Management Today,* août, p. 66-68.

MERCER, W. (1994). *Broadbanding : Flattering your Job and Grade Structure,* New York, William M. Mercer Incorporated, p. 1-19.

MESSIN, M. (2000). « Les variables influençant le succès d'un processus de bandes salariales élargies au sein d'une entreprise », mémoire de maîtrise, Montréal, HEC Montréal.

MILKOVITCH, G.T. et J.M. NEWMAN (2002). *Compensation,* 7ᵉ éd., Boston, Irwin.

MURRAY, B. et B. GERHARD (1998). « An empirical analysis of a skill-based pay program and plant performance outcomes », *Academy of Management Journal,* vol. 41, nº 1, p. 68-78.

NÉRON, J.-F. (2005). « Offre salariales assorties d'une clause orphelin : les jeunes policiers de Québec en appellent de nouveau à la Commission des droits », *Le Soleil,* cahier « La Capitale et ses régions », 14 mars, p. A10.

PARENT, K.J. et C.L. WEBER (1994). *Does Paying for Knowledge Payoff? : Evidence from a Case Study,* cahier de recherche, Kingston, Ont., Université Queens, Centre de relations industrielles, 23 p.

RAHBAR-DANIELS, D. (2003). « Competency-based reward design appoaches », dans P.T. Chingos et Mercer, Consultation en ressources humaines, *Paying for Performance : A Guide to Compensation Management,* New York, John Wiley and sons, p. 68-77.

REISSMAN, L. (1995). « Nine common myths about broadbands », *HR Magazine,* vol. 40, nº 8, août, p. 79-84.

RISHER, H. et R.J. BUTLER (1993-1994). « Salary banding : An alternative salary-management concept », *ACA Journal,* vol. 2, nº 3, p. 48-57.

ROSEN, A.S. et D. TURETSKY (2002). « Broadbanding : The construction of a career management framework », *WorldatWork Journal,* 4ᵉ trimestre, p. 45-55.

SCHAY, B.W. (1996). « Broadbanding in the federal government : A 16-year experiment », *ACA Journal,* vol. 5, nº 3, p. 32-43.

SCHAY, B.W. *et al.* (1992). *Broad-banding in the Federal Government – Technical Report,* Washington, D.C., U.S. Office of Personnel Management.

SHENBERGER, R. (1995). « Still paying for hours on the job? Think again », *Journal for Quality and Participation,* vol. 18, p. 88-91.

SIBSON & COMPANY (1997). « Six companies share their insight : The challenges in applying competencies », *Compensation & Benefits Review,* vol. 29, nº 2, mars-avril, p. 64-75.

SMITHER, J.W. (dir.) (1998). « Lessons learned : Research implications for performance appraisal and management practice », dans *Performance Appraisal : State-of-the-art Methods for Performance Management,* San Francisco, Jossey-Bass, p. 537-547.

SPENCER, L.M. et S.M. SPENCER (1993). *Competence at Work : Models for Superior Performance,* New York, John Wiley & Sons.

STARK, M., W. LUTHER et S. VALVANO (1996). « Jaguar cars drive toward competency-based pay », *Compensation & Benefits Review,* vol. 28, n° 6, p. 34-40.

ST-ONGE, S. (1992). « A field investigation of variables influencing pay-for-performance perceptions », thèse de doctorat, Toronto, Université York.

ST-ONGE, S. (1998). « La rémunération des compétences : où en sommes-nous ? », *Gestion,* vol. 23, n° 4, p. 24-36.

ST-ONGE, S. (2000). « Variable influencing the perceived relationship between performance and pay in a merit pay environment », *Journal of Business and Psychology,* vol. 13, n° 3, p. 459-479.

ST-ONGE, S. *et al.* (2004). *Relever les défis de la gestion des ressources humaines,* 2e éd., Boucherville, Gaëtan Morin Éditeur.

ST-ONGE, S., V.Y. HAINES III et A. KLARSFELD (2004). « La rémunération des compétences : déterminants et incidences », *Relations Industrielles / Industrial Relations,* vol. 59, n° 4, p. 641-670.

ST-ONGE, S. et D. MORIN (à paraître). « Salaires liés aux compétences : bilan des connaissances et des pratiques », dans R. Foucher (sous la dir. de), *Gérer les compétences : principes, pratiques et instruments,* Montréal, Éditions Nouvelles.

ST-ONGE, S. et M.A. PÉRONNE-DUTOUR (1998). « Les perceptions de justice à l'égard d'un système de rémunération basée sur les compétences : une étude auprès des employés d'une entreprise de France », Association internationale de psychologie du travail de langue française (AIPTLF), *Actes du 9e congrès, tome 6, Mobilisation et efficacité au travail,* sous la dir. de Roch Laflamme, Cap-Rouge, Québec, Presses InterUniversitaires, p. 113-124.

STOSKOPF, G. A. (2002). « Choosing the best salary structure for your organization », *WorldatWork Journal,* 4e trimestre, p. 8-36.

TOWERS PERRIN (1997-1998). *Compensation Challenges and Changes : Research Studies in the United States and Europe.*

TUCKER, S.A. (1995). « The role of pay in the boundaryless organization », *ACA Journal,* vol. 4, n° 3, automne, p. 48-59.

TYLER, K. (1998). « Compensation strategies can foster lateral moves growing in place », *HR Magazine,* vol. 43, n° 5, avril, p. 64-71.

WILSON, T.B. (1995). *Innovative Reward Systems for the Changing Workplace,* New York, McGraw-Hill.

YURKUTAT, J. (1997). « Is "the end of jobs" the end of pay survey too ? », *Compensation & Benefits Review,* vol. 29, n° 4, p. 24-29.

ZARIFIAN, P. (1988). « L'émergence du modèle de la compétence », dans F. Stankiewicz (sous la dir. de), *Les stratégies d'entreprises face aux ressources humaines,* Paris, Economica, p. 77-82.

ZINGHEIM, P.K., G.E. LEDFORD et J.R. SCHUSTER (1996). «Competencies and competency models : Does one size fit all?», *ACA Journal,* vol. 5, n° 1, p. 56-65.

ZINGHEIM, P.K. et J.R. SCHUSTER (2002). «Reassessing the value of skill-based pay : Getting the runaway train back on track», *WorldatWork Journal,* vol. 11, n° 3, p. 72-77.

Chapitre 6
La législation en matière d'équité salariale

Objectifs

Ce chapitre vise à :

➤ expliquer les causes des écarts salariaux entre les femmes et les hommes, notamment la cause de la discrimination dite « systémique » basée sur le sexe dans la gestion des salaires ;

➤ présenter l'évolution de la législation canadienne visant à éliminer la discrimination basée sur le genre dans la gestion de la rémunération ;

➤ distinguer le principe de l'équité salariale du principe de l'équité en emploi ;

➤ présenter le contenu de la Loi sur l'équité salariale du Québec et les étapes d'une démarche d'équité salariale ;

➤ exposer les arguments en faveur d'une législation de nature proactive en matière d'équité salariale et les arguments qui s'y opposent ;

➤ traiter des conséquences des préoccupations visant à contrer la discrimination salariale basée sur le sexe dans le processus d'analyse et d'évaluation des emplois, ainsi que dans la détermination et la gestion des salaires ;

➤ traiter des conditions de succès d'une démarche d'équité salariale.

Cas et conjoncture

 Premier bilan au sujet de l'équité salariale au Québec : les faits saillants du rapport du ministre du Travail du Québec

Tel qu'exigé par la Loi sur l'équité salariale, le ministre du Travail a déposé, le 21 novembre 2002, à l'Assemblée nationale, le *Rapport du ministre du Travail sur la mise en œuvre de la Loi sur l'équité salariale dans les entreprises de 10 à 49 personnes salariées.*

Préparé par la Commission de l'équité salariale, ce rapport fait le point sur l'état d'avancement des travaux d'équité salariale pour alimenter la réflexion du ministre et orienter les actions de la Commission. Il est le résultat de diverses activités menées par la Commission au cours de la dernière année.

Un peu plus de cinq ans après l'entrée en vigueur des dispositions visant les entreprises, la Loi sur l'équité salariale a généré des changements importants dans le monde du travail et le mouvement engendré est irréversible. La Loi sur l'équité salariale fait désormais partie intégrante du cadre dans lequel opèrent les entreprises.

Portrait des entreprises de 10 à 49 personnes salariées
Sur la base des données de l'Institut de la statistique du Québec de juin 2001, la Commission de l'équité salariale estime à 33 542 le nombre d'entreprises de 10 à 49 personnes salariées assujetties à la loi.

Ces entreprises sont inégalement réparties dans les différentes régions du Québec :

Région de Montréal : 11 331
Capitale nationale : 3 022
Bas-Saint-Laurent : 867

Ces entreprises sont présentes dans tous les secteurs d'activité, mais sont plus nombreuses dans les secteurs suivants :

Commerce de détail : 16 %
Hébergement et services de restauration : 14,3 %
Fabrication : 11,8 %

Plus l'entreprise est de petite taille, plus la proportion de femmes est élevée.

Quatre-vingt-cinq pour cent (85 %) des entreprises de 10 à 49 personnes salariées ne comptent pas de syndicat.

Portrait de la mise en œuvre de la Loi sur l'équité salariale
D'après le sondage auprès de 3 899 entreprises réalisé au cours de l'été 2002 par Léger Marketing pour le compte de la Commission de l'équité salariale, 39 % de ces entreprises déclarent avoir terminé leur démarche d'équité salariale et des démarches sont en cours dans 8 % des entreprises.

Ces pourcentages constituent une augmentation très importante (77 %) par rapport aux données recueillies en juillet 2001. En effet, les sondages menés par l'Ordre des conseillers en ressources humaines et en relations industrielles du Québec et par la Commission de l'équité salariale montraient que 22 % des entreprises de 10 à 49 personnes salariées avaient alors terminé leurs travaux.

Les principales raisons invoquées par les entreprises n'ayant pas commencé ou terminé leurs travaux sont une confusion entre les concepts d'égalité et d'équité salariale, une incompréhension de la loi et de sa portée ainsi qu'un besoin de soutien. Seulement 2 % des employeurs interrogés disaient ne pas vouloir se conformer à la loi.

Les travaux sont plus avancés dans les entreprises des secteurs d'activité les plus susceptibles d'engager une forte proportion de femmes, notamment dans les secteurs des finances, de l'assurance et de l'immobilier (travaux terminés à 58 %).

Près des trois quarts des entreprises ayant complété leur démarche ont suivi la plupart ou la totalité des étapes d'un programme d'équité salariale qu'exige la loi pour les entreprises de 50 personnes salariées ou plus.

Bénéfices et coûts de l'exercice d'équité salariale

Trente pour cent (30 %) des entreprises ayant complété leur démarche affirment avoir eu à verser des ajustements salariaux.

L'ajustement salarial moyen accordé à la suite des démarches d'équité salariale est de 8,1 %.

Pour la majorité (51 %) des salariées qui ont reçu des ajustements, ceux-ci étaient de l'ordre de 1 à 49 ¢ l'heure, alors que 22 % ont reçu entre 50 et 99 ¢ l'heure et que 10 % ont reçu entre 1 $ et 1,49 $ l'heure.

Trois entreprises sur cinq évaluent l'impact des ajustements à 1,5 % ou moins de la masse salariale.

Soixante pour cent (60 %) des entreprises affirment ne pas avoir étalé le versement des ajustements salariaux.

En excluant le montant des ajustements, 62 % des entreprises qui disent avoir complété leurs travaux y ont consacré moins de 1 000 $ en coûts de consultants ou d'experts.

Les deux tiers des entreprises ayant terminé leur démarche affirment que l'exercice a eu un ou des impacts positifs pour leur organisation et déclarent dans la même proportion qu'il n'a eu aucun impact négatif.

Les impacts positifs les plus souvent signalés par les entreprises sont une connaissance plus détaillée des tâches de leurs employés et une mise à jour des politiques de rémunération.

Facteurs expliquant l'état d'avancement des travaux

Les retards constatés dans l'application de la Loi sur l'équité salariale dans les entreprises sont imputables à divers facteurs. Les facteurs les plus fréquemment mentionnés dans les entreprises de 10 à 49 personnes salariées sont l'introduction de nouvelles valeurs, la transformation des pratiques de gestion, les facteurs liés à la réalité des entreprises (taille des entreprises, personnel non syndiqué, etc.) et les difficultés liées à l'application de la loi et à son caractère novateur en matière de droits.

Source : Commission de l'équité salariale du Québec (2002a, p. 1-2).

Introduction

Auparavant, les dirigeants d'entreprise se préoccupaient surtout de l'équité interne des salaires accordés aux emplois de leur entreprise, et particulièrement de l'équité des salaires des emplois appartenant à la même famille. Ainsi, les organisations géraient les salaires selon les familles d'emplois (emplois de bureau, emplois de production, etc.) en attribuant ce type de gestion au caractère distinctif de la nature et des exigences des emplois.

Comme le montre la figure 6.1, l'exercice d'équité salariale compare la rémunération accordée aux emplois à prédominance masculine avec la rémunération accordée aux emplois à prédominance féminine dans toute l'organisation. En fait, une démarche d'équité *salariale* vise à corriger les écarts salariaux dus à la discrimination fondée sur le sexe en établissant une comparaison entre les emplois à prédominance féminine et les emplois à prédominance masculine. Ainsi, la loi n'oblige pas à évaluer tous les emplois et toutes les catégories d'emplois, mais seulement les emplois des catégories d'emplois à prédominance féminine et ceux des catégories d'emplois à prédominance masculine. Dans la même veine, la loi n'exige que d'apporter les corrections qui s'appliquent aux catégories d'emplois à prédominance féminine. Ainsi, dans chacune des familles d'emplois, il peut y avoir des catégories neutres — c'est-à-dire des catégories d'emplois où le nombre d'hommes et celui de femmes sont semblables — qui ne sont pas visées par la loi. De fait, l'équité *salariale* fait abstraction de l'équité *interne,* une préoccupation des employeurs visant théoriquement à comparer tous les emplois d'une entreprise (comparaison entre les familles d'emplois). Il appartient aux employeurs de s'assurer que la rémunération relative de tous les emplois — qu'ils soient à prédominance féminine, à prédominance masculine ou neutres — est cohérente, de manière que l'équité globale — que plusieurs qualifient de « relativité salariale » — existe entre tous les emplois au sein d'un établissement.

Ce chapitre définit d'abord le principe de l'équité salariale, puis il traite de son importance et de ses particularités par rapport à l'équité en emploi. Il décrit ensuite l'évolution de la législation concernant la discrimination sur le plan de la gestion de la rémunération au Canada. La Loi sur l'équité salariale du Québec ainsi que la démarche type de la Commission de l'équité salariale du Québec y sont présentées. Nous insistons en outre sur l'obligation du maintien de l'équité salariale, stade où se trouvent un grand nombre d'entreprises. Après avoir exposé les avantages et les inconvénients d'une législation de nature proactive en matière d'équité salariale, le chapitre traite des préoccupations visant l'élimination de la discrimination basée sur le sexe dans le processus d'analyse et d'évaluation des emplois, ainsi que dans la détermination et la gestion des salaires. Finalement, il examine les conditions de succès d'une démarche d'équité salariale.

FIGURE 6.1

REPRÉSENTATION SCHÉMATIQUE DES PRINCIPALES FORMES D'ÉQUITÉ EN MATIÈRE DE GESTION DE LA RÉMUNÉRATION

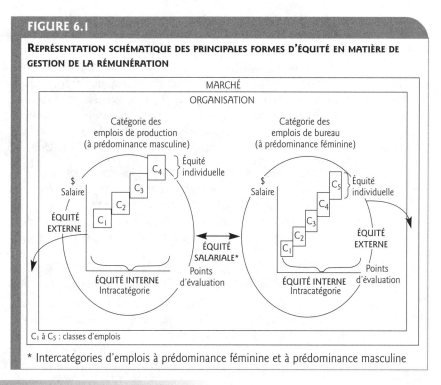

C_1 à C_5 : classes d'emplois

* Intercatégories d'emplois à prédominance féminine et à prédominance masculine

6.1 Les écarts salariaux entre les hommes et les femmes et la discrimination systémique

On estime l'inégalité salariale liée au sexe en comparant le salaire moyen des femmes avec celui des hommes. Quoique les enquêtes montrent que les écarts salariaux entre hommes et femmes diminuent lentement depuis quelques années, ils subsistent encore aujourd'hui.

Au Québec, selon une étude présentée par le Comité aviseur Femmes en développement de la main-d'œuvre, l'égalité socioéconomique entre les femmes et les hommes n'est toujours pas atteinte (*La Presse*, 2005). Ce comité souligne que la présence des femmes sur le marché du travail n'a pas cessé de croître, passant de 37,4 % à 54,6 % entre 1976 et 2003. À l'école, les femmes constituent maintenant la majorité des étudiants du secondaire, du collégial et du baccalauréat. Or, en 2004, les femmes gagnaient 83,4 % du salaire horaire moyen des hommes, soit le même rapport qu'en 1998. Il ressort aussi que les femmes cadres supérieures gagnent 63 % du salaire des cadres de sexe masculin et qu'elles ne forment que 22 % de l'ensemble des cadres supérieurs.

Au Canada, l'ampleur des écarts salariaux entre les femmes et les hommes serait moins grande qu'aux États-Unis si l'on restreint la comparaison aux femmes et aux hommes syndiqués (soit 89 % selon Akyeampong, 1998) ou encore aux femmes et aux hommes travaillant dans le secteur public. Baker et Fortin (1999) attribuent les écarts salariaux plus bas entre les emplois féminins et les emplois masculins au fait qu'au Canada les emplois féminins (par exemple, les enseignantes, les infirmières) ont un taux de syndicalisation plus élevé qu'aux États-Unis et au fait que le secteur public canadien, dans lequel de nombreux postes sont occupés par des femmes, offrent de meilleures conditions salariales qu'aux États-Unis.

Au Québec, les gains des femmes travaillant à temps plein toute l'année équivalaient à 73 % ceux des hommes en 1997 (Statistique Canada, 2000). Au Canada, les données du Recensement canadien de 1996 montrent que les femmes sont majoritaires dans la presque totalité des 10 professions les moins rémunérées, et minoritaires dans les 10 professions les mieux rémunérées (Statistique Canada, 1998).

BULLETIN$ 6.1

Aux États-Unis, une enquête menée en 2003 par la National Association for Female Executives (NAFE) montre que les femmes gagnent 76 cents pour chaque dollar gagné par les hommes. En moyenne, les femmes gagnent 10 000 $ de moins que les hommes occupant des emplois identiques, ce qui représente plus de 400 000 $ de moins de gains au cours d'une vie professionnelle.

Source : Adapté de WorldatWork (2005).

Une enquête effectuée en 2001 par la National Society of Professional Engineers (NSPE) révèle que les ingénieures gagnent juste 71 % de la médiane de revenu de leurs collègues masculins.

Source : Adapté de WorldatWork (2001a).

Une enquête menée par Sales & Marketing Management Magazine *indique que la rémunération annuelle moyenne des hommes cadres s'élève à 120 187 $, alors qu'elle est de 83 923 $ pour les femmes cadres ; l'écart reste grand même lorsque l'on compare le titre du poste, l'expérience de travail et l'âge.*

Source : Adapté de WorldatWork (2001b).

Plusieurs facteurs et acteurs ont contribué à créer et à maintenir les écarts salariaux existant entre les femmes et les hommes : les syndicats, l'État, les préjugés et les stéréotypes, les professionnels de la rémunération et les consultants en rémunération. Ainsi, historiquement, les syndicats ont davantage représenté et protégé les emplois à prédominance masculine (comme les cols bleus) que les emplois à prédominance féminine (comme les employées de bureau). Cette situation a contribué à augmenter les écarts salariaux entre les femmes et les hommes.

Dans le passé, l'État a aussi favorisé la discrimination salariale basée sur le sexe en adoptant une loi sur le salaire minimum selon laquelle le travail des femmes était égal aux deux tiers du travail des hommes et en proposant des guides de classification des emplois accordant peu de considération aux exigences des emplois féminins (Sorensen, 1994). Par ailleurs, de nombreux préjugés et stéréotypes ont traditionnellement véhiculé des valeurs telles que les suivantes :

– les compétences liées aux emplois féminins (patience, attention, aptitudes pour les relations interpersonnelles, etc.) seraient innées et non pas acquises avec l'apprentissage ou l'expérience, puisque ce travail consiste à effectuer des tâches semblables aux activités des femmes dans l'univers domestique et familial (comme la garde et l'éducation des enfants, le soin des personnes, l'entretien ménager ou les travaux légers) ;

– les emplois féminins seraient peu exigeants sur le plan des efforts physiques et seraient associés à des conditions de travail plutôt agréables et des responsabilités moindres ;

– les femmes, notamment les mères de famille, gagneraient un salaire d'appoint et seraient donc moins engagées dans leur travail. Ce préjugé désapprouve le travail rémunéré des femmes, car on juge que la place des femmes mariées ayant des enfants se trouve à la maison. Jusqu'en 1955, les femmes qui travaillaient pour le gouvernement du Canada étaient d'ailleurs obligées de démissionner lorsqu'elles se mariaient.

Les concepteurs des systèmes d'évaluation des emplois — tant les professionnels de la rémunération que les consultants — ont également contribué au maintien et au renforcement des inégalités salariales. Ainsi, la pratique traditionnelle de détermination des salaires selon les « salaires du marché » perpétue les inégalités présentes sur le marché. Par ailleurs, quelle que soit la méthode retenue, l'évaluation des emplois est essentiellement subjective, puisqu'elle repose sur un système de valeurs et s'appuie initialement sur des méthodes élaborées entre le milieu des années 1930 et le milieu des années 1960. En effet, les valeurs dominantes de l'époque avantageaient le travail masculin et ignoraient ou sous-estimaient les caractéristiques propres au travail féminin, moins fréquent à l'époque.

Par ailleurs, la neutralité d'un système d'évaluation des emplois dépend du jugement porté sur les critères mesurés, de la façon dont ces critères sont mesurés, des personnes qui les mesurent, de celles qui participent au processus et de la manière dont les facteurs sont pondérés. Un système d'évaluation des emplois n'est donc pas neutre en tout temps ni en toutes circonstances. Les décisions inhérentes à l'évaluation des emplois sont fondamentalement subjectives et peuvent être faussées sous de nombreux rapports. Voici certains types d'erreurs qu'on y observe :

– l'*erreur liée à la disponibilité de l'information*, c'est-à-dire la tendance des évaluateurs à ne considérer que l'information qu'ils se rappellent le plus facilement ;

- l'*erreur liée à l'effet de halo,* soit la tendance des évaluateurs à juger la valeur d'un emploi uniquement à partir d'une ou de certaines de ses exigences ;
- l'*erreur liée aux attentes,* à savoir la tendance des évaluateurs à ne tenir compte que de l'information qui se révèle conforme à leurs propres attentes.

De tels facteurs ne sont pas nécessairement conscients, mais ils peuvent avoir un effet discriminatoire. Par exemple, l'erreur liée à la disponibilité de l'information est susceptible de favoriser les emplois occupés par les hommes parce que les évaluateurs sont portés à retenir les facteurs traditionnels d'évaluation des emplois, qui leur viennent plus facilement à l'esprit. Par ailleurs, l'erreur liée à l'effet de halo fera en sorte que certaines caractéristiques davantage présentes dans les emplois féminins soient peu reconnues, et donc peu payées (comme le soin des personnes, l'éducation ou le nettoyage).

Les salaires actuellement versés pour les emplois sur le marché représentent une autre source potentielle de distorsion dans l'évaluation des emplois (Grams et Schwab, 1985 ; Schwab et Grams, 1985 ; Mount et Ellis, 1985 ; Bergeron, 1990 ; Rynes *et al.,* 1989). À titre indicatif, Grams et Schwab ont montré que la connaissance du salaire explique jusqu'à 40 % de la variation des résultats d'évaluation des emplois. Ainsi, il est possible que les emplois dont les titulaires sont majoritairement des femmes soient jugés moins exigeants parce qu'ils sont actuellement moins bien payés. On tombe alors dans un cercle vicieux : un emploi est jugé moins exigeant parce qu'il est moins bien payé et on lui accorde un salaire moins élevé parce qu'il est jugé moins exigeant. Aussi ne peut-on sortir de ce cercle vicieux qu'en portant une plus grande attention aux critères d'évaluation des emplois et à la manière de définir et de pondérer ces critères.

Dans la mesure où l'évaluation des emplois laisse la place aux préjugés et à la discrimination systémique, elle peut expliquer en partie l'écart entre les salaires des femmes et ceux des hommes sur le marché du travail. C'est principalement cette cause des écarts salariaux que les lois proactives tentent d'éliminer en matière d'équité salariale.

6.2   La législation canadienne visant à contrer la discrimination salariale entre les hommes et les femmes

6.2.1   L'évolution des principes légaux

Au Canada, la législation visant à contrer la discrimination salariale basée sur le genre s'est élaborée en quatre étapes : le salaire égal pour un travail égal, le salaire égal pour un travail similaire, le salaire égal pour un travail équivalent et la législation proactive en matière d'équité salariale.

La première étape énonce le principe du *salaire égal pour un travail égal*. Au fédéral, la première loi sur l'égalité salariale pour les femmes a été votée en 1956, mais elle a été abrogée par la suite. Certaines provinces du Canada ont eu un tel type de législation pendant quelque temps. Cependant, aucune des provinces n'impose présentement une telle loi, puisqu'elles ont toutes une loi relevant d'une des étapes subséquentes. La deuxième étape, qui énonce le principe du *salaire égal pour un travail similaire* (pensons, par exemple, aux emplois de concierge et de « femme » de ménage), a été franchie en 1970 avec l'adoption du Code canadien du travail et a été appliquée par la plupart des provinces au cours des années suivantes. À l'époque, le Code canadien du travail prescrivait ceci :

Nul employeur ne doit établir ou maintenir des différences de salaires entre les employés de sexe masculin et de sexe féminin, travaillant dans le même établissement industriel, qui accomplissent, dans les mêmes conditions de travail ou dans des conditions analogues, le même travail ou un travail analogue dans l'exécution d'emplois nécessitant les mêmes qualifications, le même effort et la même responsabilité ou des qualifications, un effort et une responsabilité analogues.

La troisième étape repose sur le principe que le *salaire doit être égal pour un travail équivalent ou de valeur égale*. Ici, il est possible de comparer des emplois de nature différente, tels que ceux de secrétaire et de chauffeur de camion, et de s'attendre à ce que le même salaire soit offert s'ils sont jugés de valeur équivalente.

Notons que les trois premières étapes correspondent à des lois qui adoptent comme prémisse que la discrimination constitue l'exception (discrimination *volontaire* ou *intentionnelle*). Selon cette prémisse, un employé qui se croit victime de discrimination doit porter plainte et faire la preuve que son employeur est coupable, ce dernier étant présumé innocent. De telles lois (comme la Charte des droits et libertés de la personne du Québec) ont eu une portée limitée étant donné que peu d'employés, qui sont victimes de discrimination salariale, portent plainte puisque l'établissement d'une preuve requiert notamment du temps, de l'argent et du courage.

La quatrième étape, l'*équité salariale,* repose sur une tout autre prémisse : la discrimination constitue la règle étant donné qu'elle est systémique et les employeurs doivent donc démontrer leur innocence. Selon Chicha (2000a, b), une discrimination systémique correspond à une situation d'inégalité cumulative et dynamique résultant de l'interaction, sur le marché du travail, de pratiques, de décisions ou de comportements, individuels ou institutionnels, ayant des effets préjudiciables, voulus ou non, sur les membres d'un groupe particulier, dans le cas de La loi sur l'équité salariale, les femmes.

On qualifie souvent cette loi de « proactive » parce qu'elle oblige les employeurs à examiner leurs pratiques salariales afin de démontrer qu'il n'y a pas de traitement discriminatoire des emplois à prédominance féminine par rapport aux emplois à prédominance masculine et à mettre fin à toute forme de discrimination. En somme, la loi vise à éliminer une cause potentielle des écarts salariaux existant entre les femmes et les hommes, soit la discrimination basée sur le sexe dans la détermination des salaires, principalement dans le processus d'analyse et d'évaluation des emplois et dans le processus d'attribution des avantages sociaux et de la rémunération variable (comme les primes).

6.2.2 La législation canadienne

Après avoir décrit l'évolution des principes légaux visant à contrer la discrimination basée sur le sexe dans la détermination de la rémunération, nous résumerons les principes qui régissent les diverses lois canadiennes sur le sujet.

6.2.2.1 La législation fédérale

Au Canada, la fonction publique fédérale, les sociétés d'État et les entreprises privées dans les secteurs de compétence fédérale (c'est-à-dire les transports, les télécommunications, les banques ainsi que toute autre entreprise réglementée par le gouvernement fédéral) doivent respecter la Loi canadienne sur les droits de la personne, adoptée en 1977, qui interdit la discrimination salariale entre les hommes et les femmes qui exécutent des fonctions équivalentes (article 11). Cette loi, qui concerne environ 10 % de la main-d'œuvre canadienne, repose sur un système de plaintes individuelles ou collectives effectuées auprès de la Commission des droits de la personne, qui, si elle juge une plainte recevable, procédera à une enquête. Si cette enquête l'amène à conclure qu'il y a discrimination salariale, la Commission recommandera à l'employeur de corriger la situation. Si ce dernier s'y refuse, le cas sera transmis à un conciliateur ou au Tribunal des droits de la personne, dont la décision peut être portée en appel.

6.2.2.2 La législation provinciale

Au Canada, les lois provinciales visant à contrer la discrimination dans la détermination des salaires ont évolué au cours des 30 dernières années selon trois grandes vagues.

La première vague date de la fin des années 1970. En 1975, le Québec adopte une loi visant à accorder un salaire égal dans le cas d'un travail de valeur équivalente. En effet, la discrimination salariale basée sur le sexe y devient illégale en vertu de l'article 19 de la Charte des droits et libertés de la personne :

Tout employeur doit, sans discrimination, accorder un traitement ou un salaire égal aux membres de son personnel qui accomplissent un travail équivalent au même endroit. Il n'y a pas de discrimination si une différence de traitement ou de salaire est fondée sur l'expérience, l'ancienneté, la durée du service, l'évaluation au mérite, la quantité de production ou les heures supplémentaires, si ces critères sont communs à tous les membres du personnel.

En 1977, le gouvernement fédéral adopte la Loi canadienne sur les droits de la personne, qui interdit, entre autres, la discrimination salariale entre les hommes et les femmes qui exécutent des fonctions équivalentes. Cette disposition s'applique aux employeurs relevant de la compétence fédérale, y compris dans les territoires.

La deuxième vague correspond à la période 1985-1990, au cours de laquelle le plus grand nombre de lois sont adoptées par des provinces. À titre d'exemple, en 1985, le Manitoba s'avère la première province à adopter une loi à caractère proactif (Loi sur l'égalité des salaires), qui oblige les employeurs et les syndicats du secteur public à négocier un système d'évaluation des emplois. En 1985, le territoire du Yukon adopte une loi stipulant qu'il est discriminatoire pour un employeur d'établir ou de maintenir une disparité salariale entre les employés qui effectuent un travail de valeur égale, si la disparité est fondée sur l'un ou l'autre des motifs de distinction illicite (le sexe étant l'un d'entre eux). En 1987, l'Ontario est la première province à adopter une législation proactive qui s'applique à la fois au secteur public et au secteur privé (employeurs ayant plus de 10 employés). En 1988, l'Île-du-Prince-Édouard et la Nouvelle-Écosse adoptent un texte législatif proactif qui s'applique au secteur public seulement. En 1988, Terre-Neuve ajoute des dispositions dans son *Human Rights Code* visant à interdire aux employeurs du secteur public de maintenir des écarts de rémunération entre travailleurs et travailleuses qui « effectuent, dans des conditions de travail identiques ou similaires, un travail identique ou similaire nécessitant des compétences, des efforts et des responsabilités identiques ou similaires ». Notons toutefois qu'il existe un écart entre la loi et la pratique dans cette province, puisqu'elle a choisi de recourir au processus de négociation collective pour la mise en œuvre de l'équité salariale et qu'elle a annulé en 1991 et 1992 tout versement rétroactif de rajustement au titre de l'équité salariale (voir la *Public Sector Restraint Act*). En 1989, le Nouveau-Brunswick adopte une loi proactive, la Loi sur l'équité salariale, qui oblige les employeurs du secteur public et leurs agents négociateurs à négocier et à conclure un accord sur le processus de mise en œuvre de l'équité salariale.

La troisième vague de lois visant à lutter contre la discrimination dans la détermination des salaires porte sur les lois adoptées plus récemment, soit entre 1995 et 2000. À titre d'exemple, en 1995, la Colombie-Britannique adopte le *Public Sector Employers' Council Pay Equity Policy Framework*, une politique proactive qui oblige tous les employeurs du secteur public à élaborer des plans d'équité salariale avec chaque unité de négociation ou chaque représentant des employés dans un lieu de travail non syndiqué. En 2001, cette province a modifié la loi afin d'étendre le principe de l'équité salariale aux municipalités et au secteur privé, mais un nouveau gouvernement a par la suite abrogé ces dernières modifications. En 1995, l'Île-du-Prince-Édouard adopte la *Pay Equity Act,* qui, entre autres, élimine l'obligation d'appliquer l'équité salariale. En 1996, le Québec adopte la Loi sur l'équité salariale, une loi proactive qui s'applique aux employeurs du secteur privé comptant au moins 10 employés ainsi qu'à tous les employeurs du secteur public. Les employeurs du secteur privé comptant moins de 10 employés restent assujettis à la Charte des droits et libertés de la personne. En 1997, la Saskatchewan adopte l'*Equal Pay for Work of Equal Value and Pay Equity Policy Framework,* qui établit des normes minimales pour la mise en œuvre de l'équité salariale dans le secteur public.

En résumé, le Canada s'avère l'unique pays du monde où certaines lois provinciales supposent que les employeurs du secteur privé (non seulement du secteur public) sont *a priori* coupables de discrimination basée sur le sexe en matière salariale. Par ailleurs, malgré le fait que certaines lois provinciales se réfèrent au même principe (qui consiste à assurer un salaire égal pour un travail similaire, équivalent ou de valeur égale ou à rechercher l'équité salariale par le biais d'une loi de nature proactive), elles ne prescrivent pas nécessairement les mêmes moyens, processus ou règles pour veiller à l'application du principe (par exemple, l'établissement d'un plan, la mise sur pied de comités d'équité salariale, la fixation d'échéances, la communication, le versement des rajustements). Aussi, il appartient aux employeurs de consulter les sites des organismes législatifs visés pour connaître les particularités de chaque province canadienne en la matière. Fort de son expérience, le gouvernement du Canada a aussi institué, en 2001, un Groupe de travail sur l'équité salariale (http://www.justice.gc.ca/fr/payeqsal/) dont le mandat est de passer en revue les lois sur l'équité salariale au niveau fédéral afin d'analyser la manière dont l'équité salariale est mise en œuvre dans le monde du travail d'aujourd'hui.

6.2.3   L'équité salariale et l'équité en emploi : distinctions et similarités

Des chercheurs (Haberfeld *et al.,* 1998 ; Gunderson, 1985 ; Robb, 1987 ; Sorensen, 1994) ont montré que près de 70 % à 80 % des écarts salariaux entre les hommes et les femmes s'expliquait par certaines différences entre les hommes et les femmes : ils tendent à travailler pour des employeurs ayant des caractéristiques distinctes (la taille, l'industrie, etc.) ; ils occupent des postes ayant des exigences différentes ; ils adoptent des comportements différents au travail (l'absentéisme, le roulement, le rendement, etc.) ; ils ont des profils de compétences différents (la scolarité, l'ancienneté, la qualification, etc.) ; ils sont représentés différemment par les syndicats. Le reste de cet écart, soit de 20 % à 30 %, serait attribuable à la *discrimination systémique en emploi,* et de cette proportion 10 % de l'écart serait dû à la *discrimination systémique dans la gestion des salaires.*

Les lois sur l'équité salariale et sur l'équité en emploi ont une finalité commune, à savoir réduire l'écart de rémunération entre les hommes et les femmes qui est dû à plusieurs facteurs. Toutefois, elles prônent des moyens à la fois différents et complémentaires pour réduire cet écart. D'une part, l'équité salariale s'appuie sur le principe qu'une revalorisation des exigences des emplois à prédominance féminine entraînera pour les femmes des hausses de salaires qui réduiront l'écart historique entre la rémunération accordée aux femmes et la rémunération accordée aux hommes. L'équité salariale s'attaque donc à la *sous-évaluation* des exigences des emplois à prédominance féminine, afin d'améliorer les salaires attribués aux emplois occupés majoritairement par les femmes, notamment dans les « ghettos » d'emplois féminins, tels que les emplois de secrétaires, de caissières, d'infirmières ou de couturières. Cela explique pourquoi les lois en matière d'*équité salariale* traitent de l'adoption de *programmes d'équité salariale* visant à faire en sorte qu'au sein des entreprises la rémunération accordée à des emplois à prédominance féminine de valeur X soit équivalente à la rémunération accordée à des emplois à prédominance masculine de valeur X et que des corrections soient apportées uniquement aux emplois à prédominance féminine. Sur ce point, soulignons que la Loi sur l'équité salariale ne concerne que l'effet du sexe — et non celui de l'appartenance à une minorité visible — sur la gestion des salaires (Anderson *et al.,* 2003).

D'autre part, l'équité en emploi vise à permettre aux femmes, qui le désirent et qui en ont les aptitudes, d'avoir accès aux emplois où elles sont très peu représentées et qui sont mieux payés afin de réduire les écarts salariaux entre les hommes et les femmes. Ainsi, l'équité en emploi s'attaque à la *sous-représentation* des groupes protégés — dont les femmes — dans certaines catégories d'emplois (cadres supérieurs, emplois de production et d'entretien, ingénieurs, informaticiens, plombiers, conducteurs de poids lourds, etc.). Cela explique pourquoi la législation en matière d'*équité en emploi* traite de l'adoption de *programmes d'accès à l'égalité.* Ces derniers visent la représentation équitable des membres de quatre groupes « protégés » — les femmes, les membres de diverses communautés ethniques, les autochtones et les handicapés — et la suppression de la discrimination dans le système d'emploi (recrutement, sélection, promotion, formation, mutation, etc.). Au Canada, une étude (Leck *et al.,* 1995) a montré que, par suite de l'adoption de programmes d'équité en emploi, les écarts entre les salaires de quatre groupes (femmes, minorités visibles, autochtones, handicapés) et ceux des hommes de race blanche se sont graduellement réduits sur la période de cinq ans étudiée.

En conclusion, les programmes d'équité salariale et les programmes d'équité en emploi ou d'accès à l'égalité peuvent être utilisés simultanément et de manière complémentaire pour contrer la discrimination systémique basée sur le sexe et réduire les écarts salariaux entre les hommes et les femmes sur le marché du travail.

BULLETIN$ 6.2

Selon une étude du U.S. Census Bureau, menée en 2002, 16 % des hommes âgés de plus de 15 ans qui travaillaient à temps plein en 2001 gagnaient au moins 75 000 $ (US), comparativement à 6 % des femmes ayant les mêmes caractéristiques. L'étude indique aussi que 20 % des hommes gagnaient entre 50 000 $ et 75 000 $, comparativement à 12 % des femmes. Sur le plan de l'emploi, les femmes ont toutefois fait des progrès : en effet, 34 % des femmes de plus de 16 ans qui travaillaient à temps plein occupaient un emploi de professionnelle ayant une expertise, de cadre ou de dirigeante, comparativement à 30 % des hommes ayant les mêmes caractéristiques.

Source : Traduit et adapté de WorldatWork (2003).

6.3   La démarche de la Commission de l'équité salariale du Québec

Le 21 novembre 1997, la Loi sur l'équité salariale du Québec entrait en vigueur. Comme l'indique l'article 1, cette loi a pour objet de corriger les écarts salariaux dus à la discrimination systémique fondée sur le sexe à l'égard des personnes qui occupent des emplois dans les catégories d'emplois à prédominance féminine. Cette loi porte sur toutes les entreprises du Québec comptant 10 salariés et plus, tant dans le secteur privé que dans le secteur public, que les syndicats y soient implantés ou non. Les entreprises qui comptent moins de 10 salariés doivent respecter le type d'équité salariale prôné par la Charte des droits et libertés de la personne. Mentionnons aussi que cette loi ne s'applique pas aux entreprises qui relèvent de la compétence fédérale, comme les banques et les entreprises de télécommunications.

La Commission de l'équité salariale du Québec administre les diverses dispositions de la loi. Elle assiste les personnes ou les groupes visés dans leur démarche d'équité salariale, conformément à la loi, par exemple en publiant des documents de vulgarisation et des guides d'application de la loi (voir http://www.ces.gouv.qc.ca/). La Commission est aussi responsable du traitement des différends et des plaintes des salariés et des employeurs ainsi que des enquêtes visant à favoriser un règlement entre les parties. Le ministre du Travail est responsable de l'application de la loi et le Tribunal du travail doit entendre et régler toute demande portant sur le sujet.

Selon la loi, l'élaboration d'un programme d'équité salariale comporte quatre étapes : la détermination des catégories d'emplois à prédominance féminine et des catégories d'emplois à prédominance masculine au sein de l'entreprise ; le choix de la méthode et des outils d'évaluation des catégories d'emplois et de la démarche d'évaluation ; l'évaluation et la comparaison des catégories d'emplois, l'estimation des écarts de rémunération et le calcul des rajustements ; la détermination des modalités de versement des rajustements. Dans cette section, nous présentons succinctement le processus d'établissement de l'équité salariale dans l'ordre des activités suivantes :

1. déterminer le nombre de salariés et les obligations des employeurs ;

2. déterminer le nombre de programmes d'équité salariale ;

3. déterminer la composition et les rôles du comité d'équité salariale ;

4. déterminer les catégories d'emplois à prédominance féminine et les catégories d'emplois à prédominance masculine dans l'entreprise (la première étape d'un programme d'équité salariale, selon la loi) ;

5. choisir la méthode et les outils d'évaluation des catégories d'emplois et élaborer une démarche d'évaluation (la deuxième étape d'un programme d'équité salariale, selon la loi) ;

6. afficher les résultats de la détermination des catégories d'emplois, du choix de la méthode, des outils et de la démarche d'évaluation ;

7. évaluer les catégories d'emplois (la troisième étape d'un programme d'équité salariale, selon la loi) ;

8. estimer les écarts et les rajustements salariaux ;

9. définir les modalités de versement des rajustements salariaux et afficher les résultats ;

10. verser les rajustements salariaux ;

11. maintenir l'équité salariale.

Les lecteurs désireux d'obtenir plus de détails sur ces différentes étapes peuvent consulter divers ouvrages (par exemple, Brière *et al.*, 2000 ; Chicha, 2000a, b ; Lavoie et Trudel, 2001) de même que le site Web et les divers documents de la Commission de l'équité salariale du Québec (http://www.ces.gouv.qc.ca/).

BULLETIN$ 6.3

En 2002, L.L. Lozeau, un magasin de la rue Saint-Hubert à Montréal, a élaboré un système d'évaluation de ses emplois afin de se conformer à la Loi sur l'équité salariale du Québec et de convaincre les meilleurs vendeurs de venir travailler chez lui comme son nombre d'employés est appelé à passer de 134 à 160 employés. Le système classe les postes en huit catégories et établit les salaires en fonction de différents critères comme la scolarité, l'expérience dans la vente ou les responsabilités.

Source : Adapté de Vallerand (2002).

Le chapitre IX de la loi, intitulé « Dispositions applicables aux programmes d'équité salariale ou de relativité salariale complétés ou en cours », permettait aux employeurs du secteur public et parapublic ainsi qu'aux employeurs du secteur privé de satisfaire à leurs obligations en faisant valoir un programme d'équité ou de relativité salariale amorcé avant l'adoption de la loi en novembre 1996. Pour ces derniers, il s'agissait alors de déposer à la Commission de l'équité salariale du Québec, avant le 21 novembre 1998, un rapport à cet égard (articles 119 et 120) afin d'obtenir son approbation. Notons que ce rapport devait être affiché dans l'entreprise et, s'il y avait lieu, remis à l'association accréditée représentant les salariés.

En décembre 2000, la Commission approuvait ainsi l'ensemble du programme de relativité salariale, à l'exception du mode d'estimation des écarts salariaux, que le Conseil du Trésor avait signé dans les années 1980. En 2002, Chicha estimait qu'environ 160 employeurs se sont prévalus, avant le 21 novembre 1998, du régime d'exception du chapitre IX (par exemple, Université Concordia, HEC Montréal, Fédération des caisses Desjardins, Métro-Richelieu, Zellers, IBM, Reynolds, Standard Life, Bayer, Provigo, General Motors). Plusieurs de ces demandes d'exception ont été approuvées par la Commission ; ces organisations ayant satisfait aux exigences de la loi étaient considérées comme se trouvant à l'étape du maintien de l'équité salariale. Toutefois, rappelons que dans sa décision du 9 janvier 2004, la Cour supérieure du Québec invalidait les dispositions du chapitre IX de la Loi sur l'équité salariale, la dérogation permise étant jugée inconstitutionnelle parce que contraire aux chartes canadienne et québécoise relatives aux droits de la personne. Ainsi, certains employeurs — ceux qui étaient visés par les requêtes judiciaires et le jugement de la Cour — devaient réaliser un nouvel exercice d'équité salariale conformément aux dispositions de la Loi sur l'équité salariale.

6.3.1 Déterminer le nombre de salariés et les obligations des employeurs

Au sens de la Loi sur l'équité salariale du Québec, une personne salariée est un employé qui exécute un travail sous la direction d'un employeur, moyennant rémunération. Cette loi s'applique au personnel à temps plein, à temps partiel, occasionnel, régulier ou temporaire, mais elle ne concerne pas certaines catégories de personnel, notamment les cadres supérieurs, les stagiaires, les travailleurs autonomes, les policiers, les pompiers et les étudiants qui travaillent pendant les vacances ou l'année scolaire. Les obligations légales des employeurs sont établies selon la taille des entreprises (voir le tableau 6.1). Le nombre de salariés correspond à la moyenne du nombre de salariés au cours des 12 mois précédant l'entrée en vigueur de la loi, qui a eu lieu le 21 novembre 1997.

TABLEAU 6.1

LES PRINCIPAUX ÉLÉMENTS DE LA LOI SUR L'ÉQUITÉ SALARIALE DU QUÉBEC

A. La modulation des obligations de l'employeur selon la taille de l'entreprise

Nombre de salariés	Programmes d'équité salariale	Comités d'équité salariale	Affichage des résultats	Versement des rajustements salariaux
100 ou plus	✓	✓	✓	✓
De 50 à 99	✓	Au choix de l'employeur	✓	✓
De 10 à 49	Au choix de l'employeur	Au choix de l'employeur	✓	✓

B. Les programmes d'équité salariale : règle et exception

Règle générale	Un seul programme d'équité salariale applicable à l'ensemble de l'entreprise.
Première exception	Possibilité de plusieurs programmes distincts : 1. si des disparités régionales le justifient ; 2. sur la demande d'une association accréditée ; 3. après entente entre l'employeur et une association accréditée.
Deuxième exception	Possibilité de programmes conjoints : avec l'accord des comités d'équité salariale de chacune des entreprises.

C. Le contenu d'un programme d'équité salariale

1.	Détermination, au sein de l'entreprise, des catégories d'emplois à prédominance : *a)* féminine ; *b)* masculine.
2.	*a)* Description de la méthode et des outils d'évaluation de ces catégories d'emplois ; *b)* élaboration d'une démarche d'évaluation.
3.	*a)* Évaluation de ces catégories d'emplois ; *b)* comparaison des catégories d'emplois entre elles ; *c)* estimation des écarts salariaux ; *d)* calcul des rajustements salariaux.
4.	Établissement des modalités de versement des rajustements salariaux.

TABLEAU 6.1 (*suite*)

D. La composition d'un comité d'équité salariale

Représentants des salariés	Représentants de l'employeur
MINIMUM : 2 dont au moins une femme MAXIMUM : 12 dont au moins 6 femmes	MINIMUM : 1 MAXIMUM : 6
• 2/3 REPRÉSENTANT LES SALARIÉS :	• 1/3 REPRÉSENTANT L'EMPLOYEUR :
– 50 % de femmes ;	– aucune spécification dans la loi quant à leur désignation.
– désignés par l'association accréditée ou, à défaut, par l'ensemble des salariés non syndiqués ;	
– cas particulier : s'il y a plus d'une association accréditée ou pour certains salariés non syndiqués ;	
– de manière à favoriser une représentation des principales catégories d'emplois à prédominance féminine et à prédominance masculine.	

Source : Adapté de Sabourin (1999, p. 32-35).

Les entreprises comptant entre 10 et 49 salariés doivent déterminer si des rajustements salariaux sont nécessaires (obligation de résultat) pour offrir une rémunération équitable dans les catégories d'emplois à prédominance féminine. Toutefois, elles ne sont pas tenues d'instituer un comité d'équité salariale ni d'élaborer un programme d'équité salariale. Ainsi, comme le législateur ne les contraint qu'à déterminer et à accorder les rajustements, le cas échéant, sans obligation d'information, de participation et de formation du personnel, l'impact de la loi sur les petites entreprises — pour lesquelles travaillent pourtant une grande proportion des femmes sur le marché du travail — risque d'être faible. En réponse à cette limite, le ministre du Travail a commandé un rapport portant sur la mise en œuvre de la Loi sur l'équité salariale dans les entreprises comptant de 10 à 49 personnes salariées. Le cas présenté au début de ce chapitre reprend le rapport sommaire que le ministre du Travail a déposé le 21 novembre 2002 à l'Assemblée nationale.

Les employeurs dont l'entreprise compte entre 50 et 99 salariés doivent élaborer un programme d'équité salariale applicable à l'ensemble de leur entreprise, mais ils ne sont pas tenus de mettre sur pied un comité d'équité salariale. À la demande d'une association accréditée, un programme distinct pour le personnel syndiqué doit être établi conjointement par l'employeur et le syndicat. Les étapes de l'élaboration du programme d'équité salariale correspondent alors à celles qui sont prescrites pour les entreprises comptant 100 salariés et plus (voir les obligations imposées à un comité d'équité salariale au chapitre IV de la loi, article 32).

Finalement, les employeurs dont l'entreprise compte 100 salariés et plus doivent établir un seul programme d'équité salariale regroupant le personnel syndiqué et le personnel non syndiqué et instituer un comité d'équité salariale (article 10, alinéa 1). Toutefois, la loi prévoit trois cas où l'employeur peut établir plus d'un programme (article 10, alinéa 2, et article 11, alinéas 1 et 2) : la disparité régionale des établissements d'un même employeur, l'affiliation des salariés à une ou plusieurs associations accréditées chez un même employeur et l'existence de plusieurs établissements chez un même employeur.

Ainsi, sur la demande d'une association accréditée, l'employeur doit établir un programme et un comité d'équité salariale distincts pour le personnel syndiqué. L'article 52 limite toutefois l'utilisation d'un programme distinct en précisant que lorsqu'il y a établissement de plus d'un programme dans une entreprise et qu'aucune catégorie d'emplois à prédominance masculine n'a été désignée dans le cadre d'un programme, la comparaison des catégories d'emplois à prédominance féminine visées par ce programme doit être effectuée avec l'ensemble des catégories d'emplois à prédominance masculine de l'entreprise.

6.3.2 Déterminer le nombre de programmes d'équité salariale

En matière d'équité salariale, l'esprit de la Loi sur l'équité salariale du Québec vise l'élaboration d'un seul programme d'équité salariale par entreprise. D'ailleurs, l'article 10 de la loi stipule que « l'employeur dont l'entreprise compte 100 personnes salariées et plus doit établir un programme d'équité salariale applicable à l'ensemble de son entreprise ». Toutefois, la loi précise qu'il est permis d'établir plus d'un programme d'équité salariale chez un même employeur dans certaines situations : lorsque des disparités régionales le justifient, lorsqu'une association accréditée qui représente des salariés de l'entreprise en fait la demande et lorsque l'employeur et une association accréditée conviennent de mettre sur pied des programmes distincts applicables aux salariés dans un ou plusieurs établissements de l'entreprise (articles 10 et 11).

La possibilité pour un employeur d'adopter plus d'un programme d'équité salariale peut être considérée comme incompatible avec l'objectif de l'équité salariale (Chicha, 1997, 1998a, b ; David-McNeil et Sabourin, 1998). En effet, les unités d'accréditation reflètent souvent une ségrégation des emplois basée sur le sexe (par exemple, le syndicat des employés de bureau et le syndicat des cols bleus) et disposent d'un pouvoir de négociation différent qui a justement contribué à créer les écarts salariaux entre les hommes et les femmes.

La possibilité d'établir autant de programmes d'équité salariale que d'affiliations syndicales est susceptible de mener à la réalisation de plusieurs programmes d'équité salariale chez le même employeur avec un résultat indésirable et incohérent quant à l'esprit de la loi : celui d'accorder des rajustements réduits pour les emplois du syndicat à majorité féminine qui doivent se comparer d'abord à l'intérieur de leur unité d'accréditation. Par ailleurs, des employeurs sont aussi d'avis qu'il est approprié d'avoir différents programmes lorsque les employeurs opèrent dans différentes industries (différents produits et/ou services) et embauchent une main-d'œuvre différente travaillant dans des systèmes de production différents.

Cependant, la loi précise également que l'adoption de programmes distincts n'est pas permise lorsque aucune catégorie d'emplois à prédominance masculine ne peut être désignée dans le cadre d'un programme. Dans ce cas, l'employeur doit élaborer un seul programme, de manière à permettre la comparaison des catégories d'emplois féminines avec l'ensemble des catégories d'emplois masculins.

6.3.3   Déterminer la composition et les rôles du comité d'équité salariale

Pour favoriser la participation des salariés à la démarche d'établissement de l'équité salariale, la Loi sur l'équité salariale du Québec prévoit la formation d'un comité d'équité salariale. La loi est plus contraignante pour les employeurs qui comptent 100 salariés et plus, car ils ont l'obligation de créer un tel comité, alors que les entreprises de moindre importance peuvent former un tel comité si elles le désirent.

Les membres du comité d'équité salariale sont désignés par l'association accréditée ou par l'ensemble des salariés s'il n'y a pas d'association accréditée. Le nombre de membres de ce comité peut varier d'un minimum de 3 à un maximum de 18. Un tiers des membres représentent l'employeur et les deux autres tiers représentent les salariés. Par ailleurs, au moins la moitié des membres représentant les personnes salariées au sein du comité doivent être des femmes. Le choix des représentants des salariés doit aussi permettre une représentation des principales catégories d'emplois, tant des catégories d'emplois à prédominance féminine que des catégories d'emplois à prédominance masculine.

Selon la loi, le pouvoir décisionnel est réparti également, puisque les représentants de l'employeur et des salariés qui font partie de ces comités détiennent respectivement un vote. Si les représentants des salariés ne parviennent pas à une entente selon l'assentiment de la majorité, le pouvoir décisionnel revient à l'employeur.

Les employeurs doivent fournir aux membres du comité d'équité salariale la formation requise afin que ces derniers puissent assumer leurs rôles et s'absenter — sans perte de salaire — pour assister aux réunions du comité, pour participer aux activités de formation ou pour effectuer les tâches nécessaires en dehors des réunions du comité. Les employeurs doivent également fournir les informations nécessaires pour que les membres du comité puissent assumer leurs rôles, ces membres étant tenus à la confidentialité sous peine de sanctions.

Le comité d'équité salariale assume un rôle *décisionnel* au cours des étapes suivantes de l'élaboration d'un programme d'équité salariale :

– la détermination des catégories d'emplois à prédominance féminine et des catégories d'emplois à prédominance masculine dans l'entreprise ;

– le choix de la méthode et des outils d'évaluation de ces catégories d'emplois et l'élaboration d'une démarche d'évaluation des catégories d'emplois ;

– l'évaluation de chaque catégorie d'emplois ;

– la comparaison des catégories d'emplois à prédominance féminine avec les catégories d'emplois à prédominance masculine ;

– l'estimation des écarts de rémunération entre les catégories d'emplois à prédominance féminine et les catégories d'emplois à prédominance masculine ;

– le calcul des rajustements salariaux à accorder aux emplois à prédominance féminine.

Le comité d'équité salariale remplit un rôle *consultatif* en ce qui concerne les rajustements de salaires, c'est-à-dire que l'employeur le consulte pour déterminer les modalités de versement des rajustements.

Afin d'alléger le processus de mise en œuvre et les coûts des programmes d'équité salariale, tant dans les PME que dans les entreprises de plus grande taille, la loi permet aussi la constitution de comités *sectoriels* d'équité salariale représentant des associations d'employeurs, des regroupements régionaux ou des associations sectorielles paritaires pour élaborer des programmes d'équité salariale.

6.3.4 Déterminer les catégories d'emplois à prédominance féminine et les catégories d'emplois à prédominance masculine

Le législateur ne cherche pas à corriger toutes les iniquités salariales, mais uniquement celles qui sont liées aux emplois à prédominance féminine. Plus précisément, selon l'article 60 de la Loi sur l'équité salariale du Québec, « le comité d'équité salariale ou, à défaut, l'employeur doit comparer les catégories d'emplois à prédominance féminine et les catégories d'emplois à prédominance masculine, aux fins d'estimer les écarts salariaux entre elles ». La loi n'exige donc pas l'évaluation de tous les emplois : l'employeur doit évaluer les emplois à prédominance féminine et les emplois à prédominance masculine qui peuvent permettre l'établissement d'une comparaison. Sans préjugé sexiste, toutes les catégories d'emplois à prédominance féminine doivent être comparées avec les catégories d'emplois à prédominance masculine au sein d'une entreprise. Par conséquent, l'employeur ne peut pas comparer les catégories d'emplois à prédominance féminine avec des catégories d'emplois *mixtes* ou *neutres* (catégorie comptant une proportion de 40 % à 60 % de femmes), ces dernières ne faisant pas l'objet d'un programme d'équité salariale.

6.3.4.1 Déterminer les catégories d'emplois

Selon l'article 54 de la Loi sur l'équité salariale du Québec, une catégorie d'emplois correspond à un regroupement d'emplois ayant des caractéristiques communes, c'est-à-dire des fonctions et des responsabilités *semblables,* des compétences *semblables,* la *même rémunération* en matière de taux ou la *même échelle salariale.* Toutefois, lorsqu'un emploi est unique et ne peut faire l'objet d'aucune association avec d'autres emplois, il constitue à lui seul une catégorie d'emplois.

6.3.4.2 Déterminer la prépondérance d'une catégorie d'emplois

L'article 55 de la Loi sur l'équité salariale du Québec stipule qu'une catégorie d'emplois peut être considérée comme une catégorie à prédominance féminine ou comme une catégorie à prédominance masculine lorsque 60 % des personnes salariées qui occupent ces emplois sont du même sexe (critère quantitatif). Si 95 % des secrétaires sont des femmes, de même que 63 % des commis, ces deux catégories peuvent être considérées comme des catégories à prédominance féminine. Pour les cas ambigus, trois autres critères (qualitatifs) peuvent être envisagés pour l'établissement de la prédominance dans une catégorie d'emplois.

1. *L'ampleur de l'écart entre le taux de représentation des femmes et celui des hommes dans une catégorie d'emplois et leur taux de représentation dans l'effectif total de l'employeur.* Par exemple, si seulement 10 % de l'effectif total est constitué de femmes, un type d'emploi comme agent de vérification, occupé à 40 % par des femmes, pourra être jugé comme une catégorie à prédominance féminine.

2. *L'évolution du taux de représentation des femmes ou des hommes dans une profession ou dans l'entreprise.* Par exemple, un emploi d'ingénieur dont les titulaires sont deux femmes et un homme devra probablement être classé en tant qu'emploi à prédominance masculine. Il en sera ainsi parce que les ingénieurs sont généralement et traditionnellement des hommes. Par ailleurs, si, au sein d'une entreprise, 55 % des commis sont des femmes mais que ce taux s'est maintenu autour de 70 % au cours des années antérieures, on peut considérer cette catégorie d'emplois comme une catégorie à prédominance féminine.

3. *Les stéréotypes liant certaines catégories d'emplois aux femmes ou aux hommes (les réceptionnistes, les chauffeurs de camion, etc.).* Même si 55 % des employés d'entretien d'un établissement sont des hommes, on peut considérer que ces emplois sont à prédominance masculine, si l'on tient compte du stéréotype (par exemple, les peintres, les mécaniciens, les électriciens, les menuisiers).

Rappelons que l'objet de la loi québécoise n'est pas de comparer des familles d'emplois, mais plutôt des catégories d'emplois à prédominance féminine avec des catégories d'emplois à prédominance masculine dans la même entreprise. Les catégories d'emplois mixtes, c'est-à-dire qui ne présentent pas de prédominance sexuelle selon la loi, ne sont pas examinées dans la démarche d'établissement de l'équité salariale.

6.3.5 Choisir la méthode et les outils d'évaluation des catégories d'emplois et élaborer une démarche d'évaluation

La Loi sur l'équité salariale du Québec ne prescrit aucune méthode particulière d'évaluation des catégories d'emplois : le choix de la méthode d'évaluation (par exemple, la méthode des points et facteurs basée sur une grille préétablie ou sur une grille sur mesure ou la méthode de rangement des emplois) revient aux responsables de l'élaboration du programme, c'est-à-dire au comité d'équité salariale ou à l'employeur (article 59). Ce choix devrait donner lieu à des discussions, puisque, selon la méthode d'évaluation, les résultats diffèrent et se révèlent plus ou moins favorables à divers acteurs, notamment aux employeurs, aux salariés des catégories d'emplois visées et aux autres salariés.

Toutefois, quelle que soit la méthode choisie, elle doit tenir compte des quatre facteurs d'évaluation suivants : les qualifications requises, les responsabilités assumées, les efforts requis et les conditions de travail (article 57). Par ailleurs, la méthode retenue doit également permettre une comparaison des catégories d'emplois à prédominance féminine avec les catégories d'emplois à prédominance masculine et mettre en évidence autant les caractéristiques propres aux premières que les caractéristiques propres aux secondes.

La démarche d'évaluation désigne le processus ou l'ensemble des actions menant à l'évaluation des catégories d'emplois, comme la séquence des étapes, la mise sur pied d'un comité d'équité salariale, l'élaboration d'un échéancier des travaux et celle d'un système d'évaluation des catégories d'emplois. Les outils d'évaluation utilisés dans cette démarche peuvent être variés ; il peut s'agir de questionnaires, de descriptions d'emplois, d'entrevues, etc.

6.3.6 Afficher les résultats de la détermination des catégories d'emplois, du choix de la méthode, des outils et de la démarche d'évaluation

Selon la Loi sur l'équité salariale du Québec, les entreprises comptant 50 salariés ou plus doivent procéder à un premier affichage des résultats disponibles après l'exécution des deux premières étapes du programme d'équité salariale, c'est-à-dire des résultats de la détermination des catégories d'emplois à prédominance féminine et des catégories d'emplois à prédominance masculine ainsi que du choix de la méthode, des outils et de la démarche d'évaluation. Le second affichage, qui a lieu après les deux dernières étapes, présente l'ensemble des résultats de la démarche. Les entreprises qui emploient de 10 à 49 salariés doivent procéder à un seul affichage pour indiquer la valeur des rajustements salariaux, s'il y a lieu.

Cet affichage doit se faire dans des endroits visibles et facilement accessibles aux salariés. Il doit indiquer le droit des salariés de demander par écrit des renseignements additionnels ou de faire des observations sur ces résultats et préciser les délais d'exercice de ces droits, soit 60 jours à partir de la date d'affichage. Si un salarié désire se prévaloir d'un de ces droits, le comité d'équité salariale ou l'employeur disposent de 30 jours pour lui répondre ou pour analyser ses observations, faire des modifications, s'il y a lieu, et procéder à un nouvel affichage incluant les modifications, s'il y a lieu. De plus, en l'absence d'un comité d'équité salariale, l'affichage doit également préciser les recours prévus par la loi et les délais dans lesquels ils peuvent s'exercer.

6.3.7 Évaluer les catégories d'emplois

Quels que soient la méthode, les outils et la démarche d'évaluation retenus, la Loi sur l'équité salariale du Québec exige qu'ils soient exempts de discrimination basée sur le sexe. Par exemple, ils doivent évaluer les caractéristiques de la catégorie d'emplois et non les caractéristiques des salariés qui occupent les emplois ; ils doivent se soucier de la neutralité du processus de collecte des renseignements portant sur les catégories d'emplois (la description d'emplois, le questionnaire général ou structuré) ; ils doivent s'assurer d'établir un équilibre entre les facteurs d'évaluation selon qu'ils favorisent les emplois à prédominance masculine ou les emplois à prédominance féminine (dans ce dernier cas, la dextérité, l'aptitude pour les relations interpersonnelles, la fréquence des interruptions et des impondérables, la concentration soutenue, etc.). En fait, le principe de neutralité signifie que, durant toute la mise en place d'un système d'équité salariale, il faut traiter les emplois à prédominance féminine et les emplois à prédominance masculine avec le même souci du détail, de la précision et de l'exhaustivité.

6.3.8 Estimer les écarts et les rajustements salariaux

L'estimation des écarts salariaux consiste à comparer la rémunération des catégories d'emplois à prédominance féminine avec celle des catégories d'emplois à prédominance masculine.

6.3.8.1 Définition de la rémunération

Aux fins de l'estimation des écarts salariaux, la rémunération, au sens de la loi, inclut le salaire (le taux maximal de salaire ou encore de l'échelle salariale des emplois regroupés en catégories) et, s'ils ne sont pas également accessibles aux catégories d'emplois comparées, la rémunération flexible et les avantages à valeur pécuniaire (articles 54, 65 et 66 de la Loi sur l'équité salariale du Québec). Ainsi, selon la loi, si l'on ne tient pas compte des deux dernières composantes, on risque d'atteindre une équité salariale *incomplète* dans la mesure où elles ne sont pas également accessibles aux catégories d'emplois à prédominance féminine et aux catégories d'emplois à prédominance masculine et où elles contribuent à accentuer les écarts salariaux entre les employés (Currie et Chaykowski, 1995).

Dans le cas où une catégorie d'emplois est payée selon un taux de salaire unique, ce taux doit être retenu aux fins du calcul des écarts salariaux. Toutefois, dans le cas où elle est payée selon une échelle salariale, la loi prescrit de prendre en considération le taux maximal de l'échelle salariale. Notons ici que le texte de la loi n'utilise pas le jargon qui distingue le « maxi-mérite » du « maxi-normal » des échelles salariales. Mais la distinction de contenu entre ces deux types de maximum ainsi que les exemples fournis sur le site de la Commission de l'équité salariale du Québec (http://www.ces.gouv.qc.ca) prescrivent que le « maxi-normal » (souvent le point milieu de l'échelle correspondant au montant offert à l'employé ayant un rendement satisfaisant), et non pas le « maxi-mérite » (le salaire versé aux titulaires ayant un rendement excellent sur une base continue), devrait être retenu pour représenter le taux de salaire d'une catégorie d'emplois. Par conséquent, le taux maxi-normal serait le point de comparaison des catégories d'emplois comportant des échelles salariales. Lorsque certaines catégories d'emplois ont un taux fixe et d'autres, une échelle salariale, on compare des taux fixes avec les taux maxi-normaux des échelles salariales.

D'après la loi, la rémunération flexible comprend, notamment, la rémunération basée sur les compétences, la rémunération basée sur le rendement et les primes d'intéressement liées à la performance de l'entreprise. Les avantages à valeur pécuniaire comprennent, outre les indemnités et les primes, les éléments du temps chômé et payé (par exemple, les congés de maladie, les congés sociaux et parentaux, les vacances et les jours fériés, les pauses ou les heures de repas ou tout autre élément de même nature), les régimes de retraite et de prévoyance collective (par exemple, les caisses de retraite, les régimes d'assurance maladie ou invalidité et tout autre régime collectif) et les avantages hors salaire, tels que le fait de fournir et d'entretenir des outils, des uniformes ou d'autres vêtements (sauf s'ils sont exigés en vertu de la Loi sur la santé et la sécurité du travail ou s'ils sont requis par l'emploi), le stationnement, les allocations de repas, le fait de fournir des véhicules, le paiement de cotisations professionnelles, les congés payés pour études, le remboursement des frais de scolarité, les prêts à taux réduit ou toute autre forme d'avantage.

Dans les cas où l'accessibilité à de tels avantages est différente selon que les catégories d'emplois sont féminines ou masculines, ou lorsque ces avantages sont offerts à toutes les catégories d'emplois mais à des conditions différentes, diverses actions peuvent être prises (Chicha, 1997). Dans la mesure où l'accessibilité est différente, une première solution consiste à calculer la valeur des avantages sur la base du coût pour l'employeur et à l'ajouter au salaire des catégories à prédominance féminine qui n'y ont pas accès. Une autre solution consiste à ajuster l'admissibilité aux avantages entre les emplois à prédominance féminine et les emplois à prédominance masculine de même valeur en offrant, par exemple, aux catégories d'emplois à prédominance féminine des avantages dont elles ne bénéficient pas. Lorsque les avantages sont offerts à toutes les catégories mais à des conditions différentes (par exemple, quatre semaines de vacances après trois ans pour une catégorie d'emplois mais après cinq ans pour une autre catégorie d'emplois), la période d'admissibilité doit être uniformisée ou l'équivalent pécuniaire doit être versé aux titulaires de la catégorie d'emplois lésée.

6.3.8.2 Les approches de comparaison aux fins de l'estimation des écarts salariaux

Selon l'article 61 de la Loi sur l'équité salariale du Québec, « l'estimation des écarts salariaux entre une catégorie d'emplois à prédominance féminine et une catégorie d'emplois à prédominance masculine peut être effectuée sur une base globale ou individuelle ou suivant toute autre méthode d'estimation des écarts salariaux prévue par le règlement de la Commission ». Voici deux types d'approches d'estimation des écarts salariaux entre une catégorie d'emplois à prédominance masculine et une catégorie d'emplois à prédominance féminine.

L'*approche individuelle* (la comparaison par paires, la comparaison avec un ensemble et la comparaison par la valeur proportionnelle) consiste à comparer par paires une catégorie d'emplois à prédominance féminine avec une catégorie d'emplois à prédominance masculine de même valeur. Notons que la loi ne définit pas ce que sont des « catégories d'emplois de même valeur ». Toutefois, la Commission canadienne des droits de la personne (1998) a fixé à 15 % ou moins la différence acceptable entre les résultats d'évaluation de deux emplois pour qu'ils soient considérés comme semblables. S'il y a plusieurs catégories d'emplois à prédominance masculine de même valeur mais comportant des rémunérations différentes, on effectue la comparaison en utilisant la rémunération moyenne de cet *ensemble* d'emplois à prédominance masculine. Si aucune catégorie d'emplois à prédominance masculine de même valeur ne peut être utilisée comme élément de comparaison avec une catégorie d'emplois à prédominance féminine, l'estimation de la rémunération doit être établie en proportion de la rémunération de l'élément de comparaison masculin dont la valeur est la plus proche.

L'*approche globale* (la comparaison des « emplois à courbe ») est utilisée par l'employeur lorsque le nombre de comparaisons à effectuer est élevé. Cette méthode consiste à comparer chaque catégorie d'emplois à prédominance féminine avec la courbe salariale de l'ensemble des catégories d'emplois à prédominance masculine de l'entreprise. Il s'agit donc de tracer la courbe salariale des catégories d'emplois à prédominance masculine, de comparer chaque catégorie d'emplois à prédominance féminine avec cette courbe et d'estimer l'écart salarial à combler pour chacune des catégories d'emplois à prédominance féminine, s'il y a lieu.

La figure 6.2 s'appuie essentiellement sur une illustration et sur les propos de Chicha (1997) pour décrire les diverses approches d'estimation et de correction des écarts salariaux permises par la Loi sur l'équité salariale du Québec. Selon Chicha (1998a), quoique l'approche de comparaison par paires ait l'avantage d'être simple, elle a l'inconvénient de personnaliser les comparaisons : les salariés savent exactement à quelles catégories ils sont comparés et cette connaissance risque de susciter des insatisfactions et de nuire au climat de travail.

6.3.8.3 Les entreprises sans catégorie d'emplois à prédominance masculine

Selon les termes de la Loi sur l'équité salariale du Québec, on ne doit pas exclure de la comparaison une catégorie à prédominance féminine sous prétexte qu'il n'existe pas de catégorie masculine de valeur égale. En effet, aux fins de l'établissement d'un programme d'équité salariale, il peut arriver qu'il n'existe pas de catégories d'emplois à prédominance masculine avec lesquelles comparer les catégories d'emplois à prédominance féminine. Dans ce cas, s'il existe plus d'un programme d'équité salariale, on peut comparer les catégories d'emplois à prédominance féminine de ce programme avec l'*ensemble* des catégories d'emplois à prédominance masculine de l'entreprise.

La loi reconnaît (article 13) que « lorsque dans une entreprise, il n'existe pas de catégories d'emplois à prédominance masculine, le programme d'équité salariale doit être établi conformément au règlement de la Commission ». L'élaboration de la méthode à suivre dans de tels cas relève donc de la

FIGURE 6.2

ILLUSTRATIONS DES DIVERSES MÉTHODES D'ESTIMATION DES ÉCARTS SALARIAUX ENTRE DES CATÉGORIES D'EMPLOIS À PRÉDOMINANCE MASCULINE ET DES CATÉGORIES D'EMPLOIS À PRÉDOMINANCE FÉMININE DANS UNE ENTREPRISE FICTIVE

Le tableau ci-dessous montre le nombre de points d'évaluation et le taux de salaire de diverses catégories d'emplois à prédominance féminine et masculine au sein d'une entreprise fictive. Le rajustement salarial requis, selon les diverses approches d'estimation des écarts salariaux, est ensuite calculé et commenté.

Entreprise XYZ
Valeur et salaire des catégories d'emplois
à prédominance féminine et à prédominance masculine

Catégories d'emplois à prédominance féminine	Valeur en points	Taux de salaire avant équité salariale $/h
A	125	9,25
B	200	9,00
C	240	10,50
D	310	11,50
E	355	11,00
F	385	12,00
G	500	13,25

Catégories d'emplois à prédominance masculine	Valeur en points	Taux de salaire avant équité salariale $/h
R	125	10,15
S	170	10,85
T	240	11,00
U	240	11,80
V	355	13,15
W	400	15,25
X	465	14,10
Y	500	14,70
Z	585	15,75

FIGURE 6.2 (*suite*)

A. **LA COMPARAISON PAR PAIRES OU AVEC UN ENSEMBLE COMME APPROCHE INDIVIDUELLE**

Il s'agit de comparer une catégorie d'emplois à prédominance féminine avec une catégorie d'emplois à prédominance masculine de même valeur (article 63, 1er alinéa). C'est le cas des emplois A, C, E et G dans le graphique ci-dessous. Par ailleurs, lorsqu'il existe plusieurs emplois à prédominance masculine ayant la même valeur mais des rémunérations différentes, la loi prescrit d'effectuer la comparaison en utilisant la moyenne des rémunérations de ces catégories d'emplois (article 63, 2e alinéa). C'est le cas de la catégorie à prédominance féminine C et des emplois à prédominance masculine T et U. L'écart salarial doit alors être estimé à partir de la moyenne des salaires de T et U, soit 11,40 $.

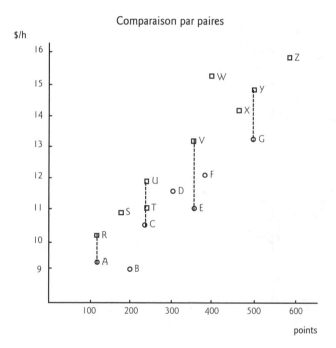

Comparaison par paires

B. **LA COMPARAISON PAR LA VALEUR PROPORTIONNELLE COMME APPROCHE INDIVIDUELLE**

La comparaison par paires ou avec un ensemble ne permet pas d'estimer les écarts salariaux des catégories d'emplois à prédominance féminine B, D et F, comme il n'y a pas d'emplois à prédominance masculine de valeur égale. Dans ce dernier cas, la loi stipule que l'estimation de la rémunération doit être établie en proportion de celle de la catégorie d'emplois à prédominance masculine dont la valeur est la plus proche (article 63, 3e alinéa). Pour la catégorie d'emplois à prédominance féminine B (200 points),

FIGURE 6.2 (*suite*)

la catégorie d'emplois à prédominance masculine dont la valeur la plus proche est la catégorie S. La valeur proportionnelle de la catégorie d'emplois B par rapport à S égale 200 ÷ 170 = 1,18 $. Appliqué à la catégorie S, le salaire rajusté de la catégorie d'emplois à prédominance féminine B égale 12,80 $, soit 1,18 $ × 10,85 $. Selon les mêmes règles, le salaire rajusté de la catégorie d'emplois à prédominance féminine F égale 14,68 $ (sa valeur proportionnelle égale 0,96 $). Pour sa part, la catégorie D ne reçoit pas de rajustement salarial puisque l'application de sa valeur proportionnelle par rapport à V (0,87 $) à son salaire (0,87 $ × 13,15 $) égale 11,48 $, un montant inférieur au salaire non rajusté, soit 11,50 $. L'article 73 de la loi stipule, en effet, qu'un employeur ne peut, pour atteindre l'équité salariale, diminuer la rémunération des salariés qui occupent des emplois au sein de l'entreprise.

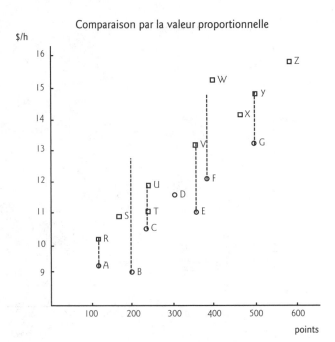

Comparaison par la valeur proportionnelle

Résultats de l'application de la valeur proportionnelle

Catégorie féminine	Catégorie masculine la plus proche	Valeur proportionnelle	Salaire rajusté de la catégorie féminine
B	S	1,18	12,80
D	V	0,87	11,50
F	W	0,96	14,68

FIGURE 6.2 (suite)

C. La comparaison emplois à courbe après équité salariale comme approche globale

Cette approche dite «globale» d'estimation des écarts salariaux est prévue à l'article 62 de la Loi sur l'équité salariale : elle doit être effectuée par la comparaison de chaque catégorie d'emplois à prédominance féminine avec la courbe salariale de l'ensemble des catégories d'emplois à prédominance masculine. Cette courbe ou cette droite, tracée à main levée ou par régression multiple, doit représenter le mieux possible les salaires de l'ensemble des catégories d'emplois à prédominance masculine. Le graphique ci-dessous représente la courbe salariale LM des catégories d'emplois à prédominance masculine. Les écarts salariaux correspondent à la distance verticale (traits pointillés) entre les coordonnées de chaque catégorie d'emplois à prédominance féminine (A, B, C, D, E, F et G) et la courbe LM. Encore ici, si une catégorie d'emplois à prédominance féminine se trouve au-dessus de la courbe LM, sa rémunération ne devrait pas changer en vertu de l'article 73.

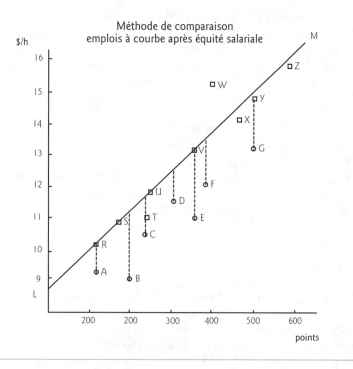

Source : Chicha (1997, p. 144-155).

Commission, comme l'indique l'article 114, qui confère à celle-ci le pouvoir de proposer des catégories d'emplois à prédominance masculine *types* à partir de l'expérience d'entreprises ayant complété un tel programme et dont les caractéristiques sont semblables. Ainsi, on estime qu'environ 2 000 entreprises du Québec embauchant près de 40 000 femmes ne pouvaient se conformer à la loi puisqu'elles ne comptaient pas de catégories d'emplois à prédominance masculine (Commission de l'équité salariale du Québec, 2002a, b). Ces entreprises, principalement de petite taille, exercent souvent des activités dans des secteurs économiques où l'on trouve des ghettos féminins : les services de garde à l'enfance, le commerce de détail, le service aux personnes, les services sociaux, le tourisme, le secteur de la santé, la fabrication de vêtements, etc.

Entré en vigueur au mois de mai 2005, le Règlement sur l'équité salariale dans les entreprises où il n'existe pas de catégories d'emplois à prédominance masculine (en mai 2005) fournit aux entreprises sans comparateurs (ou emplois types) masculins :

- deux catégories d'emplois types qui joueront le rôle de comparateurs masculins : contremaître et préposé à la maintenance (article 1) ;
- une méthode pour déterminer le taux horaire de rémunération à attribuer à ces comparateurs (articles 2 à 4) ;
- des indicateurs permettant de poursuivre l'exercice d'équité salariale selon les balises prévues à la loi (articles 5 et 6), cet exercice d'équité salariale devant être terminé au plus tard le 5 mai 2007 (deux ans après l'entrée en vigueur du règlement) ; l'employeur peut étaler sur une période maximale de quatre ans le versement des rajustements salariaux, soit jusqu'au 5 mai 2011 ;
- un progiciel pour aider les entreprises à réaliser certaines analyses.

Comment peut-on expliquer ces longs délais entre l'adoption de la loi, l'adoption de ce règlement et l'élaboration de guides destinés aux employeurs ? Il n'y a certes pas une seule et unique raison, mais les ressources très limitées accordées par le gouvernement à la Commission de l'équité salariale n'ont pas facilité sa tâche. Tel que le note Chicha (2000b), les directives du Conseil du Trésor limitaient le nombre d'employés de la Commission de l'équité salariale à un maximum de 27 durant l'année budgétaire 1997-1998, au moment même où la Commission aurait dû préparer les guides et les lignes directrices nécessaires pour que les entreprises commencent leur démarche d'équité salariale.

6.3.8.4　Les écarts salariaux jugés non discriminatoires

La Loi sur l'équité salariale du Québec permet (article 67) qu'une catégorie d'emplois à prédominance féminine puisse recevoir une rémunération inférieure à celle d'une catégorie d'emplois à prédominance masculine de valeur équivalente sans que cette situation soit considérée comme discriminatoire, si cet écart est dû à :

- l'ancienneté, sauf si l'application de ce critère a des effets discriminatoires selon le sexe ;
- une affectation à durée déterminée, notamment dans le cadre d'un programme de formation, d'apprentissage ou d'initiation au travail ;

- la région dans laquelle la salariée occupe son emploi, sauf si l'application de ce critère a des effets discriminatoires selon le sexe ;
- une pénurie de main-d'œuvre qualifiée ;
- un salaire étoilé, c'est-à-dire le salaire d'une personne qui, à la suite d'un reclassement, d'une rétrogradation ou d'une circonstance particulière (par exemple, un handicap) est maintenue à un même niveau jusqu'à ce que le salaire attribuable à sa nouvelle catégorie d'emplois rejoigne son salaire ;
- l'absence d'avantages à valeur pécuniaire, justifiée par le caractère temporaire, occasionnel ou saisonnier d'un emploi.

6.3.8.5 Les rajustements de la rémunération

Si l'analyse comparative met en évidence le fait que la rémunération des catégories d'emplois à prédominance féminine est inférieure à la rémunération des catégories d'emplois à prédominance masculine, l'employeur doit effectuer des rajustements de la rémunération pour les femmes et les hommes occupant les catégories d'emplois à prédominance féminine. Le comité d'équité salariale ou, à défaut, l'employeur doit effectuer le calcul des rajustements visant à corriger ces écarts. Pour réduire ceux-ci, l'employeur doit modifier la rémunération des catégories d'emplois à prédominance féminine ; il ne peut le faire en diminuant la rémunération des titulaires des emplois à prédominance masculine.

Les entreprises avaient jusqu'au 21 novembre 2001 au plus tard (quatre ans à partir de l'entrée en vigueur de la loi, le 21 novembre 1997) pour compléter leur programme d'équité salariale ou pour déterminer les rajustements salariaux requis. Pour une entreprise dont les activités avaient débuté au cours des 12 mois précédant le 21 novembre 1997 ou après cette date, le délai prévu de quatre ans commençait un an après le début de ces activités.

6.3.9 Définir les modalités de versement des rajustements salariaux et afficher les résultats

L'employeur doit prévoir les modalités de versement des rajustements salariaux, après avoir consulté, selon le cas, le comité d'équité salariale ou l'association accréditée avec laquelle il a établi un programme d'équité salariale. Comme nous l'avons déjà mentionné, les entreprises comptant 50 salariés et plus doivent procéder à un premier affichage et communiquer les résultats liés à la détermination des catégories d'emplois à prédominance féminine et des catégories d'emplois à prédominance masculine, au choix de la méthode, des outils d'évaluation et de leur processus d'évaluation. Le second affichage présente l'ensemble des résultats. Les entreprises employant de 10 à 49 personnes peuvent procéder à un seul affichage pour indiquer la valeur des rajustements salariaux, s'il y a lieu.

Comme en ce qui concerne le premier affichage, le comité d'équité salariale ou l'employeur doit faire en sorte que le deuxième affichage soit fait dans des endroits visibles et facilement accessibles et qu'il indique le droit des salariés de demander par écrit des renseignements additionnels ou de faire des observations sur ces résultats ainsi que les délais prévus pour exercer ces droits, soit 60 jours à partir de la date d'affichage. Si un salarié se prévaut de l'un de ces droits, le comité d'équité salariale ou l'employeur dispose de 30 jours pour lui répondre ou pour analyser ses observations, faire des modifications, s'il y a lieu, et procéder à un nouvel affichage indiquant les modifications, s'il y a lieu. En l'absence d'un comité d'équité salariale, l'affichage doit également mentionner les recours prévus par la loi et les délais accordés pour les exercer.

6.3.10   Verser les rajustements salariaux

Les employeurs devaient commencer à verser les montants des rajustements salariaux au plus tard le 21 novembre 2001. Ils pouvaient choisir d'étaler ces rajustements en faisant des versements annuels égaux sur une période maximale de quatre ans après la date à laquelle le programme serait complété, soit jusqu'au 21 novembre 2005 au plus tard. Si un employeur ne respectait pas les délais prévus, il devait payer des intérêts sur les rajustements salariaux. Toutefois, ces rajustements n'étaient pas rétroactifs.

La Commission de l'équité salariale du Québec avait le droit d'autoriser l'étalement des versements sur une période pouvant aller jusqu'à trois années supplémentaires (jusqu'au 21 novembre 2008) si un employeur démontrait qu'il était incapable d'attribuer les rajustements salariaux dans les délais prescrits. Pour les entreprises dont les activités ont débuté au cours des 12 mois précédant le 21 novembre 1997 ou après cette date, les délais prévus à la loi s'appliquaient à compter d'un an après le début de leurs activités. Par conséquent, au Québec, l'ensemble du processus d'établissement de l'équité salariale pouvait prendre entre 8 et 13 ans (et même plus, si l'on tient compte de certaines extensions possibles) allant de la date d'entrée en vigueur de la Loi sur l'équité salariale (21 novembre 1997) au versement final des rajustements salariaux.

6.3.11   Maintenir l'équité salariale

Une étude menée aux États-Unis (Abromeit, 1995) montre que lorsqu'il n'existe pas de pratiques de rémunération définies et appliquées uniformément, il y a un risque de voir réapparaître une discrimination salariale pour des raisons traditionnelles de protection des intérêts et du statut des hommes.

Un sondage effectué en 2003 indique que 64 % des entreprises visées par la loi avaient terminé leurs travaux et étaient à l'étape du maintien de l'équité (Commission de l'équité salariale du Québec, 2003). Comme le prescrivent les articles 40 à 43 de la Loi sur l'équité salariale du Québec, l'employeur a l'obligation de maintenir l'équité salariale dans le temps — en apportant les modifications nécessaires — de manière que celle-ci survive à tout ce qui est susceptible de modifier la réalité d'une entreprise : la création d'emplois ou de nouvelles catégories d'emplois, la modification des emplois existants ou de leurs conditions, la négociation ou le renouvellement de conventions collectives, etc. Ainsi, après avoir déterminé des rajustements salariaux ou complété un programme d'équité salariale, c'est l'employeur qui doit s'acquitter de cette obligation (article 40). Par ailleurs, une association accréditée doit aussi s'assurer du respect de ce principe au moment de la négociation ou du renouvellement d'une négociation collective (article 40).

Malgré qu'elle donne à l'employeur et au syndicat (s'il y a lieu) l'obligation de maintenir l'équité salariale, la loi n'indique pas comment (les moyens) les parties en cause doivent assumer cette responsabilité. À cet égard, les opinions divergent (Brière, 2002 ; Chicha, 1997 ; Morin et Brière, 2003 ; Paquet et Lequin, 2003). D'une part, certains observateurs suggèrent que le maintien de l'équité salariale fasse partie intégrante de la négociation collective en présumant que ce droit a un caractère négociable et qu'il est assujetti à des compromis. D'autre part, des personnes croient plutôt que l'équité salariale ne devrait pas être minée par des stratégies de négociation en prenant comme prémisse que la loi implique l'interdiction de renoncer à l'équité salariale et à son maintien dans un contrat individuel de travail ou dans une convention collective.

Plusieurs intervenants estiment qu'il faut plutôt considérer le maintien de l'équité salariale comme une application continue de la loi ; ce faisant, ils proposent que l'on transforme le comité d'équité salariale en un comité de maintien paritaire de manière à assurer une certaine continuité parmi les membres et à conférer une crédibilité et une légitimité à l'obligation de maintien (Brunelle, 2001 ; Commission de l'équité salariale de l'Ontario, 1995 ; Groupe de travail sur l'équité salariale, 2004 ; Hallée, 2004 ; Morin et Brière, 2003).

Selon la Commission de l'équité salariale du Québec (2002a, b), le maintien de l'équité salariale exige qu'on adopte des modalités qui permettraient aux entreprises de respecter leur obligation, qui faciliteraient l'exercice de celle-ci et qui tiendrait les personnes informées du suivi du maintien de l'équité salariale et en ferait des parties prenantes à ce processus.

Toutefois, il faut reconnaître que face à une obligation légale de maintien qui est muette sur les moyens et qui ne dispose d'aucun moyen coercitif pour en assurer l'application, le réel maintien de l'équité salariale repose sur l'engagement des dirigeants et des syndicats envers cette forme d'équité. D'une part, les dirigeants peuvent être tentés d'adopter des stratégies dilatoires en vue de restreindre, de retarder ou de bloquer les travaux de maintien de l'équité (David-McNeil, 1999). D'autre part, compte tenu des pratiques historiques de négociation, les syndicats peuvent privilégier les intérêts des membres formant la majorité de l'unité qu'elle représente (souvent des hommes), allant jusqu'à faire obstacle à une démarche participative et à une juste rémunération des catégories d'emplois à prédominance féminine (Hallée, 2004). Toutefois, il ne faut pas sous-estimer la volonté et les efforts des employeurs et des syndicats, qui sont nombreux à avoir mis en place des programmes ou des pratiques assurant l'équité salariale avant même que la loi ne leur impose d'agir à cet égard. Bien entendu, pour les employeurs et les syndicats, l'équité salariale est une forme d'équité parmi d'autres (par exemple, l'équité interne, l'équité externe, l'équité individuelle, l'équité collective) dont les employeurs se préoccupent.

6.4 Une législation proactive sur l'équité salariale : le pour et le contre

Plus que tout autre type d'action visant à remédier à la discrimination sur le marché du travail, l'équité salariale alimente les débats parmi les gens d'affaires, les fonctionnaires, les universitaires et la population en général. Cette situation n'étonne guère, puisque la discrimination est directement liée à la rémunération des femmes et à la masse salariale des employeurs. Force est de reconnaître que l'opposition entourant cette loi n'est pas une question de principe, puisque la discrimination salariale est déjà interdite au Québec depuis plus de 20 ans en vertu de la Charte des droits et libertés de la personne. En fait, le débat souligne le caractère « proactif » de l'application du principe, qui repose sur deux éléments mentionnés à la section précédente : les employeurs doivent entreprendre une démarche d'établissement de l'équité salariale selon un échéancier précis et des critères de mise en œuvre sont imposés à ces employeurs (un comité d'équité salariale, des délais, des facteurs d'évaluation, etc.). Cette section propose une synthèse des avantages et des inconvénients les plus fréquemment attribués à une loi proactive en matière d'équité salariale (England, 1992 ; Paul, 1993).

6.4.1 Les avantages d'une législation proactive en matière d'équité salariale

Nous verrons en premier lieu les principaux arguments des défenseurs de l'adoption d'une loi à caractère proactif sur l'équité salariale.

6.4.1.1 L'intervention de l'État est nécessaire pour corriger les écarts salariaux entre les femmes et les hommes

Selon cet argument, le gouvernement doit considérer le résultat, c'est-à-dire les écarts existant entre les salaires des femmes et ceux des hommes, et adopter une action systémique pour les réduire. La pertinence d'une loi proactive en matière d'équité salariale ne doit pas être minimisée en comparaison de l'équité en emploi. L'équité en emploi — qui vise une représentation équitable des groupes protégés en supprimant la discrimination dans le recrutement, dans la sélection, dans la promotion, dans la formation, etc. — ne corrige pas les injustices dans l'appréciation de la valeur des emplois des femmes, ce que l'équité salariale cherche à éliminer.

Selon cette perspective, ce sont les lois qui font évoluer la société (le salaire minimum pour les femmes, le salaire minimum pour les hommes et les femmes, un salaire minimum identique pour les hommes et les femmes, l'accès à l'égalité, etc.). Sans législation, la situation ne changera pas, tout simplement à cause du fait que… la nature humaine est ce qu'elle est. Par conséquent, ne pas légiférer en la matière, c'est accepter l'iniquité.

Finalement, une loi proactive est nécessaire car, traditionnellement, les femmes peuvent moins compter sur les syndicats pour défendre leurs intérêts (entre autres, la valorisation des exigences des emplois à prédominance féminine), les syndicats s'étant montrés historiquement plus enclins à protéger les intérêts de la majorité de leurs membres, souvent des hommes (notamment en valorisant les caractéristiques et en haussant la rémunération des emplois à prédominance masculine). Rappelons qu'il n'y a pas si longtemps le Conseil du travail du Canada (en 1966) et l'Organisation Internationale du Travail (en 1976) demandaient aux employeurs et aux syndicats de ne plus faire de discrimination dans la gestion des taux horaires de salaires, des avantages sociaux et des listes d'ancienneté des hommes et des femmes occupant les mêmes postes. La loi vise à contrer la sous-évaluation des exigences des emplois féminins, une cause des écarts salariaux entre les hommes et les femmes.

Certes, l'intervention de l'évaluation des emplois dans la résolution des problèmes d'iniquité salariale demeure limitée, en raison des nombreuses autres causes des écarts salariaux entre les hommes et les femmes. Cependant, ce fait n'enlève rien à son importance ni à sa pertinence. Les études montrent qu'à des niveaux égaux de scolarité et d'expérience les écarts salariaux entre les hommes et les femmes persistent, résultat d'une sous-évaluation du travail des femmes. Traditionnellement, la rémunération des femmes a été perçue comme un salaire d'appoint et les exigences des emplois féminins ont été ignorées ou sous-estimées.

6.4.1.2 La loi n'entraîne pas une hausse substantielle des coûts

Après avoir effectué une revue des études canadiennes sur le sujet, Chicha (1997, 2000a, b) conclut que, de façon générale, les rajustements salariaux versés à la suite d'une démarche d'équité salariale varient de 2 % à 6 % de la masse salariale des employeurs. Plus précisément, en Ontario, les entreprises du secteur public ont consenti des rajustements moyens équivalents à 2,2 % de leur masse salariale, alors que celles du secteur privé ont accordé des rajustements moyens variant selon leur taille ; ainsi, les entreprises comptant entre 10 et 49 personnes ont accordé des rajustements moyens de 1,4 %, entre 50 et 99 employés, de 0,5 %, entre 100 et 499 employés, de 1,1 % et plus de 500 employés, de 0,6 %. En outre, la plupart des lois proactives permettent aux employeurs d'étaler le versement des rajustements salariaux sur plusieurs années. Le cas qui introduit ce chapitre présente un bilan sommaire des démarches d'équité salariale entreprises par les entreprises du Québec après l'adoption de la Loi sur l'équité salariale. Rappelons que, en vertu de la loi, seuls les emplois à prédominance féminine peuvent recevoir des rajustements salariaux (incluant, bien sûr, les hommes qui sont titulaires des emplois de cette catégorie).

Au-delà des coûts des rajustements salariaux accordés aux catégories d'emplois à prédominance féminine, la démarche d'équité salariale implique des coûts liés à la mise au point de programmes d'équité salariale. L'expérience ontarienne a démontré que les salaires versés aux professionnels des ressources humaines et les honoraires des conseillers externes varient, selon la taille de l'entreprise et son appartenance au secteur privé ou au secteur public, de 88 $ à 139 $ par employé et de 9 000 $ à 121 245 $ par employeur (Chicha, 1997). L'étude de McDonald et Thorton (1998), menée en Ontario, confirme que les rajustements salariaux versés aux femmes ont été très modestes (moins de 1,5 % en moyenne de la masse salariale des firmes sondées), que les frais supplémentaires ont surtout été versés pour couvrir les coûts de gestion supplémentaires et que bien des firmes ne respectaient pas la loi (sans que cela soit toujours intentionnel) ou avaient fait des manipulations pour contourner celle-ci.

En définitive, l'ampleur de ces coûts — somme toute moins grande que ce que plusieurs laissent entendre — peut aussi être minimisée si on la compare avec les coûts d'une syndicalisation accrue des titulaires des catégories d'emplois à prédominance féminine et avec les effets potentiels d'une hausse de la satisfaction de ces titulaires sur la productivité des firmes.

6.4.1.3 La loi incite les employeurs à réviser leurs systèmes de gestion des salaires pour le bénéfice de tous

La Loi sur l'équité salariale du Québec force les entreprises à réviser, à rationaliser, à uniformiser et à communiquer leurs modes de rémunération au bénéfice de tous les employés. Elles ont alors l'occasion de définir et de mettre à jour des échelles salariales et de réviser la structure de leurs emplois sans avoir à comparer ces emplois avec le marché (Messin, 2001). Soulignons que la loi ne dit pas d'ignorer le marché, mais elle impose une vérification préalable de l'équité interne ; là-dessus, Miceli *et al.* (1988) traitent du dilemme entre l'équité externe et l'équité interne dans l'application des lois proactives. Comme la plupart des organisations appliquent déjà une méthode d'évaluation des emplois, la loi ne les contraint qu'à revoir leur processus afin de réduire au minimum les biais.

De plus, l'application d'une démarche d'équité salariale peut profiter aux titulaires des emplois à prédominance masculine. Ainsi, parce que certaines exigences traditionnellement jugées féminines, comme la motricité fine, sont aujourd'hui requises dans bon nombre d'emplois de production à prédominance masculine où l'on a dorénavant recours aux ordinateurs et aux appareils de haute technologie, les titulaires de ces emplois ont intérêt à ce que cette exigence soit mieux reconnue dans l'évaluation de leur emploi.

À la suite de consultations visant à examiner les répercussions de la loi ontarienne, Read (1996) conclut que la majorité des groupes consultés convenaient que l'équité salariale avait eu un effet bénéfique parce qu'elle avait donné aux employeurs l'occasion de revoir systématiquement leurs pratiques et qu'elle avait permis aux employés — aussi bien les hommes que les femmes — de participer au processus, ce qui les a aidés à mieux comprendre les exigences des autres emplois de l'organisation et le fonctionnement du processus d'établissement des salaires. Toujours en Ontario, une enquête (SPR Associates Incorporated, 1991) a montré que 35 % des employeurs des grandes entreprises estiment que les perceptions des employés en matière d'équité se sont améliorées depuis l'application de la loi, alors que 25 % d'entre eux pensent le contraire.

6.4.2 Les inconvénients d'une législation proactive en matière d'équité salariale

Voici maintenant les principaux arguments des personnes qui s'opposent à l'adoption d'une loi à caractère proactif sur l'équité salariale.

6.4.2.1 La loi constituerait une ingérence de l'État

Les opposants à cette loi affirment que l'ingérence de l'État est inutile, impossible à appliquer et de portée très limitée. Pour certains, cette loi porte atteinte à la liberté des entreprises et constitue une ingérence dans les relations entre patrons et syndicats, puisqu'elle réduit la flexibilité de la gestion des patrons et limite la capacité de négociation des syndicats. Selon ces opposants, l'État n'a pas à dicter des valeurs ni à imposer des lois pour changer les attitudes et les comportements des personnes.

Par ailleurs, comme la démarche d'établissement de l'équité salariale est technique, complexe et obscure sous certains aspects, le risque est grand de perdre de vue l'objectif recherché et de voir le processus soumis à des pressions politiques. Pour d'autres personnes, le problème des écarts salariaux ne devrait pas être considéré comme important et nécessitant une loi de nature proactive, puisque peu de plaintes ont été déposées par le passé en vertu de la Charte des droits et libertés de la personne.

6.4.2.2. La loi ne réduirait pas les écarts salariaux entre les hommes et les femmes

Plusieurs opposants à une loi proactive rappellent que les écarts salariaux entre les hommes et les femmes ne signifient pas nécessairement qu'il y ait discrimination. Étant donné qu'il est établi que la majeure partie des écarts existant entre les salaires des femmes et ceux des hommes (soit 85 %) est non discriminatoire — c'est-à-dire qu'ils sont dus à des différences quant à l'expérience, à la formation, au secteur industriel, à la représentation syndicale, à la nature des emplois, aux comportements au travail —, c'est plutôt l'équité en emploi qui réduira ces écarts en favorisant l'intégration et la promotion des femmes dans les emplois mieux rémunérés. Selon ces opposants, la loi ne résoudrait que de 5 % à 10 % des écarts salariaux entre les hommes et les femmes, proportion des écarts qui serait réellement attribuable à la discrimination dans la détermination des salaires.

Certains vont jusqu'à dire que les écarts salariaux entre les hommes et les femmes sont dus à ces dernières, qui sont conditionnées à accepter les emplois les moins bien payés, qui sont victimes de leurs choix de carrières, qui ne refusent pas de travailler pour de petits salaires, qui préfèrent les emplois moins rémunérateurs ou qui ne savent pas négocier leurs salaires.

Pour certaines personnes, le principe de l'équité salariale est louable, mais l'application d'une loi en la matière est impossible, parce qu'elle soulève plus de questions qu'elle n'en résout et que les employeurs trouveront des façons de la contourner, comme c'est le cas pour toutes les lois. Les législateurs pressent les organisations d'adopter des approches d'évaluation des emplois plus universelles, applicables à de larges familles d'emplois. En pratique, cette tendance à un élargissement des emplois examinés par le système d'évaluation des emplois augmente le nombre de facteurs à considérer ; par conséquent, certains de ces facteurs risquent d'être peu pertinents par rapport à des emplois donnés. L'expérience montre d'ailleurs que les lois proactives ne permettent pas toutes d'atteindre l'équité salariale avec efficacité, certaines étant plus susceptibles d'être déjouées à travers la manipulation de la procédure d'implantation et d'application de l'équité salariale (Ames, 1995).

On reproche également à cette loi de ne porter que sur les catégories d'emplois à prédominance féminine, alors que les salaires des femmes peuvent être inéquitables sans que leur emploi fasse partie d'une telle catégorie. En ce sens, une législation proactive n'a pas nécessairement pour conséquence d'aboutir à une saine gestion de la rémunération. Un employeur peut légalement rémunérer deux emplois de même valeur à des taux différents dans la mesure où l'un de ces deux emplois n'est pas occupé majoritairement par des femmes et l'autre, par des hommes. Autrement dit, la discrimination, si elle est présente, peut continuer d'exister, mais elle ne doit pas être basée sur la prédominance du sexe des titulaires des emplois. De plus, une telle loi proactive s'intéresse aux iniquités salariales entre les hommes et les femmes, ignorant toutes les autres sources d'iniquité salariale, comme celle qui est liée aux groupes ethniques.

Par ailleurs, les lois proactives que certaines provinces canadiennes ont adoptées ne sont pas sans restrictions. Ainsi, certaines lois ne s'appliquent pas aux entreprises qui n'embauchent que des femmes (ghettos féminins).

Bien des lois à caractère proactif ne s'appliquent pas aux catégories d'emplois à prédominance féminine dans les firmes du secteur privé, puisque dans plusieurs provinces la loi ne s'adresse qu'au secteur public, un secteur aux prises avec des défis de réduction d'effectifs et de contrôle des coûts qui mettent en péril son application en dépit du cadre juridique adopté (Fudge, 2000). Par ailleurs, lorsque la loi s'applique au secteur privé, elle ne vise pas les petits employeurs du secteur privé où l'on trouve plusieurs emplois à prédominance féminine. De même, certaines lois proactives ne s'adressent pas aux entreprises où il n'y a pas d'emplois à prédominance masculine de même valeur dans l'entreprise ou encore transmettent des messages flous quand elles traitent de tels cas.

Enfin, la législation en matière d'équité salariale vise à réduire les écarts de rémunération entre les emplois à prédominance féminine et les emplois à prédominance masculine au sein de la même entreprise, et non entre les entreprises. Les documents d'information, diffusés par certaines centrales syndicales, dans lesquels on prétend que la loi réduira les écarts salariaux entre le gardien de zoo et l'éducatrice d'enfants d'âge préscolaire sont inexacts, puisque ces emplois s'exerceront nécessairement dans deux entreprises différentes. Encore ici, une loi proactive en matière d'équité salariale n'élimine pas les différences de rémunération dues à l'industrie, aux ghettos d'emplois et à la discrimination « en emploi » (revoir la définition à la section 6.2.3).

6.4.2.3 La loi entraînerait une hausse des coûts et une baisse des emplois

Selon certaines personnes, une loi proactive soumet les entreprises à une contrainte par rapport aux autres provinces ou pays qui n'y sont pas assujettis, puisqu'elle augmente les coûts de la main-d'œuvre. Pour les PME, ce handicap peut même devenir une question de survie. En raison de ces incidences sur les coûts de la rémunération et de la gestion de la rémunération, certains observateurs estiment qu'une telle loi a un effet net très peu positif pour les femmes, voire négatif, puisqu'elle incitera les employeurs à abolir des postes à prédominance féminine de diverses façons (par la réorganisation du travail, par la sous-traitance, par l'informatisation, etc.) pour éviter ou amoindrir la hausse des coûts.

6.4.2.4 La loi ne prend pas en considération le marché et prône l'évaluation des emplois, un processus subjectif, pour établir les salaires

Pour un employeur, il peut être difficile de faire abstraction des salaires offerts sur le marché. Les salaires des emplois à prédominance masculine ou des emplois à prédominance féminine peuvent difficilement se situer très en dessous du marché, car il serait alors difficile de recruter et de retenir le personnel, et ils ne peuvent pas non plus se situer très au-dessus du marché, car cela réduirait les bénéfices de l'entreprise. Par ailleurs, en déterminant la valeur pécuniaire d'un emploi, il est impossible d'ignorer le marché, le pouvoir syndical, les valeurs de l'entreprise, les coutumes, etc., et ce, surtout à l'égard des postes de premier niveau. Qu'on le veuille ou non, pour certains intervenants, la hiérarchie des valeurs dans la société influe sur la hiérarchisation des emplois, et cela ne peut être nié sous prétexte qu'on n'obtient pas les résultats désirés.

D'autres observateurs estiment que la discrimination est inhérente à tout jugement de valeur, et l'équité, comme la beauté, restera toujours une question de perception variant selon les personnes (leur expérience, leurs attentes, le poste qu'elles occupent, etc.) et les méthodes d'évaluation des emplois. Pour d'autres, la loi propose trop peu de directives sur la façon de procéder à l'évaluation des emplois. Certains croient aussi que l'adoption d'un système unique pour évaluer tous les emplois d'une entreprise — ce que prône la loi — n'est pas pertinente en raison de la variété des emplois.

6.4.2.5 Une loi proactive, en corrigeant certaines iniquités, en crée de nouvelles

La recherche de l'équité salariale entre les emplois à prédominance féminine et les emplois à prédominance masculine de valeur équivalente peut causer plus de problèmes d'insatisfaction à l'égard des salaires qu'elle n'en résout. Prenons le cas d'une entreprise où l'on trouve, entre autres, les emplois de réceptionnistes, de secrétaires de niveau 1 et de commis à la manutention et où, à ce jour, les réceptionnistes et les secrétaires de niveau 1 se sont toujours comparées entre elles pour juger de l'équité de leurs salaires respectifs, salaires que leur employeur maintenait semblables. Si l'application des directives d'évaluation de la loi amène cette entreprise à conclure que l'emploi de secrétaires de niveau 1, un emploi à prédominance féminine, est équivalent à l'emploi de commis à la manutention, un emploi à prédominance masculine mieux payé, l'employeur doit élaborer un programme d'équité salariale visant à abolir l'écart salarial entre ces deux emplois.

Aux yeux des réceptionnistes, qui ont toujours reçu un salaire comparable à celui des secrétaires de niveau 1, ce soudain écart salarial entre elles et les secrétaires risque d'être considéré comme inéquitable étant donné qu'aucune modification n'a été apportée aux tâches de leurs emplois. Si de telles insatisfactions se reproduisent, cela risquera de contraindre les dirigeants de l'entreprise à revoir tout leur système de rémunération — incluant les salaires des emplois neutres — au cours des mois subséquents. En d'autres mots, les décisions prises à l'égard de l'évaluation et de la rémunération versée pour les emplois à prédominance féminine — à la suite de l'application de la démarche d'équité salariale imposée par la loi — sont susceptibles de créer des iniquités internes d'une ampleur telle qu'il peut s'avérer préférable ou nécessaire d'aller au-delà des exigences de la loi dès le début de l'exercice ou à plus ou moins court terme en révisant le rangement de tous les emplois (féminins, masculins et neutres) sur le plan de leurs exigences et sur celui de leur rémunération.

6.5 L'élimination de la discrimination basée sur le sexe dans la gestion des salaires

Qu'une loi proactive soit adoptée ou pas, elle fera toujours l'objet d'un débat important. Des arguments peuvent être mis en avant à l'appui d'un point de vue ou de l'autre. Toutefois, là où il existe une telle loi, les employeurs et les professionnels des ressources humaines doivent relever le défi concret qui consiste à respecter cette nouvelle valeur sociale, qu'ils acceptent ou non le principe ou les moyens utilisés. Surtout au Canada, les organisations ont avantage à prendre un certain nombre de mesures qui, même si elles ne sont pas obligatoires, correspondent à l'état des pratiques dans les entreprises soucieuses d'assurer un traitement salarial équitable. En effet, les préjugés et la discrimination basée sur le sexe peuvent s'insérer dans plusieurs étapes du processus d'analyse et d'évaluation des emplois. Le terme couramment utilisé par les experts en équité salariale pour désigner un processus d'analyse et d'évaluation des emplois exempt de discrimination fondée sur le sexe est la « neutralité » (Chicha, 1997).

Au chapitre 5, nous avons mentionné qu'un processus d'évaluation des emplois visant à établir l'équité interne dans une organisation portait sur l'ensemble des emplois de l'organisation (féminins, masculins et mixtes). Dans l'optique d'un programme d'équité salariale, le processus d'évaluation des emplois ne concerne que les emplois à prédominance féminine et les emplois à prédominance masculine. Il s'agit alors de vérifier si le système sur lequel est fondée l'équité interne privilégie les exigences des emplois masculins ou ne tient pas autant compte des exigences des emplois féminins. En fait, l'employeur doit veiller à ce que tout le déroulement du processus d'analyse et d'évaluation des emplois soit neutre. Comme le précise l'article 51 de la Loi sur l'équité salariale du Québec, « l'employeur doit s'assurer que chacun des éléments du programme d'équité salariale, ainsi que l'application de ces éléments, sont exempts de discrimination fondée sur le sexe ».

Plusieurs écrits (Chicha, 1997 ; David-McNeil et Sabourin, 1998 ; Weiner, 1991 ; Weiner et Gunderson, 1990) ont défini les exigences d'un processus neutre, c'est-à-dire d'un processus qui traite de la même façon les catégories d'emplois à prédominance féminine et les catégories d'emplois à prédominance masculine, en évitant de faire intervenir des préjugés et des stéréotypes sexistes. Par ailleurs, les sites Internet des commissions de l'équité salariale, notamment celles de l'Ontario et du Québec, listent une multitude de documents qu'ils ont conçus afin d'aider les entreprises à cet égard. Cette section résume les principales incidences qu'ont les préoccupations en matière d'équité salariale sur le processus d'analyse et d'évaluation des emplois de même que sur la gestion des échelles salariales.

6.5.1   Une analyse des emplois respectant le principe de neutralité

Selon la Loi sur l'équité salariale du Québec, l'employeur doit conserver de la documentation sur chaque emploi, mais il n'est pas tenu de rédiger des descriptions d'emplois. En effet, l'entreprise a l'obligation de compiler de la documentation sur les emplois afin de prouver, s'il y a lieu, que leur description est exempte de préjugés liés au sexe des titulaires. Dans cette perspective, l'employeur doit se soucier de la neutralité du processus de collecte de renseignements portant sur les catégories d'emplois.

Quels que soient le mode de collecte des données ou les instruments d'analyse des emplois (le questionnaire, les entrevues et/ou l'observation), ils doivent être uniformes et aussi précis pour toutes les catégories d'emplois, qu'elles soient à prédominance féminine ou à prédominance masculine. Des recherches ont démontré que les femmes ont tendance à décrire leurs tâches de manière succincte en utilisant des termes imprécis (par exemple, « coordonne ou supervise des personnes », « gère des documents et assume des responsabilités de bureau »), alors que les hommes en font une description détaillée et utilisent des termes plus techniques et précis (par exemple, « dirige ou gère du personnel », « calibre la pression des FP 25 »). Aussi est-il important de s'assurer que tous les emplois des hommes et des femmes seront décrits en des termes précis, simples et non sexistes. Par ailleurs, les questions visant à obtenir de l'information sur les emplois doivent être claires et porter sur les emplois et non sur leurs titulaires (par exemple, on ne demande pas le diplôme du titulaire, mais la scolarité requise pour l'accomplissement de ses tâches).

Compte tenu des précédentes conditions de neutralité, la tendance favorise (mais n'oblige pas) le recours à un questionnaire fermé parce que ce dernier réduit les différences dues au sexe et aux aptitudes pour la rédaction chez les titulaires. Là où les descriptions d'emplois sont disponibles, elles devraient être rédigées de façon systématique, cohérente et comparable d'une catégorie d'emplois à l'autre et ne pas minimiser ou exclure certaines exigences des catégories d'emplois à prédominance féminine. En outre, il faut préciser la nature de l'équipement utilisé — qui est souvent tenu pour acquis ou négligé dans la description de certains emplois à prédominance féminine —, comme les ordinateurs et les télécopieurs pour les emplois de bureau et les respirateurs et les moniteurs cardiaques pour le personnel infirmier.

6.5.2 Un processus d'évaluation des emplois respectant le principe de neutralité

Une démarche d'équité salariale repose d'abord et avant tout sur un processus d'évaluation des emplois. Il n'est donc pas surprenant de constater qu'en Ontario une étude (McDonald et Thornton, 1998) menée auprès d'organisations qui ont réalisé une telle démarche montre que ces dernières ont dû apporter des changements substantiels en matière d'évaluation des emplois et faire face à bien des frustrations et des plaintes à cet égard, d'où l'importance de gérer ce processus avec soin.

Pour qu'un processus d'évaluation des emplois respecte le principe de neutralité, l'entreprise doit faire des choix éclairés et prudents en ce qui concerne la méthode d'évaluation des emplois, les facteurs d'évaluation des emplois et la composition du comité d'évaluation des emplois.

6.5.2.1 Le choix de la méthode d'évaluation des emplois

Le choix de la méthode d'évaluation des emplois a des conséquences en ce qui a trait au nombre de titulaires pour lesquels des rajustements salariaux sont requis et sur l'ampleur de ces rajustements. En vertu des diverses lois canadiennes sur l'équité salariale, le choix de la méthode d'évaluation des catégories d'emplois à prédominance masculine et des catégories d'emplois à prédominance féminine (par exemple, la méthode des points et facteurs, la méthode de rangement des emplois ou la méthode de classification des emplois) est laissé aux responsables de l'élaboration du programme. Toutefois, selon la loi du Québec, la méthode retenue doit permettre une comparaison des catégories d'emplois à prédominance féminine avec certaines catégories d'emplois à prédominance masculine (article 56), mettre en évidence les caractères propres aux catégories d'emplois à prédominance féminine et aux catégories d'emplois à prédominance masculine (article 56) et tenir compte, pour chaque catégorie d'emplois, des facteurs suivants :

les compétences requises, les responsabilités assumées, les efforts requis et les conditions de travail dans lesquelles le travail est effectué (article 57).

Compte tenu des exigences précédentes, des méthodes comme la méthode du rangement et la méthode de classification sont moins appropriées en raison de leur caractère global, imprécis et non analytique. En effet, ces méthodes ne tiennent pas compte de manière explicite des quatre grands facteurs exigés par la loi (les habiletés, l'effort, les responsabilités et les conditions de travail). Par ailleurs, elles rendent difficile l'établissement de différences précises, justes et non arbitraires en matière d'exigences d'emplois. Aussi, à cause de ces méthodes, l'évaluation risque davantage d'être biaisée par des stéréotypes et par les caractéristiques des titulaires des emplois.

De fait, la méthode des points et facteurs semble la méthode privilégiée par les législateurs en raison de son caractère analytique et quantitatif qui permet de considérer d'une façon explicite les quatre facteurs d'évaluation qu'ils prescrivent. De façon générale, on privilégie l'évaluation basée sur des informations colligées par un questionnaire structuré à l'évaluation basée sur des descriptions d'emplois analysées avec l'aide d'une grille d'évaluation pour plusieurs raisons (Gaucher, 1994) :

- l'approche au moyen d'un questionnaire crée un terrain neutre sur lequel il est plus facile d'établir des facteurs et une pondération de facteurs moins sexistes parce qu'ils sont fixés sans égard aux tâches et aux fonctions ;
- comme cette approche ne requiert pas de descriptions d'emplois, elle limite l'emprise des préjugés et l'effet de halo ;
- cette approche par questionnaire donne la possibilité aux employés de participer au processus d'évaluation des emplois et de profiter de l'informatique pour faire des analyses statistiques qui permettront de pondérer les facteurs.

6.5.2.2 Le choix et le nombre des facteurs d'évaluation des emplois

La méthode d'évaluation des emplois retenue doit faire ressortir les caractères propres aux catégories d'emplois à prédominance féminine et aux catégories d'emplois à prédominance masculine (article 56). Comme nous l'avons mentionné, les quatre facteurs imposés par les législateurs sont les habiletés, l'effort, les responsabilités et les conditions de travail. Toutefois, ce n'est pas parce qu'une organisation choisit ces quatre facteurs qu'elle respecte nécessairement la loi. L'aspect plus ou moins discriminatoire d'un facteur repose fondamentalement sur la définition qu'on lui donne.

Certains facteurs d'évaluation doivent être considérés de façon particulière afin que le processus d'évaluation ne soit pas biaisé en faveur de l'un ou de l'autre sexe (Commission canadienne des droits de la personne, 1998 ; Weiner et Gunderson, 1990). On pense, par exemple, à l'expérience et aux conditions de travail. Étant donné qu'on présume souvent que l'expérience nécessaire pour occuper des emplois à prédominance féminine (préposées à l'entretien, préposées aux malades) s'acquiert à la maison ou à l'école (ou pire, l'expérience est nulle puisque les habiletés ciblées sont jugées innées), on tend à estimer que ces emplois nécessitent moins d'expérience sur le marché du travail que les emplois à prédominance masculine. En ce qui concerne l'effort physique, un emploi de secrétaire peut être coté comme requérant un effort « de très léger à léger », alors qu'un effort « de léger à modéré » est attribué à l'emploi de conducteur de camion. Il faut alors se poser la question suivante : le fait de tenir le volant d'un véhicule requiert-il vraiment plus d'effort physique que le fait de taper sur un clavier ? Une telle interrogation nécessite qu'on reconsidère la signification communément et historiquement accordée au facteur « exigences physiques », qui privilégie le déploiement d'une force physique brute et ignore la fatigue qui résulte de l'exécution d'une tâche nécessitant une force physique peu importante mais continue. La question devient alors celle-ci : est-il toujours vrai que l'effort important mais peu fréquent est plus fatigant que l'effort léger mais continu ? Comme on peut le constater dans le tableau 6.2, les définitions de facteurs peuvent privilégier les emplois à prédominance masculine et ne pas prendre en considération certaines exigences davantage associées aux emplois à prédominance féminine.

TABLEAU 6.2

Exemples de discrimination fondée sur le sexe dans le choix et la définition des facteurs d'évaluation des emplois

A. Exemples de discrimination fondée sur le sexe dans la définition des facteurs

Relations humaines

Ne pas inclure les habiletés requises pour travailler avec des personnes autres que les personnes supervisées (par exemple, ne pas tenir compte des habiletés en matière de relations humaines pour le personnel infirmier).

Effort physique

Mettre l'accent sur le poids des objets à soulever sans considérer la fréquence de l'effort.

Conditions de travail

Considérer la présence évidente de la saleté entourant l'emploi (comme celui de mécanicien) plutôt que la responsabilité de nettoyer (par exemple, pour le personnel d'entretien ménager ou pour le personnel infirmier).

B. Exemples d'exigences ou de sous-facteurs favorisant les emplois féminins qui sont souvent ignorés

Qualifications

- Dextérité

- Exploitation et entretien d'équipements de bureau

TABLEAU 6.2 (suite)

- Rédaction de lettres pour d'autres personnes, relecture et correction du travail de tiers
- Gestion de documents
- Gestion des plaintes (par exemple, chez les commis des magasins)
- Coordination de plusieurs activités
- Précision
- Organisation de l'information
- Attention aux détails
- Compétence en dactylographie

Effort

- Adaptation aux nouvelles technologies
- Exécution de tâches exigeant une bonne coordination à la fois visuelle et manuelle
- Concentration visuelle
- Prestation simultanée de nombreux services à l'intention de plusieurs personnes ou unités
- Fréquence de gestes comme se lever et porter des objets ou soulever des personnes (par exemple, dans le travail en garderie)
- Effort psychique
- Stress lié au travail dans une aire ouverte ou surpeuplée
- Stress lié au soin des personnes malades, agressives ou mourantes

Responsabilités

- Formation et orientation du personnel nouvellement embauché
- Coordination d'horaires pour de nombreuses personnes
- Soins à prodiguer à des malades, à des enfants, à des personnes âgées, etc.
- Communication avec les clients et le public (clients internes et externes), relations publiques
- Gestion de situations inattendues et nouvelles
- Planification de réunions ou de rendez-vous
- Relations humaines

Conditions de travail

- Communication avec des personnes en colère ou troublées
- Risques d'abus verbaux et physiques de la part de clients ou de patients perturbés
- Exposition à la maladie
- Entretien de bureaux, d'équipements, soins apportés aux personnes, etc.

TABLEAU 6.2 (*suite*)

- Interruptions fréquentes d'un travail requérant de la concentration
- Monotonie
- Modifications fréquentes des horaires de travail

C. Exemples d'exigences ou de sous-facteurs favorisant les emplois masculins qui sont souvent considérés

Qualifications

- Connaissance des machines, des équipements, etc.
- Scolarité
- Expérience

Effort

- Calcul
- Résolution de problèmes

Responsabilités

- Équipements
- Finances
- Produits
- Normes

Conditions de travail

- Travail à l'extérieur
- Risques d'accidents
- Durée de la journée de travail

D. Exemples d'exigences ou de sous-facteurs pouvant être considérés comme neutres

Qualifications

- Communication
- Initiative
- Créativité, originalité, imagination
- Jugement ou raisonnement
- Rédaction

Effort

- Coopération
- Prise de décision
- Fatigue
- Endurance

> **TABLEAU 6.2 (suite)**
>
> Responsabilités
>
> - Supervision
> - Responsabilisation
> - Environnement sécuritaire pour d'autres personnes
> - Protection du caractère confidentiel de dossiers, de données, etc.
>
> Conditions de travail
>
> - Respect d'échéances
> - Saleté

6.5.2.3 La pondération des facteurs d'évaluation des emplois

L'importance relative accordée à chacun des facteurs d'évaluation influe directement sur les résultats de l'évaluation des emplois. Il faut éviter d'attribuer une pondération plus élevée à des sous-facteurs qui privilégient les catégories d'emplois à prédominance masculine ou, à l'inverse, une pondération moins élevée à des sous-facteurs qui sont associés à des emplois à prédominance féminine. Par exemple, lorsqu'on compare l'emploi d'assembleur avec celui d'infirmière dans une entreprise, le nombre total de points (avant la pondération) n'est pas lié aux mêmes facteurs, mais il est semblable pour les deux emplois. D'une part, l'emploi d'assembleur obtient plus de points pour les facteurs « activité physique » et « conditions de travail » et moins de points pour les facteurs « complexité des tâches » et « formation » que celui d'infirmière. Une pondération non sexiste dans cette situation nécessite que l'on n'accorde pas simultanément une pondération élevée aux facteurs pour lesquels l'emploi d'assembleur obtient relativement plus de points et une pondération basse aux facteurs pour lesquels cet emploi obtient moins de points. En d'autres mots, il ne faut pas attribuer un pourcentage élevé ni bas à des facteurs dont l'importance relative est propre à une catégorie d'emplois. Ainsi, une pondération de 15 % accordée aux conditions de travail, de 15 % à l'activité physique et de 7 % à la complexité des tâches serait probablement discriminatoire envers des femmes, puisque l'emploi d'assembleur serait favorisé au détriment de celui d'infirmière. Une pondération plus équitable pourrait être une pondération de 5 % accordée aux conditions de travail, de 10 % à l'activité physique et de 15 % à la complexité des tâches.

Comme l'indique la Commission canadienne des droits de la personne (1998, p. 92-93) :

> ... imaginez deux facteurs qui mesurent les conditions de travail ; le premier est appelé *éléments physiques* et le deuxième, *éléments psychologiques*.

Si le niveau du caractère désagréable est en gros équivalent dans les deux facteurs, mais qu'un poids plus grand est attribué aux *éléments physiques,* qui sont une caractéristique habituelle du travail à prédominance masculine dans l'organisation, par rapport aux *éléments psychologiques,* qui sont une caractéristique habituelle du travail à prédominance féminine dans l'organisation, les résultats seront biaisés. [...] si une organisation œuvrant dans le secteur des services indique dans son mandat que la qualité du service est une priorité absolue, mais n'attribue pourtant qu'un poids de 4 % au facteur relatif au service à la clientèle, il s'avérera peut-être nécessaire de réexaminer cette pondération. Si un poids accordé à un facteur est faible par rapport à d'autres facteurs, et que les emplois qui obtiennent la meilleure cote quant à ce facteur tendent à être à prédominance féminine, le résultat risque d'être empreint de sexisme.

Afin d'éviter les éléments sexistes dans l'évaluation des catégories d'emplois, on peut également mesurer la présence d'un sous-facteur d'évaluation à la fois pour chacune des catégories d'emplois. De même, on peut procéder à la pondération des facteurs d'évaluation après avoir déterminé les niveaux de présence de chaque facteur et sous-facteur d'évaluation. On évite alors de favoriser ou de défavoriser une catégorie d'emplois en gonflant ou en dépréciant indûment le niveau de présence d'un facteur ou d'un sous-facteur dont le poids est plus important.

Aujourd'hui, il est assez courant de déterminer la pondération des facteurs en utilisant la méthode statistique de la régression multiple à partir des salaires actuels attribués à des emplois. Toutefois, cette façon de faire risque de perpétuer la discrimination existante. Aussi est-il recommandé de vérifier l'effet du sexe des titulaires des emplois sur la pondération avant de prendre une décision.

On peut recourir à deux approches pour réduire le problème de l'iniquité liée au sexe dans la pondération des facteurs d'évaluation. La première approche consiste à ajouter dans les analyses de régression multiple la proportion de femmes occupant chaque emploi comme variable indépendante, afin d'en maîtriser l'effet dans la détermination des salaires des emplois. Comme l'effet du sexe des titulaires est alors maintenu constant, les coefficients des divers facteurs d'évaluation (c'est-à-dire leur pondération) ne sont pas biaisés par cette variable.

La deuxième approche consiste à effectuer des analyses de régression multiple distinctes pour le groupe d'emplois occupés majoritairement par des hommes et pour le groupe d'emplois occupés majoritairement par des femmes. On peut alors déterminer la pondération des facteurs en effectuant les régressions multiples avec les emplois à prédominance masculine seulement, puis appliquer cette pondération à l'ensemble des emplois. Cette façon de faire n'est valable que dans la mesure où les caractéristiques des emplois à prédominance masculine sont les mêmes que celles des emplois à prédominance féminine.

En conclusion, la Commission canadienne des droits de la personne (1998, p. 93) suggère qu'on se pose les questions suivantes pour s'assurer qu'un processus de pondération des sous-facteurs d'évaluation réduit au minimum les préjugés sexistes.

— La pondération des facteurs révèle-t-elle une tendance liée au sexe des employés, les coefficients de pondération supérieurs favorisant un sexe par rapport à l'autre?

— Les facteurs qui comportent un niveau « point zéro » sont-ils déterminés par une tendance liée au sexe des employés?

— Si certains facteurs peuvent être considérés comme des éléments équivalents, mais qu'ils correspondent à des exigences différentes (conditions physiques et psychologiques, par exemple), est-ce qu'une tendance liée au sexe des employés se dégage du fait qu'un plus grand poids est attribué à un facteur qu'à un autre?

— La pondération accroît-elle ou réduit-elle l'effet d'éventuels chevauchements des facteurs?

— Les poids et la hiérarchie résultant de la pondération reflètent-ils le cadre organisationnel, et notamment le mandat, l'énoncé de mission et d'autres documents desquels ressortent les valeurs de l'organisation? Par exemple, si l'organisation a le mandat de fournir des services ou des soins de qualité, ces facteurs sont-ils présents, et ont-ils un poids en conséquence?

6.5.2.4 La composition du comité d'évaluation des emplois

Une autre source potentielle de distorsion dans les résultats d'évaluation des emplois a trait au sexe des membres du comité d'évaluation des emplois. Certaines recherches ont analysé l'effet des caractéristiques des évaluateurs (surtout leur sexe) sur les résultats de l'évaluation des emplois (Arvey *et al.,* 1977; Benson et Hornby, 1988; Bergeron, 1990; Carlisi, 1985; Caron, 1988; Grams et Schawb, 1985; Grider et Toombs, 1993; Rynes *et al.,* 1989; Schwab et Grams, 1985). Même si les résultats de ces études sont loin de concorder, il y a lieu d'être prudent quant on constitue un comité d'évaluation mixte. Afin d'éviter les biais ou l'apparence de biais dans le processus d'analyse et d'évaluation des emplois, il est généralement recommandé de former un comité d'évaluation composé de femmes et d'hommes d'âges différents qui occupent des emplois différents.

6.5.3 La gestion des échelles salariales respectant le principe de neutralité

Si la Loi sur l'équité salariale du Québec exige l'égalité des taux de salaires maximaux entre les catégories d'emplois à prédominance féminine et les catégories d'emplois à prédominance masculine de valeur équivalente, elle ne traite pas de la discrimination dans la gestion de leurs salaires respectifs (les caractéristiques de leurs structures salariales). Pourtant, l'iniquité dans la rémunération des catégories d'emplois féminines et des catégories d'emplois masculines peut s'exprimer par le nombre d'échelons de leurs échelles salariales respectives, les taux minimaux et maximaux de leurs échelles salariales, le taux de progression dans leurs échelles salariales, etc.

Ainsi, une entreprise peut comporter une catégorie d'emplois féminine qui a un taux maximal égal à celui d'une catégorie d'emplois masculine de valeur équivalente, mais l'équité salariale n'est pas établie si la première catégorie est rémunérée selon une échelle salariale comportant 12 échelons et qu'il faille en moyenne 15 ans pour atteindre le niveau supérieur, alors que l'échelle de la seconde catégorie comporte 3 échelons et qu'il ne faut que 5 ans pour atteindre le niveau supérieur. En pratique, les catégories d'emplois à prédominance féminine ont souvent des échelles salariales plus étendues que les catégories d'emplois à prédominance masculine où l'on trouve plus de taux uniques.

Ainsi que l'observe Chicha (1998b, p. 79) :

> … même si on constate par exemple dans une entreprise que l'emploi de secrétaire et celui de mécanicien sont de même valeur et doivent avoir un même taux de salaire maximum, la secrétaire n'obtiendra ce salaire qu'après dix ans de travail alors que le mécanicien l'obtiendra après trois ans. L'iniquité salariale entre les emplois féminins et masculins est ainsi indirectement maintenue.

Par ailleurs, au-delà du nombre d'échelons, d'autres caractéristiques des échelles salariales doivent être liées aux caractéristiques des emplois et ne pas être liées à la prépondérance sexuelle des titulaires lorsque la complexité et le rythme d'apprentissage sont semblables (les taux minimaux et maximaux, le rythme de progression entre échelons, le nombre d'années exigées pour atteindre le niveau supérieur de l'échelle, le rythme d'augmentation salariale entre les échelons) (David-McNeil et Sabourin, 1998). Lors de l'implantation et du maintien de l'équité salariale, certains intervenants recommandent de comparer la moyenne des ratios comparatifs (salaires réels des employés divisés par le point de contrôle de l'échelle) des catégories d'emplois à prédominance féminine avec celle des ratios comparatifs des catégories d'emplois à prédominance masculine afin de juger si les échelles et les rajustements salariaux sont exempts de discrimination fondée sur le sexe (Saucier Conseil, 2003).

6.6   Les conditions de succès d'une démarche d'équité salariale

L'importance des perceptions de justice à l'égard des décisions et des processus de gestion au sein des organisations a été confirmée par tout un courant de recherche (voir les méta-analyses de Cohen et Spector, 2001, et de Colquitt *et al.*, 2001). Au Québec, des recherches visant à analyser les conditions de succès ou les perceptions de justice des employés quant à la mise en œuvre et aux résultats d'une démarche d'équité salariale (Boudreau, 2000 ; Cloutier, 2004) confirment l'importance des aspects suivants :

- l'appui et l'engagement des dirigeants par rapport à la démarche d'équité salariale ;

- le respect des règles de justice dans la gestion de la démarche d'équité salariale (par exemple, l'absence de biais grâce au respect des règles traitées précédemment, la participation des employés, les possibilités d'appel ou de réévaluation de certains résultats) ;

- la communication tout au long de la démarche en ce qui a trait au contenu de celle-ci, à son ampleur et à sa fréquence.

- l'engagement, la consultation et la formation des intervenants, notamment les représentants des employés, des cadres et des membres du comité d'équité salariale, et le recours éventuel à des conseillers externes pour guider la démarche d'équité salariale, l'expérience d'autres provinces canadiennes qui ont adopté une loi proactive confirmant l'importance de la formation des membres du comité en ce qui concerne à la fois les causes de la discrimination salariale et le processus et les techniques d'évaluation des emplois et de gestion de la rémunération (Genge, 1994) ;

- un climat de travail marqué par le respect, la confiance et l'honnêteté ;

- une culture de gestion axée sur le partenariat et promulguant des valeurs compatibles avec l'équité salariale, notamment la transparence tant dans les processus que dans les résultats de la démarche d'équité salariale.

Insistons sur le fait que, dans le contexte de l'élaboration d'un programme d'équité salariale, la participation des employés et l'information donnée à ceux-ci se révèlent particulièrement importantes pour favoriser l'acceptation des résultats d'une démarche d'équité salariale. En effet, comme le signalent David-McNeil et Sabourin (1998, p. 57) :

> … l'implantation de l'équité salariale est susceptible d'entraîner une remise en question des valeurs traditionnellement privilégiées par l'entreprise et de modifier la hiérarchie des salaires de l'ensemble des

personnes salariées. Ces perturbations importantes du milieu du travail seront plus facilement acceptées si les personnes salariées comprennent le bien-fondé de l'équité salariale et si elles jugent que les ajustements salariaux ont été correctement et justement déterminés.

Le tableau 6.3 présente les principaux aspects qui doivent être traités dans un programme de communication à l'égard d'une démarche d'équité salariale. Comme c'est le cas pour tout changement, il s'avère important que la direction et le comité d'équité salariale communiquent rapidement, régulièrement, par divers moyens (verbalement, par écrit, en réunion de groupe, etc.), de manière transparente, cohérente et accessible pour les raisons suivantes :

– afin de marquer la volonté de la direction de corriger, s'il y a lieu, la discrimination salariale ;

– afin de faire comprendre le contenu d'une démarche d'équité salariale, soit les concepts clés, les étapes et l'échéancier ;

– afin de gérer, de clarifier et de limiter les attentes des employés et d'obtenir leur collaboration ;

– afin de prévoir les résistances, de minimiser les insatisfactions et les contestations et de répondre aux questions des employés ;

– afin de justifier et d'expliquer les décisions prises lors de la démarche d'équité salariale en vue de favoriser chez les employés la compréhension et l'acceptation de la démarche d'équité salariale et de ses résultats.

Le contenu du programme de communication peut varier selon les provinces du Canada et selon la nature des lois en matière d'équité salariale. Cependant, quelle que soit la situation, certains éléments doivent être communiqués. Comme le processus d'établissement de l'équité salariale peut s'échelonner sur plusieurs mois, il est nécessaire de faire périodiquement le point. Le suivi est susceptible de prendre la forme de rencontres, mais le recours au journal de l'entreprise peut se révéler suffisant. Par ailleurs, l'expérience montre qu'un plan de communication doit insister sur les points suivants :

– l'évaluation des emplois ne constitue qu'un des éléments de la détermination des salaires ;

– elle ne sert pas directement à déterminer les salaires, mais plutôt à les hiérarchiser en matière d'exigences ;

– elle porte sur les caractéristiques des emplois, et non sur celles des employés ;

– le processus d'équité salariale n'entraînera ni suppression de postes ni diminution de salaire et n'a pas pour effet d'augmenter le salaire de toutes les femmes, et encore moins celui de tous les employés.

TABLEAU 6.3

LES PRINCIPALES COMPOSANTES D'UN PROGRAMME DE COMMUNICATION À L'ÉGARD D'UNE DÉMARCHE D'ÉQUITÉ SALARIALE

- Qu'est-ce que l'équité salariale?
    - Quel sens le législateur accorde-t-il à ce concept?
    - Quel est le but de la loi?
    - Quelles en sont les principales caractéristiques?
- Comment fait-on pour assurer l'équité salariale?
    - Quel est l'objectif de l'évaluation des emplois?
    - Quelle démarche utilisera-t-on?
    - Comment recueillera-t-on l'information?
    - Comment l'analysera-t-on?
    - Qui siégera au comité d'équité salariale? Quel sera le rôle de ce comité? Comment les membres seront-ils choisis?
    - Quels emplois comparera-t-on les uns avec les autres?
    - Comment se fera la détermination des rajustements salariaux requis?
- Quel rôle l'employé jouera-t-il dans le programme d'équité salariale?
- Quelles sont les responsabilités du syndicat, s'il y a lieu?
- Quel rôle les supérieurs hiérarchiques devront-ils jouer?
- Quel est l'échéancier du programme d'équité salariale?
    - Quelles en sont les grandes étapes?
    - À quel moment les rajustements salariaux se feront-ils?
    - Qu'est-ce qui se produira s'il y a des retards?
- Y a-t-il des mécanismes d'appel au sujet des résultats? Auprès de qui?
- Présentation du conseiller externe et de son rôle dans le projet (s'il y a lieu).

Conclusion

Ce chapitre a traité du principe de l'équité salariale et d'une loi proactive visant essentiellement à amener les employeurs à assurer la cohérence de la rémunération attribuée aux catégories d'emplois à prédominance féminine par rapport aux salaires offerts aux catégories d'emplois à prédominance masculine. Les raisons d'être, les limites et les caractéristiques des lois canadiennes visant à contrer la discrimination dans les salaires accordés aux hommes et aux femmes ont également été expliquées ainsi que la Loi sur l'équité salariale du Québec. Après avoir traité du débat lié à l'adoption d'une loi proactive sur l'équité salariale, ce chapitre a décrit ses incidences sur diverses étapes ou facettes du processus d'analyse et d'évaluation des emplois (le choix de la méthode d'évaluation, la définition et la pondération des facteurs d'évaluation, la composition du comité d'évaluation) de même que des conditions de succès d'une démarche proactive d'équité salariale.

Questions de révision_____

1. Qu'est-ce que l'équité salariale et quel est l'objectif de la législation à cet égard ?

2. On confond souvent « équité salariale » et « équité en emploi ». Comparer et distinguer ces deux concepts.

3. Décrire l'évolution de la législation canadienne visant à contrer la discrimination basée sur le sexe dans la détermination de la rémunération.

4. Résumer les grandes lignes de la Loi sur l'équité salariale du Québec ou la démarche d'équité salariale proposée par la Commission sur l'équité salariale. Commenter certaines dispositions de la loi au regard de leur caractère novateur ou de leur caractère conservateur qui facilitent ou, à l'inverse, limitent les corrections salariales qui peuvent être accordées aux emplois à prédominance féminine.

5. L'adoption d'une loi proactive en matière d'équité salariale ne fait pas l'unanimité. Expliquer les principaux arguments des partisans d'une telle législation et de ses opposants.

6. Quelles sont les répercussions d'une loi prônant l'équité salariale sur le processus de détermination et de gestion de la rémunération ?

7. Traiter des principales conditions de succès d'une démarche d'équité salariale.

Références_____

ABROMEIT, J. (1995). « Maintaining pay in academia : An exploration of organizational policies and practices (wage gaps) », thèse de doctorat, Boulder, University of Colorado.

AKYEAMPONG, E.B. (1998). « The rise of unionization among women », *Perspectives on Labour and Income,* Ottawa, Statistique Canada, hiver.

AMES, L. (1995). « Fixing women's wages : The effectiveness of comparable worth policies », *Industrial and Labour Relations Review,* vol. 48, n° 4, p. 709-725.

ANDERSON, J. *et al.* (2003). *Expanding the Federal Pay Equity Policy beyond Gender,* rapport soumis par le Canadian Council on Social Development (CCSD) au Pay Equity Task Force, Ottawa, Gouvernement du Canada.

ARVEY, R.D., E.M. PASSINO et J.W. LOUNDSBURY (1977). « Job analysis results as influenced by sex of incumbents and sex of analyst », *Journal of Applied Psychology,* vol. 62, n° 4, p. 411-416.

BAKER, M. et N. FORTIN (1999). « Women's wages in women's work : A US/Canada comparison of the roles of unions and "public goods" sector jobs », *American Economic Review Papers and Proceedings,* mai.

BENSON, P.G. et J.S. HORNBY (1988). « The politics of pay : The use of influence tactics in job evaluation committees », *Group and Organization Studies,* vol. 13, n° 2, p. 208-224.

BERGERON, J. (1990). « Effet du sexe de l'évaluateur, du sexe du titulaire et du niveau de salaire sur les résultats d'évaluation d'emplois », mémoire de maîtrise, Montréal, HEC Montréal.

BOUDREAU, S. (2000). « Les variables influençant les perceptions de justice des personnes salariées à l'égard de la mise en œuvre et des résultats d'une démarche d'équité salariale », mémoire de maîtrise, Montréal, HEC Montréal.

BRIÈRE, J.-Y. (2002). « L'équité salariale : quand le droit à l'égalité se négocie au Québec », dans J.-L. Baudouin et P. Deslauriers (sous la dir. de), *Droit à l'égalité et discrimination : aspects nouveaux,* Cowansville, Éditions Yvon Blais, p. 155-171.

BRIÈRE, J.-Y., R. CARON et J.P. VILLAGGI (2000). *Accomplir l'équité salariale : guide pratique,* Farnham, Publications CCH.

BRUNELLE, C. (2001). *Discrimination et obligation d'accommodement en milieu syndiqué,* Cowansville, Éditions Yvon Blais.

CARLISI, A.M. (1985). « The influence of sex stereo-typing and the sex of the job evaluator on job evaluation ratings », thèse de doctorat, Akron, Ohio, University of Akron.

CARON, I. (1988). « Étude sur la convergence des résultats d'évaluation de deux méthodes de points d'évaluation des emplois », mémoire de maîtrise, Montréal, HEC Montréal.

CHICHA, M.T. (1997). *L'équité salariale : mise en œuvre et enjeux,* 1re éd., Cowansville, Éditions Yvon Blais.

CHICHA, M.T. (1998a). « Le programme d'équité salariale : une démarche complexe à plusieurs volets », *Gestion,* vol. 23, n° 1, printemps, p. 23-33.

CHICHA, M.T. (1998b). « Les dilemmes de l'équité salariale : la récente loi proactive du Québec », *Les Cahiers de la femme,* vol. 18, n° 1, p. 77-80.

CHICHA, M.T. (2000a). « L'adoption et la mise en œuvre de la Loi québécoise sur l'équité salariale : l'existence d'un double standard », *Lien social et politiques – RIAC,* vol. 47, printemps, p. 85-95.

CHICHA, M.T. (2000b). *L'équité salariale : mise en œuvre et enjeux,* 2e éd., Cowansville, Éditions Yvon Blais.

CLOUTIER, J. (2004). « Les programmes d'équité salariale au Québec : de la justice sociale à la justice organisationnelle », thèse de doctorat, Montréal, Université du Québec à Montréal.

COHEN, C.Y. et P.E. SPECTOR (2001). « The role of justice in organization : A meta-analysis », *Organizational Behavior and Human Decision Processes,* vol. 86, p. 278-321.

COLQUITT, J.A. *et al.* (2001). « Justice at the millennium : A meta-analytic review of 25 years of organizational justice research », *Journal of Applied Psychology,* vol. 86, p. 425-445.

COMMISSION CANADIENNE DES DROITS DE LA PERSONNE (1992). *La parité salariale, ça va de soi : recueil des cas de disparité salariale,* Ottawa.

COMMISSION CANADIENNE DES DROITS DE LA PERSONNE (1998). *Guide sur la parité salariale et l'évaluation des emplois : principes directeurs et aspects pratiques,* Ottawa.

COMMISSION DE L'ÉQUITÉ SALARIALE DE L'ONTARIO (1995). *Maintenir l'équité salariale.* Vol. 1 : *Deux méthodes : la comparaison d'un emploi à l'autre et la comparaison de la valeur proportionnelle,* Toronto.

COMMISSION DE L'ÉQUITÉ SALARIALE DU QUÉBEC (2002a). *Les faits saillants du Rapport du ministre du Travail sur la mise en œuvre de la Loi sur l'équité salariale dans les entreprises de 10 à 49 personnes salariées,* Québec.

COMMISSION DE L'ÉQUITÉ SALARIALE DU QUÉBEC (2002b). *Le rapport du ministre du Travail sur la mise en œuvre de la Loi sur l'équité salariale dans les entreprises de 10 à 49 personnes salariées,* Québec, novembre.

COMMISSION DE L'ÉQUITÉ SALARIALE DU QUÉBEC (2003). *État de l'avancement des travaux relatifs à l'équité salariale dans les entreprises de 10 personnes salariées et plus,* rapport d'étude, Québec.

COMMISSION DE L'ÉQUITÉ SALARIALE DU QUÉBEC (2004). *Le maintien de l'équité salariale dans les entreprises de 50 personnes salariées et plus,* Québec.

COMMISSION DES DROITS DE LA PERSONNE DU QUÉBEC (1980). *À travail équivalent, salaire égal, sans discrimination,* cahier n° 3, Québec.

CURRIE, J. et R. CHAYKOWSKI (1995). « Male jobs, female jobs and gender gaps in benefits coverage in Canada », *Research in Labor Economics,* vol. 14, p. 171-210.

DAVID-McNEIL, J. (1999). « La gestion d'une démarche d'évaluation des emplois pour réaliser l'équité salariale », dans Marie-Josée Legault (sous la dir. de), *Équité en emploi – équité salariale,* recueil de textes, Sainte-Foy, Télé-université, p. 307-324.

DAVID-McNEIL, J. et D. SABOURIN (1998). « La loi sur l'équité salariale : analyse critique et enjeux », *Conférence sur les développements récents en droit du travail,* inédit.

ÉDITEUR OFFICIEL DU QUÉBEC (1996). Projet de loi n° 35 (chapitre 43) : *Loi sur l'équité salariale,* 2ᵉ session, 35ᵉ législature.

ENGLAND, P. (1992). *Comparable Worth : Theories and Evidence,* New York, Aldine de Gruyter.

FUDGE, J. (2000). « The paradoxe of pay equity : Reflections on the law and the market in Bell Canada and the public service alliance of Canada », *La Revue Femme et droit,* vol. 12, p. 312-344.

GAUCHER, D. (1994). *L'équité salariale au Québec : révision du problème – résultats d'une enquête,* Québec, Les Publications du Québec.

GENGE, S. (1994). *L'équité salariale au Canada,* Ottawa, Développement des ressources humaines Canada.

GRAMS, R. et D.P. SCHWAB (1985). « An investigation of systems gender related error in job evaluation », *Academy of Management Journal,* vol. 28, n° 2, p. 279-290.

GRIDER, D. et L.A. TOOMBS (1993). « Disproving valuation discrimination : A study of evaluator gender bias », *ACA Journal,* vol. 2, n° 2, automne, p. 24-33.

GROUPE DE TRAVAIL SUR L'ÉQUITÉ SALARIALE (2004). « Le maintien de l'équité salariale », *Équité salariale : une nouvelle approche à un droit fondamental,* Ottawa, Gouvernement du Canada.

GUNDERSON, M. (1985). « Male-female wage differentials and policy responses », *Journal of Economic Literature,* vol. 27, p. 46-72.

HABERFELD, Y., M. SEMYONOV et A. ADDI (1998). « A hierarchical linear model for estimating gender-based earnings differentials », *Work and Occupations,* vol. 25, p. 97-112.

HAIVEN, J. (2003). « A tale of two locals : How opposition to pay equity divided a union », communication présentée au Congrès de l'Association canadienne de relations industrielles (ACRI) à Terre-Neuve, Memorial University.

HALLÉE, Y. (2004). « Un comité mixte comme mécanisme de maintien de l'équité salariale : une voie envisageable ? », *Regards sur le travail,* Travail Québec, vol. 1, n° 2, p. 2-14.

HART, S.M. (2002). « Unions and pay equity bargaining in Canada », *Relations industrielles / Industrial Relations,* vol. 57, n° 4, p. 609-629.

KAINER, J. (1998). « Pay equity and part-time work : An analysis of pay equity negociations in Ontario supermarkets », *Cahiers de la femme,* vol. 18, n° 1, p. 47-51.

LAVOIE, E.E. et M. TRUDEL (2001). *Loi sur l'équité salariale annotée,* Cowansville, Éditions Yvon Blais.

LECK, J., S. ST-ONGE et I. LALANCETTE (1995). « Wage gap changes among organizations subject to the *Employment Equity Act* », *Canadian Public Policy,* décembre, vol. 21, n° 4, p. 387-400.

McDONALD, J. et R. THORNTON (1998). « Private sector experience with pay equity in Ontario », *Analyse de politiques,* vol. 24, n° 2, p. 227-241.

MESSIN, M. (2001). « L'équité salariale : à moins de cinq mois de la date butoir, où en êtes-vous ? », *Effectif,* juin-juillet-août, p. 54-56.

MICELI, M.P., J. BLACKBURN et S. MANGUM (1988). « Employers' pay practices and potential responses to "comparable worth" litigation and identification of research issues », *Journal of Business Ethics,* vol. 7, n° 5, p. 347-358.

MORIN, F. et J.-Y. BRIÈRE (2003). *Le droit de l'emploi au Québec,* Montréal, Wilson et Lafleur.

MOUNT, M.K. et R. ELLIS (1985). *Impacts of Pay Level, Job Gender and Job Type on Job Evaluation Ratings,* Des Moines, Iowa, University of Iowa.

PAQUET, R. et J.-A. LEQUIN (2003). *Concilier négociation collective et équité salariale : défi ou utopie ?,* document de recherche, Gatineau, Université du Québec en Outaouais, Département de relations industrielles.

PAUL, E.F. (1993). *Equity and Gender : The Comparable Worth Debate,* Nouveau-Brunswick, Transaction Publisher.

READ, J.M. (1996). *Examen de la Loi sur l'équité salariale,* Toronto, ministère du Travail.

ROBB, R.E. (1987). « Equal pay for work of equal value : Issues and policies », *Canadian Public Policies,* vol. 13, n° 4, p. 445-461.

RYNES, S.L., C.L. WEBER et G.T. MILJOVICH (1989). « Effects of market survey rates, job evaluation and job gender on job pay », *Journal of Applied Psychology,* vol. 74, n° 1, p. 114-123.

SABOURIN, D. (1999). « Quelques enjeux en équité salariale », *Effectif,* vol. 2, n° 1, p. 32-35.

SAUCIER CONSEIL (2003). « Équité salariale : l'obligation du maintien », mars, http://www.saucierconseil.com.

SCHWAB, D.P. et R. GRAMS (1985). « Sex related errors in job evaluation : A "real-world" test », *Journal of Applied Psychology,* vol. 70, n° 3, p. 533-539.

SORENSEN, E. (1994). *Comparable Worth : Is It a Worthy Policy ?,* Princeton, N.J., Princeton University Press.

SPR ASSOCIATES INCORPORATED (1991). *Une évaluation de l'équité salariale en Ontario : la première année,* Toronto.

STATISTIQUE CANADA (1998). *Le Quotidien,* catalogue n° 11-001F, Ottawa, 12 mai.

STATISTIQUE CANADA (2000). *Femmes au Canada,* catalogue n° 89-503, Ottawa.

VALLERAND, N. (2004). « Combien payer vos employés ? », *PME,* vol. 20, n° 2, p. 10.

WEINER, N. (1991). « Job evaluation systems : A critique », *Human Resources Management Review,* vol. 1, n° 2, p. 119-132.

WEINER, N. et M. GUNDERSON (1990). *Pay Equity : Issues, Options, and Experiences,* Toronto, Butterworths.

WORDATWORK (2001a). « Gender pay inequity in engineering study », *Workspan Weekly, Newsline,* 7 octobre.

WORLDATWORK (2001b). « Gender wage still substantial in sales and marketing », *Workspan Weekly, Newsline,* 20 juin.

WORLDATWORK (2003). « Women still trail men at highest salary levels, survey shows », *Newsline,* 25 mars.

WORLDATWORK (2005). « Gender wage gap widens », *Workspan Weekly, Newsline,* 5 janvier.

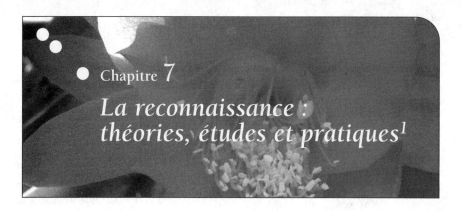

Chapitre 7

La reconnaissance :
théories, études et pratiques[1]

Objectifs

Ce chapitre vise à :

➤ décrire les diverses théories sur lesquelles on peut s'appuyer pour traiter de l'efficacité de la reconnaissance et des régimes de rémunération variable ;

➤ résumer les résultats des recherches qui ont comparé l'effet respectif de diverses formes de reconnaissance sur le rendement et qui ont analysé l'incidence des récompenses extrinsèques ou tangibles sur le rendement et la motivation intrinsèque ;

➤ faire comprendre les avantages et les limites d'un mode de gestion axé sur la reconnaissance comparativement à ceux d'un mode de gestion orienté vers le contrôle en relevant deux principes de base à respecter en matière de gestion de la reconnaissance ;

➤ démontrer la multiplicité des formes de reconnaissance — autres que pécuniaires — qu'on peut utiliser pour récompenser la contribution et les réalisations au travail ;

➤ traiter des caractéristiques des pratiques officielles de reconnaissance, de la fréquence de leur implantation, de leurs atouts, de leurs limites et des conditions de leur succès.

---

1 Certaines parties de ce chapitre s'appuient sur des extraits, adaptés et mis à jour, de St-Onge *et al.* (2005, p. 89-101).

Cas et conjoncture

 Quand une banane est meilleure que de l'argent

La reconnaissance est le moyen le plus efficace de mobiliser ses employés

Avez-vous déjà entendu parler du Golden Banana Award? L'histoire de ce prix est bien connue des employés de Hewlett-Packard. Plusieurs ingénieurs cherchaient la solution à un problème technique important depuis des semaines. Finalement, l'un d'eux l'a trouvée. Son patron, emballé et n'ayant rien d'autre sous la main, lui offre une banane de sa boîte à lunch! Par la suite, Hewlett-Packard a fait faire un trophée qui est remis à tous ceux qui font un bon coup dans ses usines.

Cette histoire s'est vite transformée en exemple à suivre lorsqu'il est question de mobilisation.

«Le salaire est important, mais ce qui motive les gens au travail, c'est la reconnaissance. Les gens veulent se faire dire qu'ils font un bon boulot et ils veulent avoir du feed-back. Ça ne coûte rien et ça fonctionne. Quand le gestionnaire voit quelque chose qu'il apprécie, il doit le dire à ce moment précis», explique André Savard, associé chez Dessureault, Savard, Caron et Associés, une firme de consultation en ressources humaines et en organisation.

«Les meilleurs programmes de reconnaissance sont ceux qui coûtent le moins cher et qui sont centrés sur la relation patron-subordonné», ajoute-t-il. Le gestionnaire joue un rôle de premier plan dans la mobilisation de ses employés. Sa responsabilité fondamentale, selon M. Savard, est de définir et d'expliquer ses attentes en plus de reconnaître le comportement voulu en donnant de la rétroaction. Par exemple, si l'objectif est le service à la clientèle, le gestionnaire doit observer les comportements de ses employés et encourager les mesures prises par ces derniers pour atteindre l'objectif.

«On s'occupe des gens quand ils font mal leur travail, lance M. Savard. Il faut faire l'inverse.»

Le consultant a identifié plusieurs outils de reconnaissance non monétaires ayant un impact direct sur la mobilisation des employés. Les gestionnaires doivent féliciter, informer, remercier verbalement ou par écrit, écouter et demander l'avis des employés, écrire une note positive au dossier personnel, communiquer aux gens des propos positifs venant d'une tierce personne ou encore souligner un progrès même si l'objectif n'est pas encore atteint.

«Les gens veulent du feed-back. C'est ce qui ressort des sondages», dit M. Savard, qui croit que la reconnaissance non monétaire motive davantage que l'argent. «La fierté motive les êtres humains. Quand un patron prend la peine de parler à un employé et de le féliciter, ce dernier se sent valorisé. Il s'agit d'une source de motivation énorme.»

Les outils de valorisation

«La reconnaissance non monétaire est plus puissante que les mécanismes monétaires parce qu'elle est immédiate, alors que les mécanismes monétaires, comme les bonis, sont annuels», explique Denis Chênevert, professeur adjoint en ressources humaines à HEC Montréal.

« L'employé ne perçoit plus le lien entre son comportement et la récompense qu'on lui octroie, ajoute-t-il. L'avantage avec la reconnaissance non monétaire, c'est qu'on peut l'ajuster aux besoins de l'individu. Un resto, une fin de semaine dans une auberge, une partie de golf, ou toute autre petite attention qui fera plaisir à l'employé. La tape dans le dos peut aussi bien faire l'affaire. »

Line Côté, cofondatrice du Groupe Réseau Conseil, une firme de consultation en ressources humaines, voit dans l'absentéisme, le taux de roulement élevé et les nombreux griefs des signes d'employés non mobilisés.

« Un employé mobilisé c'est quelqu'un qui, volontairement, va être prêt à déployer de l'énergie dans le but d'atteindre les objectifs de l'entreprise, et de se coordonner avec les autres membres de son équipe. La force d'une entreprise c'est son personnel et c'est ce qui la différencie des autres. C'est un avantage concurrentiel », souligne Mme Côté, une spécialiste en gestion des ressources humaines.

Il existe, selon elle, trois moyens efficaces pour développer un sentiment de mobilisation, après la reconnaissance monétaire.

1. L'information : un employé va être mobilisé s'il comprend ce qu'on attend de lui. Il faut partager l'information et le tenir au courant des objectifs et des projets d'investissement ou de rationalisation. Le journal interne ou l'intranet sont des moyens efficaces de communication utilisés par les entreprises. Sonder le pouls des employés et leur donner des moyens de s'exprimer est aussi essentiel.

« La grande tendance, dit Mme Côté, c'est que les entreprises font des sondages sur le climat organisationnel et sur la notion de clientèle. Cela permet de vérifier si les employés sont mobilisés et préoccupés par un projet commun. »

2. L'identification : les employés vont être mobilisés s'ils partagent les valeurs de l'organisation. Il faut développer un sentiment d'appartenance et solidifier les liens des individus. Activités sociales, *partys*, accessoires promotionnels et projets communs sont des moyens de favoriser l'appartenance.

3. La participation : il faut responsabiliser les employés, leur donner la formation nécessaire pour être performants et atteindre les objectifs. Participer à la prise de décision ou organiser des équipes de travail semi-autonomes donnent un sens au travail et mobilisent les employés.

M. Chênevert, de HEC Montréal, souligne qu'un climat de confiance est une condition essentielle à la réussite de toute stratégie mobilisatrice. « L'environnement doit être propice. Si les employés pensent que l'information véhiculée est erronée ou que les pratiques de promotion ne sont pas justes, les leviers ne fonctionneront pas. »

Source : Simard (2002, p. 23).

Introduction

Comme nous l'avons indiqué au chapitre 1, nous préférons utiliser dans ces pages le terme « reconnaissance » plutôt que le terme « récompense », en raison de son extension plus large. Toutefois, les deux termes sont utilisés fréquemment par les auteurs de manière interchangeable et, dans certains contextes, le terme « récompenses » est plus usuel. De même, nous privilégions l'expression « rendement » par rapport à l'expression « performance » pour rendre compte de la contribution individuelle des employés au travail ; cependant, sur le plan collectif ou organisationnel, nous employons l'expression « performance organisationnelle ».

La première section de ce chapitre présente un survol des théories examinant les effets potentiels de la reconnaissance sur les comportements et les résultats au travail, une synthèse des études analysant l'efficacité de divers modes de reconnaissance extrinsèque ainsi qu'une conclusion à caractère pratique quant aux principes de gestion à respecter à l'égard des modes de reconnaissance au travail. La deuxième section discute de la diversité des formes de reconnaissance, souvent de nature non pécuniaire, que les dirigeants d'entreprise et les gestionnaires peuvent accorder à leurs employés pour souligner leur contribution au travail. La dernière section traite de la fréquence, des atouts, de l'efficacité et des conditions de succès des pratiques de reconnaissance que de plus en plus d'organisations adoptent et gèrent de manière officielle.

7.1 La reconnaissance de la contribution au travail : théories, études et principes

On ne peut pas examiner la pertinence de l'adoption de pratiques de reconnaissance et de régimes de rémunération variable sans considérer certaines théories ainsi que les résultats des études qui ont analysé les effets de la reconnaissance extrinsèque. Cela nous permettra de dégager ensuite deux grands principes à respecter sur le plan pratique.

7.1.1 Les perspectives théoriques

L'influence de la reconnaissance (pécuniaire ou non pécuniaire) sur les attitudes et les comportements au travail peut être analysée selon diverses perspectives théoriques, qu'il s'agisse d'une perspective psychologique ou d'une perspective économique.

7.1.1.1 La perspective psychologique et les théories de la motivation

Selon Morin (1996, p. 122-123), « la motivation correspond aux forces qui entraînent des comportements orientés vers un objectif, forces qui permettent de maintenir ces comportements jusqu'à ce que l'objectif soit atteint. [...] La motivation confère trois caractéristiques à toute conduite : la force, la direction et la persistance ».

D'un point de vue psychologique, la plupart des théories de la motivation prônent les atouts de la reconnaissance pour motiver les personnes à adopter des attitudes et des comportements.

Selon la *théorie des attentes* (Vroom, 1964), les personnes sont motivées à améliorer leur rendement dans la mesure où elles ont l'impression que leurs efforts ont un effet sur leur rendement, qu'il existe un lien entre leur rendement et les récompenses et que les récompenses qu'elles obtiennent sont importantes à leurs yeux (voir le tableau 7.1). Aussi, plus les employés pensent qu'ils sont aptes à faire ce qu'on attend d'eux, plus ils pensent que cela leur apporte davantage de choses positives que de choses négatives, plus les conséquences positives ont de la valeur à leurs yeux, et plus ils sont motivés à faire ce qu'on attend d'eux.

Ainsi, les attitudes et les comportements au travail des employés résulteraient en partie d'analyses coûts/bénéfices plus ou moins conscientes. Par exemple, quoiqu'une politique de salaire au mérite puisse sembler motivante à cause du lien établi entre le salaire et le rendement, elle risque de l'être très peu si l'on considère les augmentations de salaires très faibles (valence) qui subsistent après les prélèvements d'impôts. Par ailleurs, bien que les avantages sociaux soient importants aux yeux des employés, ils n'ont aucun effet sur leur motivation au travail, puisqu'il n'y a pas de lien (instrumentalité) entre ces avantages et leur rendement au travail, dans la mesure où le travail est supérieur à une norme minimale (sinon, il y a congédiement et perte des avantages sociaux). De même, un taux d'absentéisme élevé peut indiquer que les employés voient (à tort ou à raison) plus d'avantages dans le fait de s'absenter de leur travail que dans le fait d'y être assidus. Associer plus d'avantages (ou de récompenses) au fait de se présenter au travail ou plus d'inconvénients (ou de punitions) au fait de s'absenter du travail — ou les deux à la fois — peut contribuer à réduire le problème de l'absentéisme. En effet, les employés tendent à répéter les comportements qui leur procurent du plaisir, selon le *principe de renforcement* (Skinner, 1974).

TABLEAU 7.1

LA THÉORIE DES ATTENTES

$$\sum \{(\text{Effort} \rightarrow \text{Rendement}) \, [\sum (\text{Rendement} \rightarrow \text{Récompense}) \, \text{Valence}]\}$$

$$\rightarrow \text{Effort (Motivation)}$$

Attentes (effort — rendement)

C'est la relation perçue par une personne entre l'effort qu'elle peut déployer et le niveau de rendement qui en résultera (probabilité que tel niveau d'effort soit lié à tel niveau de rendement). En d'autres termes, c'est la probabilité que la personne accorde au fait de pouvoir fournir divers niveaux de rendement. Cette perception de la probabilité « effort — rendement » est influencée par l'estime de soi de la personne et par l'expérience qu'elle possède à l'égard d'une situation de travail par sa confiance en sa capacité à accomplir ce qu'on attend d'elle, par son sentiment d'efficacité personnelle (*self-efficacy*), et par la maîtrise qu'elle a de ses comportements et de ses résultats (*locus of control*).

Instrumentalité (rendement — récompense)

Cet élément indique dans quelle mesure une personne perçoit la relation entre divers niveaux de rendement et les avantages qu'elle peut en retirer. En d'autres termes, c'est la probabilité que la personne accorde au fait de recevoir différents avantages lorsqu'elle atteint un niveau de rendement déterminé.

Valence

C'est l'importance ou la valeur qu'une personne accorde à différents avantages qu'elle peut retirer de son travail. Cette valeur est perçue comme d'autant plus grande que les avantages considérés peuvent combler les divers besoins de la personne. Cette valeur peut être jugée comme positive (quelque chose de désirable) ou négative (quelque chose d'indésirable).

Selon la *théorie de l'équité* (Adams, 1963), une personne éprouve un sentiment d'iniquité lorsqu'elle perçoit que le ratio de ses résultats par rapport à ses intrants est inégal au ratio des résultats par rapport aux intrants d'une autre personne ou d'un groupe de personnes. Les référents peuvent être de nature très différente : des personnes qui occupent un même emploi ou des emplois différents dans la même entreprise ou dans d'autres entreprises, la personne elle-même en fonction de critères élaborés à partir de son expérience passée et de ses attentes, des systèmes tels que des contrats implicites ou explicites. La contribution est composée de tout ce qu'une personne reconnaît qu'elle fournit de pertinent dans l'échange (ses aptitudes, son expérience, sa scolarité, son ancienneté, ses efforts au travail). La rétribution peut être le salaire, les avantages sociaux ou d'autres gratifications telles que le statut.

Cette théorie semble autant une théorie de la satisfaction qu'une théorie de la motivation. Il s'agit d'une théorie de la satisfaction en ce sens qu'elle correspond à la perception d'équité par rapport à la rémunération. Il s'agit d'une théorie de la motivation, car cette théorie stipule qu'une situation d'iniquité crée chez la personne une tension qui l'incite à trouver un moyen de réduire cette iniquité. Ainsi, lorsqu'un employé éprouve un sentiment d'iniquité, il cherche à diminuer cette iniquité par divers moyens : par une modification de sa contribution (réelle ou perçue), par un changement dans sa rétribution (réelle ou perçue), par un changement d'emploi, de référent ou de point de comparaison, etc.

Plus récemment, on a insisté sur le rôle des formes de justice organisationnelle — soit la justice distributive et la justice du processus — sur les attitudes et les comportements au travail : la *justice distributive* se préoccupe de l'équité du résultat (le combien et le quoi), alors que la *justice du processus* se penche sur l'équité du processus pour décider du résultat (le comment et le pourquoi). Selon cette perspective de la justice organisationnelle, les effets positifs des récompenses seraient autant fonction de leur valeur (le combien et le quoi) que de la façon dont elles sont déterminées, gérées et octroyées (le comment et le pourquoi).

Selon la *théorie de la gestion par objectifs* (Locke et Latham, 1990), la motivation au travail des employés serait influencée par la nature des objectifs (leur difficulté, leur précision, leur réalisme, leur caractère mesurable, etc.), par la valeur de ceux-ci pour la personne (l'attraction, l'engagement, la signification, etc.), par la façon dont les objectifs sont déterminés (l'assignation, la participation, la consultation, etc.) et par la connaissance de la progression vers la réalisation des objectifs (la rétroaction, la reconnaissance, etc.). Ainsi, les récompenses influenceraient l'engagement des employés dans la réalisation de leurs objectifs de travail.

Selon la *théorie des caractéristiques des tâches* (Hackman et Oldham, 1980), les employés éprouvent davantage de motivation et de satisfaction au travail lorsqu'ils estiment que leur travail possède les caractéristiques listées ci-après, la reconnaissance étant une de ces caractéristiques :

– une marge discrétionnaire, soit la responsabilité, l'autonomie et la liberté d'action que possède l'employé ;

– une rétroaction, ou la connaissance des résultats qui permet de déterminer jusqu'à quel point l'employé fait bien son travail ;

– la variété du travail, ou l'ampleur des habiletés requises ;

– la personnalisation, ou la possibilité d'accomplir une tâche du début à la fin ;

– la signification du travail ;

– la stimulation, ou l'approbation sociale ;

– une reconnaissance appropriée ;

– des objectifs de rendement clairs.

La *théorie de l'évaluation cognitive* (Deci et Ryan, 1985) est probablement la théorie de la motivation qui manifeste les réserves et la prudence les plus grandes au sujet du recours aux récompenses extrinsèques. Selon Ryan et Deci (2000), une récompense extrinsèque aura un effet positif sur la motivation intrinsèque, c'est-à-dire le plaisir de réaliser une tâche en soi, dans la mesure où elle est octroyée de manière à avoir un effet positif sur les besoins de compétences, d'autonomie et de relations des personnes. En d'autres mots, l'effet positif ou négatif des récompenses extrinsèques sur la motivation intrinsèque dépend du fait qu'elles sont utilisées comme source d'information (rétroaction) ou comme forme de contrôle. Lorsque les personnes perçoivent les récompenses comme une rétroaction sur leurs propres compétences (l'estime de soi), elles retirent plus de plaisir à réaliser une tâche en soi (une plus grande motivation intrinsèque) et sont davantage incitées à faire ce pour quoi elles sont récompensées. À l'inverse, lorsque les personnes perçoivent les récompenses comme des mesures de contrôle, elles tendent à devenir de plus en plus motivées à faire seulement ce qui est récompensé étant donné qu'elles attribuent le mérite des efforts à l'obtention des récompenses plutôt qu'au plaisir de réaliser une tâche en soi (la motivation intrinsèque).

Les précédentes théories de la motivation que nous venons de résumer sont loin de refléter l'état des connaissances actuelles sur le sujet. À cet effet, il semble approprié de présenter la synthèse que Ford (1992), après avoir revu près d'une quarantaine de théories de la motivation, a mise en avant à l'intention des dirigeants et des cadres des organisations. Selon cet auteur, la motivation au travail reposerait sur trois préalables de base — la croyance en soi, les émotions et les objectifs personnels — auxquels on peut associer les 17 principes énoncés au tableau 7.2. D'après Ford, on ne peut motiver réellement les personnes au travail ; on peut toutefois s'assurer de la présence de conditions facilitantes.

TABLEAU 7.2

LES 17 PRINCIPES DE GESTION ASSOCIÉS AUX 3 PRÉALABLES À LA MOTIVATION

PRINCIPES	DESCRIPTION ET EXEMPLES DE RÉPERCUSSIONS
1. Point d'ancrage	La motivation est fonction de la croyance en soi (compétences versus environnement), des émotions et des objectifs personnels.
A. Croyance en soi 2. Appui de l'environnement	Une personne motivée doit avoir un environnement propice (disponibilité des ressources, appui émotionnel, organisation du travail, etc.) et cohérent par rapport à ses attributs personnels, telles ses compétences et ses habiletés (par exemple, une bonne sélection du personnel).

TABLEAU 7.2 (suite)

PRINCIPES	DESCRIPTION ET EXEMPLES DE RÉPERCUSSIONS
3. Causes directes	Il faut réduire les contraintes et les obstacles empêchant la réalisation des objectifs (lien entre le discours et les gestes des dirigeants, climat organisationnel d'ouverture, de coopération, etc.).
4. Réalisme	Les compétences de la personne et son environnement doivent être adéquats et cohérents par rapport aux objectifs à atteindre.
5. Action	Une personne doit pouvoir actualiser ses compétences en accomplissant des tâches.
6. Rétroaction	Pour être motivée, une personne doit connaître ses progrès et obtenir de la rétroaction.
7. Changements graduels	Il faut faire des changements graduels plutôt que des changements majeurs.
B. Émotions	
8. Activation des émotions	Il faut toucher les émotions (plaisir, attentes besoins, etc.) d'une personne (programmes de reconnaissance, création d'une atmosphère de travail stimulante, plaisir au travail, etc.).
9. Respect	Les personnes doivent être respectées, car elles ne sont pas interchangeables (participation, information, honnêteté, justice, équité, etc.).
10. Fonctionnement unique	La motivation d'une personne est fonction des attributs individuels (personnalité, expérience, etc.).
C. Objectifs personnels	
11. Activation des objectifs	Pour motiver une personne, il faut l'amener à se fixer des objectifs personnels (former les cadres à faciliter cet aspect).
12. Connaissance des objectifs	Pour qu'une personne soit motivée, il faut que ses objectifs soient clairs et jugés importants (communication des objectifs).
13. Multiplicité des objectifs	Pour qu'une personne soit motivée, il faut qu'elle ait plusieurs raisons d'accomplir une tâche.
14. Cohérence des objectifs	Pour qu'une personne soit motivée, il faut que ses objectifs soient cohérents et non conflictuels.

TABLEAU 7.2 (suite)

PRINCIPES	DESCRIPTION ET EXEMPLES DE RÉPERCUSSIONS
15. Souplesse des objectifs	Pour motiver une personne, il faut être prêt à changer ses objectifs de manière qu'ils demeurent réalistes.
16. Objectif optimal	Pour qu'une personne soit motivée, il faut que ses objectifs soient élevés mais réalistes.
17. Finalité	Un objectif peut être atteint de diverses façons.

Source : Traduit de Ford (1992).

7.1.1.2 La perspective économique

D'un point de vue économique, plusieurs auteurs appuient le recours à la rémunération variable pour certaines catégories de personnel, souvent les dirigeants d'entreprise, en s'appuyant sur la théorie de l'agence (*agency theory*). Dans un contexte de délégation, un mandant (*principal*) établit un contrat avec un mandataire (*agent*) pour agir en son nom en échange d'une récompense (Fama et Jensen, 1983). Cette théorie postule que la divergence d'intérêts entre les mandants (les actionnaires) et les mandataires (les dirigeants) de même que la difficulté pour les mandants de surveiller de près le comportement des mandataires entraînent un problème de contrôle. D'une part, les actionnaires visent l'accroissement de leur richesse et s'attendent ainsi à ce que les dirigeants travaillent à augmenter la valeur boursière de l'entreprise. D'autre part, les dirigeants sont tentés de se servir de leur position privilégiée afin de maximiser leur bien-être personnel, quitte à prendre des décisions qui réduisent la richesse des actionnaires. Selon la théorie de l'agence, on peut résoudre ce problème de contrôle en adoptant des régimes de rémunération basée sur des mesures de la performance organisationnelle (par exemple, les bénéfices, les actions ou la productivité).

Si les prémisses de la théorie de l'agence servent fréquemment à justifier les pratiques de rémunération des dirigeants d'entreprise, certains auteurs la jugent également appropriée pour justifier le recours à la rémunération variable afin de motiver des employés (comme les vendeurs ou le personnel de R&D) dont le rendement est difficile à contrôler. Ainsi, on présume généralement que les façons de rémunérer les personnes influencent directement leurs décisions et leurs comportements, la performance de leur firme et, conséquemment, la richesse des actionnaires. On présume aussi que la rémunération variable permet un meilleur arrimage des intérêts des actionnaires à ceux des personnes (souvent des dirigeants) que la rémunération fixe. Quoique la théorie de l'agence s'appuie sur un contexte de relations entre le propriétaire et les cadres, quelques auteurs (Ashton, 1991 ; Kaplan, 1984 ; Ogden, 1993) ont suggéré que ces prédictions soient étendues au contexte des relations entre les cadres et les employés (entre les superviseurs et les subordonnés). En somme, selon la théorie de l'agence, l'adoption d'un régime de rémunération variable fait en sorte que les intérêts des employés convergent davantage vers la création de valeurs pour l'organisation.

Par ailleurs, certaines théories proposent l'adoption de régimes de rémunération variable non pas pour des considérations de motivation et de performance, mais pour l'attraction et la conservation des employés compétents. Par exemple, selon la *théorie basée sur les ressources* (Barney, 1991), de tels régimes peuvent constituer un atout distinctif et concurrentiel susceptible d'aider l'organisation à concurrencer les autres firmes sur le marché de l'emploi. Parallèlement, la *théorie du différentiel compensatoire* (Brown, 1990) suggère que l'organisation attire et retienne les employés en leur accordant une rémunération variable très importante afin de compenser certaines caractéristiques négatives ou particulièrement exigeantes de leur emploi, comme le peu de sécurité de l'emploi ou la faible chance de réussir (par exemple, chez les courtiers d'assurance vie). Enfin, selon les *théories de la gestion des impressions ou des signaux* (Arrow, 1973 ; Spence, 1974), les régimes de rémunération variable permettent de transmettre certains « messages » aux employés actuels et potentiels sur ce qui est valorisé dans le milieu de travail, messages qui ont un effet sur le recrutement et la conservation du personnel. À ce jour, des chercheurs ont confirmé les liens existant entre, d'une part, la présence de certains régimes de rémunération variable (individuels ou collectifs) ou le caractère plus ou moins contingent de la rémunération et, d'autre part, le profil de candidats qu'une organisation attire ou recrute (Bretz *et al.,* 1989 ; Cable et Judge, 1994 ; Trank *et al.,* 2001).

7.1.2 La perspective empirique

À ce jour, plusieurs études — la majorité ayant été réalisées en laboratoire auprès d'élèves qui ont des tâches simples à effectuer — ont analysé et comparé l'effet de divers types de récompenses (intangibles ou tangibles) sur la motivation intrinsèque — c'est-à-dire le plaisir de réaliser une tâche en soi — ou sur le rendement individuel des personnes (et non pas sur la performance organisationnelle).

Certains chercheurs qui ont comparé l'impact de divers leviers (par exemple, les incitations pécuniaires, l'établissement de buts, la participation, l'enrichissement des tâches ou la restructuration du travail) estiment que les incitations pécuniaires sont le levier qui a l'effet positif le plus important sur le rendement individuel (voir l'étude de Locke *et al.,* 1980, ou la méta-analyse de Guzzo *et al.,* 1985), alors que d'autres chercheurs montrent que les récompenses pécuniaires ont un effet positif analogue à la rétroaction et aux récompenses sociales (reconnaissance) sur le rendement individuel (Stajkovic et Luthans, 1997).

Des analyses portant sur les données de plusieurs études menées à ce jour sur le sujet indiquent divers résultats. Par exemple, une revue de 128 expériences, toutes effectuées auprès d'élèves, révèle que les récompenses extrinsèques ou tangibles ont un effet négatif sur le sentiment de liberté des élèves (Deci *et al.*, 1999). Toutefois, d'autres revues indiquent que l'impact négatif des récompenses sur la motivation intrinsèque est lié à la combinaison de conditions qu'on trouve peu fréquemment dans les milieux organisationnels (Cameron et Pierce, 1997a, b; Eisenberger et Cameron, 1996) ou que les récompenses ont un effet positif sur le sentiment d'autodétermination ou de contrôle (Eisenberger *et al.*, 1999). Une autre étude (Amabile, 1993) confirme que des récompenses peuvent être combinées de manière synergique et cumulative pour influencer positivement la créativité des personnes. Une méta-analyse de 39 études (Gupta et Mitra, 1998; Jenkins *et al.*, 1998) ainsi que l'étude de Judiesch (1994) montrent que les incitations pécuniaires ont un effet très positif sur le rendement au point de vue quantitatif sans égard à la nature des tâches effectuées, et ce, de manière plus importante pour les études sur le terrain que pour les études menées en laboratoire. Par ailleurs, si la méta-analyse de Gupta et Mitra montre que les récompenses pécuniaires n'ont pas d'effet marqué sur le rendement au point de vue qualitatif, il faut considérer ce constat comme prématuré étant donné que seules six études ont mesuré la qualité du rendement. Le tableau 7.3 indique que les résultats de la méta-analyse de Gupta et Mitra (1998) infirment plusieurs mythes associés à l'aspect pécuniaire.

TABLEAU 7.3

LES MYTHES ASSOCIÉS À L'ARGENT VERSUS LA MÉTA-ANALYSE DE GUPTA ET MITRA

Mythes associés à l'argent	Résultats de la méta-analyse de Gupta et Mitra
Les mesures incitatives pécuniaires :	Les mesures incitatives pécuniaires :
• ne motivent pas, mais punissent	• améliorent de manière cohérente le rendement en matière de quantité et constituent une marque de reconnaissance
• ne sont pas valorisées par les personnes	• influent de manière importante sur les comportements des employés
• réduisent la motivation intrinsèque	• sont un complément de la motivation intrinsèque
• diminuent le rendement en matière de qualité	• n'ont, au pire, aucun effet sur le rendement

En résumé, les résultats montrent un lien positif important entre les récompenses pécuniaires et le rendement individuel, quoique l'ampleur de ce lien dépende de plusieurs facteurs contextuels comme les caractéristiques du travail (la complexité, l'interdépendance des tâches, la nature des objectifs, etc.), les caractéristiques des personnes (les valeurs, les traits de personnalité, etc.) ou la manière dont les récompenses sont octroyées (les critères, l'octroi simultané ou cohérent de récompenses non pécuniaires, etc.).

Ainsi, des constats déjà exprimés il y a quelques années par d'autres auteurs restent toujours valables. En 1992, Gomez-Mejia et Balkin concluaient que les conséquences perverses associées à la présence de récompenses sont probablement moins importantes que celles qu'entraîne leur absence (comme ils le disent, « elles sont un moindre mal »). En 1988, Baker *et al.* (p. 597) affirmaient « qu'un examen soigné des critiques à l'égard des systèmes de rémunération basée sur le rendement n'indique pas qu'ils sont inefficaces, mais plutôt qu'ils sont trop efficaces ».

7.1.3 La perspective pratique

Tant les théories de la motivation que les résultats des études semblent appuyer l'idée que l'octroi de récompenses peut avoir des incidences positives dans la mesure où certains préalables sont respectés. Toutefois, s'il est vrai qu'on valorise généralement l'accroissement du plaisir lié à l'accomplissement de tâches (motivation intrinsèque), il faut aussi admettre que ce qui procure ce plaisir aux personnes n'est pas nécessairement dans l'intérêt de l'organisation (pensons aux professeurs qui éprouvent tellement de satisfaction dans la conduite de leurs recherches qu'ils en négligent leur enseignement, ou au personnel de vente qui cherche tellement à augmenter les ventes qu'il néglige de développer la clientèle). De fait, il paraît important de s'assurer qu'on récompense les « bonnes choses » de la « bonne manière » en respectant les deux principes suivants : donner une rétroaction orientée vers la reconnaissance plutôt qu'une rétroaction orientée vers le contrôle et ne pas utiliser la reconnaissance de manière abusive, manipulatrice ou non alignée sur les priorités.

BULLETIN$ 7.1

Selon une enquête menée par la société Hewitt, la reconnaissance arrive en tête des facteurs de mobilisation des employés. La soif de reconnaissance est en effet mentionnée par les employés de 92 % des 129 entreprises participantes, suivie de près par les perspectives de carrière (91 %).

Source : Adapté de Paquin (2004, p. 3).

7.1.3.1 Premier principe : privilégier une rétroaction orientée vers la reconnaissance et non vers le contrôle

À les entendre, la plupart des cadres semblent pratiquer l'art de la reconnaissance. En pratique, on constate vite qu'ils recourent bien davantage au contrôle et aux punitions. L'approche orientée vers le contrôle est prédominante parce que les cadres l'estiment plus efficace pour modifier à court terme des comportements ou des résultats. Dans les faits, un leadership s'appuyant sur le contrôle et les menaces perpétue l'image traditionnelle des patrons et laisse croire aux cadres qu'ils maîtrisent mieux la situation.

La réticence des cadres à manifester de la reconnaissance peut reposer sur diverses raisons telles que la crainte de perdre du pouvoir, la peur d'exprimer des sentiments, la perception selon laquelle la reconnaissance est un exercice peu viril assimilé à de la flatterie, à de la séduction ou à de la manipulation, la méconnaissance du travail accompli par les employés, la peur d'alimenter des perceptions d'injustice, de la jalousie et un climat de compétition ou le manque d'habileté à octroyer de la reconnaissance (Bourcier et Palobart, 1997 ; Hivon, 1996 ; Brun *et al.,* 2002).

Toutefois, comme le contrôle met l'accent sur les normes minimales à respecter et sur ce qui ne doit pas être fait, il risque d'inciter les employés à faire le minimum ou tout ce qu'il faut pour éviter les punitions ou se conformer aux points de contrôle. C'est le cas pour les employés qui, afin de respecter les normes, manipulent les données de production, privilégient la quantité au détriment de la qualité ou adoptent des méthodes de travail plus rapides mais plus risquées. L'approche punitive alimente aussi un climat de méfiance qui favorise justement ce que le contrôle vise à prévenir : la négligence dans le travail. C'est le cercle vicieux des punitions : plus on insiste sur les punitions, plus les employés réduisent leur engagement en cherchant à contourner le système, et plus on doit multiplier les modes de contrôle pour s'assurer que leurs comportements et leurs résultats resteront à peine satisfaisants.

Les cadres n'ont pas beaucoup tendance à privilégier une approche axée sur la reconnaissance parce qu'ils sont peu sensibilisés à ses effets positifs et lui associent de nombreux inconvénients (le temps et l'énergie requis, le risque de détériorer le climat dans l'équipe, etc.). De même, la reconnaissance est offerte moins fréquemment parce qu'elle exige plus d'habiletés de supervision et de compétences émotionnelles que l'approche centrée sur le contrôle. En effet, alors que les punitions sont apparentées à des normes minimales préétablies et appuyées par la hiérarchie, l'octroi de récompenses est fonction de la réalisation d'objectifs établis conjointement avec les employés, afin que les cadres puissent être en mesure de justifier un différentiel dans leur attribution. En matière de reconnaissance, il faut que les cadres soient en mesure de justifier l'octroi différencié de récompenses.

Les cadres et les dirigeants devraient être sensibilisés aux atouts de l'approche axée sur la reconnaissance. L'objectif n'est pas d'éliminer les punitions et le contrôle. Un recours minimal au contrôle s'avère d'ailleurs nécessaire pour guider l'action des employés et pour intervenir auprès des employés difficiles. Le but est plutôt d'amener les cadres et les dirigeants à faire davantage appel à la reconnaissance dans la supervision quotidienne des employés afin d'orienter et de stimuler leurs efforts dans la bonne direction. Cela exige, bien entendu, de lier l'octroi de la reconnaissance au déploiement d'efforts alignés sur la mission, les valeurs et la stratégie de l'organisation. En somme, les employés sont davantage susceptibles d'être créatifs, engagés, flexibles ou coopératifs lorsque le mode de gestion de leur entreprise reconnaît la créativité, l'engagement, la flexibilité et l'esprit d'équipe. Une gestion axée sur la reconnaissance favorise un climat de confiance où les superviseurs et les dirigeants perçoivent les employés comme étant responsables et désireux de faire des efforts, et où les employés se sentent estimés et respectés. Une étude (Rousseau, 2003) montre d'ailleurs que plus les dirigeants d'entreprise accordent de l'importance aux ressources humaines, plus ils adoptent des pratiques de reconnaissance.

7.1.3.2 Deuxième principe : ne pas utiliser la reconnaissance de manière abusive, manipulatrice ou non alignée sur les priorités

Octroyer des récompenses (argent, primes, etc.) de manière excessive, quant au nombre et à la valeur, peut être nuisible parce que cela mine la crédibilité du programme et peut constituer une forme de manipulation incitant les employés à faire juste ce qu'il faut pour les obtenir. Une utilisation abusive des récompenses peut aussi amener les employés à adopter des comportements ou à prendre des décisions qui, bien qu'ils permettent d'obtenir une récompense, risquent d'être improductifs à long terme. En fin de compte, si l'on insiste trop sur les récompenses, les employés seront peut-être tentés de s'engager seulement dans des activités qui leur rapporteront un bénéfice et de négliger les aspects de leur travail qui ne sont ni mesurés ni récompensés (comme la créativité ou la disponibilité).

Comme nous l'avons souligné, le fait de trop mettre l'accent sur les récompenses peut réduire la motivation intrinsèque des personnes, c'est-à-dire l'incitation à faire des choses pour la satisfaction qu'elles procurent en soi (Deci et Ryan, 1985). On observe alors une surenchère sans fin des récompenses : on doit offrir ou augmenter les récompenses externes pour amener les personnes à exécuter d'autres actions. Selon Kohn (1993), il faut se méfier des récompenses pour les raisons suivantes :

– *Elles peuvent punir*. Étant donné que la plupart des employés ne reçoivent pas les récompenses qu'ils attendaient pour diverses raisons, l'impact de l'absence de récompense est le même que celui d'une punition.

– *Elles peuvent nuire aux relations*. D'une part, les récompenses peuvent inciter les employés à rivaliser entre eux plutôt que de les amener à collaborer ensemble, et à moins consulter leur superviseur ou lui demander de conseils de peur que cela ne nuise à la valeur de leurs récompenses. D'autre part, l'octroi de récompenses peut pousser les superviseurs à se montrer moins prompts à aider leurs subordonnés sous prétexte qu'ils doivent atteindre seuls les résultats attendus pour être récompensés.

– *Elles peuvent nuire à la résolution des problèmes*. Plus on recourt aux récompenses, plus les employés ont tendance à se préoccuper des résultats, et moins ils s'interrogent sur les causes d'un problème de rendement.

– *Elles peuvent réduire la prise de risques et la créativité*. Comme les récompenses entretiennent la peur d'échouer, de faire des erreurs et de ne pas obtenir de récompenses, elles entraînent les employés à prendre moins de risques, à ne pas faire d'explorations ou d'essais.

– *Elles peuvent diminuer l'intérêt pour la tâche*. Plus on insiste sur les récompenses, plus les employés désirent les obtenir, plus ils perçoivent leur travail comme un préalable à leur obtention, et moins ils considèrent leurs tâches et leurs responsabilités comme une source, à elles seules, de satisfaction et de valorisation personnelles.

7.2   Les formes de reconnaissance

Le classement des modes ou des formes de reconnaissance varie d'un auteur à l'autre (voir, par exemple, Bédard *et al.*, 2002 ; Bourcier et Palobart, 1997 ; Brun *et al.*, 2002). Aux fins de ce chapitre, nous regroupons les formes de reconnaissance en sept catégories : la communication ; les comportements ; les symboles honorifiques ; la visibilité ; les biens, les services et les primes ponctuelles ; les conditions de travail ; la rémunération (voir le tableau 7.4).

7.2.1   La communication

Toute personne peut exprimer de la reconnaissance à d'autres personnes méritantes par divers gestes souvent informels et spontanés : par exemple, en allant les voir, en leur téléphonant, en leur envoyant une note ou un courriel pour leur dire « Félicitations », « Merci », « Bon travail », « Continuez », etc. Ces gestes simples sont pourtant très peu fréquents. La tendance courante consiste plutôt à penser ceci : « Si je ne dis rien, c'est que je suis content », « Je n'ai pas de temps à accorder à ces bagatelles », « J'attends de communiquer mon appréciation lors de l'entretien annuel d'évaluation du rendement », et ainsi de suite. Pourtant, en exprimant simplement des félicitations, de la gratitude et du respect, on augmente l'estime de soi des personnes visées, un déterminant important de leur motivation au travail.

TABLEAU 7.4

LA DIVERSITÉ DES FORMES DE RECONNAISSANCE

Communication

- Oralement (téléphone, face à face, etc.)
- Par écrit (lettre, note, carte de vœux, etc.)
- Par des gestes (poignée de main, tape dans le dos, etc.)

Comportements

- Aider
- Approuver
- Appuyer
- Défendre
- Consulter
- Inviter
- Écouter
- Respecter
- Sourire
- Donner une rétroaction (*coaching*)
- Faire du parrainage (*mentoring*)
- Etc.

Symboles honorifiques

- Trophées, certificats
- Ameublement et aménagement des bureaux
- Cérémonie ou gala d'excellence
- Etc.

Visibilité

- Féliciter l'employé devant ses pairs
- Souligner le travail lors des réunions
- Mettre le travail accompli à l'ordre du jour d'une réunion
- Joindre une lettre de reconnaissance au dossier
- Souligner le rendement dans le journal d'entreprise
- Afficher le rendement sur des tableaux
- Etc.

TABLEAU 7.4 (suite)

Biens, services et primes ponctuelles

- Voyages
- Cadeaux (montres, chandails, bijoux, etc.)
- Billets et abonnements (centre d'entraînement physique, théâtre, etc.)
- Bons de repas dans des restaurants
- Accumulation de points permettant de se procurer des biens
- Etc.

Conditions de travail

- Journées de congé supplémentaires
- Avantages sociaux (vacances, assurances, régime de retraite, etc.)
- Pratiques de conciliation travail-famille
- Choix de l'aménagement du temps de travail (horaire flexible, temps partiel, horaire comprimé, travail partagé, choix du quart de travail, etc.)
- Caractéristiques des emplois (variété, autonomie, etc.)
- Promotions
- Caractéristiques de la gestion (participation, partage de l'information, etc.)
- Organisation du travail (cercles de qualité, groupes autonomes, rotation des postes, enrichissement des tâches, etc.)
- Activités sociales
- Prêts à des taux préférentiels, automobile de l'entreprise, abonnements, etc.
- Etc.

Rémunération

- Primes ponctuelles (*spot awards*) ou ciblées
- Programme de suggestions
- Gestion des salaires en fonction des responsabilités, des compétences ou du rendement
- Rémunération à la commission
- Rémunération à la pièce
- Primes de rendement individuel ou de groupe
- Primes de suggestions, de reconnaissance immédiate (*spot bonus*)
- Participation aux bénéfices
- Partage des gains de productivité

> **TABLEAU 7.4 (suite)**
>
> - Participation réelle à la propriété (octroi d'actions, options d'achat d'actions, achat d'actions, etc.)
> - Participation fictive à la propriété (actions simulées, unités de rendement, plus-value des actions, primes de rendement à long terme, etc.)
> - Etc.

Source : Adapté de St-Onge (2000. p. 268-269).

7.2.2   Les comportements

On peut exprimer sa reconnaissance à travers divers comportements témoignant de l'appréciation de la contribution au travail (les compétences, l'expertise, les résultats, etc.) de personnes ou de la confiance à leur endroit au moyen d'une tape dans le dos, d'une poignée de main, etc. De même, on peut exprimer de la reconnaissance en se montrant prêt à aider des personnes lorsqu'elles en ont besoin, en s'informant de ce qu'elles vivent et en se préoccupant de leur situation, en leur communiquant une information privilégiée, en leur demandant leur avis sur un projet, en les faisant participer à un dossier, en leur déléguant la présentation d'un document à l'occasion d'une réunion, en les accueillant avec le sourire, en manifestant du plaisir à travailler avec elles, en leur témoignant de l'empathie ou de l'intérêt, en agissant comme un mentor à leur égard, en se comportant respectueusement, par exemple.

7.2.3   Les symboles honorifiques

L'excellence peut être reconnue au moyen de symboles comme des trophées, des prix, des titres et des diplômes honorifiques ou des plaques murales. Par exemple, certaines firmes commanditent une série d'œuvres d'art (sculptures, peintures, sérigraphies) pour reconnaître des réalisations exceptionnelles. Des stylos, des certificats et des voyages peuvent également être offerts aux employés méritants. Chaque année, Xerox Canada récompense ses meilleures équipes de services techniques aux clients en accordant à chacun de leurs membres un week-end pour deux personnes dans un hôtel et en défrayant la célébration de leur exploit dans leur région (McKibbin, 2003). Au Collège de Rosemont, les employés sont invités à soumettre à un comité de sélection la candidature d'un de leurs pairs, selon une série de critères touchant entre autres à l'initiative, à l'innovation, à la qualité du service ou à la productivité (Larivée, 2001).

7.2.4   La visibilité

En ce qui concerne la visibilité, le superviseur peut féliciter un employé devant ses pairs, souligner les réalisations particulières d'un employé ou d'un groupe d'employés au cours d'une réunion, joindre au dossier de l'employé une lettre de reconnaissance, communiquer celle-ci dans le journal et sur les tableaux d'affichage de l'entreprise, demander aux meilleurs employés de faire un exposé sur les trucs du métier à l'intention de leurs collègues, et ainsi de suite. La Fédération des caisses Desjardins de Montréal et de l'Ouest-du-Québec a lancé en 1982 le concours Les Abeilles d'or (Gagnon et St-Onge, 1995) afin de reconnaître les caisses populaires qui enregistrent le meilleur rendement dans divers secteurs. Les décisions du jury sont dévoilées à l'occasion d'un gala qui suit l'assemblée générale annuelle de la Fédération. Une caisse populaire qui gagne une Abeille d'or acquiert de la visibilité et de la notoriété à l'intérieur et à l'extérieur du Mouvement Desjardins.

7.2.5   Les biens, les services et les primes ponctuelles

On peut reconnaître le rendement en accordant des objets, des services, des montants forfaitaires, des congés supplémentaires. Ces récompenses prennent la forme de cadeaux (chandails, montres, bijoux, etc.), d'une prise en charge de frais (repas, voyages, sorties, etc.), de billets pour des événements culturels ou sportifs, d'abonnements à des centres d'entraînement physique, de prix en argent, de billets liés à un catalogue de prix, etc. On peut aussi offrir une place de stationnement ou encore permettre l'accès à un matériel de bureau privilégié.

Par ailleurs, il existe des régimes de primes qualifiées de «stimulation» à l'intention notamment du personnel de vente et des conjoints. Ces primes ou ces objets promotionnels peuvent inclure toutes sortes de biens de consommation, comme des voyages ou des services. Le marché pour ces primes de stimulation ou pour cette publicité par l'objet est assez bien organisé. Au Canada, la Canadian Premiums and Incentives Association a pour mission de regrouper les membres de l'industrie de la publicité par l'objet en vue de les guider, de les informer, de les éduquer et de favoriser leur croissance et leur perfectionnement, et ce, dans un environnement éthique et professionnel.

Certaines organisations expriment leur reconnaissance en octroyant divers cadeaux ou en organisant des soirées à l'occasion de Noël ou lors des vacances annuelles. Par exemple, chez Cascades, et sans que cela fasse l'objet d'une politique écrite, les employés sont récompensés à chaque tranche de cinq années d'ancienneté. On leur remet alors soit un tableau, une bouteille de porto, un sac en cuir, une bague, une montre ou même un voyage (Larivée, 2001). Chez Birks, on souligne souvent le rendement des meilleurs vendeurs lors d'un gala ou d'une réunion annuelle des vendeurs en leur accordant une montre dont le prix varie de 500 $ à 7 000 $ (Vallerand, 2003). Toutefois, au-delà d'un certain montant et à moins que cela ne soit requis par le travail, de tels biens, services, voyages ou primes constituent un avantage imposable.

7.2.6   Les conditions de travail

On peut témoigner de la reconnaissance à l'égard des employés en modifiant leurs conditions de travail. Ainsi, une responsabilité spéciale ou supplémentaire peut être attribuée aux employés méritants. Par exemple, les cadres dont les employés sont les plus assidus peuvent être nommés à un comité chargé de se pencher sur le problème de l'absentéisme dans l'entreprise. On peut également offrir des conditions de travail privilégiées aux meilleurs employés : un horaire flexible, le choix du quart de travail, l'accès à un cours de formation, le droit à une journée de congé supplémentaire, etc. Toutes les approches relatives à la réorganisation du travail — l'enrichissement des tâches, la rotation des postes, les groupes autonomes, les cercles de qualité, etc. — peuvent aussi être considérées. De même, on peut proposer toutes sortes d'activités sociales aux employés (pique-nique, soirée des Fêtes, etc.) afin de démontrer la valeur de ces derniers.

7.2.7   La rémunération

Certaines entreprises gèrent un programme de primes ou de récompenses immédiates qui donne aux supérieurs hiérarchiques un budget leur permettant de reconnaître sur-le-champ le rendement des employés en espèces (25 $ ou 100 $) ou sous une forme matérielle (billets pour des événements sportifs ou culturels, bons de repas dans certains restaurants, etc.).

Par ailleurs, des firmes versent des montants forfaitaires ou des biens aux employés en vertu de divers programmes visant le changement ou l'adoption de certains comportements bien ciblés. Il existe, par exemple, des programmes de suggestions qui versent des primes ou des biens pour favoriser la créativité ou l'amélioration continue (voir le Bulletin$ 7.2) et des programmes qui visent à réduire l'absentéisme en accordant des primes d'assiduité, des prix ou des biens. De même, certaines entreprises rendent admissibles à une loterie les employés qui ont été assidus au travail pendant une période donnée.

7.2.8   Les autres formes de reconnaissance

Il est possible de reconnaître le rendement au moyen d'une variété de régimes de rémunération variable. On peut d'abord reconnaître la contribution individuelle (les résultats, les compétences, l'ancienneté, etc.) par l'octroi de commissions, de primes ou en accordant des augmentations de salaires en fonction du mérite, de l'ancienneté, des habiletés ou des compétences. On peut aussi adopter des régimes collectifs de rémunération basée sur la performance organisationnelle à court terme, comme les régimes de participation aux bénéfices, de partage des gains de productivité et de partage du succès. On peut également adopter des régimes de rémunération basée sur la performance organisationnelle à long terme, comme les régimes d'octroi d'actions, d'achat d'actions ou d'options d'achat d'actions. Le chapitre 8 est entièrement consacré aux régimes de rémunération variable.

BULLETIN$ 7.2

LA RECONNAISSANCE DE L'AMÉLIORATION CONTINUE CHEZ PACCAR DU CANADA LTÉE (SAINTE-THÉRÈSE)

Lors de la réouverture de l'usine en 1999, les employés ont décidé de nommer le programme d'amélioration continue « É.C.L.A.I.R. », qui signifie, en le lisant à l'envers, Reconnaissance Immédiate À L'idée de Chaque Employé. É.C.L.A.I.R. se base sur le concept que toutes les petites améliorations sont importantes et que l'employé est le mieux placé pour apporter des suggestions et améliorer son milieu de travail. Les activités d'amélioration continue peuvent se faire de façon individuelle ou collective. [...] PACCAR réalise l'importance de reconnaître les initiatives des employés, d'abord sous une forme psychologique ou symbolique, mais aussi sous forme pécuniaire. PACCAR reconnaît les suggestions d'amélioration continue présentées par les employés en leur accordant des éclairs : plus précisément, chaque idée donne droit à 5 éclairs. Lorsqu'une idée est implantée par son émetteur, le nombre d'éclairs est multiplié par deux, ce qui lui en vaut donc 10. Les éclairs accumulés peuvent être échangés — chaque éclair équivalant à un dollar — contre des bons d'achat chez différents marchands (par exemple, Sears, Canadian Tire, Réno-Dépôt) ou encore pour acheter des produits promotionnels Peterbilt ou Kenworth. Étant donné le nombre élevé de suggestions exprimées par les employés, toutes les recommandations ne sont pas affichées dans l'usine. Toutefois, les plus importantes, celles qui ont un impact sur d'autres départements ou secteurs de l'entreprise, sont diffusées à tout le monde par l'entremise du réseau de télévision et dans le journal de l'usine. Par ailleurs, une fois par année, la direction organise un concours afin de récompenser tous les employés qui ont participé au processus É.C.L.A.I.R. Les employés peuvent, selon le nombre de suggestions qu'ils ont soumises, obtenir un certain nombre de billets pour un tirage, et le nom des gagnants est publicisé dans l'usine.

Source : Banville et St-Onge (2005).

Il est important d'insister sur le fait qu'une véritable culture de la reconnaissance est l'affaire de tous et chacun et qu'elle se déploie à divers niveaux. En effet, la reconnaissance devrait se manifester par une variété de sources, que ce soit les supérieurs immédiats, les collègues, les subalternes, les clients internes et externes ou les dirigeants d'entreprise. Ainsi, la reconnaissance devrait être accordée à des niveaux institutionnel, collectif et individuel à travers des moyens officiels et des moyens non officiels. Comme l'indiquent Brun *et al.* (2002), la reconnaissance peut se pratiquer d'une façon quotidienne, régulière ou ponctuelle, se manifester de manière officielle ou non officielle, s'octroyer sur une base individuelle ou collective, se donner en privé ou en public, être pécuniaire ou non pécuniaire et avoir une valeur symbolique, affective, concrète ou pécuniaire pour la personne qui la reçoit.

7.3   Les programmes de reconnaissance autres que la rémunération variable

Certaines entreprises appellent « programme de reconnaissance » l'ensemble des modes de rétribution autres que ceux qui sont liés à la rémunération (salaires, primes, actions, etc.), notamment les concours, les mentions honorifiques, les remerciements et les prix. Par exemple, le tableau 7.5 présente la pratique de reconnaissance adoptée par la société IBM. Lorsqu'on cherche à connaître la fréquence d'adoption des pratiques de reconnaissance, autres que celles qui sont liées aux régimes individuels ou collectifs de rémunération variable, on fait rapidement un constat : les données publiées sont peu nombreuses et souvent périmées.

7.3.1   La fréquence des pratiques de reconnaissance

Au Québec, une étude (Rousseau, 2003) menée en 2001 auprès de responsables de la gestion des ressources humaines au sein de 312 organisations comptant plus de 200 employés montre que, en moyenne, les responsables estiment que leur organisation octroie trois grandes formes de reconnaissance sur une base « occasionnelle » seulement (sur une échelle allant de 1, « presque jamais », à 5, « continuellement », l'octroi moyen se situant autour de 2, « à l'occasion ») :

— les conditions de travail (par exemple, améliorer le contenu du travail, les conditions de travail ou les responsabilités et accorder des promotions) ;

— la visibilité (par exemple, verser une lettre de félicitations au dossier, accorder des symboles honorifiques, présenter les employés méritants dans les médias, lors de réunions ou de galas) ;

— les biens ou les congés (par exemple, offrir des billets ou de l'argent pour des voyages ou des sorties, accorder des biens ou des congés).

TABLEAU 7.5

LE PROGRAMME DE RECONNAISSANCE DE L'USINE IBM À BROMONT

Le programme de reconnaissance d'IBM est géré dans toutes les divisions et comporte six catégories de récompenses (voir ci-dessous). Avant d'octroyer une récompense à un subordonné dans le cadre de ce programme, le cadre doit justifier sa recommandation à son supérieur. La demande est ensuite analysée et révisée par le directeur des ressources humaines qui s'assure de la cohérence des décisions d'octrois dans toute l'usine. Le vice-président de l'usine doit également approuver les octrois de récompenses dont le montant est important. Un plan prévisionnel de la distribution des récompenses octroyées en vertu du programme officiel de l'entreprise est élaboré chaque année. Ce plan consiste à donner une approximation du nombre de récompenses qui devraient être allouées par service selon leur nombre d'employés.

Le programme «local» de récompenses

À l'usine de Bromont, un programme de reconnaissance «local» (propre à l'usine) s'ajoute au programme précédent. Ce dernier a été créé après qu'on a consulté les directeurs sur les formes de reconnaissance susceptibles d'intéresser les employés. En vertu du programme local de récompenses, on accorde un budget annuel aux directeurs afin qu'ils puissent rapidement reconnaître des rendements particuliers. La valeur des récompenses varie de 20 $ à 100 $. On y trouve des chèques-cadeaux permettant, par exemple, d'aller au restaurant, au cinéma, au terrain de golf ou aux quilles. Également, on offre des voyages en avion, des forfaits détente dans des hôtels, des forfaits pour la famille (zoo, centre faunique), etc. Cette liste de récompenses est révisée chaque année selon les commentaires des employés qu'on sollicite de façon informelle. Le supérieur immédiat décide de la forme et de la valeur de la récompense octroyée en tenant compte de l'ampleur de la contribution de l'employé.

Le suivi des pratiques de reconnaissance

Au fil des années, la rigueur de la gestion des pratiques de reconnaissance s'est accrue, et ce, principalement à l'égard du suivi. Tous les mois, le directeur des ressources humaines et la direction révisent l'ensemble des processus de gestion des ressources humaines, dont les pratiques de reconnaissance. Ils s'appuient alors principalement sur le plan de gestion prévisionnelle d'octroi des récompenses formelles pour s'assurer de l'équité de la distribution de ces dernières au sein de l'usine. On réalise aussi des rencontres trimestrielles avec les directeurs en chef et les directeurs de l'usine afin de s'assurer de l'uniformité de la gestion des récompenses dans les divers services de l'usine. De plus, certains sondages menés auprès des employés permettent de connaître leurs opinions à l'égard des diverses activités de gestion des ressources humaines, dont la gestion des récompenses.

TABLEAU 7.5 (*suite*)

Catégorie	Objectif	Récompenses
1. Travail méritoire	Souligner les résultats du travail d'un employé de manière non officielle	• Montant forfaitaire de 200 $ • Certificat
2. Travail d'équipe remarquable	Souligner les réalisations importantes d'une équipe	• Chèque-cadeau • Activité
3. Réalisation spéciale	Souligner la contribution supérieure d'un membre du personnel dans le cadre d'un projet ou d'un événement d'envergure, ou un rendement supérieur soutenu	• Montant forfaitaire variant de 300 $ à 5 000 $ • Lettre de félicitations • Invitation à un banquet
4. IBM Canada pour l'excellence	Souligner le travail remarquable dans le cadre d'un projet ou d'un événement important à valeur ajoutée pour le client ou dont les répercussions financières sont importantes	• Montant forfaitaire variant de 5 000 $ à 25 000 $ • Lettre de félicitations • Invitation à un banquet
5. Réalisation technique remarquable	Honorer et récompenser les membres du personnel pour leurs réalisations sur le plan de la technologie actuelle et pour leur contribution à la mission d'un groupe	• Montant forfaitaire variant de 2 500 $ à 25 000 $ • Lettre de félicitations • Invitation à un banquet
6. Innovation remarquable	Honorer et récompenser les membres du personnel dont la contribution fait preuve d'innovation et de créativité à l'échelle de toute l'entreprise	• Montant forfaitaire variant de 2 500 $ à 25 000 $ • Lettre de félicitations • Invitation à un banquet

Source : Adapté d'Aubin et St-Onge (2000, p. 80-82).

Cette enquête révèle aussi que la fréquence de l'octroi de récompenses est liée à diverses caractéristiques contextuelles. D'une part, les organisations du secteur pharmaceutique, des services financiers, des assurances et de l'immobilier sont les organisations qui disent recourir le plus fréquemment à l'octroi de diverses formes de reconnaissance. D'autre part, les organisations des secteurs municipal et de l'enseignement sont les organisations qui disent y recourir le moins souvent. De plus, la présence d'un syndicat au sein d'une organisation est liée négative-ment à la fréquence de l'octroi de récompenses aux employés. À l'inverse, plus les ressources humaines représentent une priorité d'affaires pour les organisa-tions, plus celles-ci font appel à l'octroi de récompenses.

Aux États-Unis, une étude menée conjointement par WorldatWork et la National Association for Employee Recognition (Abrahamsen et Boswell, 2003) indique que, en 2003, 87 % des 413 grandes organisations participantes disaient gérer un programme de reconnaissance incluant la rémunération variable, com-parativement à 84 % en 2002. Comme l'indique le tableau 7.6, les programmes officiels de reconnaissance les plus fréquemment implantés visent à reconnaître les années de service (87 %) et le rendement (85 %). De plus, 40 % des organi-sations possédant un tel programme disaient avoir incorporé plus de reconnais-sance au cours de la dernière année. Selon les auteurs de cette enquête américaine, les programmes de reconnaissance ont évolué au fil des années, pas-sant d'un « merci » informel exprimé lors d'une réunion et des montres en or pour récompenser l'ancienneté à un éventail de récompenses plus large selon le pro-gramme officiel (objectifs et critères écrits) et un budget particulier. Plus précisé-ment, 71 % des organisations qui ont un régime officiel de reconnaissance disaient gérer un budget particulier à cet égard d'une valeur moyenne de 2 % de

TABLEAU 7.6

LES RÉSULTATS D'UNE ENQUÊTE SUR LES PROGRAMMES DE RECONNAISSANCE DANS DE GRANDES ORGANISATIONS AMÉRICAINES

	Pourcentage des 413 organisations
Objectifs des programmes de reconnaissance	
Créer un environnement de travail positif	80 %
Créer une culture de la reconnaissance	76 %
Motiver les employés à offrir un meilleur rendement	75 %
Renforcer les comportements désirés	75 %
Améliorer le moral	71 %
Appuyer la stratégie et les valeurs organisationnelles	66 %
Améliorer la conservation / réduire le roulement	51 %
Encourager la loyauté	40 %
Appuyer un changement de culture	24 %
Autre	5 %

TABLEAU 7.6 (suite)

	Pourcentage des 413 organisations
Types de programmes officiels de reconnaissance	
Ancienneté	87 %
Rendement supérieur et exceptionnel	85 %
Ventes	43 %
Suggestions	36 %
Employés du mois, de l'année, etc.	29 %
Sécurité	28 %
Assiduité	20 %
Mesures de succès des programmes de reconnaissance	
Enquêtes de satisfaction	67 %
Nombre de lauréats / nominations / prix	50 %
Roulement	28 %
Productivité	25 %
Enquêtes auprès des clients et des consommateurs	22 %
Taux d'utilisation ou de participation	21 %
Rendement de l'investissement	15 %

Source : Traduit d'Abrahamsen et Boswell (2003, p. 24-26).

la masse salariale annuelle. Ce budget sert à défrayer les coûts des récompenses versées, les coûts de communication et de gestion du programme ainsi que la formation des cadres. Toujours selon cette enquête, après les certificats et les plaques honorifiques (offerts par 75 % des organisations ayant un programme de reconnaissance), l'argent est la récompense la plus fréquente, utilisée par 63 % des organisations. Les chèques-cadeaux, les marchandises marquées du logo de la société et les bijoux figurent aussi parmi les cinq récompenses attribuées le plus fréquemment. Les organisations participantes accordent toutefois une variété de récompenses, notamment des agendas, des congés, des options d'achat d'actions et des possibilités de formation (par exemple, des séminaires ou des conférences).

Toujours aux États-Unis, une enquête du Conference Board (2000) révèle que 85 % des plus grandes firmes gèrent des programmes de reconnaissance. Selon ce rapport, si, par le passé, de tels programmes reconnaissaient principalement l'individu, aujourd'hui ils récompensent l'individu et l'équipe. La reconnaissance d'un rendement exceptionnel et la réalisation de mandats comportant un défi restent les principales raisons d'accorder des récompenses. Toutefois, de plus en plus d'organisations reconnaissent les employés qui dépassent leurs objectifs cibles (qui sont maintenant basés sur l'équipe) ou qui offrent un excellent service à la clientèle. Des sondages menés auprès des sociétés membres du « Fortune 1000 » (Lawler, 2003) montrent que, depuis 1990, les programmes de reconnaissance non pécuniaires ont gagné en popularité. De fait, en 2002, 96 % des firmes du « Fortune 1000 » utilisaient des modes de reconnaissance non pécuniaires pour souligner le rendement. Toutefois, seules 25 % d'entre elles disaient que la totalité de leur personnel est admissible à des pratiques de reconnaissance non pécuniaire. Au Canada, dans le secteur public provincial et fédéral, la fin des années 1990 et le début des années 2000 ont été marquées par l'adoption de politiques sur la reconnaissance au travail au sein de plusieurs organismes gouvernementaux, notamment le ministère de l'Emploi et de la Solidarité, le Secrétariat du Conseil du Trésor du Canada, la Commission de la santé et de la sécurité du travail, etc.

7.3.2 Les atouts et l'efficacité des pratiques de reconnaissance

Lorsque les auteurs comparent les régimes individuels et les régimes collectifs de rémunération variable avec les pratiques de reconnaissance, ils observent que ces dernières possèdent les atouts suivants (St-Onge, 2003) :

– elles entraînent moins de coûts ;

– elles sont plus flexibles, c'est-à-dire plus faciles à implanter, à modifier et à abandonner ;

– elles peuvent être davantage personnalisées ;

– elles peuvent être octroyées plus rapidement après la réalisation en question ;

– elles risquent moins d'être perçues comme des droits acquis ;

– elles peuvent mieux symboliser les valeurs des dirigeants ;

– elles sont plus perçues comme ayant une valeur de « trophées » qu'on peut faire valoir ;

– elles sont appropriées à toutes les catégories de personnel et à toutes les organisations, quel que soit le secteur d'activité économique ;

– elles peuvent avoir une incidence directe sur la famille des employés (par exemple, le choix de biens dans un catalogue, l'offre d'une sortie, d'un forfait ou d'un voyage).

Une étude de la société Watson Wyatt (Gostick, 2003) indique que les organisations qui gèrent des pratiques officielles de reconnaissance obtiennent un rendement médian deux fois plus élevé pour leurs actionnaires que les organisations qui n'ont pas de tels programmes. Au Québec, l'étude de Rousseau (2003) qui a été citée précédemment révèle que les firmes qui recourent plus fréquemment à l'octroi de récompenses ont un meilleur climat de travail et un chiffre d'affaires plus élevé.

En somme, les pratiques de reconnaissance doivent être considérées comme des outils d'information (la communication des normes de rendement à atteindre) et de rétroaction (sur le rendement passé) contribuant à augmenter le sentiment de contrôle et de compétence des employés, qui est un préalable à leur motivation. Toutefois, le fait de traiter de l'efficacité des pratiques de reconnaissance n'est pas une chose simple. En effet, la gestion des pratiques de reconnaissance peut viser divers objectifs, autres que celui de la motivation au travail, certains objectifs risquant même d'entrer en conflit les uns avec les autres. Il faut se demander en quoi ces pratiques sont efficaces et quel problème elles cherchent à résoudre.

Les pratiques de reconnaissance peuvent servir à attirer et à retenir les employés, à motiver ceux-ci, à appuyer la stratégie d'affaires ou un changement organisationnel, à communiquer des valeurs et à renforcer une culture, à bonifier un régime de rémunération, à faciliter le passage à un régime collectif de rémunération variable, à reconnaître un rendement exceptionnel, à souligner la valeur des suggestions, à faire la promotion du travail d'équipe, à reconnaître les heures supplémentaires, à réduire l'absentéisme, à implanter de nouvelles façons de faire, et ainsi de suite. L'efficacité d'un programme de rémunération variable ou de reconnaissance s'évalue donc en fonction de la réalisation de l'objectif visé. Aux États-Unis, les résultats d'une enquête (voir le tableau 7.6) montrent que plus des trois quarts des organisations participantes ont des pratiques de reconnaissance qui poursuivent les objectifs suivants : établir un environnement de travail positif, créer une culture de la reconnaissance, motiver les employés à offrir un meilleur rendement et renforcer les comportements désirés.

Ainsi, des entreprises comme Cap Gemini Ernst & Young, la division Lotus d'IBM et Buckman Laboratories accordent des récompenses en tenant compte, entre autres, des activités de partage des connaissances auxquelles les employés ont participé en cours d'année (Stevens, 2000). D'autres entreprises, comme Atlantic Envelope Company, New York Life Insurance Company et Merle Norman Cosmetics, reconnaissent l'assiduité au travail par divers moyens (bonis, loterie, octroi de biens et de congés, etc.), alors que Furst-McNess encourage l'adoption d'habitudes de travail sécuritaires en accordant des primes aux employés qui n'ont pas eu de contraventions avec les voitures de la société pendant une période donnée (Romero et Kleiner, 2000). Dans son livre, Wilson (1999) présente le cas de plusieurs sociétés (Amazon.com, Southwest Airlines, DuPont Corporation, Cisco Systems, Royal Bank Financial Group, Starbucks Coffee, Sears, Roebuck and Co., Corning Incorporated, Levi Strauss & Co., etc.) ayant eu recours à différents programmes de récompenses pour atteindre diverses fins, soit établir un esprit d'entreprise, créer un sentiment de propriété dans l'entreprise, maintenir l'orientation vers les clients, stimuler le travail d'équipe, appuyer un changement organisationnel, retenir les talents, renforcer la qualité, soutenir un changement stratégique. Des enquêtes et des écrits récents traitent du nombre croissant d'organisations qui gèrent divers types de programmes visant à récompenser et à encourager l'acquisition de connaissances et le partage de celles-ci entre les employés (Bartol et Srivastava, 2002 ; Lawler, 2003), des comportements jugés primordiaux pour leur succès.

7.3.3   Les conditions de succès des pratiques de reconnaissance

L'expérience et les études semblent montrer que les régimes de reconnaissance peuvent être autant des catalyseurs du développement que des obstacles à celui-ci. En somme, l'approche axée sur la reconnaissance n'est pas une panacée ; elle peut même engendrer des problèmes sérieux si elle est mal gérée. Rappelons que, pour être bénéfiques, les pratiques de reconnaissance doivent permettre de communiquer aux employés des normes à atteindre et offrir une rétroaction sur leur rendement, ce qui aura pour effet d'accroître leur sentiment de contrôle et de compétence, et ainsi leur motivation au travail à long terme.

Un des principaux problèmes que comporte la reconnaissance non pécuniaire est qu'on ne croit pas toujours qu'elle ait de l'importance aux yeux des employés ou que sa gestion doive être rigoureuse et formelle. À ce jour, plusieurs auteurs ont traité des conditions de succès des pratiques de reconnaissance[2]. Il est possible de classer les variables influençant l'efficacité des pratiques de reconnaissance en trois catégories, soit les caractéristiques des pratiques de reconnaissance, la gestion des pratiques de reconnaissance de même que les acteurs et le contexte organisationnel. Le tableau 7.7 résume les recommandations susceptibles d'optimiser les retombées des pratiques de reconnaissance.

TABLEAU 7.7

RECOMMANDATIONS POUR OPTIMISER LES BÉNÉFICES DES PRATIQUES DE RECONNAISSANCE

- Accorder des formes de reconnaissance qui sont appréciées par les employés et qui répondent à leurs besoins.
- Accorder des récompenses rapidement et fréquemment.
- Veiller à ce que les récompenses soient proportionnelles aux réalisations.
- Octroyer des récompenses variées (prix, repas, diplômes honorifiques, primes, etc.) et gérées de manière cohérente.
- Faire preuve d'équité, de réserve, de sincérité et de respect dans l'attribution des récompenses.

---

2   Voir, par exemple, Aubin (2000), Bartol et Locke (2000), Bennett (1996), Brun *et al.* (2002), Dametteo et Sundstrom (1997), Knouse (1995), McAdams (2000), McConnell (1997), Nelson (1997), Parus (2002), Rosalind (1997), Spitzer (1996).

TABLEAU 7.7 (suite)

- Accorder des récompenses pour des réalisations, c'est-à-dire des résultats ou des comportements.

- Utiliser les récompenses pour reconnaître divers types de rendement (individuel, d'équipe et collectif).

- Accorder des récompenses adéquates d'un point de vue fiscal.

- Adopter et gérer les pratiques de reconnaissance de manière cohérente par rapport à la culture d'entreprise, à la stratégie, aux valeurs et aux objectifs de gestion.

- Préciser les objectifs des pratiques de reconnaissance et les communiquer.

- Adopter des critères d'octroi appropriés (préétablis, justes, mesurables, réalistes, respectés, pertinents, non discriminatoires, exempts de biais) et les communiquer.

- S'assurer que la reconnaissance ou les récompenses sont accordées par des personnes crédibles et compétentes.

- Célébrer les lauréats tout en respectant leur volonté en ce qui a trait à la visibilité.

- Contrôler le nombre et la valeur des récompenses octroyées afin d'éviter les abus.

- Gérer de façon officielle (écrite) les pratiques de reconnaissance.

- Désigner un comité ou une personne responsable de la gestion du programme de reconnaissance.

- Faire participer, consulter et former les acteurs : dirigeants, cadres et employés.

- S'assurer de la présence de conditions de travail facilitantes, comme offrir des conditions de rémunération équitable, garantir une certaine sécurité de l'emploi ou partager des informations sur les affaires avec les employés.

- Réviser et évaluer l'efficacité des pratiques de reconnaissance.

7.3.3.1 Le type de récompenses octroyées

Pour être efficace, une récompense doit combler un besoin et être personnalisée. Il est important de communiquer la valeur des récompenses offertes aux employés et de s'assurer qu'elles répondent à leurs attentes ou qu'elles ont une valeur symbolique à leurs yeux. Les employés sont motivés à améliorer leur rendement dans la mesure où ils ont l'impression que leurs efforts ont un effet sur leur rendement, qu'il existe un lien entre leur rendement et les récompenses et que les récompenses qu'ils obtiennent sont importantes ou représentent pour eux une certaine valeur. De plus, une récompense pécuniaire ou tangible doit être proportionnelle aux réalisations, assez importante et, idéalement, ne pas être imposable. Il semble aussi avantageux d'adopter une variété de formes de reconnaissance de manière à donner de plus petits montants plus fréquemment à plus de personnes et à mieux répondre aux besoins des employés. Comme certaines personnes préféreraient recevoir des billets pour assister à un match de hockey et que d'autres préféreraient recevoir des billets pour voir une pièce de théâtre, il peut être intéressant de leur laisser le choix. Ensuite, la spontanéité dans la reconnaissance est très importante. Il faut, en effet, accorder la récompense le plus rapidement possible après la constatation de la réalisation. Par ailleurs, la personne qui exprime la reconnaissance (par exemple, un cadre, un collègue) doit être légitime, compétente et crédible aux yeux des employés.

Précisons aussi que la satisfaction face à une récompense et les incidences positives de cette dernière ne sont pas liées à son caractère pécuniaire ni à sa valeur pécuniaire. En outre, pour que l'organisation optimise le rendement de son investissement et évite de mauvaises surprises, son choix des modes de reconnaissance doit tenir compte des règles fiscales qui s'appliquent à la fois au personnel et à l'organisation. De fait, l'argent semble plus susceptible de créer de l'insatisfaction parce que les montants accordés sont souvent peu importants et qu'ils sont sujets à l'impôt, alors que les cadeaux en espèces ne sont pas imposables (Agence des douanes et du revenu du Canada, 2003 ; ministère du Revenu du Québec, 2004).

BULLETIN$ 7.3

Une étude longitudinale menée auprès de 16 entreprises américaines ayant obtenu une mention de qualité (Malcolm Baldridge National Quality Award) indique qu'elles ont toutes adopté des moyens de reconnaître la contribution des employés qui se conforment à leur culture et à leurs valeurs de gestion ainsi qu'à leurs objectifs d'affaires. Toutes ces entreprises ont implanté des moyens variés de célébrer, de récompenser et de rémunérer les réalisations individuelles et collectives. La plupart d'entre elles sondent sur une base annuelle leurs employés pour évaluer l'efficacité de leurs régimes de reconnaissance et de rémunération de manière à s'assurer qu'ils continuent à répondre aux besoins. Finalement, les dirigeants de ces firmes prennent le temps d'expliquer tant leurs pratiques de récompenses que l'évolution des affaires en recourant à divers supports (vidéos, manuels, groupes de discussion, journaux d'entreprise, etc.).

Source : Traduit et adapté de Wilson (1995 p. 36-47).

7.3.3.2 La gestion des pratiques de reconnaissance

Le caractère officiel (écrit) de la gestion des pratiques de reconnaissance constitue un déterminant de l'efficacité des pratiques de reconnaissance, car il optimise la rigueur de la gestion de ces pratiques. Il est également important que les règles d'admissibilité aux pratiques de reconnaissance permettent au plus grand nombre d'employés possible de participer à ces programmes. Les pratiques de reconnaissance doivent aussi faire l'objet de directives institutionnelles qui seront communiquées de diverses façons (dépliants, politiques, vidéo, etc.). La communication adéquate des pratiques de reconnaissance et des critères de leur octroi s'avère d'ailleurs un préalable important à la réussite. En somme, les employés doivent savoir qui peut avoir accès à quelles récompenses, pour quelles raisons et de quelle manière. De même, il est nécessaire de communiquer les résultats (qui reçoit quoi et pourquoi ?) des programmes de reconnaissance de façon à favoriser une perception d'équité : la transparence témoigne du souci des dirigeants d'entreprise de bien gérer les pratiques de reconnaissance. Quant à la visibilité ou à la célébration des lauréats, il faut respecter leur volonté : certains souhaitent que leurs réalisations soient communiquées alors que d'autres préfèrent la discrétion.

Certaines organisations, comme NBC Universal, utilisent les technologies de la communication informatique (Dermer, 2005) pour proposer le choix des récompenses (comme des marchandises, des cadeaux ou des chèques-cadeaux) selon les occasions et les employés, pour gérer de manière automatisée les demandes d'approbation d'octroi de récompenses faites par les cadres, pour gérer les commandes et les livraisons de certains modes de reconnaissance, pour former et informer les employés et les cadres (sur les avantages imposables, les critères d'octroi, etc.), pour colliger des données afin de suivre le succès de leur programme de reconnaissance (par exemple, le nombre de récompenses accordées par mois, la valeur pécuniaire moyenne des récompenses, le pourcentage de récompenses accordées sous forme pécuniaire, le temps moyen entre la nomination ou la proposition faite par les cadres et l'approbation finale de leur demande).

Par ailleurs, il importe de déterminer de manière claire et précise les critères d'octroi des récompenses afin de communiquer les normes d'excellence et d'assurer une certaine cohérence et uniformité en ce qui concerne leur distribution. Les règles doivent être perçues comme étant justes, équitables et susceptibles de minimiser les risques d'erreurs, de biais et de préjugés dans la prise de décision. En effet, les pratiques de reconnaissance doivent souligner des réalisations ou des comportements au travail qui dépassent les attentes, qui sont pertinents à l'égard de la mission, des valeurs et des objectifs stratégiques de l'organisation. Sur ce point, les résultats d'une méta-analyse (Cameron et Pierce, 1997a, b) confirment que les récompenses tangibles augmentent la motivation intrinsèque dans le seul cas où les normes de rendement établies ont été dépassées. Dans le même ordre d'idées, une étude (Damatteo et Sundstrom, 1997) montre que la satisfaction des employés est plus grande lorsque les récompenses sont octroyées en fonction du rendement individuel. Par conséquent, il faut éviter de toujours récompenser les mêmes employés, d'accorder des récompenses selon des facteurs comme les considérations politiques, les affinités ou la personnalité ou encore de donner des récompenses aux employés « à tour de rôle ». Par ailleurs, il est nécessaire de rappeler aux cadres l'importance d'offrir la reconnaissance le plus tôt possible après la contribution, et ce, sur une base régulière tout au long de l'année. Il s'agit ici d'éviter l'urgence de dépenser son budget de récompenses à la fin de l'année financière.

De plus, les critères d'octroi des récompenses doivent être révisés en fonction de l'évolution de la culture d'entreprise, de la stratégie et des objectifs de gestion. Les pratiques de reconnaissance sont des outils de communication qui doivent véhiculer les messages désirés, c'est-à-dire ceux qui aident l'entreprise à atteindre ses objectifs. L'entreprise doit alors se demander ce qu'elle veut reconnaître ou favoriser. Est-ce la créativité? l'esprit d'équipe? la compétitivité? la loyauté? l'attraction du personnel? la croissance continue? la productivité à court terme? la qualité des services? ou autre chose? Cette réflexion essentielle permettra à l'entreprise de déterminer les formes de reconnaissance les plus efficaces et de diminuer le risque de récompenser des comportements négatifs ou indésirables plutôt que des comportements qu'elle souhaite encourager ou modifier.

Enfin, l'entreprise doit institutionnaliser ou officialiser les pratiques de reconnaissance (normes écrites) pour symboliser leur importance et optimiser la qualité de leur gestion. Pour ce faire, elle doit instituer un comité de gestion ayant la responsabilité d'implanter, de gérer, de suivre et de réviser les pratiques de reconnaissance. Ce comité doit, entre autres, communiquer les objectifs et la philosophie des pratiques de reconnaissance en place et évaluer la réussite de ces pratiques. Comme le montre le tableau 7.6, plus de la moitié des organisations qui ont des programmes de reconnaissance évaluent le plus souvent leur efficacité en s'appuyant sur des enquêtes de satisfaction auprès des employés et en considérant le nombre de nominations ou de lauréats. Il est également important de nommer un « champion », c'est-à-dire une personne qui est tenue pour responsable de la gestion des pratiques de reconnaissance et qui valide rapidement les décisions d'octroi de récompenses prises par les cadres.

7.3.3.3 Les acteurs et le contexte organisationnel

L'efficacité des pratiques de reconnaissance repose sur l'appui et l'engagement des dirigeants d'entreprise. Que ce soit par leur présence lors de la remise des récompenses ou par l'envoi de lettres de félicitations personnalisées, les dirigeants doivent donner l'exemple et agir comme des modèles. Il est toutefois de leur devoir de s'assurer du respect des politiques et des programmes de manière que leurs discours s'accordent avec l'action au quotidien à tous les niveaux de l'organisation.

L'engagement des cadres dans la gestion des pratiques de reconnaissance apparaît aussi comme fort importante, car les cadres sont souvent les personnes qui ont la responsabilité d'apprécier la contribution des employés, de soumettre des candidatures ou d'octroyer des récompenses. Mais l'engagement des cadres ne suffit pas, encore faut-il qu'ils soient compétents et motivés à reconnaître la contribution des employés. De là vient l'importance de bien informer et former les cadres sur les raisons d'être et les règles des pratiques de reconnaissance afin qu'ils acquièrent un savoir-être et un savoir-faire en matière de reconnaissance.

Lorsque les cadres disposent annuellement d'un budget discrétionnaire de récompenses, il faut exiger qu'ils obtiennent une autorisation d'un responsable avant d'octroyer une récompense. La consultation d'un responsable assure une certaine équité et une certaine homogénéité à la distribution des récompenses au sein de l'organisation et permet d'éviter des erreurs d'octroi qui risqueraient de miner la crédibilité d'un régime de reconnaissance.

Par ailleurs, s'il est vrai que les pratiques de reconnaissance doivent être personnalisées et appréciées par les employés, il reste que ces derniers doivent être consultés. Leur participation peut se traduire par des suggestions à l'égard de la nature des récompenses, des règles de gestion du programme de récompenses, des critères d'admissibilité et de décision d'octroi (par exemple, la candidature peut-elle être proposée par un collègue ? comment sont perçues les nominations ?). Compte tenu de la multiplicité des formes de reconnaissance, l'entreprise doit s'interroger sur le type de reconnaissance que ses employés veulent : plus de journées de congé ? de nouvelles responsabilités ? un meilleur équipement ? de la visibilité ? des sorties ? En ce qui a trait aux programmes de suggestions associés à des récompenses, il est important de s'assurer que le temps requis pour l'examen des propositions est relativement court. À tout le moins, il faut que l'employé soit avisé rapidement du traitement de sa suggestion. Ce préalable est crucial au cours de la première année du programme de suggestions alors que le nombre de suggestions est plus élevé.

Le succès d'un programme de reconnaissance est aussi fonction du contexte organisationnel. Bien entendu, les pratiques de reconnaissance ont plus de chances d'être efficaces si elles sont implantées et gérées dans les organisations dont la situation financière est saine et où l'on partage des informations sur les affaires (performance, concurrence, stratégie, etc.). On ne peut s'attendre à ce que les employés soient incités à améliorer leur contribution et à se surpasser s'ils craignent de perdre leur emploi et si on les tient dans l'ignorance. Il ne s'agit pas d'exiger de l'entreprise qu'elle garantisse une sécurité de l'emploi absolue, mais qu'elle offre une certaine assurance selon laquelle la direction fait tout son possible pour garder à son service ses employés. Par ailleurs, de telles pratiques peuvent également être efficaces dans des contextes comme le secteur public, où les régimes de rémunération variable sont peu fréquents et où les contraintes budgétaires se resserrent.

Remarquons aussi que les pratiques de reconnaissance ne doivent pas suppléer à un système de rémunération équitable. Si les employés ne perçoivent pas qu'ils sont payés équitablement, il faut réviser leur système de rémunération avant d'adopter des pratiques de reconnaissance supplémentaires. Les récompenses ne devraient pas être accordées en remplacement d'augmentations de salaires légitimes.

Enfin, un programme de reconnaissance, quelle que soit sa nature, n'est pas suffisant à lui seul pour changer la culture d'entreprise et résoudre un important problème de productivité. C'est un ensemble intégré de modes de reconnaissance (soit des promotions, des primes, une formation, une plus grande autonomie, etc.) qui pousse les employés à s'engager dans leur travail, à se surpasser et à s'intéresser à leur entreprise. Bref, les pratiques de reconnaissance doivent être cohérentes et s'intégrer dans l'ensemble des activités de gestion des ressources humaines.

Conclusion

Ce chapitre a traité de la multiplicité des formes de reconnaissance qu'une organisation peut utiliser pour récompenser les réalisations au travail. Comme l'indiquent Brun *et al.* (2002, p. 20), « la reconnaissance au travail est un élément essentiel pour préserver et construire l'identité des individus, donner un sens à leur travail, favoriser leur développement et contribuer à leur bien-être professionnel ». Ce faisant, dans le contexte de l'organisation, les pratiques de reconnaissance peuvent être un véhicule permettant de communiquer et d'apprécier les comportements, les résultats, les valeurs qui sont dorénavant essentiels pour la réussite à long terme de l'entreprise, pour le renforcement de sa stratégie d'affaires et pour l'accomplissement d'un changement stratégique.

Questions de révision

1. « Le fait de récompenser le rendement des employés a une incidence positive sur celui-ci. » Commenter et nuancer cette affirmation.

2. En plus de la rémunération, de quelles façons une entreprise peut-elle reconnaître le rendement de ses employés ?

3. Traiter des atouts des modes de reconnaissance non pécuniaires.

4. « En dehors de l'argent obtenu en vertu des régimes de rémunération variable, les récompenses que les employés peuvent recevoir ne sont que des gadgets inutiles et inefficaces. » Commenter cette opinion.

5. Traiter de la fréquence et de l'efficacité des pratiques officielles de reconnaissance que des organisations gèrent.

6. Décrire les conditions de succès des pratiques de reconnaissance et présenter une liste de recommandations susceptibles d'en optimiser l'efficacité.

Références

ABRAHAMSEN, L. et G. BOSWELL (2003). « Employers turn to recognition to motivate employees », *Workspan*, vol. 46, n° 12, p. 24-26.

ADAMS, J.S. (1963). « Toward an understanding of inequity », *Journal of Abnormal and Social Psychology*, vol. 67, p. 422-436.

AGENCE DES DOUANES ET DU REVENU DU CANADA (2003). *Guide de l'employeur – Avantages imposables 2003-2004 – T4130*, Québec.

AMABILE, T.A. (1993). « Motivational synergy : Toward new conceptualizations of intrinsic and extrinsic motivation in workplace », *Human Resource Management Review*, vol. 3, p. 185-201.

ARROW, K.J. (1973). « Higher education as a filter », *Journal of Public Economy*, vol. 2, p. 193-216.

ASHTON, D. (1991). « Agency theory and contracts of employment », dans D. Ashton, T. Hopper et R.W. Scanpens (sous la dir. de), *Issues in Management Accounting*, Londres, Prentice-Hall, 1991.

AUBIN, I. (2000). « Les variables influençant l'efficacité des pratiques de reconnaissances de rendement des employés », mémoire de maîtrise, Montréal, HEC Montréal.

AUBIN, I. et S. ST-ONGE (2000). « Les pratiques de reconnaissance chez IBM-Bromont », *Gazette du travail*, vol. 3, n° 3, 2000, p. 80-82.

BAKER, G.P., M.C. JENSEN et K. MURPHY (1988). « Compensation and incentives : Practice vs. theory », *The Journal of Finance*, vol. 43, n° 2, p. 593-616.

BANVILLE, B. et S. ST-ONGE (2005). « É.C.L.A.I.R. : la reconnaissance de l'amélioration continue chez PACCAR du Canada ltée (Sainte-Thérèse) », Montréal, HEC Montréal, Centre de cas, 3 p.

BARNEY, J. (1991). « Firm resources and sustained competitive advantage », *Journal of Management*, vol. 17, p. 99-120.

BARTOL, K.M. et E.A. LOCKE (2000). « Incentives and motivation », dans S. Rynes et B. Gerhardt (sous la dir. de), *Compensation in Organizations : Progress and Prospects*, San Francisco, Lexington Press, p. 104-147.

BARTOL, K.M. et A. SRIVASTAVA (2002). « Encouraging knowledge sharing : The role of organizational reward system », *Journal of Leadership and Organization Studies*, vol. 9, n° 1, p. 64-76.

BÉDARD, A.H., H. GIROUX et E.M. MORIN (2002). « Les pratiques de reconnaissance du travail des cadres supérieurs du Réseau de la santé et des services sociaux », cahier de recherche, Montréal, Centre de recherche et d'interventions sur le travail, l'efficacité organisationnelle et la santé (CRITEOS), http://www.hec.ca/criteos.

BENNETT, M.A. (1996). « More than money : Speakers emphasize the need for psychic income », *American Compensation Association*, juillet-août, p. 8-10.

BOURCIER, C. et Y. PALOBART (1997). *La reconnaissance : un outil de motivation pour vos salariés*, Paris, Les Éditions d'Organisation.

BRETZ JR., R.D., R.A. ASH et G.F. DREHER (1989). « Do people make the place ? An examination of the attraction-selection-attrition hypothesis », *Personnel Psychology*, vol. 42, p. 561-581.

BROWN, C. (1990). « Firms' choice of method of pay », *Industrial and Labor Relations Review*, février, p. 165-182.

BRUN, J.-P., N. DUGAS et M. TISON (2002). *La reconnaissance au travail : une pratique riche de sens*, Québec, Chaire en gestion de la santé et de la sécurité du travail dans les organisations et Centre d'expertise en gestion des ressources humaines du Secrétariat du Conseil du Trésor.

CABLE, D.M. et T.A. JUDGE (1994). « Pay preference and job search decisions : A person-organization fit perspective », *Personnel Psychology*, vol. 47, p. 317-348.

CAMERON, J. et W.D. PIERCE (1997a). « Reinforcement, reward and intrinsic motivation : A meta-analysis », *Review of Educational Research*, vol. 64, n° 3, p. 363-423.

CAMERON, J. et W.D. PIERCE (1997b). « Rewards, interest and performance », *ACA Journal*, vol. 6, n° 4, p. 6-15.

CONFERENCE BOARD, THE (2000). *HR Executive Review : Employee Recognition Programs*, New York, The Conference Board.

DAMATTEO, J. et E. SUNDSTROM (1997). « Factors related to the successful implementation of team-based rewards », *ACA Journal*, vol. 4, n° 4, p. 16-27.

DECI, E.L., R. KOESTNER et R.M. RYAN (1999). « A meta-analytic review of experiments examining the effects of extrinsic rewards on intrinsic motivation », *Psychological Bulletin*, vol. 125, n° 6, p. 627-668.

DECI, E.L. et R.M. RYAN (1985). *Intrinsic Motivation and Self-Determination in Human Behavior*, 2ᵉ éd., New York, Plenum Press.

DERMER, M. (2005). « Ovation : NBC Universal's recognition program sparks employee engagement », *Workspan*, mai, p. 39-43.

EISENBERGER, R. et J. CAMERON (1996). « Detrimental effects of rewards : Reality or myth ? », *American Psychologist*, vol. 51, n° 11, p. 1 153-1 166.

EISENBERGER, R., D.W. PIERCE et J. CAMERON (1999). « Effects of reward on intrinsic motivation ? negative, neutral, and positive : Comment on Deci, Koestner, and Ryan », *Psychological Bulletin*, vol. 126, p. 677-691.

FAMA, E.F. et M.J. JENSEN (1983). « Agency problems and residual claims », *Journal of Law and Economics*, vol. 26, p. 327-349.

FORD, M.E. (1992). *Motivating Humans*, Newbury Park, Calif., Sage.

GAGNON, D." et S. ST-ONGE (1995). « Le concours "Les Abeilles d'or" à la Fédération des caisses populaires Desjardins de Montréal et de l'Ouest-du-Québec », cas n° 9 30 95 027, Montréal, HEC Montréal.

GOMEZ-MEJIA, L.R. et D.B. BALKIN (1992). *Compensation, Organizational Strategy and Firm Performance,* Cincinnati, South-Western Series in Human Resources Management.

GOSTICK, A. (2003). « A hero's welcome : Improving culture with noncash awards and recognition », *Workspan,* vol. 46, n° 7, p. 44-47.

GUPTA, N. et A. MITRA (1998). « The value of financial incentives : Myths and empirical realities », *ACA Journal,* vol. 7, n° 3, p. 58-66.

GUZZO, R.A., R.D. JETTE et R.A. KATZELL (1985). « The effects of psychologically-based intervention programs on worker productivity : A meta-analysis », *Personnel Psychology,* vol. 38, p. 275-291.

HACKMAN, J.R. et G.R. OLDHAM (1980). *Work Redesign,* Reading, Mass., Addison-Wesley.

HIVON, C. (1996). « L'acte de reconnaître : enjeux narcissiques chez le gestionnaire », mémoire de maîtrise, Sainte-Foy, Université Laval.

JENKINS JR., D.G. *et al.* (1998). « Are financial incentives related to performance ? A meta-analytic review of empirical research », *Journal of Applied Psychology,* vol. 83, p. 777-787.

JUDIESCH, M.K. (1994). « The effects of incentive compensation system on productivity, individual difference in output variability and selection utility », thèse de doctorat, Iowa, University of Iowa.

KAPLAN, R.S. (1984). « The evolution of management accounting », *The Accounting Review,* vol. 59, p. 390-418.

KNOUSE, S. (1995). *The Reward and Recognition Process in Total Quality Management,* Milwaukee, Wisc., ASQC Quality Press.

KOHN, A. (1993). *Punished by Rewards,* Boston, Houghton Mifflin.

LARIVÉE, J. (2001). « La reconnaissance en entreprise : le temps d'une montre », *Effectif,* vol. 4, n° 1, janvier-février-mars.

LAWLER, E.E. (2003). « Pay practices in Fortune 1000 Corporations », *WorldatWork,* vol. 2, n° 4, p. 45-54.

LOCKE, E.A et G.P. LATHAM (1990). *A Theory of Goal Setting and Task Performance,* Englewood Cliffs, N.J., Prentice Hall.

LOCKE, E.A. *et al.* (1980). « The relative effectiveness of four methods of motivating employee performance », dans K.D. Duncan, M.M. Gruenberg et D. Wallis (sous la dir. de), *Changes in Working Life,* New York, Wiley, p. 363-388.

McADAMS, J.L. (1999). « Nonmonetary rewards : Cash equivalents and tangible rewards », dans L.A. Berger et D.R. Berger (sous la dir. de), *The Compensation Handbook : A State-of-the-art Guide to Compensation Strategy and Design,* 4ᵉ éd., New York, McGraw-Hill, p. 238-259.

McCONNELL, C. (1997). « Employee recognition : A title oil on the troubled waters of change », *The Health Care Supervisor,* vol. 15, n° 4, p. 83-90.

McKIBBIN, L. (2003). « Beyond the gold watch : Employee recognition today », *Workspan,* vol. 46, n° 4.

MINISTÈRE DU REVENU DU QUÉBEC (2004). *Avantages imposables* – IN-253, Québec.

MORIN, E.M. (1996). *Psychologies au travail,* Boucherville, Gaëtan Morin Éditeur.

NELSON, B. (1997). « A context of recognition », *Executive Excellence,* vol. 14, n° 11, p. 14.

OGDEN, S.G. (1993). « The limitation of agency theory : The case of profit-sharing schemes », *Critical Perspectives in Accounting,* vol. 4, p. 179-206.

PAQUIN, M.I. (2004). « Êtes-vous heureux au travail ? Soif de reconnaissance », *La Presse,* section « Affaires », 4 octobre, p. 3.

PARUS, B. (2002). « Recognition : A strategic tool for retaining talent », *Workspan,* vol. 45, n° 11, novembre, p. 15-18.

ROMERE, J. et B.H. KLEINER (2000) « Global trends in motivating employees », *Management Research News,* vol. 23, n°s 7-8, p. 14-17.

ROSALIND, J. (1997). « Reaping the rewards of recognition », *HR Focus,* vol. 74, n° 1, p. 9.

ROUSSEAU, C. (2003). « Les pratiques de reconnaissance du rendement au sein des organisations du Québec : profil, déterminants et impacts », mémoire de maîtrise, Montréal, HEC Montréal.

RYAN, R.M. et E.L. DECI (2000). « Self-determination theory and the facilitation of intrinsic motivation, social development and well-being », *American Psychologist,* janvier, p. 68-78.

SIMARD, R.C. (2002). « Quand une banane est meilleure que de l'argent », *Les Affaires,* 21 décembre, p. 23.

SKINNER, B.F. (1974). *About Behaviorism,* New York, Knopf.

SPENCE, A.M. (1974). *Market Signaling : Information Transfer in Hiring and Related Processes,* Cambridge, Mass., Harvard University Press.

SPITZER, D.R. (1996). « Power rewards : Rewards that really motivates », *Management Review,* vol. 85, n° 5, p. 45-51.

STAJKOVIC, A.D. et F. LUTHANS (1997). « A meta-analysis of the effects of organizational behavior modification on task performance, 1975-1995 », *Academy of Management Journal,* vol. 40, n° 5, p. 1 122-1 149.

STEVENS, L. (2000). « Incentives for sharing », *Knowledge Management,* vol. 3, n° 10, p. 54-60.

ST-ONGE, S. (2000). « Reconnaître les performances », *Gestion*, coll. « Racines du savoir » p. 264-284.

ST-ONGE, S. (2003). « La rémunération : ça ne change pas le monde, sauf que… », *Les Cahiers des leçons inaugurales,* Montréal, HEC Montréal, 25 avril.

ST-ONGE, S. *et al.* (2005). « Pour une meilleure reconnaissance des contributions au travail », *Gestion,* vol. 30, n° 2, p. 89-101.

TRANK, C.Q., S.L. RYNES et R.D. BRETZ JR. (2001). « Attracting applicants in the war for talent : Differences in work preferences among high achievers », *Journal of Business and Psychology,* vol. 16, p. 331-345.

VALLERAND, N. (2003). « La rémunération des vendeurs en mutation », *Les Affaires,* 8 mars, p. 69.

VROOM, V.H. (1964). *Work and Motivation,* New York, Wiley.

WILSON, S.Y. (1995). « Effectively recognizing and rewarding employees : Lessons form Malcolm Baldridge National Quality Award winners », *ACA Journal,* vol. 4, n° 2, p. 36-47.

WILSON, T.B. (1999). *Rewards that Drive High Performance : Success Stories from Leading Organizations,* New York, Amacom et American Compensation Association.

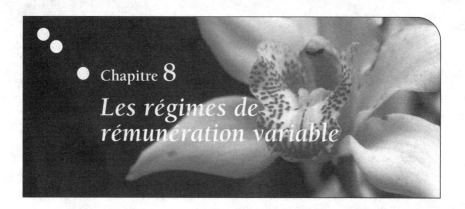

Objectifs

Ce chapitre vise à :

➤ décrire les caractéristiques, les atouts, les limites, l'efficacité et les conditions de succès des régimes individuels de rémunération variable suivants : les régimes d'augmentations de salaires au mérite, les régimes de primes de rendement individuel, les régimes doubles de salaires au mérite et de primes de rendement ainsi que les régimes de rémunération à la pièce ;

➤ présenter les divers régimes collectifs de rémunération variable cherchant à reconnaître la performance organisationnelle à court terme (la participation aux bénéfices, le partage des gains de productivité, le partage du succès et les primes d'équipe) ;

➤ présenter les divers régimes collectifs de rémunération variable cherchant à reconnaître la performance organisationnelle à long terme (l'achat d'actions, l'octroi d'actions, les options d'achat d'actions) ;

➤ commenter la fréquence, l'efficacité et les conditions de succès de la rémunération variable dans les milieux syndiqués ;

➤ offrir un bilan de l'efficacité des régimes individuels et collectifs de rémunération variable ;

➤ fournir une synthèse des conditions qui optimisent le succès des régimes individuels et collectifs de rémunération variable.

Cas et conjoncture

 Des primes au rendement pour presque tous les cadres supérieurs dans la fonction publique fédérale

Quatre-vingt-treize pour cent des cadres supérieurs de la fonction publique fédérale ont touché une prime de rendement, en 2002-2003, une facture qui s'élève à 31,6 millions $ pour les contribuables.

C'est ce que révèlent des documents préparés par le Bureau du Conseil privé, en réponse à une demande formulée par le député conservateur John Williams, qui préside le comité permanent des Comptes publics.

«Cette politique de primes est une vraie farce», a dénoncé le député albertain, hier, à Ottawa.

«S'ils étaient si extraordinaires, a-t-il ajouté, il n'y aurait pas autant de scandales!»

Selon les documents officiels, signés par le ministre Denis Coderre le 9 mars dernier, 4 102 des 4 403 cadres supérieurs se sont mérité des «montants forfaitaires de rémunération au rendement».

C'est donc dire qu'à peine 7 % des gestionnaires n'ont pas eu droit à la prime atteignant en moyenne un peu plus de 7 000 $. Cela représente tout de même une légère baisse par rapport à l'année précédente, alors que ces montants forfaitaires avaient été accordés à 96 % des cadres supérieurs.

Ces données n'incluent cependant pas les primes au rendement versées aux sous-ministres, aux gouverneurs en conseil et aux dirigeants de sociétés d'État, une dépense supplémentaire de 3,1 millions $ qui fait grimper la note à 34,7 millions $ pour l'exercice financier 2002-2003.

Au chapitre des ministères et organismes publics, en effet, 91 % des sous-ministres et des gouverneurs en conseil ont touché des bonis de performance, contre 54 % des dirigeants de sociétés de la Couronne.

«Dans le cas des sociétés d'État, le traitement des dossiers pour 2002-2003 n'est pas encore terminé», avertit le Bureau du Conseil privé, soulignant que le tiers des dossiers n'a toujours pas été évalué.

Selon le député Williams, seulement 10 % à 20 % des gestionnaires devraient se qualifier, «dans des circonstances normales», pour l'obtention d'une prime reliée au rendement.

«Le problème, dit-il, c'est que ce n'est pas vraiment un boni de performance. Avec le gouvernement fédéral, vous recevez votre bonus simplement parce que vous faites votre travail. C'est à n'y rien comprendre. Selon cette logique, les 7 % qui n'ont pas touché de prime ne faisaient visiblement pas du bon travail et devraient être mis à la porte!»

Le président du Comité des comptes publics, qui se penche présentement sur le dossier du scandale des commandites, s'explique mal comment, dans certains cas, tous les cadres supérieurs d'un même organisme fédéral ont eu droit à une prime au rendement. C'est le cas, notamment, de Service correctionnel Canada, où la totalité des 139 gestionnaires ont touché des bonis totalisant 990 170 $. Même scénario du côté de la Commission de la fonction publique du Canada, qui a versé des primes à l'ensemble de ses 58 cadres supérieurs, une facture de 476 000 $.

«Comment expliquer que 100 % des gestionnaires de la Commission de la fonction publique ont reçu leur bonus, alors que ce sont eux qui ont échappé la balle dans l'affaire de George Radwanski et du Commissariat à la protection de la vie privée?» se demande le député Williams.

À l'échelle du gouvernement fédéral, neuf ministères ont enregistré des «dépenses pour montants forfaitaires» dépassant le million de dollars, en 2002-2003, dont les Affaires étrangères (3,3 millions), le Développement des ressources humaines (2,4 millions) et les Travaux publics (1,8 million).

Source : Gaudreault (2004, p. 3).

Introduction

Comme l'illustre le tableau 8.1, les divers régimes de rémunération variable ou basée sur le rendement peuvent être classés selon le niveau de rendement ciblé, individuel, d'équipe ou organisationnel, à court terme ou à long terme.

TABLEAU 8.1

LES DIFFÉRENTS RÉGIMES INDIVIDUELS ET COLLECTIFS DE RÉMUNÉRATION VARIABLE

Régimes basés sur le rendement individuel	Régimes basés sur le rendement collectif à court terme
• Salaire au mérite • Primes • Commissions • Rémunération à la pièce	• Participation aux bénéfices • Partage des gains de productivité • Partage du succès • Primes d'équipe • Régimes mixtes de primes de rendement individuel et collectif
	Régimes basés sur le rendement collectif à long terme
	• Octroi ou achat d'actions • Option d'achat d'actions

Ce chapitre décrit d'abord divers types de régimes individuels de rémunération variable, soit les régimes de salaires dits « au mérite », les régimes de primes, les régimes mixtes de primes et d'augmentations de salaires ainsi que les régimes de rémunération à la pièce. Notons que les régimes « à commission » seront étudiés au chapitre 11, qui traite de la rémunération de catégories particulières de personnel, dont le personnel de vente.

Ce chapitre traite ensuite des régimes collectifs visant à reconnaître le rendement à court terme (les régimes de participation aux bénéfices, les régimes de partage des gains de productivité, les régimes de partage du succès, les primes d'équipe et les régimes mixtes de rendement), puis des régimes collectifs basés sur le rendement à long terme (les régimes d'achat d'actions, les régimes d'octroi d'actions, les régimes d'options d'achat d'actions).

En somme, ce chapitre analyse les principaux régimes individuels et collectifs de rémunération sous différents angles : quels sont leurs avantages présumés ? Quelles sont leurs limites potentielles ? Quelles sont leurs conditions de succès ? Quelle est leur efficacité ? Quelle est l'attitude des syndicats à leur sujet ? Ce chapitre devrait donc aider les dirigeants à décider du type de régime de rémunération variable le plus approprié à leur organisation et à une catégorie de personnel.

8.1 Les régimes individuels de rémunération variable

Au Canada, une enquête (Long, 2002b) montre que la grande majorité des firmes (94 %) disent gérer un type de régime de rémunération variable pour au moins une partie de leurs employés. Cette enquête révèle aussi que les régimes *individuels* de rémunération variable sont les plus fréquemment implantés (soit par 88 % des firmes), et, dans l'ordre, on y trouve les régimes suivants :

–   le salaire au mérite, implanté dans 72 % des firmes participantes et incluant, en moyenne, 73 % de la main-d'œuvre ;

–   les primes de rendement, instaurées dans 37 % des firmes participantes et s'appliquant, en moyenne, à 51 % de la main-d'œuvre ;

–   les primes ponctuelles particulières, offertes dans 29 % des firmes participantes et portant, en moyenne, sur 57 % de la main-d'œuvre ;

–   les commissions, qu'on relève dans 27 % des firmes participantes et qui concernent, en moyenne, 20 % de la main-d'œuvre ;

–   la rémunération à la pièce, implantée dans 11 % des firmes participantes et touchant, en moyenne, 43 % de la main-d'œuvre.

8.1.1   Le salaire au mérite

Partout en Amérique du Nord, le salaire ou la rémunération dite «au mérite» s'avère le mode de gestion des salaires des cadres et des professionnels le plus fréquent.

8.1.1.1   Définition et caractéristiques du salaire au mérite

Les régimes de salaires au mérite permettent de considérer le rendement individuel des employés dans la détermination de leurs augmentations de salaires (généralement sur une base annuelle). De façon plus précise, la *progression du salaire* des employés dans leur échelle salariale se fait à intervalles réguliers (habituellement un an) et elle dépend, du moins en partie, de leur rendement individuel. Suivant un tel régime, le *budget* global des augmentations de salaires qui peut être affecté aux employés est ordinairement déterminé en fonction de la performance de l'organisation (sa capacité de payer), de sa politique salariale en relation avec le marché (le devancer, être à sa remorque ou l'accompagner) et de l'évolution du coût de la vie.

En pratique, il est rare que l'augmentation de salaire au mérite versée à un employé considère uniquement sa cote globale de rendement, comme le montre l'exemple 1 de la figure 8.1. Généralement, l'augmentation de salaire versée sera fonction de la cote de rendement de l'employé et de la position de son salaire dans l'échelle salariale (soit son ratio comparatif), ainsi que l'indique l'exemple 2. On calcule le ratio comparatif d'un employé en divisant son salaire actuel par le salaire correspondant au point milieu (aussi qualifié de «point maxi-normal» ou «point de contrôle») de son échelle salariale. Si le salaire effectif d'un employé est de 34 000 $ et que le point milieu de son échelle salariale soit de 30 000 $, la valeur du ratio comparatif de cet employé est de 1,13 (ou 113 %). Selon une structure salariale ayant des minimums et des maximums situés à plus ou moins 20 % du point de contrôle, le ratio comparatif des employés dans les limites de leur échelle salariale peut varier de 0,80 à 1,20. L'employé sans expérience préalable à l'emploi peut être embauché au taux minimal de l'échelle, soit à un ratio comparatif de 80 %.

Ainsi, la plupart des entreprises établissent une matrice ou une grille d'augmentations de salaires qui tient compte non seulement des cotes globales de rendement individuel, mais aussi du salaire des employés par rapport au point de contrôle de leur échelle salariale. En somme, ces grilles indiquent aux cadres quelles augmentations de salaires ils doivent accorder selon la cote de rendement et le ratio comparatif des employés. Une telle matrice permet d'exercer un suivi sur la position concurrentielle des salaires, de s'assurer que les budgets salariaux sont respectés et de contrôler les coûts des salaires des employés. Dans une même échelle salariale et pour une même cote de rendement, plus le salaire actuel d'un employé est élevé, moins son augmentation de salaire sera importante.

FIGURE 8.1

EXEMPLES DE MATRICES DE DÉTERMINATION DES AUGMENTATIONS DE SALAIRES AU MÉRITE

EXEMPLE I. MATRICE METTANT EN RELATION LES AUGMENTATIONS DE SALAIRES SELON LA COTE DE RENDEMENT INDIVIDUEL

Cote de rendement individuel	Ratio comparatif						
	< 85 %	85 %–90 %	91 %–96 %	97 %–103 %	104 %–109 %	110 %–115 %	> 115 %
Exceptionnel	7 %–8 %	6 %–7 %	5 %–6 %	4 %–5 %	3 %–4 %	2 %–3 %	1,5 %–2,5 %
Supérieur	6 %–7 %	5 %–6 %	4 %–5 %	3 %–5 %	2 %–5 %	1,5 %–2,5 %	1,5 %–2,5 %
Satisfaisant	5 %–6 %	4 %–5 %	3 %–4 %	2 %–3 %	1,5 %–2,5 %	1 %–2 %	0,5 %–1,5 %
Acceptable	4 %–5 %	3 %–5 %	2 %	2 %–2,5 %	1,5 %–2,5 %	0	0
Insatisfaisant	0 %	0 %	0 %	0 %	0 %	0	0

EXEMPLE 2. MATRICE METTANT EN RELATION LES AUGMENTATIONS DE SALAIRES AU MÉRITE SELON LA COTE DE RENDEMENT DE L'EMPLOYÉ ET LA POSITION DE SON SALAIRE DANS L'ÉCHELLE SALARIALE (RATIO COMPARATIF)

A. Matrice des augmentations de salaires selon les salaires et les cotes de rendement individuel

Cote de rendement	Exceptionnel	Supérieur	Satisfaisant	Acceptable	Insatisfaisant
Pourcentage d'augmentation de salaire	6 %	5 %	4 %	3 %	0 %

B. Échelle (fourchette) salariale basée sur le rendement des employés

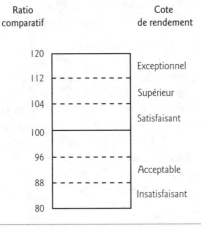

Selon la matrice présentée à l'exemple 2 de la figure 8.1, l'employé dont le rendement est satisfaisant et dont le salaire se situe dans la zone du point de contrôle (97 %–103 %) peut obtenir une augmentation de salaire variant de 2 % à 3 %. Par contre, si son rendement est plus que satisfaisant et que son salaire se situe à un niveau inférieur au point de contrôle, il pourra recevoir une augmentation de salaire variant de 4 % à 6 %. Par ailleurs, la personne dont le rendement est exceptionnel et dont le salaire est dans la zone inférieure à 85 % peut recevoir une augmentation de salaire variant de 7 % à 8 %. Une telle matrice incite davantage les employés à avoir un excellent rendement au début de leur carrière ou à l'arrivée dans leur poste, lorsque leur salaire se situe dans la portion inférieure de l'échelle de leur classe d'emplois. Cette situation s'explique par la diminution du pourcentage des augmentations de salaires qui sont recommandées pour les employés dont le niveau de salaire se situe au-dessus du point de contrôle.

En pratique, il existe divers types d'échelles salariales basées sur le rendement. La figure 8.1 (exemple 2) s'inspire d'une échelle «mini-maxi» dans laquelle on trouve un taux maximal (qualifié de «maxi-mérite»), un taux moyen (qualifié de «maxi-normal», de «point de contrôle», de «point milieu», de «taux du marché» ou de «taux repère») et un taux minimal. Ce type d'échelle vise à offrir aux employés un salaire correspondant au salaire versé sur le marché à des titulaires des emplois semblables et s'accordant avec le niveau de leur rendement. La structure salariale peut suggérer que, sans expérience préalable dans l'emploi, un candidat est embauché au taux minimal. Toutefois, certains employeurs décideront de tenir compte de l'expérience et/ou du rendement prévu dans le poste pour établir le salaire d'un employé débutant dans un poste et lui verser immédiatement un salaire se situant entre le minimum et le point milieu (ou maxi-normal ou point de contrôle); son salaire continuera d'augmenter progressivement jusqu'au taux maximal (le maxi-mérite) si le titulaire montre un rendement exceptionnel qui est soutenu dans le temps.

Le point milieu de l'échelle salariale (ou maxi-normal) correspond aux salaires versés aux titulaires des emplois qui sont qualifiés et qui ont un rendement pleinement satisfaisant, et donc un niveau de mérite normal. Dans la mesure où la politique de l'organisation consiste à accompagner le marché, les points milieux des échelles sont équivalents aux taux du marché. Lorsque le rendement d'un employé se maintient à un niveau plus que satisfaisant, son salaire peut être fixé entre le point milieu (maxi-normal) et le taux maximal (maxi-mérite). Le taux maximal équivaut au salaire versé à l'employé dont le rendement est exceptionnel et soutenu.

Pour les cadres et les professionnels en général et pour le personnel de bureau dans le secteur privé non syndiqué, les entreprises utilisent souvent des échelles salariales sans échelons et graduées ou non, de sorte que différents montants de salaires correspondent à différents niveaux de rendement. Par ailleurs, comme un employé acquiert plus rapidement de l'expérience au cours de ses premiers mois ou de ses premières années de travail, les révisions salariales faites en fonction de son rendement peuvent être plus fréquentes au début. Le salaire d'un nouvel employé peut, par exemple, être révisé en fonction de son rendement après trois mois, six mois et, par la suite, chaque année. Cette dernière pratique n'est toutefois pas généralisée et elle peut être plus utilisée seulement pour certaines catégories de personnel dans l'organisation.

8.1.1.2 Les avantages présumés du salaire au mérite

La formule du salaire au mérite comporte théoriquement des avantages tant pour les employeurs que les employés.

Pour les employeurs, il importe que les salaires des employés — une part souvent très importante des coûts d'exploitation — soient gérés de la façon efficiente. Cela est d'autant plus important en période d'inflation où s'exercent des pressions visant à entraîner une hausse des salaires. Dans un contexte où l'on veut inciter les employés à améliorer la productivité des organisations, l'attribution des augmentations de salaires en fonction du mérite individuel est considérée comme une plus-value en comparaison des augmentations de salaires automatiques basées sur l'évolution de l'indice des prix à la consommation ou sur les années de service des employés. En effet, les augmentations de salaires au mérite peuvent encourager les employés à améliorer leurs résultats et leurs comportements au travail étant donné que l'évaluation du rendement sur laquelle elles s'appuient permet de clarifier les attentes. Aussi, un régime de salaires au mérite est susceptible de renforcer les comportements des employés plus performants qui devraient obtenir les meilleures augmentations de salaires. Suivant ce régime, les employés les plus insatisfaits de leurs augmentations de salaires devraient être ceux qui ont un moins bon rendement, ce qui s'avère justifiable.

Pour les employés, la formule des augmentations de salaires au mérite est souvent appréciée en raison de l'importance du salaire dans le calcul des avantages sociaux. Ainsi, le montant d'assurance vie auquel un employé a droit est habituellement établi en fonction de son salaire (par exemple, une fois, deux fois, etc., la valeur du salaire). Il en est de même lorsqu'il s'agit de déterminer la valeur des prestations de retraite. En outre, les augmentations de salaires sont rassurantes : le salaire ne peut que s'améliorer et, au pire, rester stable. Les employés sont aussi réticents à compromettre leur niveau de vie ; les agents de crédit approuvent les prêts hypothécaires sur la base des salaires et les sociétés de crédit n'attendent pas l'octroi d'une potentielle « prime de fin d'année » pour être payées (sans que cela occasionne des frais importants pour le détenteur de cartes).

Par ailleurs, quoique le rendement des employés dépende de plusieurs variables autres que l'argent (comme la technologie, l'organisation du travail, les habiletés, le climat de travail ou la qualité de la supervision), la manière dont les salaires sont gérés peut influencer leur motivation à améliorer leurs contributions au travail. En effet, les employés ont besoin d'une rétroaction sur leur façon de faire leur travail et la présence d'un régime de salaires au mérite a l'avantage non seulement de permettre cette rétroaction, mais aussi de la concrétiser pécuniairement.

Finalement, même si l'expérience montre que la variance dans les augmentations de salaires annuelles versées à des employés ayant des rendements très différents est souvent peu élevée, il faut penser qu'à long terme le maintien d'un bon rendement en vaut le coup. Ainsi, Gerhart et Rynes (2003, p. 191) simulent le cas de deux employés qui gagnent également 50 000 $ au départ et qui obtiennent respectivement une augmentation de salaire annuelle de 5 % et de 6 % pendant 20 ans. Après 20 ans, ce différentiel de 1 % mènera à des salaires très différents, soit 101 078 $ et 121 024 $. Durant cette période, l'employé ayant obtenu une augmentation de salaire annuelle de 6 % aura gagné 148 785 $ de plus que l'autre, un montant important même si on l'actualise à la valeur présente (76 690 $), et ce, sans compter les incidences sur les avantages sociaux et le régime de retraite. Ajoutons que les employés qui ont de meilleures cotes de rendement sont également plus susceptibles d'être promus, d'obtenir un meilleur salaire, d'obtenir un pourcentage plus élevé d'augmentation de salaire pour un rendement donné parce qu'ils se trouvent au bas de l'échelle salariale de la classe d'emplois supérieure (plus le ratio comparatif est faible, plus l'augmentation de salaire pour un même rendement est élevée). Ainsi, dans un contexte de salaires au mérite, une évaluation complète du lien existant entre le rendement et les récompenses doit considérer les incidences salariales à long terme dans un même poste, de même que les incidences salariales obtenues et accessibles par des promotions.

8.1.1.3 Les limites présumées du salaire au mérite

Si, théoriquement, on présume que les salaires au mérite ont des effets positifs sur la motivation des employés, sur leur rendement individuel et, au bout du compte, sur la performance organisationnelle, en pratique, de tels effets sont souvent moins évidents. En fait, deux objectifs de la formule des salaires au mérite — reconnaître le rendement individuel par des augmentations de salaires importantes et contrôler les salaires en accompagnant le marché — peuvent s'avérer conflictuels.

Le fait de reconnaître rendement annuel des employés au moyen d'une augmentation de salaire, c'est-à-dire d'une récompense à vie (une annuité) qui a des effets cumulatifs, augmente la masse salariale et les coûts des avantages sociaux à long terme. Afin de maîtriser l'augmentation des coûts, certaines entreprises établissent d'ailleurs leur budget annuel d'augmentations de salaires en supposant que la distribution des cotes de rendement des employés suit une courbe normale sans égard au rendement réel des employés et en mettant plus ou moins officiellement en pratique leur supposition.

Le caractère permanent et cumulatif des augmentations salariales empêche aussi de verser des augmentations substantielles aux employés présentant le meilleur rendement, ce qui réduit le lien existant entre le rendement et la récompense et peut démotiver ces employés. Effectivement, l'écart est souvent faible (environ 2 %) entre les augmentations de salaires qui sont accordées aux employés les plus méritants et celles qui sont versées aux employés les moins méritants. La différence de rendement revêt alors un caractère plus symbolique que réel ; en outre, cet écart ne motive pas les employés à accroître leur rendement, car le jeu n'en vaut pas la chandelle. Ce problème s'aggrave d'ailleurs avec la valeur des salaires des emplois compte tenu de la structure progressive des impôts. Une différence d'augmentation de salaire de 1,5 % sur un salaire imposé à 50 % permet seulement de se payer un café de plus par jour. Selon l'étude de Mitra *et al.* (1995), le seuil critique pour qu'une augmentation de salaire devienne motivante est de 5 % à 7 % environ.

Dans les faits, les cadres se sentent aussi souvent obligés d'accorder des hausses de salaires équivalentes à la hausse du coût de la vie à tous les employés dont le rendement est satisfaisant. Les cadres hésitent également à accorder des augmentations de salaires importantes aux employés exceptionnels parce qu'elles amènent trop vite ces derniers au sommet de leur échelle salariale, ce qui ne laissera plus de marge de manœuvre pour les motiver. Cette contrainte quant à la variance des augmentations de salaires est encore plus forte lorsque l'inflation est importante : pour compenser l'inflation, il faut donner des augmentations de salaires généralisées d'une valeur telle qu'il ne reste plus de marge budgétaire permettant de récompenser véritablement les employés ayant un rendement élevé. En pratique, dans un contexte de salaires au mérite, il manque ordinairement de fonds pour récompenser de façon appréciable les employés exceptionnels, et les augmentations de salaires, si petites soient-elles, deviennent vite un droit acquis aux yeux des employés. La marge discrétionnaire souvent trop mince dont disposent les cadres pour différencier les augmentations de salaires ne les incite d'ailleurs pas à accorder beaucoup d'attention et de suivi à l'évaluation du rendement des employés. Pourquoi chercher à évaluer les employés de manière précise et à distinguer les cotes de rendement si l'on n'est pas en mesure de payer davantage les meilleurs d'entre eux ?

De plus, les grilles courantes d'augmentations de salaires — qui considèrent le rendement et la position dans l'échelle salariale — réduisent le lien entre le rendement et l'augmentation de salaire, car elles attribuent de plus petites augmentations de salaires aux employés qui sont plus près du maximum de leur échelle salariale.

Par ailleurs, pour établir le montant précis de l'augmentation de salaire à verser à un subordonné, un superviseur peut tenir compte de variables — autres que le rendement individuel —, notamment le marché de l'emploi, l'évolution de l'indice des prix à la consommation, le budget des augmentations de salaires au mérite, l'ancienneté de l'employé, son niveau hiérarchique, son expérience et sa personnalité (Heneman, 1992). Lorsque d'autres facteurs que le rendement des employés modifient les augmentations de salaires individuelles, le lien entre le rendement et la récompense est susceptible d'être perçu comme étant plus faible. De plus, les employés qui ont atteint le maximum de leur échelle salariale risquent d'être démotivés parce qu'ils ne peuvent plus recevoir d'augmentations de salaires liées à leur rendement.

Ainsi que l'indique Greene (1998), comme les organisations tendent à gérer les *augmentations* de salaires en fonction du rendement, plutôt que de gérer les *salaires* en fonction du rendement, les employés qui reçoivent une cote de rendement «excellente» s'attendent tous à recevoir une augmentation de salaire substantielle, sans égard à leur salaire actuel. Dans ce contexte, les organisations qui offrent des taux de salaires supérieurs à ceux du marché et qui assument des coûts élevés de main-d'œuvre sont alors obligés de convaincre les employés qu'ils sont déjà bien payés et qu'ils n'ont pas, dans la plupart des cas, à recevoir d'augmentations de salaires substantielles, même si leur rendement est très bon.

La faiblesse du lien qui existe entre le rendement et l'augmentation de salaire dans un contexte de salaire au mérite tient aussi au fait que les cadres tendent à éviter de distinguer les cotes de rendement et les augmentations de salaires parmi leurs équipes, et particulièrement à éviter d'octroyer des cotes de rendement faibles (Longenecker *et al.,* 1987), par peur de créer des dissensions, de nuire aux relations de travail et de ternir leur image (Heneman et Judge, 2000). Aussi, comme les augmentations de salaires versées aux employés restent généralement secrètes, leur effet sur la motivation des employés est réduit. Il faut toutefois reconnaître que bien des employés ne souhaitent pas nécessairement que leur salaire soit communiqué parce qu'ils appréhendent certaines conséquences négatives (de la jalousie, de la compétition, etc.) qui risquent fort de se produire dans leur milieu.

En principe, tout le monde admet l'idée que les augmentations de salaires doivent être fonction du rendement individuel. En pratique, cependant, la plupart des employés estiment que leur rendement est mal évalué et qu'il est, en réalité, supérieur à la moyenne. Les salaires au mérite reposent souvent sur des évaluations du rendement faites d'après des critères inadéquats (non pertinents, subjectifs, etc.) ou par des évaluateurs incompétents (méconnaissance du travail, absence de suivi, etc.). La plupart des régimes de rémunération au mérite s'appuient en partie sur des traits de personnalité pour évaluer le rendement. Et même si des mesures du rendement relativement objectives sont déterminées, la définition d'un bon rendement soulève toujours des problèmes.

Par ailleurs, en matière de rendement, les différences individuelles sont difficiles à mesurer et la plupart des supérieurs hiérarchiques sont incapables d'évaluer de façon valable le rendement de leurs subordonnés. Mais lorsqu'ils peuvent déterminer des différences sur le plan du rendement de leurs collaborateurs, il leur arrive souvent de ne pas le faire parce qu'ils veulent éviter de devoir justifier ces différences. En somme, on reconnaît souvent dans la rémunération au mérite divers problèmes liés à la mesure du rendement, tels que la présence d'erreurs d'évaluation (l'erreur de la tendance centrale, l'effet de halo, les préjugés, les enjeux politiques, etc.), d'indicateurs ou de critères de rendement inadéquats (subjectifs, manquants, redondants, non pertinents, etc.) et l'absence de prise en considération de l'impact des facteurs contextuels sur le rendement (l'équipement, l'organisation du travail, les collègues, etc.).

Enfin, les régimes de rémunération au mérite impliquent une gestion coûteuse et exigeante. Les augmentations de salaires accordées par l'entreprise y sont fonction du rendement individuel, mais aussi de la capacité de payer de l'entreprise, de l'augmentation de l'indice des prix à la consommation et de la position de l'employé dans son échelle salariale (son ratio comparatif). Pour optimiser la perception de justice à l'égard de la gestion des augmentations de salaires au mérite, les cadres doivent être formés adéquatement et les professionnels des ressources humaines doivent leur offrir des outils de gestion du rendement appropriés (par exemple, un formulaire d'évaluation du rendement ou une grille d'augmentations de salaires).

8.1.1.4 L'efficacité et les conditions de succès du salaire au mérite

Malgré la popularité que les régimes de salaires au mérite connaissent auprès des cadres et des professionnels, tant dans le secteur privé que dans le secteur public, ils ont fait l'objet de peu d'études, et ces dernières, souvent menées dans le secteur public américain, comportent plusieurs limites méthodologiques, de sorte que leurs résultats ont une portée restreinte (Heneman, 1992). Premièrement, la plupart de ces études s'intéressent à l'efficacité des salaires au mérite telle que «perçue» par divers intervenants (dirigeants, cadres et employés); peu d'études ont examiné les effets des salaires au mérite sur des indicateurs de performance objectifs. Deuxièmement, la plupart des chercheurs se sont penchés sur le lien existant entre les cotes de rendement individuel et les augmentations de salaires versées, lien qui s'est avéré globalement faible mais significatif. À notre connaissance, seuls Pearce *et al.* (1985) ont analysé les effets des salaires au mérite sur des indicateurs de la performance organisationnelle. Troisièmement, il est difficile de tirer des conclusions à propos de l'efficacité de la rémunération au mérite, puisque ces études contrôlent rarement l'effet d'autres variables (par exemple, le secteur, le style de gestion ou la culture) et qu'elles adoptent rarement une approche comparative ou longitudinale permettant de mettre en rapport les résultats des firmes qui ont un régime de salaires au mérite avec ceux des firmes qui ne disposent pas d'un tel régime ou ceux des firmes avant et après l'implantation d'un tel régime.

Ainsi, force est de constater que les régimes de salaires au mérite continuent d'être populaires pour les cadres et les professionnels — tant dans le secteur privé que dans le secteur public — malgré les nombreuses critiques émises depuis des années à leur égard et malgré la faible quantité d'études sur le sujet et leur qualité douteuse. Face à ce paradoxe persistant, des auteurs (Kellough et Haoron, 1993 ; Kellough et Selden, 1997) avancent plusieurs explications. Malgré les limites inhérentes à la formule du salaire au mérite, les dirigeants veulent continuer de dire qu'ils tiennent compte du rendement dans la gestion de certaines catégories de personnel pour les raisons suivantes :

- le principe de la reconnaissance du mérite individuel est valorisé en Amérique du Nord ;

- la présence d'un régime de salaires au mérite symbolise une culture du rendement ou de l'efficience face au personnel et à l'extérieur (les concurrents, les citoyens, etc.), et l'on veut garder cette image ;

- les cadres veulent le maintien du régime de salaires au mérite parce que cela leur donne un certain pouvoir sur les employés ;

- les dirigeants ont consacré tant d'efforts, de temps et d'argent à la gestion de leur régime de salaires au mérite qu'il est difficile d'admettre l'échec et d'abandonner ce régime.

Devant le débat relatif à la rémunération au mérite, il faut éviter de confondre la question du principe avec celle de l'application. Dans la mesure où l'on admet le principe de payer les employés selon leur rendement, les chances de succès de son application sont plus grandes. Toutefois, chaque régime de rémunération au mérite est différent et produit des effets différents selon la manière dont il est géré et le contexte de sa gestion. Pour être plus efficaces, les régimes de salaires au mérite doivent être mieux gérés, ce qui implique souvent qu'il faut améliorer la précision du processus d'évaluation du rendement, accorder un budget d'augmentations de salaires suffisant et s'assurer que les augmentations de salaires versées sont liées aux cotes de rendement (Eisenberg et Ingraham, 1993 ; Eskew et Heneman, 2002). Une étude (St-Onge, 2000) montre que les employés qui tendent à estimer plus efficace un régime de salaires au mérite :

- disent avoir plus confiance dans leur superviseur et dans la direction ;

- considèrent comme plus justes les *résultats* (les cotes de rendement et les augmentations de salaires) et le *processus* qui les détermine ;

- se disent plus satisfaits de leur cote de rendement, de leur augmentation de salaire et de leur salaire ;

- ont reçu un montant d'augmentation de salaire qui, effectivement, s'avère davantage lié à leur cote de rendement individuel ;

- ont obtenu des cotes de rendement et des augmentations de salaires plus élevées.

Compte tenu de l'importance des perceptions de justice à l'égard d'un régime de salaires au mérite, le tableau 8.2 présente des questions permettant de déterminer si le processus de détermination des cotes de rendement et des augmentations de salaires est perçu comme étant juste par les employés.

TABLEAU 8.2

QUESTIONS VISANT À ANALYSER LA JUSTICE DU PROCESSUS DE GESTION D'UN RÉGIME DE SALAIRES AU MÉRITE

A. JUSTICE DU PROCESSUS DE DÉTERMINATION DES AUGMENTATIONS DE SALAIRES AU MÉRITE

Dans l'entreprise où vous travaillez, dans quelle mesure :

1. pensez-vous que l'allocation de votre augmentation de salaire repose sur une évaluation adéquate de votre rendement ?

2. pensez-vous que la direction détermine de façon équitable les budgets alloués à l'augmentation de salaire au mérite ?

3. pensez-vous que des facteurs autres que votre rendement sont considérés lors de la détermination de votre augmentation de salaire au mérite ?

4. pensez-vous qu'il vous est possible, par le biais d'un mécanisme d'appel, d'exprimer votre désaccord quant au montant d'augmentation de salaire au mérite que vous recevez ?

5. pensez-vous que le programme de salaires au mérite est compris par les employés ?

6. connaissez-vous les augmentations de salaires au mérite que les autres employés reçoivent en général ?

En vous référant à votre superviseur immédiat (ou à la personne qui détermine votre salaire au mérite), dans quelle mesure :

1. pensez-vous qu'il justifie adéquatement le montant d'augmentation de salaire au mérite qu'il vous accorde ?

2. pensez-vous qu'il clarifie bien les objectifs de rendement que vous devez atteindre pour obtenir une augmentation de salaire qui vous satisfasse ?

3. pensez-vous qu'il détermine des augmentations de salaires au mérite de tous et chacun de manière équitable ?

De façon générale, dans quelle mesure :

1. pensez-vous que les procédures administratives et les grilles salariales aidant les superviseurs à déterminer les montants des augmentations de salaires au mérite de leurs subordonnés sont équitables ?

2. pensez-vous que votre superviseur applique de façon équitable les directives administratives et les grilles salariales en déterminant votre augmentation de salaire au mérite ?

TABLEAU 8.2 *(suite)*

B. JUSTICE DU PROCESSUS DE DÉTERMINATION DES COTES DE RENDEMENT

Dans l'entreprise où vous travaillez, dans quelle mesure :

1. pensez-vous que les évaluations du rendement sont considérées comme importantes par la plupart des superviseurs ?

2. pensez-vous que le système d'évaluation du rendement est compris par la plupart des superviseurs ?

3. pensez-vous que la plupart des superviseurs sont bien formés pour évaluer le rendement de leurs subordonnés ?

4. pensez-vous que les critères utilisés pour évaluer votre rendement touchent les points qu'il est important de considérer ?

5. pensez-vous que les évaluations de votre rendement reflètent votre rendement réel ?

6. pensez-vous que l'évaluation du rendement ne se fait pas sur une base continue, que vous n'en entendez parler qu'une fois l'an ?

7. pensez-vous que l'évaluation du rendement est gérée de façon uniforme dans toutes les unités et dans tous les services ?

8. pensez-vous qu'on tient compte de ce que les employés ont à dire sur la façon dont le système d'évaluation du rendement est conçu ?

9. pensez-vous que les objectifs de rendement que vous devez atteindre sont trop élevés ?

10. pensez-vous qu'il est possible pour vous de contester les résultats de l'évaluation de votre rendement par le biais d'un mécanisme d'appel ?

11. pensez-vous que le système d'évaluation du rendement est compris par les employés ?

En vous référant à votre superviseur immédiat (ou à la personne qui évalue votre rendement), dans quelle mesure :

1. pensez-vous qu'il essaie d'être précis en évaluant votre rendement ?

2. pensez-vous qu'il alloue suffisamment de temps aux entrevues d'évaluation du rendement ?

3. pensez-vous qu'il vous donne suffisamment de rétroaction sur votre rendement ?

4. pensez-vous qu'il évalue votre rendement à partir d'informations pertinentes ?

5. pensez-vous qu'il est suffisamment au courant des exigences et des responsabilités de votre poste pour évaluer votre rendement ?

6. pensez-vous qu'il rend clair ce qui est attendu de vous ?

7. pensez-vous qu'il se préoccupe de votre formation et de votre perfectionnement ?

TABLEAU 8.2 (suite)

8. pensez-vous qu'il remplit consciencieusement les formulaires d'évaluation du rendement?

9. pensez-vous qu'il vous explique clairement comment l'évaluation de votre rendement a été faite?

10. pensez-vous qu'il vous donne l'occasion d'exprimer vos idées lorsqu'il vous rencontre pour discuter de votre rendement?

11. pensez-vous qu'il évalue votre rendement à partir de critères que vous ne pouvez ni influencer ni contrôler?

12. pensez-vous qu'il discute suffisamment avec vous de la façon dont vous pouvez améliorer votre rendement?

13. pensez-vous qu'en évaluant votre rendement, il est influencé par des facteurs qui ne devraient pas entrer en ligne de compte?

14. pensez-vous qu'il tient compte de vos suggestions et opinions dans l'établissement de vos objectifs de rendement?

15. pensez-vous qu'il évalue équitablement le rendement de tous et chacun?

De façon générale, dans quelle mesure :

1. pensez-vous que, en matière d'évaluation du rendement, les procédures administratives et les formulaires sont équitables?

2. pensez-vous que votre superviseur applique de manière équitable les procédures administratives en évaluant votre rendement?

Source : Traduit et adapté de St-Onge (1992, p. 2-3, 6-8).

8.1.2   Le régime de primes de rendement

8.1.2.1 Description et fréquence des primes de rendement

Plutôt que de recourir à un régime de salaires au mérite, la formule des primes peut être utilisée pour reconnaître le rendement individuel. Une prime correspond à un montant forfaitaire versé en plus du salaire. Cette section du chapitre porte sur les régimes de primes versées en fonction du rendement individuel évalué de façon officielle ou non, dont le montant est généralement établi selon un pourcentage du salaire de l'employé (voir un exemple au tableau 8.3, à la page 434). Par conséquent, nous ne traitons pas ici des nombreux régimes collectifs de rémunération variable (la participation aux bénéfices, le partage des gains de productivité, etc.) qui versent des primes en fonction du rendement de l'organisation, de l'unité d'affaires et de l'employé.

Habituellement réservé aux cadres supérieurs des entreprises, le régime de primes de rendement s'est généralisé dans les entreprises depuis le début des années 1980, tant au Canada qu'aux États-Unis, pour contrer les limites de la formule du salaire au mérite. Aux États-Unis, une enquête (IOMA, 2002) montre que 36 % des firmes disent avoir un régime de montants forfaitaires liés au mérite. Toutefois, il y a beaucoup de confusion en ce qui touche à la popularité des régimes *individuels* de primes de rendement. Un examen attentif des statistiques portant sur le sujet révèle que la grande majorité des régimes de primes de rendement sont des régimes *mixtes* ou *hybrides* plutôt que des régimes individuels de rémunération variable. Le montant des primes versées dépend non seulement du rendement individuel, mais aussi de certaines mesures du rendement de groupe (le coût ou la productivité) ou de la performance de l'entreprise dans son ensemble (le coût, la productivité ou les bénéfices).

8.1.2.2 Les avantages présumés des primes de rendement

Un régime accordant des primes en fonction du rendement individuel peut permettre l'octroi de montants importants étant donné qu'ils ne sont pas intégrés au salaire et n'ont ainsi pas d'incidence sur le coût des avantages sociaux. Par ailleurs, comme les employés doivent mériter chaque année leur prime, cette approche est moins susceptible d'alimenter une mentalité de «droit acquis» parmi le personnel que la formule du salaire au mérite.

Comparées aux augmentations de salaires au mérite, les primes de rendement ont aussi pour effet de faciliter la gestion et le contrôle des coûts de la main-d'œuvre. Selon cette approche, les échelles salariales (ou le salaire, s'il y a un taux fixe) des employés occupant un même emploi sont les mêmes ; seule leur prime respective varie selon leur rendement respectif. Comparativement à la formule du salaire au mérite, la formule des primes basées sur le rendement s'avère également moins coûteuse pour les organisations. Prenons l'exemple de deux employés gagnant un salaire de 50 000 $. Si l'un des employés se voit accorder une augmentation de salaire de 5 % et l'autre un montant forfaitaire de 5 % pour chacune des cinq prochaines années, le premier gagnera près de 14 000 $ de plus que le second après seulement 5 ans (63 814 $ comparé à 50 000 $). L'écart est important, et ce, sans compter les coûts des avantages sociaux et du régime de retraite.

La formule des primes permet aussi d'établir un lien plus étroit entre le rendement et la récompense que la formule du salaire au mérite, car leur montant n'est lié, du moins officiellement, qu'au rendement des employés. On n'a plus besoin d'élaborer des grilles d'augmentations de salaires tenant compte de la position des salaires dans l'échelle salariale comme on doit le faire avec la formule du salaire au mérite à des fins de contrôle des coûts. Les primes peuvent donc varier davantage d'une année à l'autre selon le rendement des employés et la situation financière de l'entreprise de manière à respecter les inévitables contraintes budgétaires balisant l'octroi des primes.

De plus, étant donné que les montants des primes accordées aux subordonnés peuvent être élevés et différenciés, les superviseurs subiront une plus forte pression pour qu'ils gèrent mieux et évaluent mieux évaluer le rendement de leurs employés. En effet, dans la mesure où un cadre accorde à un employé une prime de 5 000 $ et à un autre une prime de 2 000 $, il doit être capable de justifier cette différence.

8.1.2.3 Les inconvénients présumés des primes de rendement

Du point de vue des employeurs, la formule des primes n'apporte pas de solution aux problèmes ni aux défis relatifs à la gestion et à l'évaluation du rendement individuel. Le recours au rendement comme critère d'attribution des primes nécessite la mise en place d'un système d'évaluation du rendement individuel. Quelles que soient les caractéristiques du système d'évaluation, il reste que toute évaluation du rendement est rattachée au jugement des supérieurs immédiats. Ceux-ci peuvent être plus ou moins sévères, ce qui entraîne le classement d'un pourcentage plus ou moins élevé d'employés aux différents niveaux de rendement. Comme dans le cas des salaires au mérite, les primes de rendement peuvent reposer sur une évaluation du rendement faite par les cadres à partir de critères inadéquats ou perçus comme tels (des critères non pertinents, subjectifs, inconnus, etc.) ou par des évaluateurs incompétents ou perçus comme tels (une méconnaissance du travail, une absence de suivi, etc.). En principe, bien des personnes (sauf les syndicats) prônent l'idée que des récompenses doivent être liées au rendement individuel ; en pratique, cependant, à peu près tous les employés estiment que leur rendement est mal évalué pour une raison ou pour une autre. En somme, l'efficacité de la formule des primes de rendement reste limitée par la qualité du système d'évaluation du rendement.

Du point de vue des subordonnés, les augmentations de salaires tendent à être jugées préférables aux primes en ce qui concerne la reconnaissance du rendement. En effet, la formule des primes est plus risquée car l'obtention de primes par les employés n'est pas garantie d'une année à l'autre, elle n'améliore pas leurs avantages sociaux et il n'est pas certain qu'ils désirent qu'on récompense leur rendement en différenciant beaucoup les montants accordés aux uns et aux autres.

Malgré que la reconnaissance du rendement individuel au moyen d'augmentations de salaires soit critiquée depuis longtemps, son usage demeure très répandu, et les entreprises optent en moins grand nombre pour le recours aux primes, dont l'efficacité potentielle est pourtant jugée plus élevée. Il faut croire que derrière ce changement de forme de récompense se cache un changement important de valeurs. Il est beaucoup plus facile d'élaborer des théories sur d'éventuels changements en matière de rémunération que d'implanter ces théories. La manière dont une organisation a traditionnellement géré son système de rémunération constitue une contrainte, puisqu'elle explique en partie les valeurs actuelles des employés. Ainsi, même s'il peut sembler préférable — sur le plan des incitations et sur celui des coûts — pour la direction d'une organisation de reconnaître le rendement individuel à l'aide de primes plutôt qu'à l'aide d'augmentations de salaires, cette façon de faire peut être jugée irréaliste ou inacceptable par les employés et même par les superviseurs. En effet, de nombreux cadres préfèrent aussi la formule des augmentations de salaires parce qu'elle leur permet de manifester leur reconnaissance du rendement sans créer trop de problèmes, autrement dit sans faire de différences importantes entre les montants des récompenses octroyées au sein de leur équipe. En effet, si les montants des primes en jeu sont susceptibles de leur paraître trop élevés, les cadres peuvent craindre que leurs subordonnés n'exercent une trop forte pression sur eux quant à leur manière de gérer et d'évaluer le rendement. Rappelons qu'on ne trouve pas souvent une « réelle » variance importante dans le rendement des membres d'une équipe et qu'elle n'est pas même bénéfique.

Aussi, il ne faut pas se leurrer : les cadres qui ne veulent pas exercer de discrimination à l'égard de leurs employés (pour une raison ou pour une autre, justifiée ou non) ne le feront pas davantage en vertu d'un régime de primes qu'en vertu d'un régime de salaires au mérite. Si un cadre a 20 000 $ à partager entre cinq subordonnés et qu'il ne veuille pas faire de vagues, il justifiera un octroi permettant à chacun d'eux de recevoir une prime variant de 3 500 $ à 4 500 $. Le cas présenté au début de ce chapitre illustre le fait que la présence, en soi, d'un régime de primes de rendement ne veut rien dire ; il faut plutôt observer comment les primes sont versées.

8.1.3 Les régimes de salaires au mérite et de primes de rendement

Compte tenu des pressions qu'exercent les augmentations de salaires sur les coûts de la main-d'œuvre et de l'effet incitatif des primes, plusieurs organisations adoptent une diversité d'approches dites « doubles » qui permettent de verser des augmentations de salaires et/ou des primes en fonction du rendement individuel.

Par exemple, certaines organisations font en sorte que le rendement des employés soit reconnu par une augmentation de salaire tant qu'ils n'ont pas atteint le point milieu ou le sommet de leur échelle salariale ; après, il est reconnu par une prime. Ainsi, le salaire des employés progresse selon leur rendement jusqu'à ce que le taux de salaire atteigne celui que l'entreprise désire payer par rapport au marché ou le taux de salaire maximal. Par la suite, les personnes dont le rendement est au moins satisfaisant bénéficient des ajustements annuels de la structure salariale, alors que celles dont le rendement se situe au-delà de la cote de rendement satisfaisant reçoivent aussi des primes en reconnaissance de leur rendement plus que satisfaisant. Pour obtenir une prime, il faut qu'un employé maintienne un rendement supérieur au niveau satisfaisant.

Une autre approche adoptée par un nombre croissant d'organisations consiste à utiliser des grilles permettant de gérer de manière intégrée les ajustements de salaires et les primes. Le tableau 8.3 illustre cette approche en montrant deux exemples. Dans l'approche présentée, l'organisation budgète une augmentation de 5 % en récompenses directes, allouant 3 % aux augmentations de salaires et 1 % aux primes. L'exemple A reflète une philosophie de différenciation plus grande permettant de mieux récompenser les employés dont le rendement est supérieur, alors que l'exemple B serait plus approprié pour une firme dont la culture ne permet pas d'établir de distinctions aussi importantes entre les employés. Ainsi, l'employé dont le rendement est excellent et dont le salaire est sous le point milieu de son échelle salariale obtiendra soit une augmentation de salaire de 7 % et une prime de 7 % ou une augmentation de salaire de 7 % et une prime de 4 %, selon qu'on utilise la matrice de l'exemple A ou celle de l'exemple B.

TABLEAU 8.3

DEUX EXEMPLES DE GRILLES ADOPTANT L'APPROCHE DU SALAIRE AU MÉRITE ET DES PRIMES DE RENDEMENT

Cote de rendement	Pourcentage du nombre total d'employés	Si le salaire de l'employé est inférieur au point milieu de l'échelle salariale :			Si le salaire de l'employé est supérieur au point milieu de l'échelle salariale :		
		Augmentation de salaire	Prime	Total	Augmentation de salaire	Prime	Total
EXEMPLE A. GRILLE OÙ LES AUGMENTATIONS DE SALAIRES VERSÉES DIFFÈRENT BEAUCOUP ENTRE LES EMPLOYÉS							
Excellent	10 %	7 %	7 %	14 %	5 %	7 %	12 %
Très bien	25 %	5 %	3 %	8 %	3 %	3 %	6 %
Satisfaisant	60 %–65 %	3 %–4 %	0 %	3 %–4 %	2 %	0 %	2 %
Amélioration nécessaire	0 %–5 %	0 %–2 %	0 %	0 %–2 %	0 %	0 %	0 %
EXEMPLE B. GRILLE OÙ LES AUGMENTATIONS DE SALAIRES ET LES PRIMES VERSÉES DIFFÈRENT PEU ENTRE LES EMPLOYÉS							
Excellent	20 %	7 %	4 %	11 %	4 %	4 %	8 %
Très bien	40 %	5 %	2 %	7 %	3 %	2 %	5 %
Satisfaisant	30 %–35 %	3 %	0 %	3 %	2 %	0 %	2 %
Amélioration nécessaire	0 %–5 %	0 %–2 %	0 %	0 %–2 %	0 %	0 %	0 %

Source : Traduit et adapté de Greene (1998, p. 28).

De telles grilles, qui intègrent l'augmentation de salaire au mérite et la prime de rendement, présentent deux avantages. D'abord, elles permettent de contrôler le taux de progression du salaire des employés qui sont déjà payés adéquatement, considérant leur rendement et leur position dans l'échelle salariale. Ensuite, elles permettent d'accorder des primes plus importantes aux employés qui montrent un rendement supérieur à celui des autres, ce qui améliore du coup le lien entre le rendement et la récompense. Comme toute autre grille, celles-ci comportent l'inconvénient d'inciter les cadres à manipuler les cotes de rendement en fonction du montant des récompenses qu'ils veulent verser.

8.1.4 Les régimes de rémunération à la pièce

Les régimes de rémunération à la pièce regroupent les régimes de rémunération qui paient les employés selon le nombre d'unités produites. Ce mode de rémunération, probablement le plus ancien, vise à accroître le rendement individuel en le liant étroitement à une récompense. Les régimes de rémunération à la pièce reposent sur un rendement individuel qu'il est possible de standardiser, c'est-à-dire sur des évaluations observables, concrètes et objectives du rendement. Cette section traite des secteurs où ce mode de rémunération est utilisé, de la détermination du rendement dit «standard», des avantages, des inconvénients et des conditions de succès des régimes de rémunération à la pièce.

8.1.4.1 La fréquence d'adoption de la rémunération à la pièce

Aujourd'hui, la rémunération à la pièce est peu courante, puisqu'elle exige que les employés aient une bonne maîtrise de la cadence et de la qualité du travail, ce qui est de plus en plus rare. Ce type de rémunération est encore associé à l'industrie manufacturière, où il a été instauré et popularisé par Frederick W. Taylor, au début du XXe siècle. Quoiqu'ils soient de moins en moins courants, ces régimes sont encore présents dans certains secteurs industriels, notamment dans ceux du vêtement, du textile, du meuble et du caoutchouc. On les trouve aussi à l'occasion dans le secteur des services, comme chez les coiffeurs, les planteurs d'arbres, les journalistes à la pige, les traducteurs et les médecins.

Traditionnellement, les syndicats se sont opposés à ce mode de rémunération en raison de la difficulté à établir et à maintenir une norme de production équitable, c'est-à-dire le montant offert par pièce produite. Ils craignent souvent que les employeurs n'utilisent ce mode de rémunération dans le seul but d'exploiter les employés. Ils craignent également que la rémunération à la pièce ne nuise à la santé et à la sécurité du travail, et que les salariés ne perdent leur emploi lorsque la productivité augmente.

8.1.4.2 La détermination du rendement standard

Dans le secteur manufacturier, les procédés de détermination d'un rendement standard s'appuient sur une mesure du temps requis, effectuée au moyen d'un chronomètre, ou sur un échantillon de travail. Ces procédés sont généralement établis et appliqués par des ingénieurs industriels.

La détermination d'un rendement standard fait appel au concept d'« allure normale d'un travailleur » pouvant être soutenue aisément jour après jour, sans une fatigue physique ou mentale exagérée, et se caractérise par l'accomplissement d'un effort raisonnable et régulier. L'allure normale constitue une base de comparaison qui permet à l'employé type, disposé à fournir un effort supplémentaire raisonnable, de gagner une prime équitable sans avoir à supporter une tension excessive. La détermination d'un rendement standard nécessite la présence de certains facteurs, dont la standardisation du travail en matière de méthodes de travail, de procédés d'approvisionnement en matériel, de qualité du matériel utilisé, de type d'équipement utilisé et de son entretien, ainsi que l'élaboration de normes de qualité des résultats. En outre, il faut tenir compte des besoins personnels, des pauses, des délais de production imprévisibles et inévitables de même que de la compétence de l'employé type, de manière à assurer la pertinence des standards établis. Diverses méthodes permettent de mesurer et de déterminer un rendement standard. Toutefois, aucune approche n'est sans faille, et même les approches les plus « scientifiques » comportent une part de subjectivité.

Comme le mentionne le tableau 8.4, on peut classer les différents régimes individuels de rémunération à la pièce selon qu'ils sont à bénéfices non partagés ou à bénéfices partagés.

8.1.4.3 Les avantages et les inconvénients de la rémunération à la pièce

Un bon régime de rémunération à la pièce comporte les avantages suivants :

– il contribue à accroître la productivité de l'organisation ;

– il permet de réduire les coûts de production ou d'exploitation ;

– il permet aux employés d'accroître leur rémunération ;

– il nécessite moins de supervision pour assurer un certain niveau de rendement ;

– il facilite l'établissement de budgets, puisqu'il nécessite un suivi étroit et une mesure précise des résultats et des coûts de production.

Par contre, l'expérience et les études indiquent que la rémunération à la pièce peut entraîner les comportements et les attitudes improductifs suivants parmi le personnel (Wilson, 1992) :

TABLEAU 8.4

LES TYPES DE RÉGIMES DE RÉMUNÉRATION À LA PIÈCE

A. LES RÉGIMES À BÉNÉFICES NON PARTAGÉS

En vertu de ces régimes, l'employé bénéficie de toute amélioration de son rendement.

1. Les régimes de salaires proportionnels au rendement

Ils garantissent un salaire de base jusqu'à une norme de rendement préétablie; tout pourcentage d'amélioration du rendement par rapport à la norme entraîne une augmentation du salaire proportionnelle sans limite.

2. Les régimes comportant des primes qui varient selon le rendement

- *Le régime de Taylor (1895).* Ce régime garantit un salaire jusqu'à la réalisation d'une norme de rendement préétablie et un taux de salaire supérieur préétabli (par exemple, de 20 %), une fois la norme de rendement dépassée. En somme, il propose deux taux de salaires selon que le rendement est inférieur ou supérieur à une norme.

- *Le régime de Gantt (1902).* Ce régime garantit un salaire de base à l'employé qui n'atteint pas la norme de rendement préétablie. L'employé qui dépasse cette norme reçoit une prime d'une valeur proportionnellement supérieure à l'amélioration du rendement.

- *Le régime de Merrick (1920).* Ce régime propose trois taux de salaires : si l'employé atteint entre 0 % et 85 % de la norme de rendement, il est rémunéré à un certain taux ; s'il atteint entre 86 % et 100 % de la norme, il est payé à un taux supérieur (généralement de 10 %) ; s'il dépasse la norme de rendement, il est payé à un taux encore plus élevé.

B. LES RÉGIMES À BÉNÉFICES PARTAGÉS

En vertu de ces régimes, l'employé partage l'amélioration de son rendement avec son employeur. Ces régimes sont appropriés aux situations dans lesquelles le travail est non standardisé ou sujet à des variations dans les matériaux ou les procédés.

- *Le régime de Halsey (1891).* Ce régime à normes horaires garantit un salaire minimal. Si l'employé prend moins de temps que prévu pour accomplir son travail, une prime est partagée également entre lui et son employeur. Par exemple, si l'on prévoit qu'un travail doit être accompli en quatre heures et qu'un employé rémunéré 6 $ l'heure l'effectue en trois heures, son traitement est le suivant : $3 \times 6\ \$ = 18\ \$ + (6\ \$ \times 0,5\ h) = 21\ \$$. Les temps standard de rendement sont établis à partir des fiches de production ou des études des temps de travail.

- *Le régime de Rowan (Thomson, 1919).* Ce régime garantit un taux horaire de salaire si l'employé ne réussit pas à effectuer le travail dans le temps prescrit. Les primes sont fonction du temps gagné. Par exemple, si l'employé rémunéré 6 $ l'heure effectue un travail de quatre heures en trois heures, il a épargné 25 % du temps. Il est alors payé pour le temps travaillé, mais à un taux horaire de 6 $ plus 25 %. Son traitement est alors de 7,50 $ × 3, soit 22,50 $. Les normes de temps sont établies à partir des fiches de production. Toutefois, le salaire d'un employé augmente avec son rendement, mais à un taux décroissant, et il ne peut être supérieur au double de son taux horaire de base.

TABLEAU 8.4 (suite)

- Le régime de Bedaux (Morrow, 1922). Ce régime est semblable à celui de Halsey, mais les primes découlant du temps gagné sont partagées entre l'employé (75 %) et les personnes directement touchées par son efficacité (25 %) (par exemple, les contremaîtres et le personnel d'entretien). Le temps standard est déterminé par des études de temps et mouvements; il est établi en points ou unités B: une unité B correspond à la quantité normale de travail par minute, compte tenu d'une proportion de temps de repos. Ainsi, 60 B correspondent à un rendement normal à l'heure. Un nombre particulier de B étant établi pour chacune des tâches, l'employé peut être affecté à des tâches différentes sans que l'unité change pour le calcul de sa prime. À titre d'exemple, à partir d'un temps standard de quatre heures et d'un temps effectif de trois heures, l'ouvrier dont le taux horaire de salaire s'établit à 6 $ reçoit une prime de 4,50 $. Cette prime se calcule de la façon suivante: 240 B (4 ¥ 60) sont gagnés en trois heures; 240 B – 180 B = 60 B supplémentaires; 60 B = 6 $; prime = 75 % de 6 $ = 4,50 $. Selon des changements qui ont été apportés récemment à ce régime, l'amélioration est versée seulement aux employés.

- les employés peuvent limiter volontairement leurs résultats par peur de hausser les normes;

- ils peuvent tricher lors de l'établissement des normes de rendement pour faciliter l'obtention de ces normes;

- ils peuvent refuser d'effectuer les tâches d'entretien (ou toute tâche non standardisée) à moins d'être payés en dehors de la norme au taux de rémunération le plus élevé, afin de hausser leur rémunération;

- ils peuvent être plus réticents devant les changements (les changements technologiques, une nouvelle organisation du travail, etc.) et moins incités à proposer des améliorations aux modes de production parce que ces modifications auraient un effet sur les normes de rendement. Par exemple, si la production double à cause d'un nouvel équipement, le taux par unité sera révisé à la baisse;

- ils sont moins susceptibles de se préoccuper de la qualité de leur travail, puisqu'il est dans leur intérêt d'accroître seulement la quantité;

- ils risquent d'être peu soucieux de l'entretien des équipements parce que cette tâche les empêche d'améliorer leur rendement. Ils peuvent, par exemple, surcharger une machine si cela leur permet d'accroître le nombre d'unités;

- ils risquent de ne pas se soucier de la réduction des coûts de production (faire plus avec moins) si cette réduction nuit au nombre d'unités produites. ils pourront, par exemple, changer plus souvent d'outils pour produire plus de pièces;

- ils sont susceptibles d'être méfiants envers la direction (et vice versa), ce qui nécessitera l'établissement répété de nouvelles règles de fonctionnement;

- ils sont plus exposés aux accidents du travail;

– ils sont plus susceptibles d'être en compétition avec leurs collègues, de refuser de les aider et de partager le fruit de leurs expériences ;

– ils sont en mesure d'imposer leurs propres normes informelles de production et d'exercer des pressions sur les employés qui veulent les dépasser ;

– les nouveaux employés risquent de quitter l'organisation parce qu'ils recevront peu d'aide de la part des employés d'expérience en matière de formation.

Au-delà de leurs nombreuses répercussions négatives sur les employés, les coûts de gestion des régimes de rémunération à la pièce deviennent très souvent élevés avec le temps, à mesure que leur complexité s'accroît. En effet, les taux de rémunération se multiplient avec l'introduction de produits différents, le nombre de règles augmente pour faire face aux nouvelles situations et la comptabilisation des taux associés à toutes ces activités doit constamment être mise à jour.

Il n'est donc pas étonnant que ce type de régime soit de moins en moins fréquemment adopté et que la plupart des organisations syndicales aient pris position contre ce type de rémunération. Par ailleurs, les préoccupations accrues des dirigeants au sujet du contrôle de la qualité des produits entrent en conflit avec la motivation des employés à accroître leur productivité en vertu de ce mode de rémunération.

8.1.4.4 Les conditions de succès de la rémunération à la pièce

Comme nous l'avons vu précédemment, les régimes de rémunération à la pièce ont des effets positifs sur la productivité. Cependant, les problèmes de mesure et de gestion engendrés par ces régimes entraînent des coûts élevés. L'effet de ces régimes peut alors se révéler nul ou négatif. Les études et les expériences portant sur ce sujet démontrent toutefois que, pour être efficaces, les régimes de rémunération à la pièce doivent être implantés et gérés dans un contexte satisfaisant aux conditions suivantes :

– le travail est simple, répétitif et facile à mesurer ;

– les relations entre les employés sont peu fréquentes, voire inexistantes ;

– l'environnement occasionne peu de problèmes de rupture de production ;

– les employés et la direction approuvent ce mode de rémunération ;

– les normes de rendement sont soigneusement établies et perçues comme étant équitables ;

– les normes de rendement sont modifiées lorsque cela s'avère nécessaire ;

– les méthodes de calcul des résultats sont communiquées et expliquées ;

– les incidences sur la sécurité physique au travail sont peu élevées ;

– les régimes garantissent un salaire minimal si les normes de rendement ne sont pas atteintes ;

– ils ne prévoient pas de plafond ou de salaire maximal ;

– ils s'appliquent à tous les employés ;

– ils procurent aux employés un revenu relativement stable grâce aux horaires de travail et aux affectations.

Compte tenu du nombre important de conditions requises, on comprend que la rémunération à la pièce ne soit possible que dans peu d'entreprises. En effet, le contexte d'affaires ou de l'organisation du travail présente souvent des exigences qui ne sont pas appuyées par un tel mode de rémunération : des changements fréquents dans les technologies ou les méthodes, une priorité accordée à la satisfaction des clients et à la qualité, l'interdépendance des tâches des employés, le travail d'équipe, la polyvalence des employés, l'imprévisibilité des tâches et les changements apportés à celles-ci, l'enrichissement du travail, etc.

8.2   Les régimes collectifs de rémunération variable

Nous avons vu jusqu'ici dans ce chapitre différents régimes de rémunération variable (leurs caractéristiques, leurs atouts et leurs limites) visant à reconnaître le rendement individuel, soit le régime de salaires au mérite, le régime de primes de rendement, le régime double de salaires au mérite et de primes de rendement ainsi que les régimes de rémunération à la pièce.

Toutefois, certains auteurs (entre autres, Deming, 1986) s'opposent à l'évaluation et à la rémunération du rendement individuel des employés, estimant que ce niveau de rendement dépend davantage de facteurs qui relèvent moins de la maîtrise des employés que de celle des cadres. Ces auteurs estiment aussi que l'évaluation et la rémunération du rendement individuel peuvent être incohérents par rapport aux nouveaux modes de gestion (par exemple, la qualité totale ou l'équipe de travail), aux nouvelles valeurs et aux nouvelles exigences du contexte d'affaires qui nécessitent un climat de participation, de collaboration et d'intéressement aux résultats des affaires. Face à de tels arguments, plusieurs dirigeants se tournent plutôt vers les régimes collectifs de rémunération variable qui rémunèrent tous les employés ou une catégorie d'employés de l'organisation en fonction de la performance de l'entreprise, d'une unité administrative et/ou d'une équipe. Étant donné que de tels régimes collectifs ne tiennent pas compte du rendement individuel des employés, ils sont souvent qualifiés de régimes d'intéressement plutôt que de régimes d'incitation, car il reste difficile pour les employés admissibles d'établir un lien entre leurs efforts et une mesure de performance collective (par exemple, les bénéfices, la productivité ou la valeur des actions).

8.2.1 La variété des régimes collectifs de rémunération variable

Il existe une grande variété de régimes collectifs de rémunération variable. Comme l'indique le tableau 8.5, ceux-ci peuvent être subdivisés en deux catégories : les régimes collectifs à court terme et les régimes collectifs à long terme.

TABLEAU 8.5

LES DIFFÉRENTS TYPES DE RÉGIMES COLLECTIFS DE RÉMUNÉRATION VARIABLE, POUR TOUS LES EMPLOYÉS OU UNE PROPORTION SIGNIFICATIVE DES EMPLOYÉS D'UNE ORGANISATION

Régimes collectifs à court terme

- Régimes de participation aux bénéfices
- Régimes de partage des gains de productivité
- Régimes de partage du succès
- Régimes de primes d'équipe
- Régimes mixtes de primes de rendement individuel et de performance collective

Régimes collectifs à long terme

- Régimes d'achat d'actions
- Régimes d'octroi d'actions
- Régimes d'options d'achat d'actions

Les régimes collectifs à *court terme* prennent en considération le rendement annuel de l'organisation, d'une unité administrative ou d'un groupe. Ils comprennent les régimes de participation aux bénéfices, les régimes de partage des gains de productivité, les régimes de partage du succès, les régimes de primes des équipes de travail et les régimes mixtes de primes de rendement individuel et de performance collective. Quant aux régimes collectifs à *long terme,* ils tiennent compte de la performance à long terme des firmes. Cela inclut les régimes basés sur le rendement boursier (les régimes d'octroi d'actions, les régimes d'achat d'actions et les régimes d'options d'achat d'actions). Ils comprennent aussi les régimes basés sur le rendement comptable (les régimes de droit à la plus-value des actions, les régimes d'actions simulées, les régimes d'unités de rendement et les régimes de primes de rendement à long terme), dont nous ne traiterons pas dans ce chapitre, puisqu'ils sont, dans la plupart des cas, réservés aux cadres supérieurs et aux dirigeants.

Dans ce chapitre, nous nous intéressons aux véritables régimes collectifs de rémunération variable, que l'on pourrait qualifier de «non sélectifs» ou d'«élargis» parce qu'ils s'appliquent à la plus grande partie du personnel d'une unité d'affaires. Nous ne traiterons donc pas des régimes de rémunération variable «sélectifs» que certaines organisations adoptent à l'intention exclusivement de leurs dirigeants ou d'une partie de leurs cadres, étant donné que de tels régimes ne reflètent pas la philosophie véritable des régimes collectifs. Avant de présenter chacun de ces régimes collectifs de rémunération variable, nous verrons les avantages et les inconvénients potentiels qu'ils comportent.

8.2.1.1 Les avantages présumés des régimes collectifs de rémunération variable

La plupart des régimes collectifs de rémunération variable ne sont pas nouveaux. On estime que les premiers régimes de participation aux bénéfices remontent à près de 200 ans. Comment expliquer, alors, l'enthousiasme qu'on observe depuis quelque temps chez les dirigeants canadiens à leur endroit, compte tenu du fait qu'il n'existe pas de mesure législative importante pour appuyer l'implantation de ces régimes et que le domaine de la gestion de la rémunération est traditionnellement peu sujet à changement ?

Certes, les entreprises canadiennes subissent peut-être un certain effet d'entraînement. Ainsi, la participation aux bénéfices est très courante aux États-Unis et en Europe, parce qu'elle fait l'objet de mesures législatives ou fiscales rendant son implantation favorable, voire obligatoire. Toutefois, l'adoption de régimes collectifs de rémunération variable par un nombre croissant de dirigeants canadiens ne résulte pas uniquement d'un phénomène d'imitation. De nombreux changements dans l'environnement socioéconomique pressent aussi les dirigeants canadiens à considérer les avantages liés à l'adoption des régimes collectifs de rémunération, notamment leurs potentielles incidences positives sur la performance organisationnelle et sur le climat de travail, la possibilité de combler les lacunes des régimes individuels de rémunération variable et de réduire les mises à pied et les coûts de la main-d'œuvre.

La possibilité d'améliorer la performance organisationnelle

On s'attend à ce que l'adoption d'un régime collectif de rémunération variable ait une incidence positive sur la performance et la productivité d'une organisation. En effet, un tel régime inciterait également les employés à améliorer leur rendement individuel, à se soucier davantage des coûts, à exercer une plus grande pression sur leurs pairs pour qu'ils améliorent leur rendement, ce qui diminuerait les coûts de la supervision et de gestion. Près de 75 % des employeurs participant à une étude menée par Hewitt & Associés (1996) indiquent d'ailleurs que leur régime de rémunération variable a contribué à l'amélioration de leurs résultats financiers. En outre, une étude effectuée auprès de 44 grandes entreprises canadiennes (Long, 1994) montre que, comparativement aux firmes qui n'ont pas de régime de participation aux bénéfices ni de régime de partage des gains de productivité, les firmes qui gèrent de tels régimes ont une structure hiérarchique nettement moins lourde et emploient 31 % moins de cadres.

La possibilité d'améliorer le climat de travail et de faciliter le recrutement et la conservation du personnel

Les régimes collectifs de rémunération variable auraient un effet bénéfique sur les comportements et les attitudes des employés. Leur adoption amènerait, par exemple, les employés à s'identifier davantage au succès de leur organisation et à diminuer leur résistance aux changements. Ces régimes auraient également un effet positif sur les relations de travail, en favorisant l'éclosion d'une culture axée sur le partenariat, la coopération et l'esprit d'équipe. On pense aussi que l'admissibilité à certains régimes collectifs de rémunération variable (comme les régimes d'achat d'actions ou les régimes d'options d'achat d'actions) peut rendre une organisation plus attrayante pour certains candidats et contribuer à retenir certains employés dans une organisation.

La possibilité de combler les limites des régimes individuels de rémunération variable

Si on les compare avec les régimes basés sur le rendement individuel, les régimes collectifs conviendraient davantage au nombre croissant de contextes de travail où les emplois sont interdépendants ou font l'objet d'efforts conjugués exigeant la coopération et le travail d'équipe. Ils poseraient moins de problèmes en ce qui a trait à la mesure du rendement, puisque aucune distinction individuelle n'est requise. Ils seraient plus flexibles que les régimes de rémunération au mérite, car les primes de participation aux bénéfices ne modifient pas le salaire de base. Enfin, ils contribueraient davantage à unifier les intérêts des employés, des cadres et des dirigeants en donnant à tous une participation aux résultats de l'organisation.

La possibilité de réduire les mises à pied et les coûts de la main-d'œuvre

D'après la *théorie de l'absorption des chocs* de Weitzman (1987), l'adoption de régimes de participation aux bénéfices pour l'ensemble des employés serait bénéfique pour restreindre tant le taux de chômage que le taux d'inflation, parce qu'elle réduit la proportion des coûts fixes (salaires) de la main-d'œuvre.

D'une part, en période de récession, la rémunération variable (ou flexible) permettrait non seulement de résister davantage à une baisse de la demande de produits et de services, mais aussi de mettre à pied moins d'employés, la mauvaise fortune de l'organisation se traduisant par l'absence de primes et une masse salariale moins lourde à supporter. L'étude de Gerhart et Trevor (1996) confirme que la présence de régimes de rémunération variable réduit le besoin de mettre à pied des employés lors de périodes difficiles et de les réembaucher dès que les affaires s'améliorent.

D'autre part, en période de prospérité, la rémunération variable permettrait de recourir moins souvent à une hausse du prix des produits et des services pour compenser une hausse des coûts fixes de la main-d'œuvre, la bonne fortune de l'organisation se traduisant par des primes plutôt que par des augmentations de salaires.

8.2.1.2 Les inconvénients présumés des régimes collectifs de rémunération variable

Étant donné les nombreux avantages qu'on prête aux régimes collectifs de rémunération variable, pourquoi la majorité des dirigeants canadiens refusent-ils encore de les adopter à l'égard de la majeure partie de leur personnel ? Toute médaille a son revers : les régimes collectifs de rémunération variable comportent aussi des effets négatifs. Curieusement, on semble douter de leurs avantages et même craindre qu'ils ne produisent des effets contraires. En effet, ces régimes auraient des effets limités, voire négatifs, sur la performance et la productivité des firmes et sur le climat organisationnel ; de même, ils accroîtraient les coûts de la main-d'œuvre et la suppression de postes.

De possibles effets négatifs sur la performance, les comportements et les attitudes

Les dirigeants d'entreprise hésiteraient à adopter un régime collectif de rémunération variable parce qu'ils ont peur que celui-ci n'ait un impact négatif sur les comportements et les attitudes des employés. Par exemple, plusieurs craignent qu'au fil des ans les récompenses octroyées (les primes, les actions, les options d'achat d'actions, etc.) en viennent à être perçues par les employés comme étant un salaire déguisé, des avantages sociaux supplémentaires ou un droit acquis sans rapport avec la performance de l'organisation. Ce risque serait plus élevé pour les organisations dont la politique est d'offrir des salaires inférieurs à ceux qu'offre le marché. Ainsi, selon l'enquête de Chelius et Smith (1990), plusieurs dirigeants trouvent difficile de réduire, lors des mauvaises années, les primes versées en vertu d'un régime de participation aux bénéfices parce que cela nuit au moral du personnel. Une étude basée sur des entretiens téléphoniques qui ont été menés auprès de 118 présidents d'entreprises canadiennes ayant un régime de participation aux bénéfices (Long, 1997) montre que les deux inconvénients les plus cités à l'égard de ce régime sont le mécontentement des employés lorsque les bénéfices diminuent (17 % des participants) et l'inquiétude liée au fait que les employés en viendraient, selon eux, à tenir leurs primes pour acquises (12 % d'entre eux). En outre, un régime collectif peut nuire à la réussite des entreprises dans la mesure où les dirigeants évitent d'y apporter des changements souhaitables par crainte des réactions des employés.

Ce scepticisme à l'égard des régimes collectifs de rémunération variable repose également sur le fait qu'il serait difficile pour les employés de percevoir des liens étroits entre leur rendement individuel, la performance de leur organisation (en ce qui touche aux bénéfices, aux gains de productivité et à la capitalisation boursière) et la rétribution. Les régimes collectifs s'appuient sur la prémisse que les employés, par leurs efforts collectifs, sont capables d'influencer des mesures de performance de l'entreprise comme les bénéfices, la productivité, la réalisation d'objectifs d'affaires ou la valeur des actions.

Pourtant, plusieurs facteurs indépendants de la volonté des employés influent sur l'amélioration de ces indicateurs de la performance organisationnelle, tels que la situation économique et les coûts des matières premières. Dans certaines situations, les régimes collectifs risqueraient même de frustrer les employés au lieu de les motiver à se surpasser. Il en serait ainsi pour les employés dont le travail a relativement peu d'impact sur le succès de l'organisation, comme ceux des entreprises dont les affaires sont cycliques et fluctuent avec les pressions de la concurrence ou ceux des entreprises utilisatrices de gros capitaux qui ne contrôlent aucunement les coûts des matières premières.

D'autre part, certaines organisations ne peuvent accorder une rétribution importante pour motiver les employés. Pensons à celles dont la marge financière est restreinte en raison de l'importance de leur effectif, à celles dont les frais variables sont élevés par rapport aux frais fixes ou à celles dont les résultats étaient déjà très bons avant l'adoption d'un régime collectif.

En résumé, comparativement aux régimes individuels de rémunération variable, les régimes collectifs ont l'inconvénient de réduire l'importance du lien entre l'effort individuel et la réalisation du rendement attendu (quant aux profits, aux gains de productivité, à la valeur des actions, etc.), qui constitue un préalable à la motivation de l'employé à améliorer son rendement.

De possibles effets négatifs sur le climat organisationnel

L'organisation peut également résister à l'implantation d'un régime collectif de rémunération variable en raison du caractère peu rassurant et imprévisible des récompenses : leur valeur étant censée varier en fonction de la performance de l'organisation, les récompenses seront inexistantes ou réduites lors de périodes difficiles. Cette imprévisibilité des récompenses implique évidemment un certain risque pour les employés ayant un faible salaire et contribuerait à expliquer pourquoi les syndicats se sont traditionnellement opposés aux régimes collectifs de rémunération variable.

Il y a aussi le risque que ces régimes accroissent les conflits au sein de l'entreprise. Ainsi, une définition trop large ou trop étroite des paramètres du régime (la formule de primes, les critères d'admissibilité, etc.) ou de la manière dont les primes sont calculées et partagées peut susciter des plaintes et des récriminations. Tous les indicateurs de la performance organisationnelle sont imparfaits, difficiles à définir et à calculer, et le choix des indicateurs peut faire suite à des manipulations et paraître suspect aux yeux des employés.

Par ailleurs, une rétribution équitable selon la direction peut paraître inéquitable aux employés. Pensons au cas où le montant de la prime est le même pour tous les employés participants ou pour tous les membres d'une division administrative. Une pareille situation peut sembler injuste aux yeux des employés les plus performants ou aux yeux de ceux qui travaillent au sein des unités administratives qui contribuent le plus à la réussite de l'organisation.

Certains auteurs parlent du problème potentiel des employés paresseux (*free riders* ou *social loafing*) associé aux régimes collectifs, c'est-à-dire des employés qui réduisent leur effort personnel au travail parce qu'ils ne perçoivent pas que cela change la récompense collective et qu'ils savent qu'ils profiteront des efforts que leurs collègues déploient au travail (Albanese et Van Fleet, 1985 ; Earley, 1989).

De même, certains régimes collectifs sont administrés d'une manière susceptible de creuser le fossé entre les cadres et les employés. Cette situation peut se produire lorsque des dirigeants se réservent le privilège d'accorder ou non des primes à la fin de l'année, sans se fonder sur des critères explicites préétablis, ce qui a pour effet de rappeler aux employés qu'ils dépendent de la générosité de la direction. Cette situation risque également de survenir lorsque les primes sont calculées au prorata des salaires de base, les dirigeants recevant alors plus que les employés. Selon l'enquête de Poole et Jenkins (1988), les employés considèrent que les cadres et les dirigeants de leur organisation retirent plus d'avantages qu'eux d'un régime de participation aux bénéfices.

En outre, le mode et les conditions de versement rattachés à certains régimes collectifs sont tels qu'ils motivent peu les employés à se surpasser. Certaines organisations accordent les primes versées en vertu d'un régime collectif de rémunération variable à court terme (par exemple, un régime de participation aux bénéfices ou un régime de partage des gains de productivité) sous forme d'actions plutôt qu'en argent (on parle alors d'une forme d'actionnariat) ; d'autres organisations incitent leurs employés à acheter des actions de l'entreprise avec le montant des primes qu'ils reçoivent ; d'autres encore exigent que les employés consacrent une proportion de leur salaire à l'achat d'actions de l'entreprise pour avoir droit à la prime de participation aux bénéfices. De tels régimes ont alors pour effet d'inciter les employés à épargner, à conserver leur emploi ou à prendre des risques en mettant trop d'œufs dans le panier de leur employeur !

Le risque d'entraîner des coûts de gestion excédant les gains de productivité

Plus la gamme de régimes dont bénéficie le personnel est étendue, plus il devient difficile d'estimer et de gérer leur rémunération *totale* étant donné que celle-ci est répartie entre une multitude de composantes de plus en plus complexes et difficiles à expliquer. Pour optimiser les retombées de tous les régimes de rémunération, quels qu'ils soient, il faut accorder beaucoup de temps, d'argent et d'expertise à la gestion d'un régime, notamment à la communication de l'information s'y rapportant et à la formation des employés et des cadres. Bien des dirigeants d'entreprise craignent que les récompenses octroyées en vertu de ces régimes (primes, actions, etc.) ne constituent qu'une dépense supplémentaire qui s'ajoute aux salaires sans apporter de bénéfices suffisants. Une étude (Mitchell *et al.*, 1990) confirme que les employés admissibles à un régime collectif de rémunération variable gagnent en moyenne 20 % de plus que leurs homologues payés selon un taux horaire.

Le risque d'augmenter la suppression de postes

Les syndicats ont traditionnellement résisté à l'adoption de régimes collectifs de rémunération variable entre autres parce qu'ils craignent que l'augmentation de la productivité qui en résultera n'entraîne la suppression de postes et des mises à pied.

8.2.2   Les régimes collectifs de rémunération variable à court terme

Selon une enquête du Conference Board of Canada (1999), le nombre d'entreprises adoptant un régime collectif de rémunération variable à court terme à l'intention de leurs employés non cadres augmenterait de façon continue depuis 1990 ; en effet, le pourcentage des entreprises offrant cette forme de rétribution, qui était alors de 27 %, est passé à 70 % en 1998.

Cette section traite des principaux types de régimes collectifs de rémunération variable à court terme, soit les régimes de participation aux bénéfices, les régimes de partage de gains de productivité, les régimes de partage du succès, les régimes de primes d'équipe et les régimes mixtes de primes en fonction du rendement individuel et de la performance collective. Toutefois, il faut se rappeler que l'implantation d'un type particulier de régime collectif n'est pas uniforme d'une entreprise à l'autre, de nombreuses décisions étant inhérentes à son adoption (les catégories d'employés admissibles, la formule de partage des primes, les formes des primes, etc.). Chaque organisation a d'ailleurs intérêt à adapter son régime collectif à ses propres besoins.

Par ailleurs, la présentation successive des différents types de régimes collectifs de rémunération variable à court terme et à long terme listés au tableau 8.5 peut laisser croire faussement que, dans la pratique, les régimes se distinguent de façon aussi nette. Dans les faits, les dirigeants peuvent adopter un régime collectif qui verse des primes en fonction d'un ou de plusieurs indicateurs de la performance organisationnelle, selon une combinaison de leur choix qui peut évoluer dans le temps. Par exemple, une organisation peut choisir un régime qui octroie des primes en fonction des bénéfices seulement, un régime qui tient compte des bénéfices et de la réalisation d'un objectif de réduction de l'absentéisme — soit un régime mixte de participation aux bénéfices et de partage du succès —, un régime qui considère à la fois la productivité et le nombre d'accidents du travail. Les possibilités sont multiples. D'ailleurs, certains auteurs (par exemple, Heneman, 2001) et de nombreuses enquêtes présentent les régimes collectifs de rémunération variable sans leur accoler d'étiquette, mais en se basant plutôt sur des indicateurs de la performance organisationnelle (comme les bénéfices, la productivité, les accidents du travail, la satisfaction des clients, la valeur de l'action, l'absentéisme ou la réduction des coûts) qui peuvent entrer dans le calcul de la récompense versée aux employés. À des fins pédagogiques, nous conservons dans ce livre l'approche traditionnelle de classification des régimes collectifs de rémunération variable. Toutefois, il faut retenir que la variété des régimes collectifs est plus grande et nuancée que ne le laisse entendre cette classification.

8.2.2.1 Les régimes de participation aux bénéfices

Les régimes de participation aux bénéfices comprennent tous les régimes contractuels dans lesquels une portion des bénéfices de l'organisation entière ou d'une unité d'affaires est partagée entre tous les employés ou une catégorie d'employés et versée en plus de leur salaire, immédiatement ou à terme[1]. En général, le paiement se fait sous la forme d'une prime (un montant forfaitaire). Ce type de régime collectif s'avère le plus ancien et il reste, encore aujourd'hui, celui qui est adopté le plus fréquemment, surtout à cause du fait que le bénéfice correspond à un indicateur de la performance organisationnelle important, facile à communiquer aux employés et mesurable aussi bien dans l'organisation entière que dans ses divisions. Une enquête de Hewitt & Associés (1996) montre que les régimes de participation aux bénéfices à versements immédiats représentent le mode de rémunération variable le plus stable ; en effet, 34 % des régimes de participation aux bénéfices adoptés par les employeurs participants sont en place depuis plus de cinq ans. Ces régimes sont privilégiés par les employeurs qui visent à communiquer les objectifs d'affaires à leurs employés, à informer ces derniers au sujet des opérations de l'entreprise et à augmenter les revenus ou les ventes. Paradoxalement, il semble que la communication joue un rôle restreint dans la gestion des régimes de participation aux bénéfices, car 37 %

---

[1] Les lecteurs désireux d'en connaître plus sur l'élaboration et l'implantation de tels régimes peuvent consulter le livre *Profit Sharing in Canada* de Tyson (1996). Par ailleurs, les régimes de participation *différée* aux bénéfices — qui ont des caractéristiques particulières et qui sont régis par la Loi de l'impôt du Canada — ne sont pas traités dans ce chapitre.

des entreprises qui offrent ces régimes ne communiquent pas leurs objectifs financiers à leurs employés, bien que la rentabilité constitue le principal critère de rendement.

Les régimes de participation aux bénéfices subissent l'influence des différences culturelles et fiscales entre les pays. En France, la participation aux résultats revêt un caractère légal obligatoire : depuis 1990, toutes les entreprises comptant plus de 50 salariés doivent constituer une réserve spéciale de participation sur la base d'une formule de calcul, et sa répartition se fait de façon proportionnelle aux salaires des employés en tenant compte des plafonds (Commeiras *et al.,* 2000). Aux États-Unis, les régimes de participation aux bénéfices servent couramment de régimes de retraite couvrant l'ensemble des employés (ils sont donc de type non sélectif) et sont surtout à paiements différés (81 %, d'après Coates, 1991), les primes étant administrées par une fiducie et remises à une échéance déterminée (à la retraite, au départ, lors de la mise à pied, en cas d'invalidité, au décès).

Au Canada, la grande majorité des régimes de participation aux bénéfices sont de type sélectif, c'est-à-dire qu'ils ne s'adressent qu'aux cadres supérieurs ou qu'ils excluent le personnel de bureau et de production. Au Canada, des enquêtes démontrent qu'entre 17 % et 22 % des firmes ont un régime de participation aux bénéfices qui s'étend à la majorité du personnel (Tyson, 1996 ; Betcherman *et al.,* 1994 ; Watson Wyatt, 1998). Ces quelques régimes de participation aux bénéfices canadiens qui s'adressent à l'ensemble des employés sont généralement à paiements comptants (75 %, d'après Long, 1991) et immédiats, les primes étant versées de une à quatre fois par année.

Une autre enquête (Long, 1997) révèle que les employés reçoivent automatiquement un pourcentage préétabli des bénéfices ou des bénéfices au-dessus d'un certain seuil (ces pourcentages varient de 1 % à 33 %, la médiane étant de 11 %) et que le budget total de primes est réparti entre les employés selon leur salaire (30 %), leur rendement individuel (30 %), leur ancienneté (13 %) ou une combinaison de leur salaire et de leur ancienneté (17 %).

Une comparaison des régimes de participation aux bénéfices avec les autres régimes collectifs de rémunération variable à court terme permet de dégager les *particularités* suivantes :

– les régimes de participation aux bénéfices sont plus connus et plus anciens ;

– ils sont préconisés par des spécialistes de l'économie et des finances ;

– ils s'appliquent généralement à un grand nombre d'employés, soit les employés d'une organisation entière lorsque le régime est non sélectif ;

– ils accordent des primes en fonction de l'augmentation des bénéfices ;

– ils distribuent généralement un montant (forfaitaire ou différé) une fois par année aux employés admissibles.

Cette comparaison fait également ressortir les *atouts* suivants des régimes de participation aux bénéfices :

– ils mettent l'accent sur l'amélioration de la productivité totale, en ce sens qu'ils visent la réduction des coûts de la main-d'œuvre et des matières premières, de l'énergie, des capitaux, etc. ;

– ils s'intéressent aux bénéfices, c'est-à-dire à un indicateur de la performance organisationnelle important, simple et facile à communiquer aux employés et mesurable aussi bien dans l'organisation entière que dans ses divisions ;

– ils versent des primes lorsque l'organisation peut se le permettre, c'est-à-dire lorsqu'elle fait des bénéfices ;

– ils engendrent un calcul des primes, une communication et une gestion généralement moins complexes et coûteuses que pour d'autres types de régimes collectifs (comme les régimes de partage des gains de productivité ou les régimes de partage du succès).

Par contre, une comparaison entre les régimes de participation aux bénéfices et les autres régimes collectifs de rémunération variable à court terme montre que les premiers comportent les *limites* qui suivent :

– ils ne permettent pas aux employés de percevoir un lien important entre leurs efforts et les bénéfices de la firme, les bénéfices étant soumis à une multitude de facteurs que les employés maîtrisent peu ;

– ils peuvent amener les dirigeants à verser des primes en comprimant des dépenses nécessaires à la croissance ou à la survie de l'organisation (comme les immobilisations ou l'investissement en R & D) ;

– ils risquent de faire en sorte que les versements soient perçus comme étant un droit acquis.

Enfin, à propos du contexte *organisationnel approprié*, cette comparaison entre les régimes de participation aux bénéfices et les autres régimes collectifs de rémunération variable à court terme indique les faits suivants :

– les régimes de participation aux bénéfices ne peuvent pas être implantés dans des entreprises qui ne réalisent pas de bénéfices (le secteur public et les organismes à but non lucratif) ;

– ils conviennent à des entreprises du secteur privé de différentes tailles et de différentes industries ;

– ils peuvent être mis en œuvre dans une nouvelle entreprise ou une nouvelle unité administrative ;

– ils ne requièrent pas une culture de gestion participative ;

– ils peuvent prendre en considération les bénéfices de divers niveaux, soit l'unité d'affaires, la division ou l'organisation entière ;

–   ils sont appropriés lorsqu'il s'agit de sensibiliser les employés aux affaires, de favoriser le travail d'équipe et le sentiment d'appartenance.

Comme les régimes de participation aux bénéfices sont implantés depuis plus longtemps et de manière plus étendue que les autres types de régimes, ils ont fait l'objet d'un plus grand nombre d'études (voir les revues de Cable et Wilson, 1990 ; Commeiras *et al.*, 2000 ; Jones *et al.*, 1997 ; Kruse, 1993 ; Poole et Jenkins, 1991 ; St-Onge, 1994 ; Weitzman et Kruse, 1990) que les régimes de partage des gains de productivité (voir les revues de Belcher, 1991 ; Graham-Moore et Ross, 1991 ; Gowen, 1990 ; Welbourne et Gomez-Mejia, 1995).

8.2.2.2 Les régimes de partage des gains de productivité

Les régimes de partage des gains de productivité visent à mesurer l'amélioration de la productivité d'une entreprise et à partager ce résultat entre les employés et l'entreprise en accordant des primes (mensuelles, trimestrielles, semestrielles ou annuelles) calculées à l'aide d'une formule préétablie[2]. Les premiers régimes de partage des gains de productivité ont été implantés durant la Grande Dépression (1929-1940). Dans ces régimes, on ne demande pas aux employés de déployer plus d'efforts au travail, mais de penser à des façons plus efficaces d'effectuer leurs tâches et d'en faire la recommandation aux personnes en cause. Aujourd'hui, les organisations qui implantent de tels régimes sont préoccupées par l'amélioration de leur productivité, par un meilleur contrôle de leurs coûts et/ou par la promotion d'une nouvelle culture de gestion axée sur la participation et le travail d'équipe.

En général, les enquêtes démontrent qu'on trouve des régimes de partage des gains de productivité dans 7 % à 11 % des entreprises, tant au Québec qu'ailleurs au Canada (Betcherman *et al.*, 1994 ; Chênevert et Tremblay, 2000 ; Isaac, 1995). Cette proportion augmente toutefois à près de 20 % dans les grandes entreprises (Long, 1993). Ces enquêtes révèlent également que les régimes de partage des gains de productivité sont surtout implantés dans le secteur industriel et dans le secteur des services et qu'ils s'adressent généralement à l'ensemble des employés, à l'exception du personnel de direction. Par ailleurs, des chercheurs qui ont analysé l'efficacité du partage des gains de productivité dans la fonction publique ont dans la plupart des cas découvert des résultats positifs (Bowie-McCoy *et al.*, 1993 ; Dulworth et Usilaner, 1987 ; Naff et Pomerleau, 1988). Les syndicats se montrent assez favorables à ce type de régime collectif, puisque certaines enquêtes indiquent que le partage des gains de productivité est plus fréquent, ou du moins aussi fréquent, dans les entreprises où un syndicat est présent que dans celles où il ne l'est pas (Eaton et Voos, 1993 ; Globerson et Parsons, 1988 ; Kaufman, 1992).

Une enquête de la société Hewitt & Associés (1996) dégage les faits suivants au sujet de la plupart des régimes de partage des gains de productivité :

---

2   Les lecteurs intéressés par ce type de régimes peuvent consulter les ouvrages spécialisés suivants : *The National Center for Employee Ownership* (2004) et *Masternak* (2003).

— ils sont assez récents;

— ils sont surtout adoptés par de grandes entreprises;

— ils visent essentiellement à augmenter la productivité, à améliorer la qualité et à réduire les coûts;

— ils versent généralement des primes qui correspondent à des montants préétablis (en dollars);

— ils s'adressent principalement aux employés des échelons inférieurs (par exemple, le personnel syndiqué, le personnel de bureau, le personnel à taux horaire) auxquels on accorde une certaine autonomie.

On classe généralement les régimes de partage des gains de productivité en trois catégories : le régime de Scanlon, le régime de Rucker et le régime Improshare. Toutefois, en pratique, la variété des régimes est très grande parce qu'il y a de nombreuses possibilités d'applications, car dès qu'on modifie une caractéristique d'un régime pour adapter celui-ci au contexte d'une organisation, on crée un régime différent. Globalement, les régimes de Scanlon et de Rucker reposent sur une philosophie de gestion participative. Ces régimes, et plus particulièrement le régime de Scanlon, se retrouvent davantage dans les entreprises manufacturières. Le régime Improshare n'exige pas de culture de participation et se révèle le régime de partage des gains de productivité le plus courant. Le tableau 8.6 présente une formule de calcul des primes selon chacun de ces régimes.

L'objectif d'un *régime de Scanlon* est d'accroître l'efficacité d'un établissement en réduisant les coûts de la main-d'œuvre et en partageant les gains. Ce régime comporte deux caractéristiques de base : la participation des employés et l'attribution de primes en fonction des gains de productivité de l'établissement. Ce régime est considéré comme plus efficace qu'un simple régime de suggestions. En effet, dans ce régime, on s'attend à ce que les suggestions des employés soient plus nombreuses, de meilleure qualité, plus précises et davantage acceptées et implantées en raison du mode de fonctionnement des comités, dont les membres doivent rencontrer les employés pour leur expliquer les raisons du rejet d'une suggestion. Par ailleurs, alors qu'un régime de suggestions accorde des sommes d'argent généralement peu élevées aux employés qui ont formulé des suggestions, un régime de Scanlon estime les gains à leur juste valeur et les distribue à tous les employés. Généralement, la formule de prime correspond à la division de la valeur des ventes par les dépenses de rémunération. La partie A du tableau 8.6 illustre un mode de calcul des primes. Ainsi, pour le mois visé, l'entreprise peut verser 22 500 $ de primes aux employés. En pratique, il est courant de constituer une réserve de 25 % pour les mois où les résultats seront négatifs et d'effectuer un ajustement à la fin de l'année. Ainsi, dans l'exemple précédent, 16 875 $ seront versés aux employés à la fin du mois, soit 11 % de leurs salaires. Le tableau 8.7 (voir la page 456) décrit les trois étapes de l'élaboration de ce régime : l'institution de comités de production et de sélection, la détermination d'une base historique des coûts de produc-tion (salaires) et l'établissement d'une formule de primes.

Le *régime de Rucker* repose sur une philosophie de gestion semblable à celle du régime de Scanlon, mais la détermination de la base normative de production y est plus complexe, difficile à modifier et nécessite que des états financiers détaillés soient disponibles et accessibles aux syndicats et aux employés. Selon ce régime, la valeur des ventes de la production est remplacée par la valeur ajoutée de la production, afin de tenir compte des changements de coûts (par exemple, les coûts des matières premières ou ceux des fournitures) qui peuvent influer sur le ratio sans qu'il y ait changement dans la productivité des employés. En somme, la formule de primes requiert la division du total des dépenses en rémunération de l'unité de production par la valeur de la production. La partie B du tableau 8.6

TABLEAU 8.6

LE CALCUL DES PRIMES SELON DIFFÉRENTS TYPES DE RÉGIMES DE PARTAGE DES GAINS DE PRODUCTIVITÉ

A. Régime de Scanlon : calcul des primes

1. Ventes du mois		1 100 000 $
2. Moins : retours, escomptes, etc.		25 000
3. Ventes nettes		1 075 000
4. Augmentation des inventaires		125 000
5. Valeur de la production		1 200 000
6. Coût normal de la main-d'œuvre (20 % de la valeur de la production)		240 000
7. Coût effectif de la main-d'œuvre		210 000
8. Primes : fonds disponibles		30 000
9. Part de l'entreprise (25 %)		7 500
	Sous-total	22 500 $
10. Réserve : mois déficitaires (25 %)		5 625
11. Part à distribuer aux employés (75 %)		16 875
12. Masse salariale des employés		168 750
13. Valeur des primes (%)		10 %

B. Régime de Rucker : calcul des primes

1. Valeur de la production (ventes et ajustements)		1 000 000 $
2. Moins : valeur des achats		
– matériaux et fournitures	500 000 $	
– autres achats (énergie, etc.)	160 000 $	660 000
3. Valeur ajoutée (1-2)		340 000

TABLEAU 8.6 (SUITE)

4. Coût prévu de la main-d'œuvre selon une analyse dans le temps (3) × 41,18 %	140 000
5. Coût effectif de la main-d'œuvre	120 000
6. Primes : fonds disponibles (4-5)	20 000
7 Part de l'entreprise (25 % de 6)	5 000
8. Part des employés (6-7)	15 000
9. Réserve pour les mois déficitaires (25 % de 8)	3 750
10. Primes à partager (8-9)	11 250
11. Masse salariale des employés	120 000
12. Valeur des primes (%)	9,4 %

C. Régime Improshare : calcul du facteur de productivité et des primes

Calcul du facteur de productivité pendant la période de référence

$$\text{Heures standard de travail} = \frac{\text{Heures directes totales de travail}}{\text{Quantité de la production}}$$

$$\text{Produit A :} \quad \frac{20 \text{ employés} \times 40 \text{ heures}}{1\,000 \text{ unités}} = 0,8 \text{ heure / unité ou } 0,8 \times 1\,000 = 800$$

$$\text{Produit B :} \quad \frac{20 \text{ employés} \times 40 \text{ heures}}{500 \text{ unités}} = 1,6 \text{ heure / unité ou } 1,6 \times 500 = 800$$

Valeur standard des heures totales = 1 600

$$\text{Facteur de production (FP)} = \frac{\text{Heures totales (directes et indirectes)}}{\text{Valeur standard des heures totales}}$$

$$FP = \frac{40 \text{ employés de production (directes)} + 20\,(\text{indirectes}) \times 40 \text{ heures}}{1600}$$

$$FP = \frac{2\,400}{1\,600} = 1,5$$

Calcul des primes

Produit A : 0,8 heure × 600 unités × 1,5 =   720

Produit B : 1,6 heure × 900 unités × 1,5 =	2 160
Heures standardisées	2 880
Moins : Heures effectives	2 280
Heures gagnées	600

$$\text{Part des employés:} \frac{50\,\% \text{ des heures gagnées}}{\text{Heures effectuées}} = \frac{300}{2\,280} = 13,2\,\%$$

Source : Thériault (1991, p. 413, 415-416).

montre que le calcul et la répartition des économies se font souvent selon la formule 75 %–25 % avec une réserve de 25 % pour les mois déficitaires.

Contrairement aux deux régimes précédents, dans lesquels la mesure de la productivité est économique (la valeur de la production ou la valeur ajoutée), le *régime Improshare* ne s'appuie pas de façon formelle sur la participation des employés et se fonde sur une mesure de la productivité physique. La formule de primes correspond ici à la division du nombre d'heures de travail estimées par le nombre d'heures de travail réelles. Dans ce régime, le partage des gains se fait habituellement sur la base suivante : 50 % à l'employeur et 50 % aux employés. La partie C du tableau 8.6 illustre le mode de calcul du facteur de productivité pendant la période de référence et celui des primes à verser. Habituellement, les entreprises qui utilisent un tel régime prévoient une augmentation maximale de la productivité de 60 %. Si la productivité augmente de plus de 60 % et qu'elle se maintienne pendant un certain temps, il est prévu que l'entreprise pourra «acheter» cette amélioration en accordant, par exemple, une prime de 30 % de leurs salaires aux employés, soit 50 % de l'augmentation de 60 %. Dans l'avenir, le taux de base du facteur de productivité est alors augmenté en conséquence et le plafond de 60 % constitue une certaine protection pour l'entreprise. En effet, comme la norme ne considère ni la valeur des ventes ni la productivité de l'industrie dans laquelle l'entreprise se situe, il est possible que les dirigeants doivent verser des primes, même si la productivité est inférieure à celle de l'industrie. Si l'amélioration de la productivité est tout au plus de 60 %, on estime raisonnable de croire que son facteur de base de productivité était inférieur à celui auquel l'entreprise aurait normalement été en droit de s'attendre.

Soulignons que le succès des régimes de partage des gains de productivité, notamment des régimes de Scanlon et de Rucker, nécessite souvent un changement de mentalités. Ainsi, les *cadres* doivent accepter la participation des employés et des ouvriers au processus de prise de décision. Ensuite, la *direction* doit promouvoir l'idée que les cadres doivent encourager leurs subordonnés à émettre des suggestions pour améliorer l'efficacité du travail. Par ailleurs, les *employés* doivent vraiment penser en fonction de l'équipe, celle-ci étant plus importante que la personne. Finalement, le *syndicat* doit accepter que les employés s'engagent et coopèrent avec la direction.

Comparativement aux régimes de participation aux bénéfices, les régimes de partage des gains de productivité exigent une volonté et un courage particuliers de la part des dirigeants d'entreprise. Ces derniers doivent accepter de verser des primes lorsque des gains de productivité sont enregistrés, peu importe l'ampleur des bénéfices. Ils peuvent donc être amenés à verser des primes lorsque l'amélioration de la productivité provient d'une amélioration des équipements et non d'une amélioration de la contribution des employés. Par ailleurs, les recommandations des employés admissibles à un régime de partage des gains de productivité concernent souvent des modifications en ce qui touche à l'organisation du travail. Aussi faut-il que la direction soit prête à faire face à la pression en cette matière. En

TABLEAU 8.7

Description des étapes de l'élaboration d'un régime de Scanlon

Les trois étapes d'élaboration d'un régime de Scanlon

1. **L'institution des comités de production et de sélection.** Les comités de production (comités de travail, de primes, de productivité, etc.) sont formés pour chaque atelier, division ou unité importante de travail. Ils peuvent être composés de deux membres seulement : le contremaître et un représentant des employés élu par ses collègues (il peut s'agir du délégué syndical). Chaque comité se réunit généralement deux fois par mois. Le rôle de ces comités consiste à demander au personnel des suggestions visant à améliorer la productivité et à donner suite à ces propositions. Les comités de production se rapportent à un comité de sélection (ou comité de coordination). Ce dernier est composé d'un membre de la direction, de représentants du personnel clé (fabrication, ingénierie, marketing, contrôle et ressources humaines) ainsi que de représentants des employés venant des divers comités de production. Ce comité a pour rôle d'examiner les suggestions importantes soumises par les comités de production et par la direction. Il est consultatif, puisque les décisions liées à l'adoption et à l'implantation de certaines suggestions relèvent de la hiérarchie. Une fois les suggestions acceptées, ce comité a toutefois la responsabilité d'assurer leur application et l'évaluation de leur impact. Le comité se réunit ordinairement une fois par mois et détermine la valeur des primes à verser aux employés. Les procès-verbaux de ces réunions sont distribués aux employés.

2. **La détermination d'une base temporelle des coûts de production pour établir le montant des primes à distribuer aux employés.** Il est important que l'année retenue pour ces calculs soit récente et représente une année «moyenne» de rendement. Il ne faut pas choisir une année de productivité record, car l'attribution de primes serait rendue impossible, ni une année de faible productivité, car le potentiel des primes serait artificiellement élevé. Pour une unité d'exploitation, cette base normative est constituée du ratio présenté ci-dessous, qu'on suit mensuellement pour établir les primes à verser aux employés admissibles au régime.

$$\frac{\text{Masse salariale de tout le personnel (coût de la main-d'œuvre)}}{\text{Valeur des ventes de la production (vendue et en inventaire)}}$$

3. **L'établissement d'une formule de primes.** La valeur des primes dépend de la variation du ratio «coût de la main-d'œuvre sur valeur de la production», qui est calculée tous les mois et soumise au comité de coordination. Les primes sont partagées entre le personnel admissible et l'organisation dans une proportion courante de 75 % et 25 %.

outre, au fil des années, les employés peuvent se montrer plus sceptiques envers le régime s'il devient plus difficile d'améliorer la productivité. De plus, lorsqu'une entreprise comporte plusieurs unités d'affaires et qu'elle dispose d'un régime distinct par unité, il peut être frustrant pour les employés de constater que les primes sont plus élevées dans les unités dont la productivité est la plus faible et où les possibilités d'améliorer celle-ci sont plus grandes.

Un régime de partage des gains de productivité efficace exige que les employés aient une influence directe sur la productivité ou sur les coûts pour avoir droit à une prime. Toutefois, la réduction des coûts de la main-d'œuvre recherchée ne résulte pas seulement d'une efficacité accrue des employés. Une multitude de facteurs, qui ne relèvent pas des employés et sur lesquels ils n'ont aucun pouvoir, influent sur les coûts standard de production, notamment un nouvel équipement ou un changement technologique, un changement dans les méthodes et les procédés, une modification des produits, la disponibilité des matières premières et leur coût, les coûts de la main-d'œuvre, les exigences du service après-vente, les procédés de livraison, la politique d'inventaire, le prix de vente du produit ou du service, le mode de vente du produit ou du service, le mode de financement et son coût.

En résumé, si l'on compare les régimes de partage des gains de productivité avec les autres régimes collectifs de rémunération variable à court terme, on observe chez les premiers les *particularités* suivantes :

– ils octroient une prime équivalente à un certain pourcentage du salaire plusieurs fois pendant l'année (sur une base trimestrielle, mensuelle ou hebdomadaire) en relation avec les gains de productivité d'un établissement (ou d'une unité) et avec une formule préétablie ;

– ils ont été créés dans les années 1930 par des spécialistes de la sociotechnologie et ont surtout pris leur essor avec le mouvement de qualité de la vie au travail dans les années 1970.

Cette comparaison permet aussi de constater les *atouts* suivants des régimes de partage des gains de productivité :

– ils orientent les efforts vers la productivité, un résultat que les employés contrôlent davantage que les bénéfices ;

– ils s'autofinancent puisqu'on distribue les gains de productivité réalisés ;

– ils obtiennent davantage la faveur des syndicats que les régimes de participation aux bénéfices ;

– ils permettent de réduire les sources d'improductivité, quitte à remplacer ces régimes par des régimes de participation aux bénéfices une fois les gains de productivité obtenus et qu'il n'y a plus de soucis d'improductivité sous le contrôle des employés ;

– ils accroissent la connaissance des affaires, l'esprit d'équipe et la coopération parmi le personnel.

À l'opposé, une comparaison entre les régimes de partage des gains de productivité et les autres régimes collectifs de rémunération variable à court terme montre les *limites* suivantes chez les premiers :

– ils nécessitent du courage de la part des dirigeants, car il est possible qu'ils doivent verser des primes alors que les bénéfices sont faibles ou que l'amélioration de la productivité provient de changements technologiques qu'ils ont payés ;

– ils peuvent amener les employés à se montrer sceptiques et moins motivés lorsque les normes de production doivent être révisées. Au fil des années, il devient de plus en plus difficile de faire des gains de productivité importants, de sorte que les primes sont susceptibles d'être moins élevées malgré que les employés soient plus productifs;

– ils peuvent entraîner des iniquités entre les unités d'affaires d'une organisation, étant donné qu'il est possible que les employés des unités les moins productives reçoivent les primes les plus élevées car les gains de productivité y sont plus faciles à obtenir et plus importants (cela risque d'attirer des plaintes de la part des employés œuvrant dans les unités les plus productives);

– ils peuvent s'avérer plus compliqués à gérer et exiger des dirigeants plus de transparence;

– ils sont davantage acceptés par les syndicats que les régimes de participation aux bénéfices, puisque les indicateurs de productivité sont plus maîtrisés par les employés.

Pour ce qui est du *contexte organisationnel* approprié, une comparaison entre les régimes de partage des gains de productivité et les autres régimes collectifs de rémunération variable à court terme révèle les faits suivants :

– les régimes de partage des gains de productivité doivent être implantés au sein d'une unité où l'on a compilé des données durant près de cinq ans de manière à pouvoir établir une norme historique de productivité;

– ils se retrouvent surtout dans les entreprises manufacturières où ils s'appliquent aux employés de production;

– ils peuvent être instaurés dans tous les secteurs d'activité économique, incluant le secteur public et les organismes à but non lucratif;

– ils s'appliquent généralement à un petit nombre d'employés, qui œuvrent la plupart du temps dans une unité d'affaires;

– ils sont adoptés lorsqu'il y a des gains de productivité à faire.

8.2.2.3 Les régimes de partage du succès

Au cours des années 1990, on a proposé une analogie avec le tableau de bord pour expliquer la nature *multidimensionnelle* des indicateurs de la performance organisationnelle, que l'on peut répartir dans les catégories suivantes :

– des mesures financières, comme les bénéfices, le rendement de l'investissement, le rendement du capital, la valeur de l'action, les ventes et les flux monétaires;

– des mesures axées sur les clients, comme la proportion de nouveaux produits, l'évolution des dépenses en recherche et développement, la part du marché absolue et la part du marché relative, la qualité des produits ou des services, le respect des délais de livraison, la satisfaction et la fidélité des clients ainsi que l'augmentation de la clientèle ;

— des mesures axées sur les ressources humaines, comme le taux de roulement et les accidents du travail.

Pendant bien des années, les dirigeants nord-américains ont basé leurs régimes de rémunération variable en privilégiant les mesures financières, ces dernières comportant plusieurs avantages (St-Onge et Magnan, 1994) :

— elles sont plus facilement comparables et sont fiables en raison du fait qu'elles sont formulées sur une base commune (argent ou rendement), qu'elles doivent respecter des normes professionnelles et qu'elles sont révisées par des tiers (vérificateurs externes ou internes) ;

— elles permettent de percevoir différentes facettes de la performance d'une firme car, par exemple, une information comme le bénéfice net peut se décomposer en ventes, en coût des ventes, en frais généraux et en charges sociales ;

— elles ne font pas perdre de vue la rentabilité à court terme des firmes, leur ultime critère de survie.

Toutefois, les pressions concurrentielles qui se sont exercées durant les années 1990 ont forcé les dirigeants à admettre que les mesures financières comportent plusieurs faiblesses (St-Onge et Magnan, 1994) :

— elles amènent les cadres à accorder plus de soin à la gestion (et même à la manipulation) des données financières qu'à la gestion des activités de l'entreprise ;

— elles incitent les cadres à rechercher la performance à court terme au détriment de la prise de décisions qui seraient bénéfiques pour la réussite à long terme de l'entreprise ;

— elles permettent moins d'évaluer et d'orienter la performance à long terme des entreprises en ce qui a trait à l'amélioration continue, à l'innovation, à l'acquisition de compétences spécifiques, etc.

Reconnaissant la nécessité d'aligner leurs régimes de rémunération variable sur des indicateurs multiples qui peuvent évoluer dans le temps, les dirigeants ont adopté des régimes souvent qualifiés de « partage du succès » ou de « réalisation des objectifs d'affaires » (*goal sharing plan*, *success sharing plan* ou *win sharing plan*). Ces régimes sont apparus au cours des années 1990 avec le courant de la qualité et du service à offrir aux clients. Ils visent notamment à lier la prime à des facteurs de succès de l'organisation — qui ne concernent pas uniquement l'aspect financier (comme la réduction des coûts résultant de l'absentéisme ou des accidents) — et à améliorer la qualité et les comportements des employés (comme l'assiduité).

Plus précisément, un régime de partage du succès permet de répartir une portion du gain de rendement de l'organisation ou d'une unité — mesuré selon la réalisation d'objectifs préétablis — parmi l'ensemble ou une partie du personnel, en versant un montant forfaitaire (une prime). Les objectifs d'affaires sont fixés selon des indicateurs variés — par exemple, une réduction des coûts, des accidents ou de l'absentéisme, ou encore une amélioration de la qualité, du service ou de la satisfaction des clients —, selon les facteurs de succès et les objectifs de l'entreprise.

De plus en plus d'organisations adoptent un régime de partage du succès qui s'appuie sur un tableau de bord de la performance prenant en considération des indicateurs financiers, l'amélioration de processus, le service à la clientèle et l'innovation (IOMA, 2003). Cette popularité peut être expliquée par le fait que ce régime combine le meilleur de la participation aux bénéfices et du partage des gains, puisqu'il exige souvent l'obtention d'un seuil quant aux profits ou aux gains et d'un seuil concernant l'obtention de résultats plus opérationnels liés, par exemple, à la réduction de la perte de matériel, des accidents, de l'absentéisme ou des plaintes des clients. Ainsi, chez A. Corning Inc. (Altmansberger et Wallace, 1995), 75 % de la prime de partage du succès est liée à la réalisation d'objectifs d'affaires de l'unité (on suggère un maximum de cinq objectifs de façon que le régime reste simple) que les employés peuvent influencer directement et 25 % de

BULLETIN$ 8.1

Une enquête menée par la société Mercer, Consultation en ressources humaines montre que la gestion des régimes collectifs de rémunération variable s'appuie de manière prédominante sur des mesures financières, les mesures non financières étant davantage utilisées pour l'évaluation du rendement individuel. Dans l'ordre, les mesures financières prises en considération par les régimes collectifs sont les suivantes : le bénéfice (ou résultat) par action (53 %), le chiffre d'affaires (47 %), la croissance du chiffre d'affaires (47 %), le flux de trésorerie (cash flow, 35 %), le rendement de l'actif (24 %), le rendement boursier ou le rendement de l'actionnaire (18 %), la valeur économique ajoutée ou le bénéfice résiduel (12 %), la marge bénéficiaire (12 %), le bénéfice ou résultat d'exploitation (6 %), le rendement des capitaux propres (6 %), le rendement des investissements (6 %) et le rendement de l'actif net (6 %). Quarante et un pour cent (41 %) des organisations tiennent compte de trois mesures financières de performance, 47 % de deux ou trois mesures financières et 12 % d'une seule mesure financière. Lorsque le régime collectif de rémunération variable se base sur des mesures non financières, il s'agit le plus souvent de la qualité, de la satisfaction des consommateurs ou du climat de travail. Dans ce dernier cas, les organisations ont tendance à recourir à un tableau de bord de performance (balanced score card), *lequel stipule que le rendement de certaines mesures non financières clés mène à une performance financière supérieure.*

Source : Traduit et adapté de Freher (2002, p. 155-157).

cette prime dépend de la performance financière de la société (en plus du rendement des capitaux propres par rapport aux autres firmes comparables du «Fortune 500»). Aussi chaque unité d'affaires doit-elle déterminer son processus d'établissement des objectifs (les objectifs cibles, les poids relatifs, etc.) à l'égard de divers domaines (les finances, la qualité, le service, l'amélioration de processus, etc.) et le faire évoluer annuellement selon les résultats de l'année précédente et les défis du moment.

En somme, les régimes de partage du succès tiennent compte d'autres facteurs que les bénéfices ou les gains de productivité — notamment la qualité, les accidents du travail ou la satisfaction des clients —, facteurs que les employés maîtrisent davantage et qui ne comportent pas nécessairement de gains à court terme.

Pour être efficaces, les régimes de partage du succès requièrent un processus de communication des objectifs d'affaires et des résultats étalés sur toute l'année. Il faut aussi que les objectifs fixés soient jugés réalistes par les employés. Ces régimes sont souvent adoptés par les entreprises qui veulent se doter de régimes incitatifs appuyant une culture d'amélioration continue: au fil des années, la nature et la difficulté des indicateurs de rendement évoluent selon les résultats de l'organisation et la pression de la concurrence.

En résumé, comparativement aux autres régimes collectifs de rémunération variable à court terme, les régimes de partage du succès comportent les *particularités* suivantes :

– ils sont très récents et ils gagnent en popularité ;

– ils orientent les efforts vers l'avenir en fixant des objectifs portant généralement sur une année ;

– ils consistent à verser une prime annuelle en fonction de la réalisation d'objectifs d'affaires préétablis et des facteurs de succès de l'organisation.

Cette comparaison permet également de relever les *atouts* suivants des régimes de partage du succès :

– ils communiquent de manière précise les priorités et les objectifs d'affaires de l'entreprise et sensibilisent les employés au concept de valeur ajoutée ;

– ils s'appuient davantage que les régimes de participation aux bénéfices sur des objectifs d'affaires préétablis que peuvent contrôler les employés ;

– ils se basent sur un mode flexible de gestion par objectifs cohérent par rapport au concept d'amélioration continue.

Par contre, une comparaison entre les régimes de partage du succès et les autres régimes collectifs de rémunération variable à court terme montre les *limites* suivantes chez les premiers :

- ils sont susceptibles de présenter des objectifs dont la nature et le montant de la prime associé à leur réalisation peuvent paraître arbitraires aux yeux des intervenants ;

- ils peuvent amener une révision des objectifs qui entraîne de la résistance ;

- ils sont plus exigeants et complexes sur le plan de la gestion et de la communication auprès des employés ; ils nécessitent une explication continue des objectifs à atteindre et des résultats réalisés, une formation des cadres, la création d'un sous-comité apte à établir des objectifs annuels à atteindre, etc.

En ce qui touche au *contexte organisationnel approprié,* une comparaison entre les régimes de partage du succès et les autres régimes collectifs de rémunération variable à court terme fait ressortir les aspects suivants :

- les régimes de partage du succès peuvent être implantés dans tous les types de contextes (dans les secteurs privé et public, dans le secteur manufacturier, dans le secteur des services, etc.) ;

- ils peuvent s'appliquer à plusieurs catégories d'employés (comme le personnel de bureau, le personnel de production ou les cadres) ;

- ils n'exigent pas une culture de gestion participative.

8.2.2.4 Les régimes de primes d'équipe

De plus en plus d'entreprises nord-américaines adoptent des modes d'organisation du travail basés sur des équipes ou sur des groupes de travail pour accroître la polyvalence de leur personnel. Ces modes d'organisation du travail sont maintenant appuyés par des modes de rémunération variés. Compte tenu de l'état embryonnaire de la documentation portant sur le sujet, nous traiterons de l'ensemble des modes de rémunération couramment adoptés pour rémunérer les équipes de travail. La plupart des auteurs (Bartol et Hagmann, 1992 ; Bennett, 1996 ; Bourgeois et St-Onge, 1997 ; Davidson, 1995 ; Gross, 1995 ; Kanin-Lovers et Cameron, 1993) recommandent les approches suivantes pour rémunérer les équipes de travail :

- les régimes de primes d'équipe ou de groupe, pour inciter les membres à se surpasser ou à collaborer ensemble ;

- les programmes de reconnaissance, pour souligner les réalisations exceptionnelles d'une équipe ;

- les régimes de partage des gains de productivité ou de participation aux bénéfices, pour inciter les équipes à la coopération ;

- l'attribution d'un salaire basé sur les compétences, pour récompenser les employés de l'acquisition de nouvelles habiletés et fournir une mesure incitative individuelle.

Aux fins de cette section, nous ne verrons que les régimes de primes d'équipe, les régimes collectifs (la participation aux bénéfices et le partage des gains de productivité) ayant été étudiés précédemment et le salaire basé sur les compétences ayant été examiné au chapitre 5.

Par ailleurs, comme nous l'avons observé au chapitre 7, des programmes de reconnaissance peuvent aussi permettre de souligner les réalisations exceptionnelles d'une équipe de travail. Contrairement aux primes de groupe dont il sera question plus loin, ils n'encouragent pas les équipes à donner un meilleur rendement, mais ils servent à récompenser des réalisations exceptionnelles. Par ailleurs, comme les réalisations exceptionnelles sont peu courantes, les programmes de reconnaissance complètent les régimes de primes d'équipe mais ne les remplacent pas. Ces programmes de reconnaissance peuvent renforcer la cohésion entre les membres. Par exemple, une équipe dont le rendement a été exceptionnel se voit offrir un budget pour organiser une activité sociale réunissant les parents de tous les membres, ou encore ses membres se voient accorder une journée supplémentaire de congé. Les entreprises semblent d'ailleurs de plus en plus envisager la mise sur pied d'un programme officiel de reconnaissance des réalisations exceptionnelles des équipes de travail, en raison de son coût peu élevé, de la facilité de son implantation et du message clair qu'il peut transmettre aux employés sur l'importance accordée aux équipes de travail par la direction de l'entreprise.

En effet, un sondage effectué par Lawler *et al.* (1993) indique que 94 % des entreprises américaines faisant partie du «Fortune 1000» et ayant des équipes de travail utilisent des programmes de reconnaissance non pécuniaires, comparativement à 70 % qui adoptent des régimes de primes de groupe, à 66 % qui adoptent des régimes de participation aux bénéfices, à 60 % qui adoptent une gestion des salaires basés sur les compétences et à 42 % qui adoptent des régimes de partage des gains de productivité. Un sondage mené par Shaw et Schneier (1994-1995) auprès de 113 firmes établies en Amérique du Nord, en Europe et en Asie révèle que les entreprises dont les équipes de travail sont efficaces les récompensent principalement de façon non pécuniaire. Seulement 24 % de ces entreprises font appel à des régimes de rémunération variable destinés aux équipes. Les formes de reconnaissance que privilégient les entreprises dans lesquelles les équipes de travail sont considérées comme très efficaces sont, par ordre d'importance, la visibilité, les symboles et la reconnaissance matérielle par l'attribution de biens et de voyages.

L'adoption des régimes de primes d'équipe, qui est assez récente, consiste le plus souvent à accorder le même montant à tous les membres de l'équipe, peu importe les différences en ce qui a trait au salaire ou au rendement individuel. Les employeurs qui y ont recours visent à atteindre trois objectifs principaux : encourager le travail d'équipe, améliorer le service à la clientèle ou la satisfaction des clients et augmenter la rentabilité. On distingue trois types de régimes de primes d'équipe : le régime de partage du rendement de l'équipe, le régime de rendement de l'équipe et le régime de contribution au rendement de l'équipe.

Le *régime de partage du rendement de l'équipe* répartit également un montant parmi les membres de l'équipe selon l'obtention de résultats. Il s'agit du régime de primes d'équipe le plus courant. Par exemple, les équipes de représentants d'une grande entreprise sont admissibles à un régime de rémunération variable dans lequel chaque représentant reçoit une prime égale à celle des autres membres de l'équipe, qui est fonction du total des ventes générées par l'équipe.

Le *régime de rendement de l'équipe* accorde des primes aux meilleurs groupes (équipes, succursales, magasins, quarts de travail, etc.). Cette approche peut engendrer une certaine compétition ou un problème de collaboration entre les groupes puisqu'ils deviennent des rivaux qui ont tous intérêt à amplifier la valeur de leur travail respectif pour obtenir plus d'argent. Par exemple, des équipes d'ingénieurs travaillant pour une firme de recherche et développement sont admissibles à une prime qui peut égaler 20 % de leur salaire, s'ils peuvent démontrer dans un rapport qu'ils ont fourni une contribution importante à la performance de l'entreprise. Les rapports des équipes sont évalués et comparés par un comité de gestion qui décide de l'attribution des primes et de leur montant. Prenons un autre exemple : des équipes d'employés de production sont admissibles à un régime d'équipe de rémunération à la pièce, dans lequel les membres sont payés selon le nombre d'unités produites par l'équipe.

Le *régime de contribution au rendement de l'équipe* est possible dans la mesure où l'interdépendance des tâches de l'équipe n'est pas trop grande. Ainsi, on peut créer un budget total de primes (*bonus pool*) basé sur la performance de l'équipe, mais ajuster le montant de la prime de chaque coéquipier à son rendement individuel. Un tel octroi différencié des primes peut toutefois nuire à la collaboration entre les membres du groupe, d'où la nécessité d'éviter un contexte d'interdépendance des rôles. Par exemple, les récompenses des membres des équipes du service à la clientèle sont fonction de leur contribution respective au travail de leur équipe, évaluée par les chefs d'équipe et les autres membres de l'équipe, en matière de réalisation des objectifs, de collaboration, de communication, d'assiduité, de ponctualité, etc.

Ces trois régimes de primes d'équipe supposent qu'on puisse établir des objectifs de rendement de groupe précis et définir des indicateurs de rendement adéquats. Dans le contexte du travail d'équipe, on peut aussi juger intéressante la méthode de la « rétroaction à 360 degrés » où chaque membre de l'équipe voit son rendement évalué non seulement par son superviseur, mais aussi par ses coéquipiers et/ou des clients avec lesquels il est souvent en contact.

Comparativement aux autres types de régimes collectifs de rémunération variable à court terme (les régimes de participation aux bénéfices, les régimes de partage des gains de productivité et les régimes de partage du succès), les régimes de primes d'équipe sont perçus comme étant avantageux, puisqu'ils ciblent davantage les efforts d'un nombre plus restreint de personnes. Une enquête de

Gomez-Mejia et Balkin (1989), menée auprès de 175 professionnels de recherche et développement, a démontré que les régimes de primes d'équipe sont plus efficaces que les régimes de participation aux bénéfices parce que les primes versées sont plus étroitement liées aux comportements individuels.

Si l'on adopte ces régimes pour faire mousser l'esprit d'équipe, il faut aussi reconnaître que, paradoxalement, les diverses formules de primes d'équipe sont susceptibles de nuire aux relations entre les membres de l'équipe selon la manière dont ils sont gérés. De plus, si la pression des collègues peut pousser les employés difficiles ou ceux qui ont un faible rendement à s'améliorer, elle peut également inciter les meilleurs employés à réduire leurs efforts et leur cadence parce qu'ils profitent de l'effort collectif de toute façon. Ces limites permettent d'expliquer pourquoi la majorité des entreprises persistent à rémunérer les membres de leurs équipes de travail uniquement selon leur rendement individuel. Force est de constater qu'il n'est pas du tout évident que l'implantation de groupes autonomes conduise automatiquement et rapidement à l'abandon des régimes de rémunération reconnaissant le rendement individuel, ceux-ci étant traditionnellement valorisés en Amérique du Nord.

8.2.2.5 Les régimes mixtes de primes de rendement individuel et de performance collective

Les organisations adoptent souvent un régime mixte de primes de rendement dont la valeur est fonction de plus d'un niveau de rendement, comme la performance de l'organisation, celle de la division, celle du groupe et/ou le rendement de l'individu. On parle alors de régime collectif (qui peut être un régime de participation aux bénéfices, un régime de partage de gains de productivité ou un régime de partage du succès) « en cascade ».

Une enquête du Conference Board of Canada (1999) révèle que ces types de régimes collectifs sont de loin les plus utilisés : 71 % des organisations participantes (n = 276) disposent de tels régimes surtout destinés aux cadres, aux directeurs et aux professionnels. Ces régimes mixtes tiennent généralement compte d'abord de critères financiers et opérationnels propres à l'organisation ou à l'unité d'affaires, puis de critères de rendement individuel.

Le principal avantage des régimes mixtes est justement qu'ils se penchent sur divers niveaux de rendement ou de performance : d'une part, en considérant la performance de l'entreprise, ils favorisent la coopération nécessaire au succès de l'organisation ; d'autre part, en tenant compte du rendement individuel, ils incitent le personnel à fournir la meilleure contribution possible. Le principal inconvénient de ces types de régimes tient aussi à la prise en considération de divers niveaux de rendement : le fait que l'octroi des primes versées en fonction d'un régime collectif (le plus souvent la participation aux bénéfices) soit également fonction du rendement individuel implique qu'on accorde une expertise, du temps, des efforts et de l'argent pour la gestion et l'évaluation du rendement individuel des employés admissibles ainsi que pour l'établissement des modes de calcul des primes à verser.

En effet, l'adoption d'un régime de primes qui tient compte de mesures du rendement individuel et collectif exige qu'on détermine la formule selon laquelle les montants des primes seront calculés. À ce sujet, deux formules se distinguent : celle des pourcentages minimaux et maximaux du salaire, qui est la formule la plus fréquente, et celle du pourcentage des bénéfices de l'organisation.

En ce qui concerne la formule des pourcentages minimaux et maximaux du salaire, le régime peut, par exemple, prévoir que les primes varieront de 0 % à 20 % du salaire des cadres intermédiaires et de 0 % à 40 % du salaire des cadres supérieurs, selon la réalisation des indicateurs de rendement individuels et collectifs. Cette façon de faire ne nous renseigne pas sur le pourcentage de la prime qui sera versée si les objectifs individuels et collectifs sont atteints, c'est-à-dire sur le pourcentage de la *prime cible*. Une autre façon de faire consiste à indiquer un pourcentage *cible* (la prime à verser si les objectifs sont atteints) et un pourcentage *maximal* de prime (qui peut représenter de 150 % à 200 % de la prime cible) selon le salaire des participants.

La prime cible correspond alors à un pourcentage du salaire (ou du point milieu d'une échelle salariale) qu'une personne recevra si l'organisation atteint ses objectifs et si la personne fait de même. Si la performance de l'organisation et celle de la personne sont supérieures aux attentes, cette dernière peut gagner plus que sa prime cible, par exemple 125 %, 150 % et même 200 % de plus. À l'opposé, si la performance de l'organisation et celle de la personne sont inférieures aux attentes, cette dernière peut obtenir moins que sa prime cible, et même n'obtenir aucune prime lorsqu'un seuil minimal préétabli de performance n'est pas atteint. Généralement, le pourcentage de prime cible préétabli augmente avec le niveau hiérarchique ou la classe des emplois (par exemple, 15 % pour un professionnel et 50 % pour un vice-président). Pour établir les pourcentages de primes cibles des différentes classes d'emploi ou des différents niveaux hiérarchiques, les dirigeants tiennent aussi compte de leur stratégie de rémunération et des pratiques sur le marché ou dans l'industrie. Le tableau 8.8 donne un exemple d'une grille de primes cibles.

Pour ce qui est de la formule du pourcentage des bénéfices de l'entreprise, elle consiste en un *régime en cascade* parce qu'elle rend le montant des primes versées conditionnelles aux bénéfices de la division ou de l'entreprise sans limiter le montant des primes. Ainsi, l'entreprise peut se voir obligée de verser des primes plus élevées que celles qui sont offertes sur le marché. Par ailleurs, l'exigence d'un seuil préétabli de bénéfices peut se révéler insuffisant ou secondaire pour l'évaluation de la performance organisationnelle, dans le cas d'une stratégie d'augmentation de la part du marché ou d'un revirement de la situation financière.

Comme le montre le tableau 8.9, la détermination du montant des primes individuelles selon le rendement de l'employé et de l'entreprise peut s'appuyer sur différentes formules ou méthodes : la méthode matricielle, la méthode du partage égal et la méthode des rendements multipliés. À titre d'exemple, le tableau 8.10 simule le calcul de la prime versée à un cadre intermédiaire selon un régime mixte de primes de son employeur et selon des résultats atteints à divers niveaux.

TABLEAU 8.8

EXEMPLE D'UNE GRILLE D'OCTROI DE PRIMES EN POURCENTAGE DU SALAIRE

Poste	Classe d'emplois	Prime cible (% du salaire)	Prime minimale (% du salaire)	Prime maximale (% du salaire)
Président	20	70	0	135
Vice-président	18-19	50	0	100
Directeur	16-17	30	0	60
Directeur adjoint	14-15	20	0	40
Cadres et professionnels	10-13	10	0	25

8.2.3 Les régimes collectifs de rémunération variable à long terme

Les régimes collectifs de rémunération variable à long terme correspondent à une promesse de verser une somme d'argent, ou des droits de propriété, pour la réalisation de certains résultats à long terme (généralement, trois ans et plus). Ces résultats peuvent être simples, comme celui de rester en poste pendant une certaine période, ou complexes, comme celui d'améliorer les bénéfices de l'organisation et la valeur de son action sur une période déterminée.

Comme nous l'avons mentionné précédemment, on peut classer les mesures incitatives à long terme en trois catégories : les régimes basés sur le rendement boursier (les régimes d'achat d'actions, les régimes d'octroi d'actions et les régimes d'options d'achat d'actions), les régimes basés sur le rendement comptable (les régimes de droits à la plus-value des actions, les régimes d'actions simulées, les régimes d'unités de rendement et les régimes de primes de rendement à long terme) et les régimes hybrides, c'est-à-dire les régimes basés sur les rendements boursier et comptable. Dans le premier cas, les personnes admissibles au régime sont rémunérées selon la valeur des titres échangés sur le marché (cote boursière), dans le deuxième cas, selon des mesures financières à long terme, alors que, dans le troisième cas, elles sont rémunérées selon la valeur du marché et les résultats financiers.

Comme ce chapitre porte sur les régimes *collectifs* de rémunération variable auxquels une proportion importante du personnel d'une organisation peut être

TABLEAU 8.9

LES MÉTHODES PERMETTANT DE DÉTERMINER DES PRIMES INDIVIDUELLES ACCORDÉES EN VERTU D'UN RÉGIME MIXTE DE PRIMES

La méthode matricielle

Cette méthode, qui est la plus utilisée, nécessite une détermination des pourcentages de la prime à payer, qui seront respectivement liés au rendement de l'employé et à la performance de l'organisation. Ces pourcentages varient habituellement selon le niveau hiérarchique du poste de l'employé admissible : plus le niveau hiérarchique est élevé, plus le rendement individuel est censé avoir un impact sur la performance organisationnelle, et plus le pourcentage de la prime lié au rendement de l'organisation est élevé.

La méthode du partage égal

Cette méthode tient compte autant du rendement de l'employé que de la performance de l'organisation dans la détermination des primes. L'effet d'un bon rendement individuel peut donc être annulé par une mauvaise performance de l'organisation, et vice versa, puisque l'un et l'autre ont la même importance. Pour ce faire, des cotes sont attribuées au rendement et à la performance et leur moyenne sert de base à la détermination des primes. Supposons qu'une prime ait été fixée à 15 % du salaire pour un rendement cible de 110 et qu'un employé présente un rendement exceptionnel avec une cote de 150. Si la performance de l'organisation est établie à 111, la moyenne des rendements est alors de (150 + 110) / 2, soit 130. Ainsi, pour un salaire de 60 000 $, la prime pour un rendement cible est de 9 000 $ (15 % de 60 000 $). Dans la situation actuelle, la prime équivaut à 130 % de 9 000 $, soit 11 700 $.

La méthode des rendements multipliés

Cette méthode multiplie la cote de rendement individuel par la cote de performance de l'organisation. Dans l'exemple précité, la prime serait de 150 × 110, c'est-à-dire 165 % de 9 000 $, soit 14 850 $. Cette méthode entraîne des primes plus élevées lorsque le rendement de l'employé et la performance de l'organisation excèdent 110, et des primes moins élevées lorsque le rendement de l'employé ou la performance de l'organisation (ou les deux) sont inférieurs à 111.

---

admissible, nous nous limiterons ici à présenter les régimes basés sur le rendement boursier, soit les régimes d'achat d'actions et d'octroi d'achat d'actions de même que les régimes d'options d'achat d'actions. Quoique les régimes de participation à la propriété restent encore aujourd'hui plus souvent réservés aux cadres supérieurs, une minorité croissante d'organisations étend leur participation à l'ensemble ou à une catégorie de leurs employés autres que les cadres supérieurs. Une étude du Conference Board of Canada (1999) montre que 24 % des firmes participantes qui ont des actions négociées à la Bourse offrent une certaine forme de rémunération à long terme à leurs employés non cadres. Comme les régimes basés sur le rendement comptable et les régimes hybrides sont souvent réservés aux dirigeants d'entreprise, nous en traiterons au chapitre 11 qui porte sur la rémunération de catégories particulières de personnel.

TABLEAU 8.10

EXEMPLE DE CALCUL DE LA PRIME VERSÉE À UN CADRE INTERMÉDIAIRE SELON UN RÉGIME MIXTE DE PRIMES

Catégorie d'emplois	Cible potentielle	Montant potentiel de paiement 0 % – 150 % de la cible	Poids des niveaux de performance (pourcentage de la cible potentielle et de la réalisation des buts)		
			Organisation	Division	Individu
Dirigeants	35 %	0 % – 50 %	75 %	15 %	10 %
Cadres supérieurs	25 %	0 % – 40 %	40 %	50 %	10 %
Cadres intermédiaires	15 %	0 % – 25 %	30 %	45 %	25 %
Professionnels	10 %	0 % – 15 %	20 %	15 %	65 %
Cadres de premier niveau	5 %	0 % – 10 %	10 %	20 %	70 %

Exemple : Cadre intermédiaire gagnant un salaire de base de 60 000 $

Cible potentielle : ((15 % × 60 000 $)) = 9 000 $; montant potentiel de paiement : 0 – 15 000 $ (25 % × 60 000 $)

À la fin de la période, les résultats sont les suivants :
105 % des objectifs organisationnels sont atteints
90 % des objectifs de la division sont atteints
95 % des objectifs individuels sont atteints

Calcul de la prime versée au cadre intermédiaire dont le salaire est de 60 000 $:

15 % × 105 % × 30 % = 4,7 % (organisation)
15 % × 90 % × 55 % = 6,9 % (division)
15 % × 95 % × 25 % = 3,6 % (individu)
                              14,4 % du salaire de base : 8 640 $

BULLETIN$ 8.2

*Dans le secteur privé, près d'un employé sur 10 participait à un régime de rému-
nération sous forme d'actions qui prenait diverses formes. De tels régimes sont surtout concentrés chez les employés aux revenus élevés et dans certains emplois
professionnels (par exemple, programmeurs et analystes en informatique) et dans les
professions du domaine des sciences naturelles et appliquées, de même que dans certaines branches telles que celles de l'informatique et des télécommunications et
celles de la foresterie, de l'extraction minière, de pétrole et de gaz. De plus, les participants à ces régimes tendent à travailler pour de grandes entreprises, particulièrement celles qui comptent 500 employés ou plus.*

Source : Adapté de Luffman (2003, p. 33).

Si on les compare avec les régimes collectifs de rémunération variable à court
terme, les régimes collectifs de rémunération variable à long terme possèdent les
particularités suivantes :

— ils représentent davantage un régime d'intéressement (loyauté) aux affaires de
l'entreprise qu'un régime d'incitation (motivation) à l'adoption de comportements précis ;

— ils attribuent des actions plutôt que de l'argent comme forme de reconnaissance.

Cette comparaison permet également de reconnaître les *atouts* suivants des
régimes collectifs de rémunération variable à long terme :

— ils permettent de reconnaître le rendement sans investissement d'argent ou
sans réduction des bénéfices ;

— ils aident à attirer et à retenir un personnel compétent lorsque l'entreprise ne
peut concurrencer d'autres entreprises à l'égard d'autres composantes de la
rémunération (le salaire, les primes, etc.) ;

— ils peuvent constituer une source importante d'enrichissement et d'économie
pour les employés grâce à des avantages fiscaux intéressants ;

— ils peuvent permettre à certaines entreprises d'éviter la faillite et de conserver
des emplois.

Par ailleurs, une comparaison entre les régimes collectifs à court terme
et les régimes collectifs à long terme montre que ces derniers comportent les
limites suivantes :

— ils sont assez complexes à gérer, à faire connaître et à expliquer ;

— ils lient la rémunération des employés à la performance boursière de
l'entreprise, un indicateur que ceux-ci maîtrisent peu, surtout dans les entreprises où la performance est cyclique ou tributaire du prix et de la disponibilité de matières premières ;

–   ils peuvent être risqués pour les employés dans la mesure où ces derniers sont pressés d'investir dans l'entreprise ;

–   ils considèrent la fluctuation *absolue* des prix des actions plutôt que leur fluctuation *relative* en comparaison de concurrents ou ne rattachent pas directement la valeur des octrois d'options d'actions au rendement individuel ou collectif des employés ;

–   ils peuvent nuire aux actionnaires parce qu'ils entraînent une dilution des actions ;

–   ils augmentent et rendent plus difficile l'estimation de la rémunération *globale* du personnel. On critique, par exemple, le fait que la valeur réelle des options d'achat d'actions soit difficile à estimer, puisqu'elle n'est connue qu'à son expiration.

Enfin, en ce qui touche au contexte *organisationnel approprié,* cette comparaison entre les régimes collectifs de rémunération variable à court terme et les régimes collectifs de rémunération variable à long terme indique ceci :

–   les régimes collectifs à long terme sont implantés dans des entreprises cotées à la Bourse ;

–   ils sont implantés davantage dans les organisations du secteur primaire ou de l'industrie de la haute technologie dont l'avenir est plus incertain (par exemple, les sociétés en démarrage) et qui font face à des problèmes de recrutement et de conservation d'employés clés très compétents ;

–   ils sont plutôt de type sélectif, c'est-à-dire qu'ils sont offerts aux cadres supérieurs ou aux employés détenant des compétences clés. Par ailleurs, on trouve de plus en plus de régimes non sélectifs ou élargis.

Une enquête du Conference Board of Canada (Booth, 1990) effectuée auprès de 122 grandes firmes canadiennes indique que l'efficacité des régimes d'options est perçue comme étant inférieure à celle des régimes d'octroi d'actions, d'actionnariat, de participation aux bénéfices, de partage des gains de productivité et de primes.

8.2.3.1 Les régimes d'achat d'actions et les régimes d'octroi d'actions

Définition et fréquence des régimes d'achat d'actions et des régimes d'octroi d'actions

En vertu d'un *régime d'achat d'actions,* les employés admissibles ont la possibilité d'acheter, à des conditions avantageuses, un certain nombre d'actions de l'entreprise au cours d'une courte période (de un à deux mois) à un certain prix (fixe ou variable) ou selon un mode de paiement particulier (fixe ou variable).

Ces régimes peuvent prendre différentes formes. Une entreprise peut, par exemple, offrir à ses employés la possibilité d'acheter des actions de l'entreprise à des conditions avantageuses : un prix de vente des actions à un taux inférieur à celui du marché, une offre d'appariement pour tout achat d'actions jusqu'à un maximum donné, une offre de payer un certain pourcentage du prix des actions (par exemple, entre 25 % et 85 %) selon les bénéfices, une offre de prêt sans intérêts ou avec un bas taux d'intérêt pour l'achat d'actions, la possibilité de faire faire des prélèvements automatiques sur les salaires pour l'achat d'actions, et ainsi de suite.

En général, les organisations limitent le pourcentage (par exemple, entre 6 % et 10 %) du salaire des employés pouvant être consacré à l'achat d'actions. Ainsi, une organisation peut proposer des régimes d'une durée de deux ans qui se décompose en quatre périodes d'achat distinctes permettant à l'employé de devenir propriétaire d'une partie (d'un quart) des actions auxquelles il a souscrit.

Une enquête du Conference Board of Canada (Baakda, 2006) montre qu'environ 63 % des entreprises canadiennes dont les actions sont négociées à la Bourse ont un régime d'achat d'actions et que, dans plus de 96 % de cas, il s'agit d'un régime élargi (*broad-based plan*) admissible à tous les employés. Toutefois, moins de la moitié des employés admissibles participent effectivement au régime.

Aux États-Unis, une étude de la National Association of Stock Plan Professionals (Sussman, 1997), menée auprès de 380 firmes comptant de 110 à 110 000 employés, a révélé que plus de 55 % d'entre elles (la moitié étant situées sur la côte Ouest) gèrent un régime d'achat d'actions à l'intention d'une proportion importante de son personnel (régime élargi ou non sélectif).

Quant au *régime d'octroi d'actions*, il donne des actions ou les accorde à un prix inférieur à leur valeur sur le marché boursier au moment de l'octroi. Dans la plupart des cas, les personnes ne peuvent vendre les actions ainsi acquises pendant une période déterminée (habituellement de quatre ou cinq ans), mais elles peuvent recevoir des dividendes et exercer leur droit de vote à partir du moment de l'octroi des actions. On offre souvent des actions aux dirigeants ou encore aux cadres ou aux professionnels difficiles à recruter et à retenir.

Les avantages et les inconvénients des régimes d'achat d'actions et des régimes d'octroi d'actions

Diverses raisons peuvent expliquer l'adoption d'un régime d'achat d'actions ou d'un régime d'octroi d'actions pour une partie importante, sinon la totalité, du personnel d'une organisation : l'entreprise peut rechercher l'amélioration de sa performance, l'amélioration de sa capacité d'attraction et de conservation d'employés ou la possibilité de rémunérer son personnel sans réduire ses liquidités.

D'abord, un régime d'achat d'actions peut *améliorer la performance de l'entreprise* en incitant les employés à penser comme des propriétaires ou en aidant à sauver l'entreprise de la faillite. Un grand nombre d'entreprises doivent aujourd'hui surmonter les multiples effets négatifs résultant de la poursuite de la performance à court terme (à travers la diminution des efforts de recherche et développement, la baisse de la qualité des produits, la réduction des investissements en équipements, la manipulation des résultats comptables, etc.) au détriment de la performance à long terme qui les caractérisait dans le passé. On s'attend à ce qu'un meilleur équilibre entre la portion à court terme de la rémunération, constituée du salaire et des primes à court terme, et la portion à long terme, comprenant les actions et les options, pousse les employés à rechercher le succès à long terme de leur entreprise.

Dans certains cas, l'adoption d'un régime d'achat d'actions a permis à des entreprises d'éviter la faillite. Par exemple, le régime d'achat d'actions de Norsask Forest Products, une scierie située dans la communauté de Meadow Lake, dans le nord-ouest de la Saskatchewan (Dale, 1997), a dans une large mesure permis à l'usine de rester ouverte et a sensiblement contribué à son impressionnante performance financière.

Par ailleurs, la participation à la propriété — tant par l'achat d'actions que par l'octroi d'actions — peut *favoriser le recrutement et la conservation du personnel*. Ces régimes d'achat d'actions et d'octroi et d'actions permettent aux employés de bénéficier de dividendes, de possibilités de gains en capital et, conséquemment, d'un traitement fiscal avantageux (paiements d'impôts réduits ou reportés). Pour attirer des candidats compétents et qualifiés, des organisations intègrent dans leurs conditions d'embauche l'offre d'une certaine quantité d'actions dès l'entrée en poste. En outre, l'octroi d'actions peut encourager certaines personnes à joindre les rangs d'une entreprise parce que cela compense la perte de certains avantages offerts par l'ancien employeur, comme les avantages liés à la retraite.

Les régimes d'octroi d'actions peuvent *permettre de rémunérer le personnel sans qu'il y ait débours et sans que cela réduise les bénéfices*. Ces régimes peuvent donc plaire aux entreprises qui ont peu d'argent ou qui doivent l'investir dans des immobilisations ou dans d'autres secteurs. C'est le cas pour les petites entreprises dont les activités s'exercent dans le domaine de la haute technologie ou pour les entreprises qui traversent des périodes difficiles et qui, temporairement, versent des actions pour compenser des augmentations de salaires qu'elles ne peuvent accorder.

Diverses limites caractérisent également les régimes d'achat d'actions et les régimes d'octroi d'actions. Les régimes d'achat d'actions (actionnariat) nécessitent un débours de la part de l'employé et comportent toujours un risque de perte pour lui. L'entreprise doit donc veiller à ne pas forcer ses employés à acheter trop d'actions de l'entreprise, pour éviter de mettre en péril la sécurité financière de ces derniers. À titre d'exemple, rappelons le cas de la société Trust Royal, dont le déclin a souvent été attribué à son régime d'achat d'actions financé au moyen de prêts personnels qui auraient encouragé leurs cadres à prendre des décisions d'affaires (prêts, investissements, etc.) qui étaient trop risquées et inappropriées pour une institution financière faisant appel à l'épargne publique.

Pour plusieurs observateurs, les actions — qu'elles soient achetées ou reçues — ne peuvent contribuer à améliorer la motivation au travail des employés étant donné que ceux-ci n'ont pas d'influence sur le cours de l'action. D'autres observateurs traitent d'un potentiel effet démobilisateur des régimes d'achat d'actions lorsque le prix de l'action chute.

8.2.3.2 Les régimes d'options d'achat d'actions

Définition, fréquence et caractéristiques des régimes d'options d'achat d'actions

Les années 1950 et 1960, caractérisées par la croissance économique et la performance des marchés boursiers, ont amené les entreprises nord-américaines à implanter un type particulier de régimes de rémunération à long terme, les *régimes d'options d'achat d'actions*. Ces régimes accordent à des personnes le droit (l'option) d'acheter des actions de leur entreprise à un prix fixé d'avance (le « prix de levée ») durant une période déterminée (généralement de 5 à 10 ans). La récompense potentielle des détenteurs d'une option correspond alors à la différence entre la valeur des actions sur le marché boursier au moment où ils décident de lever leur option et le prix de levée de leur option. Pour permettre de mieux comprendre le fonctionnement de ce type de régime, les parties A et B de la figure 8.2 présentent et comparent la position de deux employés détenteurs d'options d'achat d'actions.

Au cours des 10 dernières années, les régimes d'options d'achat d'actions ont été de plus en plus utilisés comme incitation à long terme pour les employés de tous les niveaux hiérarchiques. On parle alors de régimes d'options d'achat d'actions *élargis,* c'est-à-dire qui s'appliquent à plus de 50 % des employés.

Selon une enquête du Conference Board of Canada (1999), 10 % des firmes dont les actions sont négociées à la Bourse offrent des options d'achat d'actions à tous leurs employés. Par ailleurs, une enquête de Hewitt & Associés (1999) révèle que la proportion des entreprises offrant un régime d'options d'achat d'actions élargi est passée de 3 % en 1996 à 40 % en 1999.

Aux États-Unis, on estime qu'environ 2 000 firmes ont suivi des entreprises pionnières comme DuPont et PepsiCo pour offrir des régimes d'options d'achat d'actions élargis (Capell, 1996). Ces dernières années, les organisations les plus en vue ont octroyé des options d'achat d'actions à tous leurs employés, notamment Southwest Airlines, Chase Manhattan, DuPont, General Mills, Proctor & Gamble, PepsiCo, Merck, Eli Lilly, Kimberly-Clark, Microsoft, Amazon.com (Singh, 2002 ; Zingheim et Schuster, 2000). Une enquête du National Center for Employee

FIGURE 8.2

LE FONCTIONNEMENT D'UN RÉGIME D'OPTIONS D'ACHAT D'ACTIONS

A

**RELEVÉ
OCTROI D'OPTIONS D'ACHAT D'ACTIONS
AÉROTRANSPORT INC.**

**AÉROTRANSPORT INC.
ÉVOLUTION DU COURS DU TITRE**

J. LAROCHE

SALAIRE : 100 000 $
OCTROI EN 2004 : 16 000 actions
PRIX DE LEVÉE : 3,00 $
ÉCHÉANCE : 28 février 2012
CONDITIONS DE LEVÉE :

1er mars 2004 : 4 000
1er mars 2005 : 4 000
1er mars 2006 : 4 000
1er mars 2007 : 4 000

Toute option non levée au moment d'un départ volontaire ou d'un renvoi avec motif est nulle et sans valeur. Toute option est non transférable. Toute option non levée à l'échéance est nulle et sans valeur.

Président
Le 28 février 2002

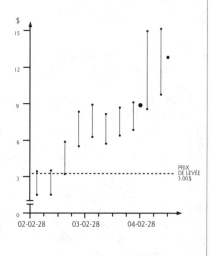

La partie A présente un relevé d'octroi d'options d'achat d'actions accordé le 28 février 2002 à J. Laroche, employé chez AéroTransport inc. À droite de ce relevé, un graphique illustre les fluctuations du cours boursier du titre de cette entreprise. M. Laroche ne peut lever son option qu'au terme d'une période d'acquisition de deux ans et, par la suite, seulement par tranches, soit 25 % ou 4 000 actions par année. Jusqu'au 1er mars 2004, l'option octroyée à M. Laroche ne peut être levée. À cette date, il a pu lever jusqu'au quart de son option et ainsi acheter un nombre d'actions d'AéroTransport inc. pouvant s'élever à 4 000 au prix déterminé au moment de l'octroi (3,00 $). M. Laroche aurait alors pu garder ses actions ou les revendre immédiatement au prix du marché (9 $) et ainsi encaisser un gain de 24 000 $ [9 $ – 3,00 $ × 4 000]. Toutefois, à la levée de l'option, son gain de 24 000 $ — qu'il soit encaissé ou non — aurait dû être ajouté à son revenu imposable. Par ailleurs, si M. Laroche avait prévu le potentiel de croissance du titre, il aurait pu décider de ne pas lever son option afin de bénéficier de la plus-value des actions sans courir le risque lié à la détention d'actions. Dans le cas d'AéroTransport inc., la levée de l'option le 1er mars 2004 se serait révélée un mauvais choix, car le titre a grimpé à 13 $ par la suite. Quant à la portion de l'option détenue par M. Laroche lui permettant d'acquérir 12 000 actions, elle n'est pas acquise et ne peut, par conséquent, être levée immédiatement. Toutefois, au cours du titre au 1er mars 2004 (9 $ l'action), l'option comporte déjà un gain potentiel de 72 000 $ [12 000 actions × (9,00 $ – 3,00 $)] qui ne pourra être réalisé que si M. Laroche demeure

FIGURE 8.2 (*suite*)

au service d'AéroTransport inc. La « valeur » de l'option pour le dirigeant diffère du gain potentiel, dans la mesure où elle ne peut être levée immédiatement et où le cours du titre peut fluctuer dans l'avenir — d'autres variables, suggérées par différents modèles théoriques tels que le modèle d'évaluation des options Black-Scholes (Hemmer, 1993), entrent en ligne de compte. Néanmoins, on comprendra que M. Laroche hésitera fortement à quitter son employeur pour un concurrent sans un montant compensatoire.

B

RELEVÉ
OCTROI D'OPTIONS D'ACHAT D'ACTIONS
SERVICE PUBLIC INC.

SERVICE PUBLIC INC.
ÉVOLUTION DU COURS DU TITRE

H. SMITH

SALAIRE :   100 000 $
OCTROI EN 2004 : 2 400 actions
PRIX DE LEVÉE :   23,00 $
ÉCHÉANCE :   28 février 2012
CONDITIONS DE LEVÉE :

    1er mars 2003 : 4 000
    1er mars 2004 : 4 000
    1er mars 2005 : 4 000
    1er mars 2006 : 4 000

Toute option non levée au moment d'un départ volontaire ou d'un renvoi avec motif est nulle et sans valeur. Toute option est non transférable. Toute option non levée à l'échéance est nulle et sans valeur.

Président
Le 28 février 2002

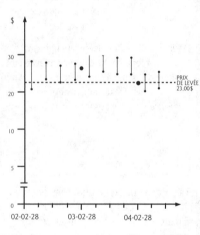

La partie B présente, à gauche, un relevé d'octroi d'options d'achat d'actions accordé le 28 février 2002 à H. Smith, employé de Service Public inc., et, à droite, un graphique illustrant les fluctuations du cours boursier de l'action de cette entreprise. À partir de mars 2003, M. Smith a pu lever chaque année un certain pourcentage (25 %) de ses actions. Les fluctuations du cours boursier indiquent que le titre de Service Public inc. n'est pas très volatil — son cours ayant fluctué entre 20 $ et 31 $ depuis le 28 février 2002 — comparativement à celui d'AéroTransport inc., qui a permis aux détenteurs d'actions de cette firme de réaliser des gains importants (de 2 $ à 15 $). Les gains que peut réaliser et encaisser M. Smith avec son option sont peu importants par rapport à son salaire, et l'on peut penser que leur effet « menottes dorées » (*golden handcuffs*), soit le fait de devoir rester au service de l'entreprise, est peu prononcé. Ainsi, en présumant que M. Smith n'a pas levé la portion acquise de son option le 1er mars 2003, le gain qu'il peut encaisser le 1er mars 2004 est de 0 $, le prix de levée étant égal au cours du titre. La valeur du gain potentiel sur la portion non acquise de l'option est également de 0 $: ce n'est sûrement pas cela qui retiendra M. Smith dans son emploi actuel si un autre employeur lui fait une offre d'emploi !

Ownership (1997) indique que plus de six millions d'employés participent à un régime d'options d'achat d'actions. En 1996, une enquête (Todd et Bierwirth, 1997) menée auprès de 24 grandes organisations américaines ayant un régime d'options d'achat d'actions non réservé à la direction démontrait que 40 % d'entre elles offrent ce régime à tous leurs employés (c'est-à-dire à plus de 90 % de leur personnel). Par ailleurs, 54 % des entreprises sondées rendent leurs employés payés à un taux horaire admissibles au régime d'options d'achat d'actions et 25 % le proposent à leurs employés syndiqués. Cette enquête constate les faits suivants :

- plus de 65 % des entreprises octroient des options sur une base régulière et presque automatique aux employés, alors que les autres font des octrois de manière *ad hoc* ou sélective selon le rendement, de sorte que seulement 30 % des employés admissibles reçoivent des options ;

- quatre-vingt-cinq pour cent (85 %) des entreprises octroient des options en fonction du salaire des employés, et un tiers d'entre elles tiennent également compte du rendement ;

- soixante-dix pour cent (70 %) des entreprises procèdent à des octrois d'options sur une base annuelle, 13 % en attribuent sur une base semestrielle et les autres, sur une base irrégulière ;

- cinquante-quatre pour cent (54 %) des entreprises octroient des options sur un nombre préétabli d'actions pour les employés d'une même classe d'emplois, quelle que soit la performance boursière ;

- quatre-vingt pour cent (80 %) des entreprises déterminent la valeur de l'option selon le salaire des employés alors que les autres accordent des options d'une même valeur à tous les employés ;

- presque toutes les entreprises imposent des conditions aux employés, de manière qu'ils ne puissent exercer leur option avant un certain temps et selon une certaine fréquence ;

- quatre-vingt-huit pour cent (88 %) des entreprises offrent des options sur une période de 11 ans ;

- presque tous les participants à l'enquête disent que les détenteurs vendent leurs actions aussitôt après avoir exercé leur option (la plupart des employés peuvent effectuer la transaction sans avoir à débourser d'argent).

Une autre enquête américaine, effectuée par le National Center for Employee Ownership (Weeden, 1998) auprès de 34 entreprises ayant un régime d'options qui s'applique à 50 % de leurs employés au moins, fait ressortir les tendances suivantes :

- la plupart des organisations rendent tous les employés admissibles aux options ;

- les options sont octroyées selon la valeur de l'action sur le marché le jour de l'octroi ;

— le mode d'acquisition des options est graduel et s'étend sur une période de trois à cinq ans ;

— la durée de l'option est de 11 ans et elle est conditionnelle au fait que l'employé reste au service de l'organisation ;

— les octrois d'options sont faits annuellement et varient selon la classe d'emplois, le salaire ou le rendement des employés ;

— les employés de sont pas obligés de conserver les actions lorsqu'ils lèvent leur option ;

— les employés ont le choix de lever leur option et de vendre leurs actions au cours de la même journée sans avoir à débourser d'argent ou de lever leur option et d'acheter leurs actions.

Les avantages et les inconvénients des régimes d'options d'achat d'actions

Comme l'adoption de régimes d'options d'achat d'actions élargis, c'est-à-dire destinés à plus de 50 % du personnel d'une organisation, est assez récente, la documentation professionnelle qui traite des avantages et des inconvénients de ce mode de rémunération est également assez récente[3]. Une lecture de ces écrits nous permet de résumer comme suit les attraits et les raisons du recours aux options d'achat d'actions comme mode de rémunération du personnel :

— ces régimes accroissent l'alignement des intérêts des employés sur ceux des actionnaires (amélioration de la performance boursière) et marquent la volonté de bâtir une culture de « propriété » où tout le monde se sent en partie propriétaire de l'entreprise et motivé à en améliorer la valeur ;

— ils favorisent le recrutement et la conservation du personnel ;

— ils versent des options n'exigeant aucune sortie de fonds et ne coûtent rien sur le plan des liquidités, ces dernières pouvant être attribuées à d'autres fins que la rémunération (l'achat d'équipements, les investissements en R & D, etc.) ou compensent la non-compétitivité des autres facettes de la rémunération du personnel (comme les salaires et les avantages sociaux moins concurrentiels des petites sociétés du secteur de R & D).

On déclare souvent que l'octroi d'options peut agir comme mécanisme de contrôle permettant d'aligner les intérêts des employés sur ceux des actionnaires, soit l'*amélioration de la performance boursière*. Des entrevues accordées par des experts en rémunération confirment que les dirigeants adoptent des régimes d'options d'achat d'actions afin d'intéresser les employés à suivre la valeur de l'action, de les inciter à s'interroger sur ce qu'ils peuvent faire pour influencer le prix de l'action et de leur permettre d'acquérir un sentiment d'appartenance à l'entreprise.

---

3   Voir, par exemple, Carberry (2001), Desbrières *et al.* (2000), Dolmat-Connel (2000), Estes *et al.* (2001), Handel (2000), Holsinger (2000), Hutchens et Roth (1998), Ledford *et al.* (2001), Luffman (2003), Newman et Waite (1998), St-Onge *et al.* (1996, 1999, 2001), Stradley et Olsen (2001), Strahan (2002), Thompson (2001), Weeden *et al.* (1998), Winter (2003).

Plusieurs auteurs expliquent l'adoption de régimes d'options d'achat d'actions par le besoin d'*attirer* et de *retenir* les employés au sein de l'entreprise. Comme mode de rémunération, les options maximisent le potentiel de gain des employés, étant donné que leur valeur n'est pas plafonnée. Aussi, un régime d'options d'achat d'actions serait avantageux sur le plan fiscal, car le personnel n'est pas imposé au moment de l'octroi de l'option, mais plutôt sur le gain réalisé lors de sa levée (les gains sur options étant favorablement traités comme des gains en capital). La valeur potentiellement élevée des options, doublée d'un tel avantage fiscal, représente un atout pour motiver le personnel à entrer et à rester au service d'une entreprise. La perspective de faire de l'argent avec ces options — si les actions de l'entreprise sont appelées à être négociées sur le marché boursier ou si elles prennent beaucoup de valeur — peut contribuer à attirer et à retenir les employés. En effet, comme le versement lié aux options est fait après plusieurs années et à certaines conditions, le personnel doit rester au service de l'entreprise pour réaliser un gain. On parle alors de « menottes dorées ». Selon des experts en rémunération, l'adoption d'un régime d'options d'achat d'actions pour le personnel répond en partie au besoin d'attirer et de retenir la main-d'œuvre (Journet, 2004). D'après eux, on propose des options afin de rester compétitif et de suivre la mode. Par ailleurs, plusieurs petites entreprises du secteur de la haute technologie doivent offrir des options à l'ensemble de leur personnel parce qu'elles ne sont pas en mesure de leur verser des salaires concurrentiels. Soulignons ici que pour des professionnels et des cadres de bien des niveaux hiérarchiques, l'admissibilité à un régime d'options d'achat d'actions est en soi un symbole de leur statut.

Si les régimes d'options d'achat d'actions sont susceptibles de comporter plusieurs avantages, ils ne font pas pour autant l'unanimité puisque de nombreux inconvénients leur sont aussi attribués, inconvénients qu'on peut résumer comme suit :

– les options n'incitent pas vraiment les employés à se comporter comme des actionnaires ;

– l'octroi d'options de motive pas les employés à améliorer leur rendement parce qu'ils n'ont pas d'influence sur la valeur des actions de l'organisation (faiblesse de la relation entre l'effort et la récompense). Aussi, un régime d'options d'achat d'actions risque plus de démotiver le personnel que de le motiver ;

– l'octroi d'options a un effet de dilution sur l'avoir des actionnaires faisant en sorte que ces derniers bénéficient de moins en moins de la création de valeur de l'entreprise, une portion de plus en plus élevée de la plus-value profitant aux dirigeants et aux employés détenteurs d'options ;

– les régimes d'options d'achat d'actions sont coûteux et complexes à gérer et à expliquer pour les employeurs ;

– ces régimes sont difficiles à comprendre pour les employés qui détiennent des options ;

– le coût des options des employés est difficile à évaluer, à apprécier et, conséquemment, à contrôler. Notons que, au Canada, c'est seulement depuis 2005 que les organisations sont obligées de comptabiliser les options détenues par leurs dirigeants et leurs employés dans les charges d'exploitation de leur société. Auparavant, les options constituaient la seule forme de rémunération qui ne contribuait pas à réduire le bénéfice des entreprises. Jusqu'à récemment, non seulement les options d'achat d'actions ne coûtaient rien sur le plan des liquidités et n'exigeaient aucune sortie de fonds de la part des entreprises, mais celles-ci n'étaient pas tenues de les déclarer dans leurs états financiers. Il est certain que le fait de considérer les options comme gratuites (elles ne réduisaient pas les bénéfices) a aussi contribué à leur popularité et à leur octroi abusif.

Pour plusieurs observateurs, les détenteurs d'options n'ont pas du tout les mêmes préoccupations que les actionnaires parce que leurs options ne leur coûtent rien, alors que les actionnaires achètent leurs actions. À l'inverse des détenteurs d'*actions,* les détenteurs d'*options* ne subissent donc jamais de perte réelle lorsque les actions baissent. Selon eux, les régimes d'*achat* d'actions auraient un effet plus positif sur la motivation des employés étant donné que la détention d'*actions* (et non pas d'*options*) suppose la crainte d'une perte financière et l'espoir d'un gain. Comparativement aux régimes d'achat d'actions, les régimes d'options d'achat d'actions ne comportent aucun risque pour le personnel. D'une part, les options ne peuvent valoir moins de 0 $, la pire situation étant celle où la valeur de l'action diminue ou reste la même. Dans ces derniers cas, les détenteurs d'options ne font aucun gain, mais ils ne subissent aucune perte réelle. En d'autres mots, si le titre ne s'apprécie pas, le «malheur» des détenteurs d'options se limite à un manque à gagner «espéré», leur revenu se limitant alors aux autres composantes de leur rémunération globale qui sont souvent fort satisfaisantes. De fait, un détenteur d'options n'assume un risque qu'au moment où il devient un véritable actionnaire, soit au moment où il lève son option et achète des actions. Or, l'expérience montre que les détenteurs d'options revendent leurs actions immédiatement après avoir levé leur option, conformément au mode de gestion de ce régime où l'employeur retient les services de professionnels qui s'assurent justement de la transaction de vente des actions acquises tout de suite après la levée de l'option par un employé.

Après avoir étudié les comportements de près de 60 000 employés de sept firmes sur une période de plus de 10 ans, Huddart et Long (1996) constatent que 64 % des employés de premier niveau lèvent leur option au cours des six mois qui suivent le moment où il leur est possible de le faire[4]. Ces employés lèvent aussi leur option en grands blocs de 50 % à 100 % des options reçues.

---

4   En comparaison, ce taux s'élève à 35 % pour les cadres supérieurs.

Selon de nombreux observateurs, les options ne contribueraient pas à améliorer la motivation au travail des employés étant donné les effets illusoires des comportements et des décisions de ces employés sur le cours de l'action. D'autres observateurs traitent d'un possible effet démobilisateur des options lorsque le prix de l'action chute et que les options deviennent sans valeur (Journet, 2004). Par le passé, des sociétés comme Microsoft et Sprint ont décidé d'accorder d'autres options à leurs employés qui détenaient des options, dont le prix de levée était supérieur au cours de l'action, à un prix de levée inférieur. Sprint l'a fait après avoir annulé les premières options (Strahan, 2002).

Par ailleurs, pour les employeurs, les régimes d'options d'achat d'actions sont complexes à expliquer et lourds à administrer. L'employé moyen a de la difficulté à comprendre ce qu'est une option d'achat d'actions ainsi que le fonctionnement d'un tel régime. Comme les employés ne sont pas en mesure d'apprécier la valeur potentielle du régime, l'efficacité de celui-ci est compromise. Un directeur de la rémunération interrogé dans une étude (Journet, 2004) rapporte qu'au sein de son entreprise plusieurs employés n'avaient pas levé leur option à la date d'échéance parce qu'ils ne comprenaient pas qu'ils devaient le faire. Une enquête menée par National Association of Stock Plan Professionals / PricewaterhouseCoopers (2000) montre que 1 % des organisations offrant un régime élargi estime que leurs employés de la base comprennent la valeur de leurs options et que seulement 10 % d'entre eux comprennent ce mode de rémunération. Les répondants estiment aussi que seulement 25 % des cadres intermédiaires saisissent bien comment fonctionne leur régime d'options.

On reproche aussi aux régimes d'options d'achat d'actions de nuire aux actionnaires parce qu'ils entraînent une dilution des actions. Blasi *et al.* (2001) ont étudié les liens entre l'adoption de régimes d'option élargis et diverses mesures de performance financière. Leurs résultats montrent que l'octroi de telles options entraîne un gain rapide et ponctuel sur la productivité qui n'est vraiment pas suffisant pour contrebalancer l'effet de dilution qu'entraîne l'octroi d'options sur l'avoir des actionnaires. Même si, en 1994, les Bourses de Montréal et de Toronto ont éliminé le plafond de 10 % des actions émises et en circulation qui peuvent être réservées aux régimes incitatifs, la plupart des investisseurs institutionnels sont plus à l'aise lorsque cette limite est respectée. Afin de contrer l'effet de dilution, certaines entreprises procèdent au rachat de leurs actions sur le marché boursier afin de les annuler ou de les allouer aux émissions d'actions requises par leurs régimes d'intéressement à long terme ; le nombre total d'actions en circulation reste alors constant, malgré la levée d'options par le personnel et les dirigeants.

Les conditions de succès des régimes d'options d'achat d'actions

Comme nous l'avons expliqué précédemment, le fait de rendre admissibles les employés d'une société à un régime d'options d'achat d'actions est censé enrichir les actionnaires en incitant les employés à travailler davantage et serait susceptible de faciliter le recrutement et la conservation du personnel. Compte tenu du nombre restreint d'entreprises qui gèrent un régime d'options d'achat d'actions auquel une majorité de ses employés est admissible, rares sont les chercheurs qui ont tenté d'estimer l'efficacité des régimes d'options d'achat d'actions élargis en analysant leurs effets sur des mesures objectives des indicateurs précédents (comme la performance boursière, le recrutement du personnel et la conservation de celui-ci). À notre connaissance, seuls des résultats d'enquêtes et d'études relatant des opinions de dirigeants, de directeurs de la rémunération et d'employés sont disponibles.

Toutefois, une revue des écrits permet de faire plusieurs recommandations visant l'amélioration de l'efficacité des régimes d'options d'achat d'actions destinés à la plus grande partie du personnel des organisations (voir, par exemple, Carberry, 2001 ; Holsinger, 2001 ; Journet, 2004, Newman et Waite, 1998). D'abord, la façon dont le régime est géré influe sur son succès. Certains auteurs recommandent (comme c'est aussi le cas pour les régimes d'options d'achat d'actions réservés aux dirigeants) d'octroyer les options en fonction du rendement individuel des employés, car l'octroi automatique ou uniforme — sans relation directe avec le rendement des employés — a peu d'effets sur la motivation étant donné que les employés ne perçoivent pas de lien entre leur participation au régime et leur rendement au travail. Il importe aussi d'investir dans la communication afin de s'assurer que les employés comprennent le régime si l'on veut qu'ils soient en mesure de l'apprécier.

Ensuite, le succès d'un régime d'options d'achat d'actions dépend des caractéristiques organisationnelles. En outre, de tels régimes sont plus efficaces lorsque la performance boursière de l'entreprise est bonne et que les options détenues par les employés ont de la valeur. Lorsque le cours de l'action baisse et que les options deviennent sans valeur (*underwater options*), elles parviennent moins bien à retenir les employés. Il faut aussi gérer le régime de manière cohérente par rapport aux autres pratiques de gestion. Les options ne sont qu'un élément parmi d'autres jouant sur l'attraction et la conservation des employés.

Finalement, le contexte économique et l'intégrité du management de l'entreprise influencent l'efficacité du régime d'options d'achat d'actions. Des événements comme les scandales financiers (pensons aux sociétés Enron et WorldCom) et la baisse des marchés boursiers ont alimenté le scepticisme à l'égard des options. Depuis le début des années 2000, les grands et les petits investisseurs se montrent plus méfiants et critiques à l'égard de ce mode de rémunération, ce qui risque d'avoir une incidence sur leur adoption.

8.3 La présence d'un syndicat et la rémunération variable

Ainsi que nous l'avons mentionné au chapitre 2, la gestion de la rémunération doit être cohérente par rapport au contexte d'une organisation. Un facteur important de cohérence est la présence ou l'absence d'un syndicat. Pour diverses raisons, notamment la subjectivité inhérente au processus d'évaluation du rendement qui soumet le salaire des employés aux biais des cadres, les syndicats sont tradition-nellement défavorables à tous les régimes de rémunération variable cherchant à reconnaître le rendement individuel.

En somme, si le personnel ciblé est syndiqué, les dirigeants doivent souvent réfléchir à la nature du régime collectif auquel le syndicat sera le plus favorable et aux conditions que celui-ci exigera.

8.3.1 La fréquence de la rémunération variable dans les milieux syndiqués

Au Québec, l'étude de 182 conventions collectives couvrant les années 1980 à 1992 (Ferland, 1996) démontre qu'au cours de cette période les modes de rému-nération négociés n'ont pas changé : ils font peu de place à l'individualisation des salaires, ils comportent rarement des composantes incitatives et ils rémunèrent davantage l'emploi que la personne, en s'appuyant sur un grand nombre de classes d'emplois. Le seul changement important observé au cours de cette période a trait à l'élargissement des échelles salariales (écart mini-maxi) et à l'adoption accrue de doubles structures salariales.

Au Canada, quoique la proportion de conventions collectives dans lesquelles on trouve un régime de participation aux bénéfices ait doublé entre 1987 et 1993, elle ne s'élevait qu'à 2 % en 1993 (Chawkowski et Lewis, 1995). À l'exception de l'enquête de Long (1997), les enquêtes révèlent toutes que la présence d'un syndi-cat réduit fortement la probabilité qu'un tel régime de participation aux bénéfices soit instauré (Betcherman *et al.*, 1994 ; McMullen *et al.*, 1993 ; Wagar et Long, 1995). Toutefois, on ne sait pas si cette situation est due au fait que les syndicats résistent à ces régimes ou si elle résulte du fait que les employeurs des entreprises dans lesquelles il y a un syndicat ne veulent pas de ce type de régime. Selon Heneman *et al.* (1997), comparativement aux autres types de régimes collectifs (les régimes de partage des gains de productivité, les régimes de partage du succès, les régimes d'actionnariat), les syndicats se montrent plus sceptiques envers les régimes de participation aux bénéfices parce qu'ils doutent de la manière dont la direction mesurera les bénéfices, parce qu'ils ne croient pas que les employés aient une influence réelle sur les bénéfices supérieure à celle d'autres facteurs externes, parce qu'un tel régime récompense aussi bien les cadres que les employés et parce qu'ils craignent que la rémunération des employés ne devienne fonction des bénéfices de leur employeur.

8.3.2 Les conditions de succès de la rémunération variable dans les milieux syndiqués

L'impact de la syndicalisation sur l'efficacité des régimes collectifs de rémunération variable (notamment les régimes de partage des gains de productivité) reste obscur (Cooke, 1992, 1994 ; Kaufman, 1992 ; Kim, 1996). Cette situation peut s'expliquer par le fait que les syndicats ne sont pas très portés à s'engager dans une relation de partenariat ou encore que les organisations dans lesquelles on trouve un syndicat ont une culture de gestion autocratique qui ne sied pas à ce type de régime. Des chercheurs (Kim, 1999 ; Kim et Voos, 1997) ont observé que, dans un contexte syndiqué, la justice du processus de gestion du régime — notamment la participation des syndicats et la communication visant les employés — s'avère un déterminant plus important de l'efficacité et du taux de survie des régimes de rémunération variable que dans un contexte non syndiqué (Kim, 1999 ; Kim et Voos, 1997 ; Long, 2000b ; Mericle et Kim, 1999). Autrement dit, s'il est généralement reconnu que la participation, la consultation et la communication sont importantes, cela l'est encore plus dans un milieu syndiqué pour optimiser l'efficacité et la survie des régimes de rémunération variable.

À la suite d'une revue de la documentation portant sur le sujet, Heneman *et al.* (1997) ont constaté que, pour qu'un régime collectif de rémunération variable soit accepté par un syndicat, les gestionnaires et les dirigeants d'une organisation doivent :

– être ouverts aux nouvelles formes de rémunération (par exemple, les salaires basés sur les compétences) ;

– proposer le régime pour lutter contre la concurrence étrangère ou nationale plutôt que pour obtenir un avantage concurrentiel ;

– consentir à partager ouvertement avec le syndicat toute l'information liée à sa position concurrentielle ;

– accepter de réduire au minimum les jugements discrétionnaires des cadres à l'égard de l'évaluation du rendement individuel et de la détermination des récompenses en privilégiant des critères objectifs et équitables ;

– s'appuyer sur des normes de rendement basées sur ses résultats plutôt que sur les choix de la direction ;

– consentir à faire participer les représentants des employés à certains processus de prise de décision traditionnellement réservés aux cadres (par exemple, la planification stratégique) ;

- établir un climat de confiance entre les dirigeants et les syndicats ;

- offrir des salaires et des modes de règlement de griefs équitables ;

- prévoir un budget important pour les récompenses ;

- accorder une reconnaissance égale aux employés plutôt qu'une reconnaissance liée au rendement individuel.

8.4 Bilan des études sur l'efficacité des régimes de rémunération variable

Au début de ce chapitre, il a été question des résultats et des limites méthodologiques des études qui ont analysé l'efficacité des salaires au mérite, le régime individuel de rémunération variable le plus fréquent. Ce chapitre a aussi permis de traiter de l'efficacité d'autres régimes de rémunération variable. L'objectif de la présente section consiste à faire un bilan des études ayant analysé les incidences de différents régimes individuels ou collectifs de rémunération variable, ces études ayant des points communs sur le plan méthodologique et quant au type de résultats.

Même si certains régimes de rémunération variable (notamment les salaires au mérite et la participation aux bénéfices) sont implantés depuis longtemps et que leur nombre est croissant, les recherches sur leur efficacité sont peu nombreuses mais somme toute assez positives en ce qui a trait aux retombées de ces régimes. Globalement, des chercheurs — tant de l'Amérique du Nord que de l'Europe — ont analysé les répercussions d'un régime de rémunération variable particulier sur divers indicateurs de la performance organisationnelle (tels que la productivité, les mises à pied, le taux d'emploi, les coûts de la main-d'œuvre, la qualité des produits, la valeur des actions, l'investissement à long terme, la valeur des titres de dettes, la volatilité du cours boursier, le taux de survie des entreprises, la capacité de recrutement du personnel ou les coûts de gestion et d'encadrement) ou sur divers comportements et attitudes des employés (comme la loyauté, l'engagement, la satisfaction, la motivation, les efforts, l'intérêt pour le travail, le rendement individuel, l'absentéisme, le roulement, l'intention de quitter l'entrerpise, le nombre de griefs, les communications, la coopération ou les relations de travail). Compte tenu la grande variété des incidences étudiées, il reste difficile de tirer des conclusions «dans l'absolu» au sujet de l'efficacité d'un régime de rémunération variable. Tout dépend des objectifs visés et de la mesure de l'efficacité retenue.

Par ailleurs, on constate que la majorité des chercheurs se sont intéressés aux effets *perçus* d'un type de régime collectif ou individuel de rémunération variable en interrogeant les employés, les supérieurs hiérarchiques et les dirigeants au moyen de questionnaires ou d'entrevues. Par exemple, l'étude de Long (1997) montre que la plupart des 118 présidents d'entreprises canadiennes ayant un régime de participation aux bénéfices estiment que leur régime a *largement* ou *complètement* atteint ses objectifs. Une analyse plus poussée des données de cette enquête conduite au moyen d'entretiens téléphoniques (Long, 2000a) indique que les PDG attribuent plusieurs effets positifs à leur régime de participation aux bénéfices dont les plus cités sont, dans l'ordre, la motivation et le rendement accrus des employés (52 %), l'attraction et la conservation du personnel (36 %), l'amélioration de la performance organisationnelle et la participation (30 %), l'intérêt pour la performance de l'entreprise et la coopération (10 %). Dans le même esprit, une enquête effectuée par Broderick et Mitchell (1987) révèle que 39 % des cadres d'organisations où l'on trouve un régime de participation aux bénéfices croient que ce régime entraîne une participation accrue des employés aux décisions de gestion.

D'autres chercheurs, bien qu'ils soient beaucoup moins nombreux, ont plutôt étudié les effets *réels* d'un régime individuel ou collectif de rémunération variable sur des indicateurs dits «objectifs» des comportements des employés (le taux d'absentéisme, le taux de roulement, etc.) ou de la performance des organisations (la valeur ou le taux de croissance des ventes, des revenus, des actions, de divers ratios comptables, etc.). Par exemple, Magnan et St-Onge (2005) ont analysé l'impact de l'adoption d'un régime de participation aux bénéfices sur les bénéfices. La recherche, basée sur des analyses longitudinales et comparatives, a été menée auprès d'organisations œuvrant dans le secteur des services financiers. Leurs résultats montrent que, comparativement aux organisations qui n'ont pas de régime de participation aux bénéfices, les organisations qui ont instauré ce type de régime font plus de bénéfices et utilisent davantage les moyens disponibles pour réduire leurs coûts d'exploitation. Leurs résultats montrent aussi que, par comparaison avec les organisations qui n'adoptent pas de régime de participation aux bénéfices, celles qui en adoptent un améliorent davantage à la fois leurs bénéfices et d'autres indicateurs de la performance organisationnelle que contrôlent les employés.

D'autre part, l'ampleur des effets positifs liés à l'implantation des régimes de participation aux bénéfices s'avère plus élevée à court terme pour les indicateurs de performance que contrôlent les employés (par exemple, la perte sur des prêts ou d'autres revenus) et plus importante à long terme pour les indicateurs que ne contrôlent pas les employés (par exemple, les revenus nets d'intérêts ou les coûts d'exploitation). De plus, parmi les entreprises qui adoptent un régime de participation aux bénéfices, l'amélioration des bénéfices est plus grande chez celles qui ont un rendement de l'investissement moins important que parmi celles qui ont un rendement de l'investissement plus important. En somme, moins la situation financière d'une entreprise avant l'adoption d'un régime de participation aux bénéfices est bonne, plus la participation aux bénéfices a un impact positif important sur les bénéfices.

À ce jour, les régimes collectifs à long terme de type non sélectifs sont probablement les régimes dont l'efficacité a été la moins étudiée (voir la revue de Kruse et Blasi, 1997). Dans le cas, surtout, des régimes d'options d'achat d'actions élargis, les preuves d'efficacité proviennent surtout d'anecdotes. Par exemple,

Capell (1996) observe que la chaîne de restauration rapide Wendy's International a réduit le taux de roulement des directeurs adjoints de 60 % à 38 % en les rendant admissibles à un régime d'options d'achat d'actions. Aux États-Unis comme au Canada, les quelques études portant sur l'efficacité des régimes non sélectifs de participation à la propriété — surtout des régimes d'achat d'actions — présentent des résultats souvent moyennement positifs ou neutres, mais rarement négatifs (Blasi *et al.,* 1996 ; Atherton, 1997).

Une étude longitudinale effectuée au sein d'une organisation canadienne qui gère les salaires en tenant compte du rendement individuel indique que, après avoir joint le régime d'achat d'actions, non seulement les employés améliorent leur rendement de manière importante, mais ils obtiennent des augmentations annuelles de salaires supérieures à ce que l'amélioration du rendement peut expliquer (Renaud *et al.,* 2004). Cette étude montre donc que, par-delà les atouts liés au placement à long terme, l'adhésion à un régime d'achat d'actions a des effets positifs à court terme sur les cotes de rendement et les augmentations de salaires accordées aux employés. En Europe, la plupart des études ont aussi mis en évidence une relation positive entre l'achat d'actions et l'engagement de l'organisation, et si certaines recherches exposent des résultats relatifs, ces derniers sont rarement négatifs. Là encore, au mieux ces effets sont positifs, au pire ils sont neutres (pour une revue, voir Commeiras *et al.,* 2000).

Enfin, si les données concernant l'efficacité des divers régimes collectifs de rémunération variable sont rares — en comparaison des convictions que certains expriment à leur égard —, les recherches portant sur l'efficacité relative des régimes sont encore quasi inexistantes. À ce sujet, une étude (Broderick et Mitchell, 1987) montre que les professionnels des ressources humaines préfèrent la participation aux bénéfices au partage des gains de productivité et à l'actionnariat comme moyen d'accroître la productivité et la loyauté des employés. Après un examen des résultats de recherches portant sur l'efficacité de divers régimes collectifs, Weitzman et Kruse (1990) concluent que la participation aux bénéfices a un effet positif plus important sur la performance organisationnelle que la participation à la propriété.

Le fait que le petit nombre d'études réalisées arrivent en général à la même conclusion plutôt positive — en adoptant des approches méthodologiques différentes qui comportent des contraintes différentes — peut être, jusqu'à un certain point, considéré comme un indicateur de la fiabilité de leurs conclusions. Toutefois, la confirmation de l'efficacité des régimes de rémunération variable — tant individuels que collectifs — doit être interprétée avec réserve en raison des limites méthodologiques des études, de la possibilité que les chercheurs soient partiaux, du peu de preuves quant au lien de causalité existant entre le régime de rémunération variable et les effets positifs et de l'incohérence des résultats de certaines études (voir le tableau 8.11). De plus en plus, on reconnaît qu'aucun régime n'est efficace en soi ; l'efficacité de tout régime, quel qu'il soit, dépend de la manière dont il est géré. La prochaine section dresse un bilan des conditions optimisant les retombées des régimes de rémunération variable individuels et collectifs.

TABLEAU 8.11

LES RAISONS DE MONTRER DE LA PRUDENCE À L'ÉGARD DES RÉSULTATS DES ÉTUDES AYANT ANALYSÉ L'EFFICACITÉ DES RÉGIMES INDIVIDUELS ET COLLECTIFS DE RÉMUNÉRATION VARIABLE

1. Limites méthodologiques des études

Études portant sur les effets perçus des régimes de rémunération variable

- Elles ne tiennent pas compte du caractère sélectif ou non sélectif des régimes (c'est-à-dire s'ils sont offerts aux dirigeants ou à l'ensemble du personnel).

- La mesure des attitudes est souvent indirecte : ce sont des cadres qui transmettent le jugement de leurs employés sur le régime.

- Les résultats s'appuient sur des analyses comparant la distribution des réponses sans qu'un test statistique soit effectué.

- Les perceptions des participants avant et après l'adoption du régime ne sont pas comparées.

- Les personnes qui acceptent de répondre à une enquête volontaire sont généralement les plus favorables à la question.

- Les dirigeants ayant implanté un tel régime tendent à le juger favorablement (tendance à la rationalisation).

- Les résultats sont influencés par la présentation du questionnaire.

Études portant sur les effets réels des régimes de rémunération variable

- Elles ne tiennent pas compte du caractère sélectif ou non sélectif des régimes.

- Les résultats des organisations qui ont adopté ce régime ne sont pas comparés avec les résultats de celles qui n'ont pas de régime (groupe de contrôle), ou, s'il y a comparaison, la différence n'est pas testée statistiquement.

- L'échantillon des organisations participantes n'est pas représentatif.

- Les effets d'autres variables (industrie, âge des régimes, etc.) pouvant influer sur les résultats ne sont pas contrôlés.

- L'efficacité à long terme des régimes n'est pas considérée.

- Les résultats avant et après l'adoption des régimes ne sont pas comparés.

2. Partialité possible des chercheurs

Les chercheurs sont généralement des universitaires ou des consultants participant à l'implantation des régimes, ou des personnes travaillant pour un organisme dont la mission est de promouvoir leur adoption. Ils croient donc aux vertus de ces régimes et, dans plusieurs cas, ont intérêt à ce que leur étude confirme leurs croyances. Il est alors difficile d'évaluer l'objectivité de leurs résultats. En outre, les chercheurs sont généralement des psychologues ou des spécialistes du comportement organisationnel qui, bien qu'ils aient les compétences pour évaluer l'effet des régimes sur les comportements et les attitudes, les ont probablement moins pour mesurer leurs effets sur la performance financière des organisations.

> **TABLEAU 8.11** *(suite)*
>
> **3. Absence de certitude sur le lien de causalité**
>
> Une corrélation positive entre la présence de régimes collectifs et diverses mesures de performance n'explique en rien le sens de la causalité. Est-ce que les organisations réussissent mieux parce qu'elles ont adopté un régime de rémunération variable? Est-ce que celles qui adoptent un tel régime réussiraient aussi bien si elles n'en avaient pas? Par exemple, les entreprises ayant un régime de rémunération variable peuvent présenter une meilleure performance financière parce que leurs employés sont moins susceptibles de résister aux changements technologiques.
>
> **4. Probabilités moins grandes que les résultats ne confirmant pas l'efficacité des régimes de rémunération variable soient publiés**
>
> Il faut admettre que les critères des revues scientifiques sont tels que les études dont les résultats confirment la présence d'une relation théorique attendue ont plus de chances d'être publiées que les autres. Par ailleurs, les résultats des études diffèrent sur l'ampleur du lien positif entre les régimes de participation aux bénéfices et la productivité : ce lien est étroit ou très faible. Certaines études révèlent même que les régimes de rémunération variable n'ont aucun effet appréciable ou ont même un effet négatif sur divers indicateurs de rendement.

8.5 Les conditions de succès des régimes de rémunération variable

De fait, il n'est pas vraiment important de se demander si des régimes de rémunération variable sont efficaces, puisque la réponse est : cela dépend! Il faut plutôt poser les questions suivantes : quels facteurs influent sur le succès à long terme des régimes de rémunération variable? Qu'est-ce qui rend ces régimes plus ou moins efficaces ou les fait percevoir comme étant plus ou moins efficaces? Les conditions de succès des régimes de rémunération variable — tant individuels que collectifs — peuvent être regroupées en catégories selon qu'elles portent sur le type de régime de rémunération variable retenu, sur les caractéristiques de la gestion des régimes, sur la façon dont ils sont implantés et administrés, sur la synergie entre les modes de reconnaissance et les activités de gestion du personnel et sur le contexte organisationnel.

8.5.1 Le choix du régime de rémunération variable

Comme nous avons pu le constater dans ce chapitre, il existe différents types de régimes individuels et collectifs de rémunération variable qui peuvent être gérés de diverses façons. Une entreprise doit donc choisir le type de régime qui répond le mieux à ses besoins et à ceux de son personnel. Comme ces besoins évoluent avec le temps, un régime peut être modifié, révisé, abandonné et même remplacé par un autre. Par ailleurs, à l'étape du choix d'un régime, les dirigeants doivent se demander si l'adoption même d'un régime, quel qu'il soit, est appropriée. Ainsi, une étude a montré que les entreprises où le risque d'affaires est très élevé et dont les résultats sont incertains ne devraient pas adopter de régime de rémunération variable, l'absence de régime étant liée à une meilleure performance pour de telles organisations.

Comme l'illustre la figure 8.3, pour choisir un bon régime de rémunération variable, il faut définir adéquatement les facteurs de succès de l'organisation (comme les coûts, les services et la qualité), choisir des indicateurs capables de mesurer la réalisation de ces facteurs de succès et y rattacher diverses formes de récompenses tangibles et intangibles. Ainsi, le fait de changer les éléments sur lesquels les employés sont évalués de même que la façon dont ils sont récompensés peut s'avérer un important outil de communication de valeurs ou de priorités pour la réalisation de la stratégie d'affaires de l'entreprise.

FIGURE 8.3

LA DÉTERMINATION DES INDICATEURS DE RENDEMENT À RÉMUNÉRER

Vision	Où voulons-nous être dans trois ou cinq ans?
Stratégie d'affaires	Comment nous différencions-nous de nos concurrents?
Plan stratégique	Que voulons-nous accomplir?
Facteurs de succès (de six à huit)	De quoi avons-nous besoin pour atteindre nos objectifs? • Coûts • Service aux clients • Développement de produits • Collaboration entre services • Amélioration du ratio extrants-intrants • Qualité • Main-d'œuvre compétente
Indicateurs du rendement individuel et de la performance organisationnelle à mesurer, à suivre et à reconnaître adéquatement	

Les régimes de rémunération variable sont des outils de communication qui doivent véhiculer les messages qui aident l'entreprise à atteindre ses objectifs. Il ne s'agit pas d'imiter les autres entreprises, mais de se poser la question suivante : que voulons-nous reconnaître ? La créativité ? l'esprit d'équipe ? la compétitivité ? la croissance continue ? la productivité à court terme ? la valeur boursière ? Cette réflexion, qui est essentielle, permet de déterminer les régimes de rémunération les plus efficaces et de diminuer le risque de reconnaître des comportements négatifs et indésirables plutôt que des comportements que l'on souhaite encourager. Plusieurs auteurs ont ainsi proposé que, dans un contexte de qualité totale où l'accent est mis sur la coopération et le travail d'équipe, une organisation privilégie les régimes individuels de rémunération variable plutôt que les régimes collectifs (voir, par exemple, Clinton *et al.,* 1994 ; Haines *et al.,* 2004 ; Waldman, 1994).

Afin d'aider les dirigeants à déterminer s'ils doivent adopter un régime individuel ou un régime collectif de rémunération variable, le tableau 8.12 présente un ensemble de critères de prise de décision qui peuvent être considérés.

8.5.2 Les caractéristiques des régimes de rémunération variable

L'efficacité des régimes de rémunération variable serait liée à leurs caractéristiques, comme le nombre d'employés admissibles, le mode de distribution, la nature, la fréquence et la valeur des primes ou des autres récompenses. De telles caractéristiques de gestion des régimes de rémunération variable sont bien entendu fonction du contexte de travail. À titre d'illustration, le tableau 8.13 dresse une liste de caractéristiques du milieu de travail susceptibles d'influencer les caractéristiques de la gestion des régimes de rémunération variable, comme le niveau de rendement à reconnaître, le montant des récompenses ou la proportion de rémunération variable.

En outre, il semblerait qu'en général plus le nombre de participants est restreint, plus les régimes sont efficaces. De même, il serait préférable d'accorder les primes selon les résultats des divisions plutôt que selon ceux de l'organisation entière, ou encore d'adopter des régimes mixtes, dans lesquels la valeur des primes tient compte des bénéfices de l'unité d'affaires *et* du rendement individuel. Ces recommandations s'appuient sur la prémisse selon laquelle plus la taille du groupe et le centre de profit sont restreints, plus l'émulation entre les membres pour accroître les bénéfices est grande, et plus les membres du groupe sont susceptibles de percevoir un lien entre leur rendement individuel et leur récompense.

De plus, pour que les récompenses incitent les employés à l'excellence, elles doivent être assez importantes. La valeur des récompenses (comme les primes) doit être suffisante pour amener le personnel à faire plus, mais elle ne doit pas être trop élevée, ce qui mettrait en jeu des sommes trop grandes pour l'entreprise. En d'autres mots, elle devrait être suffisante pour motiver les employés sans trop assujettir leur rémunération à la fluctuation des résultats de l'entreprise. Au sujet

TABLEAU 8.12

Les critères permettant de décider de l'adoption d'un régime individuel ou d'un régime collectif de rémunération variable

Régime individuel de rémunération variable	Régime collectif de rémunération variable
Des mesures appropriées du rendement individuel des titulaires des emplois sont disponibles, repérables et stables.	Le rendement individuel des titulaires des emplois est difficile à déterminer et à mesurer parce que les résultats sont le fruit des efforts collectifs ou que les méthodes et les critères d'exécution du travail changent souvent.
Les titulaires des emplois sont autonomes et l'accomplissement de leurs activités est peu dépendant des autres.	Les titulaires des emplois ne sont pas autonomes et la réalisation des résultats dépend des relations entre les employés.
La coopération entre employés n'est pas primordiale.	La coopération entre employés est primordiale
La compétition entre employés peut avoir de sains effets sur la performance organisationnelles.	La compétition entre employés nuit à la performance organisationnelle.
La culture, les valeurs et le succès de l'organisation reposent davantage sur les réalisations individuelles.	La culture et les valeurs de l'organisation appuient l'engagement envers la réalisation de résultats d'affaires qui sont communiqués aux employés.
Le rendement varie substantiellement d'un titulaire à l'autre.	Le rendement varie peu d'un titulaire à l'autre.
Les employés ne sont pas syndiqués.	Que les employés soient syndiqués ou non, le régime visé valorise la cohésion et l'égalité parmi le personnel de base.
Les titulaires représentent un atout concurrentiel pour l'organisation; la performance organisationnelle est davantage fonction des efforts individuels que de facteurs systémiques (comme l'organisation du travail ou la technologie).	Les titulaires visés représentent un atout concurrentiel pour l'organisation; la performance organisationnelle est davantage fonction des efforts collectifs et des facteurs systémiques (comme l'organisation du travail ou la technologie).
Les cadres ont les compétences et la motivation nécessaires pour évaluer et gérer le rendement de leurs employés.	Les cadres n'ont pas les compétences ou la motivation nécessaires pour évaluer et gérer le rendement de leurs employés.

des régimes de participation aux bénéfices, Tyson (1996) estime que les bénéfices doivent être suffisants pour offrir des primes annuelles équivalant à 3 % à 5 % du salaire de base des employés.

TABLEAU 8.13

LES INCIDENCES DE CERTAINES CARACTÉRISTIQUES ORGANISATIONNELLES SUR DIVERSES CARACTÉRISTIQUES DES RÉGIMES DE RÉMUNÉRATION VARIABLE

Caractéristiques du travail	Incidences sur la rémunération variable
Interdépendance des emplois Autonomie des titulaires Capacité de reconnaître le rendement	Niveau de rendement reconnu (individu, groupe, organisation)
Variations du rendement	Montant des récompenses attribuées
Maîtrise du rendement	Proportions de la rémunération fixe et de la rémunération variable Niveau de rendement reconnu (individu, groupe, organisation)
Capacité de mesurer le rendement	Proportions de la rémunération fixe et de la rémunération variable
Temps requis pour obtenir les résultats	Fréquence de l'attribution des récompenses
Nécessité de coopérer ou d'être en concurrence	Niveau de rendement récompensé (individu, groupe, organisation)
Culture organisationnelle	Niveau de rendement récompensé (individu, groupe, organisation)
Stabilité et régularité du rendement	Avances lors de mauvaises périodes
Importance du rendement pour la réussite de la firme	Potentiel (maximum) de récompenses

---

8.5.3 La gestion des régimes de rémunération variable

À l'égard de toutes les décisions en matière de gestion du personnel, il est important de s'assurer qu'on respecte certaines règles de justice dite «du processus» : le droit d'appel, la connaissance des critères de décision, les compétences des décideurs, la communication de l'information, la participation, etc. Ce principe reste valable au sujet des régimes de rémunération variable : il n'y a pas que la justice du résultat ou la justice distributive qui importe, c'est-à-dire le « combien » ou le « quoi », mais aussi la justice du processus utilisée pour décider du résultat ou des incitations accordées aux personnes, c'est-à-dire le « comment ». En somme, pour que les employés soient satisfaits de leur récompenses (que ce soient des primes, des augmentations de salaires, des commissions, des actions, des options, etc.) et y trouvent une source de motivation, ils doivent considérer que les montants qui leur sont versés sont non seulement justes, mais établis et gérés de manière juste.

Sur ce point, soulignons que le succès des régimes de rémunération variables — et surtout des régimes individuels — repose d'abord sur les épaules des cadres qui doivent déterminer, suivre, mesurer et récompenser le rendement. Ces derniers doivent s'approprier le régime et accepter d'assumer leur responsabilité dans ce domaine. Pour ce faire, il est important qu'ils participent à la conception, à l'implantation et à la gestion du régime individuel de rémunération variable. Pour leur part, les spécialistes des ressources humaines sont chargés de créer et d'implanter le programme de rémunération incitative, de veiller au respect des politiques des systèmes de récompenses et de conseiller les cadres dans l'application de ces systèmes.

La figure 8.4 résume les conditions de succès liées à la gestion des régimes de rémunération variable en s'appuyant sur les prémisses de la théorie des attentes. Les règles énumérées dans cette figure peuvent aider les cadres et les dirigeants à évaluer l'efficacité de la gestion et des caractéristiques de leur système de rémunération variable et elles leur offrent des moyens ou des pistes pour améliorer cette efficacité. Rappelons que, selon cette théorie, pour qu'une forme de reconnaissance ait un effet sur la motivation au travail d'un employé, il faut, entre autres, que celui-ci considère qu'il peut fournir le rendement attendu, qu'il perçoive une relation entre son rendement et la récompense et, enfin, que cette récompense soit importante pour lui. À propos de cette récompense, une mise en garde s'impose : les montants d'argent en jeu doivent certes être suffisants, mais pas au point que les employés seront prêts à tout pour obtenir le gros lot convoité !

L'efficacité des régimes de rémunération variable serait aussi fonction de la qualité de leur *gestion*. Les conditions de succès les plus souvent associées aux régimes de rémunération variable sont la qualité de l'information, de la formation et de la participation du personnel. Cela implique la sensibilisation aux objectifs des régimes, l'explication du mode de calcul des primes, s'il y a lieu, l'information sur les affaires de l'organisation, l'institution d'un comité responsable de l'administration du régime dont seraient membres certains employés, la sensibilisation à la relation existant entre les résultats et les récompenses, etc.

Les résultats — les bénéfices, la productivité, la valeur de l'action — ne surgissent pas spontanément : ils proviennent des efforts quotidiens de chaque employé ! Les employés devraient donc avoir une idée réaliste des résultats de l'entreprise et bien les comprendre. Pour qu'un régime collectif incite les employés à se surpasser, il doit leur apporter une réponse satisfaisante à deux préoccupations

FIGURE 8.4

LES RÉPERCUSSIONS DES PRINCIPES DE LA THÉORIE DES ATTENTES SUR LES CONDITIONS DE SUCCÈS D'UN RÉGIME DE RÉMUNÉRATION VARIABLE

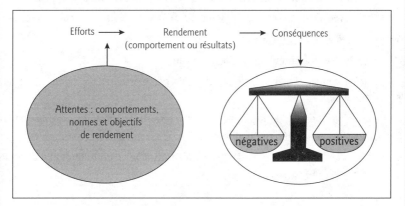

Les employés doivent percevoir un lien entre leurs efforts et leur rendement au travail (efforts et rendement), ce qui suppose :

- qu'ils aient les compétences requises par leur travail et qu'ils s'estiment compétents ;
- qu'ils sachent ce qu'est un bon rendement ;
- qu'ils considèrent l'évaluation du rendement comme valide ;
- qu'ils contrôlent les facteurs considérés dans l'évaluation de leur rendement, de manière à percevoir que ce dernier est lié à la qualité des efforts déployés ;
- qu'ils aient les ressources nécessaires (information, équipements, etc.) pour faire leur travail ;
- qu'il y ait de la diversité dans le rendement de tous les employés.

Les employés doivent percevoir un lien entre le rendement au travail et les rétributions offertes (rendement et conséquences), ce qui suppose :

- qu'ils constatent que ceux qui ont un meilleur rendement se voient attribuer un revenu plus élevé et vice versa ;
- qu'ils perçoivent une différence importante entre la reconnaissance accordée aux employés ayant un excellent rendement et la reconnaissance accordée à ceux qui ont un rendement satisfaisant ;
- qu'ils considèrent leur superviseur comme ayant les compétences pour évaluer leur rendement ;
- qu'ils aient confiance en leur superviseur et en la direction de l'entreprise ;
- qu'ils perçoivent plus d'avantages que d'inconvénients (de conséquences négatives) à l'amélioration de leur rendement ;
- qu'ils perçoivent que des mesures incitatives autres que pécuniaires sont également liées à un bon rendement ;

> ### FIGURE 8.4 *(suite)*
>
> - que le lien entre le rendement et les rétributions offertes leur soit communiqué sur une base continue.
>
> **Les employés doivent accorder de l'importance aux conséquences, ce qui suppose :**
>
> - qu'ils aient besoin d'argent ;
> - qu'ils désirent obtenir un meilleur revenu ;
> - qu'ils connaissent les rétributions qu'ils peuvent obtenir en améliorant leur rendement ;
> - qu'ils considèrent le montant d'argent correspondant à un bon rendement comme important et équitable ;
> - que les rétributions associées au rendement leur soient communiquées sur une base continue.

légitimes : comment pouvons-nous améliorer les résultats de l'entreprise ? Qu'en retirerons-nous ? Le régime collectif peut constituer un important mécanisme permettant une correspondance entre les intérêts des employés et ceux de l'entreprise... si les employés perçoivent le régime comme étant juste. Et étant donné que la justice est une question de perception, la communication devrait avoir un rôle à jouer en la matière.

Les modes de communication officiels (les documents écrits, les documents audiovisuels ou les notes de service) sont importants, mais ils sont incomplets sans l'apport des superviseurs, qui ont un contact direct et quotidien avec les employés. La crédibilité des régimes de rémunération variable fait partie des responsabilités des cadres (bien plus que de celles du service des ressources humaines), et ceux-ci devraient donc être sensibilisés à la question et aptes à remplir ce rôle de communication.

Le succès des régimes de rémunération variable tendrait aussi à être plus important quand on observe en même temps la présence d'autres caractéristiques de gestion : une implantation planifiée ou progressive (par exemple, si elle suit un programme de suggestions), des cadres compétents et capables d'informer et de consulter leurs subordonnés sur la situation de l'entreprise, un climat de con-fiance entre les cadres et les employés, un style de gestion ouvert, des conditions de travail (surtout pour ce qui est des salaires et des avantages sociaux) équitables et concurrentielles, une valeur relative des primes accordées aux différentes catégories d'employés (les employés de production, les employés de bureau, les cadres et la direction) perçue comme étant juste, des règles du jeu (l'admissibilité, le calcul des primes, etc.) connues, stables et simples et, enfin, l'absence de mises à pied associées à l'adoption d'un régime de rémunération variable.

Par ailleurs, un des problèmes qu'occasionnent les régimes de rémunération variable tient au fait que, dans bien des cas, ils ne ciblent qu'un indicateur ou certains indicateurs de rendement auxquels il faut satisfaire pour réussir. Par conséquent, ils incitent les employés à ne se conformer qu'à ce nombre restreint d'indicateurs (par exemple, le montant des ventes ou le nombre d'unités vendues) et à en ignorer d'autres (par exemple, le développement de la clientèle ou le service après-vente) qui sont aussi importants, voire davantage, pour la réussite de l'entreprise à long terme.

En résumé, pour que la gestion d'un régime de rémunération variable soit efficace, les conditions suivantes doivent être remplies :

- il faut communiquer les objectifs, les avantages et les critères du programme ;
- il faut récompenser les bons comportements ;
- il faut évaluer correctement la bonne mesure du rendement ;
- les critères d'évaluation du rendement pris en considération par le régime ne doivent pas être trop nombreux et ils doivent être équilibrés, pertinents et cohérents par rapport à la stratégie et aux valeurs de l'organisation ;
- il faut faire participer les cadres et les employés à l'implantation du régime ;
- il faut lier la reconnaissance au rendement ;
- il faut mettre en relation les objectifs et les besoins particuliers de l'entreprise ;
- il faut pouvoir compter sur l'appui de la direction (à travers une aide, un programme officiel ou la reconnaissance accordée par les dirigeants) ;
- il faut former les cadres et les encourager à reconnaître le rendement ;
- il faut donner de l'information aux employés ;
- il faut créer un climat de confiance entre les dirigeants, les cadres et les employés ;
- il faut établir un régime simple, facile à comprendre et perçu par les employés comme étant géré de manière équitable et cohérente par rapport aux autres pratiques de gestion ;
- il faut revoir continuellement l'efficacité du système de rémunération variable ;
- il faut octroyer des récompenses importantes mais non excessives ;
- il faut verser des salaires équitables.

8.5.4 Les caractéristiques de la gestion du personnel et des autres conditions de travail

Selon la théorie des contraintes situationnelles (Peters *et al.*, 1985), la motivation au travail est influencée par des conditions environnementales qui facilitent ou restreignent les habiletés individuelles à atteindre un résultat ou la possibilité d'atteindre celui-ci. Par ailleurs, comme l'illustre la figure 8.5, la motivation au travail ne constitue qu'un des déterminants du rendement au travail. Le rendement d'un employé au travail n'est pas uniquement une question de motivation ; il nécessite bien d'autres éléments. Les résultats d'un employé au travail dépendent non seulement de ses comportements (de ce qu'il fait), mais aussi de l'organisation du travail (les répercussions du travail d'autres personnes sur le sien), de l'environnement (jusqu'à quel point l'environnement est favorable à l'obtention de résultats) et des ressources disponibles (compte tenu des ressources requises pour l'obtention des résultats désirés). Quant aux comportements de l'employé, ils dépendent non seulement de sa motivation (ses efforts), mais également de ses connaissances et de ses habiletés, de la compréhension qu'il a de son rôle (ce que l'on attend de lui) et de sa personnalité (sa façon particulière de faire les choses). Une revue de la documentation portant sur le sujet a amené Morin (1996, p. 130) à conclure que «l'on sait aujourd'hui que la performance individuelle résulte davantage de la compétence de la personne que de sa motivation ».

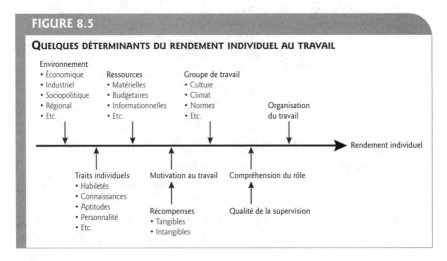

FIGURE 8.5

Quelques déterminants du rendement individuel au travail

Aussi, un régime de rémunération variable, quelle que soit sa forme, n'est pas suffisant à lui seul pour modifier la culture d'entreprise et résoudre un grave problème de productivité. C'est un ensemble intégré de modes de reconnaissance (des promotions, des primes, la formation, une plus grande autonomie, la communication, la participation, etc.) qui pousse les employés à s'engager dans leur travail, à se surpasser et à s'intéresser à l'entreprise. Les dirigeants d'entreprise doivent donc considérer dans leur ensemble les diverses formes de récompenses attribuées dans leur entreprise et les gérer de façon intégrée et cohérente.

Par ailleurs, pour qu'un régime de rémunération variable soit efficace, il faut que les employés aient une certaine sécurité de l'emploi et un salaire décent. On ne parle pas ici d'une sécurité de l'emploi absolue, mais d'une garantie, associée à certaines conditions, que les employés demeureront au service de l'entreprise. À quoi bon se surpasser si l'on finit par perdre son emploi ou par voir son salaire diminuer ? À long terme, on ne peut s'attendre à ce que les employés se surpassent s'ils sont sous-payés ou s'ils vivent avec la peur constante de perdre leur emploi. Par exemple, les résultats de l'étude de Florkowski et Schuster (1992) confirment que les perceptions des employés au sujet du caractère plus ou moins équitable de leurs conditions de travail ont un rôle important à jouer dans leur appui à un régime de participation aux bénéfices. Notons aussi qu'un régime de rémunération variable ne corrige pas les relations antagonistes entre la direction d'une entreprise et son syndicat ou son personnel ; pire, il risque plutôt de les détériorer davantage.

Ainsi, les dirigeants ne doivent pas voir dans un régime de rémunération variable un remède à tous leurs problèmes financiers ou un moyen de changer à lui seul la culture de l'organisation. D'une part, l'implantation d'un régime collectif est rarement la solution prioritaire pour régler un grave problème de performance. Ce régime ne résout pas les problèmes financiers majeurs qui découlent de l'incompétence des gestionnaires, de produits non compétitifs, de conditions du marché non maîtrisées par l'entreprise, etc. Dans de tels cas, l'adoption d'un régime ne fait que responsabiliser à l'excès les employés, qui peuvent à juste titre se sentir frustrés. D'autre part, l'implantation de la rémunération variable est rarement la solution prioritaire pour régler un sérieux problème d'insatisfaction ou de manque de motivation au travail. C'est un ensemble de marques de reconnaissance (des promotions, des gestes, des augmentations de salaires au mérite, une formation, une gestion participative, des activités sociales, etc.) qui pousse les employés à se surpasser et à s'intéresser à l'entreprise. Et parmi ces mesures, certaines sont prioritaires. Par exemple, un régime de rémunération variable ne résout pas un problème d'insatisfaction au travail causé par un manque d'autonomie, de variété des tâches et d'identification au travail. Il ne met pas fin non plus à un problème d'insatisfaction liée à d'autres conditions de travail, comme les salaires ou les avantages sociaux.

8.5.5   Les caractéristiques de l'organisation

Un régime de rémunération variable, quel que soit son type, n'est pas une panacée convenant à toutes les entreprises. De façon générale, il semble que les régimes de rémunération variable auraient plus de chances d'être efficaces s'ils étaient implantés au sein d'organisations dont la situation financière est saine et stable. Par exemple, une enquête de Long (1992) révèle que les dirigeants canadiens qui abandonnent un régime de participation aux bénéfices le font le plus souvent après une période au cours de laquelle leur entreprise n'a pas enregistré de profits, ce qui, au mieux, rend un tel régime non pertinent et, au pire, en fait une cause de frustration.

Les régimes de rémunération variable peuvent également améliorer la productivité si la culture organisationnelle, fruit de l'histoire de l'organisation, est appropriée. Ils ont également plus de chances d'être efficaces si les employés comprennent les concepts financiers et économiques de l'entreprise et s'ils ont l'occasion de participer — de façon officielle et officieuse — à ses décisions. Ainsi, ces régimes peuvent être efficaces si les dirigeants les appuient concrètement, s'engagent dans leur gestion, consentent à révéler leurs données financières, sont réceptifs aux suggestions des employés et acceptent d'abandonner leurs prérogatives traditionnelles pour établir une culture de partenariat. Des études confirment également que l'incidence des régimes collectifs de rémunération à court terme sur les comportements et les attitudes des employés est plus grande lorsqu'ils sont gérés dans un contexte qui encourage la participation des employés (Welbourne et Gomez-Mejia, 1995) et la communication (Hanlon et Taylor, 1991). Quand on voit la rapidité avec laquelle certaines organisations sont prêtes à réévaluer leur système de rémunération et leur peu d'empressement à réviser leurs autres modes de gestion, on constate que, pour plusieurs dirigeants et cadres, le plus pénible n'est pas de verser de l'argent, mais de devoir abandonner des privilèges, d'en partager d'autres ou encore d'en accorder de nouveaux. Certains dirigeants craignent de parler de résultats financiers avec leurs employés. D'autres refusent de partager l'amélioration des résultats avec eux, de peur de voir leur part réduite et leur pouvoir diminué. D'autres encore ne sont pas vraiment favorables à une participation réelle des employés à la gestion de leur entreprise, ou le sont seulement dans la mesure où les propositions des employés concordent avec leurs décisions et leurs politiques.

En résumé, rien n'assure les dirigeants qu'un régime de rémunération variable sera efficace. Leur meilleure garantie consiste à veiller à rassembler toutes les conditions de succès possibles. Sur ce point, les conseils pullulent à un point tel que les dirigeants d'entreprise risquent de ne plus se rendre compte que certaines conditions de succès ont une importance relative et d'oublier l'essentiel : il faut établir une culture de participation, de communication et d'information. En théorie, la plupart des régimes de rémunération variable n'exigent pas un style de gestion participatif, mais, en pratique, le climat de partenariat, caractérisé par l'échange d'informations et la participation des employés, semblerait être l'une des conditions de leur succès, sinon la principale. En effet, à notre connaissance, les divers écrits présentant une revue de la documentation sur un régime de rémunération variable[5], quelle que soit sa nature, s'accordent sur un point : tout régime de rémunération variable tend à s'avérer plus efficace lorsqu'il est géré dans un contexte prônant une culture de partenariat et de communication.

Conclusion

Ce chapitre a comparé les caractéristiques, les atouts, les limites, l'efficacité, les conditions de succès et le contexte organisationnel de différents types de régimes de rémunération variable. Nous pouvons conclure que l'efficacité de tout régime

---

5 Voir, par exemple, Chênevert et Tremblay (2000), Conte et Svejnar (1990), Gowen (1990), Heneman (1992), Pierce *et al.* (1991), Poole et Jenkins (1991), St-Onge (1994), St-Onge *et al.* (1999), Weitzman et Kruze (1990).

collectif de rémunération variable est une question de foi, de volonté et de moyens (St-Onge, 1994).

L'efficacité des régimes de rémunération est une question de *foi,* car, comme nous l'avons expliqué, la confirmation de l'existence d'une relation positive entre différents régimes de rémunération variable et diverses mesures de performance doit être interprétée avec réserve, compte tenu des faits suivants :

– les études comportent des limites méthodologiques et une certaine partialité ;

– leurs résultats divergent quant à l'ampleur du lien positif entre la présence ou l'adoption d'un régime de rémunération variable et la performance des organisations ;

– certaines études ont permis de constater qu'un régime de rémunération variable peut n'avoir aucun effet ou avoir un effet négatif sur la performance de l'organisation.

En somme, les régimes de rémunération variable, notamment les régimes collectifs, constituent en quelque sorte le symbole de la foi en une vision du monde des affaires fondée sur le postulat que la bonne fortune de l'entreprise dépend des employés et qu'elle doit être partagée avec eux. La première question que doivent se poser les dirigeants qui veulent adopter un régime collectif de rémunération variable est donc la suivante : est-ce que nous croyons vraiment au partage du succès comme philosophie de gestion ?

L'efficacité des régimes de rémunération variable est également une question de *volonté*. Le partage de la bonne fortune n'est pas une expérience ponctuelle : c'est un processus continu de communication et d'éducation auquel la direction doit consacrer des efforts constants, du temps et de l'argent. Aussi efficace soit-il, un régime de rémunération variable est toujours susceptible de devenir inefficace et doit faire l'objet d'un audit continu. À cet égard, il faut reconnaître les mérites des dirigeants et des professionnels de la rémunération qui consacrent beaucoup d'efforts et d'argent au maintien d'un régime de rémunération variable qui est important non pas tant à leurs yeux qu'aux yeux des employés admissibles, qui y voient un privilège, un droit acquis et une source d'enrichissement supplémentaire.

L'efficacité de ces régimes est aussi une question de *moyens*. En effet, l'expérience et les études démontrent que ces régimes sont efficaces dans la mesure où ils sont payants. Lorsqu'ils ne paient pas les employés sur une période de plus de deux à trois ans, ils sont plus susceptibles de les démobiliser. C'est d'ailleurs là la principale raison de l'abandon d'un régime collectif.

Il faut donc faire preuve d'un optimisme prudent au sujet des régimes de rémunération variable. Comme les gains associés à l'implantation d'un régime collectif sont incertains et probablement modestes en comparaison de l'énergie à déployer pour en assurer l'efficacité à long terme, il faut s'attendre à une hausse limitée du nombre de régimes qui seront adoptés au cours des prochaines années.

Les régimes collectifs demeureront le fait d'une minorité croissante — mais tout de même d'une minorité — d'organisations canadiennes : celles qui auront suffisamment de foi, de volonté et de moyens pour implanter un tel régime, pour le conserver et pour en assurer l'efficacité à long terme.

Questions de révision_____

1. Comparer sous divers angles (caractéristiques, atouts, limites, conditions de succès, etc.) les régimes individuels de rémunération variable suivants : le régime d'augmentations de salaires au mérite, le régime de primes de rendement et le régime double de primes et de salaires au mérite.

2. Traiter sous divers angles (fréquence, avantages, inconvénients et conditions de succès) les régimes de rémunération à la pièce.

3. Quels sont les avantages et les inconvénients présumés des régimes collectifs de rémunération variable ?

4. Distinguer et comparer les divers régimes de rémunération variable visant à reconnaître le rendement collectif à court terme sous divers angles (particularités, fréquence, avantages, limites, etc.).

5. Distinguer et comparer les divers régimes de rémunération variable visant à reconnaître le rendement collectif à long terme (particularités, fréquence, avantages, limites, etc.).

6. Commenter les études qui ont analysé l'efficacité des régimes de rémunération variable sur les plans de leur nombre, de leur méthodologie et de la teneur générale de leurs résultats.

7. Sur quels critères une entreprise doit-elle se baser pour choisir un ou plusieurs régimes de rémunération variable qui lui conviennent ? Donner des exemples.

8. Quelles sont les principales conditions de succès des régimes de rémunération variable ? Justifier sa réponse.

9. Commenter l'efficacité et les conditions de succès de la rémunération variable dans les milieux syndiqués.

10. Traiter de l'influence de diverses caractéristiques organisationnelles ou environnementales sur la présence ou la gestion des régimes de rémunération variable visant à reconnaître le rendement individuel. Pour ce faire, comparer des entreprises qui rémunèrent largement le rendement de leur personnel ou d'une catégorie de leur personnel avec des entreprises qui ne tiennent pas compte ou qui tiennent peu compte du rendement dans la rémunération. Qu'est-ce qui distingue ces deux groupes d'entreprises ? Cette comparaison peut s'appuyer sur des exemples d'entreprises connues.

11. Raconter des expériences positives et négatives en matière de reconnaissance et de rémunération des contributions individuelles, qu'il s'agisse d'expériences personnelles, d'expériences vécues par d'autres personnes ou encore d'expériences tirées des médias.

Références

ALBANESE, R. et D.D. VAN FLEET (1985). « Rational behavior in groups : The free-riding tendency », *Academy of Management Review,* vol. 10, n° 2, p. 244-255.

ALTMANSBERGER, H.N. et M.J. WALLACE (1995). « Strategic use of goalsharing at Corning », *ACA Journal,* vol. 4, n° 4, p. 64-73.

ATHERTON, A. (1997). « The ACS employee ownership index », *The Journal of Employee Ownership Law and Finance,* vol. 9, n° 1, p. 165-168.

BAAKDA, C. (2006). *Compensation Planning Outlook 2006,* Ottawa, The Conference Board of Canada, Human Resource Management.

BARTOL, K.M. et L.L. HAGMANN (1992). « Team-based pay plans : A key to effective teamwork », *Compensation & Benefits Review,* vol. 24, n° 6, p. 24-29.

BELCHER, J.G. (1991). *Gain Sharing,* Houston, Gulf Publishing Company.

BENNETT, M.A. (1996). « Teams, pay and business strategy : Finding the best mix to achieve competitive advantage », *ACA Journal,* vol. 5, n° 1, p. 12-25.

BETCHERMAN, G. *et al.* (1994). *The Canadian Workplace in Transition,* Kingston, Ont., IRC Press.

BLASI, J., M. CONTE et D. KRUSE (1996). « Employee stock ownership and corporate performance among public companies », *Industrial and Labor Relations Review,* vol. 50, n° 1, p. 60-79.

BLASI, J., D. KRUSE, J. SESIL et M. KROUMOVA (2001). « Public companies with broad-based stock options : Corporate performance from 1992-1997 », Oakland, The National Center for Employee Ownership.

BOOTH, P.L. (1990). *Strategic Rewards Management : The Variable Approach to Pay,* Ottawa, Conference Board of Canada.

BOURGEOIS, P. et S. ST-ONGE (1997). « La rémunération des équipes de travail », *Cahier de recherche,* n° 14, Montréal, HEC Montréal, septembre.

BOWIE-McCOY, S.W., A.C. WENDT et R. CHOPE (1993). « Gain sharing in public accounting : Working smarter and harder », *Industrial Relations,* vol. 32, n° 3, p. 432-445.

BRODERICK, R. et D.J.B. MITCHELL (1987). « Who has flexible wage plans and why aren't there more of them ? », *Industrial Relations Research Association Proceedings,* p. 159-166.

CABLE, J.R. et N. WILSON (1990). « Profit-sharing and productivity : Some further evidence », *Economic Journal,* vol. 100, n° 401, p. 550-556.

CAPELL, K. (1996). « Options for everyone », *Business Week,* 22 juillet, p. 80-84.

CARBERRY, E. (2001). « What the research says about broad-based stock options plan design », *Workspan,* décembre, p. 40-45.

CHAWKOWSKI, R. et B. LEWIS (1995). *Compensation Practices and Outcomes in Canada and the United States,* Kingston, Ont., IRC Press.

CHELIUS, J. et R.S. SMITH (1990). « Profit sharing and employment stability », *Industrial and Labor Review,* vol. 43, n° 3, février, p. 256-274.

CHÊNEVERT, D. et M. TREMBLAY (2000). « Analyse des expériences nord-américaines des régimes de partage des gains de productivité », dans J.M. Peretti et P. Roussel (sous la dir. de), *Les rémunérations : politiques et pratiques pour les années 2000,* Paris, Vuibert, coll. « Entreprendre », série Vital Roux, p. 181-196.

CLINTON, R.J., S. WILLIAMSON et A.L. BETHKE (1994). « Implementing total quality management : The role of human resource management », *SAM Advanced Management Journal,* vol. 3, n° 2, printemps, p. 10-16.

COATES, E.M. (1991). « Profit sharing today : Plans and provisions », *Monthly Labor Review,* vol. 11, n° 4, p. 19-25.

COMMEIRAS, N., A. LE ROUX et S. ST-ONGE (2000). « La participation financière : historique, efficacité et conditions de succès », dans J.M. Peretti et P. Roussel (sous la dir. de), *Politique de rémunération pour les années 2000,* Paris, Vuibert, coll. « Entreprendre », série Vital Roux, p. 161-180.

CONFERENCE BOARD OF CANADA (1999). *Compensation Planning Outlook,* rédigé par Nathalie Carlyle, Ottawa.

CONTE, M.A. et J. SVEJNAR (1990). « The performance effects of employee ownership plans », dans A.S. Blinder (sous la dir. de), *Paying for Productivity : A Look at the Evidence,* Washington, D.C., The Brookings Institution p. 143-182.

COOKE, W.N. (1992). « Product quality improvement through employee participation : The effects of unionization and joint union-management administration », *Industrial and Labor Relations Review,* vol. 46, n° 1, p. 119-134.

COOKE, W.N. (1994). « Employee participation programs, group-based incentives, and company performance : A union-nonunion comparison », *Industrial and Labor Relations Review,* vol. 47, n° 3, p. 594-609.

DALE, V. (1997). « Propriété des employés chez NORSASK. Pratiques en milieu de travail : études de cas », *Revue de la négociation collective,* Direction de l'information sur les milieux de travail, juillet-août.

DAVIDSON, K.M. (1995). « Getting results with team pay », *ACA News,* vol. 38, n° 8, septembre, p. 20-22.

DEMING, W.E. (1986). *Out of the crisis,* Cambridge, Mass., Center for Advanced Engineering Study, Massachusetts Institute of Technology.

DESBRIÈRES, P., S. ST-ONGE et M. MAGNAN (2000). « Les plans d'option sur actions : théorie et pratique », dans J.M. Peretti et P. Roussel (sous la dir. de), *Politique de rémunération pour les années 2000,* Paris, Vuibert, coll. « Entre-prendre », série Vital Roux, p. 135-160.

DOLMAT-CONNEL, J. (2000). « Magic potion or passing fad ? Are all employee stock option programs the solution to a compagny's attraction and retention issues ? », *ACA News,* vol. 43, n° 4, avril, p. 39.

DULWORTH, M.R. et B.L. USILANER (1987). « Federal government gainsharing systems in an environment of retrenchment », *National Productivity Review,* vol. 6, n° 2, printemps, p. 144-152.

EARLEY, P.C. (1989). « Social loafting and collectivism : A comparison of the United States and China », *Administrative Sciences Quarterly,* vol. 34, n° 4, p. 565-581.

EATON, A.E. et P.B. VOOS (1993). « Unions and contemporary innovations in work organizations, compensation and employee participation », dans L. Mischel et P.B. Voos (sous la dir. de), *Unions and Economic Competitiveness,* New York, M.E. Sharpe.

EISENBERG, E.F. et P.W. INGRAHAM (1993). « Analyzing the comparative pay-for-performance experience : Are there common lessons ? », *Public Productivity & Management Review,* vol. 17, n° 2, p. 117-128.

ESKEW, D. et R.L. HENEMAN (2002). « A survey of merit pay plan effectiveness : End of the line for merit pay or hope for improvement », dans R.L. Heneman (sous la dir. de), *Strategic Reward Management,* Greenwich, Conn., Information Age Publishing.

ESTES, A.L. *et al.* (2001). « Stock options : Are they still the brass ring ? », *Workspan,* vol. 44, n° 5, mai, p. 24.

FERLAND, G. (1996). « Modes de rémunération et structures de salaire au Québec (1980-1992) », *Relations industrielles / Industrial Relations,* vol. 51, n° 1, p. 120-135.

FLORKOWSKI, G.W. et M.H. SCHUSTER (1992). « Support for profit-sharing and organizational commitment : A path analysis », *Human Relations,* vol. 45, n° 5, p. 507-523.

FREHER, E.W. (2002). « Designing the annual management incentive plan », dans P.T. Chingos, *Paying for Performance : A Guide to Compensation Management,* 2e éd., New York, Wiley Publishers, p. 153-168.

GAUDREAULT, P. (2004). « Des primes au rendement pour presque tous les cadres supérieurs dans la fonction publique fédérale », *Le Droit,* 27 avril, p. 3.

GERHART, B. et S.L. RYNES (2003). *Compensation : Theory, Evidence and Strategic Implications,* Thousand Oaks, Calif., Sage.

GERHART, B. et C.O. TREVOR (1996). « Employment variability under different managerial compensation systems », *Academy of Management Journal,* vol. 39, n° 6, p. 1 692-1 712.

GLOBERSON, S. et R. PARSONS (1988). «Improshare : An analysis of user responses», dans A. Mital (sous la dir. de), *Recent Developments in Production Research*, Amsterdam, Elsener Science Publishers.

GOMEZ-MEJIA, L.R. et D.B. BALKIN (1989). «Effectiveness of individual and aggregate compensation strategies», *Industrial Relations*, vol. 28, n° 3, automne, p. 431-446.

GOWEN, C.R. (1990). «Gainsharing programs: An overview of history and research», *Journal of Organizational Behavior Management*, vol. 11, n° 2, p. 77-99.

GRAHAM-MOORE, B. et T.L. ROSS (1991). *Gainsharing : Plans for Improving Performance*, Washington, D.C., BNA Book.

GREENE, R.J. (1998). «Improving merit pay plan effectiveness», *ACA News*, vol. 41, n° 4, avril, p. 26-29.

GROSS, S.E. (1995). *Compensation for Teams : How to Design and Implement Team-based Reward Programs*, New York, Amacom.

HAINES III, V.Y., S. ST-ONGE et A. MARCOUX (2004). «Performance management design and effectiveness in quality-driven organizations», *Canadian Journal of Administrative Sciences / Revue canadienne des sciences de l'administration*, vol. 21, n° 2, p. 146-161.

HANDEL, J. (2000). «Give them equity and they will come : How Amazon.com built a work force on total rewards», *Workspan*, vol. 43, n° 9, septembre, p. 39-42.

HANLON, S.C. et R.R. TAYLOR (1991). «An examination of changes in work group communications behaviors following installation of a gainsharing plan», *Group & Organization Studies*, vol. 16, n° 3, p. 238-267.

HEMMER, T. (1993). «Risk-free incentive contracts : Eliminating agency costs using option-based compensation schemes», *Journal of Accounting and Economics*, vol. 16, n° 4, p. 447-473.

HENEMAN, H.G. et T.A. JUDGE (2000). «Compensation attitudes», dans S.L. Rynes et B. Gerhart (sous la dir. de), *Compensation in Organizations*, San Francisco, Jossey-Bass, p. 61-103.

HENEMAN, R.L. (1992). *Merit Pay : Linking Pay Increases to Performance Ratings*, Boston, Addison Wesley, HRM Series.

HENEMAN, R.L. (2001). *Business-driven Compensation Policies: Integrating Compensation Systems with Corporate Strategies*, New York, Amacom.

HENEMAN, R.L. *et al.* (1997). «Alternative rewards in unionized environments», *ACA Journal*, vol. 6, n° 2, été, p. 42-55.

HEWITT & ASSOCIÉS (1996). *Programmes de rémunération variable, base de données : faits saillants et résultats de l'enquête 1995-1996*, Canadian Salary Survey.

HEWITT & ASSOCIÉS (1999). *Programmes généraux d'options d'achat d'actions*, Canadian Salary Survey.

HOLSINGER, L.B. (2000). «Relation between employee participation in stock options plans and organization commitment», thèse de doctorat, Berkeley, California School of Professionnal Psychology.

HUDDART, S. et M. LONG (1996). «Employee stock option exercises», *Journal of Accounting and Economics,* vol. 21, n° 1, p. 5-43.

HUTCHENS, S. et L. ROTH (1998), «All-employee stock options : Eli Lilly's experience», *ACA Journal,* vol. 7, n° 1 p. 19-22.

IOMA (2002). *2002 Incentive Pay Programs and Results,* mai.

IOMA (2003). «Balanced scoreboards give performance and change management a very timely boost», *Pay for Performance Report,* février.

JONES, D.C., K. TAKAO et J. PLISKIN (1997). «Profit sharing and gainsharing : A review of theory incidence and effects», dans D. Lewin, D.J.B. Mitchell et M.A. Zaidi (sous la dir. de), *The Human Resource Management Book,* Greenwich, Conn., JAI Press, p. 153-174.

JOURNET, A. (2004). «L'efficacité et les conditions de succès des régimes d'option d'achat d'actions élargis», mémoire de maîtrise, Montréal, HEC Montréal.

KANIN-LOVERS, J. et M. CAMERON (1993). «Team-based reward systems», *Journal of Compensation & Benefits,* vol. 8, n° 4, janvier-février, p. 56-60.

KAUFMAN, R.T. (1992). «The effects of Improshare on productivity», *Industrial and Labor Relations,* vol. 45, n° 2, p. 311-322.

KELLOUGH, J.E. et L. HAORON (1993). «The paradox of merit pay in the public sector», *Review of Public Personnel Administration,* printemps, p. 45-64.

KELLOUGH, J.E. et S.C. SELDEN (1997). «Pay-for-performance system in State government», *Review of Public Personnel Administration,* vol. 17, n° 1, p. 5-21.

KIM, D.O. (1996). «Factors influencing organizational performance in gainsharing programs», *Industrial Relations,* vol. 35, n° 2, p. 227-244.

KIM, D.O. (1999). «Determinants of the survival of gainsharing programs», *Industrial and Labor Relations Review,* vol. 53, n° 1, p. 21-42.

KIM, D.O. et P.B. VOOS (1997). «Unionization, union involvement and the performance of gainsharing programs», *Relations industrielles/Industrial Relations,* vol. 52, n° 2, p. 304-332.

KRUSE, D.L. (1993). *Profit Sharing: Does It Make a Difference?,* Kalamazoo, Mich., Upjohn Institute.

KRUSE, D.L. et J.R. BLASI (1997). «Employee ownership, employee attitudes, and firm performance : A review of the evidence», dans D. Hewin, D.J.B. Mitchell et M.A. Zaidi (sous la dir. de), *The Human Resource Management Book,* Greenwich, Conn., JAI Press, p. 113-152.

LAWLER, E.E., G.E. LEDFORD JR. et L. CHANG (1993). «Who uses skill-based pay and why», *Compensation & Benefits Review,* vol. 25, n° 2, p. 22-26.

LEDFORD JR., G.E. MULVEY et P. LEBLANC (2001). *Reward at Work : What Employee Value,* Scottsdale, Ariz., WorldatWork.

LONG, R.J. (1992). « Incidence and nature of employee profit sharing and share ownership in Canada », *Relations industrielles / Industrial Relations,* vol. 47, n° 3, p. 463-488.

LONG, R.J. (1993). « The relative effects of new information technology and employee involvement on productivity in Canadian companies », *Proceedings of the Administrative Sciences Association of Canada,* juin.

LONG, R.J. (1994). « Gain sharing, hierarchy, and managers : Are they substitutes ? », *Proceedings of the Administrative Sciences Association of Canada,* vol. 15, n° 12, p. 51-60.

LONG, R.J. (1997). « Motives for profit sharing : A study of Canadian chief executive officers », *Relations industrielles / Industrial Relations,* vol. 52, n° 4, p. 712-733.

LONG, R.J. (2000a). « Employee profit sharing : Consequences and moderators », *Relations industrielles / Industrial Relations,* vol. 55, n° 3, p. 477-504.

LONG, R.J. (2000b). « Gainsharing and power : Lessons from six Scanlon plans », *Industrial & Labor Relations Review,* vol. 53, n° 3, p. 533-535.

LONGENECKER, C.O., H.P. SIMS et D.A. GIOIA (1987). « Behind the mask : The politics of employee appraisal », *Academy of Management Executive,* vol. 1, p. 183-193.

LUFFMAN, J. (2003). « Le point sur la rémunération sous forme d'actions », *Statistique Canada,* vol. 15, n° 2, p. 33-41.

MAGNAN, M. et S. ST-ONGE (2005). « The impact of profit sharing on the performance of financial services », *Journal of Management Studies,* vol. 42, n° 4, p. 761-791.

MASTERNAK, R. (2003). *Plan Design, Implement Gainsharing : A Team-based Approach to Driving Organizational Change,* Scottsdale, Ariz., WorldatWork.

McMULLEN, K., N. LECKIE et C. CARON (1993). *Innovation at Work : The Working with Technology Survey, 1980-1991,* Kingston, Ont., IRC Press, HRM Project Series.

MERICLE, K. et D.O. KIM (1999). « From job-based pay to skill-based pay in unionized establishment : A three-plant comparative analysis », *Relations industrielles / Industrial Relations,* vol. 54, n° 3, p. 549-580.

MITCHELL, D.J.B., D. LEWIN et E.E. LAWLER (1990). « Alternative pay systems, firm performance and productivity », dans A.S. Blinder (sous la dir. de), *Paying for Productivity : A Look at the Evidence,* Washington, D.C., The Brookings Institution, p. 15-87.

MITRA, A., N. GUPTA, et G.D. JENKINS (1995). « The case of the invisible merit raise : How people see their pay raises », *Compensation & Benefits Review,* vol. 27, n° 3, p. 1-76.

MORIN, E.M. (1996). *Psychologies au travail,* Boucherville, Gaëtan Morin Éditeur.

NAFF, K.C. et R. POMERLEAU (1988). «Productivity gainsharing : A federal sector case study», *Public Personnel Management,* vol. 17, n° 4, p. 403-419.

NATIONAL ASSOCIATION OF STOCK PLAN PROFESSIONALS / PRICEWATERHOUSECOOPERS (2000). «The 2000 stock plan design and administration survey», NASPP.

NATIONAL CENTER FOR EMPLOYEE OWNERSHIP (THE) (1997). «Five million employees now eligible for stock options», *Employee Ownership Report,* vol. 17, n° 4, p. 1-3.

NATIONAL CENTER FOR EMPLOYEE OWNERSHIP (THE) (2004). *Incentive Compensation and Employee Ownership,* Oakland, Calif.

NEWMAN, J. et M. WAITE (1998). «Do broad-based stock options create value?», *Compensation & Benefits Review,* vol. 30, n° 4, juillet-août, p. 78.

PEARCE, J.L., W.B. STEVENSON et J.L. PERRY (1985). «Managerial compensation based on organizational performance : A time series analysis of the effects of merit pay», *Academy of Management Journal,* vol. 28, p. 261-278.

PETERS, L.H., E.J. O'CONNOR et J.R. EULBERG (1985). «Situational constraints : Sources, consequences, and future considerations», dans G.R. Ferris et K.M. Rowlands (sous la dir. de), *Research in Personnel and Human Resource Management,* vol. 3, Greenwich, Conn., JAI Press.

PIERCE, J.L., S.A. RUBENFELD et S. MORGAN (1991). «Employee ownership : A conceptual model of process and effects», *Academy of Management Review,* vol. 16, n° 1, p. 121-143.

POOLE, M. et G. JENKINS (1988). «How employees respond to profit sharing», *Personnel Management,* vol. 20, n° 7, p. 57-69.

POOLE, M. et G. JENKINS (1991). «The impact of profit-sharing and employee shareholding schemes», *Journal of Management,* vol. 16, n° 3, p. 52-72.

RENAUD, S., S. ST-ONGE et M. MAGNAN (2004). «The impact of stock purchase plan participation on workers' cash compensation», *Industrial Relations – A Journal of Economy & Society,* vol. 43, n° 1, p. 120-147.

SHAW, D.G. et C.E. SCHNEIER (1994-1995). «Team measurement and rewards : Why some companies are getting it right», *Human Resource Planning,* vol. 18, n° 3, p. 34-49.

SINGH, P. (2002). «Strategic reward systems at Southwest Airlines», *Compensation & Benefits Review,* vol. 34, n° 4, mars-avril, p. 28-33.

SOCIÉTÉ CONSEIL MERCER LIMITÉE (1998). *Rapport d'enquête 1998 sur le rajustement des salaires pour le personnel non syndiqué.*

ST-ONGE, S. (1992). «A full investigation of variable influencing pay-for-performance perception», thèse de doctorat, Toronto, Université York.

ST-ONGE, S. (1994). « L'efficacité des régimes de participation aux bénéfices : une question de foi, de volonté et de moyens », *Gestion,* vol. 19, n° 3, p. 22-31.

ST-ONGE, S. (2000). « Variable influencing the perceived relationship between performance and pay in a merit pay environment », *Journal of Business and Psychology,* vol. 13, n° 3, p. 459-479.

ST-ONGE, S. et M. MAGNAN (1994). « La mesure de la performance organisa-tionnelle : un outil de gestion et de changement stratégique », *Gestion,* vol. 19, n° 3, p. 29-38.

ST-ONGE, S. *et al.* (1996). « L'efficacité des régimes d'option d'achat d'actions : qu'en sait-on ? », *Gestion,* vol. 21, n° 2, p. 20-31.

ST-ONGE, S. *et al.* (1999). « L'efficacité des régimes d'option d'achat d'actions : qu'en disent les dirigeants d'entreprise ? », *Gestion,* vol. 24, n° 2, p. 42-53.

ST-ONGE, S. *et al.* (2001). « Toward an integrated perspective on the use and effectiveness of stock option plans : A field investigation of top executives », *Journal of Management Inquiry,* vol. 10, n° 3, p. 250-266.

STRADLEY, B. et S. OLSEN (2001). « Options aren't the only long term incentive option », *WorldatWork Journal,* vol. 10, n° 2, 2e trimestre, p. 12-17.

STRAHAN, W.J.T. (2002). « Broad-based and global equity plans », dans P.T. CHINGOS and consultant firm Mercer Human Resource Consulting Inc., *Paying for Performance : A Guide to Compensation Management,* 2e éd., New York, John Wiley & Sons, p. 205-222.

SUSSMAN, S.L. (1997). « Taking stock employees : Which practices are hot, which practices are not », *ACA News,* vol. 10, n° 2, juillet-août, p. 27.

TODD, P.H. et J.T. BIERWIRTH (1997). « New insights into broad-based stock option plans », *ACA News,* vol. 40, n° 7, juillet-août, p. 29-31.

THOMPSON, M. (2001). « Managing stock options in down market conditions », *WorldatWork,* vol. 10, n° 2, 2e trimestre, p. 8-11.

TYSON, D.E. (1996). *Profit Sharing in Canada,* Toronto, Wiley.

WAGAR, T.H. et R.J. LONG (1995). « Profit sharing in Canada : Incidence and predictors », *Proceedings of the Administrative Sciences Association of Canada,* vol. 16, n° 9, p. 97-115.

WALDMAN, D.A. (1994). « Designing performance management systems for total quality implementation », *Journal of Organizational Change,* vol. 7, n° 2, p. 31-44.

WEEDEN, R. (1998). « The 1997 NCEO broad-based stock option survey », *The Stock Option Book,* Oakland, Calif., The National Centre for Employee Ownership, p. 163-212.

WEEDEN, R., E. CARBERRY et S.S. RODRICK (1998). *Current Practices in Stock Option Plan Design,* Oakland, Calif., The National Center for Employee Ownership.

WEITZMAN, M.L. (1987). «Macroeconomic aspects of profit sharing», dans H.R. Nalbantian (sous la dir. de), *Incentives, Cooperation, and Risk Sharing*, Totowa, N.J., Rowman & Littlefield, p. 202-212.

WEITZMAN, M.L. et D.L. KRUSE (1990). «Profit sharing and productivity», dans A.S. Blinder (sous la dir. de), *Paying for Productivity : A Look at the Evidence*, Washington, D.C., The Brookings Institution, p. 95-140.

WELBOURNE, T.M. et D.M. CABLE (1993). *Group Incentive and Pay Satisfaction : An Identity Theory Perspective*, document de travail, n° 93-11, Ithaca, N.Y., Cornell University, Center for Advanced Human Resource Studies.

WELBOURNE, T.M. et L.R. GOMEZ-MEJIA (1995). «Gainsharing revisited», *Compensation & Benefits Review*, vol. 20, p. 19-28.

WILSON, T.B. (1992). «Is it time to eliminate the piece rate system?», *Compensation & Benefits Review*, vol. 24, n° 2, p. 43-49.

WINTER, N. (2003). «Six façons d'utiliser la rémunération à base d'options», *CA Magazine.com*, mars.

ZINGHEIM, P. et J. SCHUSTER (2000). *Pay People Right!*, San Francisco, Jossey-Bass.

Chapitre 9

La gestion des avantages

Objectifs

Ce chapitre vise à :

➤ définir le terme « avantages » et à évaluer l'importance de ces derniers dans la rémunération totale ;

➤ décrire l'évolution des avantages offerts aux employés en Amérique du Nord ;

➤ faire connaître les diverses catégories d'avantages offerts par l'État ;

➤ présenter les principaux régimes d'avantages que peuvent offrir les employeurs : les régimes d'assurances collectives, les régimes de retraite et autres programmes ;

➤ expliquer les raisons d'être des avantages, tant du point de vue des employeurs que de celui des employés ;

➤ traiter des défis majeurs en matière de gestion des avantages, notamment ceux qui sont liés aux soins de santé, à la gestion des régimes de retraite et aux régimes d'invalidité ;

➤ examiner l'importance de bien gérer les avantages et les activités clés de gestion à cet égard, soit l'analyse des besoins des employés, l'établissement d'une politique sur les avantages et la communication des avantages ;

➤ présenter les différentes approches quant aux régimes flexibles d'avantages en insistant sur les atouts, sur les limites et sur le problème de l'antisélection ;

➤ décrire les programmes de retraite anticipée, de même que leurs avantages et leurs limites.

Cas et conjoncture

 Régimes collectifs. Avantages sociaux : mode d'emploi

Le moment est venu d'établir ou de bonifier le régime d'avantages sociaux de vos employés? Voici la marche à suivre, en cinq étapes.

Un bon régime collectif contribuera à sécuriser votre personnel, tant sur le plan professionnel que personnel; il pourra même vous servir de levier pour recruter des employés de grande valeur, et d'argument de poids pour les retenir au sein de l'entreprise. Pour en retirer le maximum de bénéfices, il faut cependant vous assurer que votre régime correspond à vos besoins et à ceux de vos employés, ainsi qu'à votre capacité de payer et à la leur.

Prenons le cas de SI Informatique, qui emploie actuellement 15 personnes à Saint-Hyacinthe. Elle s'est dotée d'un régime collectif au moment de prendre de l'expansion, à partir de 1998. «Quand nous ne comptions que deux employés, ce n'était pas intéressant. Lorsque notre personnel a commencé à augmenter, les gens étaient surtout intéressés par l'assurance médicaments», note Stéphane Pincince, le président de cette PME spécialisée dans la prestation de services informatiques.

Hyperchip comptait aussi une quinzaine d'employés quand elle a mis en place son premier régime d'assurance collective; celui-ci se combinera à un programme d'aide aux employés, à un REER collectif ainsi qu'à un programme d'escompte pour les assurances automobile et résidentielle. Au début de 2001, Michel A. Salmon, le directeur des ressources humaines, estimait que le temps était venu de doter l'entreprise d'un régime d'assurance plus souple et plus complet.

Il faut dire que cette entreprise montréalaise connaît une croissance très rapide depuis deux ans. Et son ascension ne fait que commencer puisqu'elle s'apprête à commercialiser son routeur haute performance auprès des fournisseurs de services de télécommunications desservant les grands réseaux publics. Résultat : son effectif devrait passer de 250 à 500 personnes d'ici trois ans.

Bien qu'elles soient dans des situations différentes, les deux PME ont retenu les services de consultants pour les aider à mener à bien leur dossier. Car pour faire les bons choix en matière d'assurance santé, de REER collectif, de programme d'aide aux employés ou autres, tant les petites que les moyennes entreprises doivent passer par les cinq mêmes étapes.

1. L'analyse des besoins

Trois éléments vont orienter votre choix vers certains avantages sociaux plutôt que d'autres : les besoins des employés, les avantages sociaux de vos concurrents et, bien sûr, votre budget.

Le consultant Michel Trudel, du Centre de traitement d'assurance collective de Sainte-Foy, a conseillé à SI Informatique de sonder les employés pour savoir quels avantages sociaux les intéressaient, et pourquoi ils en avaient besoin. Du côté d'Hyperchip, Michel A. Salmon et son consultant ont tenu des rencontres de groupe pour prendre le pouls du personnel, et aussi pour donner de l'information sur les régimes d'assurance collective.

Les actuaires et les consultants en avantages sociaux ont accès à des bases de données qui facilitent la comparaison entre les avantages sociaux d'entreprises d'un même secteur. «Il faut tenir compte de la rémunération totale comprenant le salaire, les primes et les programmes d'achat d'actions...», souligne Alain Robillard, actuaire pour la firme Watson Wyatt, à Montréal, qui a assisté Hyperchip à l'étape de l'analyse des besoins.

Dans le budget des avantages sociaux, il importe de se donner une marge de manœuvre pour parer aux augmentations de coûts. Mieux vaut donner moins d'avantages sociaux que trop. «Car tout changement à la baisse peut être mal accueilli», prévient Michel A. Salmon.

2. Le magasinage

À cette étape, le consultant de SI Informatique a préparé un cahier des charges, puis il a demandé des soumissions à des assureurs. Il a ensuite fourni à son client une analyse comparative des coûts et bénéfices de trois régimes, accompagnée de ses recommandations.

La démarche d'Hyperchip fut différente, tout simplement parce qu'un seul assureur pouvait répondre à ses besoins. «Il avait déjà des plans optimisés appelés Or, Argent et Bronze. Nous avons opté pour le plan de base en y apportant quelques petits changements. Cela nous a évité d'avoir à bâtir un plan à partir de zéro et nous a permis de réduire les délais», dit Michel A. Salmon. L'entreprise n'a pas eu non plus à faire imprimer de brochure explicative du régime ni de formulaires, utilisant plutôt ceux de l'assureur. Le consultant d'Hyperchip est intervenu pour analyser les coûts et les couvertures, ainsi que pour négocier les coûts avec l'assureur.

Après avoir arrêté votre choix sur un régime en particulier, il faut rencontrer les employés. «Deux choses les intéressent : ce qu'on leur propose comme avantages sociaux et combien il va leur en coûter», indique Michel Trudel. Si vous voulez améliorer un régime existant, efforcez-vous dans le nouveau régime de minimiser les écarts entre les employés gagnants et les employés perdants.

3. L'implantation

Michel A. Salmon a commencé à planifier le changement de régime collectif au printemps 2001. À l'été, il a contacté son consultant et l'assureur; le régime a été mis en place l'automne suivant. «Il faut éviter d'implanter le régime durant l'été, car les employés ne sont pas tous là», fait-il remarquer.

Souvent, des dirigeants de PME hésitent à instaurer un régime collectif, craignant que l'implantation ne soit trop accaparante pour le personnel administratif. Pour éviter une telle situation, Hyperchip a créé son propre site d'adhésion au régime, et 90 % des employés l'ont utilisé. Un conseiller a pris le temps de rencontrer ceux qui n'étaient pas à l'aise face à cette façon de faire.

«Pour épargner du temps, vous pouvez rencontrer les employés à la [pause] ou à 16 h 45, ou encore joindre leur fiche d'adhésion au chèque de paie. Comme le consultant est là pour appuyer l'entreprise dans sa démarche, il peut même rencontrer les employés individuellement», note Michel Trudel. Le consultant peut aussi faire pour vous les calculs de déduction hebdomadaire sur la paie des employés.

4. La gestion

Il y a des moyens d'épargner du temps et de l'argent dans la gestion quotidienne des régimes collectifs. Ainsi, la compagnie d'assurances choisie par Hyperchip peut recevoir les formulaires par Internet. Les gestionnaires ont accès par le même moyen aux dossiers individuels des employés et aux statistiques globales. De plus, la plupart des informations sur les régimes collectifs se trouvent sur l'intranet d'Hyperchip.

«Avec l'intranet, 90 % des gens se servent eux-mêmes. Nous servons ceux qui ont une réclamation pour une maladie grave. Nous nous efforçons de montrer aux autres comment utiliser le site électronique», explique Michel A. Salmon.

«D'ici quelques années, ajoute Alain Robillard, tous les assureurs offriront des outils administratifs performants pour ceux qui n'ont pas les ressources humaines nécessaires à l'interne.» De même, pour les REER collectifs, plusieurs institutions accordent aux employés des moyens de communication pour faire leurs transactions par téléphone ou par Internet.

5. Le renouvellement

Sur réception de la proposition de renouvellement de votre fournisseur, vous pouvez demander à votre consultant un rapport d'analyse de renouvellement. Mais, tous les cinq ans, donnez-lui le mandat de retourner sonder le marché en demandant des soumissions.

«Il faut rechercher des relations à long terme avec les fournisseurs, conseille Alain Robillard. Si on va trop souvent dans le marché, on va se brûler. Il est rare que l'on économise de l'argent de la sorte. C'est surtout parce qu'on n'est pas satisfait du service fourni qu'on devrait aller dans le marché», conclut-il.

Comment composer votre régime

Vous pouvez greffer différents éléments sur votre régime collectif, selon vos besoins et votre budget. Tour d'horizon des produits disponibles sur le marché.

L'assurance collective

Éléments essentiels :

- – Une assurance vie équivalant à une fois le salaire annuel ;
- – Une assurance invalidité de longue durée jusqu'à 65 ans ;
- – Une assurance santé couvrant les médicaments et l'hospitalisation, les soins dispensés hors du Québec et certains soins paramédicaux.

Éléments optionnels :

- – La couverture des autres membres de la famille ;
- – L'assurance invalidité à court terme, qui bonifie les prestations de l'assurance-emploi ;
- – Les frais liés aux lunettes et à l'examen de la vue ;
- – Les soins dentaires de base ou complets.

Clientèle visée :

- – Les PME d'au moins deux employés.

Coût :

- – «Entre 3 % et 5 % de la masse salariale», estime Claude Fournier, consultant en avantages sociaux pour la Société Conseil Mercer, à Montréal.

Programme d'aide aux employés

Élément essentiel :

– Consultations en personne avec un professionnel des relations humaines.

Éléments optionnels :

– Certains régimes, en plus des consultations en personne, donnent accès, pour des problèmes mineurs, à des consultations par Internet ou au téléphone.

Clientèle visée :

– Toutes les PME.

Coût :

– « Prévoyez un minimum de 50 dollars par employé et par année », dit Claude Fournier.

La retraite

Éléments essentiels :

– Les PME choisissent surtout un REER collectif avec prélèvements automatiques sur la paie. Le but n'est pas de battre les indices boursiers, mais d'obtenir une stabilité financière par des déductions à la source et de choisir des véhicules de placement pas trop spéculatifs.

Éléments optionnels :

– Les régimes enregistrés de pension sont peu populaires auprès des PME, en raison de leur lourdeur administrative et aussi parce que la participation financière de l'employeur y est obligatoire. Il est possible de jumeler au REER collectif un régime de participation différée aux bénéfices (RPDB) financé à même les profits de l'employeur.

Clientèle visée :

– Les entreprises qui ont déjà un régime d'assurance collective. « Seulement 30 % à 40 % des PME ayant entre 100 et 250 employés ont des régimes collectifs avec un volet retraite », indique Claude Fournier. Quant aux RPDB en particulier, ils visent les entreprises qui veulent récompenser les employés pour leur contribution à la performance financière.

Coût :

– Les PME qui offrent des avantages liés à la retraite y consacrent de 3 % à 5 % de leur masse salariale. Notez qu'il n'y a aucune charge sociale à payer — telles que les charges pour la RRQ ou la CSST — sur les contributions d'un employeur à un RPDB. Cependant, il y en a sur les contributions au REER collectif.

– « Les frais d'administration des REER collectifs ou des RPDB sont prélevés à même les revenus de placement. L'employeur peut cependant choisir de payer ces frais directement, soit environ 24 dollars par employé et par année, s'il ne veut pas qu'ils soient soustraits des revenus », conseille Claude Fournier.

L'assurance automobile et résidentielle

Produits :

- Des PME obtiennent pour leurs employés des tarifs de groupe pour des polices d'assurance automobile et résidentielle.

Clientèle visée :

- Toutes les PME.

Coût :

- Aucun.

La santé et l'équilibre famille-travail

Produits :

- Cette catégorie d'avantages sociaux comprend les ententes avec des fournisseurs pour les services suivants : garderie, centre d'exercices, entraîneur sur les lieux de travail, cafétéria, massages ou relaxation au bureau, valet pour les réparations automobiles ou le nettoyage à sec des vêtements.

Clientèle visée :

- Les moyennes entreprises. Ces services sont surtout populaires dans les entreprises médicales ou de haute technologie, ou encore dans les entreprises situées en région.

Coût :

- Variable, selon la part assumée par l'employeur.

Cinq conseils pour contrer les hausses de coûts

1. Profil de consommation

- Vous pouvez cerner les profils de consommation de vos employés en examinant les rapports trimestriels de l'assureur. «Quand les entreprises accusent de fortes augmentations de coûts, c'est souvent à cause de ce profil de consommation. Et la solution consiste alors à modifier la conception du régime», explique l'actuaire Alain Robillard.

2. Conseils aux employés

- Le consultant Michel Trudel suggère de distribuer aux employés des petits mots ou des coupures de presse pour les inciter, par exemple, à demander à leur pharmacien des médicaments génériques, qui sont moins chers.

3. Administration du régime

- Il est nécessaire que vous participiez à l'administration du régime. Par exemple, vous pouvez mettre en place des moyens pour vérifier que le conjoint d'un employé fait en premier une réclamation à son propre régime d'assurance collective. Vous devez aussi vérifier si l'employeur fournit suffisamment tôt à un employé invalide des services de réhabilitation.

4. Résolution de problèmes

- «Faites le point régulièrement avec l'assureur pour vérifier s'il y a des «irritants» et, le cas échéant, examinez comment vous pouvez les supprimer», conseille Alain Robillard.

5. Relations avec le fournisseur

– Si vous changez de fournisseur tous les ans, il est probable que vos coûts fluctueront beaucoup. Au début d'un régime collectif, les coûts peuvent en effet être instables, car le nouveau fournisseur ne connaît pas le profil de consommation de vos employés.

Source : Baribeau (2002, p. 37 et suiv.).

Introduction

Ce chapitre porte sur les avantages offerts aux employés, une composante importante de la rémunération totale. Il définit d'abord les avantages offerts aux employés et traite de leur évolution au Canada. Puis, le chapitre décrit brièvement les principaux régimes d'avantages offerts par l'État. Par la suite, il présente les principaux avantages gérés par les employeurs, soit les régimes d'assurances, les régimes de retraite et les autres programmes.

Après avoir examiné les raisons d'être et les limites des régimes d'avantages offerts aux employés, nous voyons les multiples défis que l'État et les employeurs doivent relever à l'égard des régimes d'avantages publics et privés. Nous insistons aussi sur l'importance de bien gérer les avantages offerts aux employés et sur les conditions de succès à respecter pour optimiser l'efficacité de la gestion des avantages. Plus précisément, nous traitons de l'importance d'adopter une politique en matière de gestion des avantages offerts aux employés, d'analyser les besoins en matière d'avantages et de communiquer ceux-ci. Finalement, nous examinons de manière plus approfondie deux types de programmes : les programme flexibles d'avantages et les programmes de préretraite.

9.1 Les avantages offerts aux personnes : définition et historique

9.1.1 Définition des avantages

Les avantages, qu'on qualifie couramment de « sociaux », sont des composantes de la rémunération indirecte, c'est-à-dire de la rémunération qui n'est pas versée en espèces aux employés. En d'autres mots, ce sont les conditions dont bénéficient les employés en matière d'avantages sociaux, de temps chômé, d'avantages complémentaires et de conditions de travail.

- Les avantages sociaux se composent des régimes privés et publics de retraite et d'assurances collectives qui visent à protéger les employés contre divers aléas de la vie, comme la maladie, l'invalidité ou la mortalité.

- Le temps chômé comprend les jours de vacances et de congé que les employeurs offrent à leur personnel en vertu de la Loi sur les normes du travail ou, très souvent, au-delà des exigences de cette loi. Il s'agit des congés liés aux jours fériés, aux raisons personnelles, au mariage, à la maladie, à la maternité, à la paternité, au décès, etc.

- Les avantages complémentaires consistent dans les gratifications accordées à un employé ou les dépenses remboursées par l'employeur (automobile, place de stationnement, repas, frais de scolarité, conseils financiers, programmes d'aide, etc.).

- Les conditions de travail incluent notamment les heures de travail et les congés sans solde qui ont un effet direct et indirect sur la rémunération du temps travaillé. Les congés sans solde, par exemple, peuvent nécessiter des débours pour la formation des employés remplaçants.

Ainsi que le clarifie Ferland (2004), en tant que composante des avantages offerts aux employés, l'assurance collective est le fruit d'un *contrat unique* qui confère des avantages personnels — soit des prestations ou une somme versées à l'assuré par l'assureur pour l'exécution de l'obligation résultant d'un contrat dont un employé pourra éventuellement bénéficier — à des *catégories de personnes* selon les conditions d'un programme ou d'un régime préétabli, de nature *publique ou privée,* à caractère *obligatoire ou facultatif,* et dont l'admissibilité est basée strictement sur l'appartenance à un groupe légalement déterminé. Sous le mode de l'assurance collective, les assurés ne sont pas désignés comme des personnes mais comme des catégories de personnes admissibles à un régime préétabli qui leur garantit le droit de recevoir des prestations lorsque des événements, des conditions ou des circonstances se présentent. De tels régimes d'assurances peuvent être de nature publique ou de nature privée, selon qu'ils sont financés par les gouvernements (fédéral ou provincial) et assujettis à un critère de citoyenneté ou par des intérêts privés pour le compte d'un employeur ou d'un syndicat et assujettis à un critère d'appartenance à une entreprise ou à une association. Les régimes d'assurances peuvent aussi être obligatoires ou facultatifs selon qu'ils sont imposés ou non imposés par une loi fédérale ou provinciale et/ou par un contrat collectif de travail ou par le contrat avec l'assureur. Le marché de l'assurance collective est énorme : entre avril 2001 et mars 2002, il s'est dépensé au Québec respectivement 23 milliards et 3 milliards de dollars dans le régime public et les régimes privés en prestations liées à l'assurance vie et à l'assurance contre les accidents et la maladie (Ferland, 2004).

9.1.2 L'évolution des avantages offerts aux personnes au Canada

L'offre et l'évolution de l'offre en matière d'avantages accordés aux employés ainsi que le rôle des gouvernements varient grandement d'un pays à l'autre. Il en est de même pour le financement de ces régimes par les impôts et pour les contributions relatives des employeurs et des employés. Les Américains, par exemple, ont choisi de résoudre les problèmes d'insécurité de la société industrielle en recourant essentiellement à l'initiative privée. Ainsi, le personnel syndiqué des grandes entreprises américaines des centres urbains est assez bien protégé comparativement aux employés non syndiqués des petites organisations.

Au Canada, comme l'indique le tableau 9.1, les avantages offerts aux employés et leur gestion ont beaucoup changé depuis la révolution industrielle. Jusqu'à la fin du XIXe siècle, les salaires en espèces représentaient l'unique élément de rémunération que recevaient les employés en échange de leurs services. L'industrialisation a contribué à augmenter les risques rattachés à la protection du revenu. Parallèlement à l'industrialisation, d'importants changements se sont produits dans la société, notamment le développement de la vie urbaine et, par conséquent, une plus grande dépendance des familles à l'égard de leurs revenus. Les politiciens de l'époque, tout comme ceux d'aujourd'hui, ne sont pas demeurés indifférents aux changements de mentalités qui survenaient dans la population. Par exemple, au Canada, la Loi sur la sécurité de la vieillesse est entrée en vigueur dès 1927. Cette loi allait permettre aux personnes âgées sans travail et nécessiteuses de recevoir des prestations de l'État. Au cours des années 1930 est apparu le premier régime de protection du revenu : le programme de Secours direct.

TABLEAU 9.1

L'ÉVOLUTION DES AVANTAGES OFFERTS AUX EMPLOYÉS CANADIENS

XIXe siècle. Les gouvernements des pays industrialisés commencent à adopter des lois enjoignant aux employeurs de se préoccuper du bien-être de leurs employés (par exemple, les modes d'emploi, la rémunération lors d'accidents).

Tournant du XXe siècle. Période au cours de laquelle les employeurs commencent à accorder divers services dits « paternalistes » aux employés, tels l'alimentation et le logement.

Grande Dépression. Les employeurs offrent moins d'avantages de type paternaliste en raison du nombre accru de lois et de la présence des syndicats.

1940-1949. Les régimes modernes d'avantages sociaux commencent à être mis au point, à cause d'un contrôle accru des salaires pendant la Seconde Guerre mondiale et du pouvoir accru des syndicats.

1950-1959. La croissance rapide des régimes d'avantages est due à la croissance économique et au fait que les employeurs utilisent ces régimes pour attirer et retenir leur personnel.

TABLEAU 9.1 *(suite)*

1960-1974. Le développement des régimes d'avantages se stabilise parce que l'inflation et les coûts des avantages offerts augmentent rapidement.

1975-1978. Le gouvernement du Canada veut réduire ses coûts et contrôler l'inflation. Forcés de calculer les coûts de toutes les composantes de la rémunération de leur personnel, les employeurs constatent que les avantages occupent une part importante de ces coûts.

1979-1995. Période marquée par les compressions dans les régimes d'avantages et le contrôle des coûts. Les régimes d'avantages commencent à refléter les changements survenus dans la société : la présence accrue des femmes dans la main-d'œuvre, le nombre croissant d'employés à temps partiel et le vieillissement de la population.

Période actuelle. Le contrôle des coûts continue de constituer une préoccupation importante. Les employeurs offrent des régimes «flexibles» d'avantages afin de contrôler les coûts et de mieux répondre aux besoins d'une main-d'œuvre diversifiée. Les avantages sont de plus en plus perçus comme des outils permettant d'atteindre les objectifs de l'entreprise.

Source : Adapté de Koskie *et al.* (sous la dir. de) (1995, p. 5-6).

Toutefois, la première intervention importante de l'État en matière d'avantages a plutôt été involontaire. En 1941, afin de maîtriser l'inflation, le gouvernement fédéral adopte un programme de contrôle des salaires et impose les bénéfices des entreprises à des taux très élevés. En réaction, les employeurs implantent des programmes de bénéfices ou d'avantages dits « marginaux » (*fringe*) — comme on les appelait à l'époque alors qu'on les considérait comme très peu importants — afin d'attirer et de garder le personnel requis. La présence des syndicats dans les grandes entreprises du secteur industriel dont la capacité de payer est généralement plus grande explique aussi la mise en place de ces programmes.

En 1940, la Loi sur l'assurance-chômage est votée et, en 1944, le Canada adopte un premier régime d'allocations familiales. En 1952, le programme de Sécurité de la vieillesse est modifié pour devenir le programme de Pension et de sécurité de la vieillesse (PSV) en vertu duquel le critère des besoins financiers n'intervient plus comme la pension est dorénavant accordée à toutes les personnes ayant atteint l'âge de 70 ans. Plus tard, l'âge minimal est réduit à 65 ans et, en 1967, le programme de Supplément de revenu garanti (SRG) a pris effet. En 1965, l'Ontario adopte la première loi canadienne portant sur les prestations de retraite, suivi par le Québec en 1966, par l'Alberta et le gouvernement fédéral en 1967, puis par la majorité des autres provinces. En 1968, le gouvernement fédéral adopte la Loi sur les soins médicaux (qui remplace la Loi sur l'assurance-hospitalisation et les services diagnostiques, adoptée en 1958), et toutes les provinces font de même par la suite. En 1971, la Loi sur l'assurance-chômage est modifiée pour permettre une plus grande accessibilité aux prestations ; ainsi, les femmes peuvent désormais recevoir des prestations d'assurance-chômage au cours d'une interruption de travail causée par une grossesse.

En somme, l'intervention accrue de l'État a été telle que le rôle de l'entreprise privée et des syndicats ne consiste plus à faire démarrer les choses dans ces domaines, mais plutôt à offrir un complément aux avantages offerts par l'État. Le principe de complémentarité entre les différents régimes d'assurances collectives publics et privés veille à ce qu'un assuré admissible à des prestations de différents régimes publics ou privés ne puisse se trouver dans une meilleure situation financière à la suite d'un sinistre (Ferland, 2004). Aujourd'hui, ce principe s'avère de plus en plus problématique puisque l'État réduit graduellement les avantages offerts par ses régimes et que les employeurs peuvent de moins en moins les prendre en charge.

9.2   Les régimes publics d'avantages

Les régimes publics d'avantages sont très nombreux. Cette section se limite à présenter succinctement les principaux régimes publics. Toutefois, une compréhension plus complète de ces régimes exige que l'on consulte des ouvrages spécialisés sur le sujet, des documents de sociétés-conseils (par exemple, Mercer, Consultation en ressources humaines, 2005) ou les sites Web des divers organismes gouvernementaux chargés de l'application des régimes et/ou des lois visés.

9.2.1   Les soins de santé

Au Canada, les régimes publics de soins de santé sont de compétence provinciale. Les gouvernements fédéral et provinciaux se partagent les coûts des soins de santé. Dans le secteur public, cinq principes orientent l'offre des soins de santé (Conference Board of Canada, 1995). Ces derniers doivent être :

– *universels,* tous les résidants devant être admissibles au régime public de santé ;

– *accessibles,* les services de santé devant être à la portée de tous les résidants et comporter un coût raisonnable ;

– *transférables,* le régime devant couvrir les résidants lorsqu'ils sont temporairement à l'extérieur du pays ;

– *complets,* les frais hospitaliers et les soins dispensés par les médecins devant être assumés par le régime ;

– *gérés par une autorité gouvernementale* à but non lucratif, les provinces étant tenues pour responsables de leur gestion.

Le financement de ces régimes de soins de santé varie d'une province à l'autre selon qu'elle exige des cotisations des contribuables seulement, des employeurs seulement ou à la fois des employeurs et des résidants. Au Québec, en 2005, les employeurs devaient verser en cotisations 4,26 % de leur masse salariale, ce taux étant réduit lorsque cette dernière est inférieure à 5 000 000 $. Parallèlement, en 2005, les résidants du Québec devaient verser 1 % (jusqu'à concurrence de 1 000 $) de la presque totalité du revenu imposable, autre que le salaire, excédant 12 075 $. Les régimes de soins de santé de chaque province (et territoire) portent au moins sur les coûts se rapportant, d'une part, à la maladie, aux médicaments, aux soins dentaires et aux examens de la vue et, d'autre part, à l'hospitalisation.

9.2.1.1 La maladie, les médicaments, les soins dentaires et les examens de la vue

Les *régimes d'assurance maladie* peuvent comprendre, selon les provinces, les services dispensés par des médecins à domicile, au cabinet de consultation ou à l'hôpital. Selon la province de résidence, certains soins paramédicaux ainsi que les prothèses et les fournitures orthopédiques sont pris en charge. Ces services sont également remboursés à divers pourcentages lorsqu'ils sont dispensés temporairement hors de la province.

Plusieurs provinces canadiennes ont étendu la portée de leur régime d'assurance maladie pour y intégrer les *soins dentaires* dispensés aux enfants et les *examens de la vue*. Au Québec, par exemple, la protection liée aux examens de la vue est limitée aux résidants âgés de moins de 18 ans et de 65 ans et plus. Par ailleurs, toutes les provinces couvrent, à divers degrés, les frais engagés hors de la province pendant de brefs séjours, la protection étant assujettie à un plafond quotidien. Aussi, en dehors des programmes destinés aux personnes à faible revenu, toutes les provinces du Canada prennent en charge les coûts de certaines interventions chirurgicales dentaires et buccales faites à l'hôpital.

En matière d'aide au paiement des *médicaments,* toutes les compétences territoriales canadiennes ont une liste de médicaments qui peuvent être remboursés aux résidants. Le contenu du régime varie toutefois d'une province à l'autre (par exemple, le pourcentage de remboursement, le montant maximal par ordonnance ou le montant de la franchise annuelle). Depuis 1997, au Québec, la loi 33 vise à assurer que tous ses résidants sont couverts par un régime universel d'assurance médicaments. En vertu de cette loi, tous les résidants du Québec ont l'obligation légale de se placer sous la protection d'un régime collectif privé ou, à défaut d'une protection privée, du nouveau régime public offert par la Régie de l'assurance maladie du Québec (RAMQ). La couverture de toutes les autres personnes demeure toutefois assurée par les divers régimes d'assurances collectives. Comme, au Québec, la quasi-totalité des employeurs offrent des régimes collectifs de rémunération permettant à près de 85 % de la population âgée de 18 à 64 ans d'être protégée par un régime collectif d'assurance maladie, la loi est utile aux 15 % de la population qui ne sont pas admissibles à un tel régime, principalement les étudiants, les prestataires d'aide sociale et d'assurance-emploi, et les travailleurs autonomes (Picard, 1997). Ces derniers se voient alors rembourser près de 71,5 % des dépenses admissibles, moyennant une franchise mensuelle de 10,25 $ par adulte en 2005 ; le remboursement atteint toutefois 100 % si un montant mensuel maximal préétabli par adulte est dépassé, soit 71,42 $ en 2005. Suivant les dispositions de cette loi, aucun assureur ou employeur n'est autorisé à offrir de l'assurance pour d'autres circonstances que le décès (invalidité, accident, maladie, soins dentaires) à un groupe de personnes sans offrir la protection minimale prescrite en vertu de la Loi sur la gratuité des médicaments sur ordonnance. Si l'entreprise n'offre qu'un régime d'assurance vie, elle n'a pas à offrir un régime qui comprend les médicaments, puisque ses employés sont soumis à la loi.

9.2.1.2 L'hospitalisation

Depuis les années 1960, chaque province (et territoire) canadienne offre un *régime d'assurance hospitalisation* financé avec l'aide du gouvernement fédéral. Quoique les régimes varient d'une province à l'autre, tous couvrent les frais de séjour en salle et les soins infirmiers dispensés aux patients, l'utilisation d'une salle d'opération, les examens de laboratoire, les médicaments, les services diagnostiques et les soins d'urgence en consultation externe. Si un patient est hospitalisé dans une chambre semi-privée ou privée, il doit débourser une somme variable d'un hôpital à l'autre et d'une province à l'autre. Ce coût est fréquemment assumé en partie ou en totalité par un régime privé d'assurance hospitalisation offert par les employeurs.

9.2.2 La protection du revenu lors de l'invalidité, du décès et de la retraite

En 1966 sont entrés en vigueur le Régime de pensions du Canada (RPC), qui s'applique à l'ensemble des provinces du Canada, à l'exception du Québec, et le Régime de rentes du Québec (RRQ). Ces deux régimes prévoient l'attribution de prestations dans les cas d'invalidité, de décès et de retraite.

Le Régime de pensions du Canada et le Régime de rentes du Québec sont obligatoires, liés à la rémunération des employés et financés à parts égales par les employeurs et les employés. L'employeur doit déduire du salaire versé aux employés le montant prescrit à titre de cotisation et verser un montant équivalent afin de contribuer à ces deux régimes publics et universels de protection contre l'invalidité de longue durée et de retraite. Les cotisations sont déductibles pour les employeurs et les prestations sont imposables pour les citoyens.

9.2.2.1 La protection du revenu lors de l'invalidité

Selon le Régime de pensions du Canada et le Régime de rentes du Québec, pour être déclaré invalide et recevoir une *rente d'invalidité,* un cotisant doit, entre autres, être incapable d'exercer de façon régulière tout emploi véritablement rémunéré (pour le RRQ, un emploi habituel si le cotisant a 60 ans ou plus). En outre, l'invalidité doit être en toute probabilité irréversible ou de durée indéfinie. Pour avoir le droit de recevoir une rente, la personne invalide doit avoir cotisé au RRQ ou au RPC pendant un certain nombre d'années. Lors de l'invalidité d'un cotisant, une *rente aux enfants* peut aussi être versée de la même manière que la rente versée aux orphelins lors du décès d'un cotisant.

9.2.2.2 La protection du revenu lors du décès

Le Régime de rentes du Québec et le Régime de pensions du Canada accordent des *prestations aux survivants* sous deux formes, soit une *rente au conjoint survivant* (RRQ) ou une *allocation au survivant* (RPC) pour les cotisants admissibles à des prestations de rente ou de pension de sécurité de la vieillesse qui ont entre 60 et 64 ans et qui gagnent un faible revenu. Par exemple, au 1er janvier 2005, en vertu du Régime de pensions du Canada, l'allocation mensuelle maximale au conjoint survivant était fixée à 924,04 $. Par ailleurs, ces régimes prévoient une *rente mensuelle aux orphelins* (de 62,22 $ en vertu du RRQ et de 195,96 $ en vertu du RPC par orphelin en 2005) âgés de moins de 18 ans ou, dans le cas du RPC, de moins de 25 ans s'ils étudient. Selon le RPC, l'orphelin peut recevoir une double rente si les deux parents décédés étaient des cotisants admissibles.

9.2.2.3 La protection du revenu lors de la retraite

Au Canada, l'aide publique aux personnes âgées peut provenir des deux paliers de gouvernement. Essentiellement, les personnes sont admissibles à recevoir une pension à compter de 65 ans (60 ans si les activités de la personne ont considérablement diminué), quels que soient leurs gains d'emploi par la suite. La rente mensuelle est indexée tous les ans en fonction de l'augmentation du coût de la vie. Les prestations sont imposables ainsi que les contributions des employeurs, et les cotisations des employés sont déductibles des revenus ou donnent lieu à un crédit d'impôt.

Plus précisément, le Régime de rentes du Québec verse une *rente de retraite* mensuelle aux travailleurs employés par les entreprises du Québec s'ils ont payé des cotisations pendant au moins un an. Le montant de cette rente mensuelle varie selon les années de participation de la personne au RRQ et le salaire du cotisant, mais il ne peut excéder une valeur équivalente à 25 % du salaire moyen canadien. Il est possible de retirer une rente mensuelle à partir de 60 ans moyennant une réduction de 6 % par année précédant le 65ᵉ anniversaire de naissance. À l'inverse, la rente est majorée de 6 % par année si elle est versée après 65 ans, et ce, jusqu'au 70ᵉ anniversaire.

Le Régime de pensions du Canada porte assistance aux Canadiens âgés de 65 ans et plus. Depuis 1952, une *pension de sécurité de la vieillesse* est versée à tout travailleur employé par les entreprises hors Québec à compter de l'âge de 65 ans, quel que soit son revenu. La pension de base est versée aux aînés dont le revenu ne dépasse pas un certain montant (en 2005, le montant était de 60 806 $); si le revenu est plus élevé, la pension est réduite et si le revenu dépasse un plafond, elle n'est pas versée. Au 1ᵉʳ janvier 2005, la pension mensuelle complète était de 471,76 $. De plus, depuis 1967, un *supplément de revenu garanti* est offert aux prestataires de 65 ans ou plus qui reçoivent la pension de sécurité de la vieillesse et dont le revenu est faible. À cette date, le montant mensuel maximal était de 560,69 $ pour le prestataire célibataire ou pour le prestataire dont le conjoint ne reçoit ni la pension de sécurité de la vieillesse ni l'allocation au survivant et de 365,21 $ pour la personne vivant en union conjugale si les deux personnes formant cette union touchent la pension de sécurité de la vieillesse ou pour le prestataire dont le conjoint reçoit l'allocation au survivant. Pour obtenir plus d'informations sur les régimes publics et privés de retraite, le lecteur peut consulter des ouvrages spécialisés sur le sujet, notamment celui de l'Institut de la statistique du Québec (2005).

9.2.3   L'assurance-emploi

En 1996, la Loi sur l'assurance-emploi, qui est exclusivement de compétence fédérale, a remplacé la Loi sur l'assurance-chômage. Cette assurance est financée à l'aide des cotisations des salariés et des employeurs. L'employeur prélève les contributions obligatoires des employés à l'assurance-chômage sur leurs salaires : en 2005, ces contributions étaient de 1,95 $ par tranche de 100 $ du salaire hebdomadaire assurable, sous réserve du maximum des gains hebdomadaires assurables, soit 760,50 $. Les employeurs doivent contribuer à l'assurance-emploi pour un montant équivalant à un multiple des contributions de leurs employés : en 2005, il s'agissait de 2,73 $ par tranche de 100 $ de gains assurables jusqu'à un maximum de 1 064,70 $.

Selon cette loi, les *prestations d'assurance-emploi* remplacent temporairement — et selon des durées variables — le revenu des particuliers selon qu'il s'agit d'une mise à pied, d'une maternité et d'une maladie, d'un congé parental pour s'occuper d'un nouveau-né ou pour adopter un enfant, d'un congé pour soins par compassion. Ces prestations sont imposables et les cotisations sont déductibles des revenus pour les employeurs et les employés. Les prestations hebdomadaires sont aussi assujetties à un maximum qui était équivalent à 413 $ en 2005. Certains employeurs accordent des suppléments aux montants qui sont prévus par la loi, lors des congés de maternité, des congés parentaux ou des congés pour adopter un enfant.

Cette loi permet aussi d'accorder un *supplément de revenu familial* (jusqu'à 80 % des gains hebdomadaires assurables) aux prestataires ayant des enfants à charge et dont le revenu familial est inférieur à 25 921 $. De plus, elle permet de verser à des personnes qui ont de la difficulté à réintégrer le marché du travail des *prestations d'aide au réemploi* au moyen des programmes suivants : les subventions salariales ciblées, l'aide au travail indépendant, les partenariats pour la création d'emplois et le développement des compétences.

9.2.4 Les accidents du travail et les maladies professionnelles

Au Canada, toutes les provinces disposent d'une législation sur les accidents du travail et d'un système d'indemnisation des victimes d'accidents du travail sans égard à la responsabilité en cas de blessures ou de maladies professionnelles. Ce système d'indemnisation est financé exclusivement (100 %) à l'aide des cotisations des employeurs. Le montant de leurs cotisations est déductible de leurs revenus et les méthodes ou les taux de tarification varient d'une province à l'autre ou dans une même province.

Les indemnités d'accidents du travail peuvent être classées en cinq catégories selon que l'accident subi entraîne ou non un arrêt de travail et selon son importance : les soins médicaux, l'invalidité de courte durée, l'invalidité de longue durée, la réadaptation et les prestations aux survivants. Les *prestations d'invalidité,* tant de courte durée que de longue durée, s'expriment en pourcentage du salaire, sous réserve d'un plafond du salaire annuel indemnisable. On trouve aussi des *prestations d'invalidité permanente* selon l'ampleur de l'incapacité physique et de la perte de revenu en découlant. Ces prestations sont indexées périodiquement selon l'indice des prix à la consommation ou par des redressements périodiques statutaires des prestations.

Au Québec, la Commission de la santé et de la sécurité au travail (CSST) est un assureur public dont la mission première consiste à servir les travailleurs et les employeurs du Québec. La CSST administre, entre autres, la Loi sur les accidents du travail et les maladies professionnelles, qui porte essentiellement sur l'indemnisation et la réadaptation des victimes de lésions professionnelles. Plus précisément, la loi vise à offrir à ces victimes l'ensemble des services auxquels elles ont droit, à permettre au travailleur de recouvrer le plus rapidement possible son autonomie physique, sociale et professionnelle, à l'aider à maintenir son lien d'emploi et l'application du droit de retour au travail et à indemniser les travailleuses enceintes ou qui allaitent lorsque celles-ci bénéficient d'un retrait préventif. Plus précisément, la Commission se préoccupe de réparation, soit la réadaptation des travailleurs victimes d'accidents du travail ou de maladies professionnelles, de même que l'indemnisation, soit le versement aux travailleurs (ou à leurs bénéficiaires) de diverses indemnités ou prestations liées, par exemple, à l'incapacité temporaire ou permanente, au remplacement du revenu, aux dommages corporels, au décès, aux rentes aux survivants, aux dépenses médicales ou aux victimes d'actes criminels.

Le financement de la CSST provient des cotisations perçues auprès des employeurs et des revenus de placement. Les cotisations que doivent verser les employeurs sont établies à partir d'une évaluation annuelle des besoins de la CSST. Cela permet d'en arriver, sur la base de la masse salariale de l'ensemble des employeurs, à un taux moyen provincial. Ensuite, on tient compte des risques rattachés aux secteurs d'activité économique afin d'établir une série de taux par secteur. À l'intérieur des secteurs, on sélectionne ensuite des unités, soit des regroupements d'entreprises présentant des niveaux de risque comparables, afin d'établir des taux d'unité, soit le taux que chaque employeur (situé dans cette unité) doit payer.

9.2.5 L'assurance automobile

La loi sur l'assurance automobile de certaines provinces, notamment celle du Québec, indemnise tous les conducteurs, passagers, cyclistes, motocyclistes et piétons du Québec qui subissent des dommages corporels causés par un accident de la route survenu au Québec ou ailleurs dans le monde, et ce, sans que leur responsabilité soit considérée. Les régimes de la Société de l'assurance automobile du Québec (SAAQ) incluent des programmes apparentés à l'assurance vie, à l'assurance mort accidentelle et mutilation, à l'assurance salaire et à l'assurance frais médicaux.

Lors de décès liés à un accident d'automobile, les indemnités sont généralement versées sous forme de montants forfaitaires. Toutefois, selon leur demande, les prestations des conjoints survivants et des personnes à charge peuvent être étalées sur 20 ans. La SAAQ verse aussi des indemnités de remplacement du revenu en cas d'invalidité, jusqu'à un maximum de 90 % du revenu net calculé à partir d'un revenu brut maximal indexé chaque année. Les frais de médicaments, à la suite d'un accident d'automobile, sont remboursés à 100 % par la SAAQ. La SAAQ peut également verser diverses formes d'indemnités pour les inconvénients (la perte de jouissance de la vie, la souffrance physique, la douleur, etc.), les frais de réadaptation, l'aide personnalisée à domicile, les frais de remplacement de la main-d'œuvre dans une entreprise familiale, les frais de garde, la perte d'une année scolaire et la perte de prestations d'assurance-emploi.

Les fonds de la SAAQ proviennent habituellement des contributions comprises dans les frais d'immatriculation des véhicules ainsi que des frais d'obtention et de renouvellement des permis de conduire. Ces cotisations ne sont pas déductibles du revenu et les prestations ne sont pas imposables.

9.2.6 Les heures de travail et le temps chômé rémunéré

Sur le plan légal, la loi sur les normes minimales de travail de la plupart des provinces prévoit au moins deux semaines de vacances pour les employés qui ont entre une et quatre années d'ancienneté et trois semaines pour ceux qui ont cinq ans ou plus d'ancienneté. Cette loi détermine également un certain nombre de jours fériés, la durée de la semaine normale de travail ainsi que la rémunération des heures supplémentaires. Depuis 2002, la Loi sur les normes du travail du Québec a bonifié le traitement des absences liées à la maladie et à la famille en permettant de s'absenter, sans solde, avec obligation de réintégration pendant des durées variables selon les motifs, par exemple 26 semaines par année en cas d'absences pour cause de maladie ou d'accident ; 10 jours par année pour des raisons familiales de courte durée ayant trait à la garde, à la santé et à l'éducation de ses enfants ou de ceux du conjoint ainsi qu'à la santé du conjoint, de parents, de frères, de sœurs et de grands-parents ; un maximum de 12 semaines par année sans solde pour des absences liées à des raisons familiales de longue durée.

Au Québec, le Régime québécois d'assurance parentale (RQAP) s'applique depuis janvier 2006. Ce régime, administré par le ministère de l'Emploi et de la Solidarité sociale du Québec, s'est substitué au programme de l'assurance-emploi du Canada pour bonifier le traitement des congés parentaux liés à la naissance et à l'adoption. En outre, les mères pourront désormais obtenir jusqu'à 75 % de leur salaire avec un maximum assurable de 57 500 $ (comparativement à 55 % et à un maximum de 37 000 $) pendant leur absence d'un an du travail. Les conjoints pourront aussi profiter du régime.

9.3 Les régimes privés d'assurance collective

Cette section présente succinctement les multiples régimes d'avantages que les employeurs peuvent offrir à leurs employés. Certaines entreprises accordent aussi certains avantages à leurs employés retraités (par exemple, des soins médicaux), mais cette offre ne devrait pas prendre de l'essor dans les années à venir en raison des coûts que cela implique.

9.3.1 Les régimes privés d'assurance frais médicaux et soins dentaires

Au Canada, la quasi-totalité des employeurs offrent à leur personnel des *régimes d'assurance frais médicaux* — aussi qualifiés couramment d'« assurance maladie » ou « d'assurance maladie complémentaire ». À cet égard, les employeurs jouent un rôle de second payeur par rapport aux régimes provinciaux. L'employé peut être admissible à ces régimes après avoir acquis une certaine ancienneté.

Ce type d'assurance exige que l'on comprenne les concepts ou les paramètres suivants : franchise, copaiement, coassurance et maximum payable (Ferland, 2004). La *franchise* représente le montant qui doit être payé par l'employé — au cours d'une année civile — avant que l'assureur effectue tout remboursement. Le *copaiement* — une forme de ticket modérateur — correspond au montant que l'employé doit assumer lors d'un achat (par exemple, de 3 $ à 10 $ par ordonnance). La *coassurance* (ou facteur de participation proportionnelle) correspond au pourcentage des coûts payés par l'assureur selon la catégorie de frais, comme 100 % des frais hospitaliers, 75 % des frais de médicaments. Certains contrats d'assurance prévoient un *maximum payable,* c'est-à-dire que les frais admissibles remboursables ne peuvent excéder un montant total annuel (sans limite par traitement), un montant maximal par traitement ou une combinaison des deux.

Les régimes privés complémentaires de soins médicaux recouvrent généralement un grand nombre de services : les chambres d'hôpital privées ou semi-privées, les frais assumés par les employés et les personnes à charge pour les médicaments sur ordonnance, les soins infirmiers dispensés en service privé sur recommandation médicale, les fournitures et les appareils médicaux, les services d'ambulance, les soins médicaux d'urgence dispensés à l'étranger et l'assistance voyage, les actes des techniciens médicaux et des spécialistes des services para-médicaux tels que les chiropraticiens, les orthophonistes et les physiothérapeutes, les soins optiques, les prothèses auditives, les soins dentaires consécutifs à un accident, les soins psychologiques, etc. Ferland (2004) regroupe ces derniers à l'intérieur des trois catégories suivantes de soins ou de frais remboursables : les assurances sans franchises, les médicaments avec ou sans carte de remboursement différé ou direct et les soins paramédicaux.

9.3.1.1 Les assurances sans franchises

Les *assurances sans franchises* prévoient généralement un remboursement à 100 %. Cette catégorie inclut les frais hospitaliers et les frais médicaux d'urgence à l'étranger, l'assurance voyage et les frais d'assistance internationale habituellement assurés en vertu d'une garantie de base. Elle comporte aussi les soins de la vue, ordinairement assurés en fonction d'une garantie optionnelle.

À l'égard des soins de la vue, la gamme de services est la plupart du temps restreinte ; elle comporte l'examen de la vue (s'il n'est pas compris dans le régime provincial d'assurance maladie), les montures de lunettes et les verres. En 1996, au moins la moitié des employeurs du Canada offraient à leur personnel une protection pour les soins de la vue (Hall, 1996). En général, le remboursement est soumis à un plafond par période de 24 mois et le régime fait l'objet d'une coassurance de 100 % jusqu'à un certain plafond. Plusieurs employeurs s'associent à un réseau d'opticiens détaillants pratiquant des tarifs préférentiels qui font des remises (un certain pourcentage) aux clients admissibles.

Les régimes privés complémentaires de soins hospitaliers ont été conçus pour couvrir les frais supplémentaires liés à l'hospitalisation en chambre à un ou deux lits, puisque les régimes provinciaux assument le coût en salle commune (sauf lorsque le séjour en chambre à un ou deux lits s'impose pour des raisons médicales). Aujourd'hui, un grand nombre de régimes privés de soins de santé offrent une protection complète assurant des chambres à deux lits, mais un nombre décroissant de régimes assument le coût d'une chambre à un lit pendant une période illimitée.

9.3.1.2 Les médicaments avec ou sans carte de remboursement différé ou direct

Les *médicaments avec ou sans carte de remboursement différé ou direct* prévoient généralement une ou des franchises, un ou des copaiements par ordonnance et une ou des coassurances. Les médicaments sont habituellement assurés en fonction d'une garantie de base dont le remboursement varie, mais jamais en deçà du taux de 71,5 % prévu depuis le 1er juillet 2004 par la Loi sur l'assurance médicaments. Les modalités de protection relatives aux médicaments varient d'un employeur à l'autre en matière de médicaments admissibles, de barèmes de remboursement et de méthodes de règlement. Actuellement, la définition des médicaments admissibles la plus répandue correspond aux « médicaments sur ordonnance » ou aux « médicaments prescrits » (Hall, 1996). Par ailleurs, la plupart des régimes remboursent les frais de médicaments payés par le participant sur présentation d'une demande d'indemnisation faite à la compagnie d'assurances. À cet égard, on utilisera de plus en plus la méthode de paiement direct. Au Québec, les personnes admissibles à un régime privé sont obligées d'y adhérer (jusqu'à 65 ans).

9.3.1.3 Les soins paramédicaux

Les *soins paramédicaux* prévoient généralement une ou des franchises et une ou des coassurances qui leur sont propres (mais qui peuvent être semblables à l'assurance médicaments). Ils comprennent les soins de professionnels de la santé, les frais d'appareils orthopédiques et les autres soins ou divers équipements qui sont ordinairement assurés par une garantie de base. Les soins paramédicaux comprennent aussi des frais d'appareils thérapeutiques, qui sont généralement assurés par une garantie optionnelle. On pourrait aussi y inclure l'assurance soins dentaires, dont les barèmes de remboursement des dépenses varient, qui peut proposer des garanties pour les soins suivants : les soins préventifs (examens, radiographies, nettoyage, détartrage, application de fluor), les soins de base (restaurations mineures, extractions, obturations, endodontie et périodontie, amalgames en silicate), les soins de restauration majeure (couronnes, prothèses, dentiers, couronnes) et les soins orthodontiques (appareils de maintien et de redressement ou de repositionnement des dents).

9.3.2   Les régimes privés d'assurance salaire

La plupart des employeurs offrent une protection du revenu lorsqu'un adhérant interrompt son travail à la suite d'une invalidité causée par une maladie ou un accident lié ou non à l'emploi. Les types d'invalidité sont classés selon la durée : courte (ordinairement moins d'un an ; on utilise alors une assurance salaire) ou longue (un an ou plus). L'invalidité d'un employé peut être à court terme (temporaire) ou indéfinie (permanente) ; elle peut être partielle (la personne peut accomplir certains emplois particuliers ou certaines tâches) ou complète (la personne ne peut accomplir aucune tâche).

9.3.2.1 L'assurance salaire de courte durée et la gestion des congés pour des raisons de maladie ou pour des affaires personnelles

Dans les entreprises, les absences à court terme peuvent être traitées en vertu d'un régime d'assurance salaire de courte durée où l'assureur verse les prestations aux employés et d'une politique ou d'un régime de congés pour cause de maladie ou d'affaires personnelles géré par l'employeur, ce dernier continuant de verser le salaire.

L'*assurance salaire de courte durée* (souvent qualifiée d'« indemnité hebdomadaire » par les assureurs) protège la rémunération d'un employé qui interrompt son travail à la suite d'une invalidité causée par un accident ou une maladie. Les prestations correspondent généralement à un pourcentage du salaire brut (par exemple, entre 60 % et 70 %) limité par un maximum prévu au contrat. Elles sont versées hebdomadairement après un délai d'attente (ou délai de carence) dont la durée varie selon la nature de l'invalidité (un accident, une maladie, etc.). Finalement, les prestations sont versées sur une courte période, généralement de 15 à 26 semaines, laquelle peut cependant atteindre 104 semaines.

Compte tenu du fait que la majorité des absences à court terme sont très courtes et ponctuelles (en raison de malaises, de rhumes, de grippes, etc.), la protection du revenu des employés vu leur absence pour des raisons de maladie est assurée par un *régime de congés de maladie* ou un *régime de congés pour des raisons personnelles,* aussi appelé « régime de continuation du salaire ». Ce régime est géré par l'employeur, et c'est ce dernier qui a la responsabilité de verser les prestations. Selon le régime, le taux de remplacement du revenu peut varier de 55 % à 100 % selon la catégorie de personnel, la durée de la maladie, etc. À cet égard, les employeurs peuvent adopter tout un éventail de politiques de gestion de l'absentéisme. Quelques organisations permettent à leurs employés le report des congés inutilisés sur les années futures. Certains régimes du secteur public stipulent que les congés de maladie non utilisés sont acquis au salarié et lui seront payés en capital au moment de son départ à la retraite ou de sa cessation d'emploi.

9.3.2.2 L'assurance salaire de longue durée

L'assurance salaire de longue durée (souvent qualifiée d'« indemnité mensuelle » par les assureurs) protège la rémunération d'un employé qui interrompt son travail à la suite d'une invalidité causée par un accident ou une maladie. Les coûts de ce régime d'assurance sont la plupart du temps assumés par les employeurs. En général, pour avoir le droit de recevoir cette indemnité, l'employé doit être jugé incapable d'exercer sa profession habituelle ou sa propre occupation pendant une période de deux ans. En cas d'invalidité totale, les prestations sont ordinairement versées jusqu'à l'âge normal de la retraite (65 ans). Si l'invalidité est partielle, elles prennent ordinairement fin après deux ans. Les prestations correspondent la plupart du temps à un pourcentage du salaire brut mensuel (par exemple, de 50 % à 75 %) limité par un maximum mensuel prévu au contrat. Elles sont versées mensuellement après une période d'attente (délai de carence) liée à la durée du régime à court terme, souvent établie à 26 semaines.

9.3.3   Les régimes privés d'assurance vie, mort accidentelle et mutilation

L'*assurance vie* procure une certaine sécurité financière aux conjoints et aux personnes à charge survivantes. C'est la forme d'assurance la plus fréquente dont la tarification repose sur les prévisions de mortalité du groupe assuré. L'assurance vie collective présente diverses variantes.

Ainsi, on trouve l'*assurance vie de base*. Selon cette dernière, à la mort de l'adhérent, on verse un montant qui est généralement fonction du salaire (une fois, une fois et demi, deux fois le salaire annuel) mais qui peut être un montant fixe. Cette assurance vie de base prend généralement fin lorsque l'adhérent atteint l'âge de 70 ans (Ferland, 2004).

On trouve aussi des régimes d'*assurance vie facultative ou supplémentaire* qui permettent à l'adhérent et au conjoint (et, dans certains cas, aux enfants à charge) de compléter leur assurance vie collective de base selon leurs besoins, conformément à un multiple de leur salaire (par exemple, de une fois à cinq fois le salaire) ou à un multiple d'une tranche de capital (par exemple, de 5 000 $, 10 000 $, 25 000 $) jusqu'à un plafond garanti par la compagnie d'assurances. Étant donné que le fait de prendre ce type d'assurance correspond à un choix individuel, les primes sont entièrement payées par l'employé.

L'*assurance vie des personnes à charge,* qui est facultative, permet au salarié de choisir la protection et le coût qui lui conviennent (certains régimes offrent une protection aux retraités). Selon cette assurance, à la mort d'une personne à charge, un montant, généralement un multiple d'un montant fixe, est payé. Selon Ferland (2004), le plus souvent, ce montant fixe est de 5 000 $ ou de 10 000 $ pour le conjoint et de 2 500 $ ou de 5 000 $ pour les enfants. Une personne à charge désigne le conjoint légal ou de fait de sexe opposé ou de même sexe, présenté comme tel et demeurant sous le même toit, et les enfants qui sont à charge jusqu'à l'âge de 18 ou 21 ans, ou jusqu'à l'âge de 25 ans s'ils sont étudiants à temps plein dans une institution d'enseignement.

Une autre garantie, que l'on trouve de moins en moins dans les contrats d'assurance vie collective, correspond à l'octroi de *rentes de survie* à la mort de l'adhérent, soit un montant fixe par mois qui est fonction de la catégorie d'emplois ou du statut de protection familiale ou individuelle (par exemple, un pourcentage du salaire du conjoint, auquel s'additionne un supplément pour chacun des enfants). Selon Ferland (2004), il est courant d'escompter la rente au moment du décès pour qu'elle soit versée en un montant unique.

Enfin, l'*assurance mort accidentelle et mutilation* garantit des prestations dans les deux cas suivants : si l'assuré décède à la suite d'un accident, on lui versera un montant souvent identique au montant de l'assurance vie de base ; si l'assuré est mutilé à la suite d'un accident, on lui versera des sommes forfaitaires, dont la valeur dépend des pertes.

9.4   Les régimes privés de retraite

Le Canada est un pays où les régimes privés de retraite jouent un rôle de premier plan (Disney et Johnson, 2001 ; OCDE, 2005). En 1999, près de 30 % du revenu total des Canadiens âgés de 65 ans et plus correspondait à des prestations versées en vertu de régimes privés (Statistique Canada, 2003), le pourcentage étant encore plus élevé pour les retraités de 60 à 64 ans (Hoffman et Dahlby, 2001).

De tous les programmes d'avantages offerts par les employeurs aux employés, les régimes de retraite sont les plus complexes. Les employeurs sont libres d'adopter ou non de tels régimes. Toutefois, les gouvernements encouragent l'établissement de régimes de retraite privés à l'intention des employés en accordant aux employeurs certains avantages fiscaux dont le plafond a toutefois été abaissé au fil des années, à la suite de pressions des électeurs et des investisseurs visant à réduire le déficit et la dette du gouvernement. Pour les employés, l'admissibilité à un régime de retraite privé leur permet d'épargner tout en bénéficiant d'un abri fiscal et de toucher un revenu qui, ajouté aux prestations de base des régimes publics, peut être jugé suffisant pour maintenir leur niveau de vie.

L'employeur qui décide d'établir un régime de retraite doit décider si ce régime sera agréé (enregistré) ou non agréé (non enregistré). Les régimes agréés sont régis par des lois provinciales et fédérales établissant des normes minimales afin de protéger les droits des participants et des bénéficiaires et de baliser le financement des régimes. Plus précisément, un régime agréé est conforme aux exigences de la Loi sur les prestations de pension applicables et de la Loi de l'impôt sur le revenu, et il est enregistré auprès d'un organisme provincial ou fédéral de réglementation des régimes de retraite et auprès de Revenu Canada.

Au Canada, la plupart de ces régimes de retraite sont de compétence provinciale. La majorité des provinces ont modifié leur loi sur les régimes privés de retraite au cours des années 1980 et 1990 afin de gérer leurs modalités, leur financement et leur administration de manière semblable. En vertu d'un régime agréé de retraite, les employés ne paient pas d'impôts sur les cotisations que leur employeur verse en leur nom et les revenus de placements de la caisse de retraite s'accumulent sans impôts.

BULLETIN$ 9.1

Malgré les effets positifs d'un régime de retraite aux employés sur l'attraction et la conservation des employés, de nombreuses PME refusent encore d'en adopter un. Selon un sondage réalisé en 2003 par la Fédération canadienne de l'entreprise indépendante, moins d'une PME sur quatre (23 %) a un régime de retraite. Plus précisément, 15 % des PME comptant moins de 20 employés, 27 % des PME comptant entre 21 et 99 employés et 58 % des PME comptant entre 100 et 300 employés contribuent à la retraite de leurs employés. Le contraste est marqué si l'on compare ces PME avec les entreprises comptant 500 employés et plus, 90 % d'entre elles offrant un régime de retraite.

Source : Adapté de Barbe (2005).

9.4.1 Les régimes agréés de retraite

Les *régimes agréés de retraite* sont de loin les régimes de retraite les plus courants. En 2000, plus de 40 % des travailleurs rémunérés adhéraient à un régime agréé de retraite au Québec (42 %) et au Canada (41 %), plus de la moitié d'entre eux (54 % en 2002) travaillant dans le secteur public (Pozzebon, 2004).

Les principales modalités et règles de gestion relatives aux régimes agréés de retraite privés concernent le comité d'administration ou de retraite, l'admissibilité au régime, le financement et le provisionnement.

Le *comité d'administration ou de retraite* est chargé de gérer les régimes de retraite. Ce comité est formé, la plupart du temps, de représentants de l'employeur. Au Québec, le comité d'administration ou de retraite doit être composé d'au moins trois membres, soit deux personnes admissibles au régime de retraite qui sont désignées par les participants lors de l'assemblée annuelle du régime de retraite, et d'une personne non admissible au régime de retraite, c'est-à-dire indépendante. Le nombre de membres représentant l'employeur n'est pas limité. Le rôle du comité d'administration ou de retraite est d'administrer le régime et de veiller au respect des lois. Il doit préparer les relevés personnalisés annuels de retraite qui seront envoyés aux participants, transmettre les renseignements requis par l'organisme provincial dont relève le régime, veiller à la gestion des fonds et à la préparation des rapports actuariels requis tous les trois ans, s'assurer du paiement des prestations, et ainsi de suite. Au Québec, le comité d'administration ou de retraite doit également convoquer une assemblée annuelle des participants, en dresser l'ordre du jour, la présider, etc.

Les employeurs ne sont pas obligés d'offrir un régime de retraite, mais s'ils le font, ils doivent se conformer aux règles en vigueur. En général, l'*admissibilité au régime* doit être offerte à la catégorie d'employés visée après un maximum de deux ans de service, sans égard à l'âge (le Manitoba rend la participation obligatoire). Au Québec, l'admissibilité doit être offerte à tous les employés couverts à compter du début de l'année civile qui suit l'année durant laquelle la rémunération de l'employé a atteint 35 % du maximum annuel des gens admissibles (MAGA) ou 700 heures de service. Les employés à temps partiel sont admissibles à la condition que leur rémunération ait atteint un certain pourcentage (souvent 35 %) du MAGA ou qu'ils aient accumulé 700 heures de service pendant chacune des deux années civiles consécutives précédentes en Ontario et en Saskatchewan.

Pour ce qui est du *financement,* la majorité des régimes privés en vigueur sont de type contributif : les coûts sont assumés par l'employeur et l'employé. Dans le secteur public, 100 % des participants contribuent à leur régime de retraite. Les régimes contributifs sont moins coûteux pour l'employeur et sensibilisent davantage les employés à leurs avantages. Par contre, les régimes non contributifs sont plus simples à gérer. Les régimes contributifs sont plus populaires au Canada qu'aux États-Unis, parce que l'employé peut y déduire ses cotisations de ses revenus. Les fonds des régimes sont gérés par des compagnies d'assurances, des sociétés de fiducie, des fiduciaires particuliers ou les fonds du revenu consolidé des administrations (gouvernements).

Par ailleurs, le *provisionnement* est une activité qui nécessite l'accumulation d'actifs formés des contributions patronales et de celles des employés (le cas échéant), ainsi que des revenus de placement pour pourvoir aux prestations. On approvisionne les régimes de retraite afin de s'assurer que les employés participants reçoivent les rentes promises, de contrôler la situation financière du régime de retraite et d'éviter des augmentations démesurées de coûts du régime, de bénéficier d'un abri fiscal important et de respecter la législation. Les coûts d'un régime de retraite reposent sur plusieurs facteurs et leur évolution au cours des 20 ou 40 prochaines années dépendra du taux de rendement du régime, de l'âge des personnes lors du décès, de l'âge de la retraite, du taux de roulement du personnel, du taux de mortalité avant la retraite, du rythme des augmentations de salaires, de l'inflation et de la proportion des hommes et des femmes participant au régime. Les hypothèses actuarielles revêtent donc une importance énorme. Conformément aux lois, il faut évaluer un régime tous les trois ans pour vérifier, notamment, s'il contient suffisamment d'argent pour que les engagements soient respectés. S'il y a un déficit, l'employeur doit le combler au cours d'une période déterminée, et s'il y a un surplus, la loi prévoit qu'il peut servir à améliorer le régime au profit des participants ou à réduire les contributions de l'employeur à la caisse de retraite. Les lois permettent aux participants à un régime qui change d'employeur de recevoir ou de transférer une somme globale — correspondant à la valeur de la rente qu'ils se sont constituée — et l'Institut canadien des actuaires a la responsabilité de prescrire comment faire ce calcul et de revoir ses directives à cet égard (ce qu'elle a d'ailleurs fait récemment).

On peut classer les régimes agréés de retraite en trois catégories : les régimes à prestations déterminées, les régimes à cotisations définies et les régimes mixtes.

9.4.1.1 Les régimes agréés de retraite à prestations déterminées

Suivant un régime agréé de retraite à prestations déterminées, l'employeur s'engage (promesse) à verser des rentes de retraite d'un montant déterminé et à prendre la responsabilité ultime du financement de ces rentes. Il assume alors le risque en matière d'investissements : si la caisse de retraite connaît un bon rendement, il y verse moins d'argent ; s'il y a un déficit de solvabilité (notamment en raison de baisses des marchés boursiers), il doit le combler sur une période qui n'excède pas cinq ans, en augmentant les charges de retraite pour les années à venir. L'employé doit obligatoirement adhérer au régime et il connaît la rente qui lui sera versée à la retraite. Généralement, cette rente est calculée sur la base des années de service et d'un pourcentage du salaire de l'employé. Notons que, au Québec, si seulement 60 % des travailleurs bénéficient d'un régime de retraite complémentaire, ces derniers se partagent comme suit : près d'un million de travailleurs ont un régime à prestations déterminées et 100 000 ont un régime à cotisations définies (Baril, 2005). En 2000, près de 84 % des employés canadiens admissibles à un régime de retraite étaient couverts par un régime à prestations déterminées (Pozzebon, 2004).

Ces types de régimes sont critiqués à cause de leurs coûts élevés et parce qu'ils sont difficilement transférables, car les prestataires risquent de perdre les cotisations versées par l'employeur s'ils quittent leur emploi après une courte période. De plus, on déplore l'asymétrie existant entre les risques et les rétributions dans ces types de régimes : alors qu'en matière de risque le renflouement d'un déficit actuariel des régimes incombe à l'employeur seulement qui doit verser des cotisations particulières, en matière de rétributions, les surplus actuariels des régimes n'entraînent, au mieux, qu'un congé de cotisations pour les employeurs. Dans ce dernier cas, si les employeurs décident de bonifier le régime, ils risquent alors d'être davantage pénalisés advenant un déficit étant donné que les cotisations d'équilibrage qu'ils devront verser seront plus élevées car le régime était plus avantageux.

Ainsi, l'absence d'équilibre entre la propriété d'une partie seulement des excédents et la prise en charge de la totalité des risques explique dans une certaine mesure le niveau décevant de couverture de ces régimes. En effet, le flou entourant la propriété des excédents n'incite pas les employeurs à profiter d'une conjoncture économique favorable pour cotiser au-delà du minimum requis, mais plutôt à prendre des congés de cotisations. Pour cette raison, plusieurs intervenants du milieu des affaires sont d'avis que la Loi fédérale de l'impôt devrait être modifiée afin de permettre que les régimes agréés de retraite à prestations déterminées puissent accumuler des surplus (par exemple, au-delà de 10 % de la valeur de leurs engagements) de manière à créer un coussin advenant des années de déficits (Le Cours, 2005).

Les quatre types de régimes à prestations déterminées les plus courants sont les suivants :

1. *Le régime de retraite à prestations forfaitaires.* Suivant ce type de régime, la rente annuelle correspond à un montant déterminé pour chaque année de service de l'employé. Par exemple, si la formule de la rente équivaut à 20 $ par mois par année de service, un employé ayant accumulé 20 années de service recevra une rente annuelle de 4 800 $ (20 $ × 20 × 12). Environ 18 % des régimes à prestations déterminées sont à prestations forfaitaires et ils sont surtout répandus chez les employés syndiqués.

2. *Le régime de retraite « salaires de carrière ».* En vertu de ce régime, la rente annuelle correspond à un pourcentage du salaire annuel moyen. Ce type de régime représente près de 30 % de l'ensemble des régimes de retraite à prestations déterminées, mais ce pourcentage est à la baisse. En effet, comme ce régime considère le salaire que l'employé a gagné pendant toute la durée de son emploi, il peut aboutir à une rente modeste par rapport aux revenus gagnés juste avant la retraite.

3. *Le régime de retraite « derniers salaires ».* Selon ce régime, la rente du participant repose sur ses années de service et le salaire annuel moyen qu'il a reçu pendant une certaine période précédant sa retraite. Par exemple, si la formule de rente correspond à 1,5 % du salaire moyen au cours des cinq dernières années de service, un employé dont la moyenne des derniers salaires est de 60 000 $ et qui compte

25 années de service aura une rente annuelle égale à 1,5 % × 60 000 $ × 25, soit 22 500 $. Certains régimes peuvent utiliser la moyenne des meilleurs salaires pour calculer la rente, comme les salaires des 5 années consécutives les mieux rémunérées au cours des 10 années précédant la retraite. Plus de la moitié des régimes agréés de retraite à prestations déterminées sont des régimes derniers salaires, et la plupart de ceux-ci sont des régimes contributifs. Comme ce type de régime permet d'obtenir un véritable revenu de remplacement à la retraite, il est populaire auprès des employés et adopté par un bon nombre d'employeurs dans les secteurs public et privé.

4. *Le régime de retraite flexible.* En vertu de ce régime, l'employeur finance la rente de base, souvent calculée en fonction du salaire moyen des dernières années, et les employés assument, s'ils le désirent, le coût des prestations supplémentaires accessoires. Ce type de régime permet de s'adapter aux employés : ceux qui ne sont pas satisfaits du montant des prestations prévu par le régime peuvent cotiser chaque année dans un compte jusqu'à concurrence d'un certain pourcentage ; ce compte leur rapporte des intérêts et leur permet de souscrire à des prestations supplémentaires pour la retraite. Le régime de retraite flexible, qui est très récent et peu courant, implique une administration plus complexe que les régimes mentionnés précédemment, et il faut s'assurer que les participants comprennent ces modalités.

Soulignons que, à la suite de la réforme des lois sur les prestations de pension et de la Loi de l'impôt sur le revenu, certains employeurs ont remplacé leurs régimes à prestations déterminées par des régimes à cotisations définies afin de limiter la croissance des coûts et d'appuyer une culture de responsabilisation des employés. En fait, à l'heure actuelle, on implante peu de nouveaux régimes à prestations déterminées.

9.4.1.2 Les régimes agréés de retraite à cotisations définies

Dans un régime agréé de retraite à cotisations définies, on précise le montant des cotisations que l'employeur et (s'il y a lieu) l'employé s'engagent à verser annuellement, ces cotisations s'accumulant avec les revenus de placement jusqu'à la retraite du prestataire, moment où il souscrit à une rente viagère. Suivant ce régime, le travailleur prend un risque : le montant de la rente n'est pas garanti et n'est connu qu'au moment de la retraite, car il dépend du capital accumulé grâce au montant des cotisations versées par l'employeur et les employés (si le régime est contributif) et aux revenus de placement générés par ce capital. Aussi, dans un contexte de marché baissier, il est particulièrement important que les employeurs informent les employés sur le rendement de la caisse de retraite et les incitent à établir une stratégie de placement adéquate.

En général, ce type de régimes de retraite est surtout offert dans les organisations de petite taille. Toutefois, on observe un mouvement des employeurs vers ce type de régimes, car leur gestion est moins lourde et moins risquée que celle des régimes à prestations déterminées. Au Canada, en 2000, environ 14 % des participants à un régime privé de retraite adhéraient à un régime de type « cotisations définies » (Pozzebon, 2004) comparativement à 10 % au milieu des années 1990 (Hall, 1996).

Les deux principaux types de régimes agréés de retraite à cotisations définies sont les suivants :

1. *Le régime de retraite à cotisations définies proprement dit.* Ce régime peut être entièrement financé par l'employeur ou en partie financé par les employés, les cotisations de l'employeur pouvant être fonction des cotisations des employés. Les cotisations peuvent correspondre à un pourcentage du salaire (par exemple, 5 %), à un montant fixe ou à un montant déterminé par année de service ou par heure travaillée. Le participant acquiert les cotisations que l'employeur verse en son nom après une période de participation qui, dans bien des cas, n'excède pas deux ans. S'il quitte l'entreprise avant cette période, les prestations sont calculées selon ses propres cotisations seulement.

2. *Le régime de pensions avec participation aux bénéfices.* En vertu de ce régime, les cotisations de l'employeur sont établies d'après une formule basée sur les bénéfices de l'entreprise. Toutefois, même lorsque la rentabilité est nulle ou peu élevée, Revenu Canada exige que l'employeur verse des cotisations d'un minimum de 1 % de la masse salariale. Le partage des bénéfices entre les participants peut s'appuyer sur un système de points liés à leur nombre d'années de service et/ou à leur salaire respectif. Pour l'employé, ce régime est incertain, puisque son revenu de retraite est rattaché aux bénéfices. Pour l'employeur, les coûts du régime sont fonction de sa capacité de payer et les sommes investies sont plus susceptibles de motiver les employés à améliorer les bénéfices de l'entreprise.

9.4.1.3 Les régimes agréés de retraite mixtes

Certaines caractéristiques des régimes agréés de retraite mixtes correspondent à un régime à cotisations définies et d'autres à un régime à prestations déterminées. On trouve cinq types de régimes mixtes :

1. *Le régime hybride.* Généralement, ce régime verse la rente la plus élevée des deux rentes suivantes : soit la rente provenant de la composante à prestations déterminées (par exemple, 1,5 % de la moyenne des salaires des années de service), soit la rente pouvant être constituée par le solde du compte à cotisations définies (par exemple, l'employé verse 5 % de son salaire et l'employeur verse l'équivalent). À la retraite, l'approche offrant la meilleure rente est retenue. Ce régime réduit l'incertitude en garantissant une rente minimale à l'employé.

2. *Le régime combiné.* Ce régime verse une rente égale au montant de la rente provenant de la composante à prestations déterminées, souvent payée par l'employeur (par exemple, 1 % de la moyenne des derniers salaires), et de la rente provenant de la composante à cotisations définies (les cotisations de l'employé y sont versées, mais l'employeur peut également y contribuer). À la retraite, le participant touche les deux rentes. Certains qualifient ce régime de « service plus rente » dans le cadre duquel l'employeur assume la totalité du coût de la rente relative au service, alors que les cotisations de l'employé servent à l'achat d'une rente qui s'ajoute à la rente de service.

3. *Le régime « à valeur déterminée ».* Il existe deux approches quant à ce type de régime. Selon la première approche, on attribue à l'employé des crédits annuels selon son salaire (par exemple, 5 % du salaire) qui sont déposés dans un compte rapportant des intérêts préétablis jusqu'au moment de la cessation d'emploi ; le solde est alors transformé en une rente annuelle selon des taux de rente viagère précis. Selon la deuxième approche, on attribue à l'employé des points chaque année et au moment de la cessation d'emploi ; le total de points est alors multiplié par la moyenne des derniers salaires et transformé en une rente annuelle selon des taux de rente viagère précis.

4. *Le régime à paliers.* Le salarié participe à un régime à cotisations définies pendant les 10 premières années de service. Par la suite, il peut conserver ce régime ou le remplacer par un régime à prestations déterminées.

5. *Les régimes interentreprises ou multi-employeurs.* Ces régimes déterminent à la fois les cotisations (par exemple, un certain nombre de cents par heure travaillée) et les prestations (selon une formule uniforme). Ils sont généralement établis par des employeurs chez lesquels est implanté un syndicat, qui appartiennent à des secteurs connexes et où il y a une forte mobilité du personnel. Ces régimes permettent de répartir équitablement les coûts et les avantages entre plusieurs employeurs.

Au Canada, les deux premiers types de régimes agréés de retraite mixtes (le régime hybride et le régime combiné) représentent moins de 2 % de l'ensemble des régimes de retraite, la plupart des employeurs les estimant trop complexes à administrer et à faire connaître aux employés (Hall, 1996). Toutefois, ces régimes sont plutôt récents. On peut aussi trouver une variété de régimes de retraite personnalisés, où l'employeur offre un régime de base auquel l'employé peut ajouter différentes options pour améliorer sa rente.

9.4.2 Les régimes non agréés de retraite ou les régimes supplémentaires de retraite

Dans un régime agréé de retraite, les rentes sont assujetties à un plafond en vertu de la Loi de l'impôt sur le revenu. Afin de pouvoir verser à leurs cadres supérieurs un revenu de retraite excédant ce plafond, un nombre croissant d'entreprises mettent sur pied divers autres mécanismes de revenus de retraite non agréés, tels que des régimes et des allocations supplémentaires de retraite (« régimes d'appoint »), des régimes enregistrés d'épargne-retraite (REER) ou l'épargne-retraite des particuliers ou des régimes de participation différée aux bénéfices. Par ailleurs, les employés couverts par un régime de retraite non agréé paient des impôts sur les cotisations que leur employeur verse en leur nom, et les revenus de placement de la caisse de retraite sont imposables.

9.4.2.1 Les régimes et les allocations supplémentaires de retraite

Étant donné que les règles fiscales imposent un plafond sur le revenu provenant d'un régime agréé de retraite, un nombre croissant d'entreprises implantent un *régime supplémentaire de retraite,* lequel verse des prestations qui s'ajoutent à celles du régime agréé de retraite aux employés ayant un revenu relativement élevé. La majorité des régimes supplémentaires de retraite ne sont pas offerts à tous les employés d'une entreprise mais à une ou des catégories particulières de son personnel (par exemple, les cadres, les professionnels et les dirigeants).

Comme mécanismes supplémentaires de retraite, il existe également les *allocations de retraite,* c'est-à-dire une prime de séparation ou une indemnité de départ qu'un employeur attribue souvent à un employé en un seul versement, en signe de reconnaissance de services ou lors de la perte de l'emploi. Pour ce qui est du traitement fiscal d'un tel paiement, la Loi de l'impôt sur le revenu prévoit que l'employeur peut déduire le montant de cette allocation de ses revenus, dans la mesure où ce montant est raisonnable par rapport aux circonstances. Par ailleurs, cette indemnité doit être incluse dans le revenu imposable de l'employé, à moins qu'il ne préfère en différer l'imposition (sous réserve de certaines limites) en transférant cet argent dans le régime de retraite offert par son employeur ou dans un régime enregistré d'épargne-retraite.

9.4.2.2 Les régimes enregistrés d'épargne-retraite ou l'épargne-retraite des particuliers

En raison de la complexité accrue des lois relatives aux régimes agréés de retraite, les régimes enregistrés d'épargne-retraite (REER) collectifs deviennent une solution de rechange de plus en plus courante. Le REER collectif s'avère essentiellement un regroupement de REER individuels dont les frais de gestion sont assumés par l'employeur et dont l'accès est facilité parce que l'employeur prélève directement les cotisations sur les salaires.

Les employeurs peuvent préférer un REER collectif à un régime de retraite à cotisations définies parce que les REER ne sont pas assujettis aux lois sur les prestations de retraite ni aux contraintes qu'elles imposent. De plus, l'employeur n'est pas tenu d'y verser des cotisations. Pour les employeurs, toutefois, et contrairement à ce qu'on observe dans le régime à cotisations définies, leurs cotisations ne sont pas considérées comme des salaires et ne bénéficient pas d'un abri fiscal.

Pour les salariés, un REER collectif est semblable au régime à cotisations définies compte tenu du fait que les cotisations qu'ils versent et les revenus de placement qu'ils génèrent sont à l'abri de l'impôt. De plus, si le régime collectif ne l'interdit pas, les employés peuvent effectuer des retraits en espèces du régime.

Le REER individuel constitue cependant une solution de rechange au versement de cotisations volontaires à un régime collectif de retraite offert par les employeurs. La loi créant les REER a été adoptée en 1957, dans le but d'inciter les particuliers à épargner en vue de leur retraite tout en leur faisant bénéficier d'une aide fiscale. Une personne souscrit à titre individuel à un REER (à son nom ou à celui de son conjoint) et les cotisations qu'elle y verse à même son revenu sont déductibles de son revenu imposable, sous réserve d'une limite déterminée. Les revenus provenant du placement de l'actif du REER bénéficient d'un abri fiscal, mais les sommes qui en sont retirées sont imposables. L'employé peut individuellement contribuer à un REER à l'aide de retenues effectuées à la source sur sa paie régulière et, ce faisant, profiter de déductions fiscales immédiates.

Les REER individuels sont importants pour les travailleurs autonomes (non salariés), car ils leur permettent de se constituer un capital de retraite à l'abri de l'impôt. Les REER peuvent également être utilisés par les salariés, qu'ils soient inscrits ou non à un régime collectif de retraite ou à un régime de participation aux bénéfices offert par leur employeur. Toutefois, l'employé doit déduire du montant de cotisation admissible la valeur imputée par Revenu Canada (le « facteur d'équivalence ») au régime de l'employeur. Une personne peut déduire de son revenu les contributions qu'elle verse dans un REER au nom de son conjoint. La loi fixe un plafond d'un certain pourcentage du revenu gagné, sous réserve d'un plafond pécuniaire absolu annuel, le montant d'épargne-retraite donnant droit à l'aide fiscale. Le montant maximal qu'une personne peut verser dans son REER au cours d'une année est égal à son revenu gagné multiplié par 18 %, sous réserve du plafond annuel, moins son facteur d'équivalence.

Un REER individuel offre une plus grande souplesse à un employé qu'un régime collectif de retraite en ce qui a trait à la disponibilité des fonds, aux contributions, aux placements ou aux formes de revenus à échéance. Toutefois, le rendement des investissements a tendance à être moins élevé, parce que les utilisateurs sont portés à faire des investissements moins risqués.

9.4.2.3 Les régimes de participation différée aux bénéfices

Au chapitre 8, nous avons traité des régimes de participation *immédiate* aux bénéfices permettant d'accorder annuellement ou plus fréquemment des primes aux employés, dont le montant est fonction des bénéfices annuels de l'entreprise. Ces régimes ne servent habituellement pas à procurer un revenu de retraite. Toutefois, certains régimes de participation aux bénéfices procurent des prestations *différées*, les primes des employés étant déposées dans un compte où sont versés des intérêts jusqu'à ce que le solde soit remis à l'employé, au moment de son départ. Selon l'Institut de la statistique du Québec (2005, p. 72), les régimes de participation différée aux bénéfices «sont des régimes où la cotisation est établie selon le pourcentage des bénéfices de l'entreprise au cours d'une année. La rente de retraite est constituée à partir des cotisations accumulées et des revenus de placement. »

Avec un régime de participation différée aux bénéfices, il est impossible de prévoir la rente que l'employé recevra à sa retraite, puisqu'elle dépend des bénéfices de l'entreprise, du taux de rendement des placements et du prix de souscription des rentes. La Loi de l'impôt sur le revenu distingue trois types de régimes de participation différée aux bénéfices : les régimes de pension agréés avec participation aux bénéfices, les régimes de participation différée aux bénéfices et les régimes de participation des employés aux bénéfices.

9.5 La rémunération du temps chômé, les programmes spécialisés et les gratifications

En plus des régimes d'assurances collectives et des régimes de retraite, les employeurs peuvent gérer bien d'autres programmes et politiques constituant des avantages pour les employés.

9.5.1 La rémunération du temps chômé

Les jours fériés, les autres congés et les vacances constituent le temps chômé. Les jours fériés incluent les jours fériés légaux (comme le jour de Noël), les congés supplémentaires (comme le lendemain de Noël) et les congés mobiles offerts au personnel. Mis à part les congés mobiles, les organisations offrent en général de 10 à 13 jours fériés par année à leur personnel. Ces chiffres varient peu d'une catégorie de personnel à l'autre. En plus des jours fériés payés, près de la moitié des entreprises accordent des congés mobiles payés à leur personnel. Ordinairement, les entreprises offrent de un à trois jours de congés mobiles par année. En plus des jours fériés et des congés mobiles, la plupart des employeurs offrent à leur personnel d'autres congés liés à des circonstances particulières, soit le deuil, le mariage ou l'obligation d'exercer la fonction de juré.

Par ailleurs, certains employeurs offrent également des congés parentaux (en plus de ceux qui sont prévus par la loi), de déménagement, de soins par compassion, etc., qui ne sont pas nécessairement payés. La durée des vacances est couramment liée à l'ancienneté de l'employé et presque tous les employeurs prévoient un nombre maximal de semaines. Ce nombre peut atteindre sept semaines, mais il est le plus souvent établi à cinq ou six semaines. Outre les employés du secteur public qui, dans plusieurs provinces, ont droit à quatre semaines de vacances dès les premières années de travail, il est de plus en plus fréquent, dans le secteur privé, d'offrir trois semaines après une, deux ou trois années de service. Tous les sept ans, par exemple, les universités donnent la possibilité à leurs professeurs de prendre une année sabbatique payée, et ce, à diverses fins (pour la recherche, la rédaction d'ouvrages, le ressourcement, etc.), selon un certain pourcentage de leur salaire (par exemple, 80 % ou 90 %) et selon certaines conditions. Certains employeurs proposent à leurs employés de mettre de côté chaque année une partie de leur salaire (par exemple, 20 % de leur salaire régulier) afin qu'ils puissent s'offrir de six mois à un an de congé sabbatique à des fins d'études ou de ressourcement après un certain nombre d'années de service.

Lorsque le personnel est syndiqué, les conventions collectives mentionnent les dispositions relatives au temps de travail, notamment la durée de la semaine de travail, les repas payés, les allocations de repas associées aux heures supplémentaires, les heures supplémentaires (par exemple, le droit de refus, le paiement, l'accumulation) et les congés annuels payés. Dans ce domaine également, des dispositions innovatrices émergent, comme certains arrangements du gouvernement du Canada visant l'instauration d'un congé non payé pour les soins à long terme d'un parent.

9.5.2 Les programmes spécialisés

De plus en plus d'organisations réunissent un certain nombre d'avantages plus ou moins traditionnels ou innovateurs dans des programmes particuliers. Ainsi, il existe des *programmes d'aide aux employés*, qui offrent des services de consultation confidentiels et professionnels cherchant à aider les employés et les membres de leur famille à régler une vaste gamme de problèmes personnels. On trouve aussi des *programmes de mieux-être*, qui visent à promouvoir une bonne santé en diffusant de l'information et en facilitant l'amélioration de la santé et de la condition physique. De même, on trouve des *programmes de gestion favorable à la conciliation travail-famille* et des *programmes d'aménagements flexibles des conditions de travail*, qui comportent un ensemble de pratiques ayant trait aux assurances collectives et aux congés, aux horaires de travail, aux services aux enfants et aux parents, à l'organisation du travail, à la gestion des carrières, etc. Au Québec, une enquête (Guérin *et al.*, 1997) portant sur la fréquence d'implantation de 20 pratiques visant à mieux concilier le travail et la famille auprès de 301 organisations montre que, selon leur taux d'implantation, les pratiques étudiées peuvent être classées en quatre catégories :

– les pratiques courantes (taux d'implantation supérieurs à 50 %), soit l'assurance collective familiale, les congés pour des raisons personnelles, les compléments de salaire et de congé à la naissance ou à l'adoption ainsi que les programmes d'aide aux employés ;

– les pratiques assez courantes (taux d'implantation entre 30 % et 40 %), à savoir l'emploi à temps partiel temporaire et l'horaire variable ;

– les pratiques émergentes (taux d'implantation entre 9 % et 15 %), c'est-à-dire l'emploi partagé, les services de garderie pour les enfants d'âge préscolaire, les services d'information et de références (pour les services de gardiennage, par exemple), l'aide à la réinstallation et les services domestiques à accès rapide ;

– les pratiques marginales (taux d'implantation inférieurs à 7 %), soit l'horaire comprimé, le cheminement de carrière adapté aux exigences familiales, l'horaire à la carte, l'aide d'urgence, la garde des enfants d'âge scolaire, l'aide financière à l'éducation, le travail à domicile, l'aide aux dépendants à autonomie réduite et l'aide financière pour des frais de garde.

9.5.3   Les régimes d'avantages complémentaires ou de gratifications

Une autre catégorie d'avantages regroupe les gratifications (*perquisites*) souvent offerts aux dirigeants, aux cadres supérieurs et à des catégories particulières de professionnels. On dénombre plus d'une cinquantaine de gratifications, allant des repas subventionnés à l'aide au logement, en passant par les billets de théâtre et les congés d'études. Le tableau 9.2 présente quelques exemples de ces gratifications.

9.5.4   Les autres avantages offerts au personnel retraité

En plus de la rente de retraite, certains employeurs offrent à leur personnel retraité certains avantages tels que l'assurance vie, les régimes de soins médicaux, les régimes de soins dentaires ou d'autres avantages (comme des produits et des

TABLEAU 9.2

EXEMPLES DE GRATIFICATIONS POUVANT ÊTRE OFFERTES AU PERSONNEL

Automobile

En plus d'avoir une politique de remboursement des dépenses engendrées par l'usage d'une voiture personnelle pour les déplacements d'affaires, des employeurs fournissent un véhicule ou une allocation à cet égard à certaines catégories de personnel (par exemple, les cadres supérieurs ou les représentants des ventes). Dans la mesure où ce véhicule est également utilisé à des fins personnelles, la loi de l'impôt considère cet avantage comme imposable. La valeur du montant à ajouter au revenu imposable de l'individu dépend de la proportion de l'utilisation consacrée à un usage personnel. Un montant minimal pour droit d'usage est également prévu. Depuis quelques années, une valeur maximale est aussi déterminée pour le véhicule. Cependant, cette valeur ne touche que l'employeur, puisqu'elle limite le coût de location ou, dans le cas d'une voiture achetée, l'allocation en capital que peut déduire l'employeur de son bénéfice imposable. Pour sa part, l'employé est taxé selon les mêmes règles, quel que soit le prix de l'automobile.

Stationnement

Plusieurs employeurs fournissent un stationnement ou paient les frais de stationnement ou une partie de ceux-ci (par exemple, en offrant des taux privilégiés) à leur personnel ou à une partie de leur personnel.

Réductions sur les produits ou les services

Certains employeurs offrent des rabais à leurs employés à l'achat de leurs produits ou de leurs services.

Prêts au personnel

Certaines entreprises offrent à leur personnel des prêts à taux réduits pour se procurer des actions de l'entreprise, pour poursuivre des études, pour faire face à des difficultés financières imprévues, pour acheter une maison ou des biens de consommation, etc.

Logement ou propriété

La plupart des employeurs dont le personnel doit travailler dans des régions éloignées lui offrent un logement en exigeant un montant minimal. D'autres employeurs fournissent un logement à certains de leurs employés, notamment aux cadres supérieurs.

Repas payés

Certaines organisations mettent à la disposition de leur personnel une cantine (cafétéria) et assument parfois les coûts ou une partie des coûts des repas. Quelques entreprises disposent de salles à manger réservées à leurs cadres supérieurs.

Frais de scolarité pour les employés et pour les personnes à charge

La majorité des grandes organisations ont une politique de remboursement des frais de scolarité si les cours suivis ont un lien avec le travail. Dans un certain nombre de

TABLEAU 9.2 (*suite*)

sociétés, il existe un programme de bourses d'études destiné aux personnes à charge des employés.

Frais de congrès et d'associations professionnelles

La plupart des organisations offrent à leurs cadres et à leurs professionnels la possibilité d'assister à des congrès ou à des conférences. D'autres employeurs remboursent leurs frais d'adhésion à des associations professionnelles jusqu'à un montant maximal.

Adhésion à des clubs

Certaines organisations paient l'adhésion, en totalité ou en partie, à des clubs sociaux, à des clubs d'affaires, à des clubs sportifs ou à des clubs de santé pour leur personnel ou une catégorie de leur personnel.

Conseils financiers et juridiques

Certaines organisations offrent des conseils financiers et juridiques à leurs employés en matière, par exemple, de préparation à la retraite, de succession et d'assurances ainsi que de planification financière.

Congés sans traitement

Certaines organisations donnent à leurs employés la possibilité de prendre des congés sans solde sous certaines conditions.

services sans frais ou à prix réduits). Ces employeurs accordent de tels avantages pour diverses raisons : parce qu'historiquement ils les ont offerts et qu'il est difficile de les retirer, parce qu'ils se sentent responsables, redevables ou reconnaissants à l'égard de leurs retraités (paternalisme), parce qu'ils veulent prolonger les avantages dont les employés ont bénéficié par le passé, parce que cela leur permet d'attirer et de garder certains employés ou parce que de telles mesures sont inscrites dans les conventions collectives. Aujourd'hui, de plus en plus d'employeurs reconsidèrent les avantages qu'ils offrent à leurs retraités, en raison des coûts croissants rattachés à cette obligation (le nombre et l'espérance de vie des retraités augmente, cette catégorie de personnel a davantage recours aux services médicaux, etc.).

9.6   Les atouts des avantages

Au Canada, les avantages offerts aux employés constituent des sorties de fonds importantes pour un bon nombre d'employeurs, selon ce que révèlent différentes enquêtes. Ainsi, une enquête effectuée auprès de 276 moyennes et grandes firmes canadiennes démontre que les avantages représentent 27 % des coûts totaux de la main-d'œuvre (Carlyle, 1999). Les avantages offerts aux employés constituent un compromis entre ce que l'employeur considère comme raisonnable et ce que les employés jugent désirable. Plusieurs facteurs justifient l'attribution d'avantages, tant du point de vue des employeurs que de celui des employés ou de leurs représentants syndicaux.

BULLETIN$ 9.2

Offrir des avantages pour attirer et retenir le personnel clé

Selon un sondage mené par l'association WorldatWork auprès de 2 612 membres, les mesures les plus fréquentes que les organisations ont prises pour attirer et retenir les employés de talent consistent à offrir des ajustements de salaires au marché ou des augmentations du salaire de base, à accorder des gratifications à la signature du contrat ou à l'embauche de même qu'à revoir les conditions de travail. Les solutions liées aux conditions de travail incluent les horaires de travail flexibles, les semaines de travail comprimées, un code vestimentaire moins strict, le télétravail et d'autres programmes similaires.

Source : Adapté de Parus et Handel (2000).

Selon une étude de la Fédération canadienne des entreprises indépendantes, plus de 90 % des PME gèrent au moins une pratique de gestion favorable à la conciliation travail-famille. Parmi les pratiques les plus courantes, on trouve la souplesse dans le choix des vacances, l'accumulation des heures supplémentaires et les horaires flexibles.

Source : Adapté de Normand (2004, p. 33).

9.6.1   Les atouts du point de vue des employeurs

Des employeurs estiment qu'ils ont la responsabilité d'aider leurs employés à surmonter certains aléas de la vie. Une telle préoccupation est parfois qualifiée de paternaliste. Les employeurs se sentent particulièrement responsables des membres de la famille d'un employé qui décède après plusieurs années de service ou encore des retraités qui ont travaillé longtemps pour eux. Les régimes privés leur permettent d'aider les employés en leur accordant de meilleurs avantages que les régimes publics. Par ailleurs, l'offre d'avantages assure les employeurs que leurs employés seront moins préoccupés ou stressés par les aléas de la vie et les problèmes financiers et, donc, plus concentrés sur leur rendement au travail.

Les employeurs peuvent aussi accorder des avantages à leurs employés ou à une catégorie d'entre eux pour diverses raisons : pour atteindre leurs objectifs d'affaires, pour renforcer une culture ou une philosophie de gestion, pour attirer et retenir le personnel, pour appuyer d'autres activités de gestion, pour influencer les comportements et les attitudes au travail des employés (par exemple, grâce à une politique d'absentéisme, un programme de préretraite ou une politique de congés), etc. Par exemple, il y a une cohérence dans le fait de gérer avec soin un régime de retraite si une entreprise se vante d'assurer un emploi à long terme et d'offrir des possibilités de carrière. L'offre de programmes de préretraite influe sur l'âge moyen du personnel, et la nature et l'ampleur des avantages offerts ont une incidence sur l'attraction et la conservation du personnel de même que sur la notoriété d'un employeur.

Comme c'est le cas pour les autres composantes de la rémunération, les employeurs peuvent gérer leurs avantages en imitant l'offre des autres organisations. Rappelons, toutefois, qu'il est plus difficile de s'assurer de la compétitivité des avantages que de s'assurer de la compétitivité des salaires. Comme nous l'avons mentionné au chapitre 3, l'information sur les avantages offerts aux employés recueillie lors d'enquêtes de rémunération est plutôt mince et souvent insuffisante.

Historiquement, les exigences et les attentes des syndicats, des employés, des gouvernements et du grand public ont aussi contribué à faire évoluer l'ampleur et la variété des avantages offerts par les employeurs. Les syndicats ont d'ailleurs influé sur les avantages accordés aux employés non syndiqués et sur les avantages qu'offrent les entreprises où il n'y a pas de syndicat et qui veulent éviter la syndicalisation ou réduire l'attrait de celle-ci chez les employés. Dans certaines industries (comme celle de la construction), il est possible d'établir des ententes entre plusieurs employeurs. De tels regroupements de petits et de gros employeurs permettent d'offrir des avantages adéquats à une main-d'œuvre mobile.

Finalement, sur le plan fiscal, certaines contributions des employeurs aux régimes d'avantages (régimes de participation différée aux bénéfices, régimes de retraite, etc.) sont déductibles. Par ailleurs, les employeurs ne sont pas imposés sur les revenus d'intérêts accumulés dans un fonds collectif de retraite. Comme certaines formes de rémunération indirecte bénéficient d'un traitement fiscal avantageux pour les employés, l'attribution d'avantages peut permettre aux employeurs d'accorder à leurs employés un revenu après impôts plus important que s'ils attribuaient la même somme d'argent sous forme de salaire.

9.6.2   Les atouts du point de vue des employés

Les régimes d'avantages — plus précisément les régimes d'assurances collectives — visent à pallier les aléas de la vie qui peuvent difficilement être prévus dans un budget — notamment la maladie, les accidents et la mortalité — et qui peuvent amener des dépenses ou des pertes de revenus substantielles pour un employé et les membres de sa famille. Les régimes d'assurances et de retraite permettent aux employés de mieux faire face à certaines réalités plus prévisibles (comme la retraite, les dépenses de médicaments ou les frais dentaires) qui ont une incidence plus ou moins grande sur leurs revenus ou leurs dépenses.

Pour les employés, les avantages offerts par les employeurs sont plus généreux que ceux qu'attribuent les lois ou les régimes publics. En outre, comme les coûts et les risques sont partagés, les avantages accordés par un employeur sont presque toujours moins onéreux (en raison des économies d'échelle) que ceux qu'un employé décide d'acquérir sur une base individuelle. De plus, une participation minimale de 25 % de la prime totale est généralement exigée par l'assureur à l'égard de tous les régimes d'assurances collectives établis au Québec. Comme l'indique Ferland (2004, p. 18) :

> [...] non seulement cette situation favorise le maintien du régime à long terme, mais elle légitime l'employeur dans son rôle de titulaire et de gestionnaire, puisque c'est lui qui veille au respect des règles à suivre pour assurer la bonne marche du régime. En fait, si l'employeur ne participait pas au régime, les employés seraient tentés de remettre le régime en question dès qu'une hausse importante surgirait.

D'autre part, en vertu de plusieurs régimes d'avantages, les employés sont couverts dès leur embauche ou après une courte période d'attente. Comparativement à l'assurance que les employés devraient négocier sur une base individuelle, les garanties sont plus facilement accessibles étant donné que l'assurance collective n'exige généralement pas de preuve d'assurabilité (sauf certaines conditions). L'assurance collective donne aux personnes admissibles un pouvoir d'achat — proportionnel à la taille du groupe d'appartenance — lui permettant d'obtenir des garanties qu'il pourrait difficilement obtenir sur une base individuelle. En somme, la protection de groupe évite aux employés d'avoir à se procurer leurs avantages, d'essuyer un refus d'être assuré sur une base individuelle ou d'avoir à assumer des coûts élevés liés à une protection personnelle. L'accessibilité aux avantages repose également sur le fait qu'elle est automatique, c'est-à-dire qu'elle est liée au fait d'appartenir à une catégorie de personnel, et que la contribution des employés est automatiquement prélevée tout au long de l'année sur leur salaire, ce qui évite le versement d'une somme annuelle importante.

Enfin, sur le plan fiscal, il est aussi plus intéressant pour les employés de recevoir, par exemple, 1 800 $ en avantages qu'en salaire, puisque le taux d'imposition est moindre sur les avantages. Par ailleurs, quoique cela se révèle de moins en moins important, certaines contributions des employés sont déductibles ou leur permettent d'obtenir un crédit d'impôt. En effet, les règles d'exonération d'impôt liées aux primes patronales de l'assurance collective permettent aux employés de réaliser des économies d'impôts fédéraux. Par ailleurs, les revenus d'intérêts se trouvant dans un fonds collectif de retraite s'accumulent en demeurant exempts d'impôts. C'est également le cas pour certains autres paiements accordés aux employés, notamment en vertu d'un régime de participation différée aux bénéfices ou de programmes de suppléments.

9.7 Les limites des avantages offerts aux employés

Aujourd'hui, les coûts des régimes d'avantages, sans compter les coûts liés aux régimes de retraite, se situent entre 5 % et 7 % de la masse salariale (Schofield, 2005). Ces coûts sont d'autant plus importants qu'ils ne sont pas le seul facteur à considérer : il faut aussi envisager les coûts élevés relatifs à leur gestion (communication, administration).

Par ailleurs, on sait peu de chose sur les retombées des avantages sur l'attraction, la fidélisation et la satisfaction des employés. On sait seulement que la satisfaction à l'égard des avantages sociaux influence la satisfaction à l'égard de leur salaire (Judge, 1993), un déterminant des comportements et des attitudes au travail (Heneman, 1985). Toutefois, comme les avantages ne tiennent pas compte du rendement individuel des employés, ils n'incitent pas ces derniers à déployer plus d'efforts au travail. Comme nous l'avons expliqué au chapitre 7, pour qu'une rétribution soit motivante et incite à fournir un meilleur rendement, il faut que l'employé reconnaisse l'importance de cette rétribution et que celle-ci soit liée à son rendement.

En outre, les avantages sont généralement accordés à tous les employés au moment de leur embauche ou à la suite d'une période uniforme d'admissibilité. Par conséquent, comme l'obtention de tels avantages est associée au fait d'entrer dans l'entreprise et d'y rester, cela devrait contribuer à accroître la satisfaction des employés à l'égard de leur salaire et les inciter à rester dans l'entreprise pour ne pas perdre ces avantages. Une étude menée récemment dans une grande entreprise canadienne confirme que le régime de retraite est plus efficace lorsqu'il s'agit de retenir le personnel que lorsqu'il s'agit d'accroître sa participation ou son engagement (Luchak et Gellatly, 1996). Toutefois, il faut reconnaître que si les avantages réussissent à retenir les bons employés, ils retiennent également les moins bons.

Très peu de données indiquent que l'investissement dans les avantages offerts aux employés a un effet positif sur la performance des entreprises. Une étude dans laquelle étaient comparées des entreprises de taille équivalente (Allen et Clark, 1987) démontre que, comparativement aux entreprises qui n'ont pas de régime de retraite, celles qui en offrent un n'ont pas une performance financière ni une productivité différentes, qu'elles assument des coûts de rémunération totale plus élevés et qu'elles ont des employés plus stables (taux de roulement inférieur) qui prennent leur retraite plus tôt.

Il ressort des pratiques actuelles que la « justice » sur laquelle s'appuie la direction des organisations pour distribuer les avantages aux employés est de type égalitaire, c'est-à-dire qu'on attribue les mêmes avantages à tout le monde, ou de type distributif (l'équité), c'est-à-dire qu'on attribue à chaque employé des avantages liés à sa contribution financière. Dans les cas où l'on choisit ce dernier type de justice, il ne s'agit pas d'une contribution individuelle, mais plutôt d'une contribution par catégories de personnel. Alors qu'une justice de type distributif semble fournir une norme ordinairement acceptée de distribution des salaires, il ne semble pas qu'en pratique le personnel des organisations utilise ce type de norme pour apprécier la pertinence des avantages qui lui sont accordés. Une justice fondée sur les besoins semble plus pertinente aux yeux des employés. Cet état de fait (la distribution des avantages aux employés selon une justice égalitaire ou une justice distributive plutôt que selon les besoins) explique en partie le peu d'intérêt ou de connaissances des employés en ce qui concerne les avantages qui leur sont accordés.

9.8 Les défis liés à la gestion des avantages

Une multitude de changements environnementaux — notamment démographiques, économiques et légaux — influent sur la gestion des avantages offerts aux employés et justifient les tendances actuelles dans ce domaine, ainsi que le choix des défis à relever. Sur le plan démographique, on peut penser à la disparition de la famille traditionnelle (dans laquelle l'homme était le pourvoyeur et la femme, sans emploi rémunéré, élevait les enfants), à l'augmentation du nombre de familles monoparentales, au vieillissement de la population, à la présence plus marquée des femmes sur le marché du travail, à l'accroissement du nombre de couples ayant deux carrières et à la scolarité plus poussée des employés. Sur le plan économique, les changements survenus ont trait à la concurrence internationale, aux pressions sur les coûts, etc. Sur le plan légal, les changements touchent à la multiplication des lois et des règlements visant à protéger les intérêts des particuliers.

Des changements se produisent également du côté de l'industrie des assurances. De multiples fusions, acquisitions et faillites ainsi que des pressions de la concurrence entraînent une baisse des prix des services. La compétition entre des acteurs de plus en plus importants est féroce, quand on sait que le marché des employeurs-clients est assuré à près de 100 %. Aujourd'hui plus que jamais, les assureurs doivent se soucier autant de leurs prix que de la qualité des services qu'ils destinent à des clients exigeants et peu fidèles. La stratégie des assureurs consiste à maximiser leurs ventes en « volant » des clients à leurs concurrents. Une fois qu'ils ont obtenu une clientèle, ils tentent de la fidéliser en implantant, par exemple, un régime flexible d'avantages (qui sera présenté plus loin) dont la gestion est complexe et dans lequel le suivi devient important. Une autre stratégie consiste à mieux gérer les dépenses, c'est-à-dire le paiement des prestations, et à établir une communication plus étroite avec les bénéficiaires du régime. Les assureurs sont également intéressés par le développement de nouveaux produits cherchant à combler le retrait de l'État en matière de soins de santé et par la mise au point de produits mieux adaptés aux besoins et au contexte économique actuels.

De tels changements environnementaux ne sont pas sans poser des défis pour la gestion des avantages. Cette section traite des défis liés à la gestion des régimes de soins de santé, des régimes de retraite et des régimes d'invalidité.

9.8.1 Les défis liés à la gestion des régimes de soins de santé

9.8.1.1 Des coûts de soins de santé croissants

Les coûts des avantages en matière de soins de santé grimpent de façon considérable pour diverses raisons. D'abord, il y a l'augmentation du nombre de demandes de règlement, due au vieillissement de la population active, et à la scolarité accrue des employés, qui connaissent mieux la protection dont ils jouissent. Une population vieillissante, qui vivra toujours plus longtemps à cause des progrès de la médecine, prendra des médicaments et suivra des traitements plus coûteux et en plus grande quantité et elle demandera des remboursements plus importants et variés. On constate non seulement une augmentation annuelle de la consommation de médicaments de 4 % à 5 %, mais aussi des coûts des médicaments qui grimpent quatre fois plus vite que les salaires, ces augmentations pouvant atteindre de 10 % à 12 %, voire 21,4 %, au cours d'une seule année, sans parler de la hausse de 10 % des frais pour une chambre d'hôpital privée ou semi-privée rapportée en juin 2000 (Tanguay, 2000). Au Québec, entre 1998 et 2003, la Régie de l'assurance maladie du Québec (RAMQ) a évalué la hausse annuelle du coût des médicaments à 16,6 % (De Smet, 2003).

Ensuite, il y a l'élargissement de la couverture des régimes visant à tenir compte de situations qui, dans le passé, étaient considérées de manière restreinte ou qui étaient exclues. On observe aussi l'admissibilité aux régimes d'une plus grande proportion de la main-d'œuvre, vu le souci de se conformer à la Charte des droits et libertés de la personne. On trouve un bon exemple de ce fait dans l'inclusion du mot « conjoint » dans la définition de personnes de même sexe en matière d'assurances collectives au Québec, depuis juin 1996.

De plus, en réaction à des réductions des paiements de transfert fédéraux, les provinces ont rogné leur régime public d'assurance maladie au cours des années 1990, ce qui a eu pour effet de reporter les coûts sur les régimes privés de soins de santé et sur les particuliers. D'autres exemples de la révision majeure des régimes publics de soins de santé peuvent être énumérés : le virage ambulatoire, la réduction des ressources allouées, l'apparition d'hôpitaux privés, la fermeture ou la restructuration d'hôpitaux, la remise en question de l'universalité des programmes sociaux, l'idée d'instaurer un ticket modérateur, les soins à domicile, et ainsi de suite. S'il est vrai que la plupart des régimes privés de soins de santé ont été conçus de manière à compléter les régimes d'État et que les employeurs ont essayé à ce jour d'assumer les transferts de coûts des services que l'État a cessé d'offrir, la situation actuelle ne peut plus durer indéfiniment.

Par ailleurs, tout indique que le coûts des services (comme les tarifs quotidiens de séjour dans les hôpitaux) et des produits (comme les médicaments sur ordonnance) continueront d'augmenter pour diverses raisons. En outre, l'évolution de la recherche et développement, l'introduction de nouveaux médicaments et traitements ainsi que l'extension de la période de protection par brevet des médicaments de marque déposée exercent une pression à la hausse sur les coûts dans le domaine de la santé. De fait, les nouveaux médicaments et traitements sont de plus en plus chers, et pourtant, cela n'a pas toujours de rapport avec leur efficacité réelle. Par ailleurs, l'utilisation accrue des soins alternatifs de santé (comme la chiropraxie, la naturopathie, l'homéopathie ou la massothérapie), plutôt que de réduire le recours aux services de santé traditionnels par un effet de substitution, s'ajoute souvent à eux. En outre, les interventions médicales que permettent les avancées de la recherche sont de plus en plus coûteuses et elles provoquent des dilemmes non seulement financiers, mais aussi éthiques. Ainsi, avons-nous collectivement la capacité financière de pratiquer tous les types d'interventions, quels que soient leurs coûts et quelles que soient les caractéristiques des patients (par exemple, leur âge, leur volonté)?

Parallèlement à son désengagement dans le domaine des avantages sociaux, l'État multiplie les lois en la matière (Loi sur l'assurance médicaments, Loi sur la protection des renseignements personnels, Loi contre la discrimination dans les avantages sociaux adoptée en 1996, etc.). Le respect des exigences de ces lois implique des coûts supplémentaires de gestion. En outre, ces lois ont augmenté les exigences liées à la divulgation du contenu des différentes ententes portant sur les avantages sociaux offerts aux employés. En dehors de ces changements légaux, il y a des coûts supplémentaires de gestion des avantages dans un contexte d'internationalisation et de diversité de la nouvelle main-d'œuvre. Sur le plan de la gestion, le recours aux nouvelles technologies de l'information et de la communication (par exemple, le choix en ligne ou les systèmes experts) ainsi que l'impartition de la gestion des avantages contribuent aussi à augmenter les coûts des avantages.

Pour les employés, le traitement fiscal des régimes de soins de santé et l'admissibilité à ces régimes s'avèrent de moins en moins avantageux et de plus en plus contraignants. Comme l'État augmente l'imposition des régimes privés de soins de santé et de soins dentaires, les employeurs risquent de réduire leur protection pour répondre aux pressions des employés qui n'y attachent pas d'importance, ce qui accroîtra les charges dont devront s'acquitter les employés qui estiment ces régimes nécessaires. En conséquence, les employés seront de moins en moins nombreux pour assumer les coûts des régimes publics qui leur permettent d'épargner de moins en moins.

Par exemple, au Québec, depuis 1993, les cotisations patronales au régime de soins de santé entrent dans le calcul de l'impôt provincial à la charge du salarié comme avantage imposable. Les jeunes employés des entreprises sont ici pénalisés, puisque leur taux d'imposition est lié à l'âge moyen des employés de leur entreprise : plus l'âge moyen est élevé, plus le taux d'imposition des employés sur la contribution de l'employeur augmente. Pensons aussi à l'imposition de frais par ordonnance pour les personnes âgées en 1992, à la limitation de la gratuité des soins dentaires pour les jeunes (l'âge ayant été ramené de 14 ans à 10 ans en 1992), à la suppression de la gratuité des examens de la vue pour les personnes âgées de 18 à 64 ans en 1992-1993, et ainsi de suite. Parallèlement, les gens (les employés, les professionnels, les fournisseurs de soins, etc.) seraient plus tentés de falsifier les informations pour obtenir des remboursements plus élevés. S'ils croient pénaliser les compagnies d'assurances seulement en fraudant et en réclamant des remboursements abusifs, ils se trompent : les augmentations futures des primes tiennent compte de l'expérience d'un groupe d'assurés.

BULLETIN$ 9.3

La Coalition canadienne contre la fraude à l'égard des assurances de dommage estime que de 10 % à 15 % des réclamations sont frauduleuses ; ces dernières coûtent près de 1,3 milliard de dollars par année aux assureurs et, par ricochet, aux assurés.

Source : Adapté de Théroux (2002, p. 49).

9.8.1.2 Les moyens de contrôler l'augmentation des coûts des soins de santé

Au cours des prochaines années, il faudra s'attendre à des compressions dans le domaine des soins de santé ou, du moins, à un ralentissement de la montée de leurs coûts. L'époque où les employeurs bonifiaient leurs régimes ou haussaient les plafonds de remboursement est terminée : l'heure est plutôt au transfert des coûts aux employés. Actuellement, les employeurs et les assureurs exercent une gestion ferme des coûts ; pour les employés, cela se traduit irrévocablement par une augmentation des coûts des primes et des franchises. Un nombre croissant d'employeurs adoptent divers mécanismes de limitation des coûts des régimes de soins de santé, comme ceux qui sont énumérés ci-après.

— *Revoir la gestion des primes.* Il s'agit de réduire les cotisations patronales et de transférer les coûts aux employés par des retenues à la source. Une étude menée par la Confédération des syndicats nationaux (CSN) sur l'évolution du coût des primes des assurances collectives de ses syndiqués — de l'enseignement, de la santé et d'une papetière — montre une hausse moyenne annuelle des primes de l'ordre de 15 % ou 16 % en cinq ans, des familles ayant subi des hausses pouvant aller jusqu'à 150 % de leur prime en six ans (Rodrigue, 2002).

— *Revoir la gestion des franchises.* Cela consiste à imposer des franchises, à augmenter celles-ci, à les indexer ou à les rattacher au salaire. Une franchise correspond à une première partie des frais assumés laissée à la charge du salarié, partie au-delà de laquelle il peut être remboursé, pour les frais admissibles restants, selon les modalités du régime. Par exemple, une franchise de 250 $ signifie que la personne assume la première tranche de 250 $ des frais admissibles avant de pouvoir se faire rembourser le reste des dépenses. Une franchise de 5 $ par ordonnance signifie que le participant paie les cinq premiers dollars du coût de chaque ordonnance admissible, le régime lui remboursant le solde selon les conditions préétablies.

— *Restructurer ou réviser le contenu du contrat des régimes.* Par exemple, les employeurs peuvent réduire la fréquence des examens de soins dentaires de 6 mois à 9 ou à 12 mois, abaisser le taux de remboursement (de 80 % plutôt que 100 % en deçà d'un certain montant) des soins de parodontie, limiter le nombre d'unités de temps de soins de parodontie couverts par personne et par année. Au sujet des soins hospitaliers, ils peuvent établir un remboursement maximal annuel, un tarif quotidien fixe, le plafonnement du nombre de jours couverts par maladie, etc. Ils peuvent aussi resserrer leur politique de remboursement à l'égard de certains soins de professionnels (massothérapeutes, physiothérapeutes, etc.) en demandant aux employés de payer un pourcentage des frais engagés ou de fournir des justifications médicales.

French et Weinerman (2005) proposent précisément des stratégies qui peuvent être utilisées simultanément pour comprimer les coûts des régimes d'assurance médicaments.

— *Fixer un montant maximal annuel de remboursement par employé.* L'employeur peut déterminer le montant maximal annuel qu'il consent à rembourser à l'employé (par exemple, 1 500 $) pour ses médicaments. Cette approche est avantageuse pour la majorité du personnel, mais elle peut pénaliser les employés qui prennent des médicaments très coûteux.

— *Fixer un remboursement jusqu'à un plafond annuel préétabli (ou viager).* Un régime de soins remboursant les coûts des médicaments des employés jusqu'à un plafond annuel de protection (viager) évite aux employeurs d'avoir à payer des montants très élevés. Ce plafond doit toutefois pouvoir permettre de régler la majorité des demandes de remboursement. Selon French et Weinerman (2005), un plafond annuel de 25 000 $ devrait suffire à répondre à 99 % des demandes des employés.

– *Imposer une franchise élevée mais offrir une protection contre les risques de frais de médicaments très élevés.* Selon cette stratégie, la majorité des employés devront payer le coût de leurs médicaments courants, mais ils seront tous protégés s'ils doivent se procurer des médicaments très coûteux.

– *Appliquer une politique d'autorisation préalable.* Cette approche consiste à s'assurer que le médicament prescrit convient bien à l'affection du patient et que les directives de l'ordonnance ont été respectées. Les médecins prescrivent trop souvent des médicaments qui ne devraient pas constituer le traitement de premier recours ou qui en remplacent d'autres qui devraient être remboursés par le régime d'État.

– *Établir une grille de remboursement selon une politique du prix de référence.* Les employeurs peuvent mettre en œuvre une politique du prix de référence en établissant une grille de remboursement pour chaque catégorie de médicaments ayant une efficacité thérapeutique similaire mais un coût qui varie. Le remboursement s'effectue en fonction du coût jugé raisonnable, ce qui peut être défini comme étant le médicament (générique si possible) le moins coûteux de la catégorie qui est admissible ou encore le médicament de milieu de gamme.

– *Adopter une grille de remboursement selon une politique du prix de référence adapté à la maladie.* Cette approche permet la substitution de médicaments dans certains cas, mais pas dans d'autres, selon les maladies, le diagnostic et l'utilisation qui est faite du médicament. Par exemple, un employé qui ne tolère pas le médicament moins coûteux peut être autorisé à lui en substituer un autre à titre exceptionnel. Selon cette politique de remboursement, l'employé et son médecin doivent s'entendre sur le médicament qu'ils jugent le plus adéquat, et l'employeur en rembourse le coût jusqu'au maximum fixé. La communication entre l'assureur et l'employé s'avère alors importante, puisqu'elle détermine la capacité de ce dernier à choisir judicieusement ses médicaments et à comprendre les conséquences de ses choix sur les coûts.

– *Adopter et mettre à jour une liste de médicaments privilégiés ou spécialisés admissibles.* Lors de la conception d'un régime d'assurance médicaments, les gestionnaires de régimes proposent un formulaire, c'est-à-dire une liste de médicaments privilégiés ou spécialisés admissibles. Les médicaments nouveaux et plus coûteux sont ajoutés à la liste du formulaire après un examen par un gestionnaire de régimes d'assurance médicaments indépendant et des comités de thérapeutique. Pour l'employeur, il s'agit aussi de modifier la liste pour y introduire les nouveaux médicaments génériques et d'obliger les prestataires à utiliser les produits génériques (mêmes ingrédients actifs et même concentration mais à un prix inférieur) de médicaments de marque déposée plus coûteux qui ne sont plus protégés par un brevet. La mise en place et la mise à jour d'un tel formulaire nécessitent une communication continue avec les employés pour qu'on puisse leur en décrire l'objectif et les restrictions.

— *Fixer un taux de remboursement en fonction des produits.* Un employeur peut aussi décider d'appliquer un pourcentage de remboursement des médicaments en fonction de leur prix : les médicaments moins coûteux et génériques étant remboursés en grande partie, tandis que les médicaments plus coûteux, utilisés pour le traitement de la même maladie, font l'objet d'un taux de remboursement moins élevé, ce qui implique que l'employé paie la différence. Il est également possible qu'un pourcentage de remboursement particulier soit établi pour une catégorie de médicaments, par exemple les produits de sevrage du tabac. Certains employeurs peuvent même éliminer le remboursement de médicaments « style de vie » qui ne sont pas médicalement nécessaires, comme les produits antitabac, les contraceptifs oraux, le Viagra, les produits contre la stérilité, les rides ou la calvitie, etc. De plus en plus, on limite le remboursement aux ordonnances et l'on exclut des médicaments admissibles les produits en vente libre.

L'employeur peut songer à adopter d'autres moyens pour réduire les coûts de transaction : faire un meilleur suivi de l'inscription des personnes à charge, coordonner les prestations sur le lieu de vente à l'aide de fichiers électroniques, promouvoir le recours à des comptoirs pharmaceutiques postaux ou à des canaux de distribution économiques (honoraires fixes et réduits) ou faire affaire avec un réseau de pharmacies qui offrent un tarif préférentiel (en échange d'un certain volume d'affaires).

Du côté de la conception des régimes, on songe de plus en plus à adopter la formule du « compte santé » ouvert au nom de chaque employé, dans lequel un montant fixe est déposé annuellement de manière qu'il l'utilise pour payer des frais médicaux ou dentaires admissibles ou d'autres dépenses prévisibles et peu élevées ayant trait aux soins de santé, à réduire la couverture offerte aux retraités ou à introduire un régime flexible d'avantages (que nous verrons plus loin dans ce chapitre).

À l'égard de la gestion, on sensibilise les employés à l'importance de respecter les ordonnances et à ne pas faire une consommation abusive de médicaments, et l'on recourt aux avis de conseillers thérapeutiques ou de conseillers « économie santé ».

9.8.2   Les défis liés à la gestion des régimes de retraite

9.8.2.1 L'État et la gestion des régimes de retraite

Au Canada, les gouvernements réévaluent leurs régimes publics de retraite parce que la population est vieillissante alors que la situation financière des provinces et du pays est délicate. À long terme, on remet en question la viabilité du Régime de rentes du Québec et du Régime de pensions du Canada, car on craint d'imposer un trop lourd fardeau aux générations futures.

Avec un taux de natalité plus faible et une population qui vit plus longtemps, il y a de moins en moins de personnes actives sur le marché du travail pour financer les retraités. Au Québec, l'âge légal de la retraite à 65 ans a été fixé en 1970 alors que l'espérance de vie des Canadiens était de 69,3 ans, mais aujourd'hui elle est de 79,7 ans (*Les Affaires,* 2005). En plus du fardeau démographique, il faudra affronter la réalité du faible rendement des placements. Le portefeuille traditionnel des gestionnaires, qui comprend surtout des actions et des obligations, ne fournira pas un rendement aussi élevé en raison des bas taux d'intérêt et de la demande toujours grandissante d'actions. Dans ce contexte, la « Liberté 55 », c'est chose du passé. Dorénavant, on ne pourra plus travailler pendant 35 ou 40 ans pour prendre une retraite qui s'étend sur une trentaine d'années.

Dans ce contexte, l'État doit analyser diverses modifications à apporter aux régimes publics de retraite : augmenter les cotisations, hausser l'âge de la retraite à 67 ans, augmenter le taux de cotisation plus rapidement, modifier le montant des prestations de retraite, faire cotiser davantage les employés, amener les employés à réviser leurs attentes, accroître le nombre d'heures de travail, revoir les stratégies de placements des fonds etc. (Lafortune, 2004). Ainsi, en 2005, le Conseil du Trésor a décrété que les quelque 300 000 employés du gouvernement fédéral verront leurs cotisations au régime de pensions augmenter de 0,3 % annuellement jusqu'en 2013, ces derniers bénéficiant d'un des meilleurs régimes de retraite au Canada (Gaboury, 2005).

D'autres auteurs proposent que les caisses de retraite du Québec investissent à l'étranger, dans les économies émergentes, et qu'elles investissent aussi dans l'immobilier, les placements privés et les fonds de couverture (*hedge funds*). Des observateurs estiment également qu'il est temps que le Canada adopte un modèle national de régime de retraite, attribuant la baisse du nombre de régimes de retraite et d'employés qui y participent au capharnaüm qu'est devenue la réglementation dans un pays comptant 30 millions d'habitants. En effet, à ce jour, toutes les provinces, sauf l'Île-du-Prince-Édouard, ainsi que le gouvernement canadien ont, à l'égard des entreprises de compétence fédérale, leur propre loi sur les régimes de retraite. Comme l'explique Purcell (2004), étant donné que les directives de ces 10 lois et de ces 10 organismes de réglementation sont différents, les employeurs qui exercent des activités dans plus d'une province doivent composer avec plusieurs règlements, ce qui exige du temps et des coûts, et se trouvent face à un dilemme chaque fois qu'une province bonifie une norme : soit que la norme favorise les employés qui relèvent de cette compétence au détriment des autres, soit qu'elle s'applique à l'ensemble des employés, ce qui implique des coûts. C'est le cas pour une province qui augmente la somme forfaitaire à laquelle un employé a droit en quittant son emploi, ou pour le Québec, qui est la seule province où une disposition tient compte de l'inflation avant la retraite. Avec l'adoption récente de la loi 195 au Québec, la Loi modifiant la Loi sur les régimes complémentaires de retraite, certains observateurs voient d'autres règles que les employeurs d'ici devront respecter et d'autres coûts qu'ils devront assumer, ce qui ne sera pas le cas pour leurs concurrents enregistrés en Ontario. Enfin, cette lourdeur compromet l'efficacité des organisations établies dans plusieurs provinces, puisqu'elle freine le déplacement des employés d'une province à l'autre.

9.8.2.2 Les employeurs du secteur privé et la gestion des régimes de retraite

Partout au Canada, la crise du sous-financement des caisses de retraite concerne les régimes de retraite à prestations déterminées — garantissant une rente à la retraite aux salariés — qui représentent le tiers des régimes complémentaires de retraite et qui couvrent cinq fois plus d'employés (Bérubé, 2005). Plus précisément, près d'un million de Québécois (actifs et retraités) dépendent de tels régimes (Baril, 2005).

Au Québec, au moins tous les trois ans, les employeurs qui ont un régime de retraite à prestations déterminées doivent soumettre à la Régie des rentes du Québec une évaluation actuarielle pour établir le *taux de solvabilité* de leur régime (une mesure de santé financière du régime), pour le cas où il devrait être abandonné. S'il y a un déficit de solvabilité, l'employeur a légalement cinq ans pour le combler en versant des cotisations supplémentaires (en plus de leurs engagements courants) de manière à disposer du capital (provisionnement ou solvabilité de 100 %) qui lui permettra de faire face à ses engagements envers ses employés. Un suivi semblable des indices de solvabilité des régimes de retraite à prestations déterminées se fait à l'échelle du pays.

Depuis le printemps 2005, en vertu de la loi 195, les employeurs du Québec peuvent, à certaines conditions, mettre 10 ans (au lieu de 5) pour renflouer leur déficit de solvabilité. Cette loi vise aussi à limiter les congés de cotisations des employeurs à leur régime de retraite à la seule année qui suit une évaluation actuarielle, à moins que la situation financière du régime ne fasse l'objet d'une évaluation annuelle. Pour alléger le fardeau des employeurs, cette loi leur permet d'utiliser des instruments financiers, comme une lettre de crédit bancaire, pour couvrir les paiements d'amortissement des déficits. Finalement, ce projet vise à obliger les employeurs à se doter d'un « coussin de sécurité » de 15 % et à réduire le risque de leurs placements à partir de 2009. En somme, les employeurs seront tenus de respecter des règles plus sévères quant aux hypothèses de rendements des fonds adoptées, au type d'investissement privilégié et à l'utilisation des surplus. Avec cette loi, le gouvernement essaie de freiner la baisse d'adoption des régimes à prestations déterminées et de mieux protéger les salariés.

Du côté des régimes de retraite privés canadiens, la santé financière n'est pas bonne dans l'ensemble. Selon les données de Mercer, Consultation en ressources humaines (Bouchard, 2004 ; Simard, 2005), à la fin des années 2003, 2004 et en juin 2005, respectivement 70 %, 84 % et 79 % des régimes agréés de retraite canadiens étudiés (plus de 800 régimes) enregistraient un déficit de solvabilité (ratio de l'actif sur le passif actuariel de solvabilité). Par conséquent, si, dans la deuxième moitié des années 1990, bien des employeurs ont pris des congés de cotisations parce que leur caisse de retraite présentait un surplus, aujourd'hui les sociétés canadiennes doivent y investir une véritable fortune en raison des mauvais rendements boursiers des placements, de la faiblesse des taux d'intérêt à long terme et de l'augmentation des départs à la retraite depuis le début des années 2000.

BULLETIN$ 9.4

Au Québec, au 31 décembre 2002, près de 70 % des régimes de retraite à prestations déterminées placés sous l'autorité de la Régie des rentes du Québec (612 sur 903) étaient déficitaires, et la situation est restée la même depuis. Au Canada, selon les données de Statistique Canada, les cotisations des sociétés canadiennes — incluant celles des régimes publics — ont grimpé de 60 % en deux ans, passant de 12,9 milliards de dollars en 2001 à 20,7 milliards en 2003. Une analyse des rapports annuels 2004 des 25 plus grandes sociétés canadiennes montre que 6 d'entre elles versent des cotisations annuelles supérieures à 170 millions de dollars pour renflouer leur caisse de retraite : Bombardier, Inco, Nortel, Alcan, Abitibi-Consolidated et Chemin de fer Canadien Pacifique. Pour les employeurs des secteurs privé et public, les hausses de cotisations ont un impact critique sur leur flux de trésorerie (cash flow), ce qui les empêche d'investir dans leur propre croissance et dans les services à la population.

Source : Adapté de Dubuc (2005, p. 5).

Pour contrôler la situation financière de leur régime de retraite, les employeurs peuvent essentiellement revoir leur stratégie de placement du capital, leur politique de prestations (baisse des prestations) ou leur politique de capitalisation (augmentation des cotisations). Selon la société Mercer, Consultation en ressources humaines, le scénario le plus réaliste indique que les cotisations que devront verser les employeurs s'établiront à près de 17 % de la masse salariale de 2004 à 2008 (Bouchard, 2004).

À l'heure actuelle, on remarque certaines tendances. D'abord, si les employeurs adoptent de plus en plus des régimes de retraite à cotisations définies (l'employé verse une somme déterminée et sa retraite sera fonction du rendement de son investissement) et des REER collectifs, ils délaissent les régimes à prestations déterminées (l'employé est assuré de recevoir une retraite d'un montant déterminé). Ensuite, pour stabiliser les coûts futurs de leur régime de retraite, les employeurs commencent à adopter des *régimes différenciés de retraite,* de sorte qu'ils inscrivent leurs nouveaux employés dans un régime à cotisations plus élevées mais à prestations moindres que celles de leurs collègues ayant plus l'ancienneté. Selon une enquête menée par le Conference Board of Canada et Watson Wyatt, près de la moitié des organisations sondées songent à adopter de tels régimes de retraite à deux vitesses (Vallière, 2005).

Pendant ce temps, les employeurs des secteurs public et privé font face à une accélération des départs à la retraite, conséquence de la bulle démographique de la période 1947-1962, et au défi de maintenir une main-d'œuvre suffisante pour répondre à leurs besoins. Côté gouvernemental, on prend certaines initiatives pour contrer cette pénurie de personnel. Ainsi, l'Ontario a aboli la retraite obligatoire.

9.8.3   Les défis liés à la gestion des régimes d'invalidité

9.8.3.1   Des coûts liés à l'invalidité croissants

Les régimes d'invalidité coûtent cher aux employeurs : le coût annuel des régimes d'invalidité de courte durée varie de 0,5 % à plus de 4 % de la masse salariale, alors que celui des régimes d'invalidité de longue durée varie de 0,5 % à 2 %. Outre les prestations, il faut compter les coûts des absences du travail (remplacement, heures supplémentaires, etc.) ainsi que les coûts de gestion du contrat et du suivi des dossiers. Par ailleurs, on assiste à une augmentation des demandes d'indemnisation liées à des maladies en émergence (comme l'épuisement professionnel, le syndrome de la fatigue chronique ou la fibromyalgie). En somme, le nombre de prestations d'invalidité est toujours plus élevé que ce qui est planifié, et plusieurs songent à revoir la générosité ou l'ampleur de prestations versées en vertu de leur régime.

L'invalidité pour des causes psychologiques est particulièrement plus fréquente et coûte plus cher en médicaments : en 1989, 19 % des cas d'invalidité prolongée au Québec étaient dus à des maladies psychologiques, comparativement à 45 % aujourd'hui, sans compter que le coût des médicaments pris par un employé souffrant de détresse psychologique est passé de 5 000 $ à 30 000 $ par année depuis 1998 (Picard, 2003).

9.8.3.2   Les moyens de contrôler l'augmentation des coûts liés à l'invalidité

Comme la probabilité d'un retour au travail après six mois d'absence est inférieure à 50 % (Hall, 1996), les employeurs tentent de gérer de manière plus méticuleuse et plus préventive leurs coûts qui se rapportent aux cas d'invalidité à l'aide de politiques ou de programmes de prévention, d'absentéisme, de mieux-être, d'aide, d'intervention précoce, de réintégration au travail, de réadaptation médicale et professionnelle, etc. Ils essaient également d'exercer un meilleur suivi des cas d'invalidité et d'analyser les possibilités de complémentarité avec les régimes publics (par exemple, l'assurance automobile).

Au Canada, un employé en congé a le droit de reprendre son poste de façon progressive. Aussi, toute abolition de poste ou rupture de contrat avec un employé au cours des six mois qui suivent le retour au travail d'un employé s'avère suspecte. La loi canadienne oblige les employeurs et les syndicats à réintégrer dans son travail un employé qui a pris un congé pour des raisons de santé mentale et à faciliter cette réintégration. Un sondage effectué par la société Watson Wyatt en 2003 montre que seulement le tiers des employeurs estiment qu'ils gèrent bien le retour au travail de leurs employés qui ont dû prendre un congé pour des problèmes de santé mentale (Dansereau, 2005). Récemment, plusieurs observateurs ont traité des conditions à respecter dans la gestion proactive de l'invalidité visant à faciliter le retour au travail et à éviter les rechutes (Champagne, 2001 ; Dansereau, 2005 ; Dyck, 2000 ; Losier et Drolet, 2005), ces conditions étant les suivantes :

–   obtenir l'engagement de la direction et des cadres ;

–   nommer un responsable et un comité de gestion des cas d'invalidité qui établiront des normes (les critères d'octroi du revenu de remplacement, la confidentialité des dossiers, etc.) ;

–   établir des liens de collaboration entre la compagnie d'assurances, les employés, le syndicat et les professionnels de la santé ;

–   communiquer aux acteurs (les employés, les cadres, les syndicats, etc.) leurs rôles et leurs responsabilités dans la bonne marche du programme. Le rôle du conseiller est d'aider les employés blessés ou malades à retrouver leur forme physique et mentale et leurs aptitudes sociales pour qu'ils soient en mesure de mener de nouveau une vie normale ;

–   recueillir des données sur l'absentéisme à court et à long terme et analyser les causes en collaboration avec l'assureur de l'entreprise ;

–   appuyer et préparer le retour au travail de l'employé. Ainsi, il faut collectivement (le superviseur, le conseiller en réadaptation, le professionnel des ressources humaines et le médecin) repérer tout obstacle et toute aide au retour au travail, établir un calendrier et un plan de retour (souvent graduel ou progressif) en modifiant des tâches ou en réduisant les heures si cela est requis (selon les limites de l'employé) et faire un suivi. Avant le retour au travail de l'employé, le supérieur immédiat devrait pouvoir être en contact avec le médecin traitant pour l'informer des exigences de son poste et obtenir son opinion quant aux tâches et à la façon dont il devrait reprendre le travail (par exemple, des tâches courtes, un travail à temps partiel, un horaire flexible, un plus grand nombre de pauses, un lieu de travail moins bruyant, le retrait temporaire de certaines activités plus stressantes). Dans les organisations où l'on trouve un syndicat, la responsabilité de faciliter le retour au travail de l'employé relève à la fois du syndicat et de l'employeur qui peuvent prendre un arrangement contrevenant au contrat de travail collectif. Si l'employeur doit embaucher quelqu'un pour remplacer la personne durant son absence, cela doit être fait sur une base temporaire. L'employeur n'a pas à connaître le diagnostic médical de son employé, ce diagnostic étant confidentiel ;

— sensibiliser, informer et former les employés de manière à prévenir les maladies et les blessures et à faciliter le retour au travail après une absence prolongée. On préparera les collègues au retour d'un employé en leur donnant les informations qu'il a été convenu de donner avec ce dernier. De même, on reconnaîtra la contribution d'un cadre qui a réussi à bien gérer le retour au travail d'un employé.

9.8.4   Offrir des avantages permettant d'attirer et de retenir les compétences clés

Face à la nécessité de contrôler et de réduire les coûts, les employeurs révisent leurs régimes d'avantages et diffusent une nouvelle philosophie en la matière, qui est basée sur une responsabilisation accrue des employés. Parallèlement, on tente de plus en plus de gérer les avantages afin d'en faire un levier stratégique pour attirer et garder les employés compétents, et ce, d'autant plus que la pénurie de main-d'œuvre s'accentue. Ainsi, on propose de plus en plus aux employés de nouveaux avantages dont ils pourront bénéficier pendant qu'ils sont en bonne santé, comme des conditions visant à créer un équilibre entre le travail et la famille, un horaire de travail plus souple, la possibilité d'acheter un plus grand nombre de jours de vacances ou de prendre une année sabbatique, un abonnement à un club d'entraînement physique ou l'accès à des soins d'homéopathie. Par ailleurs, compte tenu du recours accru des entreprises aux services d'employés à temps partiel, l'admissibilité de ceux-ci aux régimes collectifs est à l'étude.

BULLETIN$ 9.5

Les employeurs et les départs à la retraite des baby-boomers

Selon un sondage canadien de la firme Robert Half International, 61 % des cadres de grandes entreprises estiment que le départ à la retraite de personnel clé, d'ici 5 à 10 ans, les préoccupe de manière importante et 89 % d'entre eux ont pris des mesures à cet égard, soit offrir de la formation pour assurer la relève (74 %), améliorer leur planification de la relève (66 %) et « redoubler d'ardeur » pour recruter le personnel et le garder (49 %).

Source : Adapté de Dupaul (2005, p. A47).

9.9 La gestion des avantages offerts aux employés

Jusqu'au début des années 1990, la gestion traditionnelle des régimes d'avantages se présentait ainsi (McCaffery, 1998) :

– les divers régimes d'avantages offerts sont gérés par différentes personnes et les coûts totaux ne sont pas intégrés ;

– l'accent est mis sur les salaires ;

– les avantages sont conçus comme relevant de la responsabilité sociale de l'employeur ;

– les divers régimes sont élaborés selon une conception étroite des employés (dans l'ensemble, on considère que ce sont des hommes mariés dont l'épouse demeure au foyer et qui ont deux enfants et un prêt hypothécaire important à rembourser) ;

– les avantages offerts représentent des droits acquis et les caractéristiques des régimes sont immuables.

Depuis les années 1990, les employeurs doivent continuellement modifier la gestion de leurs avantages pour l'adapter aux caractéristiques des nouveaux contrats d'emploi : la diversité du statut des employés (réguliers, permanents, à temps partiel, contractuels, etc.), la valorisation de la responsabilisation des employés ou du partenariat (par opposition au paternalisme et à la mentalité des droits acquis), la gestion d'un roulement de personnel ciblé (par opposition à la recherche de la stabilité), le départ graduel à la retraite (plutôt qu'à un moment préétabli), l'investissement sur le plan de la formation continue et du développement du personnel (par opposition à la sécurité de l'emploi), la diversité de la main-d'œuvre et la variété des besoins qu'elle entraîne, la dispersion géographique de la main-d'œuvre, etc. La mondialisation de l'économie entraîne aussi des questions de gestion des avantages à un niveau international. Les nouvelles technologies bouleversent également la manière de gérer les avantages. Ainsi, des logiciels, très complexes à développer, sont adoptés afin de faciliter la gestion des avantages.

9.9.1 L'importance d'une bonne gestion des avantages

Outre l'ampleur des investissements qui sont en jeu, plusieurs raisons expliquent le fait que l'employeur gère avec soin ses régimes d'avantages. D'abord, une offre d'avantages est difficilement réversible. Lorsqu'un employeur décide d'offrir un avantage à son personnel, il est très difficile — et même illégal dans certains cas — de le retirer, même si la situation financière le justifie. Les employés réagissent mal au retrait d'un avantage, malgré qu'ils accordent peu de valeur à celui-ci. C'est pourquoi il est important d'établir une offre d'avantages pertinente. L'article présenté dans la rubrique «Cas et conjoncture» traite des conditions à respecter quant à l'adoption et à la gestion de régimes d'assurances collectives au sein de PME.

Notons que la méconnaissance des employés en ce qui concerne leurs avantages est notoire. Si la plupart savent que certains régimes existent, il arrive souvent qu'ils ne connaissent ni leur valeur, ni les coûts que leurs employeurs assument pour les leur offrir. De plus, un grand nombre d'employés considèrent que les coûts des régimes sont liés à l'utilisation qu'ils en font. Ainsi, ils croient qu'un régime d'assurance maladie (médicaments) ou d'assurance dentaire coûte plus cher qu'un régime de retraite. Cette méconnaissance ne contribue certes pas à augmenter l'impact de ces avantages sur l'attraction, la conservation et l'engagement des employés. Les employeurs doivent intensifier la communication en matière d'avantages afin que les employés soient davantage conscients de la valeur de ces avantages.

Aussi, l'expérience a démontré à plusieurs entreprises que certaines manières de gérer les avantages pouvaient inciter les employés à adopter des comportements indésirables. Il est donc primordial de gérer efficacement les avantages. Par exemple, une étude confirme que, une fois l'effet des caractéristiques individuelles contrôlé, le type de politique de gestion des absences influence le taux d'absentéisme des employés (Rocheleau et Renaud, 2003). Ainsi, une politique faisant en sorte que les employés perdent les congés de maladie non utilisés augmente l'absentéisme, alors qu'une politique permettant aux employés d'accumuler les congés de maladie non utilisés réduit l'absentéisme.

Enfin, des études révèlent que la satisfaction des employés à l'égard des avantages repose plus sur la manière de les gérer (la justice du processus, soit le comment), notamment la communication des avantages et la contribution des employés au coût de la franchise, que sur la nature des avantages offerts (la justice distributive, soit le quoi) (Cole et Flint, 2005 ; Tremblay *et al.,* 1998, 2000 ; Williams, 1995).

9.9.2   L'analyse des besoins en avantages

Un sondage de la société Towers Perrin (Théroux, 1998), effectué auprès d'une centaine de cadres au sein d'entreprises comptant 300 employés et plus, démontre que les entreprises n'adaptent pas encore suffisamment leurs offres d'avantages aux besoins des employés.

– Près de 80 % des employés trouvent important d'avoir un horaire souple pour mieux équilibrer leur vie professionnelle et leur vie familiale, mais seulement la moitié d'entre eux travaillent dans une entreprise qui offre cette possibilité.

- Près de 70 % des employés considèrent comme important que les régimes protègent les personnes à charge, mais seulement 36 % d'entre eux bénéficient de tels régimes.
- Plus de 90 % des employés estiment que les programmes de formation sont essentiels, mais seulement la moitié d'entre eux estiment que leur entreprise effectue un bon travail à cet égard.

9.9.2.1 L'importance de l'analyse des besoins

La gestion des avantages attribués aux employés doit être soumise au critère du coût, mais également à celui des besoins relatifs des employés. Il ne fait pas de doute que l'importance du coût l'emporte généralement sur celle des besoins. La popularité relative des régimes d'assurance vie par rapport aux régimes d'invalidité de longue durée illustre bien cette situation. D'aucuns affirmeront que le critère du coût doit primer celui des besoins, parce qu'il y va de la santé financière de l'organisation. Cependant, à coûts équivalents, le critère des besoins relatifs devrait être prépondérant. En pratique, cependant, il n'en est pas toujours ainsi. Par exemple, pourquoi offrir un régime de soins dentaires couvrant les frais d'orthodontie alors que les employés, en particulier ceux dont les charges financières sont les plus élevées, ne sont pas protégés adéquatement en matière d'assurance vie ou d'assurance invalidité ? De plus, dans ce cas, il est loin d'être sûr que le régime de soins dentaires proposé représente un coût équivalant à un complément de protection en matière d'assurance vie ou d'assurance invalidité.

En matière d'avantages offerts aux employés, il est important de bien saisir la notion de «besoins relatifs», et surtout d'en faire une analyse adéquate. Par exemple, l'importance des besoins de protection du revenu varie selon un certain nombre de caractéristiques, dont l'âge, l'état civil et les responsabilités familiales. Ainsi, le besoin de protection du revenu dépend de trois variables : les besoins de l'employé, ceux de son conjoint ou de sa conjointe, en fonction de sa disponibilité sur le marché du travail, et ceux des enfants, en fonction de leur âge et de leur état civil. Par exemple, en cas de décès d'un employé, les besoins sont moins grands qu'en cas d'invalidité permanente. Dans le premier cas, l'importance de la variable « besoins de l'employé » est nulle, contrairement au second cas.

Les besoins évoluent également avec le temps, en fonction non seulement des personnes et de leur état civil, mais également de l'inflation, des augmentations de salaires et du coût de la vie. Une mise à jour s'avère donc essentielle, laquelle doit reposer sur l'évolution des besoins des employés plutôt que sur les résultats d'enquêtes menées auprès du marché. De plus, la mise à jour doit tenir compte de l'évolution de la législation sociale. À ce sujet, une grille d'analyse fondée sur l'approche par événement présente un intérêt certain. Il s'agit alors de déterminer, pour chacun des événements possibles (par exemple, le décès avant la retraite ou l'invalidité à long terme), la disponibilité et le niveau de protection offerts par les régimes publics et par les régimes de l'organisation. Une telle analyse permet de déterminer les faiblesses des régimes de même que les dédoublements d'un régime à l'autre. Cependant, il est difficile de diagnostiquer clairement les besoins des employés et de modifier l'offre des avantages selon ces besoins. De plus, les besoins en la matière peuvent varier d'un employé à l'autre.

Quoique nous ayons surtout illustré nos propos en présentant des régimes de protection du revenu, toute la gamme des services aux employés n'échappe pas pour autant à la nécessité d'une saine gestion qui s'appuie sur les critères du coût et des besoins relatifs. Par exemple, quelle est l'utilité relative d'un régime qui, lors d'une relocalisation, prévoit une aide hypothécaire, mais n'offre aucune aide au conjoint pour qu'il se trouve un nouvel emploi satisfaisant ? On peut également se poser des questions plus globales, comme celle de l'utilité de quatre ou cinq semaines de congé annuel alors que les salaires accordés aux employés sont relativement faibles. On ne peut certes pas tout offrir : il faut faire des choix. Mais il faut alors s'interroger sur la pertinence des choix effectués par rapport aux personnes en cause. Par ailleurs, et dans une perspective plus large, les organisations devraient examiner la possibilité d'augmenter les salaires des employés plutôt que les avantages qu'elles leur accordent, compte tenu de l'effet relatif des régimes d'avantages.

Il est certes nécessaire de faire des enquêtes auprès du marché au sujet des avantages offerts pour parvenir à une comparaison plus adéquate de la rémunération totale. Toutefois, si la mesure de la rémunération totale fournit certaines indications sur le coût d'un régime efficace d'avantages, elle donne peu d'informations sur les besoins des employés. En outre, elle renseigne à peine sur la structure des modifications à apporter aux régimes d'avantages. Enfin, elle peut avoir un effet dysfonctionnel encourageant la mise en place de nouveaux régimes ou l'ajout de modifications aux régimes existants, non parce que ces régimes ou ces modifications correspondent à des besoins ou qu'ils sont désirés par les employés, mais parce qu'ils sont offerts par les autres organisations. De plus, à cause du caractère hautement technique de plusieurs régimes, leur gestion est souvent confiée à des spécialistes susceptibles d'être plus intéressés par les détails techniques que par la valeur relative de ces avantages pour les salariés. Dans ce contexte, la question de la mesure des besoins des employés revêt une importance fondamentale.

9.9.2.2 La gestion du processus d'analyse des besoins

Les décisions liées aux changements à apporter aux régimes d'avantages sont souvent fondées sur l'opinion et les préférences de certains cadres, sur des considérations légales et fiscales, sur la volonté de la direction, sur la connaissance des tendances du marché et de la compétition ou sur les besoins des employés. Cette façon de procéder risque d'amener des modifications qui ne correspondent pas aux besoins réels des employés. Aujourd'hui, un nombre croissant d'employeurs doivent réinventer leurs avantages, et ils le font en consultant les employés et en les faisant participer au processus, de manière à maximiser le rapport coûts/bénéfices de leur investissement. Il existe plusieurs méthodes de mesure des besoins des employés, qui peuvent être classées en trois catégories.

– *Les groupes de discussion*. On forme de petits groupes de personnes ayant des caractéristiques semblables, afin de recueillir leur opinion sur des avantages proposés. Cette approche ne permet pas de faire participer l'ensemble des employés, mais elle permet d'approfondir l'objet d'étude.

– *Les questionnaires*. Ils peuvent prendre différentes formes : des questions ouvertes, des questions avec une échelle de réponses, le rangement des avantages et la comparaison par paires des avantages ou des options d'avantages ayant des coûts semblables. Cette approche permet de faire participer tous les employés, mais non d'obtenir des informations nombreuses et détaillées, car le nombre de pages d'un questionnaire est limité.

– *Les groupes de discussion et les questionnaires*. On peut privilégier une démarche impliquant le recours à des groupes de discussion en vue de déterminer les changements possibles. Par la suite, les réactions des employés aux propositions de changements peuvent être recueillies au moyen d'un questionnaire faisant appel à différentes méthodes de mesure. Il est alors possible, en interprétant les réponses aux différentes mesures, de dégager les préférences des employés.

Certaines mises en garde s'imposent quant à la réalisation de sondages en matière d'avantages. En premier lieu, ces sondages suscitent immanquablement des attentes chez les employés. Il est donc important de s'assurer que l'on pourra satisfaire au moins une partie de ces attentes. De plus, il est nécessaire de bien maîtriser les attentes en communiquant clairement les objectifs du sondage et les intentions de l'organisation. Si la direction prévoit n'apporter aucun changement à la suite du sondage, il serait sans doute préférable de ne pas effectuer celui-ci. En deuxième lieu, il faut assurer les employés du caractère confidentiel des informations collectées, afin de susciter leur confiance. En troisième lieu, il est important de donner l'occasion à tous les employés de participer à ce sondage et de ne pas procéder par échantillonnage. Cependant, si, à la limite, la taille de l'organisation est telle qu'il ne serait pas pratique de procéder au sondage auprès de tous les employés, la direction devra exposer précisément la démarche privilégiée, les raisons pour lesquelles elle y a recours et la façon dont l'échantillon a été déterminé. Dans cette situation, il serait préférable d'indiquer que toute personne qui désire s'exprimer peut le faire. Lorsqu'on donne à tout le monde l'occasion de s'exprimer, il est important de s'assurer d'un taux minimal de réponses. En quatrième lieu, il convient de fournir aux employés une rétroaction sur les résultats du sondage. En plus de démontrer le sérieux de l'engagement de la direction vis-à-vis des besoins des employés en matière d'avantages, la rétroaction permet aux employés de comprendre les décisions qui seront prises par la suite.

9.9.3   L'adoption d'une politique sur les avantages

Compte tenu de l'importance du coût des régimes d'avantages dans la rémunération totale et de leur croissance constante, il est étonnant de constater que très peu d'employeurs ont une politique en la matière. Si la plupart des organisations ont une politique cohérente de rémunération, cette politique vise presque exclusivement la partie de la rémunération totale portant sur la rémunération en espèces, sinon uniquement la partie salaire. Par exemple, on peut lire dans la politique d'une organisation : « La politique de rémunération de l'entreprise est basée sur des principes d'équité interne et d'équité externe, d'augmentations au mérite et de progression à l'intérieur de l'échelle salariale. » Parfois, on ajoute une clause relative aux régimes d'avantages attribués aux employés, selon laquelle, par exemple, « les avantages sociaux seront adaptés aux besoins des employés et des régions dans lesquelles travaillent les employés ». La généralité d'un tel énoncé est significative : si on fait la comparaison avec les salaires, il ressort qu'il peu d'organisations semblent avoir poursuivi une réflexion méthodique en vue de déterminer les principes directeurs sur lesquels devraient s'appuyer leurs régimes d'avantages attribués aux employés.

Le rôle des avantages comme composante de la rémunération totale et des conditions de travail doit être bien défini. Lorsqu'ils n'ont pas établi une stratégie intégrée, les dirigeants ont tendance à gérer les avantages sans tenir compte du contexte des affaires et du fait que les avantages devraient les aider à atteindre leurs objectifs et à se distinguer des autres employeurs à cet égard. Ainsi, un sondage de la société Towers Perrin (Théroux, 1998), mené auprès d'une centaine de cadres d'entreprises comptant 300 employés et plus, démontre que les avantages sociaux ne différencient pas encore suffisamment les entreprises concurrentes et qu'on attribue aux avantages une efficacité restreinte dans le recrutement, la fidélité et la motivation des employés.

Si elle désire assurer une bonne planification des régimes d'avantages, la direction doit prendre en considération un certain nombre d'éléments, tels les objectifs de l'organisation en matière d'augmentation ou de diminution de la main-d'œuvre, la dispersion ou la centralisation géographique, les projets d'acquisition ou de fusion, les caractéristiques de la main-d'œuvre, les exigences légales, l'industrie, la présence syndicale, le coût relatif des avantages offerts aux employés ou la stratégie de la rémunération totale. Par exemple, plus la proportion de femmes est élevée dans une organisation, moins le coût d'un régime d'assurance vie est élevé, car les femmes vivent en moyenne plus longtemps que les hommes. Par ailleurs, plus l'âge moyen du personnel d'une organisation est élevé, plus le coût de certains régimes de retraite est élevé (les employés ayant moins d'années de cotisations avant l'âge de la retraite) et plus le coût des assurances est élevé (les risques de décès étant plus élevés). De plus, l'augmentation des taux des salaires des employés entraîne la hausse du coût de la plupart des régimes de protection du revenu, puisque les cotisations ou les prestations sont généralement déterminées selon le niveau des salaires.

Par ailleurs, la gestion des avantages au sein des organisations qui effectuent des opérations internationales se complexifie, puisque ces organisations doivent tenir compte des besoins d'employés ayant des valeurs différentes ainsi que de lois qui varient selon les régions et les pays. Enfin, l'offre d'avantages destinée à certaines catégories de personnel, notamment le personnel de recherche et développement, doit être suffisamment riche pour attirer et garder les compétences requises. Une enquête de la société William M. Mercer Ltd. (1998), menée auprès de 69 entreprises de haute technologie générant des revenus de 5 millions à 1,9 milliard de dollars, confirme la générosité des avantages offerts. Ainsi, seulement 36 % des employeurs imposent une franchise à leurs employés, la moitié offrent des avantages sociaux aux employés à temps partiel et les autorisent à contribuer au régime d'épargne-retraite (REER), 10 % consentent certains avantages à leurs employés contractuels, etc.

9.9.4   La communication des avantages

Actuellement, dans la plupart des provinces canadiennes, aucune loi n'oblige les employeurs à transmettre à leurs employés des renseignements sur les avantages qu'ils leur offrent, sauf à propos des régimes de retraite. Les employeurs sont tenus de remettre aux participants à un régime de retraite un relevé individualisé de leur situation personnelle. De plus, les participants doivent être informés de tout changement apporté au régime ainsi que de certains autres renseignements, comme les prestations payables en cas de départ ou de décès, les états financiers du régime et les évaluations actuarielles. Quant aux autres régimes d'avantages, leur communication est laissée au choix de l'employeur.

9.9.4.1 L'importance de la communication

Un avantage ne peut évidemment être jugé pertinent que dans la mesure où son existence est connue. Les employeurs et les assureurs se rendent compte qu'il existe un manque de communication important dans ce domaine. Un sondage de la société Towers Perrin (Théroux, 1998), mené auprès d'une centaine de salariés d'entreprises comptant 300 employés et plus, confirme que les salariés semblent ignorer que les avantages constituent une part importante des coûts d'exploitation de leur employeur et que la générosité des avantages qu'on leur offre n'influence pas leur satisfaction ni leur appréciation de leur employeur. Comme la majorité des employés assurés ne connaissent pas les services qu'ils peuvent obtenir ni le coût de ces services, ils ne peuvent les apprécier à leur juste valeur. Si l'on considère ces facteurs, de même que tous les bouleversements à venir dans le domaine des assurances (la responsabilisation des employés, l'apparition de nouveaux régimes, etc.), il est clair que les campagnes de communication et d'éducation auprès des utilisateurs devront prendre de plus en plus d'ampleur. Les avantages peuvent aussi constituer pour l'employé une incitation supplémentaire à faire partie d'une autre catégorie de personnel, dans la mesure où ils diffèrent de ceux que lui offre son employeur dans sa catégorie actuelle. Il suffit de penser à l'effet d'un régime supplémentaire de retraite ou d'options d'achat d'actions sur les cadres supérieurs. Par ailleurs, les avantages peuvent encourager un employé à continuer à travailler au sein d'une organisation dans la mesure où il perçoit qu'une autre organisation lui offrirait moins. Enfin, il semble que plus les employés ont de l'information sur les avantages qu'ils reçoivent, plus ils en sont satisfaits (Dreher *et al.,* 1988).

9.9.4.2 L'élaboration d'un programme de communication

Pour déterminer le contenu d'un programme de communication, il faut franchir certaines étapes : définir les objectifs du programme, connaître les besoins et les attentes des employés visés, définir le message à transmettre à chaque destinataire, prévoir les réactions des employés afin de pouvoir y répondre et de se préparer à rectifier le tir en cours de route, s'assurer que tous les intervenants qui jouent un rôle dans le programme de communication se sentent responsables de son succès.

Le programme de communication doit fournir, de façon régulière et continue, une information précise, à jour et adaptée au destinataire et au moyen utilisé. La communication doit surtout porter sur la valeur des avantages offerts à l'ensemble du personnel, sur la valeur des avantages offerts à chaque employé et sur la valeur que représenteraient ces régimes si les employés se les procuraient sur une base individuelle. Des explications portant sur les caractéristiques techniques des régimes et des politiques apparaissent comme moins nécessaires, puisque l'efficacité de la communication liée aux régimes d'avantages est appréciée en fonction non seulement de la connaissance qu'ont les employés de leurs détails techniques, mais également de la valeur qu'ils leur accordent.

9.9.4.3 Le choix des outils de communication

Les organisations préparent couramment des documents explicatifs sur les divers régimes d'avantages destinés aux employés. Distribués lors de l'embauche ou au moment où des modifications importantes sont apportées aux régimes, ces documents constituent des outils dont l'utilité peut se révéler limitée à cause de leur caractère statique. Ainsi, de nombreuses organisations recourent à un éventail d'autres moyens pour compléter ces documents et rendre plus dynamique et plus efficace le processus de communication, notamment le journal d'entreprise, les communiqués, le bilan social, les tableaux d'affichage, les réunions d'information assorties de présentations audiovisuelles et la désignation d'une personne chargée de fournir des réponses aux questions des employés. D'autres organisations et compagnies d'assurances collectives font aussi appel à des outils à la fine pointe de la technologie, comme les systèmes informatisés interactifs, qui permettent à l'employé d'accéder à l'information ou d'analyser les effets de divers scénarios, comme les coûts d'un choix d'avantages, à l'aide d'un téléphone à boutons ou d'une vidéoconférence (télévision d'affaires).

Tous ces moyens d'information présentent un intérêt certain. Cependant, leurs effets seront d'autant plus assurés s'ils s'intègrent à un programme global de communication sur les avantages. Un programme de communication bien conçu amène l'employeur et l'employé à retirer le meilleur rendement possible du capital et des efforts investis. Un bon plan de communication a recours à divers moyens, tant visuels qu'écrits, et dose l'information destinée aux employés de façon qu'ils puissent l'assimiler. C'est là toute la différence entre la communication de qualité et l'information livrée « en vrac ».

9.10 Les régimes flexibles d'avantages

La plupart des régimes traditionnels d'avantages destinés aux employés sont de type « obligatoire », offrant la même protection à tous les participants sans qu'il leur soit possible de choisir une protection plus ou moins étendue selon leurs besoins et leurs préférences. De fait, les participants n'ont que deux options : choisir le type de protection — individuelle, monoparentale, pour le couple ou pour la famille — ou décider de souscrire à une assurance vie facultative selon leurs besoins.

Dans le contexte actuel, de tels régimes obligatoires d'avantages peuvent coûter cher aux employeurs sans nécessairement être appréciés par les employés, parce qu'il se peut qu'ils ne répondent pas à leurs besoins ou qu'ils n'aient pas une valeur suffisante à leurs yeux. Encore de nos jours, plusieurs régimes d'assurance vie collective offrent un même montant d'assurance vie à tous les employés, quels que soient leurs besoins. Ce montant peut correspondre à une, deux ou même trois fois le salaire annuel régulier des employés, quel que soit leur salaire. Cette situation va à l'encontre du fait que les besoins d'assurance vie ne sont pas les mêmes d'une personne à l'autre ou pour une même personne à différents moments de sa vie. Il en est ainsi pour les besoins et les préférences des employés à l'égard des caractéristiques des divers régimes de protection du revenu. Ces préférences varient non seulement selon des caractéristiques personnelles (âge, scolarité, état civil, responsabilités familiales, etc.), mais aussi selon le groupe auquel les employés appartiennent dans l'organisation.

Depuis quelques années, on prône l'adoption de régimes flexibles d'avantages. Cette section définit les régimes flexibles, souligne leurs atouts et leurs inconvénients et présente le phénomène de l'antisélection, qu'on associe à ce type de gestion des avantages.

9.10.1 Définition et fréquence des régimes flexibles d'avantages

Les régimes flexibles d'avantages permettent aux employés de choisir parmi différents types, modules ou plans d'avantages, ainsi que de revoir et de modifier périodiquement leurs choix au cours de leur vie. Il n'est alors plus question d'adhérer automatiquement — pour la durée d'un contrat chez un employeur — à un programme uniforme ou standard établi pour tous les employés. Il n'existe pas de définition standard des régimes flexibles d'avantages, mais, dans la pratique, on distingue quatre approches principales : les régimes « base plus options », les régimes modulaires, les régimes flexibles, à la carte ou cafétéria et les comptes de gestion de santé.

Au Canada, les enquêtes du Conference Board of Canada indiquent que le nombre de régimes flexibles d'avantages a quadruplé depuis 1990 ; on les trouve dans 37 % des 276 organisations sondées en 1999 (Carlyle, 1999). Selon Barringer et Milkovich (1998), l'adoption d'un régime flexible d'avantages et ses caractéristiques devraient varier en fonction de l'industrie, des particularités des règles fiscales, des objectifs poursuivis par l'employeur (par exemple, la réduction des coûts ou la satisfaction des besoins des employés) et de la présence syndicale (ils seraient moins présents dans les milieux syndiqués).

9.10.1.1 Les régimes « base plus options »

Ces régimes proposent une protection de base obligatoire — comme l'assurance vie de base, l'assurance salaire de longue durée et l'assurance médicaments — dont le coût est assumé à 100 % par l'employeur. Ils comportent aussi des options complémentaires facultatives, c'est-à-dire laissées au libre choix de chacun des participants, dont le coût ou son équivalent est assumé à 100 % par l'employé qui y souscrit. Les options, qui sont payées par l'employé, peuvent être multiples : les soins médicaux, les soins dentaires, l'assurance vie, l'assurance décès, l'assurance habitation, l'assurance automobile, etc. Ce type de régime flexible est le plus courant, puisqu'il permet à l'organisation de maîtriser ses coûts tout en offrant des choix distincts aux employés par garantie. La complexité de son administration est liée au nombre d'options offertes. L'approche peut prévoir un montant de *dollars flexibles* que l'employé peut répartir selon ses besoins. Ce montant est alloué par l'employeur selon le statut familial ou la sélection des types de protection. Il peut être fixe et/ou constituer un pourcentage du salaire de base.

La plupart des régimes implantés dans les organisations offrent des options associées à l'ampleur de la protection, que la direction a souvent mises au point après avoir consulté le personnel. On trouve donc des options d'avantages (en général, trois ou quatre options incluant un régime de base obligatoire) plus ou moins coûteux parmi lesquels les employés font un choix.

9.10.1.2 Les régimes modulaires

Cette approche propose différents « modules » — chacun regroupant divers types de protection — qui ont été préétablis en fonction des caractéristiques démographiques des différents groupes d'employés. Les modules sont d'égale valeur. Les participants choisissent un module et ils peuvent augmenter leur protection en payant des cotisations. Cette approche est simple, mais elle comporte une flexibilité limitée et rend difficile le contrôle des coûts.

9.10.1.3 Les régimes flexibles, à la carte ou cafétéria

Théoriquement, ces régimes ne proposent pas de protection de base (toutes les garanties étant considérées comme accessoires) et laissent chacun des participants choisir le type de protection qu'il désire (l'assurance vie, l'assurance maladie, l'assurance invalidité, l'assurance dentaire, etc.). Ces régimes peuvent aussi prendre la forme d'un nombre préétabli de crédits que l'employeur accorde à l'employé, qui s'en sert pour acheter les assurances de son choix. Si les choix d'un participant mènent à un déficit, il contribuera à combler celui-ci au moyen de déductions salariales, et s'ils mènent à un surplus, il pourra recevoir un remboursement ou bénéficier d'autres avantages.

En pratique, les régimes complètement flexibles (de type « cafétéria », le libre-service ou le régime à la carte), dans lesquels l'employé répartit en avantages un montant préétabli, sont rares. D'ailleurs, ce concept, qui ne semble pas très réaliste en Amérique du Nord, soulève certaines réticences :

— il complique la comptabilisation de la rémunération ;

— il ne s'applique qu'au personnel non syndiqué, puisque les syndicats s'y opposent ;

— il remet en question la croyance selon laquelle les employés devraient obtenir une protection contre l'insécurité du revenu, peu importe s'ils la désirent ou non (quoiqu'il soit possible d'établir des minimums de protection pour certains régimes) ;

— il augmente les coûts, puisque ceux-ci sont fonction du nombre d'adhérents ;

— il nécessite un renoncement à certains avantages lorsqu'on veut s'en procurer d'autres.

9.10.1.4 Les comptes de gestion de santé

Selon cette approche, l'employeur ouvre un compte au nom de chaque employé et y verse annuellement un montant fixe que l'employé utilise pour payer des frais médicaux ou dentaires admissibles, ou d'autres dépenses prévisibles et peu élevées ayant trait aux soins de santé qui ne sont pas assurées par le régime de base de l'employeur (cette approche n'élimine donc pas, par exemple, l'assurance vie). Le montant versé par l'employeur dans ce compte est imposable et les dépenses admissibles sont précisées par la Loi de l'impôt sur le revenu.

En résumé, si les nouvelles formules de gestion des avantages apportent plus de souplesse, elles offrent rarement un vaste choix ou une individualisation complète, et les options offertes n'incluent pas la possibilité de réaffecter les contributions de l'employeur au régime de soins. Par ailleurs, il y a autant de régimes flexibles que de possibilités d'adaptation. En effet, le moindre élément d'individualisation qu'on apporte à un programme d'avantages aux employés peut être interprété comme un pas vers la flexibilité. Notons également que la flexibilité est basée sur la volonté de l'employé de verser des cotisations additionnelles pour se procurer des options qui correspondent davantage à ses besoins. Aussi, l'adoption de régimes flexibles ne signifie pas que tous les employés ont adopté une formule propre à leurs besoins, puisqu'un bon nombre d'entre eux retiennent l'option de base sans supplément.

9.10.2 Les atouts des régimes flexibles d'avantages

Sans aller jusqu'à l'approche à la carte, les employeurs sont quasiment forcés d'assouplir la gestion des avantages accordés aux employés, et ce, pour diverses raisons : le coût croissant des avantages offerts par les employeurs, les régimes d'avantages plus ou moins valorisés par les employés, le choix limité des employés quant au contenu des programmes d'avantages qu'ils reçoivent, la méconnaissance, chez les employés, du coût de leurs avantages, etc. On reconnaît plusieurs atouts aux régimes flexibles, tant pour les employés que pour les employeurs.

En vertu d'un régime flexible, les employés ont la possibilité de choisir les avantages qui correspondent le mieux à leurs besoins et qu'ils sont plus susceptibles d'utiliser sans que cela influe sur la protection des autres employés et les coûts liés au régime. Conséquemment, un tel régime permet de réduire et de mieux maîtriser les coûts (sans restreindre les avantages offerts) et les demandes des employés en matière d'avantages, de mieux répondre aux besoins de plus en plus diversifiés des employés, d'accroître la capacité d'attirer et de garder les employés et de maintenir des avantages optimaux sur le plan fiscal. Ce régime a également pour effet de réduire les demandes d'amélioration des avantages aux frais de l'employeur. Un régime flexible appuie aussi les employeurs dans leurs efforts pour respecter les lois empêchant la discrimination fondée sur le sexe et l'âge de l'employé en matière de gestion des avantages. Il permet d'offrir de nouveaux avantages à un coût moindre pour les employés et d'élargir la gamme des avantages offerts, afin de maximiser le revenu net des employés.

Par ailleurs, en rendant les employés plus conscients de la nature et de la valeur des avantages qu'ils reçoivent, un régime flexible est plus en mesure de les satisfaire. De même, il responsabilise davantage les employés, puisque ce sont eux qui déterminent leur protection selon des choix offerts par l'employeur. Plus conscients de leurs avantages et de la valeur pécuniaire de ceux-ci, les employés couverts par un régime flexible sont également moins tentés de quitter leur employeur, car ils perçoivent que d'autres entreprises ne leur offriront pas d'avantages équivalents. En un mot, ce type de régime comporte une offre d'avantages plus individualisée, un attrait qui peut valoir son pesant d'or lorsqu'il faut pourvoir des postes exigeant des compétences spécialisées et rares ou qu'il faut gérer le travail des employés dans divers pays. Le régime flexible permet aussi aux organisations de mieux s'adapter à une main-d'œuvre diversifiée (par exemple, on évite d'attribuer certains avantages en double aux couples ayant deux carrières). Une étude menée auprès d'une entreprise (Rabin, 1994) confirme que la satisfaction des employés à l'égard de leurs avantages augmente lorsqu'on passe d'un régime traditionnel à un régime flexible et que l'amélioration de la satisfaction est d'autant plus élevée que le programme offre de nombreux choix aux employés et qu'il leur est expliqué avec soin.

Les atouts précédents sont ceux qu'on met habituellement en avant. Depuis quelques années, on observe que les régimes flexibles sont adoptés plus souvent parce qu'on leur attribue d'autres atouts. D'abord, comme les organisations ont de plus en plus recours à l'informatique ou à l'impartition pour gérer leurs avantages, la complexité liée aux régimes flexibles entrave moins leur implantation. De plus, ces régimes permettent d'intégrer les avantages des employés à la suite de nombreuses fusions et acquisitions d'entreprises ou dans les unités ou les divisions d'une entreprise qui sont dispersées géographiquement. Par ailleurs, les régimes flexibles symbolisent un changement de culture ou de climat marqué par certains mots clés : l'entrepreneuriat, la responsabilisation des employés, l'innovation et la créativité, l'emploi durant une courte période plutôt qu'à vie, etc. Ils peuvent également permettre aux employeurs de varier leurs contributions aux avantages selon la performance organisationnelle. De plus, les régimes flexibles sont perçus comme étant plus cohérents que les autres régimes par rapport aux besoins d'un nombre croissant d'employeurs qui veulent adopter les règles du métier (*best practices*) ou les pratiques les plus innovatrices en matière d'avantages, afin de se distinguer sur un marché de l'emploi très serré, et qui désirent satisfaire aux exigences croissantes des employés cherchant à obtenir un traitement qui ne soit pas associé à certaines caractéristiques (être marié ou non, avoir un enfant ou non, être homosexuel ou hétérosexuel, etc.), tout en leur permettant de modifier leurs avantages selon leurs besoins (le cycle de vie des employés, le nombre de personnes à charge, etc.). Des études confirment que la satisfaction en ce qui concerne les avantages a augmenté à la suite de l'introduction d'un régime flexible (Barber *et al.*, 1992 ; Rabin, 1994).

9.10.3 Les inconvénients des régimes flexibles d'avantages

Pour les employeurs, un régime flexible d'avantages peut représenter un changement important par rapport aux pratiques courantes et aller à l'encontre d'une philosophie paternaliste. Un régime flexible risque également de coûter plus cher et d'être plus complexe à élaborer, à implanter et à gérer. Entre autres, les employeurs doivent améliorer leur travail de communication, afin de bien expliquer aux employés les choix qui leur sont offerts. Ils doivent également sonder régulièrement les besoins de leurs employés pour s'assurer que les mesures offertes y répondent adéquatement. S'ils souhaitent transmettre le pouvoir décisionnel aux employés en matière d'avantages, les dirigeants ont la responsabilité de leur fournir l'information nécessaire pour qu'ils puissent prendre des décisions éclairées. L'adoption d'un régime flexible requiert la formation de comités d'assurances qui visent à favoriser la communication entre les employeurs, les employés, les actuaires-conseils et les assureurs, de manière que tout le monde comprenne les enjeux du régime, que les coûts soient maîtrisés et que les besoins des employés soient considérés. De plus, un régime flexible nécessite l'établissement de la valeur pécuniaire des diverses composantes de la rémunération totale, ce qui peut se révéler une tâche très complexe, voire hautement subjective par moments. Par ailleurs, on peut se demander si l'effet positif de l'adoption d'un régime flexible d'avantages sur la satisfaction des employés se maintiendra à long terme et présumer qu'il devrait se résorber dans le temps. On reproche à ces régimes d'entraîner un phénomène d'antisélection menant à une augmentation des primes à long terme, phénomène que nous verrons maintenant.

9.10.4 Le phénomène de l'antisélection

On associe aux régimes flexibles d'avantages un phénomène d'antisélection, c'est-à-dire une tendance des employés à choisir les avantages qu'ils sont les plus susceptibles d'utiliser, afin que leur investissement soit le plus rentable possible à court terme. Un tel comportement d'antisélection mène à une augmentation des primes des employés. En effet, plus l'assureur effectue de remboursements au cours d'une année, plus il doit augmenter ses taux l'année suivante, lors du renouvellement du contrat, car il doit répercuter l'augmentation des coûts sur les employés. Dans ce cas, le régime devient un simple plan de financement. Ainsi, à long terme, l'économie d'échelle associée aux régimes de protection collectifs est de plus en plus réduite.

Le phénomène de l'antisélection se produit lorsque, souvent pour répondre aux attentes des employés et des syndicats, les employeurs offrent des assurances sur des services qui sont peu fréquemment utilisés et qui se révèlent peu coûteux, comme les soins dentaires et les examens de la vue — on est alors loin de l'invalidité ou du décès ! Sauf pour quelques employés prudents, les employés qui choisiront le module offrant une bonne protection à l'égard d'événements moins fortuits exploiteront au maximum le « budget ». Les assureurs appellent d'ailleurs l'assurance sur les soins de la vue et les lunettes et sur les soins dentaires l'« assurance budget », puisqu'elle représente des frais prévisibles. Le concept sous-jacent à ce type d'assurance est qu'à la fin du contrat la compagnie d'assurances estimera l'augmentation des coûts des primes pour ce module et l'employeur répercutera cette augmentation sur les employés qui l'ont choisi. On fait alors face à un dilemme.

Il arrive que l'augmentation des primes soit si élevée pour les employés qui ont choisi ce module que les employeurs sont tentés de répercuter une partie de cette augmentation sur les employés qui ont choisi d'autres modules — moins élaborés, mais peu coûteux — afin de ne pas avoir à subir les récriminations des plus grands utilisateurs ! L'antisélection influe également sur les coûts des régimes de base pour les employeurs. En effet, les assureurs calculent les nouvelles primes à partir de la somme des remboursements des frais médicaux qu'ils ont effectués pour l'ensemble des employés, sans tenir compte de l'option ou du module choisi. Cette façon de faire provoque une redistribution des coûts de l'utilisation des services non seulement parmi les employés qui ont choisi l'option enrichie, mais aussi parmi ceux qui ont choisi les autres options incluant le régime de base.

Pour réduire le problème de l'utilisation excessive des services causée par l'antisélection, on peut proposer des pourcentages plutôt que des montants maximaux de remboursement, de manière que les employés soient obligés de débourser une somme d'argent chaque fois qu'ils consomment un service. Par ailleurs, on contraint généralement les employés à conserver leur choix d'option ou de module pendant au moins deux ou trois ans. Cela permet d'éviter que des employés s'inscrivent au module enrichi, se prévalent rapidement de certains services offerts (par exemple, le service d'orthodontie), puis se retirent du module.

Certains employeurs s'en tiendront au principe consistant à répercuter l'augmentation des coûts sur les utilisateurs, car ils savent qu'un jour viendra où il n'y aura plus véritablement d'avantages financiers pour les employés du plan enrichi ou que le montant de la prime sera tel que peu d'entre eux choisiront ce plan. Aussi n'est-il pas surprenant de constater une tendance des employeurs à laisser tomber progressivement les régimes de soins dentaires et d'examens de la vue, qui relèvent davantage de l'assurance budget. Dans ce contexte, il y a également un risque que certains employeurs décident de réduire leur protection liée à certains événements fortuits, comme l'invalidité et la mort, pour maintenir la protection qu'ils offrent sur les examens de la vue, les soins dentaires, la consultation de professionnels de la santé, etc. Ils pourront probablement brandir les résultats de sondages effectués auprès d'employés pour appuyer cette décision. En effet, dans le cas où l'on demanderait aux employés s'ils préfèrent l'assurance invalidité ou l'assurance dentaire, cette dernière aurait bien des chances de l'emporter parce qu'ils l'utilisent ! Toutefois, si l'on demandait à la veuve et aux enfants d'un employé décédé de faire la même comparaison, la réponse serait évidemment différente.

En somme, pour plusieurs employeurs, la difficulté consiste à se retirer du régime d'assurance budget dont le but est de payer des dépenses non fortuites (des acquis que les employés apprécient et que d'autres employeurs peuvent offrir) et à se limiter à offrir une assurance contre les aléas véritablement fortuits et coûteux (par exemple, des problèmes financiers potentiels pour les proches des employés si ces derniers deviennent invalides ou décèdent). Selon cette perspective, plusieurs employeurs sont tentés de se retirer de ce régime en accordant une somme déterminée aux employés et en les laissant libres de s'assurer comme ils le veulent. Certains employés le feront — et peut-être mieux qu'avant —, mais qui protégera les proches dans le cas des nombreux employés qui deviendront invalides ou mourront sans pouvoir assurer la subsistance de leurs proches ? Même si, de nos jours, la plupart des femmes travaillent, le problème se pose.

Comme l'indique le cas présenté au début de ce chapitre, les employeurs s'interrogent de plus en plus sur la pertinence d'une protection familiale, puisqu'ils jugent qu'ils ont une obligation envers leurs employés plus qu'envers les personnes qui sont à la charge de ceux-ci. D'une part, face aux coûts et aux difficultés de la protection familiale (les nouveaux types de familles entraînent des défis qui n'ont pas encore été étudiés à ce jour), les employeurs pensent de plus en plus à délaisser ce secteur. D'autre part, l'État semble également vouloir se désengager des régimes de protection afin de réduire son déficit. Aussi valables que soient leurs raisons, une réflexion s'impose. Les problèmes (l'augmentation du nombre de personnes qui abusent du système et la multiplication des coûts) qu'a engendrés un prétendu excès de paternalisme de la part des employeurs et de l'État ne sont pas moindres que ceux qu'entraînera l'abandon des proches des employés qui deviennent invalides ou qui décèdent. C'est le juste milieu qu'il faut viser, même s'il est difficile à atteindre.

9.11 La gestion des programmes de retraite anticipée

Les programmes spéciaux de retraite visent à inciter les travailleurs à prendre une retraite anticipée grâce à divers moyens : une prime de départ, l'élimination de la réduction de la rente, l'élimination du nombre accru d'années de service décomptées, les prestations de raccordement supplémentaires ou les rentes majorées. Ces programmes ont émergé au cours de la récession qui s'est produite au début des années 1980, moment où un bon nombre d'employeurs comptaient 20 % ou plus de leurs effectifs dans le groupe d'âge des 50 ans et plus et où 50 % des régimes de retraite avaient un actif excédentaire qui permettait de financer ceux-ci sans qu'on ait à toucher aux profits (Société Conseil Mercer Limitée, 1998). Aujourd'hui, les programmes spéciaux de retraite anticipée demeurent très courants au Canada. On pense, notamment, à ceux qui sont offerts dans les secteurs de la santé, de l'éducation et des affaires municipales. Certaines dispositions de conventions collectives prévoient également des retraites sans réduction de revenu à un âge de plus en plus bas. Les enquêtes démontrent que, pendant une année déterminée, environ 10 % des employeurs proposent un tel programme et que le taux de participation moyen est approximativement de 50 % (Société Conseil Mercer Limitée, 1998). Les employeurs justifient couramment leur programme spécial de retraite en utilisant les arguments suivants :

- il permet d'épargner, puisque ce sont les employés les plus âgés qui ont des salaires importants ;
- il donne un choix aux employés dans le processus de réduction du personnel ;
- il permet de réduire le nombre de mises à pied involontaires ;
- il répond aux attentes des syndicats ;
- il est adéquat lorsqu'on veut éliminer rapidement un grand nombre d'emplois.

Voilà pour le discours que les dirigeants utilisent pour justifier les programmes de retraite anticipée ! Toutefois, l'expérience indique que les programmes spéciaux de retraite n'ont pas vraiment les effets positifs attendus et qu'ils entraînent même plusieurs retombées négatives.

- Ils ne permettent pas vraiment aux employeurs d'épargner, car certains employés auraient pris leur retraite à court terme sans ces programmes, de nombreux départs favoriseront des promotions et des augmentations de salaires ou encore les employés à la retraite seront remplacés au cours des mois suivants, ce qui entraînera des coûts de dotation.
- Ils incitent les employés à quitter leur employeur pour profiter de la prime et à revenir auprès de lui en faisant de la sous-traitance.
- Ils amènent les employés plus âgés à envisager ces programmes comme une loterie (profiter de l'offre actuelle, attendre une meilleure offre, etc.).
- Ils suscitent des attentes parmi les employés qui ne bénéficient pas du programme, car ceux-ci s'attendent à profiter de la même offre en vertu de considérations d'équité.
- Ils alimentent la jalousie, le ressentiment et le sentiment d'iniquité parmi les employés plus jeunes qui se retrouvent avec une charge de travail accrue pour un même salaire. De plus, ces employés estiment qu'au moment de leur retraite ils n'auront sûrement pas droit aux privilèges dont les employés plus âgés (souvent déjà nantis financièrement) profitent parce que ces derniers sont plus nombreux et occupent des postes de niveaux hiérarchiques plus élevés.
- Ils entraînent la perte pour l'entreprise des employés les plus compétents et les plus performants.
- Ils occasionnent le départ des employés plus âgés, alors que ceux-ci n'occupent pas nécessairement les emplois que la direction veut abolir ou restructurer pour effectuer une réduction efficace de la charge de travail.

Selon St-Germain (1999), au cours des prochaines années, on peut s'attendre à un conflit entre les attentes des employés et l'offre des employeurs au sujet de la retraite. D'une part, un nombre accru d'employés voudront que leur employeur subventionne leur retraite anticipée, pour les raisons suivantes.

– Les employés vieillissent et veulent prendre leur retraite de plus en plus tôt.

– Ils s'attendent à profiter des conditions de retraite anticipée que leur employeur a offertes dans le passé.

– Ils savent que les taux de rendement de la caisse de retraite des années précédentes étaient élevés, que son surplus augmente, que l'employeur ne cotise pas et qu'il a les moyens de payer.

– Ils doutent de la sécurité des régimes publics et se disent qu'ils ne peuvent compter que sur leur employeur.

– Ils ne peuvent compter sur eux-mêmes pour assurer leur retraite, puisque le régime de leur employeur et ses facteurs d'équivalence les empêchent de cotiser à un REER.

D'autre part, les employeurs voudront se dégager progressivement de leurs responsabilités en la matière, à cause des inconvénients qui ont été présentés précédemment, mais aussi en raison d'autres facteurs contextuels.

– Il n'y a plus d'excédent d'effectifs pour justifier les programmes de retraite anticipée (tout départ devant être comblé).

– Les employés dans la cinquantaine qui veulent bénéficier de ce programme font augmenter leurs coûts.

– Plusieurs facteurs auront pour effet d'accroître les coûts des régimes : la baisse des d'intérêts sur les placements, la baisse future des surplus de la caisse de retraite, la hausse des risques financiers, les modifications des normes comptables, etc.

Comme le conclut l'analyse de la Société Conseil Mercer Limitée (1998), la période où l'on remplissait les poches des employés plus âgés qui prenaient leur retraite tire à sa fin, et il est à prévoir qu'on gérera la rémunération de manière plus logique dans l'avenir en cherchant — par des moyens pécuniaires et autres — à inciter les employés à demeurer suffisamment longtemps dans l'organisation pour rentabiliser les investissements qui ont été faits dans leurs compétences. Dans un avenir rapproché, devant les attentes des travailleurs âgés en matière de retraite anticipée, il est fort probable que les employeurs adopteront de plus en plus de régimes flexibles de retraite dans lesquels les employés pourront cotiser au-delà des plafonds normaux pour financer leur retraite, et pour lesquels l'État offre des avantages fiscaux.

Conclusion

À l'égard des citoyens et des employés, une chose est sûre : au cours des années à venir, les programmes publics d'avantages devront évoluer au rythme de la nouvelle réalité canadienne. Sans doute l'État fera-t-il d'autres compressions dans les régimes sociaux, que les employeurs chercheront également à réduire leurs coûts dans ce domaine et qu'on demandera aux particuliers d'assumer plus de responsabilités. Le principal défi consistera alors à trouver un équilibre entre les régimes privés et les régimes publics, et entre les responsabilités collectives et les responsabilités individuelles. Comme, à l'avenir, les employés ne pourront plus compter autant sur l'aide de l'État ni sur celle de leur employeur pour assurer leur sécurité et leur protection, ils seront forcés d'assumer plus de responsabilités et de compter davantage sur leur épargne personnelle. Plus particulièrement, les mécanismes de revenus de retraite reposeront davantage sur les responsabilités individuelles des salariés, les REER individuels et les régimes de retraite personnalisés.

Questions de révision

1. Quelles composantes de la rémunération totale sont incluses dans les régimes d'avantages offerts aux employés ?

2. Au Canada, l'offre d'avantages aux employés a beaucoup évolué au cours du xxe siècle. Décrire brièvement les principales étapes de cette évolution.

3. Quelles raisons peuvent inciter les employeurs à offrir des avantages à leurs employés ?

4. Quels bénéfices les employés retirent-ils du fait que leur employeur gère des régimes d'avantages à leur intention ?

5. Décrire les diverses catégories d'avantages offerts par l'État.

6. Décrire les divers régimes d'assurances collectives que peuvent offrir les employeurs et commenter les défis que certains de ces régimes entraînent.

7. Décrire les divers régimes de retraite que peuvent gérer les employeurs et commenter la situation actuelle en matière de régimes privés de retraite.

8. Discuter l'efficacité des avantages ou leurs effets sur les comportements et les attitudes au travail des employés. Mentionner les raisons qui sont susceptibles d'empêcher les employeurs de s'engager davantage sur la voie d'offrir des avantages aux employés.

9. Quelle est l'importance de la détermination d'une politique ou d'une stratégie à l'égard de la gestion des régimes d'avantages ?

10. Montrer l'importance de l'analyse des besoins des employés en matière d'avantages et présenter les divers outils que les employeurs peuvent utiliser.

11. Pourquoi insiste-t-on tant sur l'importance de la communication liée aux régimes d'avantages?

12. Vous êtes conseiller en rémunération et l'on vous demande de présenter un exposé intitulé « L'adoption des programmes de retraite anticipée : fréquence, incidences et perspectives ». Quelles seront les grandes lignes de votre exposé?

13. Pourquoi les régimes flexibles d'avantages sont-ils adoptés plus fréquemment? Quels sont leurs atouts par rapport aux régimes traditionnels?

14. Pour quelles raisons certains employés refusent-ils d'adopter un régime flexible d'avantages?

15. Qu'entend-on par l'antisélection dans les régimes d'avantages?

Références

AFFAIRES (LES) (2005). « L'âge de la retraite à… 75 ans », 12 mars, p. 84.

ALLEN, S.G. et R.L. CLARK (1987). « Pensions and firm performance », dans M.M. Kleiner, R.N. Block, M. Roomkin et S.W. Salsburg (sous la dir. de), *Human Resources and Performance of the Firm,* Madison, Wis., Industrial Relations Research Association, p. 195-242.

BARBE, J.-F. (2005). « Régime de retraite : un must pour l'avenir », *PME,* vol. 21, n° 1, février, p. 28.

BARBER, A., R. DUNHAM et R. FORMISANO (1992). « The impact of flexible benefits on employee satisfaction : A field study », *Personnel Psychology,* vol. 45, p. 55-75.

BARIBEAU, L. (2002). « Régimes collectifs. Avantages sociaux : mode d'emploi », *PME,* vol. 18, n° 4, avril, p. 37 et suiv.

BARIL, H. (2005). « Les régimes de retraite devront se constituer un coussin de sécurité », *La Presse,* cahier « Affaires », 25 mai, p. 3.

BARRINGER, M.W. et G.T. MIKOVICH (1998). « A theoretical exploration of the adoption and design of flexible benefit plans : A case of human resource innovation », *The Academy of Management Review,* vol. 23, n° 2, p. 305-324.

BÉRUBÉ, G. (2005). « Le sous-financement des caisses de retraite devient chronique », *Le Devoir,* cahier « Économie », 11 avril, p. B1.

BOUCHARD, M. (2004). « Les déficits de solvabilité sont là pour rester », Mercer, Consultation en ressources humaines, http://www.mercerhr.com/reference-content.

CARLYLE, N. (1999). *Compensation Planning Outlook,* Ottawa, The Conference Board of Canada.

CHAMPAGNE, D. (2001). « Un humain derrière l'invalidité », *Avantages,* vol. 13, n° 6, octobre, p. 16-17 et 21.

COLE, N.D. et D.H. FLINT (2005). « Opportunity knocks : Perceptions of fairness in employee benefits », *Compensation & Benefits Review,* vol. 37, nᵒ 2, p. 55-63.

CONFERENCE BOARD OF CANADA (1995). *Health Costs and the Private Sector Competitiveness,* rapport nᵒ 139-95, Ontario, juillet.

DANSEREAU, S. (2005). « Comment favoriser le retour au travail », *Les Affaires,* cahier « Management », 26 février, p. 39.

DE SMET, M. (2003). « La hausse des médicaments inquiète », *Les Affaires,* dossier spécial, 11 janvier, p. 17.

DISNEY, R. et P. JOHNSON (sous la dir. de) (2001). « An overview », dans *Pension Systems and Retirement Incomes across OECD Countries,* Northhampton, Mass., Edward Elgar, p. 1-47.

DREHER, G.F., R.A. ASH et R.D. BRETZ (1988). « Benefits coverage and employee cost : Critical factors in explaining satisfaction », *Personnel Psychology,* vol. 41, nᵒ 2, p. 237-254.

DUBUC, A. (2005). « Les régimes de retraite dans un gouffre », *Les Affaires,* 11 juin, p. 5.

DUPAUL, R. (2005). « Les départs à la retraite préoccupent la plupart des entreprises », *Le Droit,* 25 juin, p. A47.

DYCK, D. (2000). « Disability management best practices », *Benefits Canada,* novembre, p. 122-127.

FERLAND, M. (2004). *Théorie et pratique de l'assurance collective au Québec,* t. 1, Montréal, MF Conseil, coll. « Le Guide évolutif ».

FRENCH, M. et B. WEINERMAN (2005). « Stratégies de compression des coûts des régimes d'assurance médicaments », http://www.mercerhr.com.

GABOURY, P. (2005). « 300 000 fonctionnaires paieront plus cher leur régime de pension », *Le Droit,* 7 juillet, p. 7.

GUÉRIN, G. *et al.* (1997). « Les pratiques d'aide à l'équilibre emploi-famille dans les organisations du Québec », *Relations industrielles / Industrial Relations,* vol. 52, nᵒ 2, été, p. 274-303.

HALL, G.M. (1996). *Guide Mercer sur les régimes de retraite et les avantages sociaux au Canada,* Farnham, Publications CCH.

HENEMAN, H.G. (1985). « Pay satisfaction », dans K.M. Rowland et G.R. Ferris (sous la dir. de), *Research in Personnel and Human Resources Management,* vol. 3, Greenwich, Conn., JAI Press, p. 115-139.

HOFFMAN, M. et B. DAHLBY (2001). « Pension provision in Canada », dans R. Disney et P. Johnson (sous la dir. de), *Pension Systems and Retirement Incomes across OECD Countries,* Northhampton, Mass., Edward Elgar, p. 92-130.

INSTITUT DE LA STATISTIQUE DU QUÉBEC (2005). *Les régimes complémentaires de retraite : concepts et données générales,* Québec, groupe Travail et rémunération.

JUDGE, T.A. (1993). « Validity of the dimensions of the pay satisfaction question-naire : Evidence of differential prediction », *Personnel Psychology,* vol. 46, n° 2, p. 331-355.

KOSKIE, R. *et al.* (sous la dir. de) (1995). *Employee Benefits in Canada,* Brookfield, Wis., International Foundation of Employee Benefit Plans.

LAFORTUNE, L. (2004). Retraite : les Québécois devront réviser leurs attentes », *Le Droit,* cahier « Économie », 15 septembre, p. 38.

LE COURS, R. (2005). « Les régimes de retraite en crise prolongée », *La Presse,* cahier « Affaires », 8 juin, p. 7.

LOSIER, D. et J. DROLET (2005). « La gestion de l'invalidité fait-elle partie de votre régime collectif ? », *L'Acadie Nouvelle,* « Votre portefeuille », 3 janvier, p. 11.

LUCHAK, A. et I. GELLATLY (1996). « Employer-sponsored pensions and em-ployee commitment », *Proceedings of the Administrative Sciences Association of Canada,* Division Ressources humaines, p. 64-102.

McCAFFERY, R.M. (1998). *Employee Benefit Programs : A Total Compensation Perspective,* Boston, Mass., PWS-Kent Publishing Co.

MERCER, CONSULTATION EN RESSOURCES HUMAINES (2005). *Mesures lé-gislatives sur les avantages sociaux au Canada – 2005,* Montréal.

NORMAND, F. (2004). « Neuf PME sur dix s'occupent de conciliation travail-famille », *Les Affaires,* cahier « Management », 2 octobre, p. 33.

OCDE (2005). *Pensions at a Glance : Public Policies across OECD Countries,* Northhampton, Mass., Edward Elgar.

PARUS, B. et J. HANDEL (2000). « Les entreprises se battent contre la fuite des talents », traduit par Michel Maher, *Effectif,* vol. 3, n° 5, http:///www.orhi.org/.

PICARD, F. (1997). « Régimes d'assurance collective : évolution et enjeux », texte non publié, 26 novembre.

PICARD, P. (2003). « La hausse du coût des assurances collectives se poursuivra », *Les Affaires,* cahier spécial, 10 mai, p. 66.

POZZEBON, S. (2004). « Les régimes de retraite sont-ils toujours avantageux ? », *Gestion,* vol. 29, n° 3, p. 30-37.

PURCELL, P. (2004). « Le moment est venu d'adopter un modèle national de régime de retraite », Mercer, Consultation en ressources humaines, http://www.mercerhr.com/.

RABIN, B.R. (1994). « Employee satisfaction within a managed-flex program : Strategic design implications », *ACA Journal,* vol. 4, n° 2, été, p. 56-71.

ROCHELEAU, I. et S. RENAUD (2003). « Les politiques de gestion de l'absence des entreprises et leurs impacts sur l'absentéisme au travail », *Canadian Journal of Administrative Sciences / Revue canadienne des sciences de l'administration,* vol. 20, n° 2, p. 149-165.

RODRIGUE, S. (2002). « La CSN exige une politique du médicament », *La Presse,* 8 avril, p. A4.

SCHOFIELD, A. (2005). « La transparence : mot d'ordre pour les régimes d'assurances collectives », Mercer, Consultation en ressources humaines, http://www.mercerhr.com/.

SIMARD, M. (2005). « La santé des caisses de retraite se détériore », *Le Devoir,* 22 juillet, p. A7.

SOCIÉTÉ CONSEIL MERCER LIMITÉE (1998). « Les programmes spéciaux de retraite anticipée : une espèce en voie de disparition ? », *Commentaires Mercer,* vol. 48, n° 3, mars.

STATISTIQUE CANADA (2003). *Programmes de revenu de retraite au Canada : un aperçu statistique (1990-2000),* catalogue n° 74-507-XIF, Ottawa, Division de la statistique du revenu, Programme sur les pensions et le patrimoine.

ST-GERMAIN, M. (1999). « Les régimes de retraite », Montréal, présentation faite au nom de la Société Conseil Mercer Limitée, 10 février.

TANGUAY, L. (2000). « Dossier assurances collectives : défis à la projection des coûts », *Le Soleil,* cahier « Questions d'argent », 16 septembre, p. B5.

THÉROUX, P. (1998). « Avantages sociaux : les entreprises ciblent mal leurs programmes », *Les Affaires,* 25 avril, p. B7.

THÉROUX, P. (2002). « L'assurance collective n'est pas à l'abri des fraudes », *Les Affaires,* 11 mai, p. 49.

TREMBLAY, M., B. SIRE et D.B. BALKIN (2000). « The role of organizational justice in pay and employee benefit satisfaction, and its effects on work attitudes », *Group & Organization Management,* vol. 25, n° 3, p. 268-289.

TREMBLAY, M., B. SIRE et A. PELCHAT (1998). « A study of the determinants and of the impact of flexibility on employee benefit satisfaction », *Human Relations,* vol. 51, n° 5, p. 667-687.

VALLIÈRE, M. (2005). « La solvabilité des caisses de retraite suscite l'inquiétude », *La Presse,* cahier « Affaires », 5 avril, p. 3.

WIILIAM M. MERCER LTD. (1998). *Benefits & Pension Survey : High Technology and Related Industries,* Toronto.

WILLIAMS, M.L. (1995). « Antecedent of employee benefit level satisfaction : A test of a model », *Journal of Management,* vol. 21, n° 6, p. 1 097-1 128.

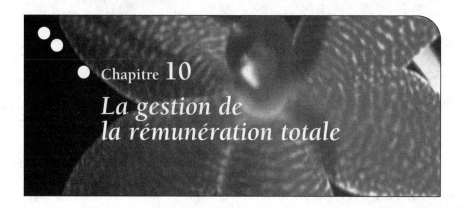

Chapitre **10**

*La gestion de
la rémunération totale*

Objectifs

Ce chapitre vise à :

➤ expliquer l'importance des perceptions de justice des employés à l'égard du processus de gestion de la rémunération totale ;

➤ montrer pourquoi la gestion de la rémunération n'est pas toujours efficace et alignée sur les priorités d'affaires ;

➤ traiter de l'importance d'établir une véritable stratégie de rémunération totale en relation avec la stratégie et les valeurs de l'organisation ;

➤ faire ressortir l'importance de l'engagement, de la participation et de la consultation des cadres et des employés en matière de gestion de la rémunération ;

➤ explorer la communication de la rémunération : son importance, son contenu, ses destinataires, ses médias et le rôle des nouvelles technologies de l'information et de la communication ;

➤ exposer les défis de l'impartition en matière de gestion de la rémunération.

Cas et conjoncture

 Conciliation travail-famille : des compagnies innovatrices, mais minoritaires

Anne Langelier, nouvelle maman, jubile de ne pas avoir à foncer en vitesse à la garderie en fin de journée. Elle a un Centre de la petite enfance dans l'édifice où elle travaille. Isabelle Thivierge va travailler à vélo car elle peut profiter de douches installées par son employeur. La mère de deux adolescents dispose également d'une banque de trois jours, indépendante des vacances et des congés de maladie, pour les obligations familiales.

«C'est tellement important d'avoir des avantages comme ceux là, c'est une question d'équilibre familial... et mental!» lance Isabelle Thivierge, qui travaille depuis un an pour la compagnie d'assurances l'Union canadienne.

«C'est tout nouveau pour moi d'avoir un employeur aussi conciliant, dit l'adjointe administrative, qui s'empresse de préciser qu'elle ne lance pas des fleurs à son patron par politesse. J'ai vu une différence incroyable au chapitre de ma qualité de vie depuis que je suis là. »

L'assureur fait d'ailleurs partie du palmarès des 50 meilleures entreprises au pays depuis deux ans et figure dans le haut du classement. L'entreprise a compris que la formule donnant-donnant pouvait rapporter gros et fait des pieds et des mains pour accommoder ses employés. «La conciliation travail-famille est au cœur de nos préoccupations», indique Ève Blais, directrice des communications de l'entreprise qui compte 275 employés à Québec et une centaine à Montréal.

Des horaires de travail flexibles, la possibilité de travailler à temps partiel, le télétravail, une banque de congés flottants... c'est ce type de mesures que l'Union canadienne propose pour faciliter la tâche aux familles.

Flexibilité

Les dirigeants de l'entreprise sont loin de regretter leur choix et n'y voient que des retombées positives. «Ça ne se mesure pas en dollars, mais nous avons vu le taux d'absentéisme chuter, tout comme le stress», indique Mme Blais.

La flexibilité arrive en tête de liste des préoccupations des jeunes travailleurs. Et plusieurs sont même prêts à accepter une baisse de salaire pour avoir plus de temps à passer avec leur famille.

À la Régie des rentes du Québec (RRQ), l'horaire variable est offert aux employés depuis 25 ans. «On peut dire qu'on est en quelque sorte des pionniers dans ce domaine», concède avec modestie le directeur des ressources humaines, Benoît Morin.

L'organisme gouvernemental qui gère le fonds de retraite des Québécois oblige ses employés à être présents entre 9 h 30 et 11 h 30 et entre 13 h 30 et 15 h. Pour le reste, libre à eux d'arriver et de partir au moment qui leur convient.

Depuis 1996, la RRQ propose par ailleurs un programme de conciliation travail-vie personnelle qui permet notamment aux employés de travailler à mi-temps. Ils peuvent aussi opter pour une semaine à traitement réduit : travailler 35 heures en étant rémunéré pour 32 heures. L'employé accumule ainsi 18 jours de congé supplémentaire par année. «C'est une des mesures les plus populaires», précise M. Morin.

Les ministères et organismes publics, tout comme les grandes compagnies, du secteur pharmaceutique par exemple, ont les moyens d'offrir des programmes bien définis. Mais il n'en va pas de même pour les PME, dont les efforts de conciliation se résument souvent à laisser un employé partir plus tôt pour des besoins familiaux. C'est le règne du cas par cas.

Le thème de l'équilibre entre la famille et le travail a beau être sur toutes les lèvres, on est encore loin d'une grande prise en compte par les entreprises.

«Ce sont souvent des mesures peu ou pas encadrées», indique Diane-Gabrielle Tremblay, professeure à la Télé-université et spécialiste de la conciliation travail-famille.

Elle a interrogé pas moins de 2 000 parents au cours de ses nombreuses recherches sur le sujet, et en est arrivée à un constat : la demande est très forte pour des mesures de conciliation, surtout de la part des jeunes travailleurs.

«C'est un sujet qui se discute maintenant lors des entrevues d'embauche. Et, ça peut sembler surprenant, mais de plus en plus de jeunes hommes font part de leurs préoccupations à ce sujet», indique la chercheure.

Les mesures qui facilitent vraiment la conciliation travail-famille sont celles qui concernent l'aménagement du temps de travail : horaire flexible, oui, mais aussi semaine comprimée, réduction volontaire de travail, etc. «Malheureusement, moins d'une entreprise sur cinq l'offre à ses employés», dit Mme Tremblay.

Le bonheur, c'est rentable

Pourtant, ces mesures ne coûtent pas cher et sont facilement implantables, a-t-elle constaté. «Si on compare au coût des changements technologiques, la conciliation travail-famille ne coûte pas cher!»

Et les effets bénéfiques sont nombreux : réduction du taux d'absentéisme, hausse de la productivité et de la motivation des employés et baisse du taux de roulement.

Mais il n'y a pas de petites mesures et même le plus mineur des changements mérite d'être souligné. Le fait d'avoir une garderie dans son milieu de travail a grandement soulagé Anne Langelier. La physiothérapeute va à l'Institut de réadaptation et de déficience physique de Québec (IRDPQ) avec son petit Nicolas, de 22 mois, tous les matins. Elle le laisse au Centre de la petite enfance et se rend à son bureau, situé à quelques mètres.

«Ça fait une grosse différence. Je n'ai pas à stresser et à pester contre le trafic lorsque je termine un peu plus tard», dit la jeune maman.

Afin de voir ses enfants grandir, Jean-Luc Bédard a décidé, lui, de lancer sa compagnie en même temps qu'il fondait sa famille. Huit ans et quatre enfants plus tard, il ne regrette rien.

«Ç'a été beaucoup de boulot au début, mais comme je travaillais à la maison, je prenais les repas avec les enfants. C'était vraiment une priorité pour nous», indique le fondateur de Geniarp, une compagnie spécialisée en arpentage pour les chantiers de construction.

Sa conjointe s'occupe des enfants à temps plein — en plus d'étudier — et le père de famille est très heureux de ne pas avoir besoin d'envoyer sa marmaille à la garderie. «Nous y tenions afin de leur transmettre nos valeurs nous-mêmes», dit-il.

Maintenant que sa compagnie est établie — il emploie près de 30 personnes en période de pointe —, Jean-Luc Bédard songe à installer son bureau à l'extérieur de la maison. «J'ai plus de temps pour ma famille et je sais que je vais pouvoir revenir à la maison le soir sans devoir repartir.»

Aucune solution miracle ne peut répondre aux besoins de tous les parents, mais une chose est sûre : ils continuent de rivaliser d'imagination pour concilier leurs multiples tâches.

Source : M. White (2005, p. B1).

Introduction

Ce chapitre traite de la gestion de la rémunération totale[1]. Après avoir rappelé l'importance des perceptions de justice des employés à l'égard du processus de gestion de la rémunération totale, il justifie l'importance de gérer la rémunération d'une manière efficace, qui s'aligne sur les priorités d'affaires de l'organisation. Ensuite, le chapitre traite de l'importance d'établir une véritable stratégie de rémunération totale en relation avec la stratégie et les valeurs d'affaires. À propos de l'établissement et de l'implantation de cette stratégie, nous insistons sur l'importance de l'engagement, de la participation et de la consultation des cadres et des employés de même que sur l'importance de la communication de la rémunération, notamment de son contenu et des médias. Finalement, le chapitre expose les défis de l'impartition en matière de gestion de la rémunération.

10.1 L'équité du processus de gestion de la rémunération totale

En plus d'être préoccupés par la compétitivité de la rémunération, l'équité interne, le respect des lois, la simplicité et la souplesse de la gestion, l'efficacité sur le plan fiscal, la gestion des coûts, le renforcement des autres politiques de gestion du personnel, la satisfaction des employés et bien d'autres facteurs, les

---

1 Une partie de ce chapitre repose sur des extraits mis à jour de St-Onge (2004, p. 18-24).

employeurs doivent se soucier du fait que leur gestion de la rémunération doit être perçue par les employés comme étant équitable. À ce sujet, le processus de gestion (participation, consultation, respect, communication) qu'ils utilisent pour décider des résultats (la nature des régimes de rémunération, l'ampleur de la rémunération, etc.) est aussi important, voire plus, que le montant, lorsqu'il faut expliquer et comprendre les perceptions, les opinions et les réactions des employés à l'égard de leur rémunération.

Les règles à respecter pour favoriser les perceptions d'équité à l'endroit de tout processus de gestion de la rémunération se résument comme suit :

– uniformiser et officialiser le plus possible le processus de gestion de la rémunération;

– s'assurer que les processus de gestion ne sont pas arbitraires ou biaisés, qu'ils ne favorisent ou défavorisent pas les intérêts de certaines personnes de manière systématique;

– communiquer et expliquer les modes de rémunération au personnel, c'est-à-dire faire preuve de transparence;

– offrir des mécanismes d'appel permettant de réviser certaines décisions;

– faire participer les employés au processus de gestion;

– respecter les lois;

– former les employés (cadres ou non cadres) afin qu'ils aient les compétences pour exercer adéquatement les responsabilités que le processus de gestion de la rémunération leur accorde.

Par ailleurs, nous avons cherché à démontrer tout au long de ce livre que la gestion de la rémunération est aussi l'art de maintenir un équilibre optimal entre diverses préoccupations ou divers objectifs qui peuvent s'avérer conflictuels, dont les suivants :

– particulariser le régime d'un groupe d'employés (par exemple, le personnel de recherche et développement) en faisant en sorte que cette démarche soit perçue comme étant juste par les autres catégories de personnel;

– tenir compte des compétences et des résultats dans la gestion des salaires;

– offrir une rémunération compétitive tout en maîtrisant les coûts;

– adopter des systèmes simples tout en respectant les exigences comptables et légales;

– se préoccuper de la satisfaction des besoins des employés et de la réalisation des objectifs de l'entreprise;

– inciter les employés à se dépasser et à adopter des comportements d'entraide et de collaboration.

Le tableau 10.1 établit la liste des facteurs qui influent sur la satisfaction des employés à l'égard de leur rémunération. Ainsi, la communication au sujet de l'ensemble de ces facteurs est importante, puisqu'elle a une incidence sur les perceptions que les employés en ont et, finalement, sur la satisfaction qu'ils tirent de leur rémunération.

TABLEAU 10.1

LES DÉTERMINANTS DE LA SATISFACTION ENVERS LA RÉMUNÉRATION

Montant d'augmentation de la rémunération : « Quel est le montant de l'augmentation de ma rémunération ? »

- Valeur de l'augmentation de la rémunération
- Valeur de l'augmentation de la rémunération comparativement à la rémunération totale et à l'impôt sur le revenu
- Valeur de l'augmentation de la rémunération requise pour modifier les attitudes et les comportements
- Valeur de l'augmentation de la rémunération en comparaison de celle qui est offerte aux autres employés
- Valeur de l'augmentation de la rémunération en comparaison de l'augmentation du coût de la vie
- Valeur de l'augmentation de la rémunération en comparaison du salaire de base

Possibilités d'augmentation de la rémunération : « Quelles sont les possibilités d'améliorer ma rémunération ? »

- Admissibilité à un régime de participation à la propriété (actionnariat)
- Possibilité de recevoir des primes
- Potentiel de gains totaux
- Augmentation salariale annuelle prévue
- Augmentation de la rémunération associée à une promotion
- Augmentation du coût de la vie
- Augmentation de la rémunération liée aux années de service

Formes de l'augmentation de la rémunération : « Sous quelles formes vais-je obtenir une augmentation de ma rémunération ? »

- Montant total de l'augmentation de la rémunération en comparaison du salaire de base
- Montant total de l'augmentation de la rémunération reçu comme prime
- Montant total de l'augmentation de la rémunération reçu sous la forme de temps non travaillé
- Montant total de l'augmentation de la rémunération reçu sous la forme de participation à la propriété (actionnariat)

TABLEAU 10.1 *(suite)*

Exigences liées à l'augmentation de la rémunération : « Combien me coûtera l'augmentation de ma rémunération en ce qui a trait au temps, aux efforts, à la difficulté et au temps non consacré aux loisirs ? »

- Réduction du salaire de base
- Changements du montant de l'augmentation de la rémunération
- Efforts supplémentaires au travail requis
- Nombre d'heures de travail plus élevé
- Difficulté du travail
- Acquisition de nouvelles habiletés

Possibilités d'augmenter la rémunération : « Quelle influence ai-je sur les indicateurs de rendement liés au versement de l'augmentation de ma rémunération ? »

- Capacité d'influer sur les normes de rendement
- Aide des autres dans la réalisation des objectifs de travail
- Ressources pour faire le travail
- Temps pour faire le travail
- Indicateurs de rendement contrôlés par soi-même
- Influence de l'équipe sur son propre rendement
- Influence de l'organisation sur son propre rendement
- Influence de l'économie sur son propre rendement
- Compréhension des indicateurs de rendement
- Habiletés dans le contrôle de son propre travail

Règles d'augmentation de la rémunération : « Quelles règles dois-je respecter pour recevoir une augmentation de ma rémunération ? »

- Être capable d'aider à établir les règles d'augmentation de la rémunération
- Être capable d'aider à établir les indicateurs de rendement
- Comprendre les règles balisant l'augmentation de la rémunération
- Disponibilité des informations sur les règles balisant l'augmentation de la rémunération
- Complexité des règles balisant l'augmentation de la rémunération
- Communication des règles balisant l'augmentation de la rémunération
- Fréquence des versements

Source : Traduit et adapté de Heneman *et al.* (2002, p. 68).

10.2 L'importance d'une véritable gestion de la rémunération totale

10.2.1 Les pièges à éviter en matière de gestion de la rémunération

La gestion de la rémunération est souvent inefficace parce qu'elle est gérée en silos, par calque, sans cible ou de manière réactive (Fox, 1998 ; Gilles, 2001). Une *gestion en silos* signifie que les régimes de rémunération et leurs composantes sont conçus et communiqués en silos, sans être orientés vers la stratégie d'affaires. Quant à une *gestion par calque,* cela veut dire qu'on copie ou imite les régimes de rémunération adoptés par des firmes reconnues ou des concurrents sans chercher à en faire un avantage distinctif et concurrentiel sur le marché de l'emploi. Une *gestion non ciblée* signifie que l'entreprise tente d'être « de classe mondiale » à l'égard de tous les régimes ou de toutes les composantes de la rémunération totale sans égard à la stratégie et à la culture de l'organisation. Enfin, une *gestion réactive* consiste dans le fait que les organisations révisent leurs régimes de rémunération en examinant une seule problématique — comme les raisons pour lesquelles les employés quittent l'organisation —, de sorte que ces régimes tiennent compte des attentes ou des insatisfactions des employés plutôt que de la stratégie et de la culture de gestion des organisations.

Pourquoi la gestion de la rémunération s'appuie-t-elle si peu souvent sur des éléments fondamentaux comme la stratégie et la culture de gestion ? Cela peut s'expliquer de la manière décrite ci-après (Gilles, 2001).

—   *Il n'existe pas de planification ou de direction.* Dans bien des cas, la stratégie et la culture de l'organisation ne sont pas clairement définies par les dirigeants, car ces derniers gèrent celle-ci plutôt en réaction aux pressions de l'environnement ou ne visent pas d'objectifs d'affaires particuliers.

—   *Il y a une volonté de maintenir le secret.* La stratégie et la culture de l'organisation sont définies et connues par un petit nombre de cadres supérieurs qui ne veulent pas les partager avec les employés de peur de perdre un avantage concurrentiel.

—   *On observe un conflit ou une absence de consensus sur la direction à donner à l'organisation.* Comme chaque membre de l'équipe de direction a sa propre idée de ce que sont la stratégie et la culture de l'organisation, aucun consensus n'émerge et ne peut être transmis par les mécanismes de gestion.

—   *La rémunération n'est pas reconnue comme un levier stratégique.* Étant donné que les dirigeants ne perçoivent pas la rémunération comme un outil stratégique, ils ne voient pas l'importance de déterminer la stratégie et la culture pour prendre des décisions à cet égard.

10.2.2 La gestion de la rémunération totale comme source de compétitivité

La difficulté que les organisations ont à acquérir et à conserver une position concurrentielle durable sur le marché relève souvent de leur incapacité d'attirer et de retenir un personnel compétent. L'attraction de candidats qualifiés et la conservation d'employés productifs représentent des défis de plus en plus cruciaux pour les employeurs en raison des changements démographiques et sociologiques qui accentuent la pénurie de main-d'œuvre tant sur le plan quantitatif que sur le plan qualitatif. Puisque les salaires et les avantages sociaux sont faciles à imiter, ce sont les composantes plus intangibles de la rémunération totale (comme les possibilités d'avancement ou la conciliation travail-famille) qui différencieront véritablement les employeurs sur le marché de l'emploi (Gerhart et Rynes, 2003). L'article introduisant ce chapitre traite d'ailleurs des pratiques de conciliation travail-famille, et principalement de la flexibilité dans le temps et le milieu de travail, comme composantes de la rémunération totale qui aident les organisations à atteindre leurs objectifs d'attraction du personnel, de conservation de celui-ci et de performance.

Une stratégie de rémunération totale comprend « tous les outils disponibles à un employeur pour attirer, retenir et motiver les employés — en somme, tout ce qu'un employé perçoit comme résultat de sa relation d'emploi qui a une valeur » (Rogers *et al.,* 2003, p. 5, traduction libre). Pour être efficace, une stratégie de rémunération totale doit s'attacher à l'importance, aux rôles et à la cohérence des diverses composantes de la rémunération (par exemple, le salaire, la rémunération variable et les avantages) selon les diverses catégories de personnel, s'il y a lieu. La prise en considération de certaines conditions de travail doit porter sur l'ensemble de ces conditions : la rémunération directe, les avantages, les horaires, le contenu du travail, les possibilités de promotion, l'emplacement de l'entreprise, etc. L'objectif est de faire en sorte que la manière de gérer les diverses composantes de la gestion du personnel, notamment la rémunération, soit cohérente, intégrée et conforme aux objectifs d'affaires de l'entreprise, qu'elle maximise la satisfaction des besoins des employés de manière à mieux les mobiliser et qu'elle soit compétitive. Une telle stratégie de rémunération totale aide l'entreprise à atteindre plusieurs buts : démontrer aux employés une vision claire des objectifs d'affaires, entrer rapidement sur de nouveaux marchés en créant des programmes plus adaptés, appuyer une culture organisationnelle, rationaliser les processus administratifs et maximiser la valeur de la rémunération que l'entreprise est prête à accorder.

Une analyse des firmes les plus admirées dans le monde de la liste de « Fortune 500 » montre qu'elles n'ont en commun aucune pratique de rémunération particulière, mais qu'elles adoptent un processus semblable de détermination de leurs modes de rémunération : toutes se soucient de leurs environnements externe et interne (Wright, 1998). En effet, ces firmes se tiennent au courant de ce qui est offert sur le marché sans chercher à copier celui-ci. Elles veulent que leurs modes de gestion de la rémunération renforcent leur culture et leur stratégie d'affaires et puissent difficilement être copiés par les autres. L'encadré 10.1 présente la façon dont IBM a révisé ses modes de rémunération pour améliorer sa performance organisationnelle au cours des années 1990.

ENCADRÉ 10.1

LE CHANGEMENT DU CONTEXTE D'AFFAIRES ET SES INCIDENCES SUR LA GESTION DE LA RÉMUNÉRATION : LE CAS DE LA SOCIÉTÉ IBM

Il y a 15 ou 20 ans, IBM avait seulement une poignée de concurrents dans le monde, alors qu'aujourd'hui leur nombre est bien au-dessus de 60 000. Alors qu'entre 1982 et 1985 IBM était classée comme l'organisation la plus admirable par le magazine *Fortune*, en 1993 elle s'est retrouvée au 354e rang. Un changement de direction en 1993 a entraîné une réorientation stratégique vers la satisfaction du client. Pour réaliser cette nouvelle stratégie, la firme a révisé, entre autres, l'ensemble de ses programmes de rémunération afin de faire en sorte qu'ils appuient les nouveaux facteurs de succès et qu'ils reflètent les besoins de la main-d'œuvre actuelle. Plusieurs changements ont été effectués en matière de conception, de communication et de gestion des divers programmes de rémunération, notamment la prise en considération des compétences pour déterminer la valeur relative des rôles et les augmentations de salaires, l'introduction d'un régime flexible d'avantages, un régime de rémunération variable amenant l'ensemble des employés à concourir au succès de l'entreprise, un nouveau code vestimentaire plus décontracté. Récemment, IBM a grimpé au 69e rang du magazine *Fortune*.

Source : Traduit et adapté de Wendy (1998, p. 20-22).

Tout comme la politique des avantages, la stratégie de rémunération totale peut varier selon diverses caractéristiques organisationnelles, telles que la localisation d'une unité administrative ou la catégorie de personnel. Une organisation peut, par exemple, varier ses objectifs de rémunération suivant le statut de son personnel : elle peut vouloir accorder à ses employés réguliers une rémunération directe et indirecte compétitive et de l'avancement et un développement intéressants ; elle peut vouloir accorder des salaires à la tête du marché, des avantages minimaux, une bonne formation de sa main-d'œuvre ponctuelle ou contractuelle ; elle peut chercher à attribuer des salaires et des avantages à la remorque du marché à son personnel à temps partiel ou à ses télétravailleurs, et leur offrir des pratiques de conciliation travail-famille. Récemment, on a même commencé à parler d'offrir une rémunération totale flexible afin d'aider les employeurs à se « vendre » pour attirer et fidéliser leurs employés. Chaque employé décide d'établir, dans certaines limites, la répartition de sa rémunération totale. Il peut échanger une somme d'argent contre des jours de vacances supplémentaires ou affecter une partie des primes de rendement à des activités de perfectionnement (Société Conseil Mercer Limitée, 1999).

La gestion de la rémunération est importante parce qu'elle influence les comportements et les attitudes des employés et, conséquemment, la performance de l'organisation. La manière dont les employés sont rémunérés agit, par exemple, sur la qualité de leur travail, sur la qualité du service qu'ils offrent aux clients, sur leur volonté d'acquérir de nouvelles compétences, sur leur esprit de collaboration et sur leur volonté de se syndiquer.

Comme nous l'avons vu au chapitre 1, le fait de concevoir la rémunération comme un levier de changement stratégique revient à considérer celle-ci comme un outil de mobilisation, de communication, de coordination et d'encadrement. En effet, les dirigeants d'entreprise peuvent influer sur la culture organisationnelle en s'assurant d'adopter des modes de rémunération qui transmettent les valeurs désirées. Par exemple, en implantant un régime de primes reconnaissant le rendement individuel, ils sont susceptibles de favoriser une culture individualiste, alors qu'en adoptant un régime de primes d'équipe, ils suscitent un climat de collaboration. Selon Britton et Walker (1997), les mesures de rendement dans un régime de rémunération variable — comme la satisfaction des clients, la valeur des actions, la croissance des ventes et de la part du marché — peuvent communiquer les valeurs et les priorités de l'organisation pour assurer son succès à court et à long terme. L'étude de Rocheleau et Renaud (2003) montre que la nature des politiques de gestion de l'absentéisme ont un impact important sur le taux d'absence au travail des employés. Il s'agit alors pour les dirigeants d'entreprise de poser des questions comme celles-ci : les messages véhiculés par nos régimes de rémunération sont-ils ceux qu'on désire véhiculer? Les régimes de rémunération et les modes de gestion de la rémunération utilisés parviennent-ils à communiquer efficacement les messages désirés? De fait, on peut douter du sérieux de la volonté de changement des dirigeants d'une organisation tant qu'ils ne commencent pas à modifier leur système de rémunération.

10.3 La consultation et la formation des intervenants en matière de gestion de la rémunération

10.3.1 Les cadres doivent être consultés, informés et formés

Dans un contexte où le marché de l'emploi est serré, les cadres se trouvent souvent face à un dilemme : d'un côté, les candidats veulent obtenir les conditions de travail les plus avantageuses possible et, d'un autre côté, les professionnels des ressources humaines veulent s'assurer du respect d'une structure de rémunération équitable et tenant compte des limites budgétaires. Il arrive souvent que les cadres ne disposent pas des informations ni de la formation requises en matière de gestion de la rémunération pour intervenir adéquatement lors de telles relations d'embauche. Une enquête menée par Business & Legal Report Inc. indique que les cadres connaissent peu les politiques et les pratiques de leur organisation en matière de gestion de la rémunération et qu'ils reçoivent peu de formation à cet égard (voir la figure 10.1).

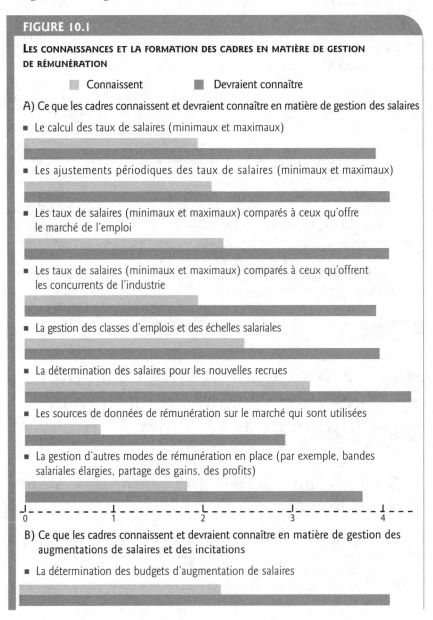

FIGURE 10.1

LES CONNAISSANCES ET LA FORMATION DES CADRES EN MATIÈRE DE GESTION DE RÉMUNÉRATION

■ Connaissent   ■ Devraient connaître

A) Ce que les cadres connaissent et devraient connaître en matière de gestion des salaires

■ Le calcul des taux de salaires (minimaux et maximaux)

■ Les ajustements périodiques des taux de salaires (minimaux et maximaux)

■ Les taux de salaires (minimaux et maximaux) comparés à ceux qu'offre le marché de l'emploi

■ Les taux de salaires (minimaux et maximaux) comparés à ceux qu'offrent les concurrents de l'industrie

■ La gestion des classes d'emplois et des échelles salariales

■ La détermination des salaires pour les nouvelles recrues

■ Les sources de données de rémunération sur le marché qui sont utilisées

■ La gestion d'autres modes de rémunération en place (par exemple, bandes salariales élargies, partage des gains, des profits)

0   1   2   3   4

B) Ce que les cadres connaissent et devraient connaître en matière de gestion des augmentations de salaires et des incitations

■ La détermination des budgets d'augmentation de salaires

FIGURE 10.1 (*suite*)

- La distribution des augmentations de salaires

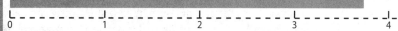

- La détermination des augmentations liées au coût de la vie et des augmentations liées au rendement

- La gestion des incitations basées sur le rendement individuel

- La gestion des incitations basées sur la performance collective

```
0        1        2        3        4
```

C) Pourcentage des employeurs offrant de la formation à leurs cadres sur :

15 % Le calcul des taux de salaires (minimaux et maximaux)

13 % Les ajustements périodiques des taux de salaires (minimaux et maximaux)

12 % Les taux de salaires (minimaux et maximaux) comparés à ceux qu'offre le marché de l'emploi

4 % Les taux de salaires (minimaux et maximaux) comparés à ceux qu'offrent les concurrents de l'industrie

15 % La gestion des classes d'emplois et des échelles salariales

15 % La détermination des salaires pour les nouvelles recrues

16 % Les sources de données sur la rémunération sur le marché qui sont utilisées

6 % La gestion d'autres modes de rémunération en place (par exemple, bandes salariales élargies, partage des gains)

12 % La détermination des budgets d'augmentation de salaires

14 % La distribution des augmentations de salaires

13 % La détermination des augmentations liées au coût de la vie et des augmentations liées au rendement

9 % La gestion des incitations basées sur le rendement individuel

6 % La gestion des incitations basées sur la performance collective

```
          5        10       15       20
```

Sources : Traduit et adapté de Fournier (2000, p. 47-48) et de St-Onge (2004, p. 23).

Pourtant, les superviseurs jouent un rôle critique lors de la sélection des candidats et surtout dans la communication quotidienne des programmes de rémunération. Il est alors essentiel qu'ils comprennent les liens entre les pratiques de rémunération de leur employeur et leurs incidences tant sur le développement des employés que sur leur motivation à adopter certains comportements et à atteindre certains résultats ; ils seront alors en mesure de communiquer ces renseignements aux employés. Ainsi que le recommandent McAdams et Hawk (2000), pour optimiser le succès des régimes collectifs de rémunération variable, il s'avère particulièrement important que les cadres donnent continuellement des informations à cet égard. Lorsque l'entreprise connaît de bonnes périodes, les employés doivent comprendre que leur rémunération variable n'est pas un droit acquis et qu'ils doivent continuer d'améliorer leur rendement pour le maintenir. Lors des périodes difficiles, alors que les paiements de primes en vertu des régimes de rémunération variable sont absents ou peu élevés, les dirigeants et les cadres doivent résister à la tendance à cesser de parler de ces régimes et, plutôt, saisir l'occasion d'insister sur ce qu'il faut faire pour améliorer les résultats tout en reconnaissant les facteurs que ne maîtrisent pas les employés.

Selon Fitzgerald (2000), la formation offerte aux cadres en matière de rémunération devrait leur permettre de mieux comprendre les aspects suivants :

– la manière dont les programmes de rémunération sont alignés sur la stratégie de l'organisation et sur la culture ou les valeurs de gestion ;

– la manière dont les régimes de rémunération sont gérés (par exemple, les systèmes de gestion de la performance, la rémunération offerte en comparaison de celle qu'on trouve sur le marché et les régimes de rémunération variable) ;

– le rôle clé que jouent les cadres dans la promotion et l'acceptation des régimes de rémunération ;

– l'importance de maintenir une rémunération équitable et cohérente pour les employés.

Rappelons que l'équité est une question de perception et que, particulièrement dans un contexte de changements en matière de rémunération, des employés sont plus portés à percevoir des injustices et des iniquités. Les cadres doivent alors être davantage en mesure d'apaiser leurs doutes et de répondre à leurs questions au moyen d'informations et d'explications claires. Par ailleurs, la formation des cadres en matière de rémunération totale optimise les chances qu'ils s'approprient les façons de faire dans ce domaine et qu'ils appliquent judicieusement les processus de gestion en cause, tels que la gestion du rendement et la détermination des augmentation de salaires.

10.3.2 Les employés doivent être sondés et informés

En plus d'être préoccupés par la compétitivité de la rémunération, l'équité interne, le respect des lois, la simplicité de la gestion, l'efficacité sur le plan fiscal, le contrôle des coûts, le renforcement des autres politiques de gestion du personnel, et ainsi de suite, les employeurs doivent s'assurer que la manière dont ils gèrent la rémunération est perçue comme étant équitable par les employés. C'est pourquoi il est important de consulter les employés et de leur transmettre des informations détaillées à propos de la rémunération. Quand la direction demande aux employés d'exprimer leurs opinions et leurs attentes, elle leur transmet le message qu'elle se soucie de leurs idées et de leurs souhaits. Là-dessus, le processus de participation et de consultation qu'on utilise pour décider des résultats (la nature des régimes de rémunération, l'ampleur de la rémunération, etc.) est aussi important, sinon plus, pour expliquer les perceptions, les opinions et les réactions des employés.

10.4 La communication de la rémunération totale : un levier de création de valeur

Historiquement et encore dans bien des petites et moyennes entreprises, la rémunération reste un sujet tabou. Toutefois, avec l'augmentation de la taille des entreprises et la scolarité accrue de la main-d'œuvre, elle devient de plus en plus un sujet qu'on veut comprendre et dont on veut discuter. Bien entendu, cette exigence d'ouverture nécessite une meilleure gestion de la rémunération, sinon les incohérences et les iniquités feront vite l'objet de questions. Très souvent, les organisations investissent beaucoup de temps, d'argent et d'expertise pour élaborer et mettre en place des régimes de rémunération plus ou moins complexes. Paradoxalement, une fois les régimes déterminés et implantés, on consacre trop peu d'efforts, de soin et d'argent à la communication concernant les régimes de rémunération et au suivi de leur application.

Il existe de nombreuses raisons pour lesquelles certains dirigeants et cadres communiquent peu d'informations ou n'en communiquent pas du tout en matière de rémunération. Par exemple, lorsque les régimes de rémunération (les salaires, les avantages, la rémunération variable, etc.) ne sont pas structurés et gérés de façon appropriée et uniformisée, leur divulgation entraînerait de la confusion et de la dissension parmi les employés. Même des régimes de rémunération bien conçus et gérés adéquatement peuvent demeurer secrets parce que cette approche est cohérente par rapport à la culture de l'entreprise. Il suffit de penser à une entreprise dans laquelle on estime que la détermination des salaires fait partie des responsabilités des dirigeants et on juge que les employés n'ont qu'à accepter leurs décisions à cet égard. Finalement, certains dirigeants croient que plus il y a de renseignements communiqués aux employés, plus ceux-ci risquent de poser des questions, et plus ils devront fournir des explications convaincantes.

10.4.1 L'importance de la communication

Quelle que soit la qualité de la gestion de la rémunération, cette gestion ne sera efficace que dans la mesure où les cadres et les employés la comprennent et la jugent équitable. En effet, pour qu'un élément de la rémunération ait un effet sur les comportements et les attitudes des employés, il faut avant tout que ceux-ci lui reconnaissent une certaine pertinence. Par ailleurs, les gens agissent selon ce qu'ils perçoivent, et leurs perceptions sont liées à ce qu'on leur communique. La communication liée à la rémunération crée une compréhension et transmet une signification à ce sujet.

Les perceptions des personnes peuvent s'appuyer sur des messages communiqués officiellement ou résulter d'une interprétation des messages transmis de façon informelle par l'organisation. Il n'existe pas de politiques ni de pratiques de rémunération complètement cachées ; il n'y a que des politiques et des pratiques dont le contenu est transmis de façon officielle ou de façon informelle. Dans l'un et l'autre cas, rien ne permet d'assurer que les employés connaissent et comprennent la réalité que veut exprimer la direction de l'organisation.

Depuis quelques années, en raison de leur scolarité accrue, les employés exigent de plus en plus d'informations et d'explications sur la gestion de leur rémunération. Comme la rémunération transmet de puissants messages à propos des choix de l'organisation, la façon de traiter ces messages devient une priorité de gestion. Pour être efficace, une stratégie de communication de la rémunération totale doit insister sur les diverses composantes de la rémunération totale (le salaire, la rémunération variable, les avantages, etc.) pour attirer, retenir et mobiliser le personnel.

La communication est importante tant pour les employés que les employeurs, et ce, pour diverses raisons (Rogers *et al.,* 2003). En ce qui a trait aux employés, la communication leur permet de prendre connaissance de la manière dont ils sont rémunérés à des moments appropriés, de clarifier leurs attentes et d'accroître leur intérêt pour les composantes de la rémunération totale, de décider de joindre les rangs de l'entreprise ou de rester à son service ou encore d'accepter une promotion. En outre, la communication permet de s'assurer que les employés sont conscients de la variété et de la valeur des composantes de la rémunération qui leur sont offertes, qu'ils comprennent la gestion des divers régimes de rémunération (le salaire au mérite, le régime de primes, les avantages, etc.). De cette façon, ils feront des liens entre leurs modes de rémunération et l'effet visé sur leurs comportements et sur leurs efforts et ils n'auront pas de fausses attentes ni de fausses perceptions.

Pour ce qui est des employeurs, la communication en matière de rémunération totale aide les régimes de rémunération à atteindre leurs objectifs, contribue à réduire les exigences administratives et permet de répondre aux exigences légales (par exemple, à celles de la Loi sur l'équité salariale en matière d'information). Elle favorise également le changement de comportements et d'attitudes de la part des employés. De même, elle améliore la gestion des composantes de la rémunération totale, la compréhension de celles-ci et la capacité à répondre aux employés. Enfin, elle renforce la philosophie, la culture et les valeurs de l'organisation.

Toutefois, dans le domaine de la communication, la règle n'est pas tant de « communiquer, communiquer et communiquer » que de « bien communiquer les bonnes choses de la bonne manière ». Il faut se méfier d'une surcharge d'informations, car les employés ne seront alors plus en mesure de trouver rapidement les renseignements qu'ils recherchent. Une communication inadéquate en matière de rémunération peut entraîner de la confusion, alimenter des rumeurs et des fausses perceptions, hausser les coûts d'administration et s'avérer, tout compte fait, plus néfaste que l'absence de communication.

Enfin, une communication adéquate à propos de la rémunération repose sur la prémisse ou le préalable que les régimes de rémunération en place sont équitables et alignés sur la stratégie et la culture de gestion de l'entreprise. Si ce n'est pas le cas, la direction doit alors s'empresser de corriger les iniquités et les incohérences en ce qui a trait à la rémunération, sinon les employés n'auront pas de perceptions d'équité.

10.4.2 Faire ressortir les liens entre les priorités d'affaires et la stratégie de rémunération totale

Pour ce qui est des dirigeants, il est prioritaire qu'ils fassent ressortir clairement et continuellement les liens existant entre, d'une part, les facteurs de succès et les valeurs de l'organisation et, d'autre part, les modes de rémunération totale qui sont privilégiés. Il est particulièrement important qu'il y ait une cohérence explicite entre les discours des dirigeants et leurs choix à l'égard des politiques et des pratiques de rémunération. Il se peut que certains employés ne soient pas d'accord avec cette logique et ses résultats, mais du moins il sera évident pour eux que leur rémunération est fonction d'autre chose que des désirs, et des biais ou des caprices des superviseurs.

Les dirigeants doivent aussi expliquer comment les modes de rémunération, et tout changement important à cet égard, sont rattachés à la stratégie et à la culture de gestion et, dans la mesure du possible, comment ils se distinguent de ceux que les entreprises concurrentes privilégient. Lorsque les dirigeants adoptent et gèrent des régimes de rémunération ou des composantes de la rémunération totale qui entretiennent des rapports étroits avec les priorités d'affaires et que ces rapports sont communiqués aux employés, il y a plus de chances que les régimes et les composantes mis en œuvre soient cohérents, efficaces et perçus comme étant équitables et pertinents par tout le personnel.

10.4.3 Adapter le contenu de la communication aux destinataires

Comme l'indique le tableau 10.2, la communication doit porter sur l'ensemble des composantes de la rémunération totale : les salaires, la rémunération variable, les avantages, les pratiques de conciliation travail-famille, les possibilités de promotion, etc. L'objectif est de faire en sorte que les diverses composantes de la rémunération soient gérées de manière cohérente, intégrée et alignée sur les objectifs d'affaires et les valeurs de l'entreprise, qu'elles optimisent la satisfaction des besoins des employés, qu'elles les motivent à adopter des comportements et des attitudes appropriés et qu'elles soient concurrentielles. Une telle stratégie de communication de la rémunération totale aide l'entreprise à atteindre plusieurs objectifs, dont les suivants : véhiculer auprès des employés une vision claire des objectifs d'affaires, appuyer une culture organisationnelle, faciliter le recrutement et la sélection du personnel en divulguant l'ensemble des conditions de travail offertes, rationaliser les processus administratifs et alléger les structures hiérarchiques, etc.

La communication de la rémunération aux employés doit être continue, mais elle devient particulièrement importante lors de l'adoption d'un nouveau régime de rémunération ou d'une modification substantielle d'un régime existant. Selon Heneman (2001), les objectifs d'une formation lors de l'introduction d'un régime collectif de partage des gains de productivité pourraient, par exemple, être les suivants : engendrer l'enthousiasme pour le nouveau régime, communiquer l'engagement des dirigeants envers le régime, susciter l'engagement des employés envers le régime, indiquer les paramètres du régime dans des termes compréhensibles et expliquer comment les employés peuvent influencer des variables prises en considération par le régime pour améliorer leurs propres gains et le succès de l'entreprise.

TABLEAU 10.2

LA COMMUNICATION À L'ÉGARD DE LA RÉMUNÉRATION SELON LES DESTINATAIRES

Composantes de la rémunération totale	Nature des informations à transmettre
Description et évaluation des emplois	*Dirigeants*
Données de rémunération sur le marché	■ Priorité : comment la rémunération est liée à la stratégie et aux valeurs et quelles sont les répercussions stratégiques du régime de rémunération ?
Structure salariale et gestion des salaires	
Régimes de rémunération variable	
Système de gestion de la performance	■ Les composantes sont expliquées de manière générale.
Avantages : pratiques de conciliation travail-famille, contenu du travail, possibilité de carrière, etc.	*Cadres*
	■ Priorité : comment la gestion des salaires, de la performance et de la rémunération variable contribue-t-elle au développement et à la motivation des employés ?
	■ Les composantes de la rémunération sont expliquées en détail.
	Employés
	■ Priorité : quelle est la justice du processus et des politiques de gestion de la rémunération ?
	■ Les composantes de la rémunération sont expliquées de manière très détaillée, particulièrement celles qui ont trait à la rémunération variable.

Sources : Traduit et adapté de Rubino (1992) et de St-Onge (2004, p. 21).

10.4.4 La communication à l'égard des salaires

Les recherches montrent qu'une politique concernant la communication des salaires individuels peut influer sur la décision d'accorder des augmentations de salaires, les cadres ayant davantage tendance à attribuer le même montant de récompense à tous leurs employés (moins de différenciation) lorsqu'ils savent que leurs décisions seront connues de tous (voir la revue de Heneman, 1992). Plus le système est ouvert, plus les cadres semblent avoir peur qu'une grande différenciation des augmentations de salaires n'entraîne des réactions négatives parmi les employés. Il est aussi démontré que la majorité des employés ne désirent pas que leur employeur dévoile leur salaire exact aux autres employés. Toutefois, il ne faut pas se leurrer : faute d'information, les employés comparent tout de même leurs salaires et ils se forment une opinion en se basant sur le peu de renseignements qu'ils ont pu obtenir par leurs propres moyens ou par leurs relations.

Si la communication des salaires individuels des employés ne fait pas l'unanimité, on semble toutefois s'entendre sur les atouts que comporte la communication de l'information sur les *structures salariales,* afin, notamment, d'inciter les employés à rechercher une promotion et à adopter des comportements en conséquence. Cependant, au-delà de l'information sur les salaires attribués aux divers emplois, les employés doivent percevoir des différences de salaires appréciables entre les emplois pour vouloir progresser. Cet élément est d'autant plus important que les recherches indiquent, comme nous l'avons déjà vu, que les employés tendent à sous-estimer les salaires de ceux qui sont dans une position hiérarchique supérieure à la leur et à surestimer ceux de leurs subalternes. Ainsi, le manque d'information au sujet des salaires versés aux autres emplois a pour effet de rendre les employés moins aptes à porter des jugements éclairés à cet égard. Certains auteurs croient d'ailleurs qu'une politique de salaires secrets fausse les perceptions des employés quant aux salaires de leurs subalternes et de leurs collègues, ce qui a pour effet d'augmenter leur insatisfaction à l'égard de leur rémunération. D'autres auteurs pensent que si les employés ignorent que des augmentations de salaires plus importantes sont accordées aux employés ayant un meilleur rendement, leur motivation au travail diminue. Milkovich et Newman (2005) constatent également que l'ensemble des études confirment que les employés qui travaillent dans un contexte de communication ouverte à l'égard des salaires (*open pay communication*) se disent plus satisfaits — tant à propos de leurs salaires qu'à propos de leur gestion — que les employés qui travaillent dans un milieu où le salaire est un sujet tabou (*pay secrecy context*).

En définitive, s'il existe dans bien des entreprises une politique de renseignements secrets quant aux salaires individuels, un nombre croissant d'entreprises communiquent des informations sur les structures salariales, notamment sur les écarts mini-maxi des différentes classes d'emplois. Aujourd'hui, la plupart des grandes organisations rendent publique l'information concernant leurs politiques salariales, une minorité croissante d'organisations communiquent de l'information sur leurs structures salariales, et les salaires individuels sont presque partout tenus secrets. En somme, les organisations semblent avoir adopté la politique du juste milieu, car le fait de fournir aux employés les minimums et les maximums des diverses classes salariales ainsi que la médiane des salaires versés n'a rien à voir avec l'affichage des salaires individuels sur les murs d'une cafétéria.

10.4.5 La communication de la rémunération : les médias et les nouvelles technologies

Selon les composantes de la rémunération visée, les employés veulent et doivent recevoir une information individualisée. Pour communiquer les politiques et les techniques de rémunération, plusieurs autres médias peuvent être utilisés, comme l'audiovisuel (transparents, vidéo, téléconférence, etc.), l'imprimerie (brochures, documents, notes de service, manuels, etc.), les relations (rencontres de groupe, réunions, etc.) et l'électronique.

Les nouvelles technologies offrent une panoplie de façons de communiquer de l'information aux employés en matière de rémunération. Certains employeurs (ou les compagnies d'assurances avec lesquelles ils font affaire) offrent, par exemple, un centre de services où l'employé peut appeler pour obtenir des renseignements. D'autres employeurs mettent de l'information sur intranet, gèrent l'adhésion aux régimes d'avantages de manière électronique, privilégient le recours au courrier électronique pour ce qui est des demandes d'informations ou de la communication de leurs choix en matière d'avantages (libre-service), et ainsi de suite.

BULLETIN$ 10.1

Une étude menée auprès de 6 000 cadres et employés travaillant dans 26 grandes organisations localisées aux États-Unis et au Canada montre des liens étroits entre leur connaissance du processus de gestion de la rémunération et leur capacité à aligner leurs comportements et leurs objectifs sur ceux de leur organisation. En outre, les résultats indiquent que la satisfaction à l'égard des processus visant à déterminer leur rémunération explique davantage la conservation des employés que leur satisfaction à l'égard du montant de leur rémunération. En ce qui concerne l'efficacité des sources d'information, l'étude révèle que les employés et les cadres jugent que les sources traditionnelles d'information en matière de rémunération (par exemple, l'orientation, le manuel de politiques, les vidéos, la formation en classe ou les documents) sont inefficaces, que la communication face à face avec le superviseur est la plus efficace et que l'intranet et les sites Web sont modérément efficaces et complètent à faibles coûts les autres modes d'information.

Source : Traduit et adapté de Mulvey *et al.* (2002, p. 29, 38, 41-42).

Plusieurs grandes sociétés utilisent l'intranet pour transmettre de l'information sur une variété de composantes de la rémunération et donnent à leurs employés un relevé personnalisé de leur rémunération totale et de la valeur pécuniaire de leurs conditions de travail. Cette méthode consiste en une présentation synthétique et individualisée du contenu des différents régimes offerts, des droits de l'employé, des coûts pour l'employeur et pour l'employé de chacun des régimes ainsi que de la valeur du temps chômé par la personne. Il est alors possible pour l'employé de visualiser rapidement l'ensemble de sa rémunération et ses diverses composantes, ce qui l'incite du coup à demeurer dans l'entreprise. En présentant le coût des régimes, ce relevé favorise une prise de conscience des dépenses (des investissements) totales de l'employeur pour chacun de ses employés.

Une étude montre que l'accès à des outils informatiques améliore la qualité des décisions prises par les employés ainsi que leur satisfaction à l'égard des avantages qu'ils reçoivent en vertu d'un régime flexible de rémunération (Sturman *et al.*, 1996). Pour les candidats de l'extérieur, certains dirigeants utilisent aussi leur site Web pour présenter leur entreprise (la stratégie de l'entreprise, ses valeurs, sa culture, etc.) et donner de l'information sur les composantes de la rémunération globale. Ces candidats peuvent ainsi apprécier rapidement le contenu et la valeur du régime de rémunération, ce qui favorisera leur attraction et leur décision d'accepter une offre d'emploi. Tant pour les candidats de l'extérieur que pour les employés, un tel usage du site Web et de l'intranet permet également de réduire le nombre d'appels effectués auprès du personnel du service des ressources humaines pour obtenir des informations sur les conditions de travail.

Les nouvelles technologies permettent non seulement de communiquer (par des textes, de même que par des tableaux, des diagrammes ou d'autres images) les diverses composantes de la rémunération, mais aussi d'administrer celles-ci de manière cohérente et efficace, par la tenue des dossiers des employés, le calcul des primes de rémunération variable, la facturation des primes d'assurances, l'administration des cotisations prélevées sur les salaires pour les régimes d'assurances, le calcul des avantages imposables, les rapports de gestion, les clauses de conventions collectives, etc.

Grâce aux nouvelles technologies, l'employeur peut évaluer les conséquences de divers scénarios (au moyen de logiciels de simulation) en matière de coûts, tant pour l'ensemble des employés que pour une catégorie de personnel, un groupe d'employés ou un employé en particulier. En effet, on a accès directement et rapidement au dossier de chaque employé, qui peut être mis à jour électroniquement par les professionnels des ressources humaines, les cadres ou les employés eux-mêmes. Certains employeurs utilisent des numéros 1 800, le réseau Internet ou une technologie interactive de réponse vocale pour communiquer de l'information aux employés et pour leur permettre de faire des simulations, d'enregistrer leurs choix ou leurs changements, d'obtenir des précisions, etc. De plus, les systèmes majeurs d'informatisation, comme PeopleSoft et SAP, peuvent permettre de colliger, d'intégrer, d'analyser et de synthétiser une quantité colossale et diversifiée de données en matière de gestion des ressources humaines et de gestion de la rémunération.

Cependant, à ce jour, on est encore très loin d'avoir épuisé toutes les possibilités de la technologie pour gérer la rémunération du personnel, car les gens sont limités par leurs habitudes et leur capacité d'adaptation. Par ailleurs, les nouvelles technologies — si elles peuvent permettre d'économiser du temps et de l'argent en ce qui touche à la communication de la rémunération — ne dispensent pas de la nécessité de consulter les employés de manière directe et personnalisée ou en petits groupes. Ici encore, les caractéristiques des destinataires doivent être considérées : le recours accru aux moyens électroniques pour communiquer des composantes de la rémunération nécessite un personnel suffisamment familier avec ce média pour que celui-ci soit apprécié et utilisé.

BULLETIN$ 10.2

LES AVANTAGES « EN LIGNE » RENDENT LES EMPLOYÉS CONFUS

Une enquête menée par la firme Cigna auprès de 1 000 employés et 200 employeurs américains montre que si 57 % des employeurs estiment que leurs employés sont en mesure de gérer leurs avantages en ligne, 80 % des employés se disent incapables de gérer leurs avantages « en ligne » et disent continuer à décider de leurs avantages en postant des formulaires papier (67 %) et/ou en indiquant leur choix par téléphone (53 %) et/ou en rencontrant les gestionnaires des avantages (58 %).

Source : Traduit et adapté de *Newsline* (2002).

10.4.6 La communication des renseignements personnels et la législation sur la protection des renseignements personnels

Au Canada, la Loi sur la protection des renseignements personnels et les documents électroniques présente les règles que doivent respecter les organisations du secteur privé lors de la collecte, de l'utilisation et de la communication des renseignements personnels. La province du Québec a également, depuis 1994, sa propre loi sur la protection des renseignements personnels pour les entreprises privées. De telles lois ont des incidences sur la gestion de la rémunération, notamment sur la gestion des avantages sociaux (Covert Amm, 2004). Pour certains employeurs ou fournisseurs de services d'avantages sociaux, cela signifie qu'ils doivent, d'une part, obtenir un avis ou un consentement des employés pour pouvoir accéder ou donner accès à des données sur les employés et, d'autre part, obtenir des ententes sur les informations qu'ils devront échanger pour être en mesure de gérer les régimes. Dans bien des cas, ces lois exigent qu'on réévalue les besoins et les pratiques traditionnelles en matière de collecte et de conservation des données. Cela peut avoir l'avantage d'inciter les employeurs à mettre de l'ordre dans la gestion de leurs dossiers. En effet, certains employeurs auront l'occasion de constater que des informations habituellement colligées ne sont plus justifiées ou qu'il n'est plus nécessaire de les conserver.

10.4.7 Les conditions de succès de la communication

Si l'on veut maximiser l'efficacité de la communication à l'égard des diverses facettes de la rémunération totale, il importe de respecter certaines conditions.

Premièrement, avant de communiquer les divers aspects de la gestion de la rémunération aux employés, les dirigeants de l'entreprise doivent être sûrs de l'équité de la rémunération et ils doivent compter sur un processus de communication solide. Sinon, la divulgation des informations révélera rapidement le caractère inadéquat des salaires qu'ils accordent ou de leur gestion, trahira des iniquités flagrantes ou rendra évidente la difficulté à expliquer les motifs de certaines décisions. Aussi, il convient de procéder à des analyses préalables, notamment de l'information que l'organisation désire transmettre aux employés et de l'information que les employés veulent connaître à l'égard des salaires. Une fois ces analyses effectuées, les dirigeants s'assureront du caractère adéquat et acceptable de la gestion des salaires dans l'organisation.

Deuxièmement, les dirigeants doivent mettre en avant un programme de formation en vue de s'assurer que les supérieurs hiérarchiques ont une bonne compréhension des pratiques de gestion des salaires de l'organisation. En effet, comme une partie importante de la communication qui a lieu dans une organisation en matière de salaires passe par les supérieurs hiérarchiques, ceux-ci doivent être en mesure de fournir des réponses adéquates à leurs subalternes plutôt que de les renvoyer aux spécialistes du service des ressources humaines. Le succès d'un programme de communication concernant la rémunération dépend d'abord et avant tout de la capacité des supérieurs hiérarchiques à le communiquer et à l'expliquer à leurs subordonnés.

Troisièmement, lorsqu'une organisation s'engage dans un processus de divulgation de l'information, elle doit être prête à répondre aux questions et aux objections des employés, qui peuvent porter sur la façon dont les salaires sont déterminés, sur les personnes responsables des décisions, sur la relation entre les salaires offerts par l'organisation et les salaires offerts sur le marché, sur les différences entre les salaires accordés à différents emplois, sur la nature et le choix des avantages, etc.

Quatrièmement, l'organisation doit réduire au minimum les contradictions et les incohérences entre les multiples sources de communication en matière de rémunération. Que penser, par exemple, du cas du directeur d'un département d'université qui, après avoir annoncé aux professeurs que les augmentations de traitement étaient basées sur leur rendement individuel, leur indique que tous auront droit à une augmentation de salaire de 3 % cette année-là ? Quelle signification attribuer à l'information selon laquelle tous les cadres d'une entreprise sont rémunérés uniquement selon leur rendement, alors qu'en pratique les augmentations de salaires varient de 2 % à 4 % et que l'indice des prix à la consommation s'établit à 3 % ? Comment interpréter le message transmis par une organisation dont la politique de rémunération prévoit « des structures de rémunération favorisant des plans de carrière au sein de l'entreprise », alors que les écarts salariaux entre deux niveaux hiérarchiques voisins sont inférieurs à 10 % ?

Cinquièmement, dans la mesure où les dirigeants d'une organisation veulent communiquer certaines politiques et pratiques de rémunération, ils doivent :

– rédiger un ou des documents officiels visant à exprimer les objectifs de la rémunération poursuivis ainsi que les principales caractéristiques des pratiques qui en découlent ;

– tenir des réunions d'information et de formation avec les cadres afin de leur expliquer les objectifs de la rémunération poursuivis ainsi que les pratiques à adopter, de manière qu'ils puissent les communiquer et les expliquer à leurs subalternes — il ne faut pas négliger le fait que la communication à propos de la rémunération passe d'abord par les cadres dans une organisation ;

– faire en sorte qu'une ou des personnes compétentes et responsables puissent fournir aux cadres et aux employés les précisions requises.

10.5 L'impartition des activités de gestion de la rémunération

Devant la complexité et le nombre croissant de lois et de régimes de rémunération, la montée des coûts des investissements dans la technologie visant à administrer les composantes de la rémunération et la rareté des spécialistes de la rémunération sur le marché, plusieurs services des ressources humaines confient à des tiers une partie plus ou moins importante de leurs activités de gestion de la rémunération, comme la production de la paie, l'administration et le calcul des avantages, l'interface et la communication avec les employés ou la mise au point et la comptabilisation des régimes. ADP Canada, le plus important fournisseur de services d'impartition du Canada, aide plus de 50 000 entreprises en matière, entre autres, de gestion de la paie en traitant la paie d'un Canadien sur quatre travaillant dans le secteur privé. Au-delà de la paie, qui s'avère une des activités de rémunération les plus externalisées en Amérique du Nord et en Europe (Quérin, 2005), plusieurs activités de gestion de la rémunération peuvent être imparties : la gestion des salaires, des avantages et des régimes de retraite, l'évaluation des emplois, les enquêtes de salaires sur le marché, l'analyse de la compétitivité des structures salariales, etc.

10.5.1 Les atouts de l'impartition des activités

En impartissant certaines activités, l'entreprise vise à réaliser celles-ci mieux, plus rapidement et à un moindre coût que si elle les exécutait elle-même. Il faut savoir que la technologie (par exemple, un site intranet ou un centre d'appels), les capitaux et l'expertise qui sont nécessaires pour accomplir un bon nombre de ces activités sont très onéreux pour une entreprise, alors qu'un prestataire de services peut offrir ceux-ci à un meilleur coût en raison des économies d'échelle. De plus, l'impartition permet aux professionnels de déléguer certaines tâches administratives plus ou moins routinières à une ressource externe qui peut les effectuer de manière plus systématique et plus spécialisée (grâce à une plus grande expertise sur les plans légal, technologique, etc.), livrer de meilleures solutions et amener l'entreprise à diminuer ses investissements en gestion des ressources humaines. Ce faisant, les professionnels des ressources humaines de l'entreprise peuvent se consacrer à d'autres activités à long terme ou de nature plus stratégique, telles que l'analyse des besoins, la conception de nouveaux produits et services, la mise au point de stratégies, de politiques ou d'une philosophie.

Certains auteurs estiment aussi que l'impartition permet de s'adapter aux changements environnementaux d'une manière plus flexible que si les solutions à ces changements venaient de l'intérieur de l'organisation. Finalement, avec l'arrivée de grands fournisseurs de solutions technologiques intégrées, l'impartition des activités de gestion des ressources humaines, dont la rémunération, s'inscrit dans un vaste mouvement vers l'impartition de toutes les autres fonctions de gestion de l'organisation.

BULLETIN$ 10.3

Une étude menée par Watson Wyatt auprès de 135 firmes montre que 65 % d'entre elles estiment que leur fonction « ressources humaines » est principalement ou complètement gérée à l'intérieur de l'entreprise, 29 % disent adopter une approche mixte « intérieur/extérieur » et seulement 7 % jugent que cette fonction est plutôt gérée à l'extérieur. Parmi les sociétés qui impartissent plusieurs activités, il s'agit surtout de certains aspects de la gestion des régimes de retraite et d'assurances collectives, et seulement 8 % d'entre elles tentent de consolider les activités imparties auprès d'un seul prestataire de services.

Source : Traduit et adapté de *Canadian News* (2005, p. 14-15).

10.5.2 Les limites de l'impartition des activités

Toutefois, plusieurs limites sont associées à l'impartition. D'abord, une fois que l'entreprise a commencé à impartir des activités de gestion de la rémunération, il est difficile de revenir en arrière, puisque les firmes externes exigent souvent la signature d'un contrat qui s'échelonne sur 5 à 10 ans. Ensuite, l'impartition pose le défi de la confidentialité des informations sur les employés, sur les plans d'affaires de la société, etc. Elle entraîne aussi le défi de la perte de maîtrise (des coûts, de la qualité, etc.) et de la dépendance par rapport à un prestataire qui peut échouer, ne pas respecter ses obligations, ne pas satisfaire aux exigences préétablies dans le contrat, éprouver des problèmes techniques et économiques majeurs, hausser ses coûts de manière inattendue, etc. Ces derniers défis exigent que l'organisation puisse compter sur de bons gestionnaires de contrats avec les prestataires extérieurs, que ces gestionnaires exercent un suivi adéquat et qu'ils signent des ententes précises pouvant être modifiées ou résiliées selon l'évolution de la situation.

En outre, l'impartition peut engendrer de la confusion parmi le personnel, qui ne sait plus trop vers qui se tourner, en faisant intervenir un plus grand nombre de participants dans une transaction et en augmentant le risque que la direction perde de vue les attentes et les besoins des employés étant donné qu'elle a moins de contacts directs avec eux. Ajoutons que les activités sujettes à l'impartition sont souvent associées à une perte ou, du moins, à la non-acquisition de compétences et de savoir-faire particuliers à l'intérieur de l'organisation. Cette dernière, qui se fie à un ou quelques prestataires de services, risque alors de ne plus comprendre ses propres systèmes, de ne plus maîtriser la situation et de ne plus gérer de manière efficace l'ensemble des composantes de la rémunération.

Par ailleurs, comme les organisations préfèrent impartir leurs activités auprès de grandes sociétés de services de moins en moins nombreuses, il y a un risque que les services offerts tendent à être uniformes et ne répondent pas aux particularités des organisations. Enfin, étant donné que la décision d'impartir des activités peut avoir des effets sur le maintien, la création et l'abolition de postes au sein de l'entreprise de même que sur la mobilisation et la conservation des employés, cela est de nature à nuire aux relations de travail si l'impartition est gérée de façon inappropriée.

10.5.3 Les conditions de succès de l'impartition des activités

La décision d'impartir certaines activités de gestion de la rémunération n'est pas simple et elle doit être mûrie. Plusieurs critères doivent être pris en considération, non seulement l'économie d'argent à court terme, mais également la qualité et la rapidité des services, les attentes et les réactions des employés, les coûts à long terme, la nature des règles contractuelles, la fiabilité technologique et économique du prestataire de services, la taille et les capacités technologiques de l'organisation ainsi que la complexité et l'importance stratégique de ses modes de rémunération. La recherche montre que les grandes organisations tendent à croire qu'elles peuvent gérer les salaires et les avantages de manière plus efficace à l'intérieur de l'organisation parce qu'elles réalisent plus d'économies d'échelle que les organisations de petite taille (Harrison, 1996). En pratique, les organisations sous-traitent seulement une partie de leurs activités de gestion de la rémunération sur une base temporaire, ponctuelle ou régulière.

Une enquête menée par la société Accenture (*Newsline,* 2004) auprès de 500 organisations ayant recours à la sous-traitance depuis au moins deux ans, indique que le succès de l'impartition repose sur les préalables suivants :

- il faut déterminer des résultats d'affaires pour mesurer la performance de l'impartition quant aux bénéfices, à la rapidité des services, etc ;
- il faut traiter avec un partenaire d'affaires, et non seulement avec un fournisseur de services. Ce partenaire doit posséder une expertise et de l'expérience, offrir des prix compétitifs, proposer des services flexibles, connaître l'industrie et inspirer confiance ;
- il faut voir dans l'impartition une relation d'affaires à établir et non uniquement un contrat à signer ;
- il faut aligner les résultats de l'impartition sur les objectifs et les défis d'affaires et chercher à améliorer l'efficacité de l'impartition ;
- il faut établir des mécanismes de gouvernance pour gérer et suivre les relations avec les sous-traitants ;
- il faut désigner une personne qui sera officiellement responsable de la supervision des activités et des contrats de sous-traitance ;
- il faut viser les principaux objectifs (la réduction des coûts, l'amélioration des processus, etc.) et les activités clés qui ont une réelle valeur ajoutée pour l'organisation.

Conclusion

Selon la perspective contextuelle, une gestion efficace de la rémunération a diverses exigences : elle doit être adaptée au contexte et aux employés, appuyer la stratégie et la culture de l'entreprise, être cohérente par rapport aux autres pratiques de gestion du personnel, mobiliser les employés et les inciter à adopter des comportements qui appuient les facteurs de succès de la firme et, enfin, transmettre des messages cohérents par rapport au discours des dirigeants.

Les dirigeants doivent exposer leur stratégie de rémunération totale de manière que leurs cadres et leurs employés la comprennent et l'adoptent. L'organisation doit présenter sa stratégie d'affaires et les liens existant entre celle-ci et ses programmes de rémunération totale. Il est particulièrement important qu'il y ait une cohérence continue et explicite entre le discours des dirigeants et leurs politiques et pratiques de rémunération. La direction doit également expliciter la façon dont ses modes de rémunération répondent aux besoins des employés et se distinguent de ceux qui sont offerts par les entreprises concurrentes. Par ailleurs, elle doit s'assurer que ses cadres sont formés adéquatement formés à décrire et à expliquer les pratiques de rémunération aux employés, puisque ce sont les cadres qui ont des interactions quotidiennes avec le personnel.

Questions de révision

1. Que signifie le principe de justice des processus de gestion en matière de rémunération?

2. Énumérer certains pièges qu'on observe fréquemment et qui permettent d'expliquer l'inefficacité en matière de gestion de la rémunération ou de comprendre pourquoi la rémunération n'est pas gérée en fonction des priorités d'affaires.

3. Qu'est-ce qu'une stratégie de rémunération totale? Traiter de l'importance de la détermination d'une politique ou d'une stratégie en ce qui concerne la gestion de la rémunération et son contenu.

4. Vous êtes conseiller en rémunération et l'on vous demande de présenter un exposé intitulé « L'importance de consulter et de faire participer les cadres et les employés en matière de gestion de la rémunération ». Quelles seront les grandes lignes de votre exposé?

5. Après avoir résumé les résultats des recherches concernant la communication liée à la gestion des salaires, discuter la pratique courante à ce sujet.

6. Commenter l'utilisation des nouvelles technologies en matière de communication de la rémunération.

7. Décrire les raisons d'être et les limites de l'impartition accrue des activités de gestion de la rémunération. Nommer des critères qui doivent être considérés lorsqu'on doit prendre des décisions à cet égard.

Références

BRITTON, P. et C.T. WALKER (1997). « Beyond carrot and stick », *Ivey Business Quarterly*, hiver, p. 14-19.

CANADIAN NEWS (2005). « Trends : What's happening in total rewards », vol. 13, n° 3, p. 12-19.

COVERT AMM, M. (2004). « Application de la loi sur la protection des renseignements personnels », http://www.mercerhr.com/referencecontent, 8 juin.

FITZGERALD, L.R. (2000). « Culture and compensation », dans L.A. Berger et D.R. Berger (sous la dir. de), *The Compensation Handbook : A State-of-the-art Guide to Compensation Strategy and Design,* New York, McGraw-Hill, p. 531-540.

FOURNIER, S. (2000). « Keeping line managers in the know », *ACA News,* vol. 43, n° 3, mars, p. 46-48.

FOX, W. (1998). « Staying a step ahead of the competition with outstanding total compensation », *ACA News,* vol. 41, n° 9, p. 20-22.

GERHART, B. et S.L. RYNES (2003). *Compensation : Theory, Evidence, and Strategic Implications,* Thousand Oaks, Calif., Sage.

GILLES, P. (2001). « Building a foundation for effective pay programs », *Workspan,* vol. 6, n° 1, p. 28-31.

HARRISON, S. (1996). *Outsourcing and the « New » Human Resource Management,* Kingston, Ont., IRC Press.

HENEMAN, R.L. (1992). *Merit Pay : Linking Pay Increases to Performance Ratings,* Ohio, Addison Wesley HRM Series.

HENEMAN, R.L. (2001). *Business-driven Compensation Policies: Integrating Compensation Systems with Corporate Strategies,* New York, Amacom.

HENEMAN, R.L., D.B. GREENBERGER et J.A. FOX (2002). « Pay increase satisfaction : A reconceptualization of pay raise satisfaction based on changes in work and pay practice », *Human Resource Management Review,* vol. 12, n° 1, p. 63-74.

McADAMS, J. et E. HAWK (2000). « Making group incentive plans work », *WorldatWork Journal,* vol. 9, n° 3, p. 28-34.

MILKOVICH, G.T. et J.M. NEWMAN (2005). *Compensation,* Boston, McGraw-Hill et Irwin.

MULVEY, P.W. *et al.* (2002). « Study finds that knowledge of pay process can beat out amount of pay in employee retention, organizational effectiveness », *Journal of Organizational Excellence,* automne, vol. 21, n° 4, p. 29-42.

NEWSLINE (2002). « Online benefits confusing for employees, survey shows », http://resourcepro.worldatwork.org, site consulté le 12 janvier 2005.

NEWSLINE (2004). « Survey identifies seven steps to enhance outsourcing success », http://resourcepro.worldatwork.org, site consulté le 12 janvier 2005.

QUÉRIN, B. (2005). « Pour réussir : bien gérer les aspects humains », *Effectif,* vol. 8, n° 3, juin-juillet-août, p. 14-21.

ROCHELEAU, I. et S. RENAUD (2003). « Les politiques de gestion de l'absence des entreprises et leurs impacts sur l'absentéisme au travail », *Revue canadienne des sciences de l'administration / Canadian Journal of Administrative Sciences,* vol. 20, n° 2, p. 149-165.

ROGERS, S.L., K.W. LOHWATER et H. HAGER (2003). *Communicating Total Reward,* Scottsdale, Ariz., WorldatWork, « How-to Series for the HR Professional ».

RUBINO, J.A. (1992). *Communicating Compensation Programs : An Approach to Providing Information to Employees,* Scottsdale, Ariz., American Compensation Association.

SOCIÉTÉ CONSEIL MERCER LIMITÉE (1999). « Un nouveau type de commercialisation », *Commentaires Mercer,* printemps.

ST-ONGE, S. (2004). « Communiquer la rémunération : un levier de création de valeur », *Effectif,* vol. 7, n° 1, p. 18-24.

STURMAN, M.C., J.M. HANNON et G.T. MILKOVICH (1996). « Computerized aids for flexible benefits decision : The effects of an expert system and decision-support system on employee intentions and satisfaction with benefits », *Personnel Psychology,* vol. 49, n° 4, p. 883-908.

WENDY, F. (1998). « Staying a step ahead of the competition with outstanding total compensation », *ACA NEWS,* vol. 41, n° 9, octobre, p. 20-22.

WHITE, M. (2005). « Les 25-35 ans : la génération Passe-Partout », *Le Soleil,* 10 septembre, p. B1.

WRIGHT, V. (1998). « Remuneration strategies in the world's most admired companies », *ACA News,* vol. 41, n° 8, septembre, p. 20-23.

Chapitre **11**

La rémunération de catégories particulières de personnel

Objectifs

Ce chapitre vise à :

➤ expliquer comment la gestion de la rémunération peut différer selon les catégories de personnel, car les défis, l'importance des divers principes d'équité, l'état des connaissances et des recherches, etc., sont particuliers pour certaines catégories de personnel ;

➤ comprendre les particularités liées à la gestion de la rémunération de certains groupes, notamment celles des dirigeants d'entreprise, du personnel de vente, du personnel expatrié et du personnel de recherche et développement ;

➤ traiter des défis relatifs à la rémunération du personnel atypique, des superviseurs et des administrateurs qui siègent aux conseils d'administration des sociétés.

Cas et conjoncture

 Mythes et réalités : l'enquête amorcée aux États-Unis sur Nortel relance le débat sur l'efficacité des régimes d'options d'achat d'actions

L'annonce selon laquelle le ministère de la Justice des États-Unis a amorcé une enquête criminelle sur les régimes d'options d'achat d'actions (options) offerts aux dirigeants de Nortel relance de plus belle le débat sur leur efficacité. Nous proposons d'évaluer la réalité derrière certains mythes liés aux options, notamment leur pouvoir de relier la richesse des dirigeants à celle des actionnaires, leur impact sur la prise de décision et l'actionnariat des dirigeants, et leur efficacité en tant qu'outil de recrutement.

Mythe 1 : Les options relient la richesse des dirigeants à la richesse des actionnaires.

Réalité : Les conséquences de l'utilisation d'options d'achat sont généralement mitigées. Si la performance boursière de la firme est positive, même modestement, les dirigeants peuvent en profiter considérablement. Par contre, si la performance de la firme est moins impressionnante, les dirigeants ne sont pas obligés de lever leurs options et ne subissent pas de perte de liquidités. De fait, lorsque la performance boursière d'une firme s'avère désastreuse, les dirigeants reçoivent souvent de nouveaux octrois d'options plus considérables que de coutume ou voient le prix de levée des options qu'ils détiennent rajusté vers le bas. Malheureusement, les actionnaires de la firme ne sont pas si chanceux !

En donnant la possibilité aux dirigeants de lever les options et de vendre les actions ainsi acquises, le régime d'options leur permet de réduire leur dépendance envers la performance future de la firme. Ainsi, il est souvent le cas que la performance d'une firme se détériore à la suite de la levée des options par ses dirigeants ! Par exemple, les autorités américaines ont récemment révélé que des dirigeants de Nortel avaient vendu leurs actions entiercées avant l'annonce de problèmes avec les états financiers. De plus, la Commission des valeurs mobilières de l'Ontario a depuis interdit aux dirigeants de Nortel toute opération d'initié sur le titre, ce qui inclut la levée d'options.

Mythe 2 : Les options amènent les dirigeants à adopter une perspective à long terme.

Réalité : Les exemples récents et flagrants d'Enron et de Tyco aux États-Unis et de Nortel au Canada illustrent bien que, quoique les régimes d'options soient conçus pour favoriser et récompenser la performance à long terme, il est certainement possible et même souvent probable que les dirigeants puissent tirer avantage de mouvements boursiers transitoires. En d'autres termes, les options récompensent non seulement les stratégies à long terme qui sont dans l'intérêt des actionnaires, mais également les résultats qui sont plutôt fragiles et temporaires.

De fait, certaines études canadiennes et américaines démontrent que les stratégies de divulgation des firmes autour des dates d'octroi et de levée des options semblent avantager systématiquement les dirigeants. Or, les dirigeants contrôlent ces stratégies. Par exemple, on communiquera de manière anticipée de mauvaises nouvelles avant un octroi prévu d'options, ce qui aura pour effet de réduire le prix de levée. Également, on retardera la communication de mauvaises nouvelles après la levée d'options, afin de pouvoir revendre les actions ainsi acquises à un prix plus élevé.

Mythe 3 : Les options d'achat d'actions encouragent l'investissement de la part des dirigeants.

Réalité : La plupart des dirigeants n'investissent pas dans leurs propres entreprises. À titre d'exemple, le président d'Alcan, M. Thomas Engen, ne possède que 225 500 actions, soit environ 0,07 % des actions en circulation de la firme. Ses collègues, dirigeants d'autres grandes entreprises, ont typiquement des avoirs beaucoup plus modestes. Le président de la Banque de Montréal, M. Comper, détient moins de 0,02 % des actions de sa banque. M. Frank Dunn, ex-président de Nortel Networks, détenait moins de 0,01 % des actions de la firme.

Si les dirigeants semblent détenir relativement peu d'actions dans leurs firmes, la situation est fort différente si on considère les options. En effet, les dirigeants détiennent des quantités importantes d'options. À titre d'exemple, à la fin de 2003, si M. Engen avait levé toutes les options qu'il détenait, il aurait possédé 0,4 % d'Alcan, soit près de 6 fois sa détention d'actions actuelle.

Pour sa part, M. Dunn détenait plus de 3 millions d'options, soit 10 fois sa participation réelle en actions. Enfin, si M. Comper levait toutes les options qu'il détient, il augmenterait de presque 20 fois son actionnariat dans la Banque. Comment peut-on réconcilier la propriété actuelle avec la propriété potentielle de ces individus ? La réponse à cette question est simple : une fois exercées, les actions ne sont pas gardées mais elles sont plutôt vendues. La raison d'être derrière l'utilisation des options — relier les intérêts des dirigeants et des actionnaires — se trouve ainsi contournée.

Toutefois, permettre aux dirigeants de vendre les actions acquises par le biais de la levée d'options n'est pas nécessairement une faiblesse. De par leur capital humain et leur réputation, ils détiennent déjà un investissement important et non diversifié dans la firme. Une telle dépendance humaine et financière peut amener les dirigeants à rejeter des projets plus risqués mais au potentiel de création de valeur important. Par conséquent, au-delà d'un certain point, plus la richesse des dirigeants dépend de la performance de la firme, moins il est probable que leurs intérêts soient harmonisés avec ceux des actionnaires, lesquels ont typiquement un capital humain et financier beaucoup plus diversifié.

Mythe 4 : Les options sont un moyen efficace pour attirer et retenir des dirigeants hautement qualifiés et fortement motivés.

Réalité : C'est vrai. Pour les PME et aussi pour d'autres firmes caractérisées par une liquidité modeste, les options permettent l'embauche de dirigeants compétents qui seraient autrement inaccessibles. Effectivement, ces dirigeants accepteront une rémunération en espèces plus faible en espérant que la réalisation par la firme d'un futur prometteur se traduira par une rémunération sous forme d'options plus intéressante. Le nombre élevé de « millionnaires Microsoft » appuie une telle affirmation.

Compte tenu de leur popularité, on se demande si une firme peut courir la chance de ne pas ajouter des options dans son régime de rémunération ? Quel genre de signal est envoyé aux investisseurs et aux dirigeants ? Les réponses à ces questions sont difficiles. Il est clair qu'une certaine forme de rémunération incitative est appropriée. Des solutions de rechange aux options telles que les actions fictives et les actions entiercées peuvent également réussir à relier les intérêts des dirigeants à ceux des actionnaires. Certains commentateurs ont même suggéré que la solution soit simplement d'accorder aux dirigeants un montant fixe d'actions avec engagement de les détenir pour le long terme. Ce régime aurait comme effet d'assurer que les pertes et les profits de l'entreprise sont partagés entre les dirigeants et les actionnaires.

Les options sont-elles bénéfiques pour les actionnaires ? Les résultats sont loin d'être évidents et, de fait, on ne le sait pas. Les scandales récents de gouvernance ne peuvent être ignorés. Ils ne peuvent pas être relégués au domaine d'une chasse aux sorcières. Trop de petits investisseurs, employés, retraités, fournisseurs et clients ont été touchés par l'échec de la gouvernance corporative. Une chose est sûre : nous devons trouver une meilleure façon de jumeler les intérêts des dirigeants avec ceux des actionnaires.

Source : McGuire et al. (2004, p. 9).

Introduction

Au début de ce livre, nous avons insisté sur le fait que la gestion de la rémunération doit être adaptée au contexte et aux employés. Au fil des chapitres, nous avons présenté les outils, les méthodes, les techniques et les régimes de rémunération qui sont susceptibles d'être *généralement* ou *uniformément* mis en place au sein des entreprises. Toutefois, force est de reconnaître que la manière de gérer la rémunération ainsi que les composantes de la rémunération de certaines catégories de personnel sont très particulières.

L'objectif de ce chapitre est de permettre de mieux comprendre les particularités liées à la gestion de la rémunération de certains groupes, notamment celles des dirigeants d'entreprise, du personnel de vente, du personnel expatrié et du personnel de recherche et développement. Certaines observations sont aussi faites à propos des défis rattachés à la rémunération du personnel atypique, des superviseurs et des administrateurs qui siègent aux conseils d'administration des sociétés.

11.1 La rémunération des dirigeants d'entreprise

Au Canada, le débat sur la rémunération des dirigeants d'entreprise est devenu plus passionné depuis l'entrée en vigueur, en 1993, du règlement 638 obligeant les organisations inscrites à la Bourse de Toronto à divulguer les détails de la rémunération de leurs cinq plus hauts dirigeants. Comme dans tout débat, les points de vue diffèrent.

Ainsi, certains observateurs jugent que les montants en jeu sont excessifs, voire grotesques, et déplorent que la rémunération des dirigeants d'entreprise représente un multiple trop élevé de celle des employés de la base et qu'elle augmente à un rythme nettement supérieur à celle des employés, et ce, sans qu'il y ait de lien avec la performance organisationnelle. Ainsi, le rapport d'Anderson *et al.* (2003) montre que la rémunération des dirigeants aux États-Unis équivaut à 531 fois la rémunération d'un employé moyen, qu'elle a augmenté de 571 % dans les années 1990, alors que la croissance annuelle de la rémunération d'un employé moyen était d'environ 3 % pendant cette période. Ce rapport montre également que la rémunération des dirigeants d'entreprise s'est accrue en 2000, alors que l'index du Standard & Poor's 500 indiquait une perte de 10 % de la valeur des actions. Un article publié dans *Fortune* (Fay, 2003) révèle que les PDG de 25 sociétés dont le cours de l'action a baissé de plus de 75 % entre janvier 1999 et mai 2002 ont gagné, pendant cette période, près de 23 milliards de dollars américains.

BULLETIN$ 11.1

Le PDG de la TD est le mieux payé

Edmund Clark, président et chef de la direction de la Banque TD, domine pour une deuxième année le classement des PDG des grandes banques canadiennes au chapitre de la rémunération. M. Clark a empoché 8,6 millions de dollars l'année dernière en salaire, avantages sociaux et primes, selon la circulaire de la direction publiée hier. En 2003, il avait gagné 7,9 millions. Le salaire de base de M. Clark, âgé de 57 ans, s'est élevé à 1 413 825 $ en 2004. Se sont ajoutés à cela une somme de 3 millions en primes ainsi que des actions (à dividende différé et subalternes) pour une valeur de 4 075 000 $ et près de 100 000 $ en avantages imposables. Le PDG de la TD a également bénéficié de 239 412 options pour l'achat d'actions de la banque. Au deuxième rang parmi les grands patrons de banque au Canada figure John Hunkin, de la CIBC, qui a encaissé, en 2004, la somme de 8,3 millions en salaire et autres rémunérations.

Source : La Presse (2005, p. 5).

À l'opposé, d'autres observateurs estiment que la rémunération versée aux dirigeants est équitable et efficace :

– au regard de la contribution de ces derniers au succès de l'entreprise en ce qui a trait à la richesse ;

– par rapport à leurs compétences, à leur expérience et aux exigences de leur emploi ;

– en comparaison de la rémunération versée aux athlètes professionnels ou aux vedettes du monde artistique ;

– en comparaison de la rémunération des PDG des autres pays ; une enquête menée en 2001 dans 25 pays par Towers Perrin (2001) montre que la rémunération des dirigeants des entreprises industrielles canadiennes et celle des employés de fabrication canadienne arrivent au quatrième rang dans leurs catégories respectives.

De plus, ces observateurs jugent que cette rémunération permet d'attirer et de retenir les dirigeants compétents.

11.1.1 Les composantes de la rémunération des dirigeants d'entreprise

La gamme des composantes de la rémunération dont bénéficient les dirigeants d'entreprise s'est étendue au cours des dernières années. Aujourd'hui, compte tenu de la multiplicité et de la complexité de ces composantes, il devient très difficile pour les investisseurs et le public d'estimer la rémunération *totale* des dirigeants d'entreprise. Aux fins de cette section, nous traitons des composantes les plus souvent explicitées dans les ouvrages spécialisés sur le sujet (voir, par exemple, Ellig, 2002) : le salaire, la rémunération variable à court terme, la rémunération variable à long terme, les avantages et les régimes supplémentaires de retraite ainsi que les gratifications et les « parachutes ou menottes dorés ».

11.1.1.1 Le salaire des dirigeants d'entreprise

Le salaire des dirigeants d'entreprise est une composante de la rémunération qui correspond au montant fixe d'argent que le conseil d'administration (ou son comité de rémunération) s'engage à verser annuellement aux dirigeants quelles que soient les circonstances. Ce montant est important étant donné qu'il détermine (souvent sous forme d'un multiple ou d'un pourcentage) plusieurs autres composantes de la rémunération, comme les avantages, la rente de retraite, la valeur des octrois d'options d'achat d'actions ou les gratifications. Pour les dirigeants, cette composante est souvent établie en fonction d'une enquête salariale menée auprès d'organisations de même taille et d'industries similaires. Depuis le début des années 1970, l'importance relative du salaire dans la rémunération globale des dirigeants a diminué radicalement — passant de près de 60 % à 30 %, voire moins dans certaines industries (Murphy, 1998 ; Milkovich et Newman, 2005) — au profit de la rémunération variable.

11.1.1.2 La rémunération variable à court terme des dirigeants d'entreprise

Les dirigeants d'entreprise sont tous admissibles aux diverses formes de rémunération variable à court terme (par exemple, les primes de rendement ou la participation aux bénéfices). Rappelons que les incitations à court terme visent à récompenser les dirigeants qui atteignent des objectifs à court terme, généralement pour une période n'excédant pas une année. Selon la réalisation des objectifs à court terme, les primes à court terme peuvent signifier une augmentation ou une diminution annuelle d'au moins 25 % de la rémunération des dirigeants (Dessler *et al.*, 1999). Pour les dirigeants, les *régimes de primes à court terme* sont susceptibles de prendre une variété de formes : ils peuvent être basés sur la réalisation d'objectifs organisationnels, sur une formule tenant compte d'une combinaison de la performance organisationnelle et du rendement individuel, sur un montant discrétionnaire déterminé à la fin de l'année, etc. Parmi l'échantillon de firmes que Murphy (1998) a examiné, les deux régimes les plus fréquents sont les suivants :

– de nombreuses firmes (38 %) utilisent un plan de «paiement de primes de type 80/120» (*80/120 payout plan*), où une prime est versée lorsque la performance atteinte se trouve dans des limites variant de 80 % à 120 % des normes préétablies ;

– d'autres firmes (31 %) recourent à l'approche «modifiée de la somme des primes cibles» (*modified sum-of-targets*), où la somme de primes cibles permet de déterminer un budget annuel de primes cibles totales, ce dernier étant ajusté, à la fin de l'année, à la baisse ou à la hausse selon que la performance réelle est inférieure ou supérieure aux normes préétablies.

11.1.1.3 La rémunération variable à long terme des dirigeants d'entreprise

Les dirigeants d'entreprise sont tous admissibles à des régimes de rémunération variable à long terme basée sur la participation réelle à la propriété (par exemple, l'achat et l'octroi d'actions ou les options d'achat d'actions). Ces modes de rémunération, décrits au chapitre 8, représentent une part très grande de la rémunération des dirigeants américains, part qui s'est d'ailleurs accrue, passant de 15 % en 1970 à près de 70 % à la fin des années 1990 (Milkovich et Newman, 2005).

Pour les dirigeants, les régimes de rémunération variable à long terme basée sur la performance boursière étudiés au chapitre 8 — soit l'octroi et l'achat d'actions ainsi que les options d'achat d'actions — sont très utilisés. Toutefois, en plus de ces derniers régimes, les dirigeants peuvent être admissibles à une série de régimes de rémunération basée sur le rendement comptable à long terme, dont les plus courants sont les actions fictives, les unités de rendement, les régimes de droits à la plus-value des actions et les régimes de primes de rendement à long terme. Le tableau 11.1 décrit ces régimes. Étant donné leur plus grande fréquence, nous traitons ici de deux régimes basés sur la performance boursière auxquels sont souvent admissibles les dirigeants d'entreprise : les régimes d'options d'achat d'actions à l'intention des cadres supérieurs et les régimes d'octroi d'actions restreintes (*restricted stock award*).

TABLEAU 11.1

LES RÉGIMES DE RÉMUNÉRATION VARIABLE À LONG TERME BASÉE SUR LA PERFORMANCE COMPTABLE

Régimes de droits à la plus-value des actions

Les régimes de droits à la plus-value des actions (*stock appreciation rights*) accordent la possibilité (le droit) d'encaisser la différence entre la valeur des actions sur le marché boursier et un prix fixé à l'avance pour une période déterminée. Ce prix est égal au cours de l'action au moment de l'octroi du droit à la plus-value. La personne admissible à ce régime n'a pas à acheter d'actions afin d'encaisser son gain, comme c'est le cas pour les régimes d'options d'achat d'actions. En somme, ces régimes sont semblables aux régimes d'options d'achat d'actions, à la différence près que le dirigeant n'a pas à débourser d'argent pour obtenir des actions et bénéficier de la plus-value d'actions au cours d'une période établie. À la fin de la période, il reçoit une somme équivalente à la plus-value des actions sur le marché pour le nombre d'actions que l'entreprise lui a accordé, somme qui sera imposée à 100 %.

Régimes d'actions fictives

Les régimes d'actions fictives (*phantom stock*) permettent de participer à l'appréciation de la valeur comptable ou boursière d'une firme sans que celle-ci émette d'actions. Dans ces régimes, l'employeur accorde à l'employé un nombre d'unités d'une valeur généralement équivalente à celle d'un même nombre d'actions ordinaires de l'entreprise. Au cours de la période visée par l'entente, l'employé reçoit (ou l'on crédite à son compte) une somme égale à tout dividende payé sur les actions ordinaires. De plus, à certaines dates précises ou à la fin de la période déterminée, l'employé a droit à toute appréciation de la valeur de ses unités depuis l'entrée en vigueur du régime. Les sommes versées sont imposables à titre de revenu d'emploi. Contrairement aux options d'achat d'actions, il n'y a pas de période minimale de retenue obligatoire pour le dirigeant. En outre, celui-ci n'a pas à débourser d'argent. Pour l'actionnaire, il n'y a pas de dilution du capital et les sommes versées en vertu du régime sont déductibles d'impôt.

Régimes d'unités de rendement

Les régimes d'unités de rendement (*performance units*) permettent de recevoir des « unités » selon la réalisation d'objectifs de performance financière préétablis pour une période donnée (généralement de trois à cinq ans). La valeur de l'unité est fixée d'avance ou égale à la valeur de l'action de l'entreprise sur le marché boursier (*share units*). En définitive, l'employeur promet à un dirigeant de lui verser une somme équivalente à la valeur des unités de rendement accordées si certains objectifs sont atteints à la fin d'une période déterminée, habituellement de trois ou cinq ans. Par exemple, la valeur de 1 000 unités de rendement dont chacune équivaut à 60 $ sera versée à l'employé dans trois ans si l'entreprise réussit à maintenir un taux de croissance des revenus par action de 15 %. Si le taux de croissance est de 14 %, 90 % du montant prévu sera versé ; s'il est de 13 %, 80 % de ce montant sera versé ; s'il est de 12 %, 70 % de ce montant sera versé. Cependant, s'il est de 11 % ou moins, aucune somme ne sera versée. Parfois, au lieu de verser au dirigeant une somme d'argent, l'employeur promet de lui attribuer un certain nombre d'actions de l'entreprise. Il s'agit alors d'un régime d'actions de rendement plutôt que d'unités de rendement. L'avantage de ce régime est

TABLEAU 11.1 *(suite)*

qu'il permet d'établir un lien direct entre les sommes versées et la réalisation de certains objectifs qui dépendent davantage du travail des gestionnaires. Ce type de régimes présente donc un avantage par rapport aux régimes d'options d'achat d'actions ou aux régimes d'actions fictives, dans lesquels la valeur des actions est conditionnée par de nombreux facteurs nullement liés au rendement des gestionnaires. De plus, un régime d'unités de rendement permet d'établir des niveaux prévisibles de reconnaissance du mérite, par opposition aux régimes soumis aux fluctuations du marché boursier.

Régimes de primes de rendement à long terme

Pour les entreprises dont les valeurs ne sont pas négociées à la Bourse et pour toutes les organisations à caractère public, le seul type de régime qui permette de reconnaître le rendement à long terme est un régime de primes de rendement à long terme.

Les régimes d'options d'achat d'actions à l'intention des cadres supérieurs

En Amérique du Nord, les régimes d'options d'achat d'actions (que nous désignerons dorénavant par le terme « régimes d'options ») sont les régimes d'intéressement à long terme offerts aux dirigeants les plus répandus. Au Canada, 94 % des 300 sociétés les plus importantes au chapitre de la capitalisation boursière (TSE 300) offrent des options à leurs dirigeants pour une valeur équivalente à environ 33 % de la rémunération totale des dirigeants des sociétés constituant l'indice boursier TSE 150, soit une valeur estimée à 600 000 $ (Craighead *et al.*, 1998). Aux États-Unis, une enquête de la firme KPMG révèle que tous les dirigeants participent à un régime à long terme, lequel est un régime d'options dans plus de 85 % des cas. La valeur des octrois d'options d'achat d'actions y représente de 100 % à 300 % du salaire annuel des dirigeants (Chingo et Engel, 1998). De fait, dans les années 1990, les options ont remplacé le salaire comme composante de la rémunération des dirigeants la plus importante, et ce, dans tous les secteurs industriels (Murphy, 1998).

Comme nous l'avons vu au chapitre 8, un régime d'options accorde à des personnes le droit (l'option) d'acheter des actions de leur entreprise à un prix fixé d'avance (le prix de levée) durant une période donnée (généralement de 5 à 10 ans). La récompense potentielle des détenteurs d'options correspond alors à la différence entre la valeur des actions sur le marché boursier au moment où ils décident de lever leur option et le prix de levée de l'option.

Les régimes d'options correspondent probablement à la composante de la rémunération à long terme des dirigeants d'entreprise à la fois la plus importante et la plus controversée compte tenu du fait que la valeur potentielle des montants a augmenté à un rythme beaucoup plus rapide que la performance des entreprises. De fait, les régimes d'options font l'objet d'un vif débat, car on leur attribue des atouts et des limites, souvent contradictoires, et leurs appuis empiriques sont peu nombreux et méthodologiquement contestables (St-Onge *et al.*, 1996, 1999b).

Les régimes d'options sont considérés comme avantageux parce qu'ils sont censés améliorer la performance à long terme des entreprises et aider à attirer et à retenir les dirigeants. Selon les prémisses de la *théorie de l'agence* (Jensen et Meckling, 1976 ; Fama, 1980 ; Jensen et Murphy, 1990), les régimes d'options représenteraient un moyen privilégié de rapprocher les intérêts des dirigeants de ceux des actionnaires parce qu'ils lient la rémunération des premiers à une mesure de performance à long terme très importante pour ces derniers, soit la valeur de l'action. Rappelons que pour les exercices financiers ouverts avant le 1er janvier 2004[1], un régime d'options s'avérait aussi avantageux sur le plan comptable pour les sociétés canadiennes, puisque l'octroi et la levée des options n'influaient pas sur les bénéfices présentés dans leurs états financiers (comme c'est le cas pour les salaires et les primes). La valeur potentielle importante des options, doublée d'un tel avantage fiscal, représente aussi un atout pour motiver les cadres à se joindre à une entreprise, à y rester et à y faire de leur mieux. En effet, comparées aux autres incitations à long terme, les options d'achat d'actions minimiseraient le risque couru par les cadres puisqu'elles ne peuvent valoir moins de 0 $ et maximiseraient leur potentiel de gain étant donné que leur valeur n'est pas plafonnée. La pire situation correspond à celle où la valeur de l'action diminue ou reste la même ; dans ces cas, les détenteurs d'options ne réalisent aucun gain mais ne subissent pas de perte réelle. En d'autres mots, si le titre ne s'apprécie pas, le préjudice que subissent les dirigeants détenteurs d'options correspond à un manque à gagner, leur revenu se limitant alors aux autres composantes de leur rémunération globale. De plus, sur le plan fiscal, les dirigeants ne sont pas imposés au moment de l'octroi de l'option mais plutôt sur le gain réalisé lors de sa levée selon des conditions intéressantes.

À l'inverse, on critique les régimes d'options parce qu'ils ne semblent pas améliorer la performance à long terme des entreprises, qu'ils diluent l'avoir des actionnaires, c'est-à-dire leur potentiel d'enrichissement, et qu'ils augmentent et rendent plus difficile à estimer la rémunération des dirigeants d'entreprise. Ainsi, un régime d'options n'aurait pas vraiment pour effet d'apparenter les dirigeants à des actionnaires, puisque les options ne coûtent rien aux dirigeants, alors que les actionnaires achètent leurs actions ; les détenteurs d'options ne subissent pas de perte réelle — contrairement aux actionnaires — lorsque les actions baissent. En d'autres mots, si le titre ne s'apprécie pas, le préjudice subi par les dirigeants détenteurs d'options correspond à un manque à gagner, leur revenu se limitant alors aux autres composantes de leur rémunération globale. De fait, les dirigeants n'acquièrent un capital de risque et ne deviennent de véritables actionnaires qu'au moment où ils lèvent leur option et achètent des actions. Or, l'expérience montre que la majorité des détenteurs d'options revendent leurs actions immédiatement après avoir levé leur option.

---

1   Selon le chapitre 3870, intitulé « Rémunération et autres paiements à base d'actions », du *Manuel de l'Institut Canadien des Comptables Agréés*, les options devaient être estimées et être déduites des bénéfices pour les exercices financiers ouverts à compter du 1er janvier 2004.

Par ailleurs, la manière dont certains régimes d'options ont été gérés a contribué à réduire le lien entre la performance des entreprises et la rémunération des dirigeants. Par exemple, lorsque le prix des actions se trouve en dessous du prix de levée (*out of the money*), certaines firmes annulent les octrois d'options antérieurs et fixent un nouveau prix de levée égal au cours actuel de l'action qui est plus bas. On parle ici d'un « échange d'options » (*swap*). Durant les mois suivant le krach de 1987, certaines entreprises ont procédé à une telle modification des conditions de levée d'une option afin de retenir les cadres et de faire en sorte que leur option continue de les motiver. Toutefois, malgré quelques cas importants cités par la presse, cette pratique semble peu répandue et plus difficile à justifier de nos jours.

Plusieurs dirigeants ont aussi eu la possibilité de « recharger » leurs options. Exprimé simplement, le rechargement d'options offre aux cadres — qui lèvent une option et qui conservent les actions ainsi achetées durant une période minimale — une option additionnelle leur accordant le droit d'acheter le même nombre d'actions. Quoiqu'une telle option additionnelle encourage l'actionnariat chez les détenteurs d'options, son octroi n'a rien à voir avec la performance des entreprises. Une autre pratique qu'on a pu observer consiste à garantir aux détenteurs le meilleur prix possible pour leur option : si les dirigeants ne lèvent pas leur option au moment où le cours de l'action est à son plus haut niveau pendant la période de levée de leur option, l'entreprise leur rembourse le manque à gagner (Crystal, 1992). Finalement, le fait que les options n'avaient pas à être comptabilisées dans les charges d'exploitation des firmes avant le 1er janvier 2004 avait aussi pour effet que les options tendaient à être considérées comme « gratuites » et à être accordées irrationnellement.

On peut aussi penser que, loin de motiver les cadres, les options peuvent les démotiver en rendant leur rémunération conditionnelle à un résultat — la performance boursière de leur entreprise — qui dépend de plusieurs facteurs que les dirigeants ne maîtrisent nullement ou qu'ils maîtrisent peu : on peut penser au krach de 1987 ou encore aux entreprises dont la performance suit certains cycles ou est fortement tributaire du prix et de la disponibilité de matières premières. On peut aussi interroger la performance boursière comme mesure de la performance des entreprises au regard des multiples facettes de leur performance globale. De même, on peut déplorer le fait qu'on gère habituellement les régimes d'options en considérant la fluctuation *absolue* des prix des actions plutôt que leur fluctuation *relative* en comparaison de concurrents ou en ne liant pas directement la valeur des octrois d'options d'actions au rendement individuel ou collectif des cadres. En effet, la décision d'octroyer une option d'achat d'actions à un dirigeant n'est généralement pas liée à la réalisation d'objectifs de performance précis.

Une autre limite des options consiste dans le fait qu'il est difficile d'estimer leur valeur réelle étant donné que celle-ci repose sur des événements futurs. De fait, la valeur exacte d'une option n'est connue avec exactitude qu'à son expiration. Un observateur cynique pourrait dire que l'octroi d'options est justement avantageux pour les dirigeants puisqu'il est plus « difficile à divulguer aux action-naires », « plus facile à dissimuler » et « plus difficile à comprendre et à évaluer financièrement pour les actionnaires » en raison du caractère abstrait de sa valeur (la valeur future d'une action) et des nombreuses conditions qui sont souvent rat-tachées à son versement.

Par ailleurs, selon la *théorie prospective de la prise de décision* (Kahneman et Tversky, 1979), les options peuvent empêcher les dirigeants de prendre des décisions bénéfiques aux actionnaires ou encore les inciter à prendre des déci-sions qui ne sont pas avantageuses pour ces derniers. Suivant cette théorie, les personnes ressentent une aversion pour le risque dans un contexte où des gains sont sûrs : ainsi, elles préfèrent un projet dont la valeur espérée est moindre mais certaine plutôt qu'un projet dont la valeur espérée est plus élevée mais incertaine. À l'opposé, les personnes seraient incitées à prendre des décisions risquées seu-lement lorsque des gains sont incertains ou lorsque des pertes sont possibles. Ainsi, entre deux projets dont la valeur espérée est négative, elles privilégieraient le projet qui leur offre la possibilité d'éviter une perte, même si sa valeur espérée est moindre. Par conséquent, en fonction de la valeur de l'action de l'entreprise et du prix de levée de son option, un cadre réagirait de façon différente à l'égard du risque. Lorsque le cours de l'action est inférieur au prix de levée de l'option, les cadres seraient portés à prendre des décisions risquées étant donné qu'ils n'ont plus rien à perdre. Par contre, lorsque le cours de l'action est supérieur au prix de levée (*in the money*), les cadres auraient tendance à prendre des décisions pru-dentes ou conservatrices parce que la probabilité de réaliser un gain est très éle-vée. Ainsi, comme les actions prennent généralement de la valeur dans le temps, les options constituent souvent une source de gain sûr qui susciterait une aver-sion indue pour le risque, ce qui est susceptible d'empêcher les cadres de prendre des décisions bénéfiques aux actionnaires.

Globalement, les rares études traitant de l'efficacité des régimes d'options donnent des résultats relatifs. D'une part, il semble que l'octroi d'options ait un effet positif à court terme sur le montant des dépenses en recherche et développe-ment d'une entreprise, un indicateur de développement à long terme (Dechow et Sloan, 1991), sur le cours de ses actions (DeFusco *et al.,* 1990 ; Lambert *et al.,* 1991) et sur le potentiel d'enrichissement de ses actionnaires (DeFusco *et al.,* 1990 ; Aboody, 1996). En outre, des enquêtes réalisées par des firmes de consultants indiquent que les entreprises les plus performantes sont caractérisées par une pré-pondérance des options d'achat d'actions dans la rémunération de leurs diri-geants (voir, notamment, Kay, 1997).

D'autre part, l'octroi d'options ne semble pas avoir d'effet positif à long terme sur la valeur boursière de l'entreprise. Ainsi, Aboody (1996) constate que les options octroyées au cours d'exercices antérieurs et non encore levées influent négativement sur la valeur de l'entreprise. Fall *et al.* (1998) concluent que l'am-pleur d'un octroi d'options n'a pas d'incidence à moyen et à long terme sur le rendement boursier d'un échantillon d'entreprises canadiennes. Yermack (1997) observe que les octrois d'options aux dirigeants semblent précéder de peu de temps l'annonce, par les entreprises, de résultats financiers favorables. Les dirigeants d'entreprise semblent choisir le moment de l'octroi qui minimise le prix de levée et maximise le potentiel de gain. Par ailleurs, Huddart et Lang (1996) montrent que les cadres supérieurs ont tendance — dès qu'ils y ont droit — à lever leur option, à acheter les actions et à les revendre pour encaisser leur gain, quoique cette tendance soit moins forte pour les membres de la haute direction. Somme toute, même s'il existe une relation positive entre l'octroi d'options et la performance à court terme d'une entreprise, cela n'assure pas que le régime d'options soit un moyen efficace de rémunération. En effet, l'octroi d'options peut n'avoir aucun effet à long terme ou il peut simplement précéder de quelques jours l'annonce de résultats favorables qui agiront positivement sur le prix du titre. Dans la revue *Fortune*, Gimein (2002) avait compté que, sur les 25 sociétés dont la valeur boursière avait baissé d'au moins 75 % depuis 1999, 466 initiés travaillant pour ces sociétés avaient levé leurs options — juste avant que le cours de l'action plonge — pour empocher près de 23 milliards de dollars américains.

En réaction aux limites des régimes d'options classiques, Craighead *et al.* (2005) suggèrent d'obliger les cadres supérieurs à détenir des actions pendant de longues périodes et d'octroyer des types d'options dont l'acquisition serait fonction du rendement, notamment :

- les *options d'achat d'actions indexées,* soit des options d'achat d'actions dont le prix de levée s'ajuste à la hausse ou à la baisse selon le secteur d'activité, les fluctuations du marché ou celles du cours de l'action de sociétés semblables ;

- les *options d'achat d'actions à prime,* à savoir des options dont le prix de levée à la date de l'octroi est supérieur à celui de la juste valeur marchande de l'action ;

- les *options d'achat d'actions conditionnelles au rendement,* c'est-à-dire des options qui s'acquièrent seulement si un ou plusieurs objectifs sont atteints ;

- les *options d'achat d'actions à acquisition accélérée selon le rendement,* soit des options qui s'acquièrent après une période préétablie mais qui peuvent être acquises plus rapidement si certains objectifs de rendement sont atteints.

Les régimes d'octroi d'actions restreintes

En vertu d'un régime d'octroi d'actions restreintes, les dirigeants reçoivent des actions — souvent gratuitement mais à un prix réduit — qu'ils ne doivent pas vendre avant une date préétablie ou pendant une période préétablie (généralement de quatre ou cinq ans). L'attribution de telles actions permet aux dirigeants de recevoir des dividendes, d'exercer un droit de vote et de jouir dans certains cas d'un avantage fiscal (aucun paiement d'impôt jusqu'à la fin de la fin de la période de restriction). Cette forme de rémunération n'exige pas de liquidités de l'organisation et permet à celle-ci d'amortir le coût des actions, à la valeur qu'elles avaient au moment de l'octroi, sur la période de restriction. Selon Murphy (1998), près de 28 % des 500 plus grandes firmes sur la base de leur capitalisation boursière (S & P 500) accordaient des actions restreintes à leurs cadres en 1996 pour une valeur équivalente à 6 % de la rémunération totale versée et à 22 % de la rémunération des dirigeants. Au Canada, une enquête menée auprès des 150 plus grandes sociétés sur la base de leur capitalisation boursière (TSX 150) indique que la valeur des actions restreintes détenues par les dirigeants est égale à près de 33 % de leur rémunération totale pour une valeur correspondant à environ 600 000 $ (Craighead *et al.*, 1998).

11.1.1.4 Les avantages et les régimes supplémentaires de retraite[2]

Bien entendu, les dirigeants bénéficient de régimes d'avantages (des assurances diverses, des congés, des services divers, etc.) et de retraite très intéressants. Quoique la plupart des observateurs centrent leur attention sur la rémunération offerte aux dirigeants en ce qui concerne les incitations et les salaires, une tendance récente à l'égard de leur rémunération doit être observée : les régimes supplémentaires de retraite des dirigeants. En effet, si, par le passé, les dirigeants d'entreprise avaient des *régimes de retraite* semblables à ceux des autres employés, les dirigeants d'aujourd'hui veulent clairement se distinguer en se rendant admissibles à de véritables *régimes de sécurité de richesse*. Comme l'indique Revell (2003, p. 68), « si l'on croit que la rémunération des PDG est devenue incontrôlable, regardons les montants qu'ils reçoivent au moment où ils prennent leur retraite… » Ainsi, à leur retraite, des PDG de banques canadiennes recevront une rente annuelle de près de 2 000 000 $ alors que leur salaire actuel s'élève à 1 000 000 $. De fait, de tels régimes de retraite représentent un actif d'une valeur de près de 20 000 000 $ (et un passif équivalent pour les banques !). Comme le coût du régime de retraite des dirigeants n'est pas déductible du revenu imposable des entreprises, il augmente directement le coût assumé par les actionnaires. Ainsi, en supposant un taux d'imposition de 33 %, une entreprise devra générer des bénéfices de 1 500 000 $ avant impôts pour payer une rente de retraite de 1 000 000 $.

La hausse marquée des coûts des régimes de retraite des dirigeants est due à plusieurs tendances récentes dans leur gestion, tendances qui se manifestent davantage aux États-Unis mais qui sont copiées au Canada.

—   On octroie un nombre croissant d'années de service « extra » dans le calcul de la rente dès l'embauche d'un dirigeant.

—   On augmente le pourcentage du salaire annuel qui sera payé chaque année après la retraite, ce pourcentage pouvant varier de 50 % à 199 % du salaire des dirigeants aux États-Unis (Schultz, 2001).

---

2   Cette section s'appuie sur des extraits adaptés, mis à jour et bonifiés de Magnan et St-Onge (2005a, b).

– Le coût des avantages de retraite ne s'arrête plus comme avant avec le décès du dirigeant, puisqu'on adopte de plus en plus des clauses de continuité des prestations de retraite (à hauteur de 100 % plutôt que de 60 %, la norme à ce jour) au conjoint survivant jusqu'à sa mort.

– On crée des fiducies permettant de garantir les prestations de retraite des dirigeants en cas de faillite, alors que les employés ordinaires perdent leur propre régime de retraite.

– On convertit les rentes de retraite des dirigeants en assurance vie afin de permettre des transferts d'argent libres d'impôts aux héritiers.

– Les prestations de retraite sont maintenant basées sur le salaire et les primes (dans 81 % des cas) et, depuis peu de temps, sur la rémunération à long terme, comme des options (dans 18 % des cas), alors que, par le passé, elles étaient calculées sur la base des salaires des dirigeants (selon une enquête menée en 2003 auprès de 269 sociétés américaines [Revell, 2003]).

Par ailleurs, les clauses de prise en considération des primes annuelles de performance sont de plus avantageuses pour les PDG retraités. Par exemple, la circulaire d'information d'une grande société canadienne indique que les prestations de retraite de son PDG sont basées sur « la moyenne des 5 années de salaires les plus élevées et des primes les plus élevées versées au cours des 10 dernières années de vie active ». Ainsi, dans le cas où le dirigeant n'aurait pas obtenu de prime au cours des cinq années précédant sa retraite, il pourra encore recevoir des prestations de retraite qui tiendront compte des primes reçues au cours des cinq premières années de la période. En somme, le coût pour les investisseurs rattaché à l'octroi d'une telle retraite excédera de plusieurs fois le coût des primes versées. Certaines entreprises vont même jusqu'à baser le calcul des prestations sur la moyenne des 3 salaires annuels et des 3 primes annuelles les plus élevés versés au cours des 10 années précédant la retraite. Quoique tout régime incitatif puisse encourager les dirigeants à manipuler les chiffres, le fait d'inclure les primes dans le calcul des prestations de retraite favorise chez ces derniers la tentation de tout faire pour obtenir des primes très élevées juste avant de prendre leur retraite, sans égard aux effets de ces primes sur la performance à long terme des entreprises en question.

En raison de leur largesse croissante, les avantages de retraite accordés aux dirigeants creusent de plus en plus l'écart entre leur rémunération et celle des autres employés, et ce, alors qu'on revoit de plus en plus les régimes de retraite des salariés pour en réduire les coûts. Contrairement aux salariés dont les prestations de retraite plafonnent essentiellement à un montant inférieur à leur salaire, les dirigeants disposent de régimes complémentaires de retraite dont l'ampleur ne cesse d'augmenter. Certes, les dirigeants ont droit à une retraite confortable, mais les bonifications actuelles des rentes de retraite assurent non seulement leur retraite et celle de leurs conjoints survivants, mais aussi la richesse de leurs enfants et même de leurs petits-enfants. On parle alors de « régime de sécurité de richesse » pour des générations !

Mais pourquoi a-t-on gardé le silence jusqu'à maintenant à propos des régimes de retraite des dirigeants ? Premièrement, les exigences à ce sujet, tant au point de vue légal qu'au point de vue de la divulgation, sont faibles. Deuxièmement, les normes comptables permettaient d'intégrer le coût et le passif des régimes de retraite des dirigeants à ceux des régimes et des autres avantages de retraite des employés. Ainsi, à ce jour, l'ampleur du passif non capitalisé des régimes de retraite des dirigeants n'était pas connue (ce qui est obligatoire pour les régimes des employés). Troisièmement, le sujet est complexe pour les non-initiés, et certaines personnes n'ont pas intérêt à ce que toute l'information soit connue et débattue. Les commissions de valeurs canadiennes viennent d'adopter des normes de divulgation sur la valeur et les conditions des régimes de retraite des dirigeants. Toutefois, cette réglementation est imprécise. Comme l'expérience montre que la divulgation de la rémunération des dirigeants n'empêche pas les excès, les conseils d'administration et les investisseurs se doivent de redéfinir rapidement les balises de ces régimes.

11.1.1.5 Les « parachutes ou menottes dorés » et les gratifications

En 2000, lorsque le président de BioChem Pharma, Francesco Bellini, a vendu son entreprise à la société britannique Shire Pharmaceutical, une clause de « parachute doré » (*golden parachute*) prévoyait qu'il toucherait trois fois son salaire et diverses primes. Ainsi, lorsque la transaction de 5,9 milliards de dollars américains a été complétée, il a empoché 5 millions supplémentaires. Introduits dans les contrats de rémunération des dirigeants dans les années 1970, les parachutes dorés sont devenus des clauses courantes avec les vagues de fusions et d'acquisitions des années 1980 et 1990. Ces clauses comprennent diverses ententes dans l'éventualité d'une acquisition ou d'une fusion de l'entreprise ou encore du départ plus ou moins volontaire du PDG Selon Patterson (2002), les conditions d'un contrat de parachute doré varient beaucoup, quoique, en général, elles garantissent aux dirigeants qu'ils continueront de toucher leur salaire et leurs primes pendant de un à cinq ans, ainsi que divers honoraires de consultation, qu'ils pourront lever les options immédiatement ou de manière accélérée, qu'ils conserveront des assurances diverses et qu'on les aidera à se trouver un autre emploi visant à bonifier les dispositions entourant la retraite. Au Canada, en 2001, 43 % des dirigeants des sociétés pouvaient compter sur de telles clauses, comparativement à 71 % des dirigeants aux États-Unis (Cooke et Duffy, 2002). En Europe, la présence de telles clauses est encore récente.

Les membres des conseils d'administration justifient de telles clauses en disant qu'elles sont nécessaires pour attirer et retenir les PDG compétents ou pour éviter que les PDG hésitent à améliorer la performance de leur organisation par peur de voir celle-ci faire l'objet d'une acquisition et de perdre leur emploi. Toutefois, certains observateurs croient que de tels octrois n'ont rien à voir avec la richesse des actionnaires mais plutôt avec celle des dirigeants. Une étude menée auprès de 50 banques américaines qui ont fait l'objet d'une acquisition (avec un groupe de contrôle de banques qui n'ont pas été acquises) confirme qu'avant le changement de contrôle les dirigeants des entreprises absorbées se sont vu accorder des parachutes dorés (Evans *et al.*, 1997). Aussi, plus les dirigeants siègent à un grand nombre de conseils d'administration, plus ils cumulent d'années d'ancienneté dans leur poste (comparativement à l'ancienneté moyenne des membres de leurs conseils d'administration), et plus ils sont susceptibles de se voir octroyer des parachutes dorés plus avantageux (Singh et Harianto, 1989a, b ; Wade *et al.*, 1990), peut-être en raison de leur pouvoir accru.

Au-delà des parachutes dorés, les dirigeants reçoivent de nombreuses gratifications (*perks*) faisant d'eux des privilégiés. Ces gratifications varient énormément quant à leur nature et à leur valeur. Il existe des gratifications témoignant de leur statut privilégié au sein de l'organisation (par exemple, de grands bureaux luxueux, une place de stationnement réservée ou une salle à manger privée), à l'extérieur de l'organisation (par exemple, une automobile fournie par la société, voire un avion ou un bateau, un abonnement à divers clubs ou l'hébergement dans des hôtels) de même que des services liés à la vie personnelle (par exemple, des prêts avantageux, divers services de conseils financiers ou légaux, l'aide à l'achat d'une maison, le paiement des frais de déménagement, le paiement des frais de scolarité des enfants ou la recherche d'un emploi pour la conjointe).

BULLETIN$ 11.2

SIGNAUX D'ALARME EN MATIÈRE DE PARACHUTES DORÉS

Lors de changements de contrôle, les comités de rémunération doivent se méfier des caractéristiques de contrats de rémunération (parachutes dorés) considérées jusqu'à maintenant comme appropriées ou concurrentielles. Il s'agit notamment des caractéristiques suivantes.

- Contrats parachutes offerts à du personnel ne faisant pas partie de la catégorie des cadres supérieurs.

- Calcul de l'indemnité à multiples élevés (*par exemple, une indemnité correspondant à trois fois ou plus le salaire d'un cadre supérieur*).

- Inclusion de primes d'intéressement à long terme dans le calcul de l'indemnité de départ.

BULLETIN$ 11.2 *(suite)*

- Accumulation de droits à la retraite : *la période correspondant à l'indemnité de départ est validée comme service.*

- Déclencheur simple ou déclencheur simple modifié, *faisant en sorte qu'un cadre supérieur conserve son droit de recevoir une indemnité de départ même s'il démissionne.*

- Définition élargie du « changement de contrôle » : *l'entente prend effet même lorsque moins de 50 % des actions avec droit de vote de la société changent de contrôle.*

- Définition élargie du « motif valable » : *l'entente prend effet même si on offre un emploi comparable au cadre supérieur dans la mesure où, dans ses nouvelles fonctions, il ne relève plus de la même personne ou effectue des tâches différentes.*

- Acquisition accélérée des options d'achat d'actions : *même si l'acquéreur offre un emploi et prend à sa charge ou remplace les options du cadre supérieur, ce dernier peut vendre ses actions à la suite d'un changement de contrôle.*

Source : Adapté de O'Connell et Slip (2005, p. 24).

11.1.2 Les enjeux liés à la rémunération des dirigeants d'entreprise : prémisses et résultats

Cette section vise à montrer comment l'établissement de la rémunération des dirigeants d'entreprise est une tâche particulièrement complexe, puisqu'elle implique un enjeu économique, un enjeu politique, un enjeu symbolique et institutionnel de même qu'un enjeu de ressources humaines.

11.1.2.1 La rémunération des dirigeants comme enjeu économique

Traditionnellement, le défi que devaient relever les membres des conseils d'administration en ce qui a trait à la rémunération des dirigeants a consisté à lier celle-ci de manière judicieuse à la performance organisationnelle. La perspective économique de la théorie de l'agence est à la base de cette attente à l'égard des administrateurs (Jensen et Meckling, 1976 ; Fama, 1980 ; Jensen et Murphy, 1990). Cette théorie postule que la divergence d'intérêts entre les actionnaires et les dirigeants de même que la difficulté pour les actionnaires à surveiller de près le comportement des dirigeants entraînent un problème de contrôle. D'une part, les actionnaires visent l'accroissement de leur richesse et s'attendent ainsi à ce que les dirigeants travaillent à augmenter la valeur boursière de l'entreprise. D'autre part, les dirigeants sont tentés de se servir de leur position privilégiée afin de maximiser leur bien-être personnel, quitte à prendre des décisions qui réduisent la richesse des actionnaires. Selon la théorie de l'agence, on peut résoudre ce problème de contrôle en adoptant des programmes de rémunération basée sur des mesures de performance organisationnelle.

On recourt fréquemment à ces prémisses de la théorie de l'agence afin de justifier les pratiques de rémunération variable des dirigeants d'entreprise. Ainsi, il est généralement présumé que les façons de rémunérer les dirigeants influent directement sur leurs décisions d'affaires, sur la performance de leur entreprise et, conséquemment, sur la richesse des actionnaires. Il est aussi présumé que les régimes de rémunération variable permettent un meilleur arrimage entre les intérêts des actionnaires et ceux des dirigeants que les régimes de rémunération fixe.

À ce jour, une multitude de recherches — la quasi-totalité s'appuyant sur la théorie de l'agence — ont analysé l'incidence relative de la performance et de la taille des entreprises sur la rémunération de leurs dirigeants. Une analyse globale récente des résultats de ces études montre que la taille des firmes correspond à 54 % de la variance dans la rémunération des dirigeants alors que les divers indicateurs de performance des entreprises ne comptent que pour 5 % de la variance (Tosi *et al.*, 1998).

Paradoxalement, seuls quelques chercheurs ont étudié l'effet de la rémunération variable accordée aux dirigeants sur la performance de leur entreprise. En général, leurs résultats révèlent que l'adoption de régimes de rémunération variable (par exemple, les unités de rendement, les options ou les primes) à l'intention des dirigeants entraîne une légère amélioration de la performance financière de leur firme (Murphy, 1985); les conseils d'administration auraient alors raison de proposer leur adoption. Cependant, cette légère amélioration de la performance peut également résulter du fait que les dirigeants qui prévoient une amélioration sensible de la performance de l'entreprise en profitent pour inciter le conseil d'administration à adopter un régime de rémunération variable qui sera rentable pour eux-mêmes. À cet égard, des études indiquent que les PDG tendent à recevoir des options juste avant l'annonce de résultats trimestriels favorables (Yermack, 1997) ou lorsque la performance financière de l'entreprise traverse un creux cyclique (Murphy, 1985). Dans ce contexte, le prix de levée de l'option est fixé à un niveau inférieur au prix auquel on peut chiffrer les bonnes nouvelles à venir : une partie du gain ou de l'enrichissement du dirigeant provient alors de sa meilleure connaissance des résultats à venir et non de décisions passées mieux arrimées aux intérêts des actionnaires.

De fait, même si la majorité des entreprises rémunèrent de plus en plus leurs dirigeants au moyen de régimes basés sur la performance (à court terme ou à long terme), les résultats de centaines d'études[3] — adoptant diverses méthodologies

---

3 Voir, entre autres, Finkelstein et Hambrick (1989), Pavlik *et al.* (1993), Gomez-Mejia (1994), Gomez-Mejia et Wiseman (1997), Jensen et Murphy (1990), Magnan *et al.* (1995, 1996).

(des échantillons différents, des mesures de performance variées, des composantes de la rémunération différentes, etc.) — montrent constamment un faible lien positif entre la performance organisationnelle et la rémunération des dirigeants, et ce, tant au Canada qu'aux États-Unis. Aussi, comme l'ont mis en avant Magnan et St-Onge (2005a, p. 7), lorsque des conseils d'administration augmentent la portion variable de la rémunération des dirigeants — en vue d'aligner les intérêts des dirigeants sur ceux des actionnaires —, cela semble avoir un effet positif plus évident sur l'enrichissement personnel des dirigeants que sur la performance de leur entreprise.

> Il est courant d'entendre que ce n'est pas tant le montant versé aux dirigeants qui importe mais son lien avec la performance organisationnelle. Les conseils d'administration ont ainsi prétendu que l'adoption de régimes de rémunération variable de plus en plus nombreux, variés et significatifs (par exemple, primes à court et long terme, options) est toujours efficace : lorsque la performance organisationnelle s'améliore, ils permettent de récompenser et d'encourager les PDG à continuer ; lorsque la performance est mauvaise, ils permettent de les motiver à l'améliorer. Paradoxalement, les études montrent que le recours croissant à la rémunération variable n'a pas nécessairement resserré le lien entre la performance organisationnelle et la rémunération des dirigeants. Force est de constater l'écart entre le discours et la réalité : ce n'est pas parce que les conseils d'administration « disent » ou « laissent croire » qu'un mode de rémunération est basé sur la performance qu'il l'est ou le sera effectivement ! Rien n'empêche qu'une clause prévoie de verser des primes minimales, garanties ou sans lien avec des critères de performance. Rien n'empêche que des objectifs de performance ne soient pas préétablis, qu'ils soient facilement atteignables ou révisés de manière à garantir une prime. Les options d'achat d'actions correspondent au mode de rémunération variable qui a le plus enrichi les PDG sans vraiment permettre (à l'opposé du discours) de lier davantage leur rémunération à l'enrichissement réel des actionnaires. Plusieurs études montrent que d'importants octrois d'incitatifs alimentent une culture propice aux spéculations et aux fraudes.

11.1.2.2 La rémunération des dirigeants comme enjeu politique

Selon une perspective politique, les pratiques de rémunération des dirigeants sont le résultat de jeux de pouvoir par lesquels les dirigeants tentent de maximiser leur rémunération en usant de leur influence sur la composition et les décisions du conseil d'administration. Pour Leighton et Thain (1997), le processus décisionnel des administrateurs membres des conseils d'administration serait essentiellement politique, puisqu'ils doivent composer avec les intérêts divergents de plusieurs acteurs : les dirigeants, les actionnaires et les autres partenaires socioéconomiques de l'entreprise. On remet alors en question le pouvoir réel des conseils d'administration de déterminer la rémunération des dirigeants et, donc, de protéger les intérêts des actionnaires (Finkelstein et Hambrick, 1989). En effet, les termes du contrat de rémunération des dirigeants d'entreprise serait plutôt le fruit d'un équilibre des pouvoirs entre les membres des conseils d'administration et les dirigeants qui ont des intérêts et des préférences susceptibles de diverger. D'un côté, il s'agit d'analyser le pouvoir qu'a le conseil d'administration d'imposer ou non des termes contractuels à l'avantage des actionnaires. Des études révèlent que ce pouvoir dépend de diverses caractéristiques, telles que les proportions relatives d'administrateurs internes et externes, l'ancienneté et l'expertise des administrateurs. De l'autre côté, il s'agit d'analyser le pouvoir qu'a la direction de s'approprier une part plus importante de l'accroissement de valeur de l'entreprise et de résister aux demandes des actionnaires ou des administrateurs. Ce pouvoir peut découler de caractéristiques personnelles (les compétences, les alliances, les habiletés de négociation, l'expertise, l'expérience, le statut social, etc.) ou institutionnelles (les assurances contre les acquisitions, les « menottes dorées » pour retenir les dirigeants, etc.).

À la limite, le pouvoir des dirigeants sur les décisions des administrateurs peut entraîner une situation d'hégémonie de gestion (Vance, 1983) dans laquelle les dirigeants dominent des administrateurs faibles et incapables d'influer sur les décisions de l'entreprise. En somme, on remet ici en question la similitude des intérêts des administrateurs du conseil d'administration et de ceux des actionnaires. Puisque les actionnaires ne contrôlent pas vraiment les décisions et les comportements des administrateurs, ces derniers ont plus intérêt à répondre aux attentes des dirigeants qui prennent une foule de décisions susceptibles d'avoir un effet sur leur richesse et leur statut : la nomination des administrateurs, la rémunération pour leurs services comme administrateurs, l'octroi de contrats de services professionnels, les opérations commerciales avec leur entreprise, etc. Cela est d'autant plus probable que les dirigeants chercheront à utiliser leur pouvoir de récompense pour influencer les administrateurs dans les choix de politiques de rémunération qu'ils prendront à leur égard.

À ce jour, un survol des conclusions de quelques études[4] révèle que la détermination de la rémunération des dirigeants semble être un processus plutôt politique dont le résultat est déterminé par l'équilibre entre les pouvoirs entre deux acteurs : les administrateurs et les dirigeants (voir le tableau 11.2). Les études indiquent généralement que le pouvoir des conseils d'administration est lié positivement aux caractéristiques suivantes :

–   la proportion d'administrateurs externes au conseil d'administration, c'est-à-dire des administrateurs qui n'ont pas de lien d'affaires, d'emploi ou de famille avec l'entreprise ou ses dirigeants ;

---

4   Voir Beatty et Zajac (1994), Mehran (1995), Sridharan (1996), Finkelstein et Hambrick (1989), Westphal et Zajac (1994, 1995), Belliveau *et al.* (1996), Magnan et St-Onge (1997), Yermack (1997), O'Reilly *et al.* (1988).

—   le nombre d'administrateurs au conseil d'administration ;

—   la proportion des actions de l'entreprise détenue par les administrateurs ;

—   le fait que le président du conseil ne soit pas aussi le chef de la direction ;

—   la rémunération des administrateurs ;

—   l'ancienneté des administrateurs ;

—   le pouvoir discrétionnaire des administrateurs, c'est-à-dire la facilité avec laquelle le conseil d'administration peut connaître, évaluer et contrôler les actions et les décisions des dirigeants ;

—   la concentration de l'actionnariat ;

—   le statut des administrateurs (le nombre de conseils d'administration auxquels ils siègent, le poste occupé dans leur entreprise, etc.).

En général, et comme le précise le tableau 11.2, les études montrent que plus les administrateurs ont de pouvoir, moins les montants de rémunération des dirigeants sont élevés, et moins ils sont déterminés en fonction de la performance organisationnelle. Plus précisément, plus les conseils d'administration ont de pouvoir, moins la rémunération — tant à court terme (salaires et primes) qu'à long terme (options, etc.) — des dirigeants est élevé. À l'inverse, moins les administrateurs des conseils d'administration ont de pouvoir, plus la rémunération à court terme des dirigeants est élevée, et plus ils ont de potentiel de s'enrichir au moyen d'options. On peut expliquer ce résultat par le fait que plus les conseils d'administration ont de pouvoir, plus ils suivent de près les décisions d'affaires des dirigeants d'entreprise, plus ils négocient de manière serrée les conditions de leurs contrats de rémunération, et plus ils restreignent la dilution de l'actionnariat occasionnée par l'octroi de régimes incitatifs basés sur le cours des actions (par exemple, les options).

11.1.2.3 La rémunération des dirigeants comme enjeu symbolique et institutionnel

Selon une perspective symbolique et institutionnelle, en décidant de la rémunération des PDG, les administrateurs des conseils d'administration tentent de répondre aux pressions de l'environnement et de se conformer aux pratiques de gestion jugées acceptables, souhaitables et légitimes par les investisseurs, les consommateurs, le public, les salariés et l'ensemble des intervenants ayant un lien d'affaires avec l'organisation (voir, par exemple, DiMaggio et Powell, 1983 ; Meyer et Rowan, 1977). En outre, la rémunération des dirigeants représente un enjeu symbolique et institutionnel dans la mesure où elle est communiquée au public et où elle est soumise à des règles de divulgation. En effet, les conseils d'administration subissent des pressions pour légitimer ou expliquer leurs choix en la matière de façon que ces choix apparaissent comme équitables et efficaces aux yeux du public. Or, l'imitation des pratiques en vigueur dans d'autres entreprises est plus facilement justifiable que l'innovation.

TABLEAU 11.2

L'INFLUENCE DES CARACTÉRISTIQUES DES CONSEILS D'ADMINISTRATION SUR LA RÉMUNÉRATION DES DIRIGEANTS D'ENTREPRISE

La proportion d'administrateurs externes au conseil d'administration. Plus la proportion d'administrateurs externes est élevée, moins la rémunération encaissée par les dirigeants d'entreprise est élevée, moins leur rémunération est liée à la performance à long terme (par exemple, options), et moins il y a de lien entre la performance organisationnelle et leur rémunération.

Le nombre d'administrateurs au conseil d'administration. Plus le nombre de membres du conseil d'administration est élevé, moins les dirigeants sont rémunérés en fonction de la performance organisationnelle.

La proportion des actions détenue par les administrateurs. Plus les administrateurs détiennent une proportion importante des actions de l'entreprise, moins la rémunération tant à court terme (salaire et primes à court terme) qu'à long terme accordée aux dirigeants est élevée, et moins elle est liée à la performance organisationnelle.

Le fait que le poste de président du conseil ne soit pas occupé par le chef de la direction. Un conseil d'administration dirigé par un président indépendant de la direction conclut des contrats moins généreux en ce qui concerne la rémunération à court terme (salaire et primes à court terme) et la rémunération à long terme.

La rémunération des administrateurs. Plus les administrateurs d'un conseil d'administration reçoivent une rémunération élevée au sein de leur propre entreprise, plus la rémunération du dirigeant, à la tête de l'organisation où il siège au conseil d'administration, tend à être élevée.

L'ancienneté des administrateurs. Plus les administrateurs connaissent les affaires de l'entreprise, plus ils sont aptes à juger des actions des dirigeants, et plus ils tiendront à recourir à des incitations à long terme pour rémunérer les dirigeants d'entreprise.

Le pouvoir discrétionnaire des administrateurs. Plus les administrateurs ont de pouvoir discrétionnaire, moins ils sont susceptibles de lier la rémunération des dirigeants à la performance organisationnelle. Les administrateurs ont plus de pouvoir discrétionnaire lorsque l'environnement d'affaires des firmes est prévisible ou peu volatil, lorsque les attributs de la fonction sont facilement déterminables, lorsqu'il y a peu d'options stratégiques et lorsqu'il est facile de mesurer l'impact des décisions d'affaires.

La concentration de l'actionnariat. Lorsqu'il y a d'importants investisseurs dont l'horizon d'investissement est à long terme (qui possèdent plus de 5 % des actions) ou encore lorsque l'actionnariat est concentré entre les mains d'un groupe restreint d'investisseurs, le conseil d'administration a tendance à octroyer aux dirigeants une rémunération plus basse et moins susceptible de les enrichir rapidement par le biais d'options d'achat d'actions.

Le statut des administrateurs. Le nombre de conseils d'administration dont ils sont membres, le prestige de leur diplôme, la réputation des clubs dont ils sont membres sont des facteurs susceptibles de jouer sur l'influence des administrateurs sur les caractéristiques des contrats de rémunération des dirigeants.

Source : Adapté de Magnan *et al.* (2001, p. 59).

Appliquée à la rémunération des dirigeants, cette perspective indique que les conseils d'administration cherchent plus à imiter ce que les autres font en matière de rémunération des dirigeants que de se distinguer d'eux. Ce comportement des administrateurs peut expliquer l'émergence rapide de certaines pratiques de rémunération «à la mode». L'enjeu de la rémunération des dirigeants devient alors, pour les administrateurs, une question de gestion des impressions : l'important est de justifier leurs choix et de faire en sorte que les partenaires socio-économiques de l'entreprise les perçoivent comme étant équitables et efficaces à l'égard de l'accroissement de la richesse des actionnaires. À titre d'exemple, un conseil d'administration peut proposer l'adoption d'un régime d'options afin de communiquer symboliquement aux actionnaires le fait qu'il se préoccupe de leur richesse. De fait, le danger est que les administrateurs se montrent davantage préoccupés par le message (l'illusion) à transmettre que par l'impact réel d'un mode de rémunération.

Au Canada, depuis 1993, à la suite de l'adoption du règlement 638 de la Loi sur les valeurs mobilières de l'Ontario, les sociétés ouvertes sont tenues de divulguer la rémunération versée à leurs dirigeants et de justifier leur stratégie de rémunération. La divulgation de la rémunération a pour effet que les actionnaires (grands ou petits), les organismes de réglementation, le public et les médias ont maintenant à leur disposition une information qui était auparavant connue d'un cercle restreint d'initiés. Les décisions relatives à la rémunération étant davantage communiquées, les administrateurs ne peuvent prendre de décisions en la matière sans se préoccuper des attentes et des réactions du public. Dans ce contexte, on peut s'attendre à ce que les administrateurs soient davantage portés à imiter les actions des autres organisations dans ce domaine afin d'être moins obligés de se justifier ou à adopter des mode de rémunération qui envoient les messages que le public entendra.

Toujours au Canada, des chercheurs ont comparé la rémunération des dirigeants avant et après l'obligation de divulgation et analysé les effets de la divulgation sur la rémunération des dirigeants (Bourgeois *et al.*, 1996a, b ; Craighead *et al.*, 1998, 2004 ; Gélinas, 2001 ; Park *et al.*, 2001). Globalement, leurs résultats confirment que la divulgation de l'information sur la rémunération des dirigeants a les incidences suivantes :

– elle a standardisé ou uniformisé la gestion de la rémunération des dirigeants, les entreprises cherchant davantage à imiter les actions des autres entreprises ;

– elle a réduit les différences quant au montant de la rémunération (le salaire et les primes) accordée aux dirigeants, le montant des primes qui leur sont attribuées variant moins selon la taille de leur entreprise ;

– elle a augmenté la rémunération globale des dirigeants (les salaires et les primes ont presque doublé et la valeur des octrois d'options a doublé) et offre des montants qui se ressemblent ;

– elle a resserré le lien existant entre la performance organisationnelle et la rémunération des dirigeants dans les entreprises n'ayant pas d'actionnaire de contrôle (actionnariat diffus) ;

– elle a forcé les organisations à adopter des modes de rémunération des dirigeants et à les justifier.

Ces résultats, qui sont exploratoires, confirment que la divulgation publique a incité les conseils d'administration d'entreprises canadiennes à considérer davantage l'aspect symbolique de leurs décisions en matière de rémunération des dirigeants. En effet, à la suite de la divulgation de la rémunération, les entreprises paraissent davantage se plier aux pressions institutionnelles puisqu'elles adoptent des montants (les salaires et les primes) et des modes de rémunération (comme les options) qui se ressemblent de plus en plus. À cet égard, notons que les pratiques des sociétés américaines semblent donner le ton au Canada. À titre d'exemple, Magnan *et al.* (1996) ont montré qu'à la fin des années 1980 les firmes canadiennes n'offraient pas de régimes de primes à long terme à leurs dirigeants ni de régimes de parachutes dorés, alors que de telles pratiques étaient largement répandues au sein des firmes américaines. À la fin des années 1990, un nombre important de firmes canadiennes offraient désormais de tels régimes, et les divers systèmes de rémunération (basés sur la performance ou non) autres que le salaire représentaient alors la majeure partie de la rémunération totale des dirigeants, conformément à la tendance américaine.

En ce qui concerne la France, l'étude de Trepo et Roussel (1999) montre que la répartition de la rémunération globale des présidents-directeurs généraux de 106 grandes entreprises tend à s'aligner sur les pratiques des pays anglo-saxons. Les données obtenues sont exprimées en moyenne et en pourcentage du salaire annuel brut : 31 % de la rémunération variable est attribuée sous forme de primes, 28 % sous forme d'octroi d'options d'achat d'actions, 6 % sous forme d'avantages en nature et 8 % sous forme de compléments de retraite et de prévoyance. En revanche, d'autres pratiques dites « anglo-saxonnes » restent marginales, en l'occurrence les systèmes de parachutes dorés (23 % des entreprises), la transparence de l'information sur la rémunération des dirigeants (17 %), les modifications de contrats en cas de départ volontaire (25 %) et les primes d'embauche des dirigeants (5 %).

11.1.2.4 La rémunération des dirigeants comme enjeu de ressources humaines

Selon une perspective de ressources humaines, pour rémunérer équitablement et efficacement les dirigeants, il faut leur accorder une rémunération compétitive par rapport au marché. Cette perspective considère la rémunération des dirigeants comme un important facteur de recrutement et de conservation des dirigeants. Selon deux études qui ont été menées récemment (St-Onge *et al.*, 1999b ; Westphal et Zajac, 1995) —, la première basée sur des entrevues effectuées auprès de dirigeants d'entreprise et l'autre basée sur une analyse du texte des rapports annuels des entreprises —, la popularité croissante des incitations à long terme (comme les options) serait d'abord et avant tout une question de compétitivité sur le plan de la performance des entreprises et sur le plan du marché du travail. Dans le premier cas, on avance que les options sont utiles pour *inciter* les dirigeants à améliorer la performance de l'entreprise lorsque les choses vont mal ou, à l'inverse, pour *récompenser* les dirigeants lorsqu'elles vont bien. Dans le second cas, on dit que les options sont utiles pour *attirer* les dirigeants et les *retenir* en poste, ces ressources humaines ayant des compétences rares et cruciales.

À notre connaissance, aucune recherche n'a étudié l'impact de la rémunération des dirigeants sur sa capacité de recrutement et de conservation des dirigeants. Toutefois, comme le révèlent Magnan et St-Onge (2005b), le marché de l'emploi n'est pas aussi libre et concurrentiel qu'on le prétend. Il s'agit d'un marché très particulier où les vendeurs de services (les PDG) ont un pouvoir de sélection et de récompense sur les acheteurs (les administrateurs) et où les acheteurs de services ne payent pas de leurs poches le coût de la rémunération qu'ils décident d'offrir aux vendeurs de services. De plus, le « marché » reste toujours un choix politique — qu'il soit décidé collectivement ou avec l'aide de conseillers externes — étant donné qu'il correspond aux PDG d'autres entreprises qu'un PDG et les membres de son conseil d'administration décident de retenir à des fins de comparaison. Finalement, dans bien des cas, le marché de l'emploi des dirigeants n'est pas aussi vaste qu'on le prétend, car leur expertise repose sur la connaissance d'un réseau et d'un contexte d'affaires souvent propres à un pays ou à une province. Bien des conseils d'administration justifient ce qu'ils offrent aux PDG canadiens en faisant des comparaisons avec les conditions qui sont accordées à des PDG américains, alors qu'en réalité très peu de PDG canadiens partent pour les États-Unis.

11.2 La rémunération du personnel de vente

Selon Cichelli (2004), deux critères permettent de définir un emploi lié à la vente : le titulaire doit avoir un contact avec les clients et le principal rôle du titulaire consiste à persuader le client d'agir. Le personnel de vente présente les particularités suivantes (Darmon, 2000) :

– il assure souvent le contact entre le client et l'entreprise ; pour le client, il est le fournisseur, alors que pour bien des employés de l'entreprise, il est le client ou son intermédiaire. Cette position « tampon » le rend susceptible d'être critiqué par les employés pour avoir accordé des rabais trop importants ou permis une livraison dans des délais trop serrés ;

– il est souvent tenu pour responsable, à tort ou à raison, du chiffre d'affaires dans son territoire ;

– il travaille généralement en dehors de l'entreprise sans encadrement ni observation directs et bénéficie d'une certaine autonomie ;

– il doit souvent faire face à des refus de la part des clients, ce qui rend son travail très difficile sur le plan psychologique (estime de soi) et accroît le taux de roulement dans l'entreprise ;

– il tend, en matière d'équité, à comparer ses gains avec ceux qu'il croit faire réaliser à son employeur.

Dans ce contexte, le problème du contrôle des vendeurs (ou représentants) se pose (Darmon, 2000). Ces derniers peuvent être tentés de rechercher leurs propres intérêts au détriment de ceux de l'entreprise, par exemple en proposant aux clients les produits les plus faciles à vendre ou les plus coûteux parce qu'ils leur rapportent plus de commissions plutôt que les produits qui sont les plus rentables pour l'entreprise, ou encore en délaissant les activités de développement et de suivi de la clientèle parce qu'elles leur semblent moins payantes à court terme.

11.2.1 Les composantes particulières de la rémunération du personnel de vente

Une partie de la rémunération du personnel de vente est semblable à celle des autres membres du personnel. Les vendeurs reçoivent souvent un salaire, ils sont admissibles à des régimes collectifs de rémunération variable (par exemple, la participation aux bénéfices ou l'achat d'actions) et aux régimes d'assurances collectives et de retraite de l'employeur. La rémunération totale du personnel de vente se distingue toutefois par la nature de certaines autres composantes, notamment la rémunération variable (commissions et primes) liée aux ventes, la participation à certains concours visant à récompenser des résultats particuliers, la participation à des événements de reconnaissance (comme des galas) pour des performances exceptionnelles, l'admissibilité à des programmes de remboursement de dépenses diverses ou à certains privilèges. Ainsi, à bien des égards, les composantes de la rémunération du personnel de vente se distinguent grandement de celles de la rémunération des autres catégories de personnel. D'ailleurs, dans de nombreuses entreprises, la gestion de la rémunération des vendeurs relève de la responsabilité du directeur des ventes, et non pas du directeur des ressources humaines ou de la rémunération de la société.

Pour orienter les efforts du personnel de vente vers les intérêts de l'organisation — par exemple, vers la vente des produits les plus rentables, vers le développement de la clientèle ou vers la vente dans des industries particulières —, il est souvent nécessaire d'adopter des taux de rémunération différenciés en payant davantage les activités ou les résultats jugés prioritaires. On parlera alors d'une combinaison « rémunération variable et rémunération fixe ». Cette combinaison de la rémunération qualifie la relation entre le salaire de base et les composantes incitatives de la rémunération des vendeurs. Par exemple, un programme 90/10 correspond à 90 % de la rémunération en salaire de base et à 10 % de la rémunération en possibilités d'augmentation du revenu. La proportion variable ou incitative de la rémunération du personnel de vente peut inclure des commissions liées aux résultats des ventes et des primes.

11.2.1.1 Les commissions et les primes

Les *commissions* constituent la principale forme de rémunération variable pour le personnel de vente. Elles correspondent souvent à un pourcentage des ventes en dollars, à un pourcentage du bénéfice brut des ventes ou à un montant d'argent par unité vendue. Dans la plupart des cas, les commissions s'ajoutent au salaire et ne le remplacent pas. Le pourcentage des résultats de ventes (en dollars ou en unités) sur lequel se calculent les commissions peut être varié — ce peut être, entre autres, un taux constant, un seuil minimal, un taux croissant, un taux décroissant ou un palier — selon les résultats de ces ventes. Le tableau 11.3 présente les approches les plus courantes. Les lecteurs désireux d'en savoir plus à ce sujet peuvent consulter d'autres écrits, notamment ceux de Carey (1992) et Cichelli (2004).

TABLEAU 11.3

LES DIVERSES FORMULES DE COMMISSIONS

Formule des commissions à taux constant. Cette formule est la plus simple et la plus courante (par exemple, 2,5 % du volume de ventes, 5 % des bénéfices, 0,5 % du salaire pour chaque nouveau client, etc.). En maintenant un taux de commission constant, une organisation connaît à l'avance le coût de chaque représentant, et ce dernier connaît le montant que lui rapporte chaque vente. Cette approche est facile à planifier et à comprendre. Les études (voir la revue de Darmon, 2000) montrent toutefois que, dans de nombreux cas, un taux de commission constant sur les marges brutes des produits n'est pas approprié et que des formules plus complexes s'avèrent nécessaires.

Formule des commissions à seuil minimal. Cette formule consiste à ne payer une commission (incitation) que sur les ventes qui excèdent un minimum préétabli (par exemple, 4 % des ventes au-delà de 30 000 $ par mois ou 400 $ pour chaque nouveau client recruté en un mois, au-delà de 3 clients). En n'accordant pas de commission ou d'incitation sur les ventes tant qu'un minimum n'est pas atteint, une organisation est davantage en mesure de consentir un taux plus élevé pour le dépassement de ce seuil. Les magasins de détail établissent souvent le seuil de ventes minimal à un niveau équivalent au coût du salaire minimum. D'autres firmes établissent ce seuil à un taux que la majorité des représentants du territoire ont atteint par le passé, de manière qu'il soit facile pour ces derniers de le dépasser.

Formule des commissions à taux croissant. Cette formule accorde un taux de commission plus élevé dans le cas de montants de ventes supérieurs, de sorte que les gains des représentants augmentent plus vite que la croissance des ventes. La prémisse de cette formule est que les premières ventes ou que les ventes faciles à faire méritent moins d'être récompensées et qu'il est plus efficace d'encourager le temps et les efforts

TABLEAU 11.3 *(suite)*

supplémentaires requis pour effectuer les ventes plus difficiles (par exemple, 2 % des ventes atteignant 140 000 $ plus 4 % des ventes atteignant de 140 001 $ à 180 000 $ plus 6 % des ventes atteignant ou dépassant 180 001 $).

Formule des commissions à taux décroissant. Cette formule accorde des taux de commission plus élevés dans le cas des montants de ventes supérieurs, ce qui amène le revenu des représentants à croître moins vite que l'augmentation des ventes (par exemple, 3 % des ventes atteignant 40 000 $ plus 2 % des ventes atteignant de 40 000 $ à 80 000 $ plus 1 % des ventes atteignant ou dépassant 80 001 $). Cette formule n'est presque pas utilisée parce qu'elle incite peu les représentants à conclure des ventes et qu'elle ne suscite pas vraiment d'enthousiasme chez ces derniers. On l'utilise toutefois dans certains contextes particuliers. Elle peut, par exemple, être appropriée dans une entreprise qui poursuit une stratégie de croissance ou de pénétration du marché, puisqu'elle incite les représentants à développer leur clientèle. Elle peut également se révéler adéquate chez les dirigeants qui veulent réduire l'augmentation de la rémunération des meilleurs représentants, de manière à les inciter à accepter un poste de direction au sein des petites unités d'affaires.

Formule du palier lié à un taux de commission constant pour les ventes totales lorsque ces ventes dépassent un minimum préétabli. Cette formule entraîne une brusque augmentation du revenu des représentants une fois qu'ils ont dépassé ce minimum. Elle se distingue de la formule du seuil minimal dans la mesure où le pourcentage des commissions est, par exemple, de 2,5 % sur toutes les ventes si elles atteignent 20 000 $ et plus, et de 0 % si les ventes sont au-dessous de 20 000 $. Ainsi, le dollar qui fait passer les ventes de 19 999 $ à 20 000 $ engendre une commission de 500 $. Pour l'organisation, le défi est de fixer le palier de ventes de manière appropriée : il ne doit pas être trop bas, puisque tous les représentants pourraient l'atteindre facilement et qu'on obtiendrait alors un taux constant, ni trop haut, pour éviter que les représentants qui ne l'ont pas atteint (de près ou de loin) n'obtiennent pas un sou.

Formule des commissions avec retrait. Cette formule accorde aux représentants une avance ou un prêt qui sera soustrait de leurs commissions subséquentes. La possibilité de recevoir ces avances ou ces prêts réduit les inquiétudes des représentants : un mauvais mois n'est pas un désastre et ils pourront toujours accroître leur rémunération au cours des bonnes périodes. Ainsi, un plan comprenant des commissions et des avances satisfait à la fois le besoin de sécurité et le besoin d'accomplissement du personnel de vente. Toutefois, si le montant de l'avance est trop important, le représentant peut être découragé et manifester peu d'intérêt pour le rendement. De plus, cette formule implique que l'employeur assume le risque d'avancer de l'argent.

	40 000 $	80 000 $	120 000 $
Formule à taux constant	1 000 $	2 000 $	3 000 $
Formule à seuil minimal	400 $	2 000 $	3 600 $
Formule à taux croissant	600 $	2 000 $	4 200 $
Formule à taux décroissant	1 200 $	2 000 $	2 400 $

Les régimes de commissions sont populaires pour plusieurs raisons. D'abord, le principe du travail à commission est souvent facile à comprendre et il est désiré par le personnel de vente. Ensuite, comme le personnel de vente travaille généralement de manière indépendante et solitaire (sur la route), ce mode de rémunération paraît approprié, car il permet d'exercer un certain contrôle sur le travail de cette catégorie d'employés et de les motiver en suivant des indicateurs dont la mesure est relativement simple.

Selon Coletti et Cichelli (1993), le paiement d'une *prime* est généralement lié au rendement comparé avec un but (comme un quota de ventes). Le paiement d'une prime peut être exprimé en pourcentage du salaire, en pourcentage d'un montant cible préétabli ou en un simple montant d'argent. Par exemple, une prime équivalente à 25 % du salaire de base peut être payée si 100 % des normes de ventes sont atteintes. Une prime peut également être versée de façon irrégulière selon la réalisation d'objectifs particuliers (la vente d'un nouveau produit, l'adhésion de nouveaux clients, la participation à une exposition commerciale, etc.) qui ne se refléteront peut-être pas à court terme sur la valeur des ventes totales. Le tableau 11.4 présente un guide visant à aider les cadres et les dirigeants à déterminer quel mode de rémunération variable — les commissions ou les primes — est préférable selon la situation.

11.2.1.2 Les facteurs influant sur la combinaison « rémunération fixe et rémunération variable » du personnel de vente

Tant au Canada qu'aux États-Unis et en France, la majorité des entreprises utilisent une rémunération mixte dont une portion est fixe (le salaire de base) et l'autre portion variable (pouvant inclure des commissions et des primes liées à d'autres résultats que les ventes).

Le recours à ces deux formes de rémunération — les commissions et les primes — permet à une organisation de pouvoir compter sur un personnel de vente loyal et motivé, et de contrôler les comportements, les résultats et le roulement de ce personnel. Toutefois, les entreprises se distinguent par l'importance relative qu'elles attribuent aux composantes fixe et variable de la rémunération. Chaque situation possède des atouts et des limites ; le choix dépend du contexte d'affaires propre à chaque entreprise.

La formule des commissions comporte certains atouts pour le personnel. D'abord, elle est généralement simple à établir et à gérer pour les employeurs. Pour les vendeurs, qui travaillent peu souvent en équipe, les commissions sont faciles à comprendre et très incitatives (motivantes) parce qu'elles leur donnent une rétroaction immédiate sur leur rendement et qu'elles établissent un lien direct entre les résultats des ventes et leur rémunération. Par ailleurs, comme les

TABLEAU 11.4

LA RÉMUNÉRATION DU PERSONNEL DE VENTE : DES COMMISSIONS SUR LES VENTES OU DES PRIMES ?

Caractéristiques	Commission sur les ventes	Prime
Définition	Rémunération variable — basée sur un taux fixe ou sur un taux variable — correspondant à un pourcentage des ventes mesuré en dollars ou en unités.	Rémunération variable correspondant à un pourcentage du salaire ou du point milieu d'une échelle salariale, ou à un montant de prime cible.
	Le taux de commission peut être appliqué au volume total de ventes, aux ventes par segment, aux ventes par type de clients ou aux ventes de produits préétablis, etc.	La prime peut être calculée sur les ventes totales, sur les ventes par segment de marché selon les clients ou les produits.
Environnement de vente		
• Marché	• Nouveau et émergent	• Bien établi
• Profils d'achat	• Aucun profil	• Prévision précise
• Connaissance des clients	• Émergente	• Assez bonne
• Persuasion dans la vente	• Critique pour les ventes	• Mesure du succès
• Marges de profits sur les produits	• Assez élevées	• Varient beaucoup
Philosophie de vente	Coût des ventes : « Plus vous faites de ventes, plus nous en faisons. »	Coût du travail : « Les taux de rémunération doivent être gérés en fonction de la capacité de payer et du marché. »
Exigences administratives	• Territoires relativement égaux • Procédure pour établir les taux de commission • Capacité à suivre et à assigner les ventes	• Procédure pour déterminer la multiplication du salaire • Procédure pour établir l'écart des ventes • Capacité à suivre et à assigner les ventes

TABLEAU 11.4 (suite)		
Caractéristiques	Commission sur les ventes	Prime
Avantages	• D'une compréhension facile • Incitation à l'amélioration • Incitation maximale • Récompenses/punitions immédiates	• Gestion des ventes rendue possible • Stabilisation des gains • Récompenses/punitions cohérentes par rapport aux ventes et aux cycles d'affaires
Inconvénients	• Contrôle limité des efforts de vente • Incitation à adopter les comportements maximisant les gains personnels • Traitement égal pour toutes les ventes • Écarts importants entre les gains • Difficulté à modifier les territoires	• Coûts potentiellement très élevés par rapport aux bénéfices nets dans le temps • Obligation d'une communication explicite et cohérente sur le rendement • D'une compréhension parfois difficile • Récompenses faibles dans certains cas lorsque plusieurs primes sont calculées

Source : Traduit et adapté de Colletti et Fiss (1999, p. 220-221).

vendeurs travaillent souvent au loin sans supervision directe, ce mode de rémunération permet de contrôler leurs comportements.

Toutefois, une rémunération totalement à commission, ou dont la portion variable de la rémunération est prédominante, rend la situation financière des employés imprévisible et est plus susceptible d'augmenter leur taux de roulement. De plus, il se peut que les représentants ne concluent pas de ventes — et donc ne reçoivent pas de commission — sans que cette situation soit attribuable aux efforts qu'ils font. On peut penser, par exemple, au contexte d'une récession, qui limite les ventes, à la qualité discutable d'un produit, qui entraîne la perte de clients, aux périodes de formation et de vacances, qui sont associées à des revenus moins élevés, et ainsi de suite. La rémunération strictement à commission risque donc d'engendrer des problèmes de comportements et d'attitudes et de nuire au climat de travail : les vendeurs peuvent négliger d'effectuer les tâches qui n'augmentent pas directement les ventes à court terme, au détriment de la performance de l'entreprise à long terme (le maintien et le développement de la clientèle, la formation des nouveaux employés, etc.), privilégier les ventes faciles ou la vente de produits payants, se voler entre eux des clients, abaisser trop les prix, vendre sous pression, négliger le service après-vente ou les petits clients, résister aux changements (de territoire, de produits, d'approche, etc.) parce qu'ils maîtrisent la situation actuelle, refuser de se perfectionner ou d'assister à des foires commerciales, et ainsi de suite. Par ailleurs, dans plusieurs cas, il est malaisé d'identifier l'individu qui a permis de conclure une vente, ou cela peut provoquer des conflits. En outre, une rémunération à commission peut susciter une compétition malsaine entre les employés.

BULLETIN$ 11.3

Au Québec, une enquête menée auprès de 325 gestionnaires des ventes indique que 60 % d'entre eux ont un programme de rémunération mixte «salaires et incitations diverses» (commissions, primes et participation aux bénéfices), 29 % ont un programme uniquement à commission et 11 %, un programme uniquement à salaire. En France, de 10 % à 15 % des commerciaux sont rémunérés exclusivement au moyen d'un salaire fixe, 27 % reçoivent une rémunération dépendant totalement du chiffre d'affaires réalisé et le reste, soit de 58 % à 62 %, sont rémunérés selon une combinaison «salaire et rémunération variable». Aux États-Unis, 7 % des firmes rémunèrent leur personnel de vente au moyen d'un salaire seulement, 10 % le rémunèrent exclusivement au moyen de commissions alors que 72 % disent recourir aux primes (avec d'autres éléments) pour rémunérer leurs représentants.

Sources : Adapté de Darmon (2000) et de Tremblay *et al.* (2003).

Carey (1992, p. 32, traduction libre) illustre un comportement que risque d'engendrer la rémunération totalement à commission :

Par exemple, le meilleur représentant commercial d'un grossiste en alimentation refuse d'assister aux réunions de vente de son employeur en fournissant la justification suivante : «Les autres représentants vendent moins que moi, aussi je n'ai rien à gagner. Je n'ai pas l'intention de partager mes connaissances avec eux.» Il travaille environ 60 heures par semaine à partir de sa maison. Il garde un inventaire complet des échantillons sur les étagères de son garage pour épargner du temps et éviter de se rendre au siège social; son garage ressemble à une petite épicerie. Il passe au bureau de son entreprise seulement lorsque le président l'exige. Impossible à superviser, non coopératif et loup solitaire, il effectue 30 % plus de ventes que le deuxième représentant de l'entreprise quant au volume de ventes. Il travaille en fonction d'un système complètement à commission, comme d'autres représentants, qui sont toutefois peu nombreux.

Par ailleurs, étant donné que, dans un contexte où les commissions représentent 100 % de la rémunération, le personnel de vente absorbe le risque lié à un mauvais rendement et les employeurs peuvent être tentés d'accorder moins de soin à la sélection, à la formation et au suivi des activités de cette catégorie d'employés. Comme l'indique Long (2002, p. 152, traduction libre) : « Quand certains vendeurs ne performent pas bien, plutôt que de tenter de les aider à s'améliorer, à travers la formation et le *coaching,* il peut être tentant pour les cadres de seulement les laisser "couler ou nager" et d'embaucher d'autres vendeurs pour les remplacer. » Cette façon de faire entraîne cependant une perte de revenus provenant des ventes et une augmentation des dépenses d'embauche et de formation des nouveaux employés.

Enfin, même si le principe sous-jacent aux commissions est simple à comprendre, l'application d'un régime est souvent complexe et doit constamment être révisée. Une revue des écrits (voir, notamment, Carey, 1992 ; Darmon, 2000 ; Jacobs, 1997 ; Tremblay *et al.,* 2003) révèle qu'il est souhaitable d'accroître la portion variable (commissions et/ou primes) ou la portion fixe liée au salaire selon diverses caractéristiques du contexte, lesquelles sont résumées au tableau 11.5.

De plus, il apparaît que le type et le domaine de vente influent sur la combinaison de rémunération du personnel de vente. Par exemple, selon Coletti et Cichelli (1991), il existe quatre types de vente, allant de celui qui requiert le moins de mesures incitatives à celui qui en requiert le plus : le *maintien des ventes,* soit la vente de produits établis à des clients existants ; la *conversion des ventes,* c'est-à-dire la vente de produits établis à de nouveaux clients ; les *ventes par influence,* soit la vente de nouveaux produits à des clients existants ; les *ventes sur un nouveau marché,* à savoir la vente de nouveaux produits à de nouveaux clients. De plus, il semble que le secteur de la vente de produits de consommation privilégie une portion fixe plus élevée que la portion variable, alors qu'on observe l'inverse dans le secteur de la vente de produits industriels (Coughlan et Sen, 1986). Selon Cichelli (1994), la combinaison de rémunération « salaire et mesures incitatives » varie selon les différents types d'emplois de vente, comme le montre le tableau 11.6 (voir la page 660).

11.2.1.3 Le rendement du personnel de vente : mesures et poids

L'art de gérer la rémunération variable du personnel de vente repose d'abord et avant tout sur le choix de différentes mesures de rendement et sur le poids relatif qui leur est accordé. Selon Cichelli (2004), les mesures de rendement des vendeurs peuvent être regroupées dans les quatre catégories suivantes :

— les *mesures de volume de production,* qui sont les mesures les plus populaires, incluent les revenus de ventes (l'achat, le renouvellement de l'achat, etc.), les bénéfices et les résultats (contrats, unités, etc.) ;

TABLEAU 11.5

LES CONDITIONS JUSTIFIANT UNE PROPORTION PLUS ÉLEVÉE DE LA RÉMUNÉRATION VARIABLE OU DE LA RÉMUNÉRATION FIXE POUR LE PERSONNEL DE VENTE

Il faut accroître la rémunération VARIABLE (commissions et primes) dans les cas suivants :	Il faut accroître la rémunération FIXE (salaire) dans les cas suivants :
• Le *profil des achats* est non répétitif et imprévisible et le *profil des clients* est peu clair. Les *ventes* sont difficiles et complexes à obtenir et les habiletés de persuasion requises par le personnel de vente sont importantes, parce que les produits ou les services sont peu différenciés de ceux des concurrents.	• Le *profil des achats* est répétitif et prévisible et le *profil des clients* est bien connu. Les *ventes* sont faciles et simples à effectuer (elles s'apparentent à des commandes faites par une clientèle stable et fidèle, ou il s'agit de vendre des produits ou des services différents de ceux des concurrents). Les habiletés de persuasion requises par le personnel de vente sont peu importantes (entre autres parce que les produits ou les services sont différenciés de ceux des concurrents).
• Le *cycle des ventes* de produits ou de services (la période qui s'écoule entre la rencontre d'un nouveau client et la fin d'une transaction) est court.	• Le *cycle des ventes* de produits ou de services (la période qui s'écoule entre la rencontre d'un nouveau client et la fin d'une transaction) est long.
• Les *représentants* sont capables d'améliorer leur rendement (ils en ont la maîtrise) en matière de résultats ou de comportements et ils déterminent les ventes, car ils sont aptes à adapter les produits et les services aux besoins des clients. Leur objectif est d'aller à la *«chasse» aux nouveaux clients.*	• Les *représentants* sont peu capables d'améliorer leur rendement (ils le maîtrisent peu) en matière de résultats ou de comportements. Ils ne peuvent déterminer réellement les ventes, car il ne sont pas en mesure d'adapter les produits et les services aux besoins des clients. Leur objectif est de *«cultiver»* les clients actuels.
• Les *ventes* résultent d'un effort individuel et indépendant des représentants, comme lorsque le produit est commun et difficile à différencier du produit offert par les concurrents au moyen de la publicité, du nom ou du prix.	• Les *ventes* résultent d'un effort collectif des représentants (comme lorsque le produit est distinct et facile à différencier du produit offert par les concurrents au moyen de la publicité, du nom ou du prix) et il est difficile d'identifier les représentants qui ont conclu les ventes.

TABLEAU 11.5 (suite)

Il faut accroître la rémunération VARIABLE (commissions et primes) dans les cas suivants :	Il faut accroître la rémunération FIXE (salaire) dans les cas suivants :
• Les *résultats* des ventes sont plus importants à maîtriser que les *comportements* des représentants (le service, le suivi, etc.).	• Les *résultats* des ventes sont moins importants à maîtriser que les *comportements* des représentants (le service, le suivi, etc.).
• Le *personnel de vente* est capable et désireux d'assumer un risque et il éprouve un fort besoin d'accomplissement.	• Le *personnel de vente* est incapable ou peu désireux d'assumer un risque, il éprouve un faible besoin d'accomplissement et il préfère la rémunération fixe (le salaire) à la rémunération variable. La tradition d'une industrie (comme le secteur industriel ou le secteur immobilier) peut promouvoir l'usage exclusif du salaire même si un régime combiné est plus approprié.
• La détermination, la mesure et le suivi d'*indicateurs de rendement* sont assez précis.	• La détermination, la mesure et le suivi d'*indicateurs de rendement* sont imprécis.
• Le *travail des représentants* est plus difficile à programmer et l'on exerce peu de contrôle sur eux. Par exemple, les représentants passent plus de temps à l'extérieur de l'organisation ou sur la route. En somme, l'employeur fournit peu de supervision, d'appui ou d'information aux représentants.	• Le *travail des représentants* est plus facile à programmer et l'employeur exerce un contrôle strict sur ces derniers et adopte une philosophie protectrice. Par exemple, les représentants passent peu de temps à l'extérieur de l'organisation ou sur la route. En somme, l'employeur fournit de la supervision, un appui et de l'information aux représentants.
• L'*écart entre le rendement* du représentant exceptionnel et le rendement du représentant moyen est important.	• L'*écart entre le rendement* du représentant exceptionnel et le rendement du représentant moyen est faible.
• Le *personnel de vente* est facilement remplaçable pour l'employeur, car il ne possède pas d'actifs particuliers, c'est-à-dire des compétences et des connaissances essentielles à l'employeur.	• Le *personnel de vente* n'est pas facilement remplaçable pour l'employeur, car il possède des actifs particuliers, c'est-à-dire des compétences et des connaissances essentielles à l'employeur, et le remplacement de ce personnel engendre des coûts de sélection et de formation importants.

TABLEAU 11.5 (suite)	
Il faut accroître la rémunération VARIABLE (commissions et primes) dans les cas suivants :	**Il faut accroître la rémunération FIXE (salaire) dans les cas suivants :**
• Les *ressources* de l'organisation sont limitées. Une petite organisation ou une organisation dont la situation financière est précaire ne peut envisager d'autres possibilités que celle de payer à commission.	• La *capacité de payer* de l'organisation est bonne.
• Les *résultats* des ventes et le *développement de marchés* sont importants, mais il faut aussi contrôler les *comportements* du personnel de vente (normes, service à la clientèle, etc.) et veiller à ce que d'autres *activités*, exigeant souvent de la coopération, soient bien effectuées. Le nombre d'*activités qui ne sont pas liées à la vente* comme telle est élevé.	• Les *résultats* des ventes et le *développement de marchés* sont plus importants que les *comportements* du personnel de vente (normes, service à la clientèle, etc.) ou la bonne exécution d'autres *activités* nécessitant souvent de la coopération. Le nombre d'*activités qui ne sont pas liées à la vente* comme telle est peu élevé.
• Plus la *part du marché* est faible, plus la portion variable de la rémunération tend à être grande parce que les ventes sont susceptibles d'être plus faciles à réaliser.	• Plus la *part du marché* est grande, plus la portion variable de la rémunération tend à être faible parce que les ventes sont susceptibles d'être plus difficiles à réaliser.
• Moins la *taille du marché* est délimitée, plus la portion variable de la rémunération tend à être grande parce que les vendeurs peuvent augmenter la taille du marché.	• Plus la *taille du marché* est délimitée, plus la portion variable de la rémunération tend à être faible parce que les vendeurs peuvent moins augmenter la taille du marché.

– les *mesures d'efficacité des ventes* ciblent les efforts concernant les produits (par exemple, l'équilibre entre les produits, leur combinaison, les ventes croisées, l'ensemble des produits, les solutions aux problèmes qu'ils posent), les comptes (par exemple, les nouveaux comptes, les comptes retenus, la croissance des comptes), les commandes (par exemple, le nombre de commandes, le taux de réussite, la durée des contrats, la recevabilité des commandes) et la gestion des prix (par exemple, les escomptes, les rabais) ;

– les *mesures d'impact sur le consommateur* ont trait à la satisfaction des clients (les enquêtes, le nombre de plaintes, etc.) et à la loyauté (la continuité des commandes, la part du marché, la loyauté des clients, les résultats d'enquêtes, etc.) ;

– les *mesures d'utilisation des ressources* touchent à la productivité (le coût par dollar de la commande, le quota de ventes, etc.), aux fournisseurs (le succès des partenaires, leur loyauté, etc.) et aux employés qui ont des responsabilités de supervision du personnel de vente (par exemple, à l'égard du taux de roulement).

TABLEAU 11.6

LES LIENS ENTRE LE DOMAINE DE VENTE ET LA COMBINAISON « SALAIRE ET MESURES INCITATIVES » DESTINÉE AU PERSONNEL DE VENTE

Caractéristiques du domaine de vente	Combinaison « salaire et mesures incitatives »
Gestion de comptes nationaux	80 % – 20 %
Gestion des clients majeurs	75 % – 25 %
Attribution d'un territoire de vente	70 % – 30 %
Démarrage d'un marché	50 % – 50 %
Vente à des distributeurs	30 % – 70 %
Création de valeur (par exemple, recours à des courtiers)	0 % – 100 %

Toutefois, il est recommandé de ne pas utiliser plus de trois mesures de rendement de manière que l'attention des vendeurs soit dirigée vers les mesures prioritaires, lesquelles devraient être orientées vers des résultats et non vers des activités précédant les résultats de ventes (par exemple, le nombre d'appels de vente ou de propositions écrites de vente). Chacune de ces mesures ne devrait pas avoir un poids inférieur à 15 %.

11.2.1.4 Les changements dans la rémunération du personnel de vente

Les dirigeants d'entreprise changent régulièrement les modes de rémunération de leur personnel de vente essentiellement pour trois raisons (Colletti et Fiss, 1999) : ils s'attendent à ce que le nouveau plan de rémunération les aide à réaliser leur stratégie de marketing et leurs objectifs de ventes, à attirer et à retenir le personnel de vente qui détient les meilleures compétences et présente le meilleur rendement, et à contrôler le coût des ventes puisque, selon l'industrie, la rémunération directe (fixe et variable) peut représenter de 2 % à 20 % des ventes.

En raison des changements qui caractérisent l'organisation du travail de vente et les besoins des consommateurs, la structure des régimes de rémunération traditionnels réservés au personnel de vente évoluera sûrement dans l'avenir. Selon Darmon (2000), la nécessité de maintenir des relations à long terme avec les clients devrait diminuer l'importance des mesures de rendement à court terme (comme les ventes) et favoriser une importance accrue de la proportion fixe de la rémunération totale. De plus, la portion variable de la rémunération devrait être dirigée davantage vers les primes (en comparaison des commissions), lesquelles tiendront compte non seulement de critères quantitatifs complexes (comme la part du marché, en plus des ventes ou des marges brutes), mais aussi de critères plus qualitatifs appréciant la qualité du suivi, la satisfaction des clients, etc. En outre, dans des milieux comme le domaine pharmaceutique, où certaines sociétés adoptent une stratégie de vente basée sur une équipe de représentants qui visitent les clients, les modes de rémunération devraient être revus de façon à inclure la récompense d'équipe.

Pour terminer, Colletti et Fiss (1999) désignent cinq indicateurs d'un mode de rémunération du personnel de vente qui glisse vers l'inefficacité et nécessite par conséquent un changement. C'est le cas lorsque le plan de rémunération actuel n'appuie pas les objectifs d'affaires de l'organisation, ne reflète pas les caractéristiques du travail des vendeurs et des relations qu'ils entretiennent avec les clients, ne permet pas d'attirer et de retenir les personnes requises pour atteindre les objectifs de ventes, ne lie pas les mesures adéquates de rendement à la rémunération du personnel de vente et, enfin, entraîne une augmentation des coûts trop importante ou sur une trop longue période.

11.3 La rémunération du personnel expatrié

Dans le contexte de la mondialisation des activités des sociétés canadiennes, notamment à cause de fusions et d'acquisitions transnationales, la gestion internationale des ressources humaines devient un enjeu important pour la réussite de leurs opérations internationales. En effet, les projets d'expansion internationale échouent souvent à cause d'une gestion inadéquate des ressources humaines, notamment des expatriés, dont on avait sous-estimé la complexité. Aux fins de cet ouvrage, les expatriés correspondent aux employés qui sont affectés temporairement d'une unité d'affaires d'une organisation de leur pays d'origine à une autre unité d'affaires de la même organisation mais localisée dans un pays étranger.

Pour optimiser l'efficacité de la gestion du personnel expatrié, les organisations canadiennes doivent faire face à plusieurs défis. Un premier défi consiste à attirer et à sélectionner des employés qui ont la motivation et les compétences requises pour assumer des postes à l'étranger. Vu la mondialisation des marchés, la demande de personnel expatrié a augmenté de façon importante alors que le réservoir de candidats qualifiés et motivés s'est rétréci en raison de diverses tendances sociodémographiques telles que l'augmentation des couples à deux carrières.

Un deuxième défi consiste à gérer le personnel expatrié de manière à réduire l'incidence des retours prématurés. Le taux de retours prématurés varie de 8 % à 28 % des expatriés du Royaume-Uni (Forster, 1997) et de 10 % à 20 % des cadres américains affectés à l'étranger (Black et Gregersen, 1999). Une étude effectuée sur une période de 10 ans (Ekstrom, 1999) indique que 25 % des 350 000 expatriés aux États-Unis abandonnent leur poste et retournent dans leur pays d'origine dans les six premiers mois de leur affectation, et cela, malgré un coût moyen d'affectation de 49 000 dollars américains par famille.

Un troisième défi consiste à retenir les rapatriés après leur retour au pays d'origine, étant donné qu'il semble qu'entre 10 % et 50 % des expatriés quittent leur employeur dans l'année qui suit leur retour au pays, et ce, après avoir terminé une mission à l'étranger d'une durée moyenne de deux ans et demi à un coût total pour leur employeur excédant souvent le million de dollars (voir la revue de Brassard, 2002).

Finalement, le contrôle des coûts est important puisque la rémunération versée aux expatriés augmente rapidement parce qu'il est souvent nécessaire de pourvoir les postes rapidement et que la concurrence sur le marché de l'emploi est très vive.

Pour plusieurs auteurs, l'efficacité de la gestion des expatriés repose avant tout sur les pratiques de rémunération des expatriés (Reynolds, 1997 ; Toh et De Nisi, 2005b). Une enquête menée en 1999 auprès d'entreprises multinationales localisées au Canada (St-Onge *et al.*, 1998 ; Biouele, 2000) révèle d'ailleurs que trois des quatre principales stratégies pour attirer des candidats à l'expatriation portent sur la rémunération, soit offrir des salaires équitables et compétitifs sur les plans national et international, des avantages en fonction des membres de la famille des expatriés, des régimes de rémunération particuliers aux expatriés et enfin des perspectives de carrière intéressantes.

Bien entendu, comme à l'égard d'autres catégories de personnel, la rémunération du personnel expatrié doit être adaptée au contexte d'affaires qui est propre à chaque firme et qui évolue au rythme de l'environnement et de la stratégie d'affaires. De nombreux auteurs expliquent comment la gestion de la rémunération des expatriés peut être modifiée par certaines caractéristiques contextuelles, notamment le stade du processus d'internationalisation, le secteur d'activité économique, la culture et les valeurs de gestion, les types de filiales, les objectifs stratégiques, les exigences légales, les contraintes financières, la durée des affectations à l'étranger et les autres activités de gestion des expatriés[5].

---

5 Voir, par exemple, Bonache et Fernández (1997), Dowling *et al.* (1999), Graham et Trevor (2000), Gupta et Govindarajan (1991), Harvey (1993), Perkins (1997), Phillips et Fox (2003), Reynolds (1994, 1997), Saba (2001), Stredwick (2000).

11.3.1 Les composantes et les méthodes de gestion de la rémunération du personnel expatrié

La gestion de la rémunération du personnel expatrié comporte plusieurs particularités. Ainsi, une enquête menée auprès d'entreprises multinationales localisées au Canada (St-Onge *et al.*, 1998 ; Biouele, 2000) révèle qu'en plus d'accorder des salaires aux expatriés en fonction des responsabilités de leur emploi et d'adopter des politiques de rémunération des expatriés semblables à celles de leurs concurrents, les organisations utilisent davantage les pratiques de rémunération suivantes : l'octroi d'allocations pour que les expatriés maintiennent leur niveau de vie dans le pays d'accueil et d'avantages particuliers comme l'usage d'une voiture, l'adhésion à un club ou l'admissibilité à un régime d'assurance vie supplémentaire. Cette section décrit ces composantes et présente succinctement la diversité des méthodes permettant de gérer la rémunération des expatriés en insistant sur l'approche bilan parce qu'elle est de loin la plus fréquemment adoptée. Notons toutefois que cette section énumère les composantes particulières de la rémunération des expatriés en général. Mais en pratique, ce qui est accordé à un dirigeant et à un cadre supérieur expatriés peut varier substantiellement de ce qui est accordé à un cadre intermédiaire et à un professionnel expatriés.

11.3.1.1 Le salaire de base et les régimes de rémunération variable à court terme et à long terme

Comme le personnel en général, le personnel expatrié bénéficie d'un salaire de base, auquel peuvent s'ajouter diverses incitations pécuniaires découlant de son admissibilité à certains régimes de rémunération variable basée sur le rendement individuel (par exemple, le salaire au mérite ou la prime de rendement) et/ou collectif (par exemple, la participation aux bénéfices ou la participation à la propriété). En outre, on remarque que le marché boursier florissant des années 1990 et le traitement fiscal avantageux des régimes d'options d'achat d'actions ont contribué à faire de ceux-ci les régimes les plus populaires parmi les multinationales d'Europe centrale (Pilv, 2003).

À l'égard des expatriés, plusieurs chercheurs proposent qu'on adopte les prémisses de la théorie de l'agence, car ils estiment qu'il faut recourir à la rémunération variable pour rémunérer les expatriés afin de s'assurer qu'au loin ils persisteront à travailler dans les intérêts de l'organisation (voir, par exemple, O'Donnell, 1999). Une étude confirme d'ailleurs que plus une filiale est indépendante de la maison mère, plus la proportion de la rémunération variable des dirigeants est élevée, plus la performance régionale et/ou de l'ensemble de l'entreprise est prise en considération dans la rémunération de l'expatrié, et plus la rémunération totale de ce dernier est élevée (Roth et O'Donnell, 1996).

11.3.1.2 Les primes, les indemnités et les allocations diverses

Les *primes de service à l'étranger* peuvent varier de 10 % à 30 % du salaire de base selon la durée du séjour à l'étranger, avec une valeur moyenne de 15 % (Phillips et Fox, 2003). Des enquêtes réalisées au Canada et aux États-Unis (Pitts, 1997 ; Gould, 1999) montrent qu'environ 70 % des entreprises interrogées octroient des *primes d'incitation à l'expatriation.* On accorde aussi des *primes de risque,* variant de 5 % à 25 % du salaire, dans les cas où l'expatrié doit s'installer dans un pays politiquement instable ou dont le niveau de vie est très bas. D'autres parlent de *primes de difficultés de vie* pour compenser un plus grand isolement des expatriés ou des conditions climatiques rudes, ou encore de *primes de mobilité outre-mer* pour faciliter la mobilité des expatriés d'un pays à l'autre.

Les indemnités et les allocations, qui représentent souvent une part appréciable de la rémunération totale des expatriés, sont aussi très variées. Pour aider le personnel expatrié à s'ajuster aux fluctuations des taux de change entre le pays d'origine et le pays d'accueil, les organisations accordent dans bien des cas une protection contre les fluctuations de la monnaie. On détermine ces *indemnités de différentiel du coût de la vie,* qui visent à protéger le pouvoir d'achat des expatriés, en comparant l'indice du coût de la vie du pays d'origine avec celui du pays de l'affectation au moyen de la collecte de diverses données (par exemple, les prix en vigueur dans les pays en cause, les formules de calcul impliquant une pondération entre les différents articles du « panier de biens représentatifs » ou le taux de change utilisé pour convertir les prix du pays d'accueil dans la monnaie du pays d'origine). La politique d'ajustement du taux de change est particulièrement nécessaire quand les expatriés sont payés en monnaie locale.

Les *indemnités de logement* visent à couvrir le coût du logement dans un pays d'accueil qui excède le montant dépensé dans le pays d'origine. Cette dernière prime est calculée à partir du coût réel du logement ou elle est basée sur une estimation de la porportion du revenu consacrée au logement, généralement de 15 %. Le fait de fournir et de payer un logement à l'expatrié constitue une solution de remplacement à l'indemnité de logement. En ce qui concerne les *indemnités de déménagement*, elles ont pour but de couvrir des frais de déplacement, d'entreposage, de transport des affaires personnelles, etc. Certaines organisations offrent une aide pour la vente ou la location du domicile des expatriés dans le pays d'origine et assument toutes les dépenses liées à ces transactions. Les *indemnités de voyages* dans le pays d'origine visent à permettre aux expatriés de maintenir des liens avec leurs proches et leur organisation d'origine au cours de l'année. On peut octroyer des *indemnités de scolarité* pour maintenir la qualité de l'instruction dont les enfants des expatriés bénéficieraient dans leur pays d'origine. Elles peuvent comprendre l'achat des livres, le transport écolier, la pension, les uniformes, etc. Ces indemnités peuvent représenter un montant fixe par enfant ou encore un certain pourcentage du coût annuel des frais d'instruction par enfant.

11.3.1.3 L'aide fiscale

Dans la majorité des pays du monde, l'employeur a l'obligation de retenir des impôts à la source (à cet égard, la France constitue une exception). Pour pallier le problème de la double imposition dans le pays d'origine et dans le pays d'accueil, la plupart des organisations accordent à leurs expatriés une aide sur le plan fiscal. La principale approche est celle du nivellement ou de la neutralisation des impôts (ou égalisation fiscale ou péréquation fiscale) qui fait payer à l'expatrié pendant tout son séjour à l'étranger un montant d'impôts équivalent (pas plus ni moins) à celui qu'il payait dans son pays d'origine avant son départ, et ce, quel que soit le montant qu'il gagnera à l'étranger. Plus précisément, des résultats d'enquêtes réalisées en 1988 et en 1998 par la société Organization Resources Counselors (Latta, 1999) auprès de firmes multinationales aux États-Unis montrent que l'égalisation des impôts se généralise de plus en plus : en 1998, elle était pratiquée par 91 % des employeurs, alors qu'en 1988 cette proportion s'élevait à 79 %. Les mêmes enquêtes indiquent qu'une moins grande proportion d'employeurs assument la responsabilité de gérer le paiement des impôts des expatriés (9 % en 1988 contre 1 % en 1998) et qu'un plus grand pourcentage d'employeurs préfèrent que leurs employés expatriés soumettent leur déclaration à une firme-conseil (74 % en 1988 contre 92 % en 1998).

11.3.1.4 Les autres avantages

L'enveloppe des avantages offerts aux expatriés est souvent très variée et complexe (Blake, 2002). En plus des avantages réguliers (par exemple, l'assurance maladie internationale, le régime de retraite et les congés), les sociétés multinationales doivent prévoir des clauses de contrats d'assurances pour couvrir des incidents liés à la guerre, au terrorisme, aux enlèvements, etc. Certaines entreprises proposent à leurs employés expatriés des cours de langue et une formation interculturelle selon la destination. D'autres entreprises offrent de l'aide aux membres de la famille des expatriés sous diverses formes : un programme d'adaptation, la recherche d'un emploi pour le conjoint, l'octroi d'un montant permettant de compenser la perte de revenu du conjoint, la recherche d'un établissement d'enseignement pour les enfants, etc. Certaines entreprises offrent des programmes d'aide aux employés rapatriés en ce qui a trait notamment à la gestion des carrières, à la réinstallation dans le pays d'origine ou à des prêts.

Un sondage réalisé par la société Alcan auprès de ses employés expatriés confirme d'ailleurs l'importance pour ceux-ci de questions comme l'instruction des enfants et la carrière du conjoint (Savoie, 2001). Des enquêtes (Gould, 1999) montrent aussi que les employeurs qui sont à l'avant-garde s'intéressent plus à la famille des expatriés entre autres en octroyant aux conjoints des primes pour la perte de revenu ou en finançant des visites des lieux pour les membres de la famille avant le moment de l'affectation. D'autres enquêtes réalisées par

Organization Resources Counselors (Latta, 1999) auprès de firmes multinationales aux États-Unis révèlent que le taux d'employeurs qui considèrent la perte de revenu du conjoint dans la détermination de la rémunération de l'employé expatrié est passé de 15 % à 26 % entre 1988 et 1998. Au cours de la même période, la proportion d'employeurs offrant diverses formes d'aide aux conjoints des expatriés pour trouver un emploi à l'étranger est passée de 7 % à 25 %.

11.3.1.5 Les méthodes de gestion de la rémunération du personnel expatrié

La gestion de la rémunération du personnel expatrié s'avère un défi en raison non seulement de la particularité des composantes de la rémunération des expatriés, mais aussi des méthodes permettant de les déterminer. Le tableau 11.7 décrit ces méthodes de gestion de la rémunération. Notons que la plupart des organisations adoptent une méthode standardisée ou universelle, principalement l'approche bilan du pays d'origine, qui vise à offrir aux employés expatriés un niveau de vie équivalent à celui qu'ils avaient dans leur pays d'origine (le plus fréquent) ou qui est en

---

TABLEAU 11.7

DESCRIPTION DES DIVERSES MÉTHODES DE GESTION DE LA RÉMUNÉRATION DU PERSONNEL EXPATRIÉ

Méthode du pays d'origine

Cette méthode vise à faciliter l'affectation à l'étranger ainsi que le retour de l'expatrié dans son pays d'origine. Elle comprend quatre pratiques de rémunération :

1. La *négociation* implique la gestion des salaires des expatriés au cas par cas. Quoique cette pratique s'avère simple à administrer et requière peu de données, elle risque de créer des iniquités entre les employés expatriés et d'être coûteuse lorsque leur nombre est élevé. Les organisations qui déterminent les contrats individuels de rémunération des expatriés à l'aide de processus de négociation ont souvent les caractéristiques suivantes : leurs opérations internationales sont émergentes, leur nombre d'employés expatriés est relativement petit et il existe une volonté de gérer la rémunération de ces derniers de manière flexible.

2. L'*approche bilan* signifie que l'employeur maintient le pouvoir d'achat ou le niveau de vie des employés expatriés dans le pays d'accueil en accordant un salaire en fonction du pays d'origine et en assumant les coûts qui excèdent les dépenses qu'ils devraient normalement faire dans leur pays d'origine en matière d'impôts, de logement et de biens et de services selon l'indice du coût de la vie. Cette méthode est la plus fréquemment employée.

3. L'*approche du montant forfaitaire* consiste pour l'employeur à accorder un montant forfaitaire aux employés expatriés en plus du salaire de base, montant que ces derniers peuvent dépenser à leur gré. La somme offerte aux expatriés peut représenter jusqu'à

TABLEAU 11.7 *(suite)*

30 % de leur salaire et son versement peut s'échelonner tout au long de leur séjour à l'étranger. Même si cette approche est peu exigeante du point de vue de la gestion, il est difficile de modifier le montant octroyé, car il n'est pas réparti par composantes (logement, impôts, etc.), et de contrôler les coûts parce que, une fois accordé, le montant forfaitaire ne peut être révisé.

4. L'*approche cafétéria* consiste pour l'employeur à offrir, en plus du salaire, diverses options (assurance vie, adhésion à un club, etc.) parmi lesquelles les employés expatriés choisissent selon leurs besoins jusqu'à concurrence d'une valeur globale préétablie. Cette approche présente plus de flexibilité et peut permettre de réduire le coût des impôts des expatriés. Toutefois, elle paraît plus appropriée pour les expatriés qui occupent un poste de haut niveau ou qui ont une rémunération élevée. Par ailleurs, lorsque le nombre d'options offertes ou de pays en cause augmente, cette approche devient plus coûteuse à gérer.

Méthode du siège social

Cette méthode consiste à traiter tous les employés expatriés, sans égard à leur origine, comme s'ils arrivaient du pays du siège social de l'organisation. Ainsi, l'organisation octroie diverses allocations pour permettre à l'expatrié d'atteindre un niveau de vie analogue à celui de ses pairs qui vivent dans le pays du siège social. Des résultats d'enquêtes réalisées auprès de sociétés multinationales américaines par la firme PricewaterhouseCoopers révèlent qu'entre 1992 ($n = 356$) et 1999 ($n = 277$) la proportion de sociétés utilisant cette méthode est restée stable et importante, soit de 30 % environ (Lomax, 2001).

Méthode du pays d'accueil

Cette méthode consiste à déterminer le salaire des employés expatriés en fonction de la structure salariale de l'unité d'affaires dans laquelle ils sont envoyés (pays d'accueil). Toutefois, les autres composantes de la rémunération sont souvent déterminées en fonction de ce qui est offert dans l'organisation d'origine des expatriés. Cette méthode est traditionnellement adoptée lorsque les expatriés s'installent dans des pays où l'économie est saine et où les salaires sont élevés. Lorsque le salarié est muté dans un pays où le niveau de vie est inférieur à celui du pays d'origine, il est souvent nécessaire d'ajouter des indemnités pour le logement, le transport, l'instruction, etc. Cette méthode est aussi utilisée pour des séjours de longue durée où le retour des expatriés dans le pays d'origine n'est pas souhaité par l'organisation d'origine. Une version moins stricte de cette approche consiste à verser à l'expatrié une prime, par exemple la première et la deuxième année de son séjour à l'étranger. Cette pratique, qui vise à réduire les iniquités entre les employés expatriés et les employés locaux, est simple à administrer, peu coûteuse et permet d'assurer une parité salariale avec les employés du pays d'accueil. Pour cette raison, elle peut faciliter l'intégration des expatriés au sein de la communauté du pays d'accueil. Par contre, elle ne tient pas compte des caractéristiques culturelles et économiques qui peuvent agir sur la capacité d'adaptation des expatriés. Par ailleurs, le versement de primes temporaires encourage les expatriés à négocier des indemnités supplémentaires et ne les incite pas accepter une mutation dans un pays où le niveau de vie est inférieur à celui du pays d'origine. Des enquêtes

TABLEAU 11.7 (suite)

menées auprès de sociétés multinationales américaines par PricewaterhouseCoopers montrent que seulement 7 % des sociétés utilisaient cette méthode en 1992 et que cette proportion a encore baissé à 1 % en 1999 (Lomax, 2001).

Méthode du meilleur entre le pays d'origine et le pays d'accueil

Cette méthode consiste à comparer les conditions de rémunération offertes selon la méthode du pays d'origine et selon la méthode du pays d'accueil et à retenir celle qui est la plus favorable pour l'employé expatrié. Certaines entreprises de grande taille, comme Alcan, continuent d'utiliser une telle approche (Savoie, 2001). Toutefois, des enquêtes réalisées auprès de sociétés multinationales américaines par PricewaterhouseCoopers indiquent que seulement 4 % des sociétés recouraient à cette méthode en 1992 et que cette proportion a baissé à 3 % en 1999.

Méthode du pays tiers

Cette méthode consiste à retenir un pays tiers ou un marché régional comme référence pour déterminer la rémunération des expatriés. Dans ce dernier cas, chaque région (par exemple, l'Amérique du Nord, l'Europe, l'Asie et l'Amérique du Sud) aura sa propre structure salariale, et les expatriés occupant un poste dans une région moins éloignée de leur pays d'origine se verront accorder des conditions de rémunération moins généreuses. Quoique cette approche permette à l'organisation de réduire ses coûts, elle complexifie la gestion de la rémunération. De plus, elle risque de créer de l'insatisfaction parmi les employés expatriés, puisque leur rémunération devient fonction de leur mobilité et du lieu de leur mutation.

Méthode internationale

Cette méthode consiste à définir un système de rémunération unique pour l'ensemble des employés expatriés qui sont mobiles à l'échelle internationale. Lorsqu'il quitte son pays d'origine, l'expatrié est payé selon une grille internationale de rémunération, alors qu'à son retour sa rémunération redevient gérée en fonction de la grille de rémunération de son pays d'origine. L'organisation peut alors opter pour la méthode internationale dans la mesure où elle peut offrir à ses employés expatriés présentant un grand potentiel un cheminement de carrière à long terme plus avantageux à plusieurs égards. La gestion de cette approche est coûteuse.

Méthode mixte ou hybride

Cette méthode consiste à rémunérer diverses catégories de personnel expatrié selon différentes combinaisons des méthodes précédentes. Ainsi, on peut retenir des composantes de la méthode du pays d'origine auxquels on ajoutera des composantes de la méthode du pays d'accueil. Par exemple, les employés expatriés ayant de l'expérience peuvent être rémunérés en fonction de l'approche bilan, alors que les nouveaux expatriés seront payés selon la structure des salaires locaux. De telles combinaisons peuvent permettre d'adapter la rémunération aux différentes catégories d'employés expatriés et de réduire certains coûts. Cette approche remet en question l'universalité ou la standardisation de la rémunération des expatriés. En contrepartie, cette spécificité complexifie la gestion de la rémunération et risque de susciter des sentiments d'iniquité entre différentes catégories d'expatriés.

Source : Adapté de St-Onge *et al.* (2002).

vigueur dans le pays d'origine de la maison mère. L'objectif de cette approche est d'encourager la mobilité en faisant en sorte qu'un expatrié ne soit ni gagnant ni perdant au point de vue financier comparativement à ses pairs du pays d'origine, tout en présumant qu'il fait les mêmes dépenses à l'étranger que dans son pays d'origine. Cette approche se concrétise de deux façons. D'un côté, la protection du revenu consiste à payer aux employés expatriés des suppléments en monnaie de leur pays d'origine pour compenser le différentiel de coûts entre le pays d'origine et le pays d'accueil pour diverses catégories de dépenses engendrées par l'affectation. De l'autre côté, l'égalisation du revenu consiste à payer aux expatriés le différentiel entre les dépenses effectuées dans leur pays d'accueil et les dépenses faites dans leur pays d'origine, l'objectif étant de leur permettre de maintenir leur pouvoir d'achat.

Entre 70 % et 85 % des entreprises américaines utilisent l'approche bilan (Gould, 1999) parce qu'elle comporte divers attraits. Notamment, elle est flexible, elle est considérée comme simple à communiquer et comme rendant attrayantes les assignations à l'étranger. De plus, cette approche contribuerait à réduire les conflits familiaux engendrés par un changement du mode de vie, à parer aux difficultés qu'entraînent certaines destinations et elle aiderait les employés expatriés et les membres de leur famille à s'adapter aux changements de mode de vie. Observons toutefois que le « maintien du niveau de vie » reste fondamentalement une question de perception. Pour les employeurs, cela signifie en général que les composantes de la rémunération sont accordées de manière que les employés n'aient pas l'impression de gagner ou de perdre lorsque l'ensemble de la rémunération est envisagée. Pour les employés expatriés, cela signifie souvent qu'ils ne dépenseront pas plus à l'étranger qu'ils ne le faisaient dans leur pays d'origine pour des postes particuliers. Ainsi, si l'expatrié prend un taxi pour aller mener ses enfants à l'école, ce qu'il ne faisait pas dans son pays d'origine, il ne considérera pas que cette dépense contribue au maintien de son niveau de vie, car il n'avait pas à la faire auparavant. Cette perception persistera si la dépense est remboursée par son employeur et même dans le cas où l'employeur assume d'autres dépenses telles que les frais de scolarité des enfants dans un établissement privé reconnu.

Par ailleurs, l'approche bilan s'avère coûteuse, difficile à administrer et requiert beaucoup d'informations, portant par exemple sur l'indice du coût de la vie, les enquêtes salariales et la législation fiscale à l'étranger. De plus, cette approche peut avoir un effet néfaste sur le processus de socialisation des expatriés à l'étranger en les encourageant à limiter leur intégration dans la société d'accueil et en les cantonnant dans un ghetto doré.

11.3.2 Les objectifs de la gestion de la rémunération du personnel expatrié

Des entrevues menées auprès d'une dizaine de spécialistes de la gestion de la rémunération du personnel expatrié du Québec (Lebire, 2000) montrent que les organisations poursuivent cinq grands objectifs en matière de rémunération des expatriés, la réalisation de chacun d'eux pouvant être facilitée par des pratiques de rémunération particulières.

– Le *contrôle des coûts*. La réalisation de cet objectif sera influencée par les pratiques d'octroi d'incitations et d'allocations, la formalisation des politiques de gestion de la rémunération, la connaissance et le respect de la fiscalité, les méthodes de rémunération et l'impartition de la gestion de la rémunération.

– L'*attraction de candidats à l'expatriation*. La mise en œuvre de cet objectif sera conditionnée par l'octroi d'incitations et d'allocations, les méthodes de rémunération, l'aide au conjoint de l'employé expatrié, le paiement des heures supplémentaires, les montants accordés, le contenu du travail à l'étranger et l'aide à la vente de la maison.

– La *réduction du nombre de retours prématurés*. La réalisation de cet objectif sera facilitée par l'octroi de primes à la fin de l'affectation, la communication de la rémunération et des autres conditions de travail, la formation des employés expatriés et des membres de leur famille à la culture du pays d'accueil et l'octroi d'une rémunération avantageuse.

– Le *maintien de la perception d'équité*. Cet objectif sera favorisé par la formalisation des pratiques de rémunération des employés expatriés, le choix de leur méthode de rémunération et la prise en considération de la rémunération offerte sur différents marchés ou par les concurrents.

– L'*amélioration de la loyauté*. Cet objectif pourra être atteint au moyen de la sécurité de l'emploi offerte aux employés expatriés.

Des enquêtes réalisées en 1988 et en 1998 par la société Organization Resources Counselors (Latta, 1999) auprès de sociétés multinationales aux États-Unis indiquent que, pendant cette période, les employeurs ont tenté de prendre des mesures pour équilibrer des considérations de réduction des coûts, d'attraction du personnel et de flexibilité de la gestion. Parallèlement, en analysant les tendances en matière de gestion des employés expatriés au cours de la dernière décennie, Schell et Solomon (1997) relèvent quatre grandes tensions que les organisations doivent contenir : les tensions entre la centralisation et la décentralisation des politiques, entre la planification des carrières et l'autodéveloppement des employés expatriés, entre le contrôle des coûts et l'efficacité de la mobilité du personnel et, enfin, entre la standardisation et la flexibilité des modes de gestion à leur égard.

11.3.3 Les défis liés à la gestion de la rémunération du personnel expatrié

La gestion de la rémunération du personnel expatrié comporte bien des défis et peut s'avérer très complexe en raison de la multiplicité des composantes à gérer ou à considérer (comme les allocations diverses, le taux de change, le coût de la vie, l'inflation, les lois nationales ou les primes diverses). D'ailleurs, elle est souvent sous la responsabilité de professionnels qui ont acquis une expertise sur le sujet ou encore elle fait l'objet de la sous-traitance auprès de sociétés-conseils spécialisées. Aux fins de ce chapitre, nous insistons sur deux défis importants : celui qui consiste à accorder une rémunération perçue comme étant équitable afin d'attirer, de retenir et de motiver les employés expatriés et celui qui consiste à contrôler les coûts afin que les entreprises restent compétitives.

11.3.3.1 Le défi lié au maintien de la perception d'équité

Au fil des ans, on continue de constater que les employés expatriés sont généralement insatisfaits de leur rémunération (Black, 1991 ; Harvey, 1993). Les principes d'équité à respecter pour la gestion de la rémunération des employés expatriés sont fondamentalement les mêmes que ceux qu'on applique aux employés locaux, car les principes d'équité sur lesquels s'appuient les modèles traditionnels de gestion de la rémunération sont tout aussi pertinents. Une gestion efficace de la rémunération doit essentiellement motiver et satisfaire des employés qui veulent recevoir une rémunération juste par rapport à la rémunération que les autres organisations versent pour des emplois similaires (équité externe), à la rémunération accordée pour les autres emplois dans l'organisation (équité interne et méthodes d'évaluation des emplois), à leur contribution personnelle comme leur rendement ou leur ancienneté (équité individuelle et régimes de rémunération au mérite, commissions, etc.) et à leur contribution collective au succès de l'entreprise ou d'une de ses unités (équité collective et régimes de rémunération tels que la participation aux bénéfices ou les gains de productivité).

Toutefois, lorsqu'on passe de la sphère nationale à la sphère internationale, le respect de ces principes d'équité pose un défi particulier, puisque l'organisation doit comparer les contributions et les rétributions relatives de plusieurs types de référents en gérant la rémunération des employés expatriés : celles des employés du pays d'origine, des expatriés du pays d'origine, des expatriés du pays tiers et des employés du pays d'accueil (Biouele, 2000 ; Cerdin *et al.*, 2000 ; Graham et Trevor, 2000 ; Prost, 1998 ; St-Onge *et al.*, 1998 ; Toh et De Nisi, 2005a, b). Les sources d'insatisfaction des employés expatriés portent surtout sur des iniquités vis-à-vis de ces divers référents ou sur l'écart entre leurs attentes et la réalité de leurs conditions de travail. Dans un contexte de gestion des ressources humaines à l'étranger, il faut aussi considérer le fait que les normes culturelles d'un pays ont des incidences sur la notion d'équité et sur les conceptions à son sujet. Finalement, la complexité et la particularité des dossiers complexifient aussi beaucoup la communication d'informations sur la rémunération des employés expatriés.

L'équité externe

Par l'équité externe, on cherche à s'assurer que l'organisation offre une rémunération comparable à celle des autres organisations pour des emplois similaires. D'entrée de jeu, il faut constater que la conduite des enquêtes de rémunération à l'étranger et l'interprétation des données colligées s'avèrent plus complexes, longues et coûteuses, en raison notamment des devises étrangères et des différences de fiscalité. Appliqué à la rémunération des employés expatriés, le principe de l'équité externe entraîne des exigences particulières. Par exemple, la détermination du marché de référence est plus complexe lorsque les référents du personnel expatrié sont d'autres expatriés qui font un travail plus ou moins similaire pour une autre entreprise d'un tout autre secteur industriel. Ainsi, des cadres expatriés d'une multinationale de l'alimentation en Afrique peuvent comparer leur rémunération avec celle qu'accorde une organisation pétrolière à ses employés expatriés qui travaillent au même endroit. Selon la pratique retenue, toutefois, une entreprise n'a pas nécessairement besoin de suivre la rémunération à l'étranger.

L'équité interne

L'équité interne permet de s'assurer qu'au sein d'une organisation on offre une rémunération équivalente pour des emplois ayant des exigences semblables et une rémunération différente pour des emplois de valeur différente. Appliqué à la rémunération des employés expatriés, le principe de l'équité interne comporte des règles particulières. D'abord, il est difficile de décrire avec précision les exigences des postes à l'étranger, de tenir à jour les descriptions d'emplois et de revoir leurs exigences lorsque leur contenu change. De plus, le respect du principe de l'équité interne nécessite que l'on compare la rémunération offerte aux expatriés avec celle qui est accordée aux salariés du pays d'origine occupant des emplois semblables. Traditionnellement, on accorde une rémunération supérieure aux expatriés pour les inciter à accepter des mutations et à rester suffisamment longtemps à l'étranger, la mobilité internationale étant perçue comme impliquant une plus grande contribution à l'organisation dans la mesure où l'expatrié doit s'adapter à de nouvelles conditions de vie et de travail dans le pays d'accueil. Cette approche risque toutefois de créer un sentiment d'iniquité chez les salariés non mobiles, qui sont susceptibles de voir dans les salariés expatriés un groupe de privilégiés. Par contre, il faut se rappeler que, dans la plupart des cas, il n'y a pas une foule d'employés qui désirent être affectés à l'étranger malgré les atouts et les avantages pécuniaires supplémentaires que cela comporte.

Par ailleurs, les employés expatriés de nationalités différentes travaillant au même endroit compareront également entre eux leurs contributions et leurs rétributions respectives. Songeons, par exemple, aux expatriés de pays tiers qui sont envoyés à l'extérieur de leur pays d'origine par une entreprise étrangère. C'est le cas pour un Européen qui travaille pour IBM (société américaine) au Canada et qui est muté au Japon. Il peut alors surgir une iniquité en matière de rémunération entre les employés expatriés de nationalités différentes. Généralement, il semble que les expatriés qui sont citoyens du pays où est situé le siège social bénéficient de meilleures conditions de rémunération que ceux qui sont originaires d'un autre pays. Si l'on reprend l'exemple cité précédemment, il apparaîtrait qu'un Européen muté au Japon chez IBM aurait des conditions de rémunération inférieures à celles d'un Américain expatrié au Japon. Les dirigeants doivent s'attendre à devoir justifier un tel différentiel, puisqu'il risque de susciter un sentiment d'iniquité. Enfin, il faut aussi se préoccuper de l'équité entre la rémunération des salariés expatriés et celle des salariés locaux. Comme les expatriés en provenance d'un pays ayant un niveau de vie élevé sont souvent surpayés, les salariés locaux tendent à s'estimer sous-payés.

L'équité individuelle

Grâce à l'équité individuelle, on peut s'assurer qu'au sein d'une organisation on offre une rémunération qui tient compte de la contribution individuelle des employés au point de vue de leur rendement, de leur ancienneté, de leurs compétences ou de leur expérience, le tout guidé par les exigences rattachées au travail à l'étranger. Une enquête menée en 1999 auprès d'entreprises multinationales localisées au Canada (St-Onge *et al.*, 1998 ; Biouele, 2000) révèle qu'à l'égard de la gestion de la rémunération il est très important de tenir compte des caractéristiques suivantes des employés expatriés : leur rendement, leurs compétences, la réalisation des objectifs d'affaires, leurs besoins et ceux des membres de leur famille de même que leur statut sur le plan fiscal. Cependant, la reconnaissance du rendement individuel des expatriés pose un défi parce qu'il est difficile de définir ce qu'est un bon rendement, de suivre le rendement des expatriés en cours d'année et d'ajuster les attentes de l'organisation à cet égard. Les écrits confirment d'ailleurs que des systèmes d'évaluation du rendement rigoureux et officiels pour les expatriés sont loin d'être universels (Schuler *et al.*, 1991 ; Gregersen *et al.*, 1996) et que les différences en matière de méthodes et de critères de gestion du rendement des expatriés à privilégier dépendent du contexte d'affaires et du pays (Dowling *et al.*, 1999 ; Logger *et al.*, 1995 ; Logger et Vinke, 1995).

Le défi que constitue la recherche de l'équité individuelle devient d'autant plus problématique que les caractéristiques de la nouvelle génération d'employés expatriés ont beaucoup changé. En effet, ces nouveaux expatriés ont une scolarisation accrue, ils ont un sens différent de la loyauté, ils s'inscrivent souvent dans des couples à deux carrières, un plus grand nombre d'entre eux occupent des postes autres que de cadres supérieurs, il y a plus de femmes et de chefs de familles monoparentales, ils sont plus souvent issus de familles reconstituées, on observe plus souvent chez eux la prise en charge de parents âgés ainsi que la garde d'enfants partagée, et ainsi de suite. En outre, les employés expatriés comparent leur rémunération avec celle que, selon eux, ils auraient eue s'ils étaient restés dans leur pays d'origine.

Rappelons que les employés expatriés perçoivent leur rémunération et l'utilisation de leur expertise à l'étranger comme un moyen de vérifier si les dirigeants de leur organisation valorisent l'expatriation. Ils peuvent accepter de limiter leurs gains à court terme s'ils croient que les affectations dans d'autres pays constituent des étapes dans la progression de leur carrière et des expériences enrichissantes pour les membres de leur famille. Toutefois, une enquête (Oemig, 1999) menée auprès de 103 directeurs des ressources humaines à l'étranger montre que, lorsqu'ils sont interrogés sur la valeur que leur organisation accorde aux expériences en matière d'expatriation, seulement 15 % répondent «beaucoup de valeur», 60 % disent «une certaine valeur» et 25 % répondent «peu et aucune valeur». Soulignons que la perte d'incitations et de privilèges financiers est ressentie à court terme par l'employé expatrié comme étant tangible et bien réelle, alors que les avantages de l'expatriation sur le plan de la carrière sont perçus sur un horizon plus lointain, ce qui les rend risqués et abstraits. Par conséquent, il est important que l'organisation repère et renforce les symboles auxquels se rattachent les employés expatriés, notamment au moyen de modes de reconnaissance particuliers qu'elle doit clairement communiquer et appliquer pour faire en sorte qu'ils deviennent partie intégrante de la culture de gestion des expatriés.

L'équité collective

La recherche de l'équité collective consiste à s'assurer que l'organisation offre une rémunération qui tient compte du rendement des salariés en tant que groupe, notamment du rendement de l'unité, de la division ou de l'organisation dans son ensemble, par le biais, notamment, de régimes de participation aux bénéfices et de régimes de partage des gains de productivité. Dans un contexte international, la mobilisation du personnel par rapport aux objectifs globaux de l'entreprise devient particulièrement importante, puisque le suivi des affaires à l'étranger est plus difficile et qu'il devient alors crucial de pouvoir compter sur la loyauté et sur le rendement du personnel expatrié. À titre d'exemple, la société multinationale Alcoa a mis sur pied un régime d'épargne global qui permet, entre autres, aux employés de filiales où le contexte économique s'avère difficile (dévaluation de la monnaie, hyperinflation) de protéger leurs épargnes au moyen de véhicules de placement en dollars américains.

La justice du processus de gestion de la rémunération

En ce qui a trait à la justice du processus de gestion de la rémunération, on ne se préoccupe pas de savoir si la rémunération est suffisante (le «combien» ou les résultats), mais plutôt de savoir si, aux yeux des salariés, les décisions touchant à la rémunération sont prises de manière juste et si les programmes de rémunération sont gérés équitablement (le «comment» ou les moyens). Dans le domaine de la rémunération des salariés expatriés, il s'agit alors de s'interroger et de prendre position sur les aspects suivants de la gestion: jusqu'à quel point la direction communique-t-elle de l'information à ses employés en matière de rémunération à l'étranger et lors du rapatriement ? Jusqu'à quel point les politiques de rémunération à l'étranger et lors du rapatriement sont-elles gérées de manière standardisée et officielle ? Consulte-t-on les expatriés et les rapatriés avant d'effectuer des changements dans les politiques et les pratiques de rémunération ? Si oui, qui participe à la détermination de ces changements, de quelle façon et dans quelle mesure ? Les employés comprennent-ils comment les différentes composantes de leur rémunération sont gérées à l'étranger et lors du rapatriement ? Les cadres sont-ils formés pour assumer adéquatement leurs rôles et leurs responsabilités à l'égard des décisions concernant la rémunération des expatriés et des rapatriés ?

Il importe de respecter les règles suivantes pour s'assurer que le processus officiel de gestion de la rémunération dans un contexte international est juste : veiller à ce que le processus de gestion soit standardisé ou uniforme ; faire en sorte qu'il ne favorise pas les intérêts de certaines personnes (vérifier l'absence de biais) ; tâcher de communiquer et d'expliquer le processus de gestion (faire preuve de transparence) ; voir à offrir certains mécanismes d'appel permettant de réviser les décisions ; faire participer les personnes au processus de gestion ; respecter les lois et la fiscalité ; s'assurer que les personnes ont la formation et les compétences nécessaires pour exercer leurs rôles et leurs responsabilités en matière de gestion de la rémunération. Les organisations ainsi que les sociétés-conseils auxquelles elles octroient une partie ou la totalité de la gestion de la rémunération des employés expatriés doivent appliquer ces principes de justice. Certains auteurs (Graham et Trevor, 2000 ; Oemig, 1999 ; Toh et De Nisi, 2005a, b) insistent sur l'importance de communiquer, à la fois par écrit et oralement, les politiques de rémunération des employés expatriés en se conformant à des critères tels que ceux-ci :

– expliquer les objectifs des programmes de rémunération en évitant de recourir à des généralités, qui risqueraient d'être mal interprétées ;

– décrire en des termes précis (pas de généralités) ce que le programme de rémunération accorde et n'accorde pas aux employés expatriés et aux membres de leur famille de manière que leurs attentes soient réalistes. Traiter des conséquences potentielles inattendues du programme de rémunération ;

– établir des limites réalistes à l'égard des conditions qu'offre l'organisation (le salaire, les avantages compétitifs, l'aide et les conseils, etc.) et préciser ce qu'elle s'attend réalistement à recevoir des employés expatriés (la capacité à s'adapter, l'ouverture sur des croyances et des coutumes différentes, etc.) ;

– dans la mesure où l'organisation affirme que les affectations à l'étranger favorisent le développement de la carrière, s'assurer que la réalité appuie ces propos ;

– gérer de manière cohérente et équitable la procédure de versement de la rémunération ;

—   reconnaître les inquiétudes des employés expatriés (par exemple, en relation avec leur rémunération ou avec les conséquences de leur affectation pour leur famille) et les préparer à connaître des changements ;

—   tenir compte des attentes, des besoins et des normes culturelles des employés locaux dans la gestion de la rémunération des expatriés.

11.3.3.2 Le défi lié au contrôle des coûts de rémunération

Les employés expatriés peuvent jouer un rôle stratégique puisque leurs décisions, leurs actions et leur rendement sont susceptibles d'influer sur le succès de l'organisation à l'échelle internationale (Balkin et Bannister, 1993 ; Milkovich, 1988). Bien entendu, le pouvoir qu'ont les employés expatriés d'infléchir à leur avantage les décisions en matière de rémunération dépend de caractéristiques telles que la proportion relative des expatriés dans la main-d'œuvre totale, leur expertise, leur rôle dans la réalisation de la mission de l'entreprise ou la culture de gestion de l'entreprise. Ainsi, le pouvoir de la direction de résister aux demandes des expatriés en matière de rémunération découle de caractéristiques comme l'offre et la demande de candidats à l'expatriation, leurs autres conditions de travail ou le rôle du personnel expatrié dans la réussite de l'entreprise.

Traditionnellement, la gestion de la rémunération du personnel était un processus individualisé de négociation où intervenait un nombre restreint d'expatriés occupant des postes de dirigeants et de cadres supérieurs. Dans plusieurs grandes organisations, les expatriés — souvent des cadres supérieurs — représentaient une petite caste de personnes privilégiées qu'on traitait, ainsi que les membres de leur famille (très souvent une conjointe sans emploi et deux enfants), à grands frais, traitement que l'on devait garder secret pour éviter les réactions d'iniquité parmi le personnel local. Aujourd'hui, l'augmentation du nombre d'expatriés occupant des emplois de professionnels, de techniciens ou de cadres de premier niveau a pressé des organisations de réduire ce traitement privilégié. En somme, le profil démographique et sociologique de la nouvelle main-d'œuvre expatriée évolue et sa proportion dans la main-d'œuvre est plus grande.

Dans ce contexte, il s'avère particulièrement important pour les entreprises de mieux contrôler la rémunération, puisqu'on estime que le coût d'un salarié expatrié est environ trois fois plus élevé que celui d'un salarié local (Dowling *et al.*, 1999), sans compter les coûts supplémentaires rattachés à l'information additionnelle et à l'expertise particulière nécessaires pour gérer la rémunération des expatriés. Selon Phillips et Fox (2003), plus de la moitié du temps des professionnels qui gèrent les expatriés est consacrée à la gestion de la rémunération de ces derniers. Considérant les résultats de plusieurs enquêtes réalisées auprès de firmes multinationales ayant des activités aux États-Unis (Gould, 1999 ; Latta, 1999 ; Oemig, 1999 ; Rodin, 1997), on peut résumer comme suit les pratiques vers lesquelles tendent les organisations pour réduire les coûts de leur personnel expatrié :

- la réduction de la protection au sujet de la vente des maisons des expatriés à leur départ, et ce, quelle que soit la forme (par exemple, l'achat de la maison à la valeur du marché, la garantie d'un prix d'évaluation, la protection si le prix de vente est inférieur au prix d'achat plus les coûts d'amélioration);
- la réduction de l'aide au déménagement des biens (notamment les automobiles) des employés expatriés à l'étranger;
- la réduction des primes de service à l'étranger intégrées aux salaires tout au long de la durée de l'expatriation et le recours accru aux primes de mobilité ponctuelles octroyées avant, pendant et après l'affectation;
- les déductions à la source selon les impôts que l'expatrié aurait payés dans son pays d'origine;
- la réduction des privilèges et des allocations de biens, de services et d'autres avantages (notamment les avantages relatifs aux automobiles);
- la réduction des allocations de séjour dans le pays d'origine des expatriés et des membres de leur famille;
- l'embauche d'un plus grand nombre d'employés locaux (la réduction du nombre d'employés expatriés);
- le recours accru aux affectations de plus courte durée;

BULLETIN$ 11.4

SONDAGE 2003 DE MERCER SUR LES MANDATS INTERNATIONAUX

Cinquante-six pour cent (56 %) des sociétés ont récemment passé en revue leur politique en matière d'affectations à l'étranger, et 35 % prévoient le faire pour les principales raisons suivantes : pour réduire les coûts et maintenir leur position concurrentielle (50 %), pour simplifier le processus et viser l'uniformité à l'échelle internationale (50 %). Toutefois, 23 % des employeurs ont adopté ou envisagent d'adopter des politiques régionales particulières en matière de rémunération. De plus, 68 % des employeurs utilisent la méthode de rémunération selon le pays d'origine et respectivement 90 % et 76 % d'entre eux estiment que l'idemnité pour les difficultés d'existence et la prime de mobilité sont essentielles. Aussi, 39 % des employés se voient confier des missions de courte durée et 5 % font régulièrement la navette entre leur pays de résidence et leur pays de travail. Finalement, bien des employeurs n'ont prévu ni ressources ni plans d'action d'urgence pour pouvoir réagir aux crises et évacuer des employés expatriés. En outre, plusieurs d'entre eux auraient intérêt à augmenter leur assurance responsabilité et la couverture des risques spéciaux (par exemple, pour enlèvement ou demande de rançon).

Source : Adapté de Sim et Dixon (2004).

–   le recours accru à l'approche forfaitaire (par exemple, au lieu de payer à l'expatrié toutes les dépenses relatives à un séjour d'un mois à l'hôtel, l'organisation lui donne un montant forfaitaire pour un séjour d'un mois que l'employé gère lui-même);

–   le recours accru à des ententes et à la gestion de contrats avec des fournisseurs de services (sous-traitance).

11.3.3.3 Le défi lié à l'emploi et au respect des droits humains

Le défi concernant la rémunération du personnel à l'étranger s'avère aussi une préoccupation croissante pour les syndicats. Dans un contexte où le succès se mesure à l'échelle internationale, les syndicats doivent constamment revoir l'équilibre entre l'ajustement des pratiques de rémunération locales et la standardisation des pratiques au niveau international par divers mécanismes plus ou moins développés à ce jour, notamment les comparaisons entre les négociations collectives, les échéanciers de négociation coordonnés, l'établissement de liens avec les fédérations internationales, l'établissement d'alliances sociales élargies et le recours à des ententes internationales comme l'Accord de libre-échange nord-américain (ALENA), l'Organisation internationale du travail et l'Accord parallèle quant aux normes du travail. Dans le contexte de la compétition entre les pays, les syndicats doivent dorénavant défendre davantage le respect des règles du commerce visant à assurer le bien-être des employés, entre autres celles qui ont trait au droit d'association, à la démocratie, à l'interdiction du travail des enfants, du travail forcé direct ou indirect (esclavage) et de la discrimination. Bien entendu, les dirigeants d'entreprise sont interpellés et ils doivent adopter et respecter les principes d'action sur ces différentes questions.

11.4 La rémunération du personnel de recherche et développement

Si le secteur de la recherche et développement (R & D) prend de l'importance dans l'économie canadienne, c'est aussi le cas pour la gestion des activités et du personnel dans ce secteur. En fait, l'innovation et le leadership sur le marché, sources de la création de valeur, reposent sur la qualité du personnel. La gestion du personnel de R & D devient d'autant plus cruciale qu'il y a une pénurie croissante de personnel qualifié sur le marché de l'emploi, car les institutions d'enseignement décernent moins de diplômes qu'il n'y a d'emplois disponibles sur le marché, ce qui oblige les employeurs à recruter du personnel à l'étranger. Par ailleurs, le taux de roulement du personnel de R & D est élevé dans le contexte de la mondialisation des marchés : attirés par des offres de rémunération alléchantes, de nombreux employés quittent leurs employeurs pour d'autres organisations au Canada ou à l'étranger, notamment aux États-Unis. On parle alors d'exode des cerveaux. En somme, la performance des organisations de ce secteur s'appuie principalement sur leur capacité à attirer et à retenir des employés qualifiés de plus en plus rares et mobiles.

Selon la théorie de la dépendance des ressources (Balkin et Bannister, 1993), le personnel de R & D a un certain pouvoir de négociation de ses conditions de rémunération, pouvoir qui se base sur ses expertises, souvent essentielles au succès de l'entreprise et difficilement remplaçables. D'autre part, comme le contrôle personnel de l'information et de l'expertise est une source de pouvoir, les employeurs — surtout ceux du secteur de la R & D — doivent relever un important défi qui consiste à amener les employés à partager leurs connaissances. Selon Bartol et Srivastava (2002), les employeurs peuvent encourager le partage des connaissances en établissant et en tenant à jour des banques de données communes, en favorisant les interactions informelles et les communautés de pratiques sur des sujets d'intérêt de même qu'en faisant appel aux régimes de rémunération variable. Ainsi, ils peuvent gérer un régime de salaire au mérite en faisant en sorte que l'évaluation du rendement tienne compte du partage des connaissances. Ils peuvent aussi adopter des régimes collectifs de rémunération variable de manière à appuyer l'importance de la collaboration entre les personnes, les équipes, les services et les unités pour le bénéfice de tous.

Le fait de constater que le personnel de R & D constitue une catégorie de personnel à part ne signifie pas qu'il est géré de manière uniforme. Une étude par entrevues (Barette *et al.*, 2002) menées auprès de petites, moyennes et grandes entreprises de haute technologie de la région d'Ottawa montre d'ailleurs que les pratiques de rémunération varient selon la taille des entreprises (voir le tableau 11.8).

Une autre enquête (St-Onge *et al.*, 1999a), qui a été menée au moyen de questionnaires auprès des responsables des ressources humaines de 193 organisations canadiennes — œuvrant en R & D, indique que le personnel de R & D peut être décrit au moyen de cinq caractéristiques particulières.

– Il a un certain *pouvoir* et il est prompt à quitter l'entreprise lorsque ses attentes et ses besoins ne sont pas satisfaits. Comme il constitue une source importante d'avantage concurrentiel et que ses compétences sont rares, il peut facilement se trouver un emploi semblable ailleurs.

– Il est plutôt *individualiste,* préférant généralement travailler seul et étant plus loyal envers son travail qu'envers son employeur.

– Il doit être *géré distinctement* parce qu'il a des besoins et des comportements différents de ceux des autres employés.

– Il a *besoin de reconnaissance* et il aimerait pouvoir bénéficier d'augmentations de salaires et de promotions tout en continuant à œuvrer en R & D. Il veut être mieux reconnu par son superviseur immédiat et la direction.

– Il veut maintenir et accroître ses compétences en obtenant plus de temps pour assister à des cours et à des conférences et en ayant un travail plus intéressant.

TABLEAU 11.8

LES PRATIQUES DE RÉMUNÉRATION SELON LA TAILLE DE L'ENTREPRISE

Entreprises de petite taille ou en démarrage : de 25 à 50 employés	Entreprises de taille moyenne : de 150 à 250 employés	Entreprises de grande taille ou bien établies : plus de 350 employés
• Enquêtes salariales locales • Absence de structure salariale officielle permettant plus de flexibilité : détermination des salaires au cas par cas selon les caractéristiques des employés (expérience, scolarité, etc.) • Révision des salaires sur une base bisannuelle, annuelle ou semestrielle • Primes de rendement individuel et d'équipe • Pas de participation aux bénéfices • Priorité accordée à la rémunération non pécuniaire, comme la participation aux décisions ou l'octroi de responsabilités	• Enquêtes salariales nationales • Révision des salaires de deux à quatre fois par année • Rémunération selon le mérite individuel • Réseau informel d'échange d'information sur les salaires • Structure salariale officielle • Primes de rendement individuel et d'équipe (résultats d'un projet) • Participation aux bénéfices pour l'ensemble des employés ou pour les employés clés • Achat ou octroi d'actions • Importance du budget consacré aux avantages	• Pratiques semblables à celles des organisations de taille moyenne avec en plus une offre variée de primes, soit des primes pour les idées créatrices, des primes aux employés exceptionnels, des primes pour la réalisation de projets particuliers, des primes de performance de l'unité, des primes à la discrétion du superviseur et des primes «cadeaux» lors d'événements particuliers • Avantages flexibles de type cafétéria • Pratiques de reconnaissance • Rémunération basée sur les compétences

Source : Barrette *et al.* (2002, p. 58-61).

Par ailleurs, les participants relèvent quatre défis relatifs à la gestion du personnel de R & D, l'un d'entre eux portant précisément sur la rémunération du personnel.

– *Aligner les comportements du personnel de R & D sur les exigences d'affaires de l'organisation.* De façon plus précise, le personnel de R & D doit s'adapter au travail en équipe, car la plupart des activités se font en équipe, et apprendre à collaborer. De plus, on estime que le personnel de R & D ne fait pas preuve d'esprit d'entreprise et qu'il est préoccupé par des objectifs à long terme, alors que la direction se doit de respecter des normes de rentabilité à court terme. Finalement, le roulement du personnel de R & D ainsi que la difficulté à le recruter et à le retenir font que les entreprises peuvent être incapables de poursuivre ou de compléter leurs projets.

— *Répondre aux attentes et aux besoins du personnel de R & D.* Cet aspect est particulièrement important dans la mesure où il faut attirer ce personnel, le satisfaire et le retenir.

— *Gérer la rémunération et le rendement du personnel de R & D.* Il s'agit d'une tâche délicate, car le contenu des emplois est difficile à décrire et le rendement est difficile à évaluer.

— *Gérer les compétences du personnel de R & D.* Il s'agit d'une autre tâche complexe car ces employés ont deux cheminements de carrière — la R & D et la gestion — et il faut s'assurer que ces deux filières sont perçues comme étant aussi attrayantes financièrement parlant pour les employés afin d'y attirer et d'y retenir les plus compétents. En outre, il est difficile de décrire, d'évaluer et de maintenir les compétences de ces employés étant donné que la nature de leurs emplois évolue sans cesse et que ce personnel présente un taux de roulement élevé.

Selon les participants à l'enquête (St-Onge *et al.*, 1999a), les organisations canadiennes utilisent diverses stratégies pour attirer et retenir le personnel de R & D, l'une d'entre elles ayant trait à la rémunération (voir le tableau 11.9).

En ce qui touche à la rémunération du personnel de R & D, les participants à l'enquête (St-Onge *et al.*, 1999a) considèrent qu'ils font face à trois défis majeurs.

— *Élaborer des programmes particuliers de rémunération.* Des pratiques «sur mesure» s'avèrent nécessaires puisque les façons de faire traditionnelles ne permettent pas d'attirer et de retenir le personnel compétent. De plus, ces dernières récompensent le rendement individuel alors que le rendement de l'équipe est plus important.

— *S'assurer de l'équité.* Les conditions de rémunération du personnel de R & D sont perçues comme étant inéquitables par les autres catégories de personnel. Les employés de R & D ayant moins d'expérience estiment aussi injuste leur rémunération par rapport à celle de leurs collègues; ils croient que plus ils ont d'ancienneté, moins le lien est fort entre les salaires et les compétences.

— *Évaluer les exigences des emplois de R & D.* Le processus traditionnel d'évaluation des emplois s'avère inapproprié et il est difficile de décrire les emplois dans ce domaine.

Par ailleurs, l'étude de Risher (2000) relève quatre grandes tendances présentes à l'égard de la rémunération du personnel de R & D, soit l'utilisation de systèmes de bandes d'emplois élargies ainsi que de la rémunération selon les compétences; une plus grande importance accordée à l'alignement de la

TABLEAU 11.9

Les stratégies permettant d'attirer et de retenir le personnel de R & D

Stratégies pour attirer le personnel de R & D	Stratégies pour retenir le personnel de R & D
• Vanter l'organisation, c'est-à-dire son potentiel de croissance, sa réputation, sa performance, sa culture, les possibilités de carrières offertes, la qualité de la vie au travail ainsi que la diversité culturelle et ethnique de sa main-d'œuvre.	• Offrir de meilleures conditions de rémunération à court terme en ce qui concerne les augmentations de salaires, la progression salariale à court terme et les primes. On veut mettre l'accent autant sur les incitations à court terme que sur les incitations à long terme en reconnaissant davantage les compétences.
• Vanter l'environnement de travail, c'est-à-dire le service de R & D, le contenu du travail, la nature des projets, les défis actuels et futurs en matière de R & D, la qualité et l'autonomie du personnel de R & D ainsi que les infrastructures de R & D (équipements et locaux).	• Mieux gérer le rendement en révisant le processus d'évaluation (qualité de la supervision, procédures, etc.) et de reconnaissance des réalisations individuelles et collectives (célébrations, etc.). On veut reconnaître le rendement des équipes et recourir à de multiples sources d'évaluation.
• Vanter la rémunération offerte au personnel de R & D au sens large, c'est-à-dire les conditions de travail, les avantages, les possibilités d'enrichissement, le salaire, la rémunération à court terme et à long terme (options, primes, etc.).	• Mieux gérer les compétences en favorisant la formation et le perfectionnement (temps, budgets, cours, etc.) et en favorisant l'acquisition des habiletés.
• Vanter la ville (localisation), c'est-à-dire les écoles (prix, proximité, qualité), la facilité à se loger et le coût du logement, la qualité de la vie, les loisirs et les sports, etc.	

rémunération sur le marché plutôt que sur l'équité interne (ou la valeur des emplois); le rôle accru des incitations en argent pour récompenser la performance collective (par exemple, le partage des profits et l'achat d'actions); la reconnaissance en argent et en visibilité des réalisations importantes (développement de nouveaux produits, dépassement des objectifs de ventes, progrès de la recherche, etc.). Ces derniers constats à l'égard des tendances et des défis en matière de rémunération du personnel de R & D sont cohérents par rapport aux particularités de ce personnel (voir le tableau 11.10).

TABLEAU 11.10

LES PARTICULARITÉS DU PERSONNEL DE **R & D** ET LEURS INCIDENCES
SUR LA RÉMUNÉRATION

Particularités du personnel de R & D	Incidences sur la rémunération du personnel de R & D
• Emplois non répétitifs, fluidité des tâches et du contexte de travail et obsolescence rapide des connaissances	• Nécessité d'utiliser des méthodes de gestion de la rémunération appuyant l'acquisition et la mise à jour continues des connaissances
• Loyauté envers la profession et le développement plutôt qu'envers l'organisation et le revenu	• Nécessité d'aligner les intérêts du personnel de R & D sur ceux de l'organisation à travers la rémunération
• Comparaisons de la rémunération avec les professionnels étant entrés sur le marché du travail au même moment que les employés de R & D ou avec des employés occupant des postes semblables dans d'autres entreprises plutôt qu'avec des référents au sein de l'organisation	• Prédominance de l'équité externe sur l'équité interne
• Tolérance à l'égard de l'incertitude et disposition à prendre des riques	• Possibilité d'utiliser la rémunération variable
• Concentration géographique des entreprises employant le personnel de R & D minimisant les coûts du changement d'employeur pour ce personnel	• Importance de considérer la conservation du personnel dans les stratégies de rémunération
• Travail ayant un horizon à long terme	• Prudence à l'égard de la rémunération variable à court terme

Source : Adapté de Jodoin (2003).

11.5 Les autres catégories particulières de personnel

En dehors des catégories de personnel précédentes, la rétribution de bien d'autres salariés est particulière et peut représenter un défi particulier pour les organisations, notamment la rémunération du personnel contractuel, des superviseurs et des membres des conseils d'administration.

11.5.1 La rémunération du personnel atypique

Depuis le début des années 1970, les organisations du Québec et du Canada proposent de moins en moins d'emplois « typiques », à temps plein et permanents. Au Québec, la proportion des emplois atypiques — des postes à temps partiel, des emplois temporaires, des emplois de remplacement pour une agence, le travail autonome, le travail contractuel à court terme, le travail saisonnier, etc. — dans l'emploi total est passée de 17 % en 1976 à 36 % en 2001 (*Le Soleil,* 2004). Cette situation a des conséquences pour la rémunération des personnes visées ; on observe ainsi des avantages et une protection juridique moindres, des régimes de retraite minces ou inexistants, un accès limité, voire inexistant, à des programmes d'assurance salaire en cas de maladie et, pour les travailleurs autonomes, une absence de congés de maternité et parentaux et aucun droit aux prestations d'assurance-emploi. En 2003, le rapport Bernier, qui proposait plusieurs recommandations sur le sujet, a été remis au gouvernement du Québec.

Selon une enquête du Conference Board du Canada (Lebrun, 1997), les employeurs disent embaucher du personnel sur une base contractuelle pour les raisons suivantes : pour accroître la flexibilité dans l'organisation du travail afin de tenir compte de diverses fluctuations dans la demande de travail (90 %), pour se doter d'expertises spécialisées (70 %), pour contrôler les coûts du personnel (50 %), pour présélectionner les candidats retenus sur une base permanente (25 %) et pour contrôler les coûts des avantages et préserver l'emploi des employés permanents (15 %).

La protection des employés permanents s'explique par le fait qu'il semble que plus les organisations offrent des conditions de travail coûteuses pour leurs employés permanents, plus elles tendent à embaucher davantage d'employés contractuels (Houseman, 1997). Selon l'étude du Conference Board du Canada (Lebrun, 1997), seulement 20 % des employeurs offrent les mêmes bénéfices à leurs employés contractuels qu'à leurs employés réguliers. Par ailleurs, il semble que les employés embauchés sur une base contractuelle sont souvent moins payés que les employés réguliers occupant des emplois équivalents (Zeytinoglu, 1999). Considérant ces différentiels importants de traitement, il faut se méfier des divers coûts directs et indirects associés aux perceptions d'iniquité que cela peut entraîner dans les milieux de travail. Ainsi, l'étude de Tansky *et al.* (1997) montre que l'engagement des employés à temps partiel à l'égard de leur employeur dépend principalement de la certitude qu'ils ont d'être traités équitablement (en ce qui a trait au salaire, aux vacances, aux assurances collectives, etc.) comparativement à leurs collègues qui ont un emploi à temps plein.

11.5.2 La rémunération des superviseurs

En ce qui concerne les superviseurs, particulièrement dans les milieux où l'on trouve un syndicat, le défi consiste pour l'organisation à être en mesure de leur offrir une rémunération nettement supérieure à celle de leurs subordonnés les mieux payés. En effet, étant donné que les superviseurs sont souvent considérés comme du personnel cadre, ils ne sont pas, comme leurs subordonnés, admissibles aux heures supplémentaires payées à un taux bonifié. Aussi, dans ce contexte, il faut que les dirigeants veillent à leur accorder une rémunération suffisante pour pourvoir les postes d'encadrement. Ils peuvent faire cela en ajustant les salaires pour créer une différence notable avec les subordonnés les mieux payés (de 5 % à 30 % selon Milkovich et Newman, 2005). Ils peuvent aussi décider de payer les superviseurs pour les heures supplémentaires qu'ils effectuent. Finalement, on remarque une tendance de plus en plus répandue à rendre les superviseurs admissibles à des régimes de rémunération variable : ainsi, plus de 50 % des organisations gèrent maintenant un partie variable de la rémunération, alors que ce pourcentage s'élevait à 16 % par le passé (IOMA, 2000).

11.5.3 La rémunération des membres des conseils d'administration

Depuis quelques années, la presse débat de plus en plus de la rémunération des administrateurs des sociétés. Les cas de fraudes importantes et l'évolution des pratiques et de la réglementation en matière de gouvernance pour rétablir la confiance (par exemple, la loi Sarbanes-Oxley adoptée en 2002 aux États-Unis ou encore les instructions données par les autorités en valeurs mobilières de l'Ontario en matière de gouvernance) ont accru les responsabilités des administrateurs et les risques qu'ils courent. Dans ce contexte, plusieurs organisations revoient leur mode traditionnel de rémunération — souvent basé sur des jetons de présence — afin d'être en mesure d'attirer et de retenir des administrateurs compétents qui consacreront le temps requis à leurs tâches.

BULLETIN$ 11.5

LES TENDANCES CANADIENNES DANS LA RÉMUNÉRATION GLOBALE DES ADMINISTRATEURS DES SOCIÉTÉS CANADIENNES DE L'INDICE COMPOSITE S & P/TSX

– *La rémunération des administrateurs s'est acccrue de 32 % entre 2001 et 2003. Plus précisément, la rémunération médiane globale des présidents qui ne sont pas membres de la direction des sociétés s'élevait à 213 924 $ en 2003, une augmentation de 9 % par rapport à 2002.*

– *La rémunération des présidents des sous-comités des conseils d'administration s'élevait à 79 135 $, soit 22 % de plus qu'en 2002. Les sociétés tendent aussi à rémunérer les administrateurs en fonction de leurs responsabilités : en 2003, 39 % des sociétés de l'indice TSX 100 accordaient une rémunération plus élevée au*

BULLETIN$ 11.5 (suite)

président du comité de vérification (contre 17 % en 2002) et 7 % à celui du comité de rémunération (contre 4 % en 2002).

— Les options d'achat d'actions sont progressivement remplacées par des unités d'actions différées, c'est-à-dire des unités d'actions fictives ayant chacune une valeur équivalente à celle d'une action ordinaire. L'administrateur reçoit généralement la valeur de ses unités — en espèces ou en actions — à la fin de son mandat. En 2003, 26 % des sociétés accordaient des options aux administrateurs par rapport à 47 % en 2002.

— Les jetons de présence sont aussi remis en question : en 2003, 14 sociétés de l'indice TSX 100 rémunéraient leurs administrateurs sous forme d'honoraires.

Source : Traduit de Mercer, Consultation en ressources humaines et Institut des administrateurs de sociétés (2004).

Conclusion

Alors que nous avons montré au chapitre 2 que la gestion de la rémunération est fonction des caractéristiques de l'environnement et des organisations, nous avons illustré dans le présent chapitre comment la rémunération de certaines catégories de personnel est particulière, soit celle des dirigeants, du personnel expatrié, du personnel de vente, du personnel de R & D, du personnel atypique, des superviseurs et des administrateurs. D'autres catégories de personnel sont aussi particulières sur le plan de la rémunération, notamment celles des artistes et des athlètes. Forts des connaissances acquises dans ce chapitre, les lecteurs sont appelés à les étendre à d'autres catégories particulières de personnel de manière à mieux comprendre la dynamique propre à leur rémunération.

Questions de révision

1. Aujourd'hui, compte tenu de la multiplicité et de la complexité des composantes de la rémunération, il devient très difficile pour les investisseurs et le public d'estimer la rémunération totale des dirigeants d'entreprise. Distinguer les principales composantes de la rémunération des dirigeants tant à court terme qu'à long terme.

2. Les régimes d'options d'achat d'actions à l'intention des cadres supérieurs font l'objet d'un débat. Traiter des avantages et des inconvénients que l'on attribue à ce mode de rémunération et résumer certains résultats des études qui ont analysé l'efficacité de ce mode de rémunération.

3. Certains auteurs proposent que, au lieu d'accorder des options d'achat d'actions, on adopte des régimes d'octroi d'actions restreintes. Décrire ce dernier mode de rémunération et commenter ses atouts et ses limites.

4. Les régimes supplémentaires de retraite offerts aux dirigeants semblent devenir une autre façon de dissimuler un enrichissement des dirigeants sur lequel on peut s'interroger. Commenter le contenu de cette facette de la rémunération et des récentes tendances à son égard que l'on voit adopter aux États-Unis et qui peuvent être adoptées au Canada dans l'avenir. Selon vous, quels principes devraient guider la gestion de cette facette de la rémunération des dirigeants?

5. Les dirigeants d'entreprise reçoivent aussi diverses gratifications et des «parachutes ou menottes dorés». Définir ces composantes et traiter de leur valeur et de leur raison d'être.

6. La rémunération des dirigeants d'entreprise peut être analysée selon diverses perspectives, soit comme un enjeu économique, un enjeu politique, un enjeu symbolique et institutionnel ou un enjeu de ressources humaines. Distinguer et commenter ces perspectives et leurs prémisses respectives à l'égard de la rémunération des dirigeants.

7. Une particularité de la rémunération du personnel de vente repose sur le recours aux commissions et aux primes. Distinguer et comparer ces deux modes de rémunération variable sous divers angles : les facteurs qui privilégient le recours à l'un ou l'autre de ces deux modes de rémunération variable, leurs avantages et leurs inconvénients respectifs, etc.

8. Décrire diverses formules de calcul de commissions.

9. Quels facteurs influent sur la combinaison «rémunération fixe et rémunération variable» du personnel de vente? En d'autres mots, quelles caractéristiques permettent de déterminer s'il est préférable de rémunérer le personnel de vente principalement à salaire (proportion fixe) ou principalement à commission ou à primes (proportion variable)?

10. Commenter succinctement les particularités liées à l'évaluation du rendement du personnel de vente.

11. Traiter des défis et des changements à venir en matière de rémunération du personnel de vente.

12. Énumérer les diverses composantes propres à la rémunération du personnel expatrié.

13. Distinguer les principales méthodes de gestion de la rémunération du personnel expatrié.

14. Énumérer les principaux objectifs que les employeurs peuvent viser en matière de rémunération des employés expatriés.

15. Traiter des défis particuliers que les employeurs doivent relever en matière de rémunération des employés expatriés.

16. Quels sont les caractéristiques particulières du personnel de R & D et les défis qu'elles posent à l'égard, en général, de la gestion de ce personnel et, en particulier, de la gestion de leur rémunération?

17. Commenter les principaux défis et les particularités liés à la gestion des trois catégories suivantes de personnel : le personnel atypique, les superviseurs et les membres des conseils d'administration des sociétés.

Références

ABOODY, D. (1996). «Valuation of employee stock options», *Journal of Accounting and Economics,* n° 22, p. 357-391.

ANDERSON, S. *et al.* (2003). *Executive Excess 2003. CEOs Win, Workers and Taxpayers Lose,* 10ᵉ enquête annuelle de CEO Compensation, Boston, Institute for Policy Studies and United for a Fair Economy.

BALKIN, D.B. et B.D. BANNISTER (1993). «Explaining pay forms for strategic employee groups in organizations : A resource dependence perspective», *Journal of Occupational and Organizational Psychology,* vol. 66, p. 139-151.

BARRETTE, J. *et al.* (2002). «Les entreprises de haute technologie et leurs pratiques de recrutement, de sélection, d'évaluaton du rendement et de rémunération», *Gestion,* vol. 27, n° 2, p. 54-66.

BARTOL, K.M. et A. SRIVASTAVA (2002). «Encouraging knowledge sharing : The role of organizational reward system», *Journal of Leadership and Organization Studies,* vol. 9, n° 1, p. 64-76.

BEATTY, R. et E. ZAJAC (1994). «Managerial incentives, monitoring and risk bearing : A study of executive compensation, ownership and board structure in initial public offerings», *Administrative Science Quarterly,* vol. 39, n° 2, p. 313-335.

BELLIVEAU, M.A., C.A. O'REILLY et J.B. WADE (1996). «Social capital at the top : Effects of social similarity and status on CEO compensation», *Academy of Management Journal,* vol. 39, p. 1 568-1 593.

BIOUELE, S.P. (2000). «La gestion des expatriés : une étude auprès des firmes multinationales canadiennes», mémoire de maîtrise, Montréal, HEC Montréal.

BLACK, J.S. (1991). «Returning expatriates feel foreign in their national land», *Personnel,* vol. 68, p. 8.

BLACK, J.S. et H.B. GREGERSEN (1999). «The right way to manage expats», *Harvard Business Review,* vol. 77, n° 2, mars-avril, p. 52-62.

BLAKE, P.A. (2002). « The challenges of the signing benefit packages for globally mobile employees », *Employment Relations Today,* vol. 29, n° 3, p. 49-58.

BONACHE, J. et Z. FERNÁNDEZ (1997). « Expatriate compensation and its link to the subsidiary strategic role : A theoretical analysis », *The International Journal of Human Resource Management,* vol. 8, n° 4, p. 457-475.

BOURGEOIS, P., S. ST-ONGE et M.L. MAGNAN (1996a). « Executive compensation disclosure », *Human Resources Professional,* vol. 13, n° 6, septembre, p. 8-10.

BOURGEOIS, P., S. ST-ONGE et M.L. MAGNAN (1996b). « La divulgation de la rémunération individuelle des dirigeants », *Info Ressources humaines,* vol. 18, n° 6, juin-juillet, p. 10-13.

BRASSARD, G. (2002). « Les variables influençant la rétention des rapatriés », mémoire de maîtrise, Montréal, HEC Montréal.

CAREY, J.F. (1992). *Complete Guide to Sales Force Compensation,* New York, Irwin, Business One.

CERDIN, J.-L., S. ST-ONGE et S. XAVIER (2000). « La rémunération des expatriés : défis et pratiques de gestion », dans J.-M. Peretti et P. Roussel (sous la dir. de), *Les rémunérations : politiques et pratiques pour les années 2000,* Paris, Vuibert, coll. « Entreprendre », série Vital Roux, p. 293-310.

CHINGO, P.R. et M.M. ENGEL (1998). « Trends in stock option plans and long-term incentives », *ACA Journal,* vol. 7, n° 1, p. 13-22.

CICHELLI, D.J. (1994). « Sales compensation fundamentals : Getting the mix and leverage right », *Compensation News,* vol. 1, n° 4, mars, p. 1-4.

CICHELLI, D.J. (2004). *Compensating the Sales Force : A Practical Guide to Designing Winning Sales Compensating Plans,* New York, McGraw Hill.

COLETTI, J.A. et D.J. CICHELLI (1991). « Increasing sales-force effectiveness through the compensation plan », dans M.L. Rock et L.A. Berger (sous la dir. de), *The Compensation Handbook,* New York, McGraw-Hill, p. 290-306.

COLETTI, J.A. et D.J. CICHELLI (1993). *Designing Sales Compensation Plans, Building Blocks in Total Compensation,* Scottsdale, Ariz., American Compensation Association.

COLLETTI, J.A. et M.S. FISS (1999). *Compensating New Sales Roles,* New York, American Management Association.

COOKE, R. et A. DUFFY (2002). « Changement de contrôle : revue des sociétés du TSE 100 », Société Conseil Mercer Ltée, http://www.mercerHR.com, p. 4.

COUGHLAN, A.T. et S.K. SEN (1986). « Salesforce compensation : Insights from management sciences », document de travail, Marketing Science Institute.

CRAIGHEAD, J.A., A. DUFFY et G. FROST (2005). « Tout ce que les administrateurs devraient savoir sur les options d'achat d'actions », *Rémunération des cadres supérieurs : nouvelle gouvernance, nouvelle orientation,* Montréal, Mercer, Consultation en ressources humaines, série « Perspective 2005 », p. 13-22.

CRAIGHEAD, J.A., M.L. MAGNAN et L. THORNE (1998). « The impact of mandated compensation disclosure on the use of monitoring mechanisms by firms », document de travail, Montréal, Université Concordia, janvier.

CRAIGHEAD, J.A., M.L. MAGNAN et L. THORNE (2004). « The impact of mandated disclosure on performance-based CEO compensation », *Contemporary Accounting Research / Recherche comptable contemporaine,* vol. 21, n° 2, p. 369-398.

CRYSTAL, G.S. (1992). *In Search of Excess : The Overcompensation of American Executives,* New York, W.W. Norton & Company.

DARMON, R.Y. (2000). « La rémunération des commerciaux : quelles politiques pour l'an 2000 ? », dans J.-M. Peretti et P. Roussel (sous la dir. de), *Les rémunérations : politiques et pratiques pour les années 2000,* Paris, Vuibert, coll. « Entreprendre », série Vital Roux, p. 279-291.

DECHOW, R. et R. SLOAN (1991). « Executive incentives and the horizon problem : An empirical investigation », *Journal of Accounting and Economics,* vol. 14, p. 51-89.

DeFUSCO, R.A., R.R. JOHNSON et T.S. ZORN (1990). « The effect of executive stock option plans on shareholders and bondholders », *Journal of Finance,* vol. 45, p. 617-627.

DESSLER, G., N.D. COLE et V.L. SUTHERLAND (1999). *Human Resource Management in Canada,* 7e éd., Scarborough, Ont., Prentice-Hall.

DiMAGGIO, P.J. et W.W. POWELL (1983). « The iron cage revisited : Institutional isomorphism and collective rationality in organizational fields », *American Sociological Review,* avril, p. 147-160.

DOWLING, P.J., R.S. SCHULER et D.E. WELCH (1999). *International Human Resource Management,* Cincinnati, Ohio, South-Western College Publishing.

EKSTROM, J. (1999). « Out of sight, out of mind, out of the door : Helping expatriates cope with work-life issues », *ACA News,* vol. 42, n° 7, p. 18-21.

ELLIG, B.R. (2002). *The Complete Guide to Executive Compensation,* New York, McGraw-Hill.

EVANS, J., T. NOE et J. THORNTON (1997). « Regulary distorsion of management compensation : The case of golden parachutes for bank managers », *Journal of Banking and Finance,* vol. 21, n° 6, p. 825-848.

FALL, M., D. CORMIER et M.L. MAGNAN (1998). « L'octroi d'options d'achat d'actions aux dirigeants d'entreprise et la performance organisationnelle : une étude canadienne », document de travail, Montréal, Centre de recherche en gestion, UQÀM.

FAMA, E. (1980). « Agency problems and the theory of the firm », *Journal of Political Economy,* vol. 88, n° 2, p. 288-307.

FAY, S. (2003). « Pour restaurer la confiance, les PDG américains sont priés de revoir leur rémunération », *Le Monde,* 7 avril.

FINKELSTEIN, S. et D.C. HAMBRICK (1989). « Chief executive compensation : A synthesis and reconciliation », *Strategic Management Journal,* vol. 9, n° 6, p. 543-558.

FORSTER, N. (1997). « The persistent myth of high expatriate failure rates : A reappraisal », *The International Journal of Human Resource Management,* vol. 8, n° 4, p. 415-433.

GÉLINAS, P. (2001). « La rémunération des dirigeants d'entreprise : une analyse selon la perspective institutionnelle », thèse de doctorat, Montréal, HEC Montréal.

GIMEIN, M. (2002). « You bought : They sold », *Fortune Magazine,* 2 septembre.

GOMEZ-MEJIA, L.R. (1994). « Executive compensation : A reassessment and a future research agenda », dans G. Ferris (sous la dir. de), *Research in Personnel and Human Resources Management,* vol. 12, Greenwich, Conn., JAI Press, p. 161-222.

GOMEZ-MEJIA, L.R. et R.M. WISEMAN (1997). « Reframing executive compensation : An assessment and outlook », *Journal of Management,* vol. 23, n° 3, p. 291-374.

GOULD, C. (1999). « Expat pay plans suffer cutbacks », *Workforce,* septembre, p. 40-46.

GRAHAM, M.E. et C.O. TREVOR (2000). « Managing new pay program introductions to enhance the competitiveness of multinaltional corporations », *Competitiveness Review,* vol. 10, n° 1, p. 136-155.

GREGERSEN, H.B., J.M. HITE et J.S. BLACK (1996). « Expatriate performance appraisal in U.S. multinational firms », *Journal of International Business Studies,* automne, p. 711-738.

GUPTA, A.K. et V. GOVINDARAJAN (1991). « Knowledge flows and the structure of control within multinational corporations », *Academy of Management Review,* vol. 16, n° 4, p. 768-792.

HARVEY, M. (1993). « Empirical evidence of recurring international compensation problems », *Journal of International Business Studies,* vol. 24, n° 4, p. 785-799.

HOUSEMAN, S.N. (1997). « New institute survey on flexible staffing », *Employment Research,* vol. 4, n° 1, p. 1-4.

HUDDART, S. et M. LANG (1996). « Employee stock option exercises : An empirical analysis », *Journal of Accounting and Economics,* vol. 21, p. 5-43.

IOMA (2000). *Pay for Performance Report,* New York, IOMA, mai.

JACOBS, C.D. (1997). « Creating a variable pay plan for a sales staff », *ACA News,* vol. 40, n° 10, novembre-décembre, p. 39-42.

JENSEN, M. et W.H. MECKLING (1976). « Theory of the firm : Managerial behavior, agency costs and ownership structure », *Journal of Financial Economics,* vol. 3, p. 305-360.

JENSEN, M. et K. MURPHY (1990). « Performance and top management incentives », *Journal of Political Economy,* vol. 98, n° 2, p. 225-264.

JODOIN, M.N. (2003). « La rémunération du personnel de recherche et développement dans les organisation canadiennes », mémoire de maîtrise, Montréal, HEC Montréal.

KAHNEMAN, D. et A. TVERSKY (1979). « Prospect theory : An analysis of decision under risk », *Econometrica,* vol. 47, p. 263-291.

KAY, I.T. (1997). « How stock drives CEO and company performance », *ACA News,* octobre, p. 19-22.

LAMBERT, R., D. LARCKER et R. VERECCHIA (1991). « Portfolio considerations in valuing executive stock options », *Journal of Accounting Research,* vol. 29, p. 129-149.

LATTA, G.W. (1999). « Expatriate policy and practice : A ten-year comparison of trends », *Compensation & Benefits Review,* vol. 31, n° 4, p. 35-39.

LEBIRE, S. (2000). « Les variables influençant l'efficacité de la gestion de la rémunération des expatriés », mémoire de maîtrise, Montréal, HEC Montréal.

LEBRUN, S. (1997). « Growing contract workforce hindered by lack of rules », *Canadian HR Reporter,* vol. 19, mai, p. 1-2.

LEIGHTON, D.S.R. et D.H. THAIN (1997). *Making Boards Work,* New York, McGraw-Hill.

LOGGER, E. et R. VINKE (1995). « Compensation and appraisal of international staff », dans A.W. Harzing et J. Van Ruysseveldt (sous la dir. de), *International Human Resource Management,* Londres, Sage, p. 252-270.

LOGGER, E., R. VINKE et F. KLUYTMANS (1995). « Compensation and appraisal in an international perspective », dans A.W. Harzing et J. Van Ruysseveldt (sous la dir. de), *International Human Resource Management,* Londres, Sage, p. 144-155.

LOMAX, S. (2001). *Best Practices for Managers & Expatriates,* New York, Wiley.

LONG, R.J. (2002). *Strategic Compensation in Canada,* Toronto, Nelson Series in Human Resources Management.

MAGNAN, M.L. et S. ST-ONGE (1997). « Bank performance and executive compensation : A managerial discretion perspective », *Strategic Management Journal,* vol. 18, n° 7, p. 573-581.

MAGNAN, M.L. et S. ST-ONGE (2005a). «Des régimes de retraite trop généreux», *La Presse,* cahier «Affaires», 7 février, p. 7.

MAGNAN, M.L. et S. ST-ONGE (2005b). «Mythes et réalités : on dit bien des choses sur la rémunération des dirigeants d'entreprises», *La Presse,* cahier «Affaires», 6 juin, p. 7.

MAGNAN, M.L., S. ST-ONGE et Y. CALLOC'H (2001). «Conseil d'administration et régie d'entreprise : le cas de la rémunération des dirigeants d'entreprise au Canada», *Canadian Journal of Administrative Sciences/Revue canadienne des sciences de l'administration,* vol. 18, n° 2, p. 57-76.

MAGNAN, M.L., S. ST-ONGE et L. THORNE (1995). «A comparative analysis of the determinants of executive compensation between Canadian and U.S. firms», *Relations industrielles/Industrial Relations,* vol. 50, n° 2, p. 297-317.

MAGNAN, M.L., S. ST-ONGE et L. THORNE (1996). «Performance organisationnelle et rémunération des dirigeants : une comparaison Canada – États-Unis», *Canadian Journal of Administrative Sciences/Revue canadienne des sciences de l'administration,* vol. 13, n° 2, p. 102-118.

McGUIRE, J., S. DOW et Z. GUEDRI (2004). «Mythes et réalités : l'enquête amorcée aux États-Unis relance le débat sur l'efficacité des régimes d'options d'achat d'actions», *La Presse,* cahier «Affaires», 21 juin, p. 9.

MEHRAN, H. (1995). «Executive compensation structure ownership and firm performance», *Journal of Financial Economics,* vol. 38, n° 2, p. 163-184.

MERCER, CONSULTATION EN RESSOURCES HUMAINES et INSTITUT DES ADMINISTRATEURS DE SOCIÉTÉS (2004). Enquête, Toronto, http://mercerh.com/pressrelease/18 octobre.

MEYER, J. et B. ROWAN (1977). «Institutional organizations : Formal structure as myth and ceremony», *American Journal of Sociology,* vol. 83, p. 340-363.

MILKOVICH, G.T. (1988). «A strategic perspective on compensation management», *Research in Personnel and Human Resources Management,* vol. 6, p. 263-288.

MILKOVICH, G.T. et J.M. NEWMAN (2005). *Compensation,* New York, McGraw-Hill et Irwin.

MURPHY, K.J. (1985). «Corporate performance and managerial remuneration : An empirical analysis», *Journal of Accounting and Economics,* vol. 7, n° 1, avril, p. 11-42.

MURPHY, K.J. (1998). *Executive Compensation,* cahier de recherche, Los Angeles, Marshall School of Business, University of Southern California, p. 1-90.

O'CONNELL, A. et L. SLIP (2005). « Regard sur les parachutes dorés : examen des indemnités payées aux cadres en cas de changement de contrôle», *Rémunération des cadres supérieurs : nouvelle gouvernance, nouvelle orientation,* Montréal, Mercer, Consultation en ressources humaines, série « Perspective 2005 », p. 23-28.

O'DONNELL, S. (1999). «Compensation design as a tool for implementing foreign subsidiairy strategy», *Management International Review,* vol. 39, n° 2, p. 149-166.

OEMIG, D.R.E. (1999). «When you say, "We'll keep you whole," do you mean it?», *Compensation & Benefits Review,* vol. 31, n° 4, p. 40-47.

O'REILLY, C.A., B.G. MAIN et G.S. CRYSTAL (1988). «CEO compensation as tournament and social comparison : A tale of two theories», *Administrative Sciences Quarterly,* vol. 33, p. 257-274.

PARK, Y., T. NELSON et M. HUSON (2001). «Executive pay and the disclosure environment : Canadian evidence», *Journal of Management Inquiry,* vol. 10, n° 3, p. 347-365.

PATTERSON, V. (2002). «Employment contracts attract top executives», *Career Journal from Wall Street,* http://www.careerjournal.com, p. 6.

PAVLIK, E., T. SCOTT et P. TIESSEN (1993). «Executive compensation : Issues and research», *Journal of Accounting Literature,* vol. 12, p. 131-189.

PERKINS, S.J. (1997). *Globalization – The People Dimension : Human Resource Strategies for Global Expansion,* Londres, Kogan Page, 1997.

PHILLIPS, L. et M.A. FOX (2003). «Compensation strategy in transnational corporations», *Management Decision,* vol. 41, n°s 5-6, p. 465-477.

PILV, P. (2003). «The changing role of the management share plan in continental Europe», *Pensions : An International Journal,* vol. 9, n° 2, p. 170.

PITTS, G. (1997). «Managing compensation : The extra costs of foreign postings», *The Globe and Mail,* janvier, p. B12.

PRESSE (LA) (2005). «Le PDG de la TD est le mieux payé», cahier «Affaires», 18 février, p. 5.

PROST, C. (1998). «La gestion des expatriés : proposition d'un modèle de recherche et développement d'un questionnaire», mémoire de maîtrise, Montréal, HEC Montréal.

REVELL, J. (2003). «Think CEO pay is out of control? Wait till you see what these guys get when they retire», *Fortune,* 28 avril, p. 68.

REYNOLDS, C. (1994). *Compensation Basics for North American Expatriates, Developing and Effective Program for Employees Abroad,* Scottsdale, Ariz., American Compensation Association.

REYNOLDS, C. (1997). «Expatriate compensation in historical perspective», *Journal of World Business,* vol. 32, n° 2, p. 118-132.

RISHER, H. (2000). «Compensating today's technical professional», *Research Technology Management,* vol. 43, n° 1, p. 50-57.

RODIN, B.V. (1997). «Understanding the changing world of expatriate pay», *ACA News,* novembre-décembre, p. 30-33.

ROTH, K. et S. O'DONNELL (1996). « Foreign subsidiary compensation strategy : An agency theory perspective », *Academy of Management Journal,* vol. 39, n° 3, p. 678-704.

SABA, T. (2001). « La GRH dans les entreprises internationales : une réalité complexe et des exigences nouvelles », *Effectif,* janvier-février-mars, p. 22-30.

SAVOIE, J.-C. (2001). « Quatre grandes préoccupations des employés mutés à l'étranger : les solutions d'Alcan », *Effectif,* janvier-février-mars, p. 31-33.

SCHELL, M.S. et C.M. SOLOMON (1997). *Capitalizing on the Global Workforce : A Strategic Guide for Expatriate Management,* New York, Irwin.

SCHULER, R.S., J.R. FULKERSON et P.J. DOWLING (1991). « Strategic performance measurement and management in multinational corporations », *Human Resource Management,* vol. 30, p. 365-392.

SCHULTZ, E.E. (2001). « Big send-off : As firms pare pensions for most, they boost those for executives — special plans and their cost lie hidden as companies lump together lisibilities — the last-minute sweetener », *Wall Street Journal,* 20 juin, p. A1.

SIM, M. et L. DIXON (2004). « Les défis que pose la gestion des employés en poste à l'étranger », http://www.mercerhr.ca, 5 avril.

SINGH, A.S. et F. HARIANTO (1989a). « Management-board relationships, takeover risk and the adoption of golden parachutes », *Academy of Management Journal,* vol. 32, n° 1, p. 7-12.

SINGH, A.S. et F. HARIANTO (1989b). « Top management tenure, corporate ownership structure and the magnitude of golden parachutes », *Strategic Management Journal,* vol. 10, p. 143-156.

SOLEIL (LE) (2004). « Le rapport Bernier ne doit pas rester lettre morte », rubrique « Opinions », 4 novembre, p. A17.

SRIDHARAN, U.V. (1996). « CEO influence and executive compensation », *Financial Review,* vol. 31, n° 1, février, p. 51-66.

ST-ONGE, S. *et al.* (1996). « L'efficacité des régimes d'option d'achat d'action : qu'en sait-on ? », *Gestion,* vol. 21, n° 2, p. 20-31.

ST-ONGE, S. *et al.* (2002). « Gérer la rémunération dans un contexte de mobilité internationale : l'art de jongler avec différentes perspectives », *Gestion,* vol. 27, n° 1, p. 41-55.

ST-ONGE, S., M.L. MAGNAN et C. PROST (1998). « Enquête sur les pratiques de gestion des expatriés dans les organisations canadiennes », questionnaire de recherche, Montréal, HEC Montréal.

ST-ONGE, S. *et al.* (1999a). « Managing R & D personnel : A challenge for Canadian organizations », *The HRM Research Quarterly,* vol. 3, n° 4, p. 1-8.

ST-ONGE, S. *et al.* (1999b). « L'efficacité des régimes d'option d'achat d'action : l'opinion des dirigeants d'entreprise », *Gestion,* vol. 24, n° 2, p. 42-52.

STREDWICK, J. (2000). « Aligning rewards to organizational goals : A multinational's experience », *European Business Review,* vol. 12, n° 1, p. 9-18.

TANSKY, J.W., D.G. GALLAGHER et K.W. WETZEL (1997). « The effect of demographics, work status, and relative equity on organizational commitment : Looking among part-time workers », *Canadian Journal of Administrative Sciences/Revue canadienne des sciences de l'administration,* vol. 14, n° 3, p. 315-326.

TOH, S.M. et A.S. De NISI (2005a). « A local perspective to expatriate success », *The Academy of Management Executive,* vol. 19, n° 1, p. 132-146.

TOH, S.M. et A.S. De NISI (2005b). « Host country reactions to expatriate pay policies : A model and implications », *Academy of Management Review,* vol. 28, n° 4, p. 606-621.

TOSI, H.L. *et al.* (1998). *A Meta-Analysis of Executive Compensation Studies,* cahier de recherche, Gainesville, University of Florida.

TOWERS PERRIN (2001). *Worldwide Total Remuneration,* 2001-2002, New York, Towers Perrin Association.

TREMBLAY, M., J. CÔTÉ et D.B. BALKIN (2003). « Explaining sales pay strategy using agency, transaction cost and resource dependence theories », *Journal of Management Studies,* vol. 40, n° 7, p. 1 653-1 682.

TREPO, G. et P. ROUSSEL (1999). « Performance des grands groupes et stratégies de rétribution des dirigeants », *Cahier de recherche de HEC Paris,* n° 665.

VANCE, S.G. (1983). *Corporate Leadership : Boards, Directors, and Strategy,* New York, McGraw-Hill.

WADE, J., C.A. O'REILLY et I. CHANDRATAT (1990). « Golden parachutes : CEOs and the exercise of social influence », *Administrative Science Quarterly,* vol. 35, n° 4, p. 587-603.

WESTPHAL, J.D. et E.J. ZAJAC (1994). « Substance and symbolism in CEO's long term incentive plans », *Administrative Science Quarterly,* vol. 39, n° 3, p. 367-390.

WESTPHAL, J.D. et E.J. ZAJAC (1995). « Who shall govern ? CEO/board power demographic similarity and new director selection », *Administrative Science Quarterly,* vol. 40, n° 1, p. 60-83.

YERMACK, D. (1997). « Good timing : CEO stock option awards and company news announcements », *The Journal of Finance,* vol. 52, n° 2, juin, p. 449-477.

ZEYTINOGLU, I. (1999). « Flexible work arrangements : An overview of developments in Canada », dans I. Zeytinoglu (sous la dir. de), *Changing Work Relationships in Industrialized Countries,* Amsterdam, John Benjamin Publishing, p. 41-58.

Index